DERECHO ROMANO

4ª Edición

DERECHO ROMANO

4ª Edición

RICARDO PANERO GUTIÉRREZ

tirant lo blanch

Valencia, 2008

© RICARDO PANERO GUTIÉRREZ

© TIRANT LO BLANCH
EDITA: TIRANT LO BLANCH
C/ Artes Gráficas, 14 - 46010 - Valencia
TELFS.: 96/361 00 48 - 50
FAX: 96/369 41 51
Email:tlb@tirant.com
http://www.tirant.com
Librería virtual: http://www.tirant.es
DEPOSITO LEGAL: V -3781-2008
I.S.B.N.: 978 - 84 - 9876 - 291 - 4
IMPRIME: GUADA IMPRESORES, S.L. - PMc

*A mi esposa, con cariño entrañable,
profundo respeto y toda mi gratitud*

Nota a la Cuarta Edición

En la 3ª Edición de este DERECHO ROMANO, parafraseando, *a contrario*, *Constitutio Tanta* 10, se advertía que, en general, poco se había modificado su contenido, respecto a la 1ª y 2ª; se justificaba el "por qué" y se precisaba que, en la forma, se había procurado rectificar errores tipográficos y sobre todo, presentar, con el máximo rigor, los latines de notas, citas y fuentes. En este aspecto, y como aportación formal más destacada, se proponía, a manera de introducción del primer gran apartado, Derecho e Historia, unas "sugerencias docentes": tres cuadros, bastante completos, que han sido calificadas de útiles por los estudiantes, lo que les agradezco, pues esa era su finalidad.

Esta 4ª Edición sigue la misma tónica. Así pues, se reitera, en cuanto al fondo, la idea central de pocas innovaciones y, en cuanto a la forma, se han ido incluyendo, en cada una de las partes restantes, algún que otro cuadro, esquema, gráfico o *memorandum,* en su significado actual, con el deseo de que *paulatim* este DERECHO ROMANO, como *manual*, pueda seguir siendo de utilidad al discente, contribuyendo a facilitar el estudio, en las nuevas Enseñanzas universitarias de Grado, de la más antigua, académicamente, de nuestras disciplinas jurídicas.

Así pues, el Derecho Romano, ahora (como todas las demás asignaturas, más modernas) ante la inminente construcción del Espacio Europeo de Educación Superior, iniciado con la declaración de Bolonia de 1999, debe, de forma progresiva, armonizar sus contenidos y contribuir, de esta manera, al cumplimiento del compromiso asumido por el Gobierno español (RD 1393/2007, de 29 de octubre), por el que, en el año 2010, todas las enseñanzas deberán estar adaptadas a la nueva estructura.

Se procura pues, con la mayor de las cautelas, "dar un tímido primer paso", hacia una obligada reducción, *ratione materiae*, del DERECHO ROMANO, al estar incluido, por lo común (y si así se decide por cada Universidad) en las Enseñanzas de Grado, y no ser éstas otra cosa, dentro de las Enseñanzas universitarias oficiales, que un solo y mero primer ciclo a completar, en su caso, con las de Master y Doctorado.

Por último, quiero dejar constancia, que la elaboración de los predichos cuadros, gráficos y esquemas se debe a la Profesora Titular de Derecho Romano de la Universidad de Barcelona, Drª. Patricia Panero Oria. Para ella, pues, su reconocimiento y mi gratitud.

Índice

I. DERECHO E HISTORIA

Tema 1
DERECHO ROMANO E HISTORIA DE ROMA

Tema 2
ÉPOCA ARCAICA

Tema 3
ÉPOCA PRECLÁSICA

Tema 4
ÉPOCA CLÁSICA

Tema 5
ÉPOCA POSTCLÁSICA

Tema 6
ÉPOCA JUSTINIANEA

Tema 7
EL DERECHO ROMANO DESPUÉS DE JUSTINIANO

II. DERECHO Y PROCESO

Tema 8
EJERCICIO Y PROTECCIÓN DE LOS DERECHOS

Tema 9
EL PROCEDIMIENTO DE LAS *LEGIS ACTIONES*, ACCIONES DE LA LEY

Tema 10
PROCEDIMIENTO FORMULARIO

Tema 11
COGNITIO EXTRA ORDINEM

III. PERSONA Y FAMILIA

Tema 12
EL SUJETO DE DERECHO

Tema 17
EL MATRIMONIO

Tema 18
DERECHO MATRIMONIAL DE BIENES

IV. DERECHOS REALES

Tema 19
LAS COSAS Y LOS DERECHOS SOBRE LAS COSAS

Tema 23
MODOS DERIVATIVOS DE ADQUIRIR LA PROPIEDAD

Tema 24
LAS SERVIDUMBRES

Tema 25
EL USUFRUCTO Y OTROS DERECHOS REALES DE GOCE

Tema 26
LOS DERECHOS REALES DE GARANTÍA

V. OBLIGACIONES Y CONTRATOS

Tema 27
LA OBLIGACIÓN EN GENERAL

Tema 28
CUMPLIMIENTO E INCUMPLIMIENTO DE LAS OBLIGACIONES

Tema 29
GARANTÍA Y REFUERZO DE LAS OBLIGACIONES

Tema 30
NACIMIENTO, TRANSMISIÓN Y EXTINCIÓN DE OBLIGACIONES

Tema 34
CONTRATOS FORMALES

Tema 35
CONTRATOS REALES

Tema 36
CONTRATOS INNOMINADOS

Tema 37
LAS DONACIONES

Tema 38
OBLIGACIONES NO CONTRACTUALES

VI. DERECHO HEREDITARIO O SUCESORIO

Tema 39
CONCEPTOS FUNDAMENTALES

Tema 40
LA HERENCIA: DELACIÓN Y ACEPTACIÓN

Tema 41
LA COMUNIDAD HEREDITARIA

Tema 42
EL TESTAMENTO EN GENERAL

Tema 43
CONTENIDO DEL TESTAMENTO

Tema 44
LA SUCESIÓN INTESTADA

Tema 45
LA SUCESIÓN FORZOSA O CONTRA TESTAMENTO

Nota introductoria

La reducción de las horas de clase en los nuevos planes de estudio —en fase de reflexión—; la vinculación de aquellas al término «crédito»; la tendencia a incluir en el concepto de éste una serie de horas de trabajo personal del estudiante de carácter no lectivo y las posibles asignaturas —optativas u obligatorias— vinculadas a la materia Derecho Romano, pueden ser, entre otras, razones que han impulsado a publicar este Derecho Romano, e incidido en su extensión.

Su título coincide, precisamente, con el nombre del área —Derecho Romano— en el que centra su contenido, y el hecho de no anteponer los términos usuales de «lecciones» o «curso» responde a que el elevado número de notas a pie de página haría, a nuestro juicio, inadecuado el uso del primero —«lecciones»— ya que, según la normativa universitaria —aunque lo sigamos usando— en las actuales licenciaturas y diplomaturas no existe lo segundo —curso—.

Concurriendo en el Derecho Romano la doble vertiente histórica y jurídica, los primeros temas tratan de la Historia de Roma; los restantes se centran en las instituciones jurídicas de derecho privado, conocidas por aquel pueblo, con especial atención en aquellas que han tenido —y tienen— una mayor incidencia en el Derecho Moderno en general y en el nuestro en particular.

Su finalidad docente determina que se haya pretendido huir de toda posible erudición; que se prescinda de citas bibliográficas (sustituidas por un genérico «según doctrina»; las referencias a Savigny, Ihering y a mi maestro Ángel Latorre constituyen una excepción a este criterio) e incluso, que no se precise el concreto origen de las fuentes (suplidas por el simple nombre del jurista del que proceden). También por último, que se haya procurado seguir una misma sistemática. Por otro lado, nada original, pues para el jurista de hoy, en general, recordará a la seguida por Castán, para el más antiguo a la de Bofarull y para el romanista a la sugerida por Cicerón a Trebacio Testa en sus «*Tópica*».

Las numerosas notas a pie de página pretender cumplir una doble función. Algunas, aclarar algún término o concepto reflejado en el texto o sugerir un ejemplo que ayude a precisarlo. Otras, a justificarlo o profundizar en alguno de sus aspectos. Las primeras, en principio, tienen como destinatario el alumno en general. Ello comportaría, a efectos prácticos sin «descender a pie de obra», reducir la extensión de este Manual, prácticamente a la mitad. Las segundas, en las que no se prescinde —aun siendo osadía— del Latín —que se traduce en forma interlineada—, están destinadas a la «juventud deseosa de aprender». Rindiendo de esta manera tributo a Justiniano y a la dedicatoria de sus Instituciones.

Quiero agradecer a los profesores del área de Derecho Romano de la Universidad de Barcelona sus ánimos, ayuda y sugerencias en la elaboración de este Manual y sus críticas y observaciones. En especial a la Dra. Paula Domínguez Tristán (por su inestimable colaboración en las obligaciones y contratos) y a la Dra. Teresa Duplá Marín (a quien se debe prácticamente la parte de derecho hereditario).

Sugerencias docentes

Si recordamos que toda referencia temporal, en la antigua Grecia, se solía hacer, como hoy, a través del término *xrónos*, piénsese en nuestra propia *cronología* personal, y que los prefijos, también griegos, *pan*, *sín* y *diá* comportaban, respectivamente, las ideas de: a) globalidad = a todo; b) simultaneidad = al mismo tiempo y c) parte —por oposición a a)— o separación —por oposición a b)— cabría afirmar, bajo un prisma discente, que el Derecho Romano supone, en el tiempo, un completo ciclo evolutivo y sugerir, bajo un prisma docente, que su estudio puede resultar fecundo desde un triple punto de vista, que abandonando lo antiguo y utilizando moderna terminología estructuralista, se podría resumir así:

1. Pancrónicamente, se nos presenta como un ordenamiento jurídico en evolución a través de 14 siglos (VIII AC a VI DC) y de un constante adecuarse a situaciones cambiantes como un todo sistemático, lo que, en concreto, se ha procurado reflejar, en los Temas 1 y 7 (éste último, respecto a los otros 14 siglos —VI a XXI— de Tradición romanística) y sintetizar, por vía de ejemplo, en el cuadro 1 de estas sugerencias.

2. Sincrónicamente, como explicación de su funcionamiento orgánico en una época determinada o, si se prefiere, en cada una de sus distintas fases, lo que, en concreto, se ha intentado exteriorizar en los Temas 2 al 6 y suministrar un ejemplo en el cuadro 3 de estas sugerencias, relativo a las Fuentes del Derecho Romano no jurisprudenciales.

3. Diacrónicamente, como la descripción evolucionada de cada una de sus distintas instituciones jurídicas, lo que en general, se ha intentado plasmar a lo largo de toda esta obra, Temas 8 al 45, y ofrecer un ejemplo, incluso fuera de ellos, en el cuadro 2 de las presentes sugerencias, respecto a la jurisprudencia como fuente del Derecho, en el sentido romano del término.

Cuadro 1: *Pancronía*

	FASES	ORG. POLÍTICA	TERRITORIO	POBLACIÓN	A) SOCIEDAD Y B) ESTRATOS	DERECHO	FUENTES
A R C A I C O	Origen: ½ s VIII AC. (753) a 1er. 1/3 s. IV (367), *leges Liciniae-Sextiae:* CIVITAS patricio-plebeya.	**Monarquía:** *Rex, Senatus, Comitia.* **República:** Génesis y Asentamiento.	150 km² = 1/3 Andorra 150.000 km² = ½ Luxemburgo 30.500 m² = +/– Bélgica.	Pastores y Agricultores.	A) Primitiva y rural, x ello es: austera; patriarcal (familia supeditada a un jefe, *paterfamilias*) y cerrada (el extranjero = enemigo, *hostis*). B) Patriciado (monopolio) y plebe (marginación). Luchas x la = lograda en el 367 AC.	*Ius Civile* Rígido; Inflexible, Formalista Patriarcal Exclusivista.	*Mores Maiorum* Ley XII Tablas Leyes comiciales Plebiscitos *Interpretatio Pontificium:* + *agere,cavere respondere.*
P R E C L Á S I C O	(367) a últmº 1/3 s. I AC: fin 2º Triunvirato; batalla *Actium;* acceso Augusto al poder.	**República:** Apogeo (III-II AC) = poderes: Magistrados (autocracia) y Senado (aristocracia) y Comicios (democracia). Crisis (últ° 1/3 s II a últ° 1/3 s. I) fin = poderes.	Italia (265 AC) + islas: Sicilia, Córcega, Cerdeña; + Cuenca Medit: Oc. Hispania, (Espª Port.) Gallias (Frª Bélg. Suiza); N África; Or. Macedonia, Grecia Asia Menor (Turquía) Siria, Judea y Egipto.	Personalidad de las leyes y comercio hacen se distinga entre *cives*, ciudadanos y *peregrini*, extranjeros. La lucha x el poder, dentro de los *cives*, entre los *optimi*, mejores, terratenientes y *equites* caballeros, populares.	A) Nueva fisonomía: gran ciudad con estructura económica compleja, en q: empresa; banca; comercio, arrendamientos de impuestos y contratas de obras públicas no son excepción x cuyas notas no son las opuestas a la época anterior. lujosa; individualista y abierta. B) Aristocracia tierra (senadores); id. del comercio (caballeros); Proletariado urbano.	*Ius Civile:* Inadecuado nueva sociedad. *Ius Gentium:* nuevo D° aplicable a todas las gentes y notas opuestas al *ius civile*. *Ius Honorarium* = D° de los magistrados q con fuente en sus edictos; ayuda, suple y corrige al *ius civile*.	Leyes = plebiscitos Edictos del Pretor Jurisprudencia Repbª: a) = funciones y fin carácter pontifical; b) (130 a 30 AC) contacto con Grecia: método dialéctico + *Scribere*.
C L Á S I C O	(30) 1er. 1/3 s. III DC = 235: muere Alejandro Severo; inicio anarquía militar y decadencia del Imp. Romano de Occidente.	**Principado** = Alto Imperio: Dualismo: antiguos órganos República, (involución) y uno nuevo, el *Princeps*, Príncipe, cada vez con + poder.	s I: + Britania y Jerusalén y en s II, (Trajano) máxima extensión. En Oc. La Dacia (Rumania) tras el Danubio. En Or. Armenia, Mesopotamia y tras el Tigris, Asiria.	Con el Edicto de Caracalla = *Constitutio Antoniniana*, 212 cesa la distinción *cives-peregrini* x darse la ciudadanía a todo habitante del Imperio.	A) Integrada *de iure* x unos estratos q, *de facto* tienen origen en la fase anterior. Se habla de órdenes, *ordines* sociales. B) Los principales Ordenes, son: el senatorial *ordo senatorius*; = arist. de la tierra; el de los caballero, *ordo equester* = arist. del comercio, y el de los decuriones *ordo decurionum* arist. municipal.	*Ius Novum* = Nuevo derecho, q. se basa en voluntad del Príncipe, plasma en sus *constitutiones* y pasa a dominar la vida jurídica, ya q, desde el 212, x su ámbito de aplicación, cesa el interés x *Ius Gentium* y desde el 130, x su fuente de producción, los *edicta* el *ius honorarium* al redactar Juliano el Edicto Perpetuo (x orden de Adriano).	Leyes comiciales: Florecimiento y fin s. I; Edicto Per petuo: fin Ed. Pretor (130) Senadoconsultos = s. consulta *Constitutiones imperiales* (*edicta, decreta, rescripta y mandata*); Jurisprdcª Clásica: a) Alta: *ius respondendi* y escuelas y b) Tardía (Gayo ,Paulo, Papiniano, Ulpiano, Modestino).
P O S T C L Á S I C O	(235) a 1er. 1/3 s. VI (527) inicio reinado de Justiniano.	**Imperio** = Bajo Imperio = Dominado *Imperator. Dominus. Deus.*	Teodosio I (395) divide Imperio entre sus hijos: Honorio, Occidente > 476 fin Edad Antigua Arcadio, Oriente > 1453, fin Edad Media.	El absolutismo imperial hace del ciudadano, súbdito.	Estamentos profesionales, sistema de castas cerrado. Salvo el generalato, clérigos y + altos funcionarios, se impone a cada uno su papel en la escala social. El colono, está ligado a la tierra; el artesano a su profesión; el soldado a su legión y el funcionario a la administración. Intervencionismo "estatal".	Fusión 3 sistemas. Vulgarismo jurídico; decae jurisprudencia; (Recopilaciones) y Síntesis de *iura y leges y iura.* Degradación conceptos clásicos; Confusión de fuentes y dificultad manejo, x ello: a) se recopilan, en Códigos, las *leges* = constituciones imperiales y b) canonizan los *iura* = escritos Juristas clásicos.	LEGES = *Constitutiones Imperiales*, recop. en los: *Codex Gregorianus; Cd. Hermogenianus; Cd. Theodosianus y Novellae Postheodosianae* IURA= Escritos juristas clásicos. Sólo se pueden citar, en juicio, los de la Ley de Citas = 5 juristas. Clásico-tardíos anteriores.

Cuadro 2: *Diacronía respecto a la jurisprudencia como fuente del Derecho*

D.º ARCAICO	D.º PRECLÁSICO	D.º CLÁSICO	D.º POSTCLÁSICO
Jurisprudencia Pontifical *Interpretatio pontificium* = Sobre los *mores maiorum* y las XII Tablas. Los primeros juristas = *pontifices*, x el inicial nexo entre religión y D.º, posibilitan, en la práctica, aplicar aquél a la vida real y lo convierten en ciencia secreta monopolizada por ellos. Su función, no es sólo de mera "interpretación", sino creadora del D.º, como en el caso de la *emancipatio*. En síntesis, ejercen una triple función: *agere* = Dirección técnica del proceso; *cavere* = Redacción de formularios para negocios concretos y *respondere* = Emitir dictámenes.	**Jurisprudencia Republicana** A) Apogeo de la República: Cesa el carácter secreto y monopolio pontifical. Hitos: 1) en el 450 AC, el *cavere* x las XII T; 2) en el 305 AC, el *agere* x el *Liber Actionum* de Cneo Flavio, de ahí = *Ius Flavianum*; y 3) en el 250 AC, el *respondere* x hacerlo en público, el primer *Pontifex maximus* plebeyo Tiberio Coruncario. B) A fines del s. III AC: 1ºs juristas laicos. C) En la crisis de la República (130 –30 AC) la jurisprudencia pasa de mero conocimiento del D.º (sólo saber normas y formularios) a una ciencia del D.º en sentido estricto, a lo que no es ajeno, su contacto con Grecia, y asimilar su método dialéctico. Por ello, se une a las 3 funciones anteriores, el *scribere*. D) Principales juristas: Quinto Mucio Escévola, Aquilio Galo y Servio Sulpicio Rufo.	**Jurisprudencia clásica** A) **Alta** (30-130) caracteri- zada: a) x tender a la oficialidad, lo q. se manifesta en la concesión a algunos juristas del *ius publice respondendi* y b) x la formación de escuelas: Proculeyanos (Labeón, Próculo y Celso) y Sabinianos (Capitón, Sabino y Juliano). B) **Tardia** (130-230), se caracteriza x: a) Mayor vinculación del jurista al príncipe y b) origen provincial de aquél; c) agotar su capacidad creadora y d) tendencia a recopilar. Juristas destacados son: Gayo, Papiniano, Ulpiano Paulo y Modestito.	**Jurisprudencia postclásica** Absorbidas sus antiguas funciones x órganos imperiales, el jurista opta por entrar al servicio de la admón. o dedicarse a la enseñanza y su producción literaria se manifiesta en: a) Reedición de obras clásicas (x tránsito del *volumen* al *codex*). b) Elaboración de obras elementales anónimas, bajo el nombre de un jurista prestigioso, en el fondo, recopilación de *iura* (*Pauli Sententiae*, Opiniones de Paulo, *Regulae Ulpiani*, Reglas de Ulpiano, *Res cottidianae sive aurearum Gai* Cosas cotidianas o reglas de oro de Gayo *Epitome iuris*, *Hermogeniani* Resumen de derecho de Hermogeniano); c) Antologias y Florilegios, recopilación de *iura* y *leges* (*Vaticana Fragmenta*, Fragmentos Vaticanos; *Collatio legum Mosaicarum et Romanarum*; Comparación de leyes mosaicas y romanas; *Consultatio veteris cuiusdam iurisconsulti*: Dictamen de cierto viejo jurista).

Cuadro 3: *Sincronía respecto a las otras fuentes del Derecho*

D.° ARCAICO	D.° PRECLÁSICO	D.° CLÁSICO	D.° POSTCLÁSICO
Mores maiorum: Usos y costumbres –*mores*– tenidos x norma de conducta x los antepasados –*maiorum*–. 1ª fuente, no escrita, de D.°.			**Ius vetus** = antiguas fuentes petrificadas pero con vigencia: Leyes, Plebiscitos, Senadoconsultores. y Edictos de los magistrados.
Ley de las XII Tablas (450 AC) = (Xviral, x ser redactada por los Xviros): fuente de todo el derecho público y privado, *Fons omnis publici privatique iuris*. Primer hito en la publicidad y secularización del D.° Establece la norma, con carácter general y abstracto y la igualdad de todos los ciudadanos ante una misma situación = *isonomia*.	**Edictos de los magistrados** Edicto –*edictum*– es el programa de actuación a que se compromete el candidato si es elegido como magistrado, en el ejercicio de su función jurisdiccional –*iurisdictio*–. Corresponde este *ius edicendi* a: Pretores, Ediles y Gobernadores; x su previsión son; repentinos o perpetuos y x su contenido nuevos o traslaticios. Es fuente única del *Ius honorarium*.	**Edictos de los magistrados** En el 130 de *Iure*, aunque ya antes de *facto*, x la reiteración de edictos, cesa esta actividad jurídica creadora al encomendar Adriano al jurista Salvio Juliano la redacción del *Edicto Perpetuo, Edictum Perpetuum*, cuyo contenido no cabrá alterar sin autorización del Príncipe.	
Layes comiciales: Ley es lo que el pueblo manda y establece, *quod populus iubet atque constituit*. A ruego del magistrado competente, el pueblo se reúne –*comitia*– y en caso de que su propuesta sea votada favorablemente, se publica con efectos obligatorios para patriciado y plebe. **Plebiscitos:** Lo que la plebe manda y establece, *quod plebs iubet atque constituit*, a tal efecto a instancia del tribuno de la plebe, ésta se reúne, *concilia plebis*, vota la propuesta de aquél y en su caso, si es favorable, a ella sólo obliga.	**Leyes y Plebiscitos:** Los *plebiscita* son equiparados a las leyes x la *lex Hortensia de plebiscitis* del 286 AC, se habla indistintamente de uno u otra.	**Leyes comiciales:** Florecen con Augusto (>: manumisiones, familia, proceso y materia penal). Luego cesan. La última es una ley agraria del s. I de Nerva. **Senadoconsultos y Constituciones Imperiales** A) (=Sc) es lo que el Senado manda y establece, *quod senatus iubet atque constituit*. Antes era su simple opinión en materia legislativa pero la propuesta era del magistrado y del pueblo la aprobación. Ahora, es auténtica fuente del D.°, pero a través de la *oratio principis*, asumiendo gran importancia, en materia sucesoria. B) De una propuesta –*oratio*– del Príncipe –*principis*– revestida sólo con el ropaje formal del Senado a imponer aquél su voluntad, sin + sólo hay un paso que se da, en esta época, con las *Constitutiones principis*. C) Estas se basan en que lo que el príncipe quiere tiene fuerza de ley, *quod principi placuit legem habet vigorem* y plasma en: 1) Edictos –*edicta*– forma normal a través del *ius edicendi*; 2) Decretos –*decreta*– resoluciones judiciales; 3) Rescriptos –*rescripta*–, respuestas x escrito y 4) Mandatos –*mandata*–, órdenes.	**Ius novum:** El emperador a través de sus constituciones imperiales, ahora llamadas *leges* y que nada tienen que ver con las comiciales, es la única fuente con actividad de producción. **Leges** La dificultad de su manejo y conocimiento hace que se recopilen en 3 Códigos: a) C. *Gregorianus* (Adriano>Diocleciano); b) C. *Hermogenianus* (Diocleciano) y c) C. *Theodosianus* (Constantino> Teodosio) y d) una colección privada de las Nuevas leyes posteodosianas *Novellae Postheodosianae*. **Iura** = escritos de los juristas clásicos. Su difícil manejo y conocimiento hace que se canonicen x la Ley de citas del 426 en la que sólo se admite puedan "citarse" en juicio a Gayo, Paulo, Ulpiano, Papiniano y Modestino, prefiriendose el parecer mayoritario y en caso de empate el de Papiniano.

I. DERECHO E HISTORIA

Tema 1

Derecho romano e historia de Roma

1. EL DERECHO Y LO JURÍDICO

I. *Ius*

En nuestra lengua, la palabra Derecho se corresponde a la latina *Ius*, de cuyo radical, tenemos múltiples derivados para expresar lo relacionado con el Derecho, es decir: «lo jurídico»[1]. Este vocablo —*ius*— según se afirma, tiene origen indoeuropeo; su etimología es compleja[2] y, por causas difíciles de precisar, resulta sustituido, en la Edad Media, por el término *directum* —Derecho— que proviene del lenguaje vulgar y cuyo sentir recogen la mayor parte de las lenguas modernas, latinas, germánicas o sajonas.

II. Derecho

Derecho, pues, deriva del latín *directum*, participio pasivo de *dirigere*, a su vez, compuesto, de *regere* (*de rectum*) que significa lo que es conforme a una regla. Refleja, como sus derivados *rectus* —recto— o *regula* —regla— una idea de rectitud y metafóricamente, su sentido

---

[1]   Del radical *ius* derivan, entre otras —además de jurídico— palabras tan significativas, en el campo del derecho como: juez; judicial; jurado; jurisdicción; jurisconsulto; jurisprudencia; jurisprudente; justicia; justiciable; justificación; justo...

[2]   Entre las distintas opiniones que se han formulado cabe recordar, las que hacen derivar *ius*: a) de *iustitia* (Ulpiano, nos dice que *ius* es llamado así por derivar de *iustitia* —*ius est autem a iustitia appellatum*—) olvidando que es más lógico lo contrario: que *iustitia* derive de *ius*; b) de *iuvare* (ayudar), tal vez porque uno de sus fines sea ayudar a satisfacer las necesidades humanas; c) de *iussum*, participio de *iubere* (mandar) por poderse, en forma simplista, reducir su contenido a mandatos y prohibiciones; y d) de *Iove* (Júpiter) poniéndolo en conexión con lo divino —lo religioso—. Tal vez, la opinión más difundida es que proviene del sánscrito IU, que expresa la idea de vínculo, tendente a la armonía social y de IOUS, que tiene un significado religioso.

es claro ya que, alude a la diosa Justicia, representada con una balanza en las manos. *De rectum*, es, precisamente, el momento en que el fiel de la balanza está recto, en medio, y significa una situación de equilibrio, de lo justo[3].

2. CONCEPTO DE DERECHO ROMANO

I. Derecho en general

Hermogeniano —s. IV— precisa: que presupuesto de todo Derecho, es el hombre —*hominum causa omne ius constitutum est* = causa de constitución de todo derecho es el hombre—. Ahora bien, al ser el hombre sociable por naturaleza, debe entenderse: «el hombre en Sociedad»[4]. Por ello, Cicerón, resume la relación entre hombre, sociedad y Derecho, así: donde está el hombre —*ubi homo*— allí está la sociedad —*ibi societas*— donde está la sociedad —*ubi societas*— allí está el Derecho —*ibi ius*—.

El Derecho se muestra, pues, como: Norma de convivencia y como instrumento pacificador de los conflictos entre los hombres. Gracias a él, por resumir: cada uno sabe lo que es suyo, lo que debe y puede exigir a los demás y lo que los demás le pueden exigir. Evita, en suma, lo que sin él, podría ser una guerra de todos contra todos —*bellum omnium contra omnes*—.

Esta norma de convivencia, a su vez, requiere una organización —hoy hablaríamos de Estado[5]— es decir, un poder efectivo que la cree, la aplique y, si es necesario, la imponga[6].

---

[3]   Igual sentido de dirección o rectitud se manifiesta en los distintos términos con los que se alude a la palabra derecho, usados en la generalidad de las lenguas. Así: direito —portugués— diritto —italiano— droit —francés— drec —provenzal— dret —catalán— dreptu —rumano— recht —alemán— o right —inglés—. Lo cierto es, como se ha reiterado en doctrina, que sea cual sea el más remoto origen etimológico de este grupo de vocablos lo que cabe destacar es que en todos ellos, las ideas de justicia y verdad se ligan con las de rectitud, considerándose a la línea recta como sinónimo de bien.

[4]   Es usual contraponer el hombre en sociedad a Robisón Crusoe, a quien su soledad y aislamiento impediría que alguien pudiera discutirle su facultad de hacer algo.

[5]   El Estado, como dice Latorre, es en sí una organización de poder.

[6]   El Estado, pues, nos muestra su triple faz, de: a) «legislador», pues determina las fuentes de su producción o creación; b) «juez», al constituir órganos adecuados para

Ahora bien, aunque el Derecho es norma de convivencia, no toda norma de convivencia es Derecho, pues existen otras normas de conducta —religiosas, morales y sociales— que también, ordenan, en cierto modo, esta convivencia. Hay que precisar, pues, algo más.

Las normas a las que nos referimos han de ser «jurídicas» y ello comporta un doble requisito: a) que regulen los actos externos[7] del hombre, indispensables[8] para la vida en sociedad (lo que las diferenciaría de las normas religiosas y morales) y b) que su cumplimiento pueda exigirse coactivamente[9] (lo que las separaría de los usos sociales[10]).

Hemos avanzado un paso más, el Derecho es un conjunto de normas de convivencia que regulan aquellos actos externos del hombre, indispensables para vivir en sociedad, cuyo cumplimiento puede exigirse en forma coactiva. Con menos palabras: El Derecho es un conjunto de normas «jurídicas» que regulan la vida en sociedad.

---

aplicarlo a los casos concretos —tribunales— y c) de «gendarme», al establecer, también, otros órganos a quienes confía su imposición coactiva si resulta necesario —cuerpos de policía—.

[7] Así, las normas morales que suponen el convencimiento de un deber —el observar una determinada conducta, que hemos de cumplir— afectan sólo al fuero interno del individuo y no son sancionables salvo en su propia (mala) conciencia. Por ello, aunque codiciemos los bienes ajenos —dice Latorre— si nos abstenemos de robar, sólo por miedo a que nos descubran, se cumple con el Derecho aunque «moralmente» nuestra actitud no sea laudable. Por tanto, los móviles de nuestra conducta o la intención que perseguimos, datos decisivos para formular una calificación moral, resultan indiferentes al Derecho.

[8] Por este carácter, algunas normas religiosas o morales lo son también jurídicas, por ejemplo el no matar. Sin embargo, el campo de éstas es más restringido que el de aquellas. En tal sentido, se ha puesto de relieve, Moral y Derecho se pueden representar como dos círculos concéntricos en los que el de la Moral tiene el radio mayor y el del Derecho comportará un *minimum* ético.

[9] El préstamo pedido a un amigo —vital para nosotros y ridículo para él— que se nos niega, puede que nos defraude, al entender que estaba «obligado», por amistad, a concedérnoslo, sin embargo, no podremos exigirle —ante los tribunales— que lo haga por no estar «jurídicamente» obligado a hacerlo. Sin embargo, si en aras de la amistad, nos presta el dinero pedido y convenimos, en el plazo de un año su devolución, transcurrido el plazo, él podrá exigirnos su restitución ante los tribunales —y éstos condenarnos a su pago— ya que existe una norma jurídica que obliga a la devolución de lo prestado en el plazo convenido.

[10] Los usos sociales son prácticas, generalmente, admitidas en una comunidad —la propina podría servir de ejemplo—. Varían según épocas. Algunas veces coinciden con las normas jurídicas —como, no robar— y otras las sirven de base y son recogidas por ellas.

Estas normas jurídicas pueden ser de diverso tipo y en esta básica aproximación al Derecho, cabe distinguir entre las que mandan o prohíben algo —función imperativa o sancionadora del Derecho— y las que conceden facultades, poderes o atribuciones a los particulares para lograr algún fin práctico querido por ellos —función instrumental del Derecho—.

Ello obliga a diferenciar entre un Derecho con mayúscula, lo que hoy llamamos derecho objetivo y al que nos hemos referido hasta este momento, es decir al conjunto de normas jurídicas que regulan la convivencia en sociedad —*norma agendi*— y un derecho con minúscula, que llamamos derecho subjetivo —*facultas agendi*— que es, la facultad o poder obrar en una forma determinada, poder reconocido y protegido por el ordenamiento jurídico —Derecho Objetivo[11]—.

En ambos sentidos se utiliza, también, en el lenguaje vulgar[12].

II. Derecho Histórico

Todo pueblo, a lo largo de su historia, posee, en mayor o menor grado de desarrollo y perfección, ese conjunto de normas. En tal sentido, Derecho Histórico se opone a Derecho Vigente o Positivo —de *positus* = puesto, en unas ciertas coordenadas de tiempo y espacio—.

III. Derecho Romano

Derecho Romano: es el conjunto de normas jurídicas por las que se rigió el pueblo de Roma a lo largo de su historia.

Respecto a él, y a tenor de lo hasta aquí expuesto, proceden las siguientes matizaciones:

---

[11]   Cuando hablemos de derecho en uno u otro sentido se desprenderá del contexto en el que lo utilicemos.

[12]   a) Como norma —*norma agendi*— su forma sintáctica, comporta su uso como sujeto, lo que ocurre, por ejemplo, cuando decimos, «el derecho establece que...» (todo estudiante, al matricularse, se puede examinar en las convocatorias de junio y septiembre; o el dueño de una cosa podrá disponer de ella; o el acreedor de un préstamo podrá, a su vencimiento, exigir su cobro). b) Como facultad —*facultas agendi*— su forma sintáctica, comporta su uso como predicado —objeto directo— y ocurre, por ejemplo, cuando decimos: «yo (estudiante o dueño de una casa o acreedor) tengo derecho a... (examinarme, o vender la casa o a cobrar la deuda).

1.ª) Que si bien hoy, la distinción entre normas religiosas y jurídicas, es clara y sin problemas, cuanto más nos remontamos en el tiempo
la conexión —e indiferenciación— entre Derecho, Religión y Magia
más se acentúa. Roma, no es excepción y sus primeros juristas
pertenecen a un colegio sacerdotal —el de los pontífices—[13].

2.ª) Que respecto a la Moral existe, en Roma, un proceso inverso al
operado con la Religión. Así, no es el derecho antiguo —*ius civile*—
sino el más nuevo —*ius novum*— el que aparece influido por consideraciones de este tipo y será Paulo —s. III— quien reflexionará, en este
sentido, al decir que: no todo lo que es lícito es honesto —*non omne
quod licet honestum est*—[14].

3.ª) Que los usos sociales, costumbres de los antepasados —*mores
maiorum*— constituyeron la primera fuente del Derecho en Roma y la
primera gran manifestación legislativa, las XII Tablas —450 AC—
fueron, en su mayor parte, compendio de estos usos.

4.ª) Que el término *ius* —derecho— se utiliza en los dos sentidos
expuestos[15]. Como Derecho objetivo, en expresiones tales como *ius
civile* —el derecho propio de la ciudad— *ius gentium* —derecho de
gentes— o *ius honorarium* —derecho de los magistrados—. Como
derecho subjetivo, lo usa, entre otros, Ulpiano —s. III— al decirnos:
que nadie puede transmitir a otro más derecho —*nemo plus iuris ad
alium transferre potest*— que el que el mismo tuviera —*quam ipse
haberet*— o que debemos dar a cada uno su derecho —*ius suum cuique
tribuere*— expresiones de las que se desprende un reconocimiento de
facultades o intereses jurídicamente protegidos[16].

---

[13]   Los términos *Ius* —lo justo— y *Fas* —lo lícito— que terminarán por significar,
       respectivamente, la norma jurídica y la norma religiosa, constituyen, en época
       arcaica, unidad inescindible y normas comunes de conducta. Pese a ello, el pueblo
       romano es uno de los que más pronto logra diferenciar las relaciones entre los
       hombres —*ius humanum*— y las de éstos con los dioses —*ius divinum*—.

[14]   Esta conexión Derecho y Moral se ha reflejado en n. 8 con dos círculos concéntricos
       en el que el de la Moral tendría el radio mayor.

[15]   También alude al lugar en que el magistrado imparte justicia —*ius dicit*— (citar a
       alguien, ante el tribunal es, *in ius vocare*, y ante el magistrado, *in iure*) y a una
       situación jurídica o condición —*ius deterius facere* = hacer de peor condición—.

[16]   También se toma *ius* en sentido subjetivo en expresiones genéricas como: *habere ius*
       = tener derecho, *transferre ius* = transmitir derecho—, *ius suum conservare* = conservar
       el derecho que uno tiene, o más concretas como: *ius deliberandi* = derecho de
       deliberar—, *ius utendi fruendi* = derecho de uso y disfrute—, *ius distrahendi* = derecho
       de enajenar—.

IV. Estudio del Derecho Romano

Si el Derecho, como hemos dicho, y aplicado al Romano, no sólo es norma, sino organización, distinguiremos en su estudio: a) de un lado, su Historia, que comprende la organización política y social de Roma en sus distintas fases y los medios, por los cuales, dichas normas, se exteriorizan, en cada una de ellas —es decir, las fuentes de producción del Derecho— y b) de otro lado, las principales Instituciones creadas y transmitidas por Roma, sus caracteres, evolución y las causas determinantes de ésta.

3. EVOLUCIÓN POLÍTICA DE ROMA

La historia política de Roma atraviesa, cronológicamente, las siguientes fases: Monarquía, República, Principado e Imperio.

A) La Monarquía comprende, desde la fundación (mejor formación) de la ciudad, a mediados del s. VIII AC —a. 753— hasta fines del siglo VI AC —a. 510—. Los órganos de este primer régimen fueron: el rey —rex— el senado —senatus— y las asambleas populares —comitia—
.

B) La República comprende, desde el final de la Monarquía hasta el último 1/3 del s. I AC —a. 27— cuando Octavio César Augusto accede al poder. En ella cabe distinguir tres momentos: su génesis —y asentamiento— su apogeo y su crisis.

a) El tránsito entre la Monarquía y la República —génesis de ésta si se prefiere— según la opinión que parece más fundada, se produce lenta y gradualmente, y una serie de magistrados, irán absorbiendo, poco a poco, las facultades del primitivo rex. En el año 367 AC (como consecuencia de unas leges —leyes— Liciniae Sextiae) se cierra este proceso y puede considerarse finalizado el asentamiento de la República.

b) Los elementos fundamentales de la República, en su apogeo, fueron: las magistraturas —a la cabeza de las cuales y como más importante estaba el consulado— el senado, que se convierte en su órgano más influyente y las asambleas populares. El equilibrio de poderes entre ellos se consideró, por los historiadores griegos de la época, como la causa de la grandeza de Roma.

c) La ruptura de este equilibrio, implicará la crisis de la República y el que se termine por concentrar el poder en manos de jefes militares. Dos triunviratos —gobierno de tres— el primero formado por César, Pompeyo y Craso y el segundo, por Octavio César Augusto, Marco Antonio y Lépido pondrán fin a esta época.

C) El Principado —o Alto Imperio— comprende desde el final de República, acceso de Augusto al poder, hasta el primer 1/3 del s. III DC —a. 235— momento en que se produce la muerte de Alejandro Severo y se inicia la llamada anarquía militar. Se caracteriza por la dualidad existente entre los antiguos órganos republicanos —magistraturas, senado y asambleas populares— en franca decadencia y una nueva figura: el príncipe —*princeps*— el primero de los ciudadanos, que da nombre a este régimen, y cuyos poderes irán en constante aumento.

D) El Imperio —Bajo Imperio o Dominado— comprende desde la anarquía militar, hasta el año 476, fecha en que Roma cae en poder de los bárbaros. Fin del Imperio Romano de Occidente y de la Edad Antigua. Se caracteriza por la concentración de poderes en manos de una persona, el emperador —*Imperator*— que manda —*qui imperat*— y en la práctica desaparición de los antiguos órganos republicanos. A destacar que Teodosio —a. 395— divide el Imperio en dos partes, Oriente y Occidente. Este, desaparecerá 80 años más tarde y aquél —en el que surgirá una nueva forma de vida, el Bizantinismo— prolongará su existencia hasta el año 1453, cuando Constantinopla cae en poder de los turcos, poniéndose fin a la Edad Media.

4. FASES DEL DERECHO ROMANO

Pese al evidente contrasentido que representa pretender encerrar una realidad histórica en unos compartimentos estancos y lo artificioso de toda periodificación, a efectos pedagógicos y prácticos podemos distinguir las siguientes fases en la evolución jurídica de Roma[17]:

---

[17] En la Romanística moderna hay tendencias que van desde la más simple, que señala tan sólo 2 períodos —tomando como cesura, por lo general, la mitad del siglo III AC— hasta las que propugnan criterios tripartitos o cuatripartitos —sin una exacta coincidencia cronológica— y que ponen de relieve la infancia, (juventud), madurez y decadencia del Derecho Romano o aprecian, incluso —como en nuestro caso— 5 fases.

a) Derecho Arcaico, desde los orígenes de la ciudad —753 AC— hasta el primer 1/3 del s. IV AC —367 AC— momento en que se promulgan las *leges Liciniae Sextiae*.

b) Derecho Preclásico, desde el primer tercio del s. IV AC hasta el último 1/3 del s. I AC —27 AC— acceso de Augusto al poder.

c) Derecho Clásico, desde el último tercio del s. I AC hasta el primer 1/3 del s. III DC —235— muerte de Alejandro Severo e inicio de la anarquía militar.

d) Derecho Postclásico, desde el primer 1/3 del s. III DC hasta el primer 1/3 del s. VI DC —527— inicio del reinado de Justiniano.

e) Época Justinianea, desde el primer 1/3 del s. VI DC hasta el último 1/3 del s. VI DC —565— muerte de Justiniano.

Como vemos, no siempre coinciden las fases políticas y jurídicas propuestas. El Principado coincide con el Derecho Clásico y el Dominado, se identifica con el Derecho Postclásico, sin embargo, la República está a caballo entre el Derecho Arcaico —su génesis y asentamiento— y Preclásico —su apogeo y crisis— y la Época Justinianea se opera al margen de las coordenadas de tiempo y espacio con las que se suele identificar Roma.

Tema 2
Época arcaica

El período arcaico, en la historia jurídica de Roma, abarca desde mediados del s. VIII AC —fecha en que suele fijar la formación de la ciudad— hasta el primer 1/3 del s. IV AC —momento en que se promulgan las *leges Liciniae Sextiae*—[1] y, por su lejanía en el tiempo, es una época en que resulta difícil y aventurado todo intento de reconstrucción.

1. ORGANIZACIÓN POLÍTICA

La organización política de Roma, en este período, presenta dos formas de ordenación que se suceden en el tiempo: la Monarquía —en su doble fase latina y etrusca— y la República. Esta, según la opinión más fundada, surge de modo paulatino, y comprende su génesis y asentamiento.

I. La *civitas*: posible formación

La fase precívica es un problema, como tantos en materia de «orígenes», no resuelto. En síntesis, dos son las teorías que se mantienen. Una, considera a la *civitas* como el resultado de sucesivas agrupaciones de pequeños grupos —*familia, gens* y *tribus*—. Otra, ve

---

[1] Esta acotación —no tiene más valor que el pedagógico— y cabe justificarla política y jurídicamente. a) Bajo el prisma político, responde al hecho de que hasta ese momento la estructura de Roma es la de una *civitas*, cuyo carácter *quiritario* (patricio) cesa, precisamente, en esa fecha. b) Bajo el prisma jurídico, las *leges Liciniae Sextiae*, son el punto de arribo en la secularización del proceso y al aislarse el «decir derecho» —*iurisdictio*— de los demás poderes que integraban el *imperium*, logra un contenido propio —por obra del pretor— cristalizando en una fuente de máxima importancia para el estudio, conocimiento y comprensión del Derecho Romano: El Edicto.

en ella el fruto de la disgregación de un conglomerado humano más amplio —el clan, la horda o la propia tribu—.

Lo que parece cierto es: 1.º) que no cabe hablar de «fundación» de la *civitas* y si de «formación», que se producirá por la integración de diversas aldeas vecinas y 2.º) que, en época histórica, en la organización de la vida social —la que interesa, sobre todo, al jurista— juegan un papel destacado los jefes de familia —*patres familias*— existiendo referencias jurídicas a grupos familiares más amplios: los gentilicios —*gentes*—. No parece, pues, deba descartarse que la *civitas*, se basara en tales grupos —*familia* y *gens*— aunque configurarlos como «organizaciones políticas» precívicas, supere lo históricamente demostrable[2].

II. La Monarquía: probable estructura

La Tradición —representada, sobre todo, por los escritos de Tito Livio (*Desde la fundación de la ciudad*) y Dionisio de Halicarnaso (*Antigüedades romanas*)— afirma que el primer régimen político que conoció Roma fue la Monarquía[3]. Esto encuentra su confirmación en: a) los propios hallazgos arqueológicos; b) en la existencia, en época posterior, de instituciones —o nombres de ellas, como el *rex sacrorum*— sólo explicables como supervivencias de una Monarquía anterior[4] y c)

---

[2]   El considerar, que: a) el primer grupo político pre-cívico sea la *familia* —conjunto de personas y bienes sujetas a la autoridad de un mismo jefe— *paterfamilias*; b) un eslabón intermedio fuera la *gens* —figura poco conocida— integrada por varias familias, que descienden de un antepasado común; c) de la unión —federación— progresiva de varias *gentes*, surgiera la *tribu* y d) que de la unión de tres de ellas — *Tities, Ramnes* y *Luceres*— naciera la *civitas*, es una teoría por la que optamos aunque, como se ha dicho, supere lo demostrable, históricamente.

[3]   En la Edad Media y Renacimiento se tiene una fe absoluta en esta Tradición. En el s. XVIII, se pasa a su total descrédito. En el s. XIX, se diferencian distintos estratos en las fuentes y se pone de relieve que los analistas —escritores que escriben la Historia de Roma por años, *Annales*, de ahí su nombre— y en los que se basan Tito Livio y Dionisio usan, con frecuencia, como pautas para su particular visión de la historia: el enaltecer su propio linaje; desprestigiar una familia rival; anticipar acontecimientos y la concentración histórica —agrupar hechos inconexos a nombres conocidos—. En el s. XX, en fin, se considera que la Tradición encierra un núcleo de verdad; que es válida para precisar, la evolución en sus líneas generales —no para sus detalles concretos— y que siempre debe distinguirse, en ella: lo seguro, lo probable y lo posible.

[4]   La existencia, en plena Republica, de un *rex sacrorum*, cuya preeminencia formal, choca con lo limitado de sus facultades y su carácter vitalicio con el anual de las

en la comparación con los regímenes políticos existentes en otros pueblos, de áreas afines, en esta misma época. Siendo indubitado este hecho[5], sería infantil atribuir al significante «Monarquía» su significado actual. Estos son sus principales elementos y su probable estructura.

A) El *rex* (de *regere*, dirigir): de carácter unipersonal y vitalicio; es designado por la voluntad de los dioses, que interpreta el *pontifex maximus* y se comunica al pueblo en un acto formal —*inauguratio*—[6]. Descartado que en una pequeña comunidad agraria, como la Roma primitiva, existiera una división de poderes, debió ostentar las máximas atribuciones militares, políticas, judiciales y religiosas, poder unitario que terminó llamándose *imperium*[7].

B) El *senatus* (de *senex*, anciano). En origen debió ser un consejo de ancianos, como hay en todas las antiguas civilizaciones de la cuenca mediterránea. El nombre de *patres* con el que se designa a los senadores parece revelar que estaba compuesto, en forma exclusiva, por patricios y por lógica, no por todos los *patres familias*, sino por los más ancianos, poderosos y representativos —*patres gentium*— de la oligarquía patricia. Su nombramiento debió corresponder al *rex*, como normal derivación de su poder y, al parecer, debió hacerlo no de un modo arbitrario, sino en razón a ciertas tradiciones consuetudinarias. Sus atribuciones fueron: las consultivas y el *interregnum* = ejercicio del poder en el tiempo que estaba vacante el trono[8].

---

demás magistraturas, con fundamento, hace pensar más en la supervivencia del *rex* —de la época monárquica— al que se le ha ido despojando de las demás atribuciones, que en la creación, en la República, de una figura, prácticamente, decorativa y nos puede servir de ejemplo.

5   Los nombres de los reyes —Rómulo, Numa Pompilio, Tulo Hostilio, Anco Marcio, Tarquino el Mayor, Servio Tulio y Tarquino el Soberbio— salvo Rómulo —mitificación personificada de Roma— al no corresponder con linajes de la República parecen asentados en una tradición firme y no se descarta respondan a la realidad.

6   Se debe excluir cualquier tipo de transmisión del poder hereditaria, electiva o por designación del predecesor. Una monarquía adoptiva carece de apoyo en las fuentes y si bien es cierto que la Tradición habla de dos Tarquinos (el Mayor y el Soberbio) y que los reyes eran elegido por el pueblo, a los primeros, la propia Tradición los presenta como usurpadores del poder y respecto a lo segundo, es opinión común tratarse de una anticipación histórica.

7   Los poderes de los primeros reyes —latinos— y de los últimos —etruscos— suelen contraponerse, designándolos con los términos *potestas* e *imperium*, respectivamente.

8   Respecto a la función consultiva, no es probable que en una sociedad primitiva, el escuchar la opinión de los ancianos implicara una limitación del poder real. Respecto

C) Los *comitia* (de *cum —com— ire*, reunirse)[9]. El pueblo romano no se reúne por iniciativa propia, sino convocado al efecto, por el titular del *imperium* y de forma ordenada. Los criterios de ordenación, en el tiempo, fueron: 1.º) el gentilicio o de linaje —*ex generibus hominum*— propio de la fase de la Monarquía latina[10] y que dio lugar a los *comitia* por curias; 2.º) el de la riqueza, según el censo y la edad —*ex censu et aetate*— que surge en la fase de la Monarquía etrusca[11] y da lugar a los *comitia* por centurias y 3.º) el geográfico, territorial o domiciliar —*ex regionibus et locis*— cuyas repercusiones, político-jurídicas se manifiestan en la República y que da lugar a los *comitia* por tribus, con iguales funciones que los comicios por centurias.

Las curias, *curiae* —de *co-viria*, reunión de varones— son unidades de tipo militar y sirven de base para reclutar el ejército[12]. Su número es de 30[13] y los *comitia* basados en ellas —*comitia curiata*— tuvieron atribuciones de tipo familiar y religioso[14], juzgándose anticipación

---

al *interregnum*, al morir el rey el poder volvía al senado hasta que se designase sucesor siendo ejercido por un senador —*interrex*— que se renovaba cada 5 días.

[9]   El plural *comitia* revela que las asambleas romanas, aun concebidas como unidad, no pierden el carácter de conjunto de reuniones menores. Así, los votos se cuentan en razón al criterio sobre el que se asienta la asamblea —por curias, centurias o tribus— y no por la suma global de los componentes de cada una de ellas.

[10]   Parece indudable existen dos fases en la monarquía, y aun reconociendo la gran influencia etrusca, lo más probable es que las líneas generales de la monarquía fueran anteriores.

[11]   Parece exagerado creer que la estructura política y material de Roma es exclusiva de los etruscos, aunque es indudable: que en el s. VI AC se inicia una etapa caracterizada por la hegemonía etrusca en el Lacio, lo que se manifiesta, entre otros indicios, en ser etruscos: los nombres de los reyes; los signos externos de su poder; los nuevos sistemas de construcción e incluso el propio nombre Roma —los etruscos llaman *Rumon* al Tiber—.

[12]   Un sistema ternario —propio de las ciudades griegas e itálicas— combinado con el decimal, da como resultado, según la Tradición, la primitiva composición del ejército. A saber: 3 Tribus —*Tities, Ramnes y Luceres*— por 10 curias = 30 curias; a 100 soldados de a pie por curia = 3.000 *pedites* y a 10 combatientes a caballo o en carro por curia = 300 *celeres* —en realidad, infantería montada para «acelerar» al máximo la aproximación al enemigo—. Cada tribu, pues, a través de las curias, aporta: 1.000 *pedites* y 100 *celeres*.

[13]   El que en plena república, formalmente, a través de 30 magistrados subalternos —*lictores*— se represente a las curias, avala, al menos, la credibilidad del número.

[14]   Así: la renuncia a los cultos familiares —*detestatio sacrorum*— la adopción de un *paterfamilias* —*adrogatio*— entrando en la familia del adoptante y el testamento *calatiis comitiis*, por el que se designa el continuador de la *familia*.

histórica reconocerles cualquier otro tipo de competencia —electoral, legislativa o judicial[15]—.

Las centurias, *centuriae* también son unidades de tipo militar y en origen, responden a las nuevas exigencias bélicas, derivadas de la introducción de la táctica hoplítica —*hoplita* = soldado con armadura pesada[16]—. Su número total es de 193[17] y los *comitia* basados en ellas —*comitia centuriata*— en razón de la riqueza —no del linaje— en principio, comportan, una adecuada conexión entre los derechos civiles y las obligaciones militares de los *cives*.

Las tribus son unidades o distritos territoriales e implican una distribución de ciudadanos en razón a su domicilio. Su número, en época monárquica, es de 20[18] y los *comitia* basados en ellas —*comitia tributa*— son los más recientes en el tiempo, de carácter más democrático y sirven de primera criterio organizativo de la plebe.

---

[15] La *lex curiata* a la que alude la Tradición, viene a representar, según opinión dominante, una simple investidura formal del *rex* ya nombrado.

[16] Superadas las luchas individuales, en carro de guerra o a caballo, el ejército pierde su carácter gentilicio (de linaje), la caballería pasa a segundo plano y la infantería, dotada de armamento pesado, formando bloques compactos y agrupada en unidades de 100 hombres, cobra especial relieve. El *exercitus centuriatus* queda compuesto por: caballería, *equites*; infantería, *pedites* —dividida en 5 *classes*, según el distinto armamento— e *inermes* y la pertenencia a cada cuerpo y *classis* en que se articula depende de la fortuna —inmobiliaria primero, mobiliaria, después— del ciudadano, según el censo, ya que debe costearse su equipo militar.

[17] Es opinión dominante: que el ejército hoplítico en Roma se introduce en la última época de la monarquía; que sus 19.300 hombres —193 centurias = 193 por 100— y la población que supone —más de 100.000 personas— son cifras que cabe asumir en tal período y que la riqueza —ya no el linaje— en principio, comportó adecuada conexión entre los derechos civiles y las obligaciones militares de los *cives*.

[18] Las nuevas tribus —que la Tradición atribuye a Servio Tulio y que no deben confundirse con las primitivas de *Tities, Ramnes y Luceres*—fueron 4 urbanas, en las que se dividió el recinto de la ciudad —*Palatina, Esquilina, Succusana y Colina*— y 16 rústicas —en las cercanías de Roma— a las que se dio nombres de linajes patricios y cuyo número aumenta, por las nuevas conquistas de Roma. En el a. 450 AC se creó la tribu *Clustumina*—primera con nombre geográfico y en que los plebeyos participan en el reparto del territorio—; en el 387 AC —conquista de Veyes— se pasa a 21 y en el 241 AC, en pleno apogeo de la república, queda, definitivamente, fijado en 35.

III. La República: génesis y asentamiento

Los historiadores discrepan a la hora de aceptar la Tradición[19]. Sus defensores mantienen que el tránsito de la Monarquía a la República se produjo de manera violenta y el nuevo régimen implica una verdadera ruptura con el anterior. Sus detractores opinan —y nos parece más fundado— que la génesis de la República tuvo lugar lentamente y distintos magistrados fueron, poco a poco, asumiendo las funciones antes encomendadas al *rex*, hasta quedar éste circunscrito a las de carácter religioso —*rex sacrorum*—. Al considerar a los cónsules —principal magistratura de la República— como sucesores del antiguo rey, algunos postulan existe un eslabón intermedio, que sería: un dictador o un *praetor maximus*.

Lo cierto es: 1.º) que el período de formación y asentamiento de la República está presidido por las luchas internas entre los dos elementos de la población romana, patriciado y plebe y 2.º) que las *Leges Liciniae Sextiae*, cierran un ciclo histórico, ya que con ellas queda cumplido el asentamiento de la República. Desde entonces puede hablarse de una *civitas* patricio-plebeya.

2. ESTRUCTURA ECONÓMICO-SOCIAL

I. Territorio

Roma, en sus orígenes, tiene un territorio muy reducido, cuya extensión, como se ha puesto de relieve, es similar a un 1/3 de la actual Andorra —unos 150 Km^2—. A principios del s. IV AC lo ha multiplicado por diez —1.500 Km^2— pese a lo cual, siguiendo con las compa-

---

[19]   La Tradición refiere: 1) que tras la expulsión del último rey —Tarquino el Soberbio— el poder pasa a dos magistrados anuales, llamados primero *praetores* y luego *consules*; 2) que por 60 años gobiernan Roma, siendo sustituidos en el 451 y 450 AC por diez varones, encargados de redactar la Ley de las XII Tablas —*Xviri legibus scribundis*—; 3) que tras un intento de volver al régimen consular —en el a. 449 AC— asumen el poder los tribunos militares con potestad consular —*tribuni militum consulari potestate*— cuyo número varía y 4) que en el año 367 AC y merced a unas *Leges Liciniae Sextiae*, se reinstaura el consulado, que es compartido ahora por patricios y plebeyos, con lo que se pone fin a la lucha entre ellos y se entiende acabado el proceso de asentamiento de la República.

raciones, no excedería de la mitad aproximada de Luxemburgo. Durante este siglo IV AC, Roma prosigue su expansión y alcanza los 30.500 Km^2 que sería, más o menos, la extensión de la Bélgica de hoy.

II. Población

La población de Roma se dedica, sobre todo, al pastoreo y la labranza, por lo que es adecuado su calificativo de comunidad rural. Socialmente, se aprecia una honda distinción entre patricios y plebeyos y es problema abierto y debatido el precisar el carácter de aquellos y el origen éstos[20]. Sea como fuere lo seguro es: 1.°) que al margen de la *civitas* —patricia— existe un sector marginado, cuya integración sólo se llevará a cabo tras larga y tenaz lucha; 2.°) que, *de facto*, la amenaza de secesión y la oposición al *dilectus* —reclutamiento— en momentos de peligro, van a resultar sus métodos más eficaces y 3.°) que *de iure*, el reconocimiento de sus representantes —*tribuni plebis*—, de sus asambleas —*concilia plebis*— y de las decisiones tomadas en ellas —*plebiscita*— constituirán la triple plataforma para el logro de sus reivindicaciones políticas[21], jurídicas[22], socio-económicas[23] y religiosas[24].

III. Sociedad

Si Derecho es —o debería ser— fiel reflejo de la vida social de una determinada época, procederemos a un somero examen de las princi-

---

[20] Respecto al patriciado, la doctrina tradicional mantiene: fue originario y preconstituido y la moderna, niega una y otra premisa; sostiene que no tuvo carácter inmutable y defiende que fue durante la génesis y asentamiento de la República cuando se organizó en castas cerradas. Respecto a la plebe, se discute si fueron factores económicos o étnicos los que incidieron, principalmente, en su origen.

[21] Sus objetivos fueron: la validez general de los *plebiscita* y el acceso de plebeyos a las magistraturas y al senado.

[22] Principales objetivos y logros fueron: un código escrito y común —La ley de las XII Tablas, 450 AC— y reconocer los matrimonios mixtos (patricio-plebeyos) —*Lex Canuleia*, 445 AC—.

[23] Fines y logros son: a) prohibición de los intereses usurarios —*Lex Genucia*, 342 AC—; b) participar en el reparto de tierras, *ager publicus* —*Leges Liciniae Sextiae*— y c) la abolición de la ejecución personal por deudas —*Lex Poetelia Papiria*, 326 AC—.

[24] Acceso al sacerdocio —*Lex Ogulnia*, 300 AC—.

pales características de la sociedad romana en este período, para después, y paralelamente, destacar los rasgos esenciales de su derecho.

Roma es una comunidad rural primitiva. Por ello no debe extrañar, pues es propio de las sociedades primitivas, en general, y de las campesinas en particular y Roma no constituye una excepción: 1.°) que la austeridad y rigidez sean notas inherentes a la sociedad romana arcaica; 2.°) que, en ella, revista singular importancia la familia, cuyo carácter patriarcal trasciende a la sociedad, en la que el individuo, en sí, carece de importancia y se difumina dentro del grupo, sobre el que ejerce un poder absoluto el jefe de familia —*pater familias*— y 3.°) que tenga un carácter «cerrado», mirando con recelo a los extranjeros.

3. EL DERECHO ROMANO ARCAICO: EL *IUS CIVILE*

El primitivo Derecho Romano fue el *ius civile*, llamado así por ser el propio de la ciudad —*ius proprium civitatis*—. Gayo —s. II—, lo define como el derecho que cada pueblo establece para sí —*quod quisque populus ipse sibi constituit*— y conforme a la sociedad a la que se dirige es: rígido, inflexible, formalista, patriarcal y exclusivista.

A) La «austeridad y rigidez» de la sociedad romana trasciende al Derecho, que está presidido por principios rigurosos e inflexibles en los que no se toma en cuenta los posibles errores o fallos en que pueda incurrir la persona y en los que la voluntad aparece revestida de gran número de ritos, ceremonias y solemnidades, que debe cumplir, por lo que queda aprisionada por la forma[25]. El *ius civile*, pues, es rígido, inflexible y formalista.

B) El carácter «patriarcal» de la sociedad trasciende, también, al Derecho, hasta el punto que, con frecuencia, el *ius civile* es catalogado como «el derecho de los *patres familias*». Así, pues, respeta las amplias atribuciones de éstos dentro del ámbito de la familia, el derecho de vida y muerte —*ius vitae necisque*— que comporta la *patria potestas* es ejemplo revelador, y regula, sobre todo, las relaciones recíprocas de aquellos y los actos jurídicos a que dan lugar.

---

[25]   La *mancipatio* y la *sponsio* (Temas 23.1. y 29.1), pueden servir de ejemplos.

C) El «exclusivismo» de la *civitas* también se refleja en el derecho romano primitivo, por lo que no sorprende, que los extranjeros —calificados en principio de *hostes*, enemigos— aparezcan huérfanos de protección jurídica y que el principio de la «personalidad de las leyes» —típico del mundo antiguo— presida el *ius civile*, que es, fiel a su denominación: propio, privativo y, en suma, «exclusivo» de los *cives*.

Las acciones de la ley —*legis actiones*— con iguales caracteres que el *ius civile*, es el adecuado procedimiento para que el *civis* pueda hacer valer sus derechos cuando resultan desconocidos por alguien y en el que el mínimo error formal —usar, lo recuerda Gayo, la palabra vid por la de árbol— comporta la pérdida del litigio —*ut qui minimum errasset litem perderet*—.

4. LAS FUENTES DEL DERECHO ARCAICO

El derecho romano arcaico está integrado por: los *mores maiorum*, la Ley de las XII Tablas y por la *interpretatio* que, sobre ella, llevan a cabo los *pontifices*. También hay, en este período, *leges* y plebiscitos, pero al tener mayor relieve en época preclásica, en ella los estudiaremos.

I. Los *mores maiorum*

Son los usos o costumbres —*mores*— tenidos como reglas de conducta por los antepasados —*maiores*— y que vienen a constituir, en el tiempo, la primera fuente, no escrita del *ius civile*, o al menos, su primer medio de expresión.

II. La Ley de las XII Tablas

A) Según la Tradición, se trata de una Ley, de mediados del s. V AC (451-450), redactada por diez magistrados extraordinarios, los *decem viri* —de ahí, también, se la llame ley decenviral— nombrados, precisamente, con esta finalidad —*legibus scribundis*, para escribir las leyes—. Se inserta en el marco de las luchas patricio-plebeyas y responde a la reivindicación de la plebe que quería obtener una seguridad ante el derecho, mediante su redacción por escrito. Fue destruida en el incendio de Roma por los Galos (a. 387 AC).

B) Su contenido, debió ser en gran parte, compendio de *mores maiorum*. Por ello, bajo un punto de vista «substancial» no debió suponer una innovación trascendente, cumpliendo una función correctora e integradora del *ius* que aquellos representaban. Sin embargo, bajo un punto de vista «formal» tienen una importancia decisiva: por primera vez, surge la manifestación de la norma jurídica, con carácter general y abstracto; por ella se obtiene la certeza del derecho; se otorga seguridad jurídica al *civis* y, en suma, se logra la *isonomía* —del griego *iso* = igual y *nómos* = ley—, es decir, la igualdad, en la situación, de todos los ciudadanos ante la ley.

Las XII Tablas no nos han llegado y para su palingenesia —reconstrucción— debemos acudir a las citas y referencias que a ella hacen, sobre todo, los escritores latinos. Así, sabemos que trataron: del proceso[26], de la familia[27] y herencia[28], de las obligaciones[29], de la propiedad y sus límites[30], de los delitos[31] y del derecho funerario.

C) Fueron calificadas como fuente de todo el derecho público y privado —*fons omnis publici privatique iuris*— y la doctrina, a la hora de enjuiciarlas, ha oscilado entre su máxima exaltación y su crítica

---

[26] De carácter formalista, arcaico —subiste la autoayuda— y basado en las acciones de la ley —algunas de las cuales recoge y otras crea— regula: la citación en juicio —de carácter privado— y sus límites, la necesaria presencia de las partes en el proceso —y las formas de garantizarla— la transacción, el tiempo para dictarse sentencia y la ejecución personal.

[27] Su pertenencia se determina por el sometimiento a un mismo *paterfamilias* —carácter agnaticio— y se trata de las atribuciones de éste —*patria potestas*— de su posible pérdida —por triple venta del hijo— y de la tutela.

[28] Trata de la sucesión por causa de muerte, según haya testamento o no; de los distintos grupos de parientes, en razón del criterio agnaticio, que son llamados en este caso y de la libertad de constituir legados.

[29] La familia es núcleo cerrado de producción y consumo y los cambios poco frecuentes, sin embargo, se alude a los posibles créditos y sus responsabilidades, presididos por las ideas de prenda o rehén del propio deudor —*nexum*— promesa verbal de otra persona —*sponsio*— y de su garantía real, al transmitir la propiedad de una cosa —*fiducia*—.

[30] Se distingue entre propiedad y posesión; se trata de las relaciones de vecindad; de las servidumbres; de la *actio aquae pluviae arcendae* —acción de contención de agua pluvial— de las cosas importantes —*mancipi*— o no, —*nec mancipi*— para la agricultura; de la usucapión y de los modos derivativos de transmisión de la propiedad.

[31] Coexisten los principios del Talión y de composición y se trata de los delitos de lesiones —graves, leves e injurias— del homicidio —voluntario e involuntario— y del hurto —manifiesto o no—.

despiadada. Huyendo de posturas extremas, hoy se suele considerar constituyó un notable progreso para su tiempo.

III. La *interpretatio pontificium*

Sobre la base de los *mores maiorum* y de la Ley de las XII Tablas, se constituye en Roma un sistema jurídico merced a la labor de los pontífices que, a través de su *interpretatio,* hacen que resulte posible, en la práctica, la aplicación del derecho a la vida real.

A) Dada la conexión existente entre Religión y Derecho no extraña que los miembros de un colegio sacerdotal —el de los pontífices— sean los primeros juristas; que fijen y sean únicos conocedores del calendario judicial —días hábiles para acudir a juicio, *fasti* e inhábiles, *nefasti*—; sean depositarios de los formularios procesales —*legis actiones*—; tengan memoria de las *sententiae* y que, en definitiva, asuman la función de hacer vivir el derecho, ciencia secreta que monopolizan.

La triple actividad de estos conocedores —*prudentes*— del derecho —*iuris*— se resume en los verbos *agere, cavere* y *respondere. Agere,* es indicar la acción oportuna —en términos modernos sería la dirección técnica del proceso—. *Cavere,* es redactar formularios y esquemas para negocios concretos, de acuerdo con los intereses de las partes, evitando su nulidad ante el rígido formalismo que ha de observarse. *Respondere,* es contestar y opinar ante las preguntas que se les formulan —en términos modernos: emitir dictámenes y evacuar consultas—.

B) Tras las XII Tablas, la *interpretatio* del *ius civile,* que ellas representan, fue muy destacada y si bien los pontífices se sienten vinculados por la tradición y —a tenor del formalismo de la época— se suelen ceñir a una interpretación «literal», nada les impide el usar hábilmente «las palabras de la Ley» y crear instituciones que sus redactores —los *Xviri*— jamás pudieron imaginar y que hoy, difícilmente, encajarían en nuestro término «interpretación» —buscar el recto sentido de la norma—. Caso típico es el de la *emancipatio,* emancipación, tomando como base un precepto que limitaba el derecho del padre de vender a su hijo a tres veces[32].

---

[32] De la emancipación tratamos en el Tema 15.3.

Tema 3
Época preclásica

La época que hemos llamado preclásica abarca desde el primer 1/3 del s. IV AC —*leges Liciniae Sextiae*— hasta el último 1/3 del s. I AC, momento en que, tras la batalla de *Actium* —31 AC— se pone fin al II Triunvirato, accede Augusto al poder —a.27 AC— y se instaura el Principado. Se trata de una época de gran importancia, no sólo en la evolución jurídica de Roma, sino en la propia historia de la humanidad, en la que un triple factor —político, económico y cultural— va a dejar su huella indeleble en la sociedad y en el Derecho Romano, influyendo, en forma decisiva, en el mundo antiguo. Brevemente, nos referiremos a la situación política, social y jurídica de Roma en este tiempo.

1. ORGANIZACIÓN POLÍTICA

El concepto de *Res publica* delimitado, paulatinamente, durante la época arcaica, alcanza su máximo esplendor en los s. III y II AC, momento a partir del cual iniciará su decadencia. Analicemos, pues, sus principales órganos y apuntemos las causas de su apogeo y crisis.

I. Los órganos republicanos

A) *Las magistraturas*

a) Imperium y Potestas

El antiguo *rex* queda circunscrito a funciones religiosas —*rex sacrorum*— y las restantes son absorbidas, poco a poco, por una serie de magistrados, cuyos poderes se designan con los nombres de *imperium* —poder supremo de mando— atribuido a los magistrados más importantes y *potestas* —poder restringido a un determinado campo de actividad—. Así: todos los magistrados tendrán *potestas* y sólo algunos *imperium*[1].

b) Caracteres de las magistraturas

Las magistraturas, en general, presentan los caracteres de: elegibilidad —elección popular, por lo común, abierta a todos los ciudadanos—, anualidad —duración anual—, colegialidad —ejercicio colegial, al menos por dos personas (*collegae*) con igual poder y recíproco derecho a veto; gratuidad— al ser *honores* en sentido de carga y de responsabilidad tras cesar en el cargo.

c) Las distintas magistraturas

Los principales magistrados son los cónsules, pretores y censores. Los cónsules, ostentan la suprema dirección política y militar, son los titulares más caracterizados del *imperium*[2] y dan nombre al año —*eponimia*—. A los pretores les corresponde la *iurisdictio* —el decir derecho— y jugarán un papel decisivo en la evolución y desarrollo del Derecho Romano[3]. Los censores, de ahí su nombre, están encargados de la confección del censo —*censum agere*— lista de ciudadanos, en atención a su riqueza, con importantes repercusiones político-militares y financieras[4];

---

[1]   El ejercicio del *imperium* es ilimitado, en el campo de batalla, «en guerra» —*militiae*— y en la ciudad, «en casa» —*domi*— restringido por los propios caracteres de las magistraturas y las atribuciones judiciales de los comicios.

[2]   El *imperium* comprende: el *imperium*, en sentido estricto, mando militar; el *ius auspiciorum*, derecho a consultar e interpretar la voluntad de los dioses; el *ius agendi cum populo*, derecho a convocar al pueblo; el *ius agendi cum patribus (senatu)*, derecho a convocar al senado; el *ius edicendi*, derecho a publicar edictos; la *coercitio*, poder de represión y disciplinario y la *iurisdictio*, el decir derecho.

[3]   El *praetor* —de *prae ire*, ir delante— en origen, pudo ser el primer magistrado titular del *imperium* —*praetor maximus*—. Desde el 367 AC —*leges Liciniae Sextiae*— aparece como magistrado *cum imperio* y *collega minor* del cónsul, asignándosele la *iurisdictio*. En principio era único, residiendo en Roma de donde no podía ausentarse —*praetor urbanus*—; en el 242 AC se creó un segundo pretor para dirimir controversias en que las dos partes, o una, no fuera ciudadano romano —*praetor peregrinus*—; en años sucesivos el número de pretores aumentará.

[4]   Además, les compete: la administración del *ager publicus* —tierras del Estado— arrendamiento de impuestos, suministros y concesión de obras públicas; el cuidado de las costumbres —*cura morum*— a través de la nota censoria —que supone la degradación o infamia del ciudadano, afectado por ella— y, tras la *lex Ovinia*, la elección de senadores. Son nombrados cada 5 años y no pueden permanecer en el cargo —tras la *Lex Aemilia*— más de 18 meses. Poseen *potestas*, carecen de

Menor importancia tienen: los ediles curules y cuestores. Aquellos, con funciones que, de acuerdo con el significado, hoy, del término «edil», son propias de los concejales y miembros de ayuntamientos[5] y éstos, como magistrados auxiliares en materia penal y finanzas[6].

Merecen especial mención los tribunos de la plebe y el dictador. Los primeros, tienen origen revolucionario, su persona es inviolable —*sacrosancta*— y cesadas las luchas estamentales, se convertirán en pieza clave del régimen republicano; su función es proteger al ciudadano —*ius auxilii*— ante cualquier decisión consular o senatorial; el medio para lograrlo, la *intercessio*, el veto, y en ellos puede verse un remoto precedente de nuestro actual defensor del pueblo. El dictador, es un magistrado extraordinario, que se nombra en casos de excepción y concentra en sus manos todo el poder, por un plazo de 6 meses máximo, en el que cesa lo que hoy llamaríamos garantías constitucionales[7].

B) El Senado

Pasa, de simple consejo asesor del *rex*, al órgano más elevado e influyente[8]. Está compuesto por patricios —*patres*— y plebeyos —

---

imperium, no puede ejercerse contra ellos la *intercessio tribunicia* y el desempeño de la censura constituye la culminación de una vida política.

[5] Los ediles curules —de *aedes*, templo y *sella curulis*, silla que tenían derecho a utilizar— aparecen con las *leges Liciniae Sextiae*, a imitación de los ediles plebeyos, que, en principio, atendían el culto plebeyo y después pasan a ser colaboradores de los tribunos de la plebe. Sus funciones fueron: la *cura urbis* —vigilancia, cuidado y policía de la ciudad— la *cura annonae* —abastecimiento de la ciudad e inspección de mercados— y la *cura ludorum* —organización de juegos—. En controversias de mercados poseían *iurisdictio*, y a través de sus *edicta* —*edictum edilium curulium*— influyeron en el derecho sobre todo en materia de compraventa.

[6] Los *quaestores* —de *quaerere*, investigar— en principio, son meros auxiliares de los cónsules y elegidos por ellos —después, también de los pretores—. Sus funciones fueron de investigación criminal —*quaestores parricidii*— y administración del erario —*quaestores aerarii*—. Su número aumentó, por necesidades políticas y militares, a 20.

[7] Una *lex Villia* —a.180 AC— fija la carrera política —*cursus honorum*— cuyo orden fue: cuestura, edilidad, tribunado, pretura y consulado. No se pudede ser censor ni dictador sin ejercer el consulado. Prohibió, además, que una persona pudiera ejercer más de una magistratura; que ésta lo fuera por más de un año; estableció el plazo de 2 años entre el ejercicio de una y otra y edades mínimas para el ejercicio de cada una.

[8] La temporalidad de las magistraturas y lo esporádico de las reuniones del pueblo, son razones de ello.

conscripti, añadidos[9]—. Lo senadores se eligen —*lectio senatus*— desde la *lex Ovinia* (312 AC), por los censores y recae su nombramiento sobre ex-magistrados, con lo que se garantiza una estabilidad y continuidad histórica. Según las magistraturas ejercidas, por los ahora senadores, el Senado se dividía en órdenes, *ordines*, estando a la cabeza los que habían desempeñado la censura y el consulado —*censorii* y *consulares*—. En cuanto a sus funciones, resumiremos: 1.º) que le corresponden las más importantes en política exterior; administración financiera y materia sacra; 2.º) que se exige la *auctoritas patrum* como previa a las deliberaciones comiciales en materia legislativa —*lex Publilia Philonis*, 339 AC— o electoral —*lex Moenia*, principios s. III AC[10]— y 3.º) que en caso de grave peligro, por una especial disposición —*senatusconsultum ultimum*— puede suspender toda garantía del ciudadano y conferir el poder absoluto a los cónsules para que protejan a la República de cualquier peligro —*provideant consules ne quid respublica detrimenti capiat*—.

C) Las Asambleas populares

a) Los *Comitia Curiata*, al no existir ya, en la práctica, la distribución por curias, pierden importancia y para las funciones en que, formalmente, era necesaria su intervención, 30 *lictores* —oficiales subalternos— terminarán representando a cada una de aquellas curias.

b) Los *Comitia Centuriata* son los más importantes. Su inicial vinculación militar —el término *centuria* lo advierte— resulta clara y se mantiene desde fines del s. VI AC. —introducción de la táctica hoplita = infantería pesada— hasta principios del s. V AC[11]. Existen 193 *centuriae,* de las que 18 son de *equites*, jinetes, y 80 de la 1.ª clase de *pedites*, infantes y cada centuria, constituye una unidad de voto. Hay, pues, dos fases: primero se vota dentro de cada centuria y luego

---

[9] El número de senadores llega a 600 en época de Sila y a 900 con César.
[10] A través de ella se controla la actividad comicial. Al principio, tenía carácter de ratificación —*a posteriori*— luego, fue preventiva —*a priori*— autorizando o vetando los posibles candidatos o el proyecto de ley.
[11] La introducción de los manípulos —unidades menores de infantería— producirá, por la nueva configuración del ejército, una desconexión entre sus funciones militares y políticas.

por centurias. Al no ser la votación simultánea, y si sucesiva, cesa al lograrse la mayoría absoluta, que se podría obtener si sumamos las 18 centurias de *equites* y las 80 de la 1.ª clase —98 sobre 193—. Dado que los económicamente más fuertes son los integrantes de tales centurias, resulta claro el carácter timocrático de estas asambleas. Sus funciones son: electorales, pues en ellos se eligen a los magistrados más importantes (*maiores*) —cónsules, pretores y censores— legislativas —al votarse en ellos leyes— y judiciales, al ser los únicas competentes para decidir sobre la pena capital de un *civis* en procesos políticos[12].

c) Los *Comitia Tributa*, como dijimos, son de origen más reciente; el criterio sobre el que se asientan —la tribu— es territorial y su número inicial de 20, 4 urbanas, que permanece inalterable y 16 rústicas, que aumentará, por el nuevo territorio conquistado, hasta alcanzar —a.241 AC— el definitivo de 31. En total, pues, 35 tribus —4 urbanas y 31 rústicas—. Las rústicas, escasamente pobladas y formadas, sobre todo, por terratenientes. Las urbanas, con mayor densidad de población, integradas, en buena parte, por desheredados de la fortuna. Por ello, al constituir la tribu, una unidad de sufragio, los económicamente más fuertes tuvieron clara ventaja y aunque representan, frente a los comicios centuriados, un notable incremento democrático, sin embargo, y así se ha destacado, la mayoría de las tribus no reflejó el sentir de la mayoría de los ciudadanos. Sus funciones son también, electorales —en ellos se eligen los magistrados menos importantes (*minores*) ediles curules, cuestores, magistrados especiales—, legislativas —sin diferencia entre estas leyes y las aprobadas en los comicios centuriados— y judiciales, para procesos públicos castigados con multas.

d) Los *Concilia Plebis* (*concilium*, de *conkalare* = *convocare*), asentados en el criterio de la tribu, juegan un papel fundamental en las luchas estamentales y sus funciones, también, son: electorales —en ellos se eligen los magistrados plebeyos, tribunos y ediles de la plebe— legislativas, votando los plebiscitos que terminarán equipa-

---

[12] Es difícil fechar con exactitud los momentos en que quedan fijadas estas atribuciones, probablemente a lo largo de los s. V al III AC. Respecto a las competencias judiciales cabe anticipar que el precedente de nombrar, a veces, jurados de carácter extraordinario —*quaestiones perpetuae*— cuyos fallos no estaban sujetos a la *provocatio*, se transforma en situación normal a fines de la República, privándose a los *comitia* de tal atribución.

rándose a las leyes y judiciales, si el acusador era tribuno o edil plebeyo.

II. Apogeo de la República

Polibio —historiador griego del s. III AC— muestra su extrañeza al no poder encuadrar el régimen de la república dentro de las diferentes categorías aristotélicas. La razón es: el equilibrio de poderes —causa, en suma, de esta grandeza de Roma—. Por el *imperium* de sus magistrados más característicos, los cónsules —en teoría, ilimitado, aunque no en la práctica— parecería que uno mismo (sólo) —*aútòs*— gobierna —*kratéo*— y ser una autocracia. Por la *auctoritas* del Senado y su composición —ex magistrados— parecerían gobernar los mejores —*aristos*— y ser una aristocracia. Por la *maiestas* del pueblo, a través, primero, de sus asambleas militares, *comitia centuriata* y más tarde, por éstas mismas, con carácter cívico, y por los *comitia tributa*, con los que comparten atribuciones electorales, legislativas y judiciales, parecería gobernar el pueblo (los más) —*demos*— y ser una democracia. La *res publica*, pues, se basa en tres elementos en perfecta armonía: las magistraturas, el senado y las asambleas populares.

III. Crisis de la República

La ruptura del equilibrio del que se asombraba Polibio, lleva aparejado la crisis republicana y su primera manifestación, paradójicamente, se aprecia cuando Roma deja de ser un estado-ciudad para convertirse en potencia universal. Por un lado, los intentos de reformas agrarias patrocinados por los Gracos (133-121 AC); la concesión del derecho de la ciudadanía romana a los aliados itálicos tras las guerras sociales (91-89 AC) —*leges Iulia* y *Plautia Papiria*— y las guerras civiles, entre *optimates* y *populares*, abocarán en una dictadura, la de Sila (82-79 AC). Por otro lado, la concesión de mandos extraordinarios, ineludibles para sobrellevar las guerras exteriores, provocarán una concentración de poder personal en manos de los jefes militares que determina el total hundimiento de la República. Los triunviratos, formados: el I, por César, Pompeyo y Craso (60 AC) y el II, por Octavio, Marco Antonio y Lépido (43 AC) pondrán fin a este período.

2. ESTRUCTURA ECONÓMICO-SOCIAL

I. Territorio

A) De la ciudad al Imperio

Ya en el primer 1/3 del s. III AC Roma ha sometido a Italia. Geográficamente, se extiende, pues, a la Italia peninsular. Y durante esta época —hasta el último 1/3 del s. I AC— prosigue su expansión a toda la cuenca del Mediterráneo, convirtiéndose en primera potencia del mundo antiguo y dueña de casi todo el mundo antes conocido. Sin seguir un criterio cronológico, y si geográfico, cabe resumir que Roma, tras someter a Italia e islas próximas —Sicilia, Córcega y Cerdeña—: a) conquista en Occidente, las Galias, —que comprende, además de la actual Francia, Bélgica y Suiza (*Helvetia*)[13]—, Hispania y el Norte de Africa; y b) domina en Oriente, Macedonia, Grecia, Asia Menor —que limitada por los mares Negro y Mediterráneo, vendría a ser la actual Turquía—, Siria y Judea y, por último, anexiona Egipto (a.30 AC).

B) Italia y las Provincias

Problema grave será armonizar la estructura «ciudadana» de Roma y el gobierno de tan vastos territorios. Su organización se encuentra presidida, y así se ha puesto de relieve, por dos ideas contrapuestas: la de ciudad —*civitas*— y la de reino —*regnum*—. La *civitas* equivale a la forma antigua de estado-ciudad democrático; parte de la concepción de *res publica* y, en ella, los ciudadanos actúan y participan en un clima de *libertas*. El *regnum*: equivale a estado territorial; parte de la concepción de *res privata* y, en él, los súbditos —que no ciudadanos— están supeditados a un soberano con poder absoluto[14].

El primer criterio —el de *civitas*— fue seguido en Italia, en donde Roma se encuentra con un mosaico de estados-ciudades, a los que

---

[13] Nombre dado, en principio, al conjunto de regiones existentes entre los Pirineos, el Mediterráneo, los Alpes, el Rhin y el Atlántico. Los belgas estaban entre el Sena y el Rhin y los helvecios, entre éste y el Ródano.

[14] Estrabón, geógrafo griego del s. I, viajero infatigable y autor de una Geografía en 17 libros, en la que además se estudia la cultura de cada país, al referirse al *regnum* nos dirá: todos eran esclavos menos uno.

respeta, en mayor o menor grado, su autonomía, a cambio de asumir —*capere*— éstos una serie de obligaciones —*munera*—. Así, los convierte en municipios, *municipia* —término que es suma de las dos palabras—[15].

El segundo criterio —el de *regnum*— se siguió fuera de Italia, en donde Roma se subroga en la posición del antiguo soberano y convierte aquel *regnum* en *provincia*. Término que aludió, en principio, al conjunto de facultades que Roma concede al general *pro vincere*, para vencer y que, después, por traslación, designó al territorio donde se ejercían estas facultades. Su gobierno, primero, se confió a los magistrados ordinarios, cónsules y pretores, después a procónsules y propretores, nombre con el que se designa a los referidos magistrados que finalizado su año en el cargo, ven prorrogado su mandato, otro año más fuera de la *civitas* —*prorrogatio imperii*— y en el que, sin ser cónsul o pretor, hacían las veces de ellos, «como cónsul», *pro consule* o «como pretor», *pro praetore*. Sus funciones son: político-militares, financieras y jurisdiccionales y el principio de gratuidad de las magistraturas, se empieza a quebrar al percibir «dietas» por distintos conceptos.

II. Población

Convertida Roma en centro del mundo y abandonada la agricultura como principal forma de riqueza y de vida, es lógico que, en esta época, su población, adquiera una distinta fisonomía, no sólo por estar superadas las luchas patricio-plebeyas, sino por su propia extensión territorial, lo que esto comportó y el precio que hubo que pagar.

El desarrollo del comercio y el principio de la personalidad de las leyes, obligará a diferenciar, dentro de los habitantes del Imperio, entre ciudadanos —*cives*— y extranjeros —*peregrini*, término alusivo

---

[15]   A) Hasta la guerra social —s. I AC— en Italia, se diferencia entre *ager romanus* y territorio de los aliados —*socii*—. a) El *ager romanus* comprende: 1.º) el estado-ciudad de Roma; 2.º) los *municipia* y 3.º) las *coloniae civium Romanorum*, asentamientos de *cives* que Roma traslada a territorios conquistados, en suma, un pedazo de aquella entre extranjeros. b) Respecto al territorio de los aliados— *socii*— su autonomía y derechos dependerá de la clase de tratado —*foedus*— realizado con Roma. B) Tras la guerra social, cuando los aliados, pese a ser vencidos, alcanzan la ciudadanía, este territorio se incorpora al *ager romanus*.

a los que llegan a Roma a través de los campos = *per agros*— y la lucha por el poder, el que los *cives* se escindieran en dos sectores: el de los mejores, *optimi*, que integrarán el partido de los *optimates* —terratenientes, que representan la aristocracia oligárquica senatorial— y el de los caballeros, *equites*, que integrarán el partido de los *populares* —formado por hombres nuevos, *homines novi*, cuya riqueza, derivada, en general, del comercio, es de base mobiliaria—[16].

III. Sociedad

Factores espirituales y culturales —de una parte— y el intenso tráfico comercial —de otra— determinarán que la sociedad romana adquiera, en esta época, un nuevo carácter y cabe anticipar, por vía de síntesis, que respecto a la sociedad arcaica, pasa: de la austeridad, al lujo; de patriarcal, a la exaltación del individuo y de cerrada, a abierta y cosmopolita, pues, no en vano, Roma es la ciudad del mundo.

A) *Factores culturales*

El contacto con otros pueblos, sobre todo el griego, produce una honda transformación espiritual y cultural, en detrimento de los viejos moldes de vida. El helenismo, invade las clases cultas y desarrolla el sentimiento de la personalidad individual, contrario a la férrea unidad e indiferenciación de la familia arcaica de carácter patriarcal; la *humanitas* surge en la escala de valores del mundo romano y supera a su vieja y característica rigidez y, en general, las formas de pensar y vivir griegas —y el lujo y la molicie no son excepción, en quienes, en las nuevas doctrinas, sólo veían el lado grosero y material— se difunden y desbordan el antiguo y austero estilo de vida.

---

[16]   Debe advertirse que estas luchas aunque, en principio, puedan considerarse de reformas político-sociales, sería erróneo hacerlo como luchas de clases. En realidad, son luchas por el poder dentro de la aristocracia y se actúa para lograrlo más por razones pragmáticas que ideológicas.

B) Factores económicos

La expansión territorial y el desarrollo del comercio, es obvio, también afectarán a la sociedad romana que sustituye su primitivo carácter de comunidad agraria, por el de una gran ciudad con una compleja estructura económica, en la que los arrendamientos de impuestos, los contratos de obras públicas y los negocios de banca, no son excepción y en la que son frecuentes las relaciones entre personas, no ya de diferentes «ciudadanías», sino de las más alejadas vecindades mediterráneas.

C) Los distintos estratos sociales

Ligado a las mutaciones económicas —o por su causa— se produce una gran diferenciación entre los distintos estratos sociales: la aristocracia de la tierra, la aristocracia del comercio y el proletariado urbano.

a) La aristocracia de la tierra está formada por los senadores, que al no poder dedicar sus capitales al comercio —actividad, por entonces, poco honrosa— fueron adueñándose de grandes zonas de terreno —latifundios— obteniendo una notable rentabilidad, al ser los únicos con rebaños, ganados, esclavos y capital suficientes para lograr una explotación fructífera.

b) Al lado de esta nobleza senatorial, aparece otra aristocracia —equites— formada por quienes ejercen una importante actividad en el tráfico comercial, disponen de grandes sumas de dinero y pugnan por el poder político, tradicionalmente, reservado a aquélla.

c) Los pequeños campesinos —auténtica clase media en el período anterior y espina dorsal del ejército ciudadano— desaparecen como tales. Así, por un lado, las pérdidas humanas y devastación de los campos, tras la guerra con Aníbal y por otro, la competencia con mercados como Sicilia y África, cuya producción de cereales era mayor, más barata y más fácil de transportar a Roma, serán causas del abandono de sus tierras, de su condición de agricultores y, en definitiva, de la desaparición de la antigua clase media campesina que, atraída por Roma, pasa a convertirse en un proletariado urbano, venal y perezoso.

Senadores y caballeros, como fuerzas activas y una gran masa de proletarios como caja de resonancia, serán —como se ha destacado—

factores determinantes de luchas internas que conducirán al hundimiento de la República.

3. EL DERECHO PRECLÁSICO: *IUS GENTIUM* Y *IUS HONORARIUM*

I. Inadecuación del *ius civile*

Sabemos que el *ius civile* es exclusivista —*ius proprium civium romanorum*— y rinde tributo al principio de la personalidad de las leyes, por ello, resulta inaplicable a los nuevos habitantes de Roma. También sabemos que es: rígido, inflexible, formalista y patriarcal —notas coherentes con la primitiva sociedad romana—, por ello, resulta anacrónico e inadecuado al clima espiritual, cultural y mercantil que presiden la sociedad preclásica. Se hace necesario, pues, por un lado, un nuevo derecho aplicable a todas las gentes y por otro, la reforma o adaptación del viejo *ius civile* a las nuevas exigencias de la sociedad. Ambas necesidades se cumplirán, respectivamente, a través del derecho de gentes —*ius gentium*— y del honorario —*ius honorarium*—
.

II. El *ius gentium*

A) *Presupuestos*

La notable expansión y creciente desarrollo operado en el tráfico comercial; el tener que dirimir múltiples controversias entre personas de diferente ciudadanía y la aparición de nuevas relaciones impuestas por la práctica no recogidas en el *ius civile*, ponen de relieve la necesidad de un derecho, acorde con los nuevos tiempos, aplicable a todas las gentes —*ius gentium*— y apto para regular las actuales relaciones y, también, lo inadecuado del sistema de las acciones de la ley —*legis actiones*[17]— inaplicables a los no ciudadanos y a los nuevos usos.

---

[17]   De ellas tratamos en Tema 9.

B) Origen, fundamento y desarrollo

El origen de este derecho debe vincularse a la creación de una nueva magistratura, el pretor peregrino —a.242 AC— al que se confía la *iurisdictio*, el «decir derecho» en las controversias entre ciudadanos y extranjeros —*qui inter cives et peregrinos*— o entre extranjeros en Roma —*vel inter peregrinos, in urbe Roma ius dicit*— y es, precisamente, en la práctica de su tribunal donde se gesta el nuevo derecho, cuyo fundamento no descansa en la forma, sino en la *fides* que se identifica, en principio, con el mantenimiento de la palabra dada, significando, después, el debido comportamiento exigible en las relaciones humanas.

Su desarrollo se produce a través de un nuevo procedimiento, el *agere per formulas*, procedimiento formulario[18], en el que las partes manifiestan, libremente, sus pretensiones. El pretor, según ellas, redacta un pequeño escrito —*formula*— en que nombra a un particular como juez —*iudex*— y le manda dictar sentencia, tras examinar los hechos alegados[19].

C) Ámbito e integración

En general, *ius civile* y *ius gentium*, por razón del sujeto, se distinguen por su ámbito de aplicación y, en particular, por razón del objeto, porque el *ius gentium* se circunscribe a la esfera de los derechos patrimoniales y, sobre todo, a los contratos[20].

Sin embargo, entre ambos no hay una barrera infranqueable y sí una intercomunicación recíproca[21]. Así: los propios *cives* —sin aban-

---

[18]   De este procedimiento tratamos en Tema 10.

[19]   Este puede ser un ejemplo de fórmula por una reclamación de cantidad. Ticio se juez —*Titius iudex esto*— Si resulta probado —*Si paret*— que Numerio Negidio — *Numerium Negidium*— (nombre ficticio que alude al que niega) debe dar 10.000 sestercios —*sestertium decem milia dare oportere*— a Aulo Agerio —*Aulo Agerio* (nombre ficticio que alude al que reclama)— asunto sobre el que se litiga —*qua de re agitur*— Juez —*iudex*— condena a Numerio Negidio a que pague a Aulo Agerio los 10.000 sestercios —*Numerium Negidium Aulo Agerio sestertium decem milia condemna*— Si no resulta probado —*Si non paret*— absuelve —*absolve*—.

[20]   Otras relaciones como las propias del derecho de familia, el sucesorio e incluso la misma noción de propiedad, mantendrán su carácter de patrimonio exclusivo de los *cives*, quedando al margen de este nuevo derecho.

[21]   Entre *ius civile* y *ius gentium* no hay una oposición práctica —dado que tienen un campo de aplicación distinto— ni conceptual, ya que, éste, no llega a constituir un

donar los viejos negocios del *ius civile*— empiezan a utilizar las nuevas formas contractuales que, por su flexibilidad y sencillez, se adaptan mejor a las nuevas exigencias de la vida cotidiana, produciéndose una ampliación del contenido de aquél; también, algunas instituciones, reservadas, en origen a los *cives* —con ciertas modificaciones pretorias— terminan siendo asequibles a los *peregrini* y en fin, el propio procedimiento ante el pretor peregrino —*agere per formulas*— acaba por sustituir al de las acciones de la ley —*legis actiones*—.

D) Caracteres

Los factores que inciden en la sociedad romana preclásica se reflejarán en el nuevo derecho, que tiene como caracteres, precisamente, los opuestos al *ius civile*. Así: a) frente al formalismo, rigidez e inflexibilidad, aparece como ágil y flexible —de acuerdo a la dinámica que impone el comercio[22]—, con un carácter más humano y libre de formas[23]; b) frente a la patriarcalidad, opone la particular consideración del individuo[24] y c) frente al exclusivismo ciudadano, se manifiesta como abierto, universal, cosmopolita y aplicable a todas las gentes[25].

---

sistema orgánico y autónomo. Ello explica, que el nombre de *ius civile* termine por englobar ambos estratos e instituciones y el derecho elaborado en el tribunal del pretor peregrino se acabe por considerar como propio y no como impuesto por la autoridad del magistrado. Por ello, no ofrece problemas su integración en el *ius civile* del que no es más que un simple desarrollo.

[22] El espíritu mercantil se manifiesta en los contratos *iuris gentium* y conduce a que las viejas potestades familiares —*dominium* y *hereditas*— adquieran un sentido patrimonial que no tenían o estaba relegado a un segundo plano.

[23] La *traditio*, simple entrega de la cosa, sustituye las formas rituales de la *mancipatio* y aparecen unos contratos en los que la voluntad se manifiesta libre de forma y cuyo factor común y aglutinante será la buena fe —*bona fides*—. La compraventa, el arrendamiento, la sociedad y el mandato (Temas 32 y 33) son ejemplos de ellos.

[24] Su plasmación patrimonial se manifiesta en los peculios. (Tema 15.4).

[25] Gayo, tras definir el *ius civile* como el propio de la ciudad (de Roma) lo hace con el *ius gentium*, del que nos dice es: el que la razón natural —*quod vero naturalis ratio*— establece entre todos los hombres —*inter omnes homines constituit*— y que se llama derecho de gentes —*vocaturque ius gentium*— como derecho que usan todos los pueblos —*quasi quo iure omnes gentes utuntur*—. La función de este derecho de gentes será un precedente claro, con los matices lógicos, del actual derecho internacional privado. Así, por vía de ejemplo, si un francés, se casa en Portugal, con una española, habrá que dilucidar cual de los tres derechos —francés, español o portugués— debe aplicarse, lo que compete al referido derecho internacional privado.

III. El *ius honorarium*

A) Presupuestos

Lo mismo que al proliferar las relaciones comerciales entre Roma y los demás pueblos del Mediterráneo, se siente la necesidad de un nuevo derecho apto para regularlas —el *ius gentium*— de un magistrado encargado para conocerlas —el *praetor peregrinus*— y de un principio que sirva de base a uno y otro —la *fides*— también al cambiar las concepciones sociales, culturales y espirituales de Roma y resultar el *Ius civile*, cada vez, más alejado de la realidad, se sentirá la necesidad de su reforma, o al menos de su adaptación, y serán los propios magistrados jurisdiccionales, sobre todo el *praetor urbanus*, quien sin derogarlo[26] y merced a sus atribuciones discrecionales, resolverá las controversias con arreglo a un fundamental principio, la *aequitas*, logrando, así, por medio de sus edictos, la adaptación del viejo derecho al nuevo sentir de la sociedad y dando lugar a un nuevo orden jurídico: el *Ius Honorarium*[27].

Y, si decíamos, que el *ius civile* se contrapone al *ius gentium* por su ámbito de aplicación, ahora puntualizamos que el *ius civile* se contrapone al *honorarium* por su fuente de producción, que se circunscribe a los edictos de los magistrados, siendo todas las demás propias del *Ius Civile*.

B) Concepto, fundamento y función

El *Ius honorarium* es, pues, el derecho de los magistrados, pues las magistraturas, al ser gratuitas, son honores y de ahí viene su nombre

---

[26]   Lo que suele indicarse generalizando la frase propia del derecho sucesorio: el pretor no puede nombrar herederos —*Praetor heredes non facere*—.

[27]   Pese a las constatadas interpolaciones de los textos en que se alude a la *aequitas*, para nosotros es algo innegable su raíz preclásica. Etimológicamente, equidad = *aequitas*, deriva de *aequor* —llano— y trasladado al campo del derecho comporta la idea de que éste debe otorgar igual protección a iguales intereses. En época preclásica y clásica equivale a nuestra idea de justicia objetiva —norma no plasmada, pero sí reclamada por la conciencia social— entendiendo por ella la justa adhesión de la norma a la mudable vida social que regula, procurando restablecer la justa proporción y exacto equilibrio entre el derecho —estático— y la realidad social —dinámica—. En tal sentido, es un criterio de valoración del derecho positivo. Posteriormente —no en esta época— por influencia cristiana, será sinónimo de la *epiqueía* griega o si se prefiere de *pietas*, *benignitas* o *humanitas*.

—*ab honore magistratuum dictum*—. Nace de la *iurisdictio*[28] de los magistrados y al ser el Pretor su más caracterizado titular, también, se le llama *Ius Praetorium*. Su función, según Papiniano —s. III— fue la de: ayudar, suplir y corregir el *Ius Civile*, por causa de utilidad pública —*adiuvandi, supplendi, corrigendi iuris civilis gratia propter utilitatem publicam*—[29].

C) El papel del pretor urbano

El pretor, en principio, asume un papel de mero interprete del *ius civile*, pero no se detendrá aquí y, aunque no puede crear derecho, por las amplias atribuciones —derivadas, más de su *imperium*, que de su *iurisdictio*— podrá aplicar o no, el derecho vigente —*ius civile*— suplir su inadecuación mediante algunos recursos extraprocesales[30] y otorgar protección a meras situaciones de hecho que, a su juicio, lo merezcan. Así, irá creando categorías nuevas al margen de la rigidez del *ius civile* adentrándose en lo que hoy llamaríamos «competencia del legislador» y terminando por producirse un paralelismo de instituciones civiles y pretorias[31] que encarnan el compromiso entre lo nuevo y lo viejo, que como se ha destacado, fue la obra maestra del Derecho Romano.

---

[28] Función autónoma que desgajada del *imperium*, se puede conceptuar como: facultad que tienen determinados magistrados, sobre todo el pretor, de «decir derecho», *ius dicere*, esto es, de indicar al juez, vinculándole, la norma jurídica aplicable en cada caso concreto.

[29] Veamos, por vía de ejemplo, como el Pretor evita la injusticia que la aplicación rigurosa del *Ius civile* podría provocar. El dueño de una cosa importante —*mancipi*— si no la transmite con los ritos y solemnidades exigidos por él —*in iure cessio* o *mancipatio*— sigue siendo su dueño. Por tanto, si la entrega —*traditio*— sólo sin más, aunque el adquirente haya pagado por ella, no adquiere su propiedad y podrá serle arrebatada si la reclama el transmitente, con lo que habría pagado y se vería desposeído de la cosa. El Pretor evita tal injusticia, sin derogar el *ius civile*, concediendo al adquirente una *exceptio*, frente a la reclamación referida —la excepción de la cosa vendida y entregada— por la que podrá retenerla entre sus bienes —*in bonis*— hasta que transcurrido cierto tiempo —*usucapio*— la hará suya.

[30] De los que trataremos en el Tema 10.6.

[31] Lo podremos constatar al hablar de las acciones; manumisiones; propiedad; obligación y herencia.

D) Integración

Así como vimos se produce una recepción del *ius gentium* por el *ius civile* y por ello, una ampliación de su contenido, también y paralelamente, a esta recepción «institucional» se produce otra «procesal» respecto a los casos en que, con arreglo al *ius civile* competía conocer al pretor urbano. Por lo que, es probable que, ya en el s. III AC, éste, empezara a utilizar el mismo procedimiento que su colega peregrino. Primero, en los litigios que surgían *inter cives*, pero por una relación *iuris gentium*; luego, en ciertas situaciones de hecho que estimándolas dignas de protección, hubiera prometido su tutela mediante su edicto y por último, en los supuestos en los que por la condición de las partes y la naturaleza del derecho controvertido debiera aplicarse el sistema de las acciones de la ley, cuya aplicación derogaría, excepcionalmente, mediante decreto.

4. LAS FUENTES DEL DERECHO PRECLÁSICO

Son fuentes del derecho preclásico: las leyes comiciales, a las que terminan por equipararse los plebiscitos, los edictos de los magistrados y la jurisprudencia, que pierde su nota de pontifical.

I. Las *leges comitiales*

A) Concepto y estructura formal

Según Gayo, ley, *lex,* es: lo que el pueblo manda y establece —*quod populus iubet atque constituit*[32]— y, ya antes, para, Ateyo Capitón —s. I— un mandato general del pueblo a ruego del magistrado —*generale iussum populi, rogante magistratu*—[33].

---

[32]   En realidad, el pueblo ni propone ni altera la ley y ante su propuesta, la acepta, o no. Se basa, pues, en un acuerdo —propuesta y aceptación— y por eso se designan, también, los acuerdos de los particulares como: *lex privata.*

[33]   Entre las leyes más importantes de este período cabe citar: la *lex Poetelia Papiria de nexis* —326 AC— la *lex Hortensia de plebiscitis* —286 AC— y la *lex Aquilia de damno iniuria dato,* de igual fecha.

Tras un detenido proceso interno de formación[34] cuyo momento clave es cuando se vota y que acaba al publicarse, en su estructura formal, presenta: 1.°) una parte inicial o introductoria —*praescriptio*— (con el nombre del magistrado proponente, lugar, fecha de la asamblea y otras datos de la votación); 2.°) el texto de la ley —*rogatio*— que, al no admitirse enmiendas, coincide con la propia propuesta del magistrado —de ahí su nombre— y 3.°) una parte final —*sanctio*— de contenido vario, aunque lo frecuente fue constituir una garantía de impunidad por la posible violación de la antigua ley, al seguir la nueva —*caput traslatitium de impunitate*—.

B) Caracteres e importancia

Las leyes comiciales se diferencian de la Ley de las XII Tablas: por su origen, al ser rogadas —*rogatae*— éstas e impuesta, dada —*data*— la ley decenviral; por su carácter, coyuntural, reiterativo e ineficaz las primeras y estructural, la segunda y por su estilo, farragoso y pedante el de aquellas y conciso, elegante y breve el de ésta.

También es ilustrativo precisar, las diferencias existentes entre las leyes comiciales y las leyes modernas, en el triple aspecto de importancia, fundamento y eficacia. Por su importancia, Roma que —como se ha reiterado— es el pueblo del Derecho, sin embargo no es el pueblo de la ley que juega un papel muy secundario, a diferencia de lo que ocurre hoy, en donde un profano, la confunde con el propio Derecho del que es fuente[35]. Por su fundamento, las *leges* responden a una motivación concreta mientras que las de hoy tienen un carácter abstracto y de

---

[34] El proceso interno de formación de la *lex* comporta los pasos de: 1.°) *promulgatio*, que es la exposición pública, en unas tablas blanqueadas —*tabulae dealbatae*— del proyecto de ley, al menos por tres semanas; 2.°) sesiones informales —*contiones*— a favor —*suassiones*— y en contra —*dissuassiones*— del mismo; 3.°) reunión del pueblo, convocado al efecto —por centurias o tribus— por un magistrado con este derecho —*ius agendi cum populo*—; 4.°) presentación, por él, de la propuesta de ley; 5.°) votación y 6.°) publicación.

[35] Respecto a la votación, en la correspondiente tablilla se escribiría: **UR** —*uti rogas*, como pides— voto afirmativo; **AP** —*antiquo iure probo*, apruebo el derecho antiguo— voto negativo o **NL** —*non liquet*— que equivaldría a la abstención. La publicación tiene lugar inmediatamente después de la aprobación y se produce a través de *tabulae dealbatae* —a menos que se sustituyera por su inscripción en piedra o bronce—.

futuro. Por su eficacia, en Derecho Romano —si bien en época tardía— se acaba hablando de distintas clases de *leges*, algunas de las cuales nada establecen contra su trasgresión, algo que, hoy, sorprende[36].

II. Los *plebiscita*

Gayo define, al plebiscito, como: lo que la plebe manda y establece —*quod plebs iubet atque constituit*—. Son propuestos por los *tribuni plebis*, en sus asambleas —*concilia plebis*— y en principio sólo a la plebe obligan. Desde la *lex Hortensia* —286 AC— se equiparan a las leyes, vinculan a patriciado y plebe y se usan, indistintamente, los dos términos —*lex sive plebiscitum*—.

III. Los edictos de los magistrados

El *edictum* es un programa de actuación al que promete someterse el magistrado en el ejercicio de su función jurisdiccional. Se basa en el *ius edicendi*, o sea, en el derecho que tienen ciertos magistrados, como pretores, ediles curules y, en provincias, gobernadores y cuestores, de dirigirse al pueblo, de palabra —*in contione*— o por escrito —*in albo proponere*— y reviste particular interés el Edicto del Pretor, fuente del derecho honorario en el que encuentra su genuina expresión externa. Este programa de actuación, en principio —*de iure*— no vinculaba al magistrado, haciéndolo sólo a partir de una *lex Cornelia* —a.67 AC—.

Se suele distinguir entre *edictum perpetuum*, cuyo plazo de vigencia coincide con el año de mandato del magistrado que lo publica —ley anual, *lex anua*, lo llama Cicerón— y *edictum repentinum*, motivado por circunstancias de excepción e imprevistas.

Es lógico, que la evolución social no fuera tan acelerada que obligase a renovar el edicto cada año, por ello, los edictos, estaban compuestos en parte, por disposiciones recogidas en otros edictos anteriores, que el nuevo pretor estimaba utilizables —*edictum*

---

[36] Produce asombro, para nuestra mentalidad que sólo conozcamos alrededor de 800 leyes romanas, de las que sólo una treintena se refieren al derecho privado.

translatitium— y en parte, por otras nuevas que el mismo introducía —*edictum novum*—.

IV. La jurisprudencia republicana

A) *El fin del monopolio pontifical*

La decadencia del monopolio pontifical se inicia —en el *cavere*— al publicarse las XII Tablas (450 AC); prosigue —en el *agere*— con la de un *Liber Actionum*, Libro de Acciones (305 AC), por Cneo Flavio[37], —de ahí se le llame, también, *ius Flavianum*— escriba del *pontifex maximus* Apio Claudio al que, según la Tradición se las robó y finaliza —en el *respondere*— cuando Tiberio Coruncario, primer *Pontifex Maximus* plebeyo (250 AC) emite en público, sus dictámenes —*responsa*—. A fines del s. III AC aparecen los primeros juristas laicos[38].

En la época final de la República —130 AC-30 AC— los juristas no sacerdotes, siguen siendo miembros de la aristocracia y ejerciendo las mismas funciones que los pontífices. Sin embargo, el contacto con Grecia —influencia de algunas disciplinas helénicas, sobre todo la filosofía— incidirá, notablemente, en ellos y el método dialéctico —una de las grandes aportaciones de Grecia a la cultura de la humanidad— resultará de importancia capital en la evolución de la *iuris prudentia*, que de mero conocimiento del derecho —del simple saber normas y formularios— se convierte en ciencia del derecho en sentido estricto[39].

---

[37] Las *leges perfectae* declaran la nulidad, *ipso iure* de lo hecho contra su prohibición; las *minus quam perfectae* no la determinan y sólo imponen, una multa o sanción al que actúa *contra legem* y las *imperfectae* nada dicen, aunque se pueden invocar, por vía de excepción, *ope exceptionis*.

[38] Según la Tradición, los primeros juristas no sacerdotes, fueron los hermanos Sexto y Publio Elio Peto. El primero, publicó una nueva colección de fórmulas —*Ius aelianum*— y una obra, denominada por su división, *Tripertita*, comentando: las XII Tablas, las opiniones sobre ella —*interpretatio*— y las fórmulas de las *legis actiones*.

[39] El método dialéctico se funda en el «análisis» conceptual y en la «síntesis»; posibilita extraer el núcleo esencial del supuesto jurídico, «unir» las analogías, «separar» las diferencias y, así, profundizar en la materia jurídica y procurar dominarla. Merced a él, los juristas romanos, aprenden a construir, en un progresivo esfuerzo de abstracción, conceptos, cada vez más generales, en los que venían encuadrados los hechos concretos; a distinguir unos de otros, fijando sus respectivos límites; a descubrir los principios que rigen cada *genus* y a intentar, por último, sistematizarlos ordenadamente.

B) Los albores de la literatura científica

Consecuencia del uso del método dialéctico e importancia de este hecho, es la nueva actividad a la que se dedican los jurisprudentes: *scribere* e implica el nacimiento de una auténtica literatura jurídica[40].

Nombres a destacar son los de: Quinto Mucio Escévola, según Pomponio, s. II —el primero en sistematizar el *ius civile*, en una obra de XVIII libros[41], al que se deben la *cautio muciana*[42] y la *praesumptio muciana*[43] sin olvidar su participación en la causa curiana[44]—; su discípulo Aquilio Galo, creador de la *actio doli*, acción de dolo[45] y de algunas innovaciones a las que se asocia su nombre[46] y Servio Sulpicio Rufo, discípulo del anterior, que sigue las huellas trazadas por Escévola llevando la actividad científica a la esfera del *ius honorarium*. De magisterio fecundo[47], se le cataloga como el más importante jurista de la época.

---

[40] Juristas del s. II fueron Publio Mucio Escévola, (padre de Quinto), Manlio Manilio y Marco Junio Bruto, a quienes Pomponio considera creadores del derecho civil — *qui fundaverunt ius civile*—.

[41] El libro —*liber*— aunque llega a tener, en Roma, igual significación que en nuestros días, en esta época, en la que se escribía en rollos de papiro pegados, designa la parte en que se estructura, internamente, la obra y, por lo común, se identifica con un rollo. En este sentido debe interpretarse la referencia a la obra de Quinto Mucio Escévola. La influencia de ella es indiscutible y existen comentarios a la misma incluso de juristas del s. II DC.

[42] La *cautio muciana* posibilita a los legatarios, sujetos a condición potestativa negativa —*si Capitolium non ascenderis* = si no subes al Capitolio— a entrar en el disfrute inmediato de los bienes legados si garantizan el cumplimiento de la condición por vía de una estipulación, *stipulatio*.

[43] La *praesumptio muciana* implica que en el caso de que la mujer no pudiera justificar la procedencia de sus bienes, se considera proceden del marido.

[44] La causa curiana fue un famoso proceso —93 AC— que planteó el problema de la contraposición *verba - voluntas* en la interpretación de un testamento y al que aludiremos en Tema 43.2.B

[45] En favor de quien había resultado defraudado a través de maquinaciones insidiosas, para obtener una indemnización equivalente al daño sufrido.

[46] Así; la *stipulatio aquiliana* —estipulación por la que dos personas acreedoras y deudoras una de otra, acordaban transformar sus créditos en una nueva obligación, cuyo importe sería la compensación de aquellos— (también de aplicación a los créditos litigiosos) y los *postumi aquiliani,* nietos nacidos tras la muerte del testador, cuyo padre —también fallecido— vivía al tiempo de la confección del testamento, pero no al de la muerte del causante y que —como *heredes sui*— podrían ser instituidos o desheredados evitando la nulidad del testamento.

[47] Creador de la llamada escuela serviana y maestro de Aulo Ofidio, Alfeno Varo y Pacuvio Labeón.

C) Las nuevas ideas jurídicas

Por desgracia, los restos conservados de la obra de los juristas republicanos son muy escasos. Sin embargo, a ellos se debe la gran transformación del Derecho Romano y las líneas generales del grandioso sistema que los juristas del principado se limitarán a pulir y perfilar en sus detalles y el germen de unas nuevas ideas jurídicas, como: las de *Iustitia*, los tres preceptos jurídicos, *Tria iuris praecepta,* la de *Iurisprudentia* e incluso la distinción *Ius publicum* y *Ius privatum*, que serán formuladas, en la literatura jurídica, 260 años más tarde, por Ulpiano[48].

---

[48] Resulta innegable, para nosotros, que en Cicerón —y pese a la desconfianza que suele motivar sus referencias en concretos aspectos jurídicos— existen, influenciado por los griegos, tales ideas, de las que nos limitaremos a reflejar su posterior formulación ulpinianea. A saber: a) *Iustitia est constans et perpetua voluntas ius suum cuique tribuendi*, Justicia es la constante y perpetua voluntad de dar a cada uno su derecho; b) Los preceptos del derecho son estos —*Iuris praecepta sunt haec*— vivir honestamente —*honeste vivere*— no dañar a otro —*alterum non laedere*— y dar a cada uno lo suyo —*suum cuique tribuere*—; c) Jurisprudencia es la noción de las cosas divinas y humanas —*divinarum atque humanarum rerum notitia*— conocimiento de lo justo y de lo injusto —*iusti atque iniusti scientia*—; d) En el estudio del derecho existen dos posiciones —*Huius studii duae sunt positiones*— el público y el privado —*publicum et privatum*— Derecho publico es el que contempla el estado de la cosa romana (república) —*Publicum ius est, quod ad statum rei Romanae spectat*— derecho privado —*ius privatum*— el que compete a la utilidad de los particulares —*quod ad utilitatem singulorum pertinet*—.

Tema 4
Época clásica

La llamada época clásica del Derecho Romano abarca desde el último 1/3 del s. I AC, instauración del Principado, hasta primer 1/3 del s. III DC. —a.235— muerte de Alejandro Severo y principio de la anarquía militar, momento en que se inicia: «La Decadencia y caída del Imperio Romano de Occidente».

1. ORGANIZACIÓN POLÍTICA

La organización política de esta época está representada por el Principado que se inicia con el fin del II Triunvirato y el acceso de Augusto al poder y cuya nota más característica es el dualismo, que se observa:

1.º) en el propio régimen político, entre las instituciones republicanas (magistraturas, senado y comicios) en franca involución y la figura del Príncipe con un constante aumento de poder.

2.º) en la organización provincial, entre provincias senatoriales, gobernadas por los antiguos órganos de la República, *proconsules* y *propraetores* y las imperiales, que se atribuyen al Príncipe y se gobiernan, en su nombre, por sus delegados, *legati Augusti*[1];

3.º) en la administración financiera, entre la antigua caja estatal —*aerarium populi Romani* (o *aerarium Saturni*)— y la fortuna privada del Príncipe —*Fiscus Caesaris*—[2]; y

---

[1]   Las provincias imperiales —en principio excepción— con el tiempo pasan a ser, si no las más numerosas, si las más importantes y mejor armadas, por lo que el Príncipe, de hecho, obtendrá el poder sobre el ejército.

[2]   Inicialmente, fue considerado como patrimonio privado del Príncipe, después como quasi-público y por último asimilado al *aerarium populi Romani* del que, formalmente, permanecerá separado durante todo este período.

4.º) en las propias fuentes de producción del derecho antiguas, representadas por la actividad del pueblo y del senado —legislación comicial y senatorial— y las nuevas, representadas por el Príncipe, a través de sus constituciones —*constitutiones principis*—.

Intentemos referirnos a algunos caracteres generales del nuevo régimen y destacar ciertos aspectos concretos del mismo.

I. Caracteres generales

La involución de los órganos de la república, los poderes del Príncipe y la nueva burocracia son, a nuestro juicio, los de mayor interés.

A) *Involución de las instituciones republicanas*

a) Las magistraturas por lo general, en el Principado, perduran, pero en franca decadencia, perdiendo su poder político y la mayoría de sus atribuciones, para convertirse, poco a poco, en meros títulos honoríficos;

b) El senado, tras una primera fase de aparente esplendor, en la que se le confieren atribuciones electorales y legislativas, se convierte, pronto, en forzado colaborador del *princeps*, que, en el fondo —no en la forma— ejerce ambas funciones, a través de las *orationes principis* —discursos que pronuncia proponiendo alguna disposición (*senatus consultum*) para que sea aprobada— y de la *commendatio* —recomendación, para que se elijan sus propios candidatos—. Sus funciones tradicionales, aparentemente compartidas con el Príncipe, terminarán siendo ilusorias, cuanto más nos alejamos de los inicios del nuevo régimen.

c) El pueblo —si se prefiere, los *comitia*— son, entre los elementos básicos del régimen republicano, los primeros en desaparecer. Sus funciones: a') electorales, pasan, en teoría, al senado, aunque, en la práctica, son ejercidas por el Príncipe, pues aquél se limita a aclamar al único candidato sugerido por éste; b') las legislativas, tras un florecimiento efímero en la época de Augusto, cesan y son sustituidas por los senadoconsultos y c') las judiciales, minadas ya, en la República, en lo penal, al implantarse tribunales —*quaestiones*— permanentes —*perpetuae*— cuyas decisiones escapaban a la apelación —*provocatio*— ante el pueblo —*ad populum*— también desaparecen, en materia civil, al admitirse una apelación ante el Príncipe, *appellatio*, y una *cognitio extra ordinem*, ejercida por aquél o sus delegados[3].

B) *Los títulos y poderes del Princeps*

El Príncipe va acumulando, una serie de distinciones y poderes conferidos, formalmente, por los propios órganos republicanos. Así, como principales, los títulos de: *imperator —qui imperat*, referente a su poder militar— *augustus —*sagrado por designación de los dioses— *pater patriae —*alusivo a un régimen tuitivo y paternalista— y *princeps —*el primero de los *cives—* del que derivará el nombre de su forma de gobierno.

Sus principales poderes, son: a) el *imperium proconsulare*, mando militar supremo, pues es *maius —*superior a cualquier otro— e *infinitum —*y, por ello, no limitado territorialmente— y b) la *tribunicia potestas*, con carácter vitalicio, por la que puede oponer su *intercessio* (veto) a cualquier acto; ejercer el *ius auxilii*; convocar, presidir los comicios y proponer leyes *—ius agendi cum plebe—* y su persona será inviolable *—sacrosancta—*[4]. Otras facultades, que Augusto irá adquiriendo, poco a poco, sus sucesores las asumen en bloque a través de una *lex de imperio*.

C) *La burocracia*

Con el Principado, poco a poco, aparece la burocracia y al no poder ejercer el Príncipe, en persona, todas sus atribuciones, se ve obligado a delegarlas[5]. Los más altos funcionarios[6] forman su Consejo asesor

---

3   Las *quaestiones* terminan por desaparecer en esta época, suplidas por la *cognitio extra ordinem* (Tema 11).

4   Adviértase que Augusto ni es tribuno, por lo que no corre el peligro de la *intercessio* de algún *collega*, ni cónsul, aunque actúa «como» tal. En suma, el Príncipe no es un magistrado; sus poderes lo colocan por encima de los demás órganos y su posición contrasta, con las notas propias de las magistraturas republicanas.

5   Bien en: a) *legati —*gobierno de provincias y mando de legiones—; b) *praefecti —*representantes con una competencia concreta, derivada de mandato o credencial—; c) *procuratores —*con funciones relativas a la casa y hacienda del *princeps* y otras análogas a los *praefecti—* y d) *curatores —*que vienen a ejercer las antiguas funciones de los ediles—.

—*Consilium Principis*— que adquiere estabilidad a partir de Adriano —
s. II— y se relaciona con la actividad jurídica del propio *princeps*, por lo
que se incorporan a él, con frecuencia, los más prestigiosos juristas.
Existe, también, una cancillería imperial formada por funcionarios de
rango inferior, distribuidos en distintas oficinas —*scrinia*—[7].

II. Algunos aspectos concretos del nuevo régimen

Dos son, a juicio de la doctrina, los problemas que revisten particular interés: el de la naturaleza jurídica del Principado y el de la
sucesión.

A) *La naturaleza jurídica del Principado*

Este aspecto ha dado lugar a una amplia bibliografía, tal vez, como
se ha matizado, porque el problema jurídico se anuda con el político
y los dos están dominados por el psicológico, que deriva de la compleja, enigmática y mudable personalidad de Augusto y se reflejan en su
régimen[8]. Hoy, se tiende a su no inclusión en categorías jurídico-
políticas rígidas y a destacar otros relieves —ideológicos y sociológi-
cos— antes preteridos por falta de perspectiva histórica. Así, debe

---

[6]   Los más importantes son: el jefe de la guardia personal del Príncipe, que terminará
      con facultades para conocer asuntos civiles y criminales —*praefectus praetorio*— lo
      que explica que juristas como Papiniano, Ulpiano y Paulo ocupen este cargo; el
      encargado de la policía urbana y suplir al Príncipe en su ausencia —*praefectus urbi*—
      el responsable de abastecer la ciudad —*praefectus annonae*—; el titular de la
      vigilancia nocturna e incendios —*praefectus vigilum*— y, con un carácter muy
      especial, el gobernador de Egipto —*praefectus Aegypti*—.

[7]   Entre estas oficinas, están: la que despacha la correspondencia oficial —*ab
      epistulis*—; la que responde a las preguntas de los particulares —*a libellis*—; la que
      coadyuva a la resolución de asuntos civiles que conoce el Príncipe —*a cognitionibus*—
      ; la que guarda memoria (archivos) y expide nombramientos —*a memoria*— y la
      encargada de la administración de la caja imperial —*a rationibus*—.

[8]   Por vía de síntesis estas podrían ser las fases de la evolución doctrinal: 1.ª) diarquía,
      con dos elementos esenciales, *Princeps* y *Senatus*; 2.ª) opción preferencial por uno de
      estos dos elementos, si aquél, Monarquía, si éste, República; 3.ª) eclecticismo,
      proponiendo *de iure* fórmulas atemperadas y, *de facto*, latiendo la antigua alterna-
      tiva (monarquía... militar, república... con un órgano nuevo) y 4.ª) inicio de posiciones
      más matizadas que destacan la complejidad del problema: por ej. su configuración
      como protectorado.

tenerse presente: 1.º) que la ideología política no presenta un carácter definido, sino que existe un velo que cubre la realidad y 2.º) que sociológicamente, dos factores, uno material, el ejército y otro moral, la convicción de que sólo con la concentración de poderes en manos de una persona se podría superar las guerras civiles, no deben obviarse sino tenerse, siempre, presentes.

B) La sucesión en el Principado

Este punto es, con frase manida, el talón de Aquiles del régimen. La idea carismática —que una persona debe gobernar por sus cualidades excepcionales— y la dinástica —hacerlo por pertenecer a una familia— se enfrentan y chocan con la falta de arraigo y aversión a la monarquía, lo que se aprecia, con claridad, en quienes acceden al poder tras Augusto y en donde el asesinato, intervención de los ejércitos y adopciones, serán las formas de afrontar el problema[9].

La solución se hallará con el triunfo de la idea dinástica a la muerte de Constantino —derecho postclásico— pero será ya tarde para Roma.

---

[9] Certifiquemos lo expuesto, sintetizando las vicisitudes de las llamadas dinastías que gobiernan Roma, tras Augusto. a) Los Julio-Claudios —Augusto, Tiberio, Calígula, Claudio y Nerón, años 14, muerte de Augusto, al 67— viven entre asechanzas por la sucesión y acaban con el suicidio de Nerón y un año de anarquía.– b) Los Flavios —Vespasiano, Tito y Domiciano (69 a 96)— tienen un revelador principio y fin, Vespasiano, aclamado emperador por las legiones provinciales —fuera de Roma— y Domiciano, asesinado.– c) Los Antoninos —Nerva, Trajano, Adriano, Antonino Pío, Marco Aurelio y Commodo (96 a 192)— «emperadores adoptivos», por adoptar al futuro sucesor, representan la época de mayor esplendor, que se trunca cuando Marco Aurelio cree ver, en su hijo Commodo al más idóneo para el trono. Éste, un tirano incapaz, es asesinado, siguiendo un año de anarquía.– d) Los Severos —Septimio Severo, Severo Antonino «Caracalla», Macrino, Heliogábalo y Alejandro Severo (193 a 235)— también tienen un principio y fin característico, Septimio Severo es proclamado emperador por las legiones del Danubio y tras unos años de estabilidad Alejandro Severo es asesinado. Fin del Principado e inicio de medio siglo de anarquía militar.

2. ESTRUCTURA ECONÓMICO-SOCIAL

I. Territorio

Roma sigue su política de conquistas. En el s. I, Claudio llega a Britania y Vespasiano y Tito a Jerusalén y, en el s. II, con Trajano el imperio alcanza su máxima extensión geográfica al superar lo que se consideró sus fronteras naturales representadas por los ríos Rhin, Danubio y Tigris. Así, en Occidente, se conquista, más allá del Danubio, la Dacia (actual Rumanía) y en Oriente, Armenia y Mesopotamia y, más allá del Tigris, Asiria.

II. Población

Cesa la distinción entre ciudadanos, *cives* y extranjeros, *peregrini*, lo que se produce en el a.212, al conceder, Antonino Pío —Caracalla— por la *Constitutio Antoniniana* —también llamada Edicto de Caracalla— la ciudadanía romana a todos los habitantes del Imperio[10].

III. Sociedad

Aparece, *de iure*, diferenciada en estratos u órdenes —*ordines*— cuyos precedentes, *de facto*, encontramos en el período anterior.

A) El *Ordo Senatorius*, orden social superior, queda, legalmente, constituido e integrado por la Aristocracia de la tierra. Su pertenencia se trasmite por herencia. Puede, lograrse, también, por matrimonio, adopción o elección —*adlectio*— del Príncipe y acceden a este *ordo*, hombres nuevos, *homines novi*, por lo común hijos de caballeros —*equites*— cuyo censo sea igual o superior al millón de sestercios[11].

---

[10]   Está citada en fuentes literarias y en buen número de textos propiamente jurídicos y recogida en un papiro —40 Giessen— cuyo lamentable estado hace imposible su total reconstrucción y plantea una serie de problemas que van desde la posible exclusión de los llamados *peregrini dediticii* —Tema 14.1— hasta qué debe entenderse por éstos; una posible doble ciudadanía y de si fueron motivos religiosos o fiscales los determinantes de tal concesión. Relegar a un segundo plano la reconstrucción del texto y ahondar en lo que en la realidad jurídica y socio-económica ocurrió parece ser lo más aconsejable.

[11]   La fortuna; las relaciones familiares —o cuasi familiares— entre sus miembros y el carácter de los nuevos cargos senatoriales que ejercen —con funciones civiles,

B) El *Ordo Equester*, segundo estrato, está representado por la Aristocracia del comercio, su riqueza es, sobre todo, de carácter no agrario —derivada de la banca, comercio o de la empresa— y el censo mínimo exigible a él es de 400.000 sestercios. A este *ordo* accederá, además, la más caracterizada aristocracia municipal —*ordo decurionum*—[12].

C) El *Ordo decurionum*, está formado por la elite de la sociedad urbana, integrada por los magistrados municipales y componentes del Senado o Consejo de las ciudades[13]. No es un estamento a escala imperial, sin embargo, constituye la columna vertebral del Imperio, defiende sus ideales y termina por convertirse en la piedra angular de su unidad.

Los ricos advenedizos de origen servil con capacidad patrimonial similar a los decuriones, que constituyen un eslabón intermedio entre este *ordo decurionum* y la plebe[14]; los libertos imperiales —*familia Caesaris*— algunos de los cuales llegan a tener una gran influencia política y estar al frente de las secretarias de la cancillería del príncipe y, en fin, la plebe, con sus matices según sea urbana o rústica, completan la estructura social del Principado.

---

administrativas y financieras similares—, comporta que, dentro del *ordo senatorius*, exista una gran solidaridad y un modo de pensar y actuar uniforme, coherente con los ideales de Roma y las tradiciones propias de la familia.

[12] En el *ordo equester* hay una conciencia de grupo estamental; unos mismos sentimientos y un igual modo de comportarse entre sus componentes, que hacen propios los ideales y costumbres de los senadores. Sin embargo, este *ordo*, no es tan exclusivo como el *senatorius*, por las relaciones que mantiene con éste —matrimonio, parentesco, amistad— y con el *ordo decurionum* —con el que es compatible— y está menos cohesionado al ser distintas, las fuentes de riqueza, la procedencia geográfica y la dedicación profesional de sus miembros.

[13] Se da la paradoja de que hay una gran heterogeneidad entre sus componentes pero una forma unitaria de organización, cumpliendo una función económica fundamental en el Imperio al garantizar el funcionamiento autónomo de las ciudades —abastos, construcciones de utilidad pública, administración de justicia, orden...—.

[14] Asumen como base organizativa el llamado *ordo augustalium*, para el culto oficial del príncipe, creado por Augusto en todas las ciudades. Su origen de libertos —antiguos esclavos— les veta el acceso al decurionato y el florecer de muchas ciudades se debe a ellos, decayendo su importancia en el s. II.

3. EL DERECHO CLÁSICO: EL *IUS NOVUM*

El derecho clásico se conforma por la pluralidad de estratos jurídicos, anteriores, *Ius Civile*, *Ius Honorarium* y *Ius Gentium*, al que se unirá otro «nuevo», llamado, por ello, *Ius Novum*.

I. *Ius Civile-Ius Gentium*

Tras la concesión de la ciudadanía romana a todo habitante del Imperio —212— el Derecho Romano, en teoría —por el principio de la personalidad de las leyes— hubiera debido imponerse. Sin embargo, en la práctica, y por el arraigo y oposición de los derechos indígenas, lo que se produce es una romanización de éstos y una provincialización de aquél[15].

II. *Ius Civile-Ius Honorarium*

Siendo, como se ha destacado, la principal característica del régimen de Augusto, la absorción de funciones, no es extraño que el nuevo clima político repercuta, también, en el *Ius Honorarium*; que disminuya la fuerza creadora del *ius edicendi* de su más caracterizado representante el pretor y que los nuevos *edicta*, sean una mera repetición, reproduciendo el contenido de los anteriores. Según las fuentes, el emperador Adriano encomendó al jurista Salvio Juliano la redacción de un texto definitivo del Edicto, que elaborado en el 130 se conoce como *Edictum Perpetuum*, Edicto Perpetuo y pone fin, formalmente, a la labor creadora de los magistrados, quienes deberán reproducir el modelo oficial sin introducir cambios, salvo expresa autorización del Príncipe[16].

---

[15] En resumen, la teórica unidad del Derecho, en el Principado, no es más que un error de perspectiva histórica pues ya se dan —en él— los elementos que en el Bajo Imperio le caracterizarán y somos de la opinión de quienes ven, el Edicto de Caracalla, como una etapa más en un camino ya iniciado mucho antes por el acceso de nuevas capas de población a la ciudadanía romana. No produjo, pues, ninguna honda conmoción ni marcó el inicio de una nueva era, el fenómeno era antiguo y se limitó a dar un paso.

[16] Se debe resaltar que el Edicto habría alcanzado —a fines de la República— una forma estable, decayendo, por tanto, su eficacia como instrumento de evolución jurídica. El que Labeón —que vivió hasta la primera decena tras nacer Cristo—

III. *Ius Novum*

Un nuevo derecho —*Ius Novum*— que descansa en la voluntad del Príncipe, cobra forma a través de sus constituciones —*constitutiones principum*— y se basa, también, en un nuevo procedimiento —*cognitio extra ordinem*— pasará a dominar toda la evolución jurídica.

4. FUENTES DEL DERECHO CLÁSICO

Al constituir Historia Política y Sistema de Fuentes unidad inescindible, el dualismo al que aludíamos al tratar de la organización política también aquí aparece reflejado.

I. *Leges comitiales*

Se produce un efímero florecimiento en época de Augusto y un rápido fin con sus inmediatos sucesores[17]. La legislación de Augusto pretende planificar algunos aspectos de la vida jurídica de Roma —restricciones a la libertad de manumitir, régimen familiar, penal, demográfico y reformas procesales— y en contra a lo dicho respecto a las leyes republicanas —carácter esporádico y coyuntural— denota, al menos en teoría, una gran coherencia estructural[18].

---

escriba varios *libri ad Edictum* nos mueve a participar del sentir de quienes consideran que lo que mandó Adriano fue consagrar —de *iure*— una situación ya existente —*de facto*—.

[17] De Tiberio existen algunas y de Claudio y Nerón muy pocas. La última es una *lex agraria* de Nerva —fines s. I—

[18] De la época de Augusto son, entre otras: a) sobre manumisiones: las *leges Fufia Caninia* y *Aelia Sentia* —Tema 13.3.— y la *lex Iunia Norbana* (Tiberio) —Tema 14.1.—; b) sobre asociaciones: la *lex Iulia de collegiis* —Tema 12.5.—; c) sobre proceso: las *leges Iuliae iudiciorum privatorum* y *publicorum* —Temas 9.1 y 10.1—; d) en materia de familia: la *lex Iulia de maritandis ordinibus*, la *lex Papia Poppaea nuptialis* y la *lex Iulia de adulteriis coercendis* —Tema 17.5— y e) en materia penal, reprime: el fraude electoral —*lex Iulia de ambitu*— la justicia privada *lex Iulia de vi publica et privata*— Tema 8.1.— y el lujo —*lex Iulia sumptuaria*—.

II. *Edicta*

Baste recordar, que: el *Ius Honorarium* ha agotado su potencia creadora; el Edicto —en el a. 130— estabilizado (petrificado) por mandato de Adriano y que Salvio Juliano ha redactado el *Edictum Perpetuum*[19].

III. *Senatusconsulta*

A) *Concepto y estructura formal*

Gayo dice que senadoconsulto es —*senatusconsultum est*— lo que el Senado manda y establece —*quod Senatus iubet atque constituit*— y que alcanza fuerza de ley —*idque legis vicem optinet*— aunque sobre esto —*quamvis de ea re*— hubo discusiones —*fuerit quaesitum*—.

Su procedimiento interno de formación, es ligeramente distinto al comicial, ya que no necesita período previo de publicación del proyecto y éste puede ser modificado a tenor de la discusión. Su estructura formal es también, similar a la de la Ley —*Praefatio, Relatio y Sanctio*— y se designan con la forma adjetivada del nombre del proponente.

B) *Carácter e importancia*

En la República, el Senado influye, a través de su *auctoritas*, en materia legislativa. Así, en las discusiones previas a los proyectos que el magistrado pretende llevar ante el pueblo, hará las oportunas observaciones, pero, reiteremos, el que la propuesta es del magistrado y la aprobación del pueblo, por lo que las decisiones del Senado, en este aspecto, no son más que simples opiniones en materia legislativa. En el Principado, en cambio, formalmente, se le otorga fuerza de legislar; sus decisiones —*senatusconsulta*— son fuente de derecho y la propuesta —*oratio*— por lo común, se formula por el Príncipe[20].

---

[19] El Edicto Perpetuo no ha llegado a nosotros de forma directa, siendo reconstruido por el alemán Otto Lenel, en su obra *Das Edictum perpetuum. Ein Versuch zu seiner Wiederhersntellung* (El Edicto Perpetuo. Un intento para su reconstrucción). Se basa, para ello, en obras y comentarios, en torno a él y sus distintas cláusulas, hechos por juristas de esta época y que se recogen en el Digesto de Justiniano —Tema 6—.

[20] El que desde Adriano los juristas acostumbren a citar, la *oratio* del Príncipe, en vez del *senatusconsultum* que la aprobó resulta revelador respecto al carácter de mero formulismo que comportó la actuación del Senado.

Los senadoconsultos son muy numerosos en el Principado y ejercen una notable influencia en el desarrollo del derecho privado, en general[21] y, en el sucesorio, en particular[22].

IV. Constitutiones Imperiales

A) Concepto y fundamento

La *constitutio principis* —*lex* en su denominación imperial— dará lugar a un derecho nuevo —*ius novum*— y termina por convertirse, en el Imperio, en fuente casi única que suple a todas las demás. Gayo nos dice que la constitución del príncipe es —*constitutio principis est*— lo que el emperador —*quod imperator*— por decreto —*decreto*— edicto —*vel edicto*— o epístola —*vel epistula*— establece —*constituit*—[23].

El fundamento de que las *constitutiones* sean fuente del derecho es, dice el propio Gayo, que jamás se ha dudado —*nec unquam dubitatum est*— tenga fuerza de ley —*quin id legis vicem obtineat*— ya que el propio emperador —*cum ipse imperator*— recibe el poder a través de una ley (del pueblo) —*per legem imperium accipiat*—.

Débil justificación que, sin disimulo, podría sustituirse, por algo más real en el camino emprendido hacia la autocracia y que recoge Ulpiano: lo que el príncipe quiere tiene fuerza de ley: *quod principi placuit legis habet vigorem*. En síntesis, el Príncipe, *de iure*, impone, directamente, su voluntad, y no en forma indirecta, pasando por el formalismo del Senado.

---

[21] Así: a) en materia de personas y familia cabe recordar —amén de otros relativos a la tutela— el *Silanianum* —que contempla el asesinato del dueño en su domicilio estando sus esclavos— y el *Claudianum* —sobre prohibiciones para contraer matrimonio— y, con igual nombre, sobre la caída en esclavitud de la mujer que mantiene relaciones con un esclavo, prohibidas por el dueño y b) en materia de obligaciones, el *Macedonianum* —sobre los préstamos a los hijos de familia— y el *Vellaeanum* —sobre la fianza de la mujer—.

[22] Su lista es larga, pudiendo recordar: el *Neronianum* —sobre formalidades de los legados—; el *Trebellianum* y el *Pegasianum* —sobre efectos del fideicomiso—; el *Tertulianum* y *Orphitianum* —sobre los derechos recíprocos de suceder de madre e hijos— y el *Iuventianum* —sobre la acción de petición de herencia—.

[23] Omite el hablar de los *mandata* y de los verdaderos *rescripta*.

B) Modalidades

a) Edictos = *Edicta*.– Es la forma más usual y ordinaria en que suele manifestar su actividad normativa el Príncipe, por lo que su contenido es muy variado. Se basa en su *Ius edicendi* y se diferencian de los Edictos del Pretor, por: 1) su carácter vitalicio —no anual—; 2) no estar coartados por la colegialidad; 3) ser su contenido mandatos o prohibiciones —no un programa de actuación— y 4) por no ser de objeto, necesariamente, jurisdiccional. La *Constitutio Antoniniana*, por ejemplo, reviste esta forma = Edicto de Caracalla[24].

b) Decretos = *Decreta*.– Son auténticas sentencias o resoluciones judiciales, en única instancia o apelación, emitidas por el *Princeps*, en razón de sus atribuciones jurisdiccionales y de su preeminente posición. Por lo general, aplica el derecho vigente pero ante su ausencia o ambigüedad, a través de ellos, creará derecho[25].

c) Rescriptos = *Rescripta*.– Son respuestas, por escrito, dadas por el *Princeps*, a instancia de particulares o de los jueces en procesos controvertidos. Presentan las formas de *suscriptiones* —en la propia solicitud[26]— o *epistulae* —pliego a parte, cartas[27]— siendo causa, directa, de la decadencia de la jurisprudencia clásica[28]. La intervención de los juristas, como asesores del Príncipe resulta incuestionable.

d) Mandatos = *Mandata*.– Son órdenes o instrucciones del *Princeps* a sus funcionarios —sobre todo a los gobernadores de las provin-

---

[24]   Su estructura formal es: el nombre del Príncipe seguido de todos sus títulos y la palabra *dicit*, a la que sigue el texto en el que aquél habla en primera persona.

[25]   El *Decretum Divi Marci* (Marco Aurelio) por el que se priva de todo derecho al acreedor que se apodere de una cosa del deudor, puede servirnos de ejemplo.

[26]   Son respuestas marginales a solicitud de particulares, partes en un proceso o personas, en general, de baja condición. Se redactan por la oficina *a libellis*; llevan el visto bueno del Príncipe, con la fórmula /re/scripsi y no se envían, sino que se fijan, públicamente, para que se tome copia.

[27]   Suelen revestir esta forma cuando el consultante es funcionario, asambleas provinciales o, en general, personas u organismos relevantes. Su redactado compete a la oficina *ab epistulis*, lleva el visto bueno del Príncipe con la fórmula de saludo *vale* y se remite al peticionario.

[28]   No tienen en el valor de sentencias por pronunciarse, por un lado, sobre cuestiones de derecho y no sobre situaciones de hecho y por otro, por presumir exacto el estado de cosas descrito por el solicitante. Si ello es así, vinculan al juez y son un precedente importante para futuros casos. La razón de la *subscriptio* es que el juez tenga a la vista los hechos alegados por los particulares sobre los que se funda la resolución.

cias[29]—. Formalmente, tienen carácter interno, pero su contenido se termina por considerar derecho vigente para los ciudadanos por lo que pueden remitirse a cllos[30].

V. La Jurisprudencia Clásica

Es una época de máximo esplendor y en ella los juristas cultivan todos los géneros literarios: comentarios al *Ius civile*, *libri ad Sabinum*[31] y al Edicto del Pretor, *libri ad Edictum*; literatura de problemas, en su triple modalidad de respuestas —*responsa*— preguntas —*quaestiones*— y decisiones ordenadas —*digesta*—[32] y, en menor medida, las monografías y obras de carácter elemental —*institutiones* y *regulae*—. En la jurisprudencia clásica se suelen distinguir dos fases: la alta y la tardía. Su cesura se fija en el año 130 y, en síntesis, de sus caracteres y principales juristas pasamos a dar noticia.

A) *Jurisprudencia clásica alta (30 AC-130 DC)*[33]

Sus dos principales características son: 1.ª) la tendencia a la oficialidad, por la vinculación del jurista al Príncipe, que se inicia al conceder Augusto a algunos de ellos el derecho de responder públicamente —*ius publice respondendi*— avalado por su propia autoridad —*ex auctoritate eius (principis)*—[34] y 2.ª) La formación de

---

[29]   Por analogía con el concepto de mandato —encargo—, en principio eran de carácter personal, su vigencia limitada a la vida del Príncipe o duración en el cargo del funcionario y circunscrito a la esfera de sus atribuciones; más tarde, ya estabilizada la administración, pasan a ser «traslaticios»; el caso característico, es el del testamento —*testamentum*— del militar —*militis*—, reiterado por Tito, Domiciano, Nerva y Trajano.

[30]   Pueden servir de ejemplo: el prohibir al magistrado, durante el desempeño del cargo, contraer matrimonio con mujer provincial, ejercer el comercio y aceptar donaciones.

[31]   En honor a Masurio Sabino, cuya obra —*libri III iuris civilis*— se suele tomar como punto de partida.

[32]   *Responsa* = Respuestas = colección de dictámenes ante casos planteados; *Quaestiones* = Preguntas = sobre casos prácticos orientados a la enseñanza y *Digesta* = Digestos, colecciones de casos en orden del Edicto del Pretor.

[33]   Abarca desde el inicio del Principado hasta la redacción del *Edictum Perpetuum*. Si se prefiere, por razón de los príncipes, de Augusto a Adriano y, si de los juristas, de Antistio Labeón a Salvio Juliano.

[34]   La jurisprudencia es demasiado importante para que el Príncipe no se ocupe de ella pero sus especiales características —su larga tradición de independencia, el no tener

escuelas[35]: la de los Sabinianos —afín al nuevo régimen de Augusto, creada por Ateyo Capitón y que toma el nombre de uno de sus integrantes Masurio Sabino[36]— y la de los Proculeyanos —que representa la oposición, creada por Antistio Labeón y cuyo nombre deriva, también, de uno de sus miembros, Próculo[37]—. El cenit de ambas escuelas se alcanza con Salvio Juliano —sabiniano— y Juvencio Celso —proculeyano— momento a partir del cual tiende a cesar esta distinción.

Juliano[38] es, para algunos, el mayor jurista de su tiempo y, para otros —incluido Justiniano— el más grande de la historia romana. Adriano le encomendó la redacción definitiva del Edicto Perpetuo y fue autor de unos *Digesta* —en 90 libros— con una sistemática que luego siguieron todos las obras de este tipo[39] y recogidos, ampliamente, en el Digesto de Justiniano. Celso, es contemporáneo y rival de Juliano[40] —no se citan—. Fue autor de otros importantes *Digesta* —en 39 libros— que, también, utiliza Justiniano, aunque quizá no con la

---

(a diferencia del senado y los comicios) rango institucional y que los juristas gozaran de un poder personal, *auctoritas prudentium*— hacen que, en la forma —no en el fondo— actúe de manera más cauta. Para ello usó dos expedientes: primero del *ius publice respondendi* y más tarde, como veremos en la época clásica tardía, incorporando a los principales juristas al *consilium principis*.

35 Estas escuelas —cuya rivalidad se extiende hasta mediados del s. II— eran agrupaciones de juristas —formados y principiantes— que cultivaban una determinada tradición de opiniones enseñadas. No difieren en su actividad científica, ni en su método de trabajo y su origen —tal vez— además del factor político-social apuntado en el texto, se encuentre en el propio tradicionalismo romano y en su inclinación a formar relaciones de dependencia. Esto es: en la *pietas* del discípulo respecto a la persona y opiniones del maestro.

36 Sabinianos, son: Capitón, Casio Longino, Celio Sabino y Javoleno Prisco, maestro de Salvio Juliano.

37 Proculeyanos, son: Labeón, los Nerva —padre e hijo— Pegaso, Celso padre y Neracio Prisco..

38 Africano —originario de Tiro— y discípulo de Javoleno, al que sustituye en la jefatura de los sabinianos, ocupó distintas magistraturas, concediéndole Adriano «doble sueldo» como cuestor —*propter insignem doctrinam*—. Su actividad básica fue la administración imperial, siendo gobernador de varias provincias. Fue miembro del *consilium principis*. Su estilo es sencillo, claro, elegante y frío y su discípulo Sexto Cecilio Africano, divulgó, en sus *Quaestiones*, muchas de sus enseñanzas.

39 Una 1.ª parte seguía el orden del Edicto y una 2.ª contenía comentarios a leyes, senadoconsultos y constituciones.

40 Se reproduce, pues, la que hubo, antes, entre Labeón y Capitón y precede a la que mantendrán Ulpiano y Paulo.

extensión que merecen. De excepcional agudeza, extraordinario ingenio y agresividad notable[41], le debemos definiciones y máximas que, aún hoy, usamos[42].

B) *Jurisprudencia clásica tardía (130-235)*

Sus caracteres principales son: 1.º) una mayor vinculación del jurista al Príncipe, ahora a través de la incorporación de los más destacados al *consilium principis*; 2.º) el agotamiento de capacidad creadora —debido a la estabilización del *Ius Honorarium* y la participación del Príncipe *extra ordinem*—; 3.º) la tendencia a la recopilación y 4.ª) el carácter provincial del jurista[43].

Como juristas más importantes —en época de Antonino Pío (138 a 161)— cabe mencionar a: Pomponio —contemporáneo de Celso y Juliano— que permanece al margen de toda actividad política, controversias de escuelas y es de los pocos juristas que se interesa por la historia del derecho[44]; Africano, discípulo de Juliano, de gran agudeza en el análisis de casos concretos[45] y a Gayo[46] del que se ha dicho:

---

[41] Su temperamento agresivo queda plasmado en la respuesta a la pregunta que le formula Domicio Labeón. «Domicio Labeón saluda a su amigo Celso. Pregunto ¿se ha de incluir en el número de los testigos a aquél a quien se llamó para que escribiese el testamento y luego de haberlo escrito lo hubiese sellado? Juvencio Celso saluda a su amigo Labeón: O no entiendo lo que me preguntas —*aut non intellego, quid sit de quo me consulis*— o tu pregunta es estúpida —*aut valida stulta est consultatio tua*— pues es más que ridículo dudar que fue testigo válido el que también escribió el testamento». En las escuelas medievales llamaban *quaestio domitiana* a la pregunta estúpida y *responsum celsianum* a la respuesta áspera.

[42] Así: la definición de Derecho, como arte de lo bueno y de lo justo: *ius est ars boni et aequi*; y la máxima, en las obligaciones, que nadie está obligado a lo imposible: *imposibilia nulla obligatio*. El *sc. Iuventianum* se debe a él.

[43] Paulo constituirá la excepción.

[44] Su obra elemental el *enchiridion* —manual—es la principal fuente sobre la jurisprudencia romana primitiva.

[45] Sus 9 libros de *quaestiones* tienen fama de obscuros y los escolares medievales decían: *Africani, is est dificile*.

[46] Es un auténtico enigma. Ni siquiera sabemos su nombre —Gayo es *praenomen* = nombre de pila—. Se confiesa sabiniano, goza de gran popularidad a partir del s. III y no es citado por los juristas clásicos. Su obra *Institutiones* —en 4 libros— merecen especial atención: por ser la principal fuente de conocimiento del derecho clásico y por que su sistemática —Personas, Cosas y Acciones— sirve de plan expositivo —plan gayano, institucionalista, justinianeo o romano-francés— a buen número de Códigos Civiles Modernos, entre ellos el nuestro.

es un jurista «no clásico» de la época clásica a quien su claridad expositiva le valió singular fortuna en época postclásica[47].

En la etapa final de esta jurisprudencia —que coincide con los Severos[48]— hay tres grandes juristas: Papiniano, Ulpiano y Paulo y se cierra con Modestino que marca su definitivo declive[49].

Papiniano, de origen sirio, es considerado como el príncipe de la jurisprudencia romana y arquetipo de jurista. Encarna el rigor moral y la búsqueda del ideal de justicia, muriendo asesinado por orden de Caracalla al negarse a justificar el fratricidio que éste cometió en la persona de su hermano y corregente Geta[50]. Su estilo es lacónico —no siempre comprensible— y recae su principal actividad en la literatura de problemas[51].

Paulo —de familia noble— y Ulpiano —de origen fenicio—[52] son contemporáneos, rivales y comparten, al morir Papiniano, la primacía jurídica. Autores prolíficos[53], cultivan todos los géneros jurídicos, destacando sus amplios comentarios al *ius civile* y al Edicto[54]. El estilo de Ulpiano es claro y con poca independencia crítica, mientras que el de Paulo es más oscuro, tiende a la abstracción y más independiente.

---

[47]   De la época de los Antoninos —desde Marco Aurelio a los Severos— son: Cervidio Escévola, de fecundo magisterio —son discípulos suyos Trifonino, Papiniano y Paulo— y de un laconismo en sus respuestas exagerado y, con menor entidad, Marcelo y Florentino.

[48]   Fines del s. II a primer tercio del III.

[49]   Discípulo de Ulpiano, escribe en griego y latín y tiene un estilo sencillo y claro adecuado a las obras elementales a las que dedica su atención.

[50]   Se le atribuye la frase: no es tan fácil excusar un fratricidio como cometerlo, *non tan facile parricidium excusari posse quam fieri*.

[51]   37 libros de *Quaestiones* y 17 de *Responsa*.

[52]   Paulo era discípulo de Cervidio Escévola y Ulpiano de Papiniano.

[53]   Baste recordar: que 1/5 del Digesto de Justiniano corresponde a la labor de Paulo y un 1/3 a la de Ulpiano.

[54]   Paulo escribe 78 libros *ad Edictum* (a los que deben sumarse dos dedicados al edicto de los ediles) y 16 *ad Sabinum* y Ulpiano 81 *ad Edictum* (más dos relativos al de los ediles) y, al menos, 51 *ad Sabinum*.

Tema 5
Época postclásica

Desde el asesinato de Alejandro Severo —235— hasta el inicio del reinado de Justiniano —527—, transcurre una de las etapas más complejas, agitadas, confusas y problemáticas de la historia del mundo en general y del Derecho Romano en particular. El Imperio se divide en dos partes y en una y otra se producirá un hecho fundamental: en Occidente «la decadencia y caída del Imperio Romano»; en Oriente «el bizantinismo». Los rasgos de esta época son difíciles de sintetizar, pero es indudable que una pluralidad de factores: políticos, económicos, culturales y religiosos, contribuyen a conformarla. Brevemente, aludiremos a ellos.

1. ORGANIZACIÓN POLÍTICA

La organización política de este período la representa el Imperio o Dominado y en él, desaparecidas en época anterior las Asambleas Populares, los Magistrados ceden, en forma definitiva, paso a los funcionarios[1] y el Senado queda reducido a mera corporación municipal.

El Emperador no es *Princeps* —primero de los ciudadanos— es *Imperator* —*qui imperat*—. También es dueño, *dominus* —*qui dominium habet*— de ahí, Dominado, y, además dios, *deus*, pues su poder arranca de una investidura divina y se ejerce sobre todo y sobre todos[2].

---

[1] La Burocracia imperial es compleja. Se aprecia una organización minuciosa de funcionarios, clasificada y jerarquizada, en la que, en general, aparece una separación de funciones civiles y militares y la distribución de aquellos en diversas categorías y rangos. Los mas altos funcionarios forman el *consistorium principis* —órgano asesor del Emperador, derivado del antiguo *consilium* del Principado— y como más destacados cabe citar: a un ministro de justicia —*quaestor sacri palatii*—; un jefe de las cancillerías imperiales —*magister officiorum*— y a unos encargados de la hacienda y tesoro, en su doble vertiente, de patrimonio estatal —*comes sacrarum largitionum*— y de la Corona —*comes rerum privatorum*—.

[2] El cristianismo minó, lógicamente, este carácter, que se sustituye por la gracia de Dios sobre el soberano. Pese a ello, mantendrá los apelativos de divino —*divus*— y sagrado —*sacer*—.

Dos emperadores, hay que destacar: Diocleciano y Constantino, que procuran corregir la escisión que produce el cristianismo por vías opuestas: propiciándolo éste, combatiéndolo aquél[3].

Diocleciano (284-305), crea una efímera Tetrarquía —de *tetra*, 4 y *arche*, mando, gobierno, (gobierno de 4)— asentada, por un lado, en su convencimiento de la imposibilidad de gobernar una sola persona un territorio tan vasto y, por otro, en la necesidad de asegurar a ultranza la sucesión. Así, por lo primero, y sin renunciar al concepto unitario de Imperio —aunque parezca contrasentido— lo divide en dos partes, Oriente y Occidente. Con el título de Augusto se reserva Oriente y confía Occidente, también como Augusto, a Maximiano. Por lo segundo, ambos nombran, con el título de Césares, a quienes, en el futuro —tras su muerte o abdicación— serán —como Augustos— sus respectivos sucesores, que, a su vez, deberían proceder de igual manera, es decir: a nombrar, según su capacidad, a un nuevo César. Tras la renuncia de los dos primeros Augustos el régimen fracasa.

Constantino (307-337) proclama la libertad religiosa; traslada la capital del Imperio a Bizancio —desde entonces, y en su honor, Constantinopla = ciudad de Constantino— abraza el cristianismo y pone fin al régimen de la Tetrarquía al dividir, a su muerte, el Imperio entre sus hijos: Constantino, Constancio y Constante. Como se ha dicho, el problema sucesorio, que no pudo resolver Augusto, encuentra cuatro siglos después su solución, aunque sea tarde para Roma.

2. ESTRUCTURA ECONÓMICO-SOCIAL

I. Territorio

A) La división del Imperio

A la muerte de Teodosio I (395), se consagra definitivamente, la división del Imperio. Occidente —que deja a su hijo Honorio— caminará a su desaparición, producida en el año 476, cuando el bárbaro Odoacro depone a Rómulo Augústulo, último emperador

---

[3] El paganismo; persecución de cristianos y culto al emperador, son notas inherentes a la postura de Diocleciano.

romano —fin de la Edad Antigua—. Oriente —que deja a su otro hijo Arcadio— verá surgir una nueva forma de vida y cultura, el mundo bizantino, que se prolongará hasta el año 1453, cuando Constantino XII el Paleólogo, sucumbe frente a Mohamet II, al frente de sus *sphis* y jenízaros, cayendo Constantinopla en poder de los turcos —fin de la Edad Media—.

B) Su administración

La administración territorial sufre profundos cambios. El Imperio se divide en 4 prefecturas —Galia, Itálica, Ilírico y Oriente—. Estas, se dividen en 12 diócesis, que comprenden, cada una, un número variable de provincias. Al frente de las prefecturas habrá un *praefectus*; de las diócesis un *vicarius* y de las provincias —cuya extensión reduce, número aumenta (llega a 120) y no hay recuerdo de la distinción senatoriales e imperiales— un gobernador que recibe distintos nombres[4].

II. Población

Sabemos que desde el a.212 todos los habitantes del Imperio tienen la condición de *cives*, sin embargo, el absolutismo imperial los convertirá en súbditos, hasta el extremo que si alguien pretende sustraer su persona o sus bienes a este poder podrá pagar incluso con la vida[5].

III. Sociedad

La sociedad está integrada por estamentos cerrados a los que se pertenece por herencia: no pueden abandonarse; están separados por férreas barreras y ahogan todo tipo de iniciativa individual. Esta

---

4   Las ciudades, tienen un mismo tipo de administración: un senado o cámara municipal —*curia* u *ordo*— y unos magistrados, elegidos, en ésta, por parejas *duoviri*. Las cargas —*munera*— que recaen sobre la *curia*, hace procure eludirse su ingreso en ella. Roma, mantiene el Senado y los principales funcionarios creados en el Principado y la otra capital, Constantinopla, la imitará.

5   A efectos penales una distinción social de interés, es la de *honestiores* —categoría de personas de rango elevado, integrada por senadores, caballeros y decuriones— y *humiliores* —categoría de personas de rango inferior—.

vinculación personal hereditaria se manifiesta al pertenecer: a) a determinados *ordines* —como el de los decuriones, aristocracia municipal, cuyos integrantes responderán, ante el Imperio, de las deudas y necesidades de la ciudad—; b) a ciertas profesiones, como a la de marinos —*navicularii*— y panaderos —*pistores*— o c) a la propia tierra, como los colonos —*coloni*— con la que podrán ser vendidos o reclamados si la abandonaban.

Clases privilegiadas fueron: los militares, los altos funcionarios y —a partir de Constantino— el clero. Salvo éstos, y como se ha resumido, de arriba abajo, de la escala social, se impuso a cada uno su papel: el colono estaba ligado a la tierra, el artesano a su profesión, el soldado a su legión y el funcionario a su administración.

Aproximémonos a las causas de este estado de cosas, o si se prefiere de esta crisis social, aludiendo, sucintamente, a los factores políticos —en su doble vertiente interna y externa— y económicos que la generaron.

A) Causas Políticas

a) Principal factor interno de esta crisis sigue siendo el problema sucesorio, que iniciado en el Principado alcanza, ahora, su punto álgido, con una intervención directa de los ejércitos —anarquía militar—. Por vía de síntesis nos limitaremos a recordar que en medio siglo —235 a 284— hubo 22 emperadores y que en un mismo año —el 238— llegó su número a 6. Es cierto que alguno de estos emperadores se mantuvo por espacio de un lustro —incluso algo más— pero fue debido, no a su mérito o autoridad personal, sino al propio agotamiento de los ejércitos.

b) Factor externo a destacar, será la presión de los pueblos que rodean el Imperio, sobre todo, los partos[6], en la frontera sur oriental y los germanos[7] en la nor-occidental, que se hace insostenible[8].

---

[6]   Los partos —persas— atraviesan el Eufrates y la dinastía de los Sasánidas, conquista y agrega a su reino: Mesopotamia, Siria, Capadocia y las ciudades de Antioquía y Tarso.

[7]   Desbordan el Rhin y reconquistan los territorios que Roma les había arrebatado a su derecha; realizan incursiones por Italia —conquista de Rávena— e incluso, llegan a Hispania, a través de las Galias.

[8]   Otros pueblos, especialmente los marcómanos y los godos invaden y saquean, en distintas ocasiones Tracia, Macedonia y la Acaya (Grecia).

Consecuencia de ello será que proliferen las tendencias secesionistas y que se creen organizaciones políticas autónomas de defensa, que —como se ha matizado— más que negarse a formar parte del Imperio pretenden separar su suerte de la de aquél[9].

B) Causas Económicas

En lo económico la época es de miseria y ruina. Un vasto proceso de ruralización invade el Imperio y ahoga la floreciente vida urbana de antes. El auge de los latifundios termina con los últimos restos de la pequeña propiedad rural. La inflación llega a cotas increíbles[10]; los impuestos se pagan por millones y son insuficientes para sufragar los gastos de un funcionariado ingente, los ejércitos de mercenarios —300/400.000 soldados— y el lujo de una corte de tipo oriental. La necesidad de dinero se hace angustiosa; se devalúa la moneda[11], falsea la buena[12]; se enrarece su circulación y las provincias agotan sus reservas —por una administración anterior inadecuada—.

Diocleciano intentará poner freno a esta crisis regulando el precio de los artículos de primera necesidad, los jornales de los obreros y las remuneraciones de las profesiones liberales por el *Edictum de pretiis rerum venalium* —del precio de venta de las cosas, a.301— catalogado como el más amplio y minucioso régimen de tasas conocido, cuya infracción, por lo común, llevaba aparejada la pena de muerte.

---

9   Sirva de ejemplo el reino que Odenato —príncipe árabe— crea en Palmira, abarcando Siria, Asia Menor y Egipto y que se mantiene unido durante 18 años, primero bajo el poder de aquél y, después, de su viuda Zenobia.

10   En el s. I una artraba de trigo costaba 7 sestercios y en el III, 120.000.

11   Al no existir el papel moneda, se reúnen las monedas de cobre devaluadas en saquitos —*folles*— en donde se indica su valor oficial, adoptándose el saquito —*follis*— como unidad. Caracalla —en época clásica— y Aureliano, Diocleciano y Constantino —en la postclásica— proceden a tales devaluaciones.

12   Ya Caracalla ahuecó las monedas, rellenándolas con un metal inferior —cobre— y plateándolas por fuera. Su uso y deterioro reveló el fraude y produjo: el atesoramiento y ocultación de la moneda buena —de oro o plata—.

3. EL DERECHO POSTCLÁSICO

No hay duda que las causas que determinan la situación política, económica, social y cultural del Bajo Imperio son, en sustancia, las mismas que provocan la nueva estructura y espíritu del sistema jurídico y que la crisis del Derecho, ahora, es sólo un aspecto más de la crisis general.

I. Caracteres generales

El derecho postclásico, es producto de múltiples factores y entre otros, presenta los siguientes caracteres: 1.º) tendencia a la fusión de los estratos jurídicos anteriores; 2.º) separación entre derecho oficial y derecho popular y 3.º) vulgarismo y degradación de los conceptos jurídicos e instituciones que formados en la vida práctica —derecho romano vulgar[13]— se manifiesta, sobre todo, a partir de Constantino[14].

II. El derecho romano vulgar

A) Concepto

El derecho romano vulgar es un derecho simplificado, realista y adaptado a las necesidades prácticas de la época, que acaba por imponerse[15]. Su origen está en la propia praxis jurídica —no en una

---

[13] Para el investigador, el derecho romano vulgar presenta un atractivo indudable y un posible peligro. Aquél, estriba: en la influencia que pudo tener en la Compilación justinianea y su difusión en las leyes bárbaras de Occidente y en el Derecho de la Alta Edad Media. El peligro, como se ha puesto de relieve, el convertirse en una abstracción, por lo que deberá precisarse más su concepto y caracteres, dotarle de un contenido positivo y no minimizar la influencia de otros factores —como el cristianismo, el helenismo o el absolutismo— en la compleja evolución jurídica postclásica o que éstos sólo se aprecien a la luz del vulgarismo.

[14] También a partir de Constantino, y su traslado de la corte a Bizancio, se intensifican los influjos greco-orientales y por influencia del cristianismo, se introducen nuevas ideas y concepciones. Al conjunto de principios basados en el nuevo sistema de valores que se consideran como fundamento y razón de ser del derecho, se le llama *ius naturale*, expresión que cobra un nuevo sentido, apreciado por la Glosa, al comentar: *natura, id est, Deus.*

[15] Razones de esta imposición serán: la decadencia de la jurisprudencia y pérdida de su capacidad creadora; el acceso a la cancillería imperial de juristas cada vez más alejados de los clásicos, imbuidos de lo «retórico» más que de lo «jurídico; la doble

reglamentación del poder imperial— y crece, de forma anárquica, a partir de aquella práctica cotidiana —judicial o privada—. Es un derecho, deformado si se quiere, pues se aleja de los cánones clásicos, pero, en esencia, derecho romano[16]; que se separa de los derechos provinciales y del derecho oficial —imperial— y que siendo resultado de otro fenómeno más amplio, el vulgarismo, se manifiesta en Occidente y en Oriente, aunque en esta parte del Imperio, se frena por la vuelta al clasicismo de las Escuelas de Derecho[17].

B) Caracteres

La característica principal del derecho romano vulgar —y que resume sus demás notas— es la vuelta a cierto primitivismo jurídico, que se refleja, en síntesis, en las dos manifestaciones siguientes: 1.ª) en la hostilidad ante cualquier tipo de construcción teórica, abstracta o erudita, con claro predominio del fin sobre el medio jurídico idóneo para alcanzarlo. Así, por ejemplo, se considera al contrato consensual de compraventa —o a la donación— por sí sola, y sin necesidad de entregar la cosa —*traditio*—, como apta para transmitir la propiedad[18] y 2.ª) en la exagerada importancia dada a la apariencia del acto, que prevalece sobre su real contenido y significado, confundiéndose la apariencia del derecho con el propio derecho y el poder probarlo con su existencia. Por ello —por ejemplo— la *stipulatio* muda su tradicional forma oral por la escrita[19].

---

presión, de la vida práctica de las ciudades y de los usos de las provincias y, en definitiva, la crisis cultural y política por la que atraviesa el Imperio.

[16] Su origen se encuentra ya en la propia época clásica, en la que el número de personas que conocían el derecho era muy reducido y donde existe una práctica jurídica —con intervención de juristas más modestos— en la que empiezan a diluirse, poco a poco, los caracteres propios del derecho clásico y se va alejando de aquél. Aunque se acusa, sobre todo en provincias, también, en menor medida, se deja sentir en Italia y en la propia Roma.

[17] En Occidente, se produce de modo absoluto y en Oriente, sobre todo, en las provincias balcánicas, ajenas a la órbita de influencia del helenismo.

[18] Pierden, pues, su carácter de negocio creador de obligación para convertirse, como en época arcaica, en modo de adquirir la propiedad.

[19] De la *stipulatio* tratamos en Tema 34.2.

C) Efectos

Consecuencia de lo expuesto, será la deformación de los conceptos e instituciones jurídicas, su pérdida de solidez —clásica— y el que se produzca un confusionismo e indeterminación que se aprecia en todos los campos del derecho[20].

4. LAS FUENTES DEL DERECHO POSTCLÁSICO

I. Distinciones teóricas

A) Ius vetus y Ius novum

Las fuentes del antiguo derecho clásico (leyes comiciales, senadoconsultos y edictos de los magistrados) están petrificadas, aunque el derecho originado por ellas, el *ius vetus* —como ya se llamaba en el Principado— siga en vigor. A él se opondrá un nuevo derecho —*ius novum*— cuya fuente de producción única es el Emperador, a través de sus constituciones imperiales, que ahora se denominan *leges*, palabra que nada tiene que ver con su primer significado y vinculación comicial.

B) Iura y leges

Estas *leges* se suelen contraponer a los *iura* (derechos), termino que designa a los escritos y opiniones de los juristas clásicos y preclásicos[21], ya que la jurisprudencia ha agotado su capacidad creadora[22].

---

[20]   Así: en las obligaciones y contratos se diluyen las distinciones clásicas del sistema contractual romano —contratos reales, consensuales y formales— en los derechos sobre las cosas —derechos reales— la diferencia entre propiedad y posesión, y entre aquella y los derechos sobre cosas ajenas —sobre todo con el usufructo— y en el proceso, se pierden las ideas y contraposiciones básicas, como las distinciones entre acciones personales y reales o entre acciones civiles y penales.

[21]   *Iura* tiene, pues, dos acepciones. Una amplia, por contraposición a *leges*, que alude a todo el derecho antiguo —*ius vetus*— no modificado por aquellas y otra restringida que alude a los escritos de los juristas anteriores, tenidos en cuenta en la práctica jurídica y judicial y que, después, se recogerán en el Digesto de Justiniano.

[22]   La distinción, desde Savigny, suele aceptarse por la romanística, que agrupa las fuentes del derecho postclásico en estas dos categorías y siendo su valor relativo, por

II. La legislación imperial

Es lógico que la legislación imperial, cuantitativamente, sea la fuente de mayor importancia en época postclásica. Pese a ello no representa más que una pequeña parte del ordenamiento jurídico vigente en el Imperio. Su atención se centra en el ámbito de la administración y en el económico-social y, sólo en menor medida, en el campo del derecho privado, sobre todo, en el de familia, en donde se aprecian influencias cristianas y heleno-orientales.

Tras esta precisión cuantitativa y cualitativa, baste constatar que: a) los *edicta* son sustituidos, en el fondo —aunque puedan recordar la forma— por leyes generales[23] —que se convierten en la manera usual de legislar y tendrán carácter perpetuo y vigencia en todo el Imperio— y b) que, en esta época, la principal distinción es la de *leges generales* —de aplicación general— y *leges speciales* —rescripta— restringida a un caso concreto[24].

III. El confusionismo de fuentes

La gran complejidad del derecho postclásico crea uno de los confusionismos jurídicos más graves del que tenemos noticia y que exige le prestemos atención.

Si pensamos que tanto los *iura*, como las *leges* tenían vigencia ante los tribunales y que, a su tenor, debían resolverse los litigios, surgen dos problemas —concernientes a abogados y jueces— y un riesgo —que sólo afectaría a los últimos—. Los problemas serían, uno teórico: la dificultad de poder dominar estas fuentes y otro práctico: la dificultad de

---

recoger sólo una parte del derecho vigente, tiene la importancia de servir de base a la Compilación de Justiniano y a las llamadas *leges romanae barbarorum*.

[23] Dichas *leges generales*, formuladas como «edictales» —también se las llama *leges edictales*— presentan la forma de carta dirigida *ad Senatum* o *ad Populum* o *ad Praefectos praetorios* o a otros magistrados imperiales.

[24] Una categoría intermedia entre los *rescripta* y las *leges generales* son las *pragmaticae sanctiones*, disposiciones relativas a determinada provincia, territorio o grupo de personas —no a una sola— cuya vigencia suele ser temporal —no perpetua—. Respecto a los demás tipos de constituciones, los *mandata* decaen rápidamente; los *decreta,* son absorbidos por los *rescripta* y a éstos se les priva de eficacia fuera del caso concreto.

acceder a ellas[25]. El riesgo sería una consecuencia de estas dificultades: la indefensión del juez para sentenciar, si las pretensiones de las
partes se basaban en constituciones o textos contradictorios y que
eran esgrimidos por los abogados, en su *recitatio*, en defensa de los
intereses de sus clientes, ya que no podría contrastar la fidelidad de
la cita o su aplicación al caso planteado.

La canonización del *ius vetus* —iura— y la recopilación del *ius
novum* —leges— serán las soluciones para obviar tales inconvenientes.

A) *Canonización de iura*

La «canonización» de los *iura*, se produce por una Ley de Citas de
Teodosio II y Valentiniano III del a.426 y que limita el número de
juristas cuyo testimonio pueden invocarse en juicio —«citarse»— a:
Gayo, Papiniano, Ulpiano, Paulo y Modestino —el tribunal de los
muertos—. Si hay discrepancia, prevalecería el sentir mayoritario[26];
si empate —cuando alguno no opinara sobre el supuesto— el criterio
de Papiniano y si no está entre los opinantes, decidiría el juez[27].

B) *Recopilación de leges*

En materia de *leges*, primero los propios juristas —con carácter
privado— y después los emperadores —por vía oficial— dedicaron
sus esfuerzos a hacer recopilaciones que facilitasen su consulta y
aplicación. A ello responden tres Códigos: a) el Gregoriano, *Codex
Gregorianus* —que se redacta en época de Diocleciano y recoge los

---

[25] Problema especialmente grave respecto a las *leges*, ya que si no se obtiene copia en
el momento de su publicación o puede accederse a los archivos imperiales, no cabría
posibilidad de su consulta.

[26] Prevalecer el número sobre la argumentación de fondo, refleja la decadencia del
derecho de juristas en esta época.

[27] La ley sanciona la vigencia de 2 anteriores, de época de Constantino, llamadas,
impropiamente, de citas. La 1.ª, del a. 321, deroga las notas críticas a las Respuestas
y Cuestiones de Papiniano, admitiendo, en adelante, sólo la cita directa de las obras
de éste; la 2.ª, del a. 337 o 338, decretó la autenticidad y autoridad de todos los
escritos de Paulo, en especial de las «Opiniones», *Sententiae* que circulaban bajo su
nombre.

rescripta dictados desde Adriano hasta él—; b) el Hermogeniano, *Codex Hermogenianus*, especie de apéndice del anterior que se redacta bajo Maximiano, consta de un sólo título, y recoge los *rescripta* de Diocleciano de los años 293 y 294[28] —y c) el Teodosiano, *Codex Theodosianus*— publicado en el año 438 por el emperador Teodosio II, que consta de 16 libros, divididos en títulos, en donde se ordenan las constituciones, con carácter cronológico, y que recoge las *leges generales*, de Constantino a Teodosio incluso las derogadas[29].

Después se siguieron publicando nuevas constituciones que serán recogidas en colecciones privadas. Son las llamadas Novelas Posteodosianas, *Novellae Postheodosianae*. En suma, *novae leges* —de ahí, *novellae*— posteriores al Código Teodosiano que vienen a completarlo[30].

En la misma línea de facilitar el conocimiento y la aplicación del Derecho hay que situar las llamadas *leges romanae barbarorum*, compilaciones hechas con materiales romanos —*iura* y *leges*— por los reyes germánicos del s. V[31] para la población romana sometida[32]

---

[28] Estos dos Códigos no han llegado a nosotros, conociéndolos, fragmentariamente, por citas de obras posteriores.

[29] El proyecto de Teodosio, en origen, era más ambicioso: el elaborar un código en que tuvieran cabida *leges* y *iura*, que «no dejara márgenes a errores o ambigüedades y que, publicado bajo el nombre del Emperador, mostrara a cada uno lo que debía hacer u omitir». Se autoriza a los autores del *Codex* a modificar los textos originales, haciendo amplio uso de esta autorización.

[30] Las elaboradas en Oriente, se absorben por el *Codex* de Justiniano —de él tratamos en Tema 6— de las de Occidente hay noticias directas o a través de las *leges romanae barbarorum*, de unas 100 —años 438 al 468—.

[31] Tales compilaciones fueron: a) El Edicto de Teodorico —*Edictum Theodorici*— que regirá tanto para romanos como para los godos y consta de 155 capítulos, con textos extraídos de los tres Códigos, de las Novelas, de las Sentencias de Paulo y del Epítome de Gayo; b) El Código de Eurico —*Codex Euricianus*— cuyo ámbito territorial o personal se discute y que ha sido calificado como «monumento del derecho romano vulgar»; c) La *Lex Romana Visigothorum* —también llamada Breviario de Alarico— la más famosa y de mayor influencia y en la que se cita el origen de las fuentes que contiene (los 3 Códigos y las Novelas; un epítome de las Instituciones de Gayo; otro de las Opiniones de Paulo y un *responsum* de Papiniano) y d) La *lex Romana burgundionum*, destinada a los borgoñeses —*burgundiones*— que terminó aplicándose a la población romana; parecida a la *Lex Romana Visigothorum*, sus fuentes —aun sin referir su origen— son prácticamente, las mismas.

[32] La personalidad o territorialidad de estas leyes ha sido ampliamente debatida.

IV. La jurisprudencia postclásica

La propia decadencia de Roma como *civitas* y de sus formas de vida, arrastran en su caída a la jurisprudencia. Sin duda sigue existiendo pero cambia de espíritu y de signo, pierde su capacidad creadora y sus antiguas funciones son absorbidas por los órganos imperiales[33], por lo que, el jurista, en general, debe optar entre: ponerse al servicio de la administración —función, eminentemente, práctica—[34] o dedicarse a la enseñanza —función de carácter más teórico— y su producción literaria presenta, en el tiempo, como principales manifestaciones, las siguientes:

1.ª) La reedición de obras de los juristas clásicos tardíos, lo que ocurre en época predioclecianea y coincide con el tránsito del *volumen* —antiguo papiro en formato de rollo— al *codex* —pergamino en formato de nuevo libro de páginas—[35].

2.º) La elaboración de obras elementales anónimas que consisten en síntesis, resúmenes y epítomes de obras de juristas clásicos, bajo cuyo nombre —sin ser de ellos— suelen ponerse. Es el caso de: «las Opiniones de Paulo» —*Pauli Sententiae*—; «las Reglas de Ulpiano» — *Regulae Ulpiani*— y de «La jurisprudencia de la vida cotidiana» —*Res cottidianae*— o «Reglas de oro» —*sive aurea*— de Gayo. Todas ellas gozarán de gran predicamento en una época incapaz de comprender las construcciones jurídicas clásicas y reflejan la necesidad sentida —en una crisis de los estudios jurídicos— de reducir el derecho a una serie de recetas de fácil aplicación. Una excepción a la ficticia paternidad aludida, es «el Epítome de derecho» —*Iuris Epitomae*— de Hermogeniano[36].

---

[33]   Así: el *agere*, tras el agotamiento del *Ius Honorarium* y la implantación del nuevo procedimiento *cognitio extra ordinem*, resulta superado; el *cavere*, decaído el formalismo, con los nuevos negocios del *Ius Gentium* apenas practicarse y el *respondere* que empieza a desnaturalizarse con el *ius publice respondendi*, pierde su razón de ser cuando los particulares pueden obtener la opinión del Emperador por los *rescripta*.

[34]   Se acaba, pues, un proceso iniciado con Augusto, consolidado con Adriano y agudizado con los Severos. La principal diferencia estriba en que el jurista pierde el carácter de consejero que trataba al *princeps* casi en plano de igualdad y se convierte en auténtico funcionario, mero instrumento en manos del emperador.

[35]   Esta reelaboración tiene como ventaja el preservar las obras transcritas de ulteriores alteraciones y como contrapartida la pérdida de la versión original para el futuro. En general, se considera que estas nuevas ediciones no implicaron, respecto al original, modificaciones substanciales de fondo.

[36]   De la época de Diocleciano y probablemente del mismo autor que el *Codex Hermogenianus*.

3.ª) La última modalidad —de la época dioclecianea-constantina— también con fines docentes y cubrir necesidades de la práctica, está representada por una serie de antologías, florilegios o colecciones mixtas, de constituciones imperiales y de extractos de juristas clásicos, que no ofrecen un texto continuado, sino una sucesión de fragmentos en cadena, donde se cita su origen o el nombre del autor. Merecen citarse: los «Fragmentos Vaticanos» —*Fragmenta Vaticana*— y la «Comparación de las leyes mosaicas y romanas» —*Collatio legum Mosaicarum et Romanarum*— y, aunque muy posterior —ss. V y VI— El dictamen de cierto viejo jurisconsulto —*Consultatio veteris cuiusdam iurisconsulti*—[37].

V. Las escuelas de derecho

Un último apunte en materia de jurisprudencia merece destacarse. Mientras en Occidente, tras la caída del Imperio, se procedió a unas pobres compilaciones —*leges romanae barbarorum*— en Oriente, desde el s. V, surgen las primeras escuelas oficiales de Derecho. Las más importantes son las de Berito —actual Beirut, en Siria—[38] y Constantinopla: con *antecessores* —profesores retribuidos— que gozan de gran prestigio —*qui habent dignitatem*—; planes de estudios sitemáticos[39] y exámenes. El método de trabajo que se emplea es el exegético[40] y descansa en una veneración casi religiosa del texto manejado, cuyo contenido se explica[41]. Sabemos, por datos posteriores, que tuvo lugar en estas escuelas, una apreciable elaboración de tipo doctrinal y sistemático en la que tendrían cabida comentarios extractados —*indices*—, reunión de fragmentos paralelos —*paratitla*— y recopilación

---

[37]   Obra muy compleja, cuya inclusión, dentro de los géneros de la literatura jurídica, ofrece dudas.

[38]   Tenemos noticias de su actividad ya en s. III.

[39]   En 1er año, se estudia las Instituciones de Gayo y 4 *libri singulares*, de carácter escolástico de derecho de familia y sucesorio —dote, tutela, testamentos y legados—; en 2.º, una *prima pars legum* y el Edicto —*de iudicis* y *de rebus*, según el comentario de Ulpiano—; en 3.º —complemento del anterior— los demás títulos del Edicto y los *responsa* de Papiniano; en 4.º, los *responsa* de Paulo y en 5.º, no oficial, las principales *constitutiones imperiales*.

[40]   Recuerda al que en el siglo XI, en Bolonia, utilizarán los glosadores —Tema 7—.

[41]   Las adaptaciones y desarrollos de carácter doctrinal —en los que hay atisbos de la filosofía helenística— se hacen, sobre todo, en forma de breves explicaciones —*scholia*— o glosas que preservan la integridad del texto.

de resultados —*summae*—[42] siendo la importancia de su labor el profundizar en la comprensión dogmática del derecho clásico y, gracias a ello, posibilitar la ya cercana compilación que hará Justiniano.

---

[42] Hay muy pocos restos. Entre ellos: los llamados: a) *Scholia Sinaitica* —por haberse encontrado en un manuscrito del monasterio del Monte Sinaí— que contiene un comentario en griego a los *libri ad Sabinum* de Ulpiano y b) el Libro Sirio Romano —también en griego— manual docente, del *ius civile* del que sólo existen traducciones al sirio, armenio y árabe y con vigencia en Oriente hasta el s. XVII.

Tema 6
Época justinianea

Esta época comprende el reinado de Justiniano, que se inicia el año 527 —primer 1/3 del s. VI— y acaba con su muerte, en el 565 —fin del segundo 1/3 del s. VI—. Como se ha matizado, su estudio, parece romper las coordenadas de espacio —al centrarse en Oriente— y tiempo —al producirse medio siglo después de que Roma sucumba ante el poder bárbaro— que deben presidir una exposición de Derecho Romano. Pero el que, precisamente, en esta época el Derecho reviva y alcance un auge e indiscutido esplendor y el que gracias a Justiniano se nos trasmitan los valores del Derecho clásico, son razones que avalan, por lo común, se considere el fin de su reinado como cierre de la evolución jurídica romana.

1. LA FIGURA DE JUSTINIANO

I. Persona

Flavius Petrus Sabbatius Iustinianus, nació en *Taurensium* —aldea muy romanizada de Iliria[1]— en el año 482. Hijo de Sabacio —humilde labrador— debió su fortuna a su tío materno Justino —también de origen campesino— hombre inculto, analfabeto y sin hijos, que desde muy joven marcha a Constantinopla, ingresa en la Guardia del emperador León y tras una brillante carrera de armas, bajo sus sucesores Zenón y Anastasio I, pasa, a la muerte de éste, a ocupar el trono. Justino llama, entonces, a su sobrino a la corte y lo adopta. Éste: asume el nombre de Justiniano; recibe una cuidada formación; desempeña distintos cargos de gobierno; colabora, estrechamente, con su tío y comparte, como *Augustus* el trono con él —1 abril del año 527— quedando, cuatro meses más tarde, a su muerte, como emperador único.

---

[1]   Cerca de la actual ciudad de Shoplje —en la Macedonia próxima a Serbia—.

Casado con Teodora, ella también resulta elevada por Justino a la dignidad de «Augusta», actuando, después, con Justiniano, como corregente hasta el fin de sus días.

II. Colaboradores

Se puede discutir si Justiniano fue o no un gran hombre, pero, no hay duda, que tuvo el gran mérito de saberse rodear de eficaces colaboradores. Entre ellos, merecen especial mención:

A) La propia emperatriz Teodora, hija de un guardián de osos y, de soltera, bailarina de circo[2], que —según opinión difundida— tuvo decisiva influencia en todas las actividades, proyectos y logros de Justiniano, desde su orientación legislativa[3], a los asuntos de estado, donde contribuyó a consolidar el poder y prestigio de su marido[4].

B) En el campo militar, hay que recordar a Belisario y Narsés, que ligan sus nombres a buen número de empresas victoriosas y a la reconquista, aunque efímera, de parte del antiguo Imperio de Occidente.

C) En el campo jurídico no pueden omitirse los nombres de los juristas: Triboniano, Teófilo —profesor de Constantinopla— y Doroteo —profesor de Berito— que intervienen en la elaboración de las distintas partes de la obra jurídica de Justiniano, si bien los dos últimos, en cierto modo, resultan ensombrecidos por la figura del

---

[2]   Donde, al parecer, lucía con despreocupado impudor sus encantos personales. Lo cierto es que, en su matrimonio, tuvo una irreprochable conducta, actuando, hasta su muerte, como Augusta y dando pruebas de energía y carácter.

[3]   Reflejo de esta orientación fue, no sólo la derogación de las leyes de Augusto, que impedían a las personas de rango senatorial casarse con artistas —ahora podrán hacerlo cuando la actriz hubiese abandonado sus actividades— sino otras medidas en favor de las gentes, sobre todo las mujeres, de teatro y algunas disposiciones relativas al derecho matrimonial.

[4]   A ella se debe —dice Procopio, historiador de la época caracterizado por su notoria aversión hacia la emperatriz— que al producirse la revuelta *Nika* —grito de los sublevados (*nika* = victoria) de las dos facciones (los verdes y los azules) que dominaban en el circo— y que pretendía elevar al trono al sobrino de Anastasio I, Hipatíos, el que Justiniano, pese a estar sitiado en el palacio imperial, no huyera, al recordarle que «el trono de un rey es una excelente mortaja». Exagerando este hecho algún romanista ha dicho que debemos «a la calumniada Teodora que las Pandectas fueran realizadas».

primero. De Triboniano destacaremos, que tras comenzar su carrera como abogado accede a la administración imperial, en donde, por 16 años, hasta su muerte (530-546), ocupa, sin practica interrupción, el más alto puesto de la burocracia bizantina —*quaestor sacri palatii*— asesorando al emperador en todo lo jurídico[5].

D) En materia administrativa y financiera, el nombre más caracterizado es el de Juan de Capadocia, hombre de escasa cultura[6] que, apartado de la vida jurídica, se revela como auténtico genio de las finanzas y convierte en pieza clave de la organización y administración imperial.

III. Ideales

La idea de unidad preside todo la actuación de Justiniano, que pese a ser bizantino, es en esencia romano. Consecuencia de su romanismo, consideró misión prioritaria, restaurar la antigua unidad, grandeza y esplendor del Imperio, lo que hallará su reflejo en el ámbito cultural, político, religioso y jurídico. Así, se manifiesta, en particular:

A) en lo político, al recobrar las tierras perdidas en Occidente[7], (el norte de África —en poder de los vándalos— el sureste de España —en el de los visigodos— y el sur de Italia —en el de los ostrogodos—[8]); B) en lo cultural, con una continuada actividad constructora en todo el Imperio y sobre todo, en Constantinopla, tras resultar devastada por la rebelión *Nika* —la reconstrucción de la catedral de Santa Sofía es su más destacado ejemplo—; C) en lo religioso, procurando eliminar

---

[5]   Dato de interés es que la actividad legislativa de Justiniano decae, notablemente, a partir de la muerte de Triboniano. Este, originario de Asia Menor, es hombre de gran cultura —se le atribuyen diversos tratados de retórica, astronomía y otras materias— y su biblioteca privada facilitó buen número de obras usadas en el Digesto, cuya redacción —lo veremos— y elección de colaboradores se le confía. En síntesis, es la gran figura en la elaboración de las distintas partes de la obra jurídica de Justiniano, siendo, en lo personal tachado de avaro y adulador —vicio éste, tal vez, difícil de evitar en la corte de Bizancio—.

[6]   Del que se dice que ignoraba el latín y no escribía correctamente el griego.

[7]   En Oriente se limitará a contener a los persas y a los diversos pueblos bárbaros que afluían sobre los Balcanes.

[8]   Sin embargo, estos triunfos fueron efímeros. Así, en Oriente, tuvo que pactar, en condiciones humillantes y en Occidente, con la invasión de Italia por los longobardos —568— su obra se desmoronará tras su muerte.

escisiones dogmáticas y con una firme dirección de la Iglesia por parte del Emperador[9], mediante la implantación del cesaropapismo —de Cesar y Papa, unidad en la jefatura del poder político y religioso—[10] y D) en lo jurídico, intentando reducir a uno —*reducere ad unam consonantiam*— el confuso Derecho anterior. Por fortuna, obtuvo, en este campo, mejores resultados que en los demás, hasta el punto de hacer para los juristas, su figura inmortal, a través de su Compilación. A la que se llamará, desde el s. XII, Cuerpo de Derecho —*Corpus Iuris*— añadiéndose el término *civilis*, desde el s. XVI, por Dionisio Godofredo, para diferenciarlo del *Corpus Iuris Canonici*.

IV. Juicios de valor

Justiniano, como todo el que desempeña un papel decisivo en la historia, ha merecido juicios de valor contradictorios. Esto se produce, no sólo respecto a sus características personales, morales y espirituales, sino en cuanto al significado de su actividad política, religiosa e incluso jurídica y acontece, tanto entre los propios historiadores de su época, como en los modernos.

A) Sobre su persona y colaboradores, entre los historiadores antiguos, cabe destacar la postura de Procopio de Cesarea[11], que en su obras «Sobre las guerras» y «Sobre las construcciones», vierte, sobre él, los más cálidos elogios y por contra, en su «Historia Arcana» o

---

[9]   Pese a sus buenas relaciones con el Papa, no consigue los resultados que sus afanes conciliadores y dedicación a las controversias religiosas merecían, ni logra acabar con la lucha entre ortodoxos y monofisistas —concilio de Calcedonia del a.541— tendencia esta última de la que era simpatizante Teodora.

[10] Por su acendrado espíritu religioso, cree en el origen divino del poder y se considera un elegido de Dios, con el fin expreso de salvaguardar la fe católica. El historiador de la época Procopio, nos presenta a Justiniano como asiduo lector de la Biblia y de los escritos de los Padres de la Iglesia, ocupado del dogma de los cristianos y en aclarar sus controversias. De este espíritu religioso, pueden servir de ejemplo, entre otros: el encabezar buena parte de sus constituciones *In nomine Domini nostri Ihesu Christi* y el definir, oficialmente, la fe católica y la Santísima Trinidad. Algún romanista lo ha calificado como teólogo amateur y su afición por la teología motivó que el Papa Agapito le llegara a amenazar con la excomunión, evitada por la expresa sumisión de Justiniano al Papa.

[11] Con Agatías, el más importante historiador de la época de Justiniano —nacido a fines del s V principios del VI—.

«Secreta» las más crueles críticas[12]. Entre los historiadores modernos, hay opiniones para todos los gustos, desde los que dicen que es un gobernante frío, ingrato, opresor y cruel a quienes lo consideran como gran legislador, preclaro diplomático, baluarte de la Iglesia y protector de las artes[13].

B) Sobre la obra de Justiniano, aunque algunos, en forma exagerada, destacan como «paradoja de la Historia Universal» el que «la codificación que mayor influencia ejerció en todos los tiempos, careció de vigencia efectiva en tiempo alguno», sin embargo, su valor extraordinario en la evolución jurídica universal nadie ha sido capaz de negarlo.

2. LA COMPILACIÓN DE JUSTINIANO

Justiniano asume la idea, sentida y no realizada, de Teodosio II, de una total recopilación del Derecho Romano. Estamos enterados de su curso por una serie de constituciones del propio Justiniano que, primero, establecen las directrices para los trabajos y luego publican las partes acabadas de la Compilación. Se citan —como las encíclicas de los Papas— por sus primeras palabras. Veamos sus fases

I. El Código —*CODEX*—

El 13 de febrero del 528, por la *constitutio Haec quae necessario*, se nombra una comisión de 10 personas —entre ellas: Juan de Capadocia, Triboniano y Teófilo— con el encargo de hacer un nuevo código —*de novo codice faciendo*— y sobre la base de los Códigos: Gregoriano,

---

[12]   Llega a calificar a Justiniano y a Teodora como *antropodamones* = demonios con forma humana. Ataca, con dureza, a Belisario, Antonina —esposa de éste— y a Juan de Capadocia. Critica la labor legislativa del emperador y su esposa, la ingerencia política de ésta y la hace responsable de que no se venciera a la secta monofisista.

[13]   No faltan quienes tachan a Justiniano de visionario y soñador y califican sus anhelos de «quijotadas». Mientras que se alzan voces que lo consideran como persona que, vinculado a los siglos que le han precedido se encuentra preocupado, lúcidamente, por las situaciones sociales de la época en que vive, orientando su labor, diestramente, hacia un futuro y no hacia un pasado irrepetible.

Hermogeniano y Teodosiano; las Novelas Posteodosianas y demás constituciones posteriores. Las leyes anticuadas debían suprimirse, las antinomias eliminarse y los textos reducirse a lo esencial.

Se publica el 7 de abril del año 529, por la *constitutio Summa rei publicae*, que fija su entrada en vigor para nueve días más tarde. Esta fecha —16, IV, 529— implica, la derogación de todos los antiguos códigos y leyes no incluidas en el *novus Codex Iustinianus*.

Su texto no ha llegado hasta nosotros, conservándose sólo el fragmento de un índice[14].

II. El Digesto —*DIGESTA*—

El 15 de diciembre del 530, por la *constitutio Deo auctore*, se encomienda a Triboniano forme una comisión —que resultará integrada por 16 miembros, entre los que estaban los profesores de Derecho, Teófilo y Doroteo— para proceder a la compilación de fragmentos seleccionados de las obras de los juristas —*iura*— con precisas instrucciones en torno al *modus operandi*.

Debía actuarse: sobre las obras de los juristas que hubieran gozado del *ius respondendi* —lo que no se hizo—; extraer de ellas los textos que valieran de una vez por todas; depurarlos y evitar repeticiones y antinomias.

Todo el material debía distribuirse en 50 libros; lleva, en honor a Juliano, cuya principal obra se llamaba así, el título en latín de Digesto, *Digesta* —de *digero*, dividir, distribuir, ordenar, de donde *digesta* significaría, material dividido, distribuido, ordenado, sistematizado— y en griego de Pandectas, *Pandektai* —de *pandektes, on* que comprende todo— y considerarse como un *Codex Iuris*.

El tiempo para su realización fue fijado en 10 años —aunque se finalizó en 3— y el 16 de diciembre del año 533, fue publicada la obra, precedida de una *constitutio* redactada en griego —*Dédoken*— y en latín —*Tanta*— entrando en vigor catorce días más tarde —30, XII,

---

[14]   Papiro Oxyrinco XV, 1814, que alude a las constituciones contenidas en el libro I, títulos 11 a 16. A su tenor y a la poca relación que guarda con los puntos que corresponden a la 2.ª Edición del Código, cabe deducir que el contenido entre ambas fue bastante diferente.

533—. En su virtud todas las opiniones de los juristas no recogidas quedaron sin vigor y las compiladas, con independencia de época, con fuerza de ley.

A) Estructura

Según instrucciones de Justiniano, los libros del el Digesto se dividen en títulos[15], a los que antecede una rúbrica designando su contenido. Cada título comprende los fragmentos de las obras de los juristas seleccionados, que, por respeto a la antigüedad —*antiquitati reverentia*— se encabezan con una inscripción, *inscriptio*, que indica: nombre del jurista, título de la obra y número del libro del que ha sido extraído —por ej. *Paulus libro quinto Quaestionum*—. Desde los juristas medievales, si el fragmento es muy largo se divide en un *principium* —pr— y párrafos numerados. D.19.1.45.2 equivale a Digesto, libro 19, título 1, fragmento 45, párrafo 2.

B) Contenido

Según Justiniano, la obra consta de 150.000 líneas y contiene unos 9.000 fragmentos de 40 juristas. De ellos: 35, son del período clásico, destacando, Ulpiano, al que corresponde un 1/3 del total de la obra —3.000 fragmentos—; Paulo, que representa un 1/5 —1.800— y en menor escala, Papiniano, Pomponio y Juliano[16] —unos 1.700—; 3, son juristas de época preclásica: Alfeno Varo, Quinto Mucio Escévola y Aquilio Galo y 2 de la postclásica: Hermogeniano y Arcadio Carisio.

C) Algunos problemas

Justiniano refiere que los compiladores, de *compilare*, saquear, manejaron 2.000 libros, que representan 3.000.000 de líneas y se reducen a la 20.ª parte —150.000—. Además, tuvieron que evitar y

---

[15] Constituyen excepción los libros 30, 31 y 32 —*de legatiis et fideicommissis*—.
[16] Gayo, Celso, Modestino, Cervidio Escévola, Africano, Javoleno y Marcelo representan cerca de 2.500 fragmentos, con lo que, siempre en forma aproximada, con los que figuran en el texto se completarían los 9.000.

resolver posibles antinomias, diferencias de opinión y adaptar los textos a las nuevas necesidades y situaciones jurídicas existentes, con respeto, en lo posible, a su forma y contenido. Esta ingente tarea —prevista para 10 años— se realizó en 3, por lo que se plantea el interrogante de cuál fue el *modus operandi* de los compiladores[17], a lo que dio respuesta, en 1820, Bluhme, con su «teoría de las masas».

Según Bluhme, la comisión se dividiría en 3 subcomisiones, cuyo trabajo, simultáneo, procedería a agrupar todo el material en 3 grupos o «masas»: una, comprendería las obras del *Ius Civile* —comentarios *ad Sabinum*— sería la Masa Sabiniana; otra, las obras relativas al *Ius Honorarium* —comentarios *ad Edictum*— sería la Masa Edictal y una tercera, la literatura de problemas, sería la Masa Papinianea —por ser este jurista uno de sus principales cultivadores[18]—.

A favor de su teoría cabe esgrimir, y así se ha destacado: 1.º) que, no sólo responde a la tradicional contraposición entre *ius civile* y *ius honorarium*, correspondiendo la tercera masa a obras de tipo práctico, sino también, a los tres tipos de obras —sistemáticas, exegéticas y monográficas—; 2.º) que en casi todos los títulos existe en las *inscriptiones*, de cada fragmento, el orden referido[19] y 3.º) que esta distribución coincide con el plan de estudios de derecho antes de reformarlo Justiniano[20].

Problema del máximo interés para la investigación es el de las interpolaciones. Es decir, el de las alteraciones intencionales de los textos y que tiene como punto de partida una base cierta: lo afirmado en la *constitutio Tanta* 10 «es mucho y muy importante —*multa et maxima sunt*— lo que se ha modificado por razón de utilidad —*quae propter utilitatem transformata sunt*—». Separar, pues, el derecho clásico del justinianeo y luego esclarecer la evolución jurídica postclásica, constituye labor a la que la romanística ha dedicado su esfuerzo.

---

[17] Justiniano dirá que: supera a la debilidad de la naturaleza humana y sólo fue posible gracias a la ayuda divina.

[18] Aún podría hablarse de una cuarta Masa Apéndice, en la que se incluirían fragmentos de muy diversa índole.

[19] Esto se aprecia, sobre todo, en D. 50, 16 y 17, punto de partida de Bluhme.

[20] Este plan era el siguiente: en 1.º, se estudiaba las fuentes relativas al *ius civile*; en 2.º, las del *ius honorarium*; en 3.º, y 4.º, la literatura de problemas, siendo, precisamente la primera y fundamental obra, en 3.º, los *responsa* de Papiniano y en 4.º los de Paulo —el 5.º curso se centraba en las *leges*—.

III. Las Instituciones —*INSTITUTIONES*—

Avanzada la elaboración del Digesto, Justiniano encomendó a una comisión, presidida por Triboniano y de la que formaban parte Teófilo y Doroteo, la redacción de una obra elemental de Derecho, para que los jóvenes se iniciaran en su estudio: tendría fuerza de ley; debería sustituir a las Instituciones de Gayo y basarse en las obras clásicas que tuvieran este carácter elemental.

La obra, redactada en poco tiempo: se publica algo antes que el Digesto —el 21 de noviembre del año 533— por la *constitutio Imperatoriam maiestatem*; entra en vigor el mismo día que éste y se dedica a la juventud deseosa de aprender leyes —*cupida legum iuventus*—.

Lo mismo que las Instituciones de Gayo, constan de 4 libros; relativos a las personas —libro I—, cosas —II y III— y acciones —IV— pero los libros —a diferencia de aquéllas— están divididos en títulos, con su rúbrica, y el texto en párrafos. El modo de citar será similar al del Digesto, destacando, por contra, que las obras que sirvieron de base para su redacción, no se citan en el texto, que discurre de modo continuado y seguido.

IV. El Segundo Código —*CODEX REPETITAE PRAELECTIONIS*—

Una serie de constituciones, del año 530, las llamadas Cincuenta decisiones, *Quinquaginta decisiones* —y que no nos han llegado— publicadas para resolver cuestiones controvertidas, derivadas de la aplicación del *Codex*; otras, dictadas durante la redacción del Digesto, para facilitar la labor compiladora y otras, en fin, tendentes a resolver problemas de la práctica jurídica, plantean la necesidad de una revisión y puesta al día del primitivo Código. Justiniano, lo encomienda, en enero del 534, a Triboniano quien, con la ayuda de Doroteo —Teófilo ya había muerto— y tres abogados, finalizó su cometido en el corto espacio de diez meses, publicándose, mediante la *constitutio Cordi*, el 16 de noviembre del año 534, y entrando en vigor el 29, del XII.

El *Codex* consta de 12 libros —en recuerdo de las XII Tablas[21]—. Estos se dividen en títulos y en ellos se insertan las constituciones imperiales por orden cronológico. Cada una tiene una *inscriptio* con el nombre del emperador que la dictó y el destinatario y finaliza con una *suscriptio* con la fecha y lugar de su otorgamiento. La más antigua es una de Adriano —sin fecha— y la más reciente una de Justiniano de 4 de noviembre del 534. La forma de citarse es similar al Digesto[22].

V. Las Novelas —*NOVELLAE*—

El *Codex repetitae praelectionis*, no significó el cese de la actividad legislativa y reformadora de Justiniano. Y así lo acredita, unas 175 *Novellae* —*novae leges*, nuevas leyes— la primera de 1 de enero del 535[23]. Su contenido afecta, por lo común, a materias de derecho público, eclesiástico o asuntos sociales y las relativas a derecho privado, suelen tener carácter interpretativo[24].

Justiniano, pese a proyectarlo, no elaboró con las Novelas una colección oficial como el *Codex* y solo han llegado hasta nosotros algunas colecciones privadas[25].

---

[21]   Tratan: el I, del derecho eclesiástico, fuentes del derecho y funcionarios públicos; del II al VIII, de derecho privado y procesal civil; el IX, de derecho penal y procesal penal y del X al XII del derecho financiero y otras ramas de la administración.

[22]   Contiene unas 4.600 constituciones, que corresponden, tomando a Diocleciano como cesura, la mitad hasta él y la otra mitad desde él a Justiniano, siendo las más antiguas más cortas, quizá porque Justiniano ordenara su resumen.

[23]   Las Novelas, en griego o en latín y algunas en ambas versiones, se inician con un *proemium* o *praefacium*, en el que se fundamenta su necesidad y motivos; sigue el texto y acaban con un *epilogus*, relativo a su entrada en vigor.

[24]   Sin embargo, algunas ofrecen nuevas regulaciones o sistematizaciones concretas de una institución. Así, por ej. las Novelas 118 y 127, relativas a la sucesión y la Novela 22, verdadero Código de derecho matrimonial cristiano.

[25]   A saber: a) el llamado *Epitome Iuliani* —colección de 124 novelas, de Justiniano, de los años 535 a 555, escritas en latín y atribuidas a un tal Juliano, de ahí su nombre, profesor de Constantinopla—; b) el *Authenticum* —colección de 134 novelas, de los años 535 a 556, también de Justiniano y en latín, cuyo nombre se debe a que, en época de Irnerio, s XII, cuando apareció, se creyó era el texto original—; c) la llamada *Colección griega* —la más completa y perfecta de 168 novelas, en griego y en latín, la mayoría de Justiniano (algunas de Justino II y Tiberio II), conocida tras la caída de Constantinopla y llamadas así porque los manuscritos sólo reproducían las griegas, sustituyéndose las latinas por extractos en aquella lengua— y d) una especie de apéndice, llamado *Edicta Iustiniani* —13 novelas de este emperador—.

3. LA COMPILACIÓN EN ORIENTE

La obra de Justiniano es punto de partida del Derecho Bizantino. Se ha dicho, que su importancia radica, por un lado, en lo que concluye —en concreto, el Digesto, el fin de la jurisprudencia romana— y por otro, por lo que de aquella arranca —el resurgir de la ciencia jurídica en Occidente— pero que apenas tuvo importancia por lo que pretendió ser —una legislación para su tiempo—. Esto no es exacto, ya que en los siglos VI y VII, la Compilación, se usó, por los propios juristas bizantinos y sólo a partir del s. VIII se empieza a perder el contacto directo con aquélla. Esta es en síntesis, la actividad jurídica bizantina o, si se prefiere, el destino, en Oriente, del quehacer justinianeo, partiendo del propio Justiniano que, en forma expresa, prohíbe comentarios a su obra —salvo algunos trabajos muy limitados y de carácter auxiliar[26]— aunque razones de tipo práctico y didáctico[27] determinarán su incumplimiento.

1.º) En los siglos VI y VII, surgen, en griego, traducciones abreviadas —*summae*— notas a modo de comentarios —*paragrafaí*— y exposiciones, con otras palabras —*paráfrasis*— del contenido del *Corpus*. Actividad que no eluden, incluso Teófilo y Doroteo[28].

2.º) Estos recursos resultan insuficientes y se hace necesario que los propios emperadores establezcan —de forma oficial— los principios jurídicos, formulados de una manera más acorde a los nuevos tiempos. A ello responden las compilaciones isáuricas (s. VIII[29]) y

---

[26] Traducciones literales al griego —*katà póda*— colecciones de pasajes paralelos —*parátitla*— y breves guiones explicativos de los textos —*índikes*—.

[27] Fundamentalmente: la magnitud y complejidad del *Corpus Iuris*; el idioma en él utilizado y la diversa *forma mentis* de los juristas clásicos y bizantinos.

[28] Existe una amplia literatura al respecto, tanto de *Índikes* del Digesto como del Código o de las Novelas. Particular interés reviste la *Paráfrasis* griega de las Instituciones de Teófilo —amplia exposición, con notables aclaraciones, rica en ejemplos y genuina representante de la forma en que se interpretaba a los clásicos y se concebía el derecho antiguo en la escuela de Berito, aunque sus noticias históricas deban ser tamizadas con prudencia—.

[29] En el s. VIII, época de los Emperadores Isáuricos —León III el Isáurico (717-741), fundador de la dinastía y su hijo Constantino Coprónimo (741-775)— surgen 3 colecciones de normas, relativas al derecho marítimo —*Rodion nauticos*— al militar —*nomos stratioticos*— y al agrario —*nomos georgicos*— y, sobre todo, la *Ecloga* —selección— *Legum* —de leyes— obra de gran claridad y sentido práctico —objeto de reelaboraciones— en la que junto a textos extraídos de la Compilación surgen elementos no romanos.

macedónicas (s. IX y X[30]). Entre éstas, merece destacarse: Las (los) *Basílicas (os)* —*ta basilikà*, de *Basileus*, rey = Derecho imperial— manifestación cumbre de la legislación bizantina en 60 libros, ordenados según el *Codex*, cuya traducción griega no se basa en el original[31].

3.ª) La ventaja práctica de las Basílicas —reunir todos los textos del *Corpus Iuris*, relativos a un mismo asunto— hace decaer el estudio directo del *Corpus*. Sin embargo, su amplitud y difícil uso, también, hará, que los juristas bizantinos, desde entonces, se dediquen a elaborar epítomes, manuales de finalidad práctica o didáctica y obras auxiliares para facilitar su manejo[32]. Esta labor de síntesis se cierra, en el s. XIV, con «Los seis libros» —*Exábiblos*— manual, redactado por el juez de Tesalónica, Constantino Harmenópulos —«epítome, de epítomes de epítome»— que alcanza gran difusión, sobrevive a la caída de Constantinopla y se usa, por los griegos, tras su independencia, hasta el Código Civil de 1885 del que fue fundamento.

---

[30] A la época de los Emperadores Macedonios —Basilio I el Macedonio (867-886) fundador de la dinastía y su hijo León VI el Filósofo (886-911)— pertenecen otros trabajos, abreviaturas del *Corpus* para uso de Tribunales, como: el *Procheiron* —manual— y la *Epanagogé* —renovación— de la que, en el s X, aparecerá otra edición ampliada —*Epanagogé aucta*—.

[31] Se basa en la actividad de los juristas del s. VI. Así, respecto al Digesto, en el índice de un autor desconocido —citado, por ello «El Anónimo»— en el que se recoge, en forma peculiar, los comentarios —*scholia*— en «cadena» —*katéne*— es decir, texto por texto, de los juristas de los siglos VI y VII —*scholia antiqua*— incorporándose, después, los redactados entre los s. X y XII —*scholia recentiora*—.

[32] Dos *Synopsis* —*magna*, s. X, y *minor*, s. XI-XII, co-titulada *Liber Iuridicus Alphabeticus*, alusiva al criterio en ambas seguido— y el *Tipucitus* —s. XII— claramente revelador de su finalidad —*tí poû ceîtai* = ¿dónde se encuentra?— son ejemplos de esta labor de síntesis.

Tema 7

El derecho romano después de Justiniano

Como hemos visto, el Derecho Romano es el proceso histórico que se inicia con la Fundación de Roma —*ab urbe condita*— y se cierra con Justiniano —*Corpus Iuris*—. Como ahora veremos, la Tradición Romanística es el proceso que se inicia con el resurgir de los estudios jurídicos en Bolonia y se proyecta hasta nuestros días.

1. DERECHO ROMANO Y TRADICIÓN ROMANÍSTICA

La Tradición Romanística no siempre ha entendido lo mismo por Derecho Romano. A veces —visión histórica— ha entendido que el Derecho Romano es la «Reconstrucción» del derecho del pueblo de Roma; a veces —visión dogmática— ha considerado que el Derecho Romano es la «Construcción» de un derecho válido y actual para otras épocas asentado sobre bases romanas. Este distinto criterio se debe a que los estudiosos se ven influidos por las corrientes culturales e ideológicas del momento en que ejercen su actividad. Por ello, en algunos períodos históricos, el Derecho Romano ha prevalecido sobre la *forma mentis* de quien lo estudia y en otros ha sido ésta la que ha prevalecido sobre aquél. Incluso, ambas posturas, aunque efímeramente, se han dado en una misma época y en una misma persona[1]. Veamos esta evolución.

---

[1]   Así, ambas posturas —histórica y dogmática— se dan en Savigny, como revela el hecho de que el creador de la Escuela *Histórica* del Derecho escriba el Sistema del Derecho Romano *Actual*.

2. LA BAJA EDAD MEDIA Y LA FORMACIÓN DEL *IUS COMMUNE*

I. El resurgir boloñés[2]

El resurgir del Derecho Romano —si se prefiere de los estudios romanísticos— se inicia a fines del s. XI y aunque reina gran oscuridad respecto a sus orígenes, lo cierto es no constituye un hecho aislado y que responde a un movimiento más amplio y generalizado de revivificación espiritual, que se produce en esta época y del que es sólo un aspecto.

Este resurgir, al que no es ajeno el descubrimiento, en Amalfi (1135), de un manuscrito del Digesto del s. VI[3], se suele unir a dos nombres: el *Studium generale* de Bolonia[4,] y la Escuela de los Glosadores, que floreció hasta el s. XIII.

II. La Escuela de Glosadores

El fundador de esta escuela fue Irnerio y sus más destacados representantes: en la primera generación, los llamados «cuatro doctores» —Bulgaro, Martino, Hugo y Jacobo—; en la segunda, Azón y Odofredo y por último, Accursio, autor de la *Magna Glossa* o *Glossa ordinaria,* que viene a ser el compendio y síntesis de todo el quehacer glosador y con el que se cierra la Escuela.

A) *Método de trabajo, fin perseguido y aportación*

El método de trabajo utilizado fue el mismo que habían usado los profesores de derecho de las escuelas orientales, es decir, el exegético,

---

[2]   En la Alta Edad Media —s. VI a XI— en España y Francia se sigue aplicando el Derecho Romano —vulgar— prejustinianeo, a través de las *leges romanae barbarorum*; en Italia el justinianeo por la *pragmatica sanctio pro petitione Papae Vigilii* (554) y en Alemania, merced a la constitución del Sacro Imperio Romano Germánico (962) el emperador Otón I, convertido en heredero de Justiniano, adopta su derecho. Los escasos datos durante este período sólo permiten afirmar que la tradición romana, aunque débil, no llega a interrumpirse.

[3]   Se conoce con el nombre de *littera Florentina* y fue trasladado a Pisa y luego a Florencia.

[4]   La Universidad más antigua, junto a la de Teología de París y cuyo origen parece remontarse a los tiempos de la gran duquesa Matilde y al Papa Gregorio VII.

analizando los textos, en el orden establecido en el *Corpus Iuris* —como se llama, ahora, a la obra de Justiniano— título por título, texto por texto y frase por frase, y su principal manifestación fue la glosa, es decir una anotación breve hecha en el propio texto —al margen (marginal) o entre líneas (interlineal)— aclarando e interpretando el sentido de las palabras[5].

El fin perseguido por los glosadores no fue el adaptar el *Corpus Iuris* a su tiempo, sino su interpretación literal —su análisis verbal, microscópico—; el intento de conciliar opiniones contradictorias; relacionar textos dispersos y distinguir lo que era derecho con Justiniano y mero residuo histórico[6] y su gran aportación: el hacer comprensible a sus contemporáneos la obra de Justiniano, logrando un texto inteligible sobre el cual se apoyó, durante siglos, la cultura jurídica.

B) *Orientación ideológica*

La labor de los glosadores está presidida por dos ideas. La idea de Imperio, que ven reflejada en Justiniano y su derecho[7] —el desinterés por el dato histórico resulta evidente[8]— y la idea de Autoridad, por la que asume el *Corpus Iuris*, como la Biblia para los teólogos, el carácter de verdad revelada, cuyas posibles antinomias, sólo lo son en apariencia, debiendo existir siempre una forma de resolverlas[9]. El

---

[5] La glosa tiene como punto de partida la mera explicación de la palabra —y esto es lo que significa este vocablo de origen griego—. Por ello, estos juristas actuarían en forma similar a la que hoy puedan hacerlo los estudiantes de un idioma —latín— anotando en el propio texto del autor que traducen el significado de aquellos términos, para cuya comprensión fue necesario el uso del diccionario.

[6] Procuran remontarse a principios y reglas generales —*brocarda*—; explicar algunos puntos a través de casos imaginarios —*casus*—; exponer distinciones conceptuales —*distinctiones*—; resumir el contenido de los textos —*summae*— a manera de los *indices* bizantinos; coleccionar controversias —*dissensiones dominorum*— (*domini*, en este tiempo = profesores de derecho) e incluso, tratar, en forma monográfica, algunos puntos, sobre todo, en materia de proceso.

[7] Cuando en las glosas encontramos expresiones tales como *olim* = en otro tiempo, *sed hodie* = pero hoy, este *hodie*, no se refiere al derecho del s. XI, sino al justinianeo.

[8] Sirva como ejemplo, lo que se lee en una conocida glosa: Justiniano reinaba al tiempo de nacer Cristo —*Iustinanus regnabat tempore nativitatis Christi*—.

[9] La idea de autoridad es un hecho generalizado y no debe vincularse sólo al campo teológico, pues igual carácter tienen para la filosofía los textos de Platón y, más aún, de Aristóteles y para las ciencias naturales la Historia Natural de Plinio.

Corpus pasa a ser no el Derecho Romano, sino el Derecho. Es la *ratio scripta*, verdad que adquiere el valor de dogma y, por tanto, indiscutible.

C) Influencia

La Escuela de Bolonia ejerció una notable influencia. A ella acuden estudiantes de Derecho procedentes de otros paises[10]; sus profesores ejercen su magisterio fuera de Italia y unos y otros difunden, en Europa, su método y el Derecho Romano. Así ocurre: en Inglaterra[11], aunque desde el s XIII, por oposición de los juristas nativos y decisión de la autoridad real, se terminará prohibiendo, la enseñanza y el propio estudio del Derecho Romano[12]; en Francia, cuyo auge, en las Universidades, motivó, que el papa Honorio III (1220) pusiera restricciones a su estudio, en la Universidad de París, como único modo de estimular los de teología; en España, donde fue objeto de estudio universitario y tomado como base en la redacción de las Siete Partidas (1265) e incluso, en la propia Alemania, país no perteneciente al antiguo Imperio Romano.

III. Los postglosadores: la escuela de comentaristas

Codificada, en cierto modo, la labor de la Escuela de Bolonia en la *Magna Glossa* de Accursio, a fines del s. XIII y sobre todo en el s. XIV, surge una nueva orientación en el estudio del Derecho Romano, que responde al nuevo clima político y espiritual que invade a Europa.

Estas nueva tendencias están representadas por la Escuela de los Comentaristas o Dictaminadores (*Consiliatores*) con nombres tan

---

[10]   En España, primero Cataluña —más próxima en espíritu y geografía a Italia— y Aragón —en el s. XII— y más tarde —s. XIII— los reinos centrales envían sus escolares a Bolonia. Especial mención merece, entre ellos, San Raimundo de Penyafort que marcha a Bolonia en 1210 y ejerce, allí, como maestro, desde 1215 a 1219.

[11]   Baste recordar como ejemplo —de recepción doctrinal— la célebre obra de Bracton sobre el derecho consuetudinario inglés, inspirada en una mentalidad educada en el Derecho Romano y cuyas huellas se aprecian hasta el s. XIV en los tribunales del *Common Law*.

[12]   De ahí las diferencias que, hoy, separan al derecho anglo-sajón del continental aunque —paradójicamente— aquél, recuerde mucho más la estructura del derecho romano clásico.

ilustres como los de Cino de Pistoia (1270-1337), Bartolo de Sasoferrato (1314-1357) del que se dijo que nadie podría ser un buen jurista sin ser bartolísta —*nullus bonus iurista, nisi sit Bartolista*— y su discípulo Baldo de Ubaldis (1327-1400) que en derecho nada ignoraba —*in iure nihil ignorabat*—.

A) *Método de trabajo, fin perseguido y aportación*

Su método de trabajo estuvo asentado en la dialéctica escolástica de base aristotélica —interpretaciones extensivas y restrictivas, distinciones, analogías...— y la primera manifestación de su labor, representada por amplios comentarios que, son sustituidos, más adelante, por la elaboración de dictámenes —*consilia*—.

El fin perseguido ya no es la clarificación de la *littera*, sino adentrarse en el *sensus* y la resolución de problemas surgidos en la práctica de la época. A diferencia, pues, de los glosadores, que no intentaron adaptar el *Corpus* a las necesidades de su tiempo, construyeron, sobre él, un derecho vigente y su gran aportación fue: el elaborar gran parte de las categorías jurídicas, distinciones y clasificaciones sobre las que todavía se asienta la ciencia jurídica moderna, siendo los verdaderos padres del método deductivo y de la jurisprudencia de conceptos.

B) *Orientación ideológica*

La labor de los postglosadores está presidida por un nuevo clima político y espiritual.

a) El primero, representado por la definitiva crisis de la idea de Imperio y el nacimiento de los estados nacionales[13], determinará que los juristas, aparezcan, en muchos países, como defensores del poder real y fervorosos partidarios del nuevo tipo de Estado y dediquen su actividad, merced a sus *consilia,* a una adaptación práctica del Dere-

---

[13]   El Papa y el Emperador, personificación de los dos grandes poderes que se disputan la supremacía dentro del Imperio, entran en una fase de decadencia. El largo interregno (1250-1273) destruye el poder imperial y marca una efímera supremacía de los pontífices, precursora de la gran crisis que en el siguiente siglo, sufrirá con el traslado de la sede a Avignon, el gran cisma de Occidente y el Conciliarismo.

cho Romano a las necesidades de la época. b) El segundo, representado por la gran difusión de los escritos de Aristóteles y el triunfo, de
la Escolástica, sobre ellos asentada[14], incidirá en que se dediquen a la
ordenación y sistematización racional de todo el material jurídico,
encuadrándolo en las categorías lógicas de aquella filosofía, configurán-
dose, en suma, como los primeros grandes dogmáticos del derecho.

Pese a lo expuesto, fieles al espíritu medieval, la *ratio scripta* sigue
siendo el *Corpus*, mediante la interpretación de la Glosa[15].

C) Influencia

La Influencia de los Comentaristas fue extraordinaria y supera, en
mucho, a la de los glosadores. Estudiantes de todas partes acuden a
sus Universidades[16] y se convierten en Maestros del Derecho de
Europa. Las Universidades que surgen a lo largo de la Baja Edad
Media en la Europa occidental y central[17] desplazan el carácter
teológico de las anteriores y desde el s. XV son viveros de comentaristas, convirtiéndose, en un proceso de gran rapidez, en base de cultura
común europea.

IV. La formación del *ius commune*

Consecuencia de esta actividad académica fue la recepción del
Derecho Romano en casi todos los países europeos; el nacimiento de
una cultura y conciencia jurídica común y la aparición de un sentimiento de unidad espiritual, asentado en la raíz latina del derecho de
los pueblos —Italia, Francia, Portugal y España— que superando
particularismos propios, conciben al Derecho Romano como *Ius
Commune*, adaptado a los nuevos tiempos por el Derecho Canónico[18],

---

14   Por obra de San Alberto Magno y, sobre todo, de Santo Tomás de Aquino.
15   Tal vez deba matizarse que al no servir, por lo general, de apoyo el texto justinianeo,
      sino la Glosa Accursiana, ésta, y no aquél, es la verdadera *ratio scripta*, lo que no
      impedirá, que los postglosadores construyan sobre él/ella un Derecho vigente.
16   En el caso de los españoles, la afluencia de nuestros escolares a Bolonia determinó
      que, en el s. XIV, el Cardenal Albornoz, creara el colegio de San Clemente, en donde,
      todavía hoy, se siguen doctorando juristas españoles.
17   A esta época pertenecen las Universidades de Barcelona, Lérida, Gerona y Vich.
18   El derecho canónico nace como disciplina autónoma de la teología con el Decreto de
      Graciano —hacia el 1140—. Su segundo momento decisivo está representado por las

que desempeñará, como se ha puesto de relieve, una función parecida a la que el Pretor desarrolló en Roma.

Sin embargo, esta idea, muy ligada a la de Imperio, va a resultar condicionada, precisamente, por la decadencia de esta última y por el fraccionamiento político que conllevaba, comportando la aparición de un *ius proprium* —*municipale*— en cada territorio que se opondrá al *ius commune*. Los comentaristas superan esto encuadrando aquellas normas en la categoría de *ius singulare*[19].

3. EDAD MODERNA: HUMANISMO Y RACIONALISMO

I. El humanismo renacentista y su influencia

El retorno a los modelos clásicos de Grecia y Roma producido en casi todas las actividades del espíritu —humanismo— a fines del s. XV y principios del XVI —inicio de la Edad Moderna— se opera también en el estudio del Derecho Romano y provoca una violenta reacción contra la obra de los Comentaristas[20]. Sus estudiosos ya no buscan, en el Derecho Romano, normas aplicables a la vida práctica, sino perfilar una verdad histórica, acercándose a las fuentes originarias e investigando las esencias puras de las instituciones jurídicas romanas[21].

Decretales de Gregorio IX, obra de San Raimundo de Penyafort —1234—. Estas dos obras —unidas a algunas otras posteriores— formaron el *Corpus Iuris Canonici*. El derecho canónico así formado es *Ius Commune* en todas las materias espirituales y de gobierno de la Iglesia, como el *Ius Civile* —esto es, el Derecho Romano— lo era para las materias temporales. Así, uno y otro derecho —*utrumque ius*— forman el sistema jurídico básico de esta época y se armonizan y relacionan gracias a la labor interpretativa de los juristas.

[19] Así, se llegaba a la suprema *reductio ad unum* de todo el completo sistema jurídico: *Ius commune* de aplicación general, modificado, en cada país, por el derecho propio y particular de éste. Siguiendo esta tendencia, las Cortes de Barcelona de 1409 y 1599 establecen una cierta prelación de fuentes en la que figura el *dret comú* como uno de los que pueden alegarse ante los tribunales. A ésta época pertenece una ley de 1499, derogada por las Leyes de Toro, que determina el que sólo puedan citarse en juicio a: Bartolo, Baldo, Juan de Andrés y al Abad Panormitano. Los primeros comentaristas y canonista último.

[20] Reacción que se produce, también, frente al sistema anterior político-religioso trascendental y a la concepción mística religiosa precedente.

[21] Surgen: cuidadas ediciones de las fuentes, trabajos críticos y restauradores de los textos y serias exégesis y comentarios de las compilaciones.

No se pretende, pues, la «construcción» de un derecho vigente —visión dogmática— sino «la reconstrucción» del derecho del pueblo de Roma —visión histórica—.

II. *Mos gallicus* y *Mos italicus*

A) El centro principal, aunque no único, de esta actividad culta —ju-risprudencia elegante— fue Francia, de ahí que se llamara a este movimiento; *mos gallicus* y figuras destacadas de la Escuela francesa fueron: Jacobus Cuiacius (1522-1590) —su máximo exponente— Hugo Donellus (1527-1591) —el más importante sistematizador hasta Savigny— y Dionisius Gothofredus (1549-1622) —cuya edición del *Corpus Iuris* (al que añade el término *Civilis*) vino a representar para el movimiento renacentista del s. XVI, el broche de oro que para los glosadores supuso la *Magna Glosa* de Accursio—.

Sin embargo, esta tendencia humanista resultó breve, incluso en Francia, ya que adhiriéndose la mayor parte de sus cultivadores a la reforma protestante, tuvieron que abandonarla cuando, en 1573, estalló la persecución de los hugonotes. Holanda recoge el relevo francés, perviviendo esta jurisprudencia elegante hasta entrado el s. XVIII[22].

B) Pese a que también en Italia, Alemania y España no faltan representantes ilustres del *mos gallicus*[23], sin embargo no llega a imponerse, plenamente, y así, en Italia y Alemania prevaleció la orientación comentarista, llamada *mos italicus*.

---

[22] La escuela holandesa sigue el camino abierto por Donellus, uniendo sus juristas a la esmerada formación filológica y clásica el sano sentido práctico del pueblo holandés. Su principal mérito estriba en haber intentado la reconstrucción general del Derecho Romano en auténticos manuales dogmáticos, cuya importancia será decisiva para la futura evolución de la ciencia romanística. Este derecho romano-holandés que cuenta con juristas de la talla de Hugo Grocio (1583-1645), J. de Voet (1647-1714) o Schullingius (1659-1734) interesa por ser, aún, derecho vigente en Sudáfrica y objeto de estudios dedicados a su aplicación actual.

[23] Nombres a destacar son, entre otros: el italiano Andrea Alciato (1492-1550); los alemanes Ulrico Zasio (1461-1536) y Gregorio Haloander (G. Meltzer) (1501-1531) —a quien se debe la primera edición de las Novelas de Justiniano, dentro del *Corpus Iuris*— y el español Antonio Agustín (1517-1568) —al que no sin razón se le ha denominado la primera figura del romanismo español—.

III. El *usus modernus pandectarum*

El que en algunos países el Derecho Romano estuviera vigente, como derecho supletorio, o como derecho común y que, en muchos otros, la inercia de los planes estudio le siguiese dando en la enseñanza jurídica un papel preponderante motivó, en el s. XVII, el desarrollo del llamado *usus modernus pandectarum*, que conjugaba el estudio del Derecho Romano con el derecho nacional. Esto ocurre, sobre todo, en Alemania, donde desde finales del s. XV y en el s. XVI, existe un Derecho Romano vivido en la práctica, con peculiaridades propias sobre el que la ciencia jurídica, como veremos, elaborará el Derecho de Pandectas.

De este modo el *mos italicus* se continúa con el «Derecho actual o derecho de pandectas», *usus modernus pandectarum* y el Derecho Romano vuelve a servir de base para la formación de un derecho nacional. Se funden, pues, los principios romanos con otros nacionales en un continuo proceso de adaptación a las circunstancias históricas.

IV. El iusnaturalismo racionalista

Desde el s. XVII y dominando el XVIII, surgen nuevas corrientes ideológicas que influirán, notablemente, en la historia del Derecho en general y del Romano, en particular[24] y que proclaman, en todos los sentidos, la fuerza ilimitada de la razón —racionalismo— y del libre examen. Aquélla, deberá actuar *more geometrico*, es decir, deduciendo, lógicamente, a partir de ciertos axiomas y postulados que no se imponen como dogmas, sino que, a su vez, resultan libremente buscados por la propia razón.

Consecuencia de este clima y a través de la Escuela de Derecho Natural (s. XVIII-XIX)[25], el estudio del Derecho se enfoca como expresión de un derecho natural, entendido como derecho común a

---

[24]   La Reforma Protestante; la Filosofía Cartesiana; los nuevos principios físicos de Galileo y Newton serán, entre otras, manifestaciones de lo expuesto en el texto.

[25]   Que no es escuela romanistica, sino filosófica aplicada al Derecho.

todos los pueblos[26] y producto de la razón humana, esto es, que recibe su razón de ser en principios puramente racionales[27].

Cuando en el s. XVIII, la Escuela Iusnaturalista se funde con el espíritu de la Ilustración[28] —tendente a disipar las tinieblas de la humanidad mediante las luces de la razón— los frecuentes ataques al Derecho Romano lo ponen en vías de extinguirse, hasta el punto que, en algunos países, se interrumpe, por completo, la tradición romanística[29].

4. EDAD CONTEMPORÁNEA: CODIFICACIÓN E HISTORICISMO

I. La tendencia codificadora

A fines del s. XVIII, principios del XIX, se inicia un movimiento codificador que tendrá importantes repercusiones en la aplicación práctica y en el ulterior destino del Derecho Romano. Principales causas de esta nueva tendencia son: a) las doctrinas filosóficas del iusnaturalismo racionalista —que aspira a una legislación basada en principios racionales y traducidas en formas concisas—; b) las concepciones sociales —representadas por el ideario de la revolución francesa, que exige un derecho asentado sobre otros postulados—; c) los condicionantes políticos —derivados del proceso de unificación de los diversos Estados y del consiguiente espíritu nacionalista— y d) las

---

[26] Esta idea del derecho natural se encuentra ya en Roma y, en la Edad Media, alcanzó notoria difusión merced a la obra de la Escuela Española de los s. XVI y XVII, pero, inspirada ésta en una concepción cristiana, difiere, notablemente, de la nueva concepción racionalista.

[27] Fundador de esta nueva tendencia fue Grocio, contando entre otros representantes con: Pufendor (1637-1694); Thomasio (1655-1728); Leibnitz (1646-1716) y Wolf (1679-1754)...

[28] En orden al espíritu de la Ilustración y el concepto que le merece el Derecho Romano, baste recordar los juicios de Voltaire y Rousseau: «Queréis tener buenas leyes —escribe el primero— quemar las vuestras y hacer otras nuevas». «Las reglas del derecho natural —afirma el segundo— más están en el corazón de los hombres que en el de Justiniano».

[29] Sin embargo, a esta época pertenecen Heinecius (1681-1741) y las dos grandes figuras de la ciencia jurídica francesa: Domat (1625-1692) y Pothier (1699-1772).

razones de carácter práctico —ya que el derecho común, tal y como se aplicaba en Europa, se había convertido en un laberinto de leyes, doctrinas y comentarios capaces de desorientar al jurista más experto—.

Consecuencia de ello será que, con pocos años de diferencia, se publiquen tres códigos: el *Landrecht*, prusiano, en 1794; el *Code Napoleón*, en 1804 y el Código austríaco de 1811. El logro más importante será el *Code Napoleón* que influirá en todos los que a su zaga se publican por lo que, con fundamento, se le ha calificado como «Código de exportación»[30]. Sus bases se asientan en el derecho común[31], en conexión con el estudio pandectístico del Derecho Romano, formulado por Domat[32] y, sobre todo, por Pothier.

II. La Escuela histórica del derecho

Siendo la época de la Ilustración de monopolio francés, en la Europa de 1770, se opera una reacción contra aquél. Alemania la dirige y manifiesta su ofensiva en dos formas: descubriendo y revalorizando la historia y el arte antiguo —neoclasicísmo[33]— y defendiendo los impulsos del sentimiento sobre la razón —romanticismo[34]—. Así, en la época en la que el *Code Napoleón* y la tendencia por el iniciada, asesta un duro golpe al Derecho Romano, surge, en Alemania, la *Escuela Histórica del Derecho*[35], fundada por Federico Carlos de Savigny (1779-1861).

Savigny, no podrá sustraerse a las corrientes espirituales y culturales de su tiempo. Así: la predilección por lo antiguo, en suma, el neoclasicismo imperante en Alemania a su nacimiento, hará que

---

[30] La claridad expositiva de esta obra, su superioridad técnica y su adaptación al espíritu de los tiempos, explica su difusión y la influencia en los códigos posteriores, entre ellos el nuestro.

[31] Ello explica la reducida influencia del *Droit Coutumier*, considerado por los racionalistas como bárbaro y feudal.

[32] Es de advertir, como se ha destacado, que la impronta de la jurisprudencia humanista y el derecho racionalista, desde Grocio, sólo en él permanecen unidas.

[33] Propiciado, entre otros factores, por los descubrimientos de las ruinas de Pompeya y Herculano.

[34] El Romanticismo triunfa en el primer tercio del s. XIX y se proyecta hasta el segundo.

[35] Preparado su nacimiento por el filólogo Wolf, el historiador Niebhur y el romanísta Gustavo Hugo, maestro de Savigny.

consagre su vida al Derecho Romano y no al derecho nacional y el romanticismo influirá en él, haciéndole criticar el modo de pensar racionalista y ahistórico de la Ilustración.

Por ello, frente a la concepción del Derecho como estático, permanente, actual y común a todos los tiempos, opondrá su concepción histórica: la imposibilidad de comprender el derecho vigente desconectado del pasado y frente a la concepción racionalista del Derecho, opondrá la idea de su evolución orgánica, configurándolo, no como producto de la razón, sino como producto espontáneo de la conciencia y espíritu popular[36]. Esto es, una realidad histórica en constante desarrollo.

Pese a todo lo expuesto, Savigny no consigue desprenderse ni superar algunas tendencias del aún reciente iusnaturalismo y la obra cumbre de su madurez: *El Sistema del Derecho Romano Actual*, constituye verdadera piedra angular de la moderna ciencia jurídica.

III. Pandectística y Neohumanismo

Estas dos tendencias —histórica y dogmática— que vemos se dan en Savigny, influirán, por separado, en los juristas de la segunda mitad del s. XIX. De un lado, el estudio «historicista» del Derecho Romano y su evolución; de otro, su estudio «dogmático» para la aplicación práctica de sus normas.

A) La dirección dogmática[37] está representada por la llamada Pandectística —corriente jurídica caracterizada por los trabajos y estudios que realiza sobre el Derecho de Pandectas[38]— y que va a implicar la última gran manifestación de la vitalidad del Derecho

---

[36] Postura, como advirtieron sus adversarios, en cierto modo, paradójica, ya que el Derecho Romano, en Alemania no había nacido, como vimos, del espíritu popular, sino que fue fruto de la «recepción».

[37] Que recibe su impulso, precisamente, del discípulo más inmediato de Savigny, Puchta.

[38] Con representantes tan ilustres como: Ihering (1818-1892), Vangerow (1808-1870), Brinz (1820-1887), Dernburg (1829-1907), Glück (1755-1831) y sobre todo, Windscheid (1817-1892) autor de un Tratado de Pandectas, precedente inmediato del Código civil alemán (BGB) y que, expresamente, repudia todo elemento extrajurídico al decirnos que «las reflexiones políticas o económicas no corresponden al jurista como tal».

Romano para construir un sistema jurídico en un ambiente tan distante de la antigua Roma como la Alemania de la segunda mitad del s. XIX. Así, a tenor de una dogmática cada vez más rigurosa, la expresión científica del genuino Derecho Romano, llega casi a formular la misma aspiración hacia un derecho de la razón, con vigencia universal, que postulaba la doctrina de la Escuela de Derecho Natural[39]. La Pandectística, en suma, como se ha puesto de relieve, procede a una total reelaboración del Derecho Romano, que terminará por convertirse en un derecho abstracto. Su cenit —y con él su agotamiento— lo alcanza con la publicación del Código civil alemán —BGB[40]— a través del cual, el Derecho Romano, trasmitirá su savia al derecho civil. Los continuadores de esta dirección dogmática, serán, pues, los actuales civilistas, que representan, si se nos permite, esta corriente «positivista» del Derecho Romano.

B) Paralelamente a los trabajos preparatorios de la publicación del BGB, que va a determinar la pérdida de vigencia del Derecho Romano, se produce otra tendencia cuya única finalidad será la vertiente histórica de éste y que tomando como adelantada referencia la edición crítica del Digesto de Mommsen —1870— encontrará sus más sólidas bases: en las obras de Lenel sobre el sistema de acciones del Edicto[41] y de la Jurisprudencia romana[42]; en el estudio de Gradenwitz sobre la crítica de interpolaciones[43] y en el trabajo de Mitteis sobre la aplicación de los principios romanos al derecho de las provincias[44]. Obras que van a sentar los fundamentos de la nueva dirección, llamada, en expresión por lo común aceptada, neohumanista y cuyos seguidores serán los actuales romanistas.

---

[39]   La Pandectística presupone la concepción liberal del Estado, al considerar el sistema jurídico, como un sistema de derechos subjetivos y construir la teoría del negocio jurídico, que es, quizá, la obra maestra de la Escuela.

[40]   Abreviatura de: *Bürgerliches Gesetzbuch.*

[41]   *Das Edictum Perpetuum,* 1883.

[42]   *Palingenesia Iuris Civilis,* 1889.

[43]   *Interpolationen in den Pandekten,* 1887.

[44]   *Reichsrecht und Volksrecht,* 1891.

II. DERECHO Y PROCESO

Tema 8

Ejercicio y protección de los derechos

Sabemos: a) que el Derecho, en su acepción objetiva es sinónimo de *norma agendi;* se traduce por «ordenamiento jurídico» y se define como conjunto de normas que regulan la convivencia social y b) que en su acepción subjetiva es sinónimo de *facultas agendi;* se traduce por «poder» y se define como poder, facultad o autorización, que reconoce a los miembros de una comunidad el Ordenamiento jurídico.

También sabemos que, según Ulpiano: en el estudio del Derecho existen dos posiciones: derecho público, que contempla el estado de la cosa romana (república) y derecho privado, que compete a la utilidad de los particulares. Pues bien, el derecho privado es, en general, un conjunto de derechos subjetivos y en el Derecho Romano, en particular, domina la idea de los «poderes» que corresponden a las personas y cuyo primer objetivo es el hacerlos efectivos. Por ello, cabe decir que el «poder» existe en tanto se puede imponer a los demás mediante el uso de un instrumento que lo protege: esto es, la «acción» y que el Derecho Romano, como se reitera en doctrina, se presenta como un «sistema de acciones».

1. LA JUSTICIA PRIVADA Y SU EVOLUCIÓN

El derecho subjetivo —*facultas agendi*— existe para ser ejercido por su titular y cobra vida, precisamente, mediante el ejercicio de las facultades que comporta. Así, al propietario de una cosa no le basta con saber que puede —en potencia— usar, disfrutar y disponer de ella, sino desea —efectivamente— hacerlo y que esto se manifieste en la realidad[1].

Este ejercicio del derecho no depende, sólo, de la voluntad de su titular, sino, también, de la colaboración de otras personas. Y, en el

---

[1]   Otro tanto cabría decir respecto al acreedor, que querrá cobrar su crédito o del heredero que deseará hacerse cargo de los bienes de la herencia.

ejemplo anterior, el dueño de algo no lo podrá disfrutar, sin un respeto, abstención o no ingerencia —conducta pasiva— de los demás[2]. Lo deseable —y así suele ocurrir— es que tal colaboración se preste de forma voluntaria pero el problema se plantea si no sucede. Entonces es necesario establecer unos medios que protejan aquel derecho subjetivo y ello compete al Derecho Procesal. Veamos cuales fueron estos medios y la larga evolución de la tutela de los derechos subjetivos, cuyo inicio es la autoayuda —justicia privada— y su fin, la intervención de la *civitas* —administración pública de justicia—.

I. Esfera Penal

En la esfera penal —por ejemplo si se produce un asesinato o lesiones— se aprecian, las siguientes fases:

1.ª) La de una venganza privada ilimitada —propia de una época primitiva— por la que el perjudicado, su familia, o ambos, persiguen al autor del delito, a la familia de éste y a los bienes de uno y otro, para resarcirse.

2.ª) La de una venganza privada limitada o «talional» —ya recogida en las XII Tablas— por la que se autoriza y restringe la venganza a los concretos límites de la ofensa sufrida[3].

3.ª) La de una composición voluntaria —a la que también se refiere las XII Tablas— y que posibilita la entrega de una suma de dinero a la víctima como precio de rescate o renuncia a su venganza[4].

---

[2]   Tampoco el acreedor podrá cobrar su crédito sin estar dispuesto a ello su deudor —conducta activa de éste— ni el heredero obtener los bienes de la herencia sin colaborar las personas que los tuvieran al fallecer el causante.

[3]   «Ojo por ojo y diente por diente» formula en forma sintética, esta fase.

[4]   Centrándonos sólo en los casos de muerte y lesiones, las XII Tablas diferenciaban según aquella, fuera o no, intencional y éstas, graves o leves. Si el homicidio es involuntario, lo que ocurre: Si el dardo —*si telum*— se escapa de la mano —*manu fugit*— más que se lanza —*magis quam iecit*— se sacrificará un carnero —*aries subicitur*— (según, Labeón (s. I) tal derramamiento de sangre sustituiría a la venganza). Si el homicidio es intencional quedaba a la venganza privada, previa declaración de culpabilidad. En materia de lesiones graves: si alguien rompe un miembro a otro —*si membrum rupsit*— y no pacta con él —*ni cum eo pacit*— apliquese el talión —*talio esto*—. Siendo lesiones leves, como la fractura de hueso —*os fractum*— se castiga con una composición fija de 300 ases o 150, según fuera hombre libre o esclavo y la mera bofetada —*iniuria*— con 25.

4.ª) La de una composición legal obligatoria lo que, comporta que toda violación de un derecho subjetivo se repare mediante la entrega de una suma de dinero al perjudicado. Esto se formula diciendo que: todo delito lleva aparejado la imposición de una pena.

II. Esfera Civil

En la esfera civil es más difícil precisar la violación de un derecho subjetivo, pues, antes, hay que determinar si existe o no, para evitar que con el pretexto de su violación, quien la alegue, a su vez, viole otro derecho, lo que produciría una guerra de todos contra todos —*bellum omnium contra omnes*—[5]. Por ello, primero, se empieza a someter al acto de justicia privada a un control ritual[6] y luego —aun en época arcaica— se obligará al perjudicado a que acuda al pretor[7]. Se consagra, pues, el principio de que: nadie puede tomarse la justicia por su propia mano[8].

Esta evolución no implica el total cese de casos de justicia privada —o sea, de autoayuda— pero su ámbito será en relación inversa al grado de desarrollo social y de la administración pública de justicia[9].

---

[5]   Es evidente, que la muerte de un hombre, no es lo mismo que la discusión sobre la propiedad de un esclavo. Aquella es indiscutible —derecho a la vida— ésta si lo es, pues puede darse que quien reclama al esclavo como suyo —derecho de propiedad— afirme que se lo han robado y quien lo tiene, que lo ha comprado a un tercero.

[6]   La *legis actio sacramento*, (Tema 9), ritualiza un simulacro de lucha ante el magistrado, que ordenará su cese. También presenta este carácter ritual, las formalidades que recuerda Gayo y a las que había de sujetarse el dueño de una cosa robada que pretendía buscarla en casa del supuesto ladrón. Aquél, debía entrar sólo cubierto por un amplio cinturón —*licio cinctus intrabat*— con ambas manos en la cabeza y con un plato de los de sacrificios —*lanx*— donde depositaría, en su caso, la cosa recuperada. Si esta búsqueda —*quaestio*— con taparrabos y cuenco —*lance licioque*— se concluía con éxito, el robo —*furtum*— era manifiesto —*manifestum*— y sancionado, primero, con pena capital, y más tarde, con el cuádruplo del valor de la cosa robada.

[7]   Las XII Tablas, como veremos en las acciones de la ley, ofrece una verdadera ordenación procesal, en la que el magistrado no pretende, en forma directa, resolver un litigio, sino impedir el ejercicio de la justicia privada, forzando un arbitraje que decida sobre la procedencia, o no, de las reclamaciones.

[8]   Paulo dice: que no se ha de conceder a cada uno —*Non est singulis concedendum*— lo que, públicamente, se puede hacer por medio del magistrado —*quod per magistratum publice possit fieri*— para que no haya ocasión —*ne ocassio sit*— de producir un mayor tumulto —*maioris tumultus faciendi*—.

[9]   En nuestro derecho positivo, subsiste algún caso de ayuda, así: en la esfera penal, la legítima defensa (adecuada y proporcional a la situación de peligro creada por el ataque sufrido) y en la esfera civil, la defensa de la posesión.

2. LA ACCIÓN EN GENERAL

La palabra *actio*, de *agere* —actuar, obrar— equivale a nuestro término acción y, hoy, se suele definir: como el medio que el Estado ofrece a los particulares para la defensa de sus derechos.

A efectos docentes, partiremos de ideas procesales modernas y veremos hasta que punto pueden proceder o ser conocidas por el Derecho Romano. Nos centraremos en dos puntos: los sentidos de la palabra acción y su relación con el derecho subjetivo.

I. La acción y sus acepciones

A) En derecho moderno la palabra acción presenta dos acepciones: formal y material. a) En sentido formal —de forma o manera— se entiende por acción, el instrumento que abre las puertas de un proceso, sin perjuicio de que quien lo utilice tenga o no razón. En suma, es el acto tendente a conseguir, en juicio, una sentencia favorable. b) En sentido material —contenido, objeto o fin de aquel hacer (reclamación)— es el medio de lograr el reconocimiento de un derecho, cuando es desconocido por alguien.

B) En el Derecho Romano, no hay una acción, sino pluralidad de acciones y su sentido cambia a lo largo de su historia[10]. Con esta matización, cabe indicar que en las acciones que protegen los derechos reconocidos por el *ius civile* —"civiles"— predomina el concepto de acción en sentido formal, pues su procedimiento, las *legis actiones*, determina una serie de gestos y ritos, exigidos por la ley para defender el propio derecho[11]; en cambio, en las acciones que nacen para proteger meras situaciones de hecho —"honorarias o pretorias"— predomina el concepto de acción en sentido material, ya que la *actio* —en el decir

---

[10]   Así, (en Temas 9, 10 y 11), veremos que las acciones pasarán a ser: declaraciones solemnes y gestos rituales de las partes ante el magistrado —*legis actiones*—; petición al pretor de una fórmula —*agere per formulas*— y facultad de demandar y obtener protección del representante del poder público —*cognitio extra ordinem*—.

[11]   Como los actos que tenían que cumplirse para obtener la sentencia —y su ejecución— debían acomodarse a una serie de formas y solemnidades establecidos por la ley, se habló de *lege agere* —actuar con arreglo a la ley— y de *legis actio* —acción de la ley— significando: aquellos actos mediante los que se introduce y constituye un juicio ante el magistrado. De ahí, precisamente, deriva el aspecto formal que la palabra «acción» tiene hoy en día.

clásico el *actione teneri*, estar sujeto a una acción— se usa como contenido de una reclamación, que al ser ejercido con éxito comportará un derecho.

II. Acción y derecho subjetivo

A) La conexión entre acción y derecho subjetivo, es tema que ha preocupado —y preocupa— por igual a procesalistas y civilistas[12]. Se ha mantenido —doctrina que llamamos clásica— que la acción es el mismo derecho subjetivo o uno de sus elementos. También —doctrina que llamamos moderna, por contraposición a la anterior— que el «actuar» en juicio para defender un derecho es un derecho nuevo, posterior y distinto, del que se quiere que se reconozca y proteja[13].

B) En Derecho Romano, sólo haremos dos observaciones, derivadas: una del concepto de acción legado por Celso y otra, de la distinción entre acciones civiles y honorarias.

a) Celso define a la acción como: el derecho de perseguir en juicio lo que se nos debe —*ius quod sibi debeatur iudicio persequendi*—. Concepto muy discutido, que: por un lado, parece circunscrito a uno sólo tipo de acción, las personales —dirigidas contra una persona determinada (el deudor)— excluyendo a las reales —que se dirigen contra la cosa (*res*) con independencia quien sea su poseedor—[14] y que, por otro lado, la configura como un derecho que corresponde a una persona —*ius persequendi*— para hacer efectiva una facultad —*quod sibi debeatur*— por lo que la idea actual de «pretensión» coincide, parece, con la romana de *actio in personam*.

b) A tenor de la distinción entre acciones civiles y pretorias, puede decirse que en aquellas el derecho precede a la acción y en éstas la acción precede al derecho.

---

[12]   Se ha ironizado diciendo que «hay tantas teorías sobre la acción como autores se han ocupado de ella». Lo cierto es que ninguna ha conseguido su completa y real independencia con relación al derecho subjetivo.

[13]   Para los defensores de la 1.ª tesis, el derecho subjetivo tiene 3 elementos: 1, las facultades jurídicas que constituyen su contenido, o sea, toda posibilidad concreta de actuación que, según la naturaleza del derecho, competa a su titular; 2, la pretensión, que de esas facultades emana, encaminada a exigir de una concreta persona cierta conducta y 3, la acción por la que la autoridad judicial reconoce y ampara el ejercicio de esa pretensión.

[14]   Por ello, los autores antiguos solían completarla con las palabras: «o lo que es nuestro» —*aut quod nostrum est*—.

Procedamos por vía de ejemplo: en el *ius civile*, ser dueño — *dominus ex iure Quiritium*— es poder ejercer la acción que protege la propiedad —*rei vindicatio*— el derecho, pues, es algo anterior, un *prius* y la acción que lo tutela algo posterior, un *posterius*; en el *ius honorarium*, en cambio, cuando el pretor habla de *actione teneri*, estar sujeto a una acción —ser deudor— implica que alguien puede entablar una reclamación procesal con éxito, y por ello ser acreedor. El carácter de acreedor del actor, deriva, pues, del ejercicio de la acción y ésta es, por tanto, un *prius* y el derecho subjetivo un *posterius*.

III. Clases de acciones

A) Por su origen, las acciones pueden ser civiles y pretorias, y éstas, a su vez: *in factum*, útiles, ficticias y con transposición de personas.

a) Las *actiones in factum* indican que el pretor tutela una situación de hecho —*factum*— hasta entonces sin protección jurídica. b) Las ficticias, comportan que se ordena al juez tenga un hecho —que no existe— como existente o al revés —uno que existe como inexistente—. Son un recurso técnico-jurídico que utiliza el pretor en virtud de su *imperium*[15]. c) Las acciones útiles son aquellas en las que el pretor extiende el ámbito de aplicación o la legitimación para el ejercicio de acciones civiles a otros supuestos análogos o a personas distintas de las que en rigor y origen podían hacerlo[16]. d) Las acciones con transposición de personas son las que, siempre con un fin justo, se dirigen contra una persona determinada y la condena recae sobre otra[17].

B) Por el derecho que protegen, las acciones pueden ser reales — *in rem*— o personales —*in personam*—[18] según tutelen derechos de una u otra naturaleza —reales o personales—[19].

---

[15] El ejemplo típico es la acción Publiciana en la que se considera «como si» el actor ya hubiera tenido en su poder la cosa que reclama —aún sin ser cierto— el tiempo necesario para haber adquirido su propiedad por usucapión.

[16] La intervención de los *iuris prudentes* a la hora de fijar estas extensiones y analogías será decisiva.

[17] A esta clase de acciones corresponden las *actiones adiecticiae qualitatis* —añadidas— por las que responde el *paterfamilias* o el *dominus* de las deudas contraídas por el hijo o esclavo (Tema 15.4).

[18] La preposición *in* tiene en latín, entre otros valores, los de «contra, hacia, sobre» y así, en el primitivo sistema de las acciones de la ley, la acción real originaria se ejerce, directamente, sobre la cosa allí presente o representada y la acción personal

En síntesis: las *actiones in rem* —llamadas, antes, *Vindicationes*— tutelan derechos sobre las cosas, de ahí su nombre; se dirigen contra —*in*— ellas —*rem*— y ejercen contra «todo» el que las tenga —*erga omnes*— impida o limite el derecho de su titular y las *actiones in personam*, —llamadas, primero, *conditiones*— tutelan derechos de crédito, obligación o personales y se dirigen «sólo» contra —*in*— una persona concreta y determinada —*personam*— que nos está obligada (deudor) —*inter partes*—[20].

C) Por el arbitrio concedido al juez para fijar el contenido de la sentencia, las acciones pueden ser de derecho estricto —*stricti iuris*— y de buena fe —*bonae fidei*—. En las primeras, el juez debe atenerse a lo estrictamente señalado en la fórmula por el pretor, ni más ni menos; en las segundas, tiene un amplio poder discrecional y condenar, en su caso, a todo lo que el demandado deba dar o hacer con arreglo a la buena fe —*quidquid dare facere oportet ex fide bona*[21]—.

D) Por la finalidad perseguida, puede distinguirse entre acciones reipersecutorias, penales y mixtas[22]. En las reipersecutorias, se pretende que se reintegre un derecho perdido o una indemnización equivalente y el patrimonio del actor no sufre aumento respecto a su situación anterior; en las penales, la pena comporta un aumento de su

---

originaria, contra la persona del deudor que no paga, al que se coge y aprehende por el cuello.

[19] Según Gayo, la acción es personal, cuando nos dirigimos contra alguien —*qua agimus cum aliquo*— que nos —*qui nobis*— está obligado por un contrato o por un delito —*vel ex contractu vel ex delicto obligatus oportere*— es decir —*id est*— cuando pretendemos —*cum intendimus*— que debe dar, hacer o cumplir una prestación esto es, cierta conducta —*dare facere praestare oportere*—. La acción es real —*in rem actio est*— cuando pretendemos que una cosa corporal es nuestra —*cum aut corporalem rem intendimus nostram esse*—o que un cierto derecho nos compete —*aut ius aliquod nobis competere*—. Como —*velut*— el de usar una cosa —*utendi*— o de usarla y percibir sus frutos —*utendi fruendi*— pasar o conducir el ganado —*eundi agendi*— conducir el agua —*aquave ducendi*—edificar más alto —*altius non tollendi*—o (tener un derecho) de vistas —*prospiciendivi*—.

[20] Sus diferencias desde un prisma formal las tratamos en el Tema 10.2 —distintos tipos de *intentio*— y desde un prisma material en el Tema 19.4 —contraposición entre derechos reales y personales—.

[21] La acción de derecho estricto supone una relación simple, en que una de las partes es acreedor y otra deudor; la de buena fe, otra compleja, susceptible de producir créditos recíprocos; por ello el juez no se debe circunscribir a examinar el aspecto formal de la relación, sino considerarla bajo el prisma de la equidad de los negocios.

patrimonio —que no había sufrido merma alguna— y en las mixtas, se producen ambos efectos: reintegración de lo perdido, a lo que debe sumarse, lo obtenido como pena[23].

E) Por la existencia o no de plazo para su ejercicio, las acciones pueden ser: temporales y perpetuas. Son temporales, las que deben ejercerse en un tiempo determinado, por lo general las pretorias, que suelen ser anuales —*intra annum*— y perpetuas, las que no están sujetas a plazo alguno, por lo común las acciones civiles. A partir de Teodosio II (424) las acciones que no tengan fijado un plazo, se entienden prescritas a los treinta años —*longi temporis praescriptio*— y a ellas se aplica el término perpetuas.

F) Por la persona legitimada para interponerlas y el interés protegido, las acciones pueden ser: privadas y populares. Las primeras, amparan un interés particular y sólo cabe interponerlas por el interesado —*ad quem rem pertinet, cuius interest*— las segundas, protegen un interés público y se pueden entablar por cualquiera —*quicumque agere volet*— en interés de la comunidad[24].

---

[22]   Gayo dice que «actuamos» —*agimus*— a veces —*interdum*— para conseguir tan sólo una cosa —*rem tantum consequamur*— a veces —*interdum*— tan sólo una pena —*ut poenam tantum*— y otras —*alias*— para lograr una cosa y una pena —*ut rem et poenam*—.

[23]   Las principales diferencias entre las acciones penales y reipersecutorias —tomando como base a las primeras— son: a) su intransmisibilidad pasiva (por lo que: la víctima de un hurto puede ejercer la acción reivindicatoria —reipersecutoria— o la acción de hurto, *actio furti* —penal— pero aquella, también, contra los herederos del ladrón, mientras que ésta no, ya que se extingue con su muerte); b) su noxalidad (por lo que, los delitos cometidos por un esclavo o un hijo de familia —al no tener nada propio— comporta que el perjudicado se quede con su cuerpo —*noxa*— pero el dueño o *paterfamilias* podrá recuperarlo abonando la pena en que aquél incurrió); c) su cumulatividad (así, por un lado, en el robo cometido por tres personas —cuya pena supone el doble del valor de la cosa— cada una debe soportar la pena como si sólo ella fuera el ladrón y la ventaja que se obtiene no es más que la reparación del agravio sufrido —criterio modificado en derecho postclásico al configurarse la pena como indemnización por el daño causado—; por otro lado, las distintas infracciones que derivan de la comisión de un mismo hecho, se consideran, jurídicamente, independientes, por lo que: si alguien mata o hiere a nuestro esclavo para infringirnos una injuria, las dos acciones —de injurias y de daño— se acumulan y pueden ejercerse ambas).

[24]   Por lo general, emanan de delitos privados, como las que se dan contra el violador de sepulturas —*actio sepulchri violati*— el que altera el Edicto del pretor expuesto al público —*actio de albo corrupto*— o el que coloca objetos con peligro de caer a la vía pública —*de positis et suspensis*—.

3. EL PROCEDIMIENTO CIVIL ROMANO

I. Procedimiento y proceso

Contraponiendo los términos género y especie, cabe distinguir entre: a) procedimiento —género— la ordenación y trámite de los distintos actos procesales, que se inician con el ejercicio de una acción y finalizan con una sentencia, y b) proceso —especie— la sucesión de esos mismos actos pero en un caso concreto y determinado[25].

En Derecho Romano también cabe distinguir entre procedimientos penales, seguidos para la persecución de los delitos públicos —*crimina*[26]— y civiles —a los que vamos a dedicarnos— usados para tutelar los derechos privados y perseguir los delitos privados —*delicta*—.

II. Los tres procedimientos civiles

Roma conoció, en su historia, tres procedimientos civiles, que coinciden con sus diferentes estratos jurídicos. El primero, propio del *ius civile*, son las *Legis Actiones*, Acciones de la Ley; el segundo, vinculado al *ius honorarium*, el *Agere per formulas*, Formulario y el tercero, propio del *ius novum* y precedente del nuestro actual, el Extraordinario —*Cognitio extra ordinem*—.

El paso, de uno a otro tipo no se produce de manera tajante y se dilatan en el tiempo los momentos en que coexisten dos sistemas.

Los dos primeros procedimientos —acciones de la ley y formulario— forman el *ordo iudiciorum privatorum*, ordenación de los juicios privados y por estar, precisamente, dentro de este «orden» —*ordo*— los podríamos considerar «ordinarios». El tercero, está al margen o fuera —*extra*— de él, es «extraordinario» y de ahí su denominación, *extra ordinem*.

El *ordo iudiciorum privatorum*, se caracteriza por una bipartición procesal, o sea, sustanciarse en dos fases. Una primera, *in iure*, ante

---

[25]   En rigor, se hablará, por caso: del Procedimiento Formulario y, dentro de él, del Proceso de Ticio contra Gayo.

[26]   A ellos nos hemos referidos al tratar de las acciones penales y, en la parte histórica, al aludir a las funciones judiciales de los *comitia* y su pérdida al implantarse los tribunales permanentes —*quaestiones perpetuae*—.

el Magistrado, que representa la intervención pública y expresa la soberanía popular en las controversias privadas y una segunda, *apud iudicem*, ante el Juez, simple particular —no autoridad— que actúa como árbitro y deberá emitir su opinión —*sententia*— en el proceso para el que es nombrado.

La *cognitio extra ordinem* se sustancia en una sola fase y ante una misma persona, que ejercerá las funciones que en los procedimientos del *ordo*, por separado, desempeñaban el Magistrado y el Juez, de ahí que le denominemos «Magistrado-Juez». Intervendrá, por tanto, desde la comparecencia de las partes hasta la resolución del litigio y, al ser ya funcionario, su sentencia será apelable ante un órgano superior.

4. PERSONAS QUE INTERVIENEN EN EL PROCESO

Magistrados y jueces, demandante y demandado —por sí o representantes— jurisconsultos y oradores y, en el Imperio, abogados, son las personas que intervienen, o pueden intervenir, en un proceso.

I. Magistrados

Entre nosotros los términos magistrado y juez son sinónimos, en Derecho Romano designan personajes diferentes[27]. Así, el ámbito procesal, si usamos la palabra Magistrado nos estamos refiriendo al titular de la *iurisdictio* y más en concreto, al pretor, que encarna a la autoridad pública en los litigios privados[28].

---

[27] Esta particularidad terminológica resulta clara si recordamos que el título de magistrado —*magistratus*— no está en Roma en conexión con la jurisdicción y es aplicable a toda persona elegida, anualmente, en las asambleas comiciales, cualesquiera fuesen sus funciones.

[28] En síntesis: A) En Roma, en principio, la *iurisdictio* correspondió al *rex* y después a los cónsules y desde el 367 AC —*leges Liciniae Sextiae*— al pretor urbano, al que se unirá, a partir del 242 AC, el pretor peregrino. Ambos, junto a los ediles curules —con competencia restringida a la policía de mercados— serán los encargados de presidir la primera fase del litigio que pasarán, al juez. B) En Italia, el pretor urbano suele delegar sus funciones en magistrados municipales —así, en los *praefecti iure dicundo*, que desaparecen en el a.90 AC, y en los *Quattuor viri*—. C) En provincias ejercen estas funciones, los gobernadores.

A) La *Iurisdictio* —de *ius dicere*— significa, en un sentido literal: «decir —pronunciar— lo que es derecho» y en otro, más técnico: la facultad o poder de instaurar un procedimiento y fijar los términos del litigio. El gramático Festo[29], resume su contenido en las tres palabras solemnes —*tria verba legitima*— «Doy», «Digo» y «Resuelvo» —*Do, Dico y Addico*—[30].

B) La extensión y límites de la *Iurisdictio* se determina por la «Competencia» de su titular. Así, aplicando el mismo criterio que usamos para distinguir procedimiento y proceso —el contraponer género y especie— cabe puntualizar que si Jurisdicción, es la aptitud del Magistrado —en general— para intervenir e instaurar un «procedimiento», Competencia es la aptitud del Magistrado —en particular— para hacerlo en un litigio concreto —en un «proceso»—. En síntesis, competencia es a jurisdicción, lo que proceso a procedimiento.

C) Cuando existen varios órganos con Jurisdicción, el criterio para determinar su Competencia será el Fuero. Este, en principio, será el pactado o convenido por las partes —*forum prorrogatum*—. En su defecto: a) en general, se determina por el origen —*forum originis*— o domicilio del demandado —*forum domicilii*— a elección del actor[31] y b) en particular, en los contratos, por el lugar de su celebración —*forum contractus*— o cumplimiento —*forum solutionis*—; en los delitos, por el lugar de su comisión —*forum delicti commissi*— y en los litigios sobre inmuebles, por el lugar donde se encuentre —*forum rei sitae*—[32].

---

[29]   Sexto Pompeyo Festo, gramático de fines del s. II, autor de la obra: Del significado de las palabras.

[30]   Síntesis de la expresión: doy posesión de honores —*do honorum possessionem*— digo el derecho —*dico ius*— y resuelvo sobre lo que se disiente —*addico id de eo quo ambigitur*—. Ampliando cada término: *Do* —de *dare*, dar— se concretaría en: «Dar» o denegar acción; «dar» por apto el juez elegido por las partes, nómbralo, en su caso, y, en ambos supuestos, «darle» la orden de juzgar; *Dico* —de *dicere*, decir— aludiría a todas las declaraciones del magistrados relativas a lo que es derecho en un proceso en concreto, en suma, expresaría cual es el derecho aplicable y *Addico* —de *addicere*— comportaría el aprobar o mostrar conformidad y para el favorecido, podría implicar, a veces, si no se discute, la atribución o adjudicación de alguna cosa. Llega a significar esa misma adjudicación (*Addicere*) como ocurre en la *in iure cessio* (Tema 23.2) y, por tanto, la atribución de derechos constitutivos a favor de alguna de las partes del proceso.

[31]   Se expresa con el adagio: el actor sigue el fuero del reo —*actor sequitur forum rei*—.

[32]   Téngase presente que, desde el Principado, ciertos litigios, *ratione materiae* —como

D) Distinta de la *Iurisdictio*, es otra actividad del Magistrado en la que actúa a tenor de su *imperium* sin posterior intervención del Juez. Así, ante ciertas situaciones, facilita el desarrollo del proceso o intenta evitarlo dando una solución provisional que ponga paz entre las partes. Entonces se habla de que actúa por simple «conocimiento de causa» —*cognitio*[33]—.

II. Jueces

El Juez no es, como hoy en día, un funcionario estatal, sino un simple particular, que, por lo común, carecerá de conocimientos jurídicos[34] y al que el Magistrado le encarga «como jurado» el emitir su opinión sobre un determinado asunto[35]. Es elegido por acuerdo de las partes y, en su defecto, por sorteo —*sortitio*— entre los ciudadanos que figuraban en una lista oficial —*album iudicium selectorum*—[36].

Paulo recuerda que no todo el mundo puede ser Juez, pues hay ciertos límites establecidos por la ley, por la naturaleza o por las costumbres[37].

---

tutelas y fideicomisos— eran atribuidos a magistrados especiales —*praetor tutelaris y praetor fideicommissarius*— y que, ya en la República, las controversias surgidas en mercados, correspondían a los ediles curules. Obviamente, tales asuntos debían someterse al magistrado *ad hoc*.

[33] Estos actos de simple *cognitio* se estudian en Tema 10.5.

[34] Por ello, con frecuencia, acudirá al asesoramiento de los *iuris prudentes*, sin que su opinión le deba vincular.

[35] Desde antiguo existieron dos tipos de jueces: los que se eligen para un litigio en particular y los permanentes. Al primer tipo pertenece: el juez único —*unus iudex*— o árbitro —*arbiter*— y un tribunal o jurado de tres o cinco miembros, llamado de los recuperadores —*recuperatores*— cuyo origen se vincula a los litigios entre las ciudades y que actuaban en controversias de interés público —libertad, lesiones, violencia y concusión—. Como jurados permanentes, con competencias específicas, cabe citar: a) el de los *Xviri stlitibus iudicandis*, tribunal de 10 miembros con funciones en procesos de libertad; b) el de los *Cviri*, tribunal de 100 varones —que no solía actuar en pleno, sino por comisiones elegidas entre sus miembros— con funciones sobre reclamaciones de propiedad, de herencia e impugnaciones de testamentos y c) el de los *IIIviri capitales*, jurado de tres y del que poco más se sabe.

[36] Aún en este caso se concede a las partes el derecho —limitado— de recusación.

[37] No podrán serlo: a) por ley —*lege*— el expulsado del Senado —*qui Senatus motus est*—; b) por la naturaleza —*natura*— el sordo —*surtus*— mudo —*mutus*— loco perpetuo —*perpetuo furiosus*— y el impuber —*impubes*— porque carecen de juicio —*quia iudicio carent*— y c) por las costumbres —*moribus*— las mujeres —*feminae*— y esclavos —*servi*— no por carecer de juicio —*non quia non habent iudicium*— sino

Su función es la *Iudicatio*: facultad de dictar sentencia —esto es, emitir su opinión—. Para lo que, como actos previos, deberán comparecer las partes ante él, reproducir sus pretensiones y aportar las pruebas pertinentes. Su opinión —*sententia*— será inapelable.

III. Magistrados-Jueces

En el procedimiento *extra ordinem*, cesada la distinción entre las dos fases, ante el Magistrado —*in iure*— y ante el Juez —*apud iudicem*— el nuevo funcionario, Magistrado-Juez, ejercerá la *iurisdictio* y la *iudicatio* y su sentencia será recurrible ante un órgano superior[38].

IV. Partes litigantes

Son partes en un proceso —*partes, adversarii*— las personas que en él litigan con el fin de obtener una sentencia favorable. Su número, necesariamente, será el de dos, puesto que, como dice Gayo, no puedo litigar contra mí mismo —*ipse mecum agere non possum*—. Se llama actor —*actor*— o demandante al que ejerce la acción —*is qui agere vult*— y demandado o reo —*reus*— a aquel contra quien se ejerce —*is cum quo agitur*—[39]. En las fórmulas se designa: como Aulo Agerio —*Aulus Agerius*— al actor, *Agerius*, de *agere*, *ago*, sería, el que actúa —*qui agit*— y como Numerio Negidio —*Numerius Negidius*—, *Negidius*, de *ne ago*, al demandado, al que niega —*qui negat*—[40], esto es al reo, de *res*, o sea, aquel cuyo asunto, *res*, deviene causa.

---

por que —*sed quia*— hemos recibido (por tradición) —*receptum est*— que no ejerzan cargos civiles —*ut civilibus oficiis non fungantur*—. Quienes pueden ser jueces —*qui possunt esse iudices*— es indiferente —*nihil interest*— que estén bajo potestad —*in potestate*— o no —*an sui iuris sint*—.

[38] Los órganos jurisdiccionales en esta última época son, bajo un prisma jerárquico: a) en provincias, los magistrados-jueces municipales —*rectores*—; b) en las diócesis, los *vicarii*; c) en las prefecturas, los *praefecti* y por encima de todos, el emperador.

[39] Ocurre, a veces, que en un proceso aparecen unidas o asociadas varias personas y la sentencia dictada a favor o en contra de una de ellas afecta a las demás. Se habla entonces de *litis consortium* —compartir igual suerte en el litigio— pudiendo añadir los términos activo, pasivo o mixto, según se produzca la pluralidad de personas entre los actores, reos o unos y otros.

[40] Son nombres ficticios que equivaldrían a puntos suspensivos y se sustituirían, en el caso concreto, por los reales. que correspondieran, en el caso, al actor y al demandado.

Por lo común, entre las partes, existe una contraposición de intereses —el actor pretenderá cobrar una deuda, pongamos por caso, y el demandado se negará a pagarla—. Sin embargo, esto no ocurre cuando se ejercen acciones divisorias, ya que a través de ellas sólo se pretenderá: dividir una herencia —*actio familiae erciscundae*— una cosa común —*actio communi dividundo*— o proceder a un deslinde de fincas —*actio finium regundorum*— y los intereses de las partes serán coincidentes, convergentes o al menos yuxtapuestos[41].

Las partes han de tener capacidad y legitimación. Usemos, otra vez, la contraposición género y especie. Capacidad —género— es la aptitud para poder ser parte —en general— en un procedimiento y legitimación —especie— la aptitud para poder ser —en concreto— parte en un proceso[42].

La capacidad es abstracta y genérica y, en Roma, primero, quedó circunscrita a los *patres familias*[43], si bien, con el tiempo, esta regla se atenuó, en interés de los hijos de familia[44], de las mujeres[45] e, incluso de los esclavos[46]. La legitimación es concreta —objeto de

---

[41] Gayo se pregunta —*quaeritur*— quien se entiende por actor —*quis actor intelligatur*— en estos juicios, pues parece igual la condición de todos —*quia par causa omnium videtur*—. Se consideró que sería quien hubiese provocado el juicio —*qui ad iudicium provocasset*—. Ulpiano precisa que cuando ambos lo provocan —*quum ambo ad iuidicium provocant*— suele resolverse por la suerte —*sorte res discerni solet*—.

[42] Así, por ejemplo, en el caso de la reclamación de la propiedad de una cosa, no basta que el actor tenga capacidad para comparecer en juicio, además debe ser propietario de la cosa y no poseerla y el demandado, no sólo ha de tener capacidad procesal, sino, además, ser poseedor de la cosa reclamada, sin ser su dueño.

[43] Lógicamente, latinos y peregrinos la tendrían en los procesos instruidos ante el pretor peregrino.

[44] Gayo reconoce su capacidad para obligarse y para ser demandado, diciéndonos que el hijo de familia se obliga por todas las causas como el padre de familia — *Filiusfamilias ex omnibus causis tanquam paterfamilias obligatur*— y por esto —*et ob id*— se puede ejercitar contra él la acción como contra el padre —*agi cum eo tanquam paterfamilias potest*—. Es opinión generalizada que la sentencia no podría ejecutarse contra él hasta cesar la patria potestad. También, en derecho clásico, se reconoció su capacidad para el ejercicio de ciertas acciones —como la de injurias, según recuerdan Gayo y Paulo— y en época justinianea, en general, puede afirmarse su capacidad procesal plena.

[45] En el Imperio, la generalización del procedimiento extraordinario y la propia involución de la tutela de la mujer, prácticamente desaparecida con Teodosio, hará que su incapacidad procesal cese.

[46] Los esclavos pudieron comparecer en juicio en algunas ocasiones, como refiere Ulpiano —caso de sufrir malos tratos— y Hermogeniano —exigir se cumpla la disposición testamentaria que les otorgaba la libertad—.

consideración especial en cada proceso— y puede distinguirse entre Activa, referida al Actor y Pasiva, referida al Reo.

V. Representantes

Las partes, por lo general, actúan por si, pero, pueden hacerlo, a través de otras personas —representantes[47]—. En este caso, se puede distinguir[48] entre el *Cognitor*, cuyo nombramiento se hace ante el Pretor y la otra parte, con palabras y mandato expreso[49] y el *Procurator*, mero administrador de los bienes de una persona, en cuyo nombramiento no se dan, tales requisitos de forma[50]. Poco a poco, se va produciendo un acercamiento entre estas figuras[51] y, con Justiniano, sólo existe el *procurator*, antecedente inmediato de los procuradores de los tribunales de hoy.

VI. Juristas, oradores y abogados

Intervienen en el proceso también: dentro del *ordo*, los juristas —*iuris prudentes*— en función de asesoramiento y los oradores —*oratores*—

---

[47]   Advirtamos que en Derecho Romano, en general y en el procesal, en particular, no hubo una representación directa —actuación en nombre ajeno y cuenta ajena— aunque se llegara a parecidos resultados a través de formas indirectas. Por ello, se exigen ciertas garantías y así, el representante del demandado deberá responder del cumplimiento de la sentencia —*satisdatio iudicatum solvi*—.

[48]   En el procedimiento de las *legis actiones*, Ulpiano nos dice que nadie puede ejercer en nombre de otro una acción de la ley —*Nemo alieno nomine lege agere potest*—pero ya antes Gayo lo aceptaba en ciertos casos —*praeterquam exceptis causis*— que no precisa. Justiniano, en sus Instituciones alude a ellos. Así se permite (*permissum est*) la representación: a) por el pueblo —*pro populo*— (en favor de la comunidad, en las acciones populares); b) por la libertad —*pro libertate*— (en favor del supuesto esclavo); c) por la tutela —*pro tutela*— (en favor del pupilo) y d) por la ley Hostilia —*pro lege Hostilia*— (en favor de la víctima de un robo, ausente por causa de la respublica (*absens rei publicae causa*) o en poder de los enemigos (*apud hostes*).

[49]   Gayo, dice: se nombra *cognitor* con palabras solemnes, ante el magistrado y del adversario —*cognitor autem certis verbis in litem coram adversario substituitur*—.

[50]   Según Gayo: El *procurator* se nombra para el proceso sin usar palabras solemnes —*nullis certis verbis in litem substituitur*— solo por simple mandato —*sed ex solo mandato*— y se constituye incluso en ausencia o sin conocimiento del adversario —*et absente e ignorante adversario constituitur*—.

[51]   Es lógico que si la diferencia esencial entre ambas figuras era el nombramiento y pudiera probarse, con nitidez, ante el pretor y la otra parte la condición de *procurator*, desaparezca tal distinción.

(Cicerón sería el más claro ejemplo), en debates orales y prueba; *extra ordinem*, los abogados —*advocati*— asumirán ambas funciones.

Tema 9

El procedimiento de las *legis actiones*, acciones de la Ley

1. IDEAS GENERALES

I. Denominación y concepto

A) Gayo nos da dos posibles razones, admisibles, de su denominación, al decirnos: Las acciones que usaban los antiguos —*actiones quas in usu veteres habuerunt*— se llamaban acciones de la ley —*legis actiones appellabantur*—: (a) bien porque procedían de las leyes —*vel ideo quod legibus proditae erant*—; (b) bien porque se amoldaban a los términos de las leyes —*vel ideo quia ipsarum legum verbis acomodatae erant*— y por esta razón debían cumplirse con el mismo rigor que las propias leyes —*et ideo inmutabilis proinde atque leges observabantur*[1]—.

B) Las acciones de la ley —*legis actiones*— se suelen definir, como declaraciones solemnes, acompañadas de gestos rituales, impuestos por el Ordenamiento jurídico, a los particulares, para la defensa de sus derechos.

II. Vigencia

El origen del procedimiento de las *legis actiones* se remonta a la época arcaica. Constituye, pues, la forma más antigua de enjuiciar y

---

[1] Siendo las 2 razones admisibles, conviene precisar: respecto a la 1.ª, que no debe interpretarse como si las distintas *legis actiones* fueran, expresamente, creadas por una ley, sino en el sentido de que aunque, en principio, algunas tuviesen carácter consuetudinario, luego fueron reconocidas por una disposición legislativa; y en cuanto a la 2.ª, que no debe sorprender el excesivo rigor en las formas procesales, pues, incluso en nuestro vigente ordenamiento procesal, se pueden producir graves efectos por un vicio de forma.

la primera manifestación de la justicia privada, bajo el control y dirección de la autoridad.

Su decadencia se inicia, cuando una *Lex Aebutia* (130 AC) empieza a reconocer, de modo oficial, la validez de algunos de los procesos que venían realizándose ante el pretor peregrino, basados en su *imperium —iudicia quod imperio continentur—* y a través de breves escritos *—formulae—* en donde se concretaba la naturaleza del derecho alegado.

Su extinción se produce con Augusto, merced a dos *leges Iuliae* (a.17 AC) de los juicios públicos *—de iudiciorum publicorum—* y de los juicios privados *—de iudiciorum privatorum²—*.

III. Caracteres

Las *legis actiones* en general: es el procedimiento propio del *Ius civile*; es un *iudicium legitimum* y pertenece al llamado *ordo iudiciorum privatorum*. De este triple carácter, se desprenden, en particular, las siguientes notas:

A) Por ser el procedimiento propio del *Ius Civile*, no deberá extrañar que las características de éste también se manifiesten en aquél. Así: a) su arcaísmo, en la remisión, frecuente, a la autoayuda[3]; b) su inflexibilidad, rigidez y formalismo, en tener que acomodarse las partes, estrictamente, a las palabras precisas establecidas, ya que el mínimo error, como recuerda Gayo, comportaba la pérdida del litigio *—ut qui minimum errasset litem perderet[4]—*; c) su carácter patriarcal, en que sólo pueden ejercerse por los *patresfamilias* y d) su exclusivismo, en ser, únicamente, asequibles a los *cives*.

---

2   Gayo, resume la decadencia y derogación de las *legis actiones* diciendo: Estas acciones de la ley fueron derogadas por una ley Ebucia y dos leyes Julias *—per legem Aebutiam et duas Iulias sublatae sunt—* por virtud de las cuales *—istae legis actiones effectumque est—* (litigamos) desde entonces mediante términos prefijados *—ut per concepta verba—* es decir, mediante fórmulas *—id est— per formulas (litigaremus)*.

3   Así, por ejemplo: en la citación en juicio *—in ius vocatio—* y en la ejecución de la sentencia *—manus iniectio—*.

4   El propio Gayo nos relata la siguiente anécdota. Una vez que se habían cortado unas «vides», su propietario, con el fin de obtener la obligada indemnización, se dirigió, como procede, al Colegio de los Pontífices *—donde se conservaban las fórmulas procesales—* para que le instruyeran. En la declaración que los pontífices le prepararon, se encontraban las palabras típicas del delito, o sea, poco más o menos:

B) El ser un *iudicium legitimum* —estar basado en la ley— se reflejará: a) en su ámbito de aplicación, circunscrito a proteger derechos sancionados por el *Ius Civile*; b) en su tipicidad, al no admitirse acción que no esté reconocida por la misma ley —*nulla actio sine lege*—; c) en el lugar de celebración, en Roma o en un radio de una milla —*in urbe Roma vel intra primum urbis Romae miliarum*— y d) en el órgano sancionador, ante un juez único —*sub unius iudice*—.

C) Por pertenecer a la ordenación de los juicios privados —*Ordo Iudiciorum Privatorum*— presenta una bipartición procesal —fases *in iure* y *apud iudicem*— en la que Magistrado y Juez, respectivamente, ejercerán la *Iurisdictio* y la *Iudicatio* y siendo el Juez, un particular, su opinión, *sententia*, no podrá ser apelada.

IV. Clases

Según Gayo, se accionaba por la ley de cinco modos —*lege autem agebatur modis quinque*—: (1) por apuesta sacramental —*sacramento*—; (2) por petición de juez (o árbitro) —*per iudicis (arbitrive) postulationem*—; (3) por emplazamiento —*per conditionem*—; (4) por im-posición de la mano (aprehensión corporal) —*per manus iniectionem*—; y (5) por toma de prenda —*per pignoris capionem*—. Las 3 primeras, al entrañar una verdadera lucha procesal, litigio o contienda, se las llama «contenciosas»; las 2 últimas, al servir para la ejecución de una sentencia ya dictada, son «ejecutivas».

2. TRAMITACIÓN: PRINCIPALES MOMENTOS PROCESALES

I. Fase ante el Magistrado —*in iure*—

En la fase *In Iure*, las partes: comparecen ante el Magistrado; exponen los puntos de controversia; formulan sus alegaciones y

---

afirmo que tú has cortado, furtivamente, «árboles» de mi fundo... Sin embargo, en presencia del magistrado, el demandante, cuyo pensamiento evocaba su propia desgracia, cambió la palabra «árboles» por la de «vides», lo que motivó le fuera denegada la acción.

celebran un convenio arbitral ante testigos en el que se fijan los límites exactos del litigio y se designa un juez, a cuya decisión prometen someterse.

A) Citación en juicio, In ius vocatio

Citar en juicio —*In ius vocare*— de *vocatio* (*vocare*) vocación, llamada (llamar) e *In ius*, ante el magistrado (a juicio), según Paulo, es citar para probar un derecho —*est iuris experiundi causa vocare*— o sea, la llamada del actor al demandado para que acuda ante el Magistrado. Es un acto de naturaleza privada que debe cumplir por si mismo el actor. Ante la posible oposición del demandado, el actor podrá «echarle mano» (aprehenderlo corporalmente) —*manus iniectio*, extra procesal—[5] y aquél no podrá desasirse, salvo que ofrezca un *vindex*, fiador, de categoría social y económica similar a la suya, que garantice su comparecencia *in Iure*[6].

B) Comparecencia ante el Magistrado

La comparecencia ante el Magistrado —*in Iure*— de ambas partes, es imprescindible, por ello, si los trámites iniciales no pudieran acabarse en el día, se garantizará, la segunda comparecencia del demandado. Al acto de garantía se llama *vadimonium* y al garante o fiador, *vas*.

Ante el Magistrado: el actor expone su pretensión y el Magistrado —a la vista de ella— concede o deniega la acción. En el primer supuesto, el demandado, podrá: si se trata de acciones personales, reconocer el derecho alegado por el actor, *confessio in iure* y si se trata de acciones reales, ceder la cosa reclamada —*in iure cessio*— o abandonarla, entre-

---

5   El régimen de la *in ius vocatio* se refleja en las XII Tablas que con el laconismo y simplicidad inherentes, dicen: Si uno es llamado a juicio, vaya —*si in ius vocat, ito*—. Si no va, convóquense testigos —*ni it antestamino*—; después sujétesele —*igitur em capito*—. Si se hace el remolón o fija el pie —*si calvitur pedemve struit*— sujétesele —*manum endo iacito*—. Si estuviese enfermo o fuese anciano —*si morbus aevitasve vicium escit*— désele jumento —*jumentum datum*— Si no lo quisiese —*si nolet*— no se le de carruaje —*arceram ne sternito*—.

6   Según las XII Tablas: Sea garante de un terrateniente otro terrateniente —*assiduo vindex assiduus esto*— De un proletario ya ciudadano —*proletario iam civi*— séalo quien quiera —*quis volet vindex esto*—.

gándola, entonces, el pretor al demandante —*addictio*—. En todos estos casos el proceso finaliza. Si, por contra, el demandado no adopta alguna de estas posturas el proceso continúa a través de la *litis contestatio*.

C) Litis contestatio

Las partes, ahora, "actúan" ante el Magistrado y realizan las declaraciones solemnes y gestos rituales propios del tipo de acción de ley —contenciosa— ejercitada. Estas declaraciones y gestos se acreditan ante testigos; tal acto formal se llama *Litis contestatio* —de *lis*, controversia y *contestari*, acreditar con testigos— e implica una especie de convenio arbitral, por el que acuerdan someterse a la decisión del juez que se designe. Sus principales efectos son: fijar los límites de la controversia y consumir la acción —que no podrá repetirse—.

D) Designación de Juez

La designación del Juez —*iudex*— se produce por acuerdo de las partes y en su defecto por sorteo, *sortitio*. El Magistrado refrenda esta designación —*iudicem dare*— y otorga al designado el poder y mandato de juzgar —*iudicare debere*—.

II. Fase ante el Juez —*apud iudicem*—

Finalizada la intervención del Magistrado, empieza la 2.ª fase ante el Juez —*apud iudicem*—, que comporta: la comparecencia ante el *iudex*, la prueba de los hechos alegados y la sentencia.

A) Comparecencia apud iudicem, ante el Juez y prueba de los hechos alegados

Las partes, recíprocamente, se citan para comparecer ante el juez —por lo común, dos días después— y la incomparecencia de alguna determinará su pérdida del litigio[7]. Estando ambas presentes, se procederá a una breve recapitulación de los hechos que han dado

---

[7]   Las XII Tablas establecían: Después del mediodía —*post meridiem*— resuélvase el litigio a favor de quien haya comparecido —*praesenti litem addicito*—.

lugar al proceso —*causa coniectio*—[8] que deberá resolverse antes de la puesta de sol[9].

A continuación tiene lugar la prueba de los hechos alegado por las partes. En esta materia rigen los siguientes principios: 1.º) la carga de la prueba —*onus probandi*— compete a las partes; 2.º) debe recaer sobre los hechos —no sobre el derecho—; 3.º) el Juez no tiene obligación de investigar o proponer medios de prueba —principio dispositivo— y 4.º) el Juez está sometido, en ciertos casos, a reglas determinadas a la hora de valorar las pruebas —tasación de la prueba—.

Los principales medios de prueba son las declaraciones de las partes y de los testigos, ambas reforzadas bajo juramento.

B) La Sentencia y su ejecución

El Juez deberá jurar que falla conforme a derecho y según los hechos que estime verdaderos y probados. Al ser un particular —y carecer de conocimientos jurídicos— podrá acudir —sin que le vincule— al consejo, *consilium* de los *iuris prudentes*. Si, pese a ello, no llegara a formarse una opinión, podrá renunciar al mandato de juzgar que recibió del magistrado, siempre que jure dicha circunstancia —*rem sibi non liquere*— procediéndose a nombrar nuevo juez —*mutatio iudicis*— e iniciándose, otra vez, ante éste, la fase *apud iudicem*. Si se ha formado opinión —*sententia*— el contenido de ésta deberá acomodarse a los propios términos de la *legis actio* planteada[10].

La sentencia puede ser absolutoria o condenatoria[11]. La condenatoria deberá ejecutarse. Así, tratándose de acciones personales, se

---

8   Según las XII Tablas: Habiendo pacto, proclámese —*rem unbi pacunt, orato*— no habiendo —*Ni pacunt*— en el comicio o en el foro —*in comitio aut in foro*— antes del mediodía —*ante meridiem*— resúmase la causa —*causam coniciunto*— Cuando expongan razones —*com peroranto*— estén ambos presentes —*ambo presentes*—.

9   Según las XII Tablas: Si los dos están presentes —*si ambo praesentes*— la puesta de sol —*solis occasus*— sea el término máximo para resolver —*suprema tempestas esto*—.

10   Así, como veremos, en el ejercicio de la *legis actio sacramento* determinará que apuesta —*sacramentum*— es justa —*iustum*— y cual es injusta —*iniustum*— no recayendo, directamente, sobre la propiedad de la cosa, ni sobre el título de heredero, ni sobre la libertad o esclavitud.

11   En las acciones divisorias —de cosa común, herencia o deslinde— no existe, lógicamente, condena y la sentencia tendrá el carácter de constitutiva, produciendo y constituyendo derechos a favor de cada interesado.

procederá a la «aprehensión corporal» del demandado —*legis actio per manus iniectionem*— y si fueran reales, y el vencedor no tuviera la cosa en su poder[12], podrá apropiarse de ella a través de un decreto del magistrado.

3. LAS DISTINTAS *LEGIS ACTIONES*

I. Acción de la ley por apuesta, *legis actio per sacramentum*

Consiste en dilucidar quien es el perdedor y, por ello, tiene que pagar una apuesta —*sacramentum*, de ahí su nombre—. Es una acción general —*actio generalis*— que se ejerce cuando la ley no prevé, expresamente, que se reclame de otra forma y tuvo dos modalidades: *in rem*, que protege los derechos absolutos del *paterfamilias* —propiedad, servidumbre, herencia, patria potestad, *manus* o tutela— e *in personam*, para proteger los derechos de crédito y cuyas formalidades se desconocen. Los ritos de la *legis actio sacramento in rem*., tomando como ejemplo la reclamación de la propiedad de un esclavo, los refiere Gayo y en síntesis, son:

1.°) Comparecencia de las partes, ante el pretor, con el objeto de litigio —o una parte que lo represente[13]—.

2.°) Afirmación solemne, por ambos contendientes, de su derecho[14], asiendo el objeto, tocándolo con una varita —*festuca*[15]— y, en forma simulada, luchando por él[16].

---

12   Por no habérsela entregado el magistrado, interinamente, durante el proceso.

13   Gayo, ofrece algunos ejemplos concretos. Si la controversia era: sobre ganado, bastaba llevar una oveja —*ovis*— una cabra —*capra*— o incluso un mechón de lana o pelo —*vel etiam pilus*— si sobre una nave o columna se arrancaba una parte —*aliqua pars defringebatur*— si sobre un fundo, un terrón —*gleba*— si sobre un edificio, una teja —*tegula*— y si sobre una herencia un objeto de ella.

14   Si el objeto de litigio es por ejemplo la herencia de Ticio, ambas partes manifestarán que les pertenece. Hay casos, sin embargo, en que las declaraciones aun contradictorias no son paralelas. Así, en un proceso sobre la libertad de Estico, una de las partes dirá que es libre y la otra que es suyo —o lo que es igual, es esclavo—.

15   Según Gayo, la *festuca* se usaba —*utebantur*— en sustitución de la lanza —*quasi hastae loco*— cómo símbolo de justo dominio —*signo quodam iusti dominii*—.

16   Gayo, dice: El que reclama —*qui vindicabat*— llevaba una vara en la mano —*festucam tenebat*— después cogía el propio objeto (de litigio) —*deinde ipsam rem*

3.º) Intervención del Magistrado para evitar que el litigio se zanje por la fuerza, ordenando el cese de la aparente lucha[17].

4.º) Breve diálogo entre las partes que termina provocando una apuesta —*sacramentum*— de 50 o 500 ases, según la cuantía del litigio[18] y la presentación de fiadores que garanticen su pago —*praedes sacramenti*— ya que el perdedor —*sacramentum iniustum*— debe entregarla al Erario.

5.º) Atribución interina de la cosa, por el pretor, a la parte que ofrezca mejores garantías de, en su caso, entregarla, con sus frutos, al vencedor de la apuesta[19] —*praedes litis et vindiciarum*—.

6.º) Nombramiento de Juez y opinión —*sententia*— de éste, sobre el vencedor de la apuesta.

II. Acción de ley por petición de juez o árbitro, *legis actio per iudicis arbitrive postulationem*

Su aplicación es, sólo, para casos previstos por la ley. Estos, nos dice Gayo, son: a) según las XII Tablas, para reclamar deudas pecuniarias, derivadas de promesa verbal solemne —*sponsio*— y para los juicios divisorios de herencia —*actio familiae erciscundae*— y b) según la *lex Licinia* (210 AC) para dividir una cosa común —*actio*

---

    aprehendebat— por ejemplo el esclavo —*velut hominem*— y decía así —*et ita dicebat*—: Afirmo que este esclavo es mío, según el derecho de los Quirites —*hunc ego hominem ex iure Quiritium meum esse aio*— por causa legítima —*secundum suam causam*— como lo digo —*sicut dixi*— ante tí —*ecce tibi*— lo someto a mi vara —*vindictam imposui*— y al mismo tiempo ponía sobre el esclavo la vara —*et simul homini festucam imponebat*— El adversario hacía y decía lo mismo —*adversarius eadem similiter dicebat et faciebat*—.

[17]   Cuando uno y otro habían reclamado —*cum uterque vindicasset*— el pretor decía —*praetor dicebat*— dejad uno y otro al esclavo —*mittite ambo hominem*— y ambos lo dejaban —*illi mitebant*—.

[18]   Si se litigaba sobre la libertad de una persona —*at si de libertate hominis controversia erat*— aunque fuese un esclavo de altísimo precio —*etiamsi pretiosissimus homo esset*— sin embargo se lucharía por una apuesta de 50 ases —*tamen ut L assibus sacramentum contenderetur*— para favorecer la libertad —*favore libertatis*— y no gravar a quienes actuaban como defensores —*ne onerarentur adsertores*—.

[19]   Surgen, pues, dos obligaciones condicionales: el pago de la apuesta, en su caso, y la restitución de la cosa con sus frutos si el poseedor interino era el perdedor de aquella. Por ley, en procesos sobre la libertad de una persona se atribuirá la posesión interina a quien la afirma.

communi dividundo—. La opinión que parece más fundada, mantiene que se nombraría juez en el caso de promesa y árbitro en el de los juicios divisorios, en los que los intereses de las partes no están contrapuestos y si yuxtapuestos. Su ritual, ante el magistrado, era muy simple y, en el primer caso tras un breve diálogo de las partes y no reconocer la deuda el demandado, se terminaba solicitando que el pretor nombrara un Juez[20].

III. Acción de ley por emplazamiento, *legis actio per conditionem*

Su denominación viene de *condicere*, emplazar y consiste en el emplazamiento, que el acreedor hace al deudor, ante el Magistrado, para, a los 30 días, elegir Juez. Su origen es más reciente que las anteriores y tiene carácter abstracto, ya que el demandante, ahora, no indica la causa por la que reclama[21]. Su aplicación es: a) según una *lex Silia* (250 AC) la reclamación de cantidades determinadas de dinero, *certa pecunia* y b) según una *lex Calpurnia* (200 AC) cualquier objeto determinado —*certa res*—. Su ritual es sencillo y consiste —como se ha dicho— en que el actor emplaza, *in iure*, al demandado, para elegir Juez a los 30 días siguientes[22].

---

[20] Gayo nos informa sobre sus formalidades. El demandante decía así —*qui agebat sic dicebat*—: «Afirmo que debes darme 10.000 sestercios, en virtud de una promesa verbal —*ex sponsione te mihi decem milia sestertiorum dare oportere aio*—. Te pido lo confieses o niegues —*id postulo aias aut neges*—. El demandado negaba —*adversarius dicebat non oportere*— y el actor decía: —*actor dicebat*— Puesto que tú lo niegas —*quando tu negas*— yo te pido, pretor, nombres un juez o un árbitro —*te praetor iudicem sive arbitrum postulo uti des*—».

[21] Por ello se llama, aún en época clásica, *condictio* a la acción abstracta por la que se reclama el cumplimiento de una obligación civil en la que la conducta del deudor consiste en un *certum* —ya dinero, *pecunia*, ya una cosa determinada, *certa res*—.

[22] Según Gayo, tras conducir ante el magistrado el acreedor a su deudor: se hacía así —*ita agebatur*—: «Afirmo que me debes dar 10.000 sestercios —*aio te mihi decem milia dare oportere*— te pido lo confieses o niegues —*id postulo aias an neges*— el adversario decía que no debía —*adversarius dicebat non oportere*—. El actor decía —*actor dicebat*— puesto que niegas —*quando tu negas*— te emplazo para elegir juez dentro de 30 días —*in diem tricensimum tibi iudicis capiendi causa condico*—».

IV. Acción de la ley por aprehensión corporal, *legis actio per manus iniectionem*

Tiene por objeto conseguir del Magistrado autorización para ejecutar una sentencia, procediendo contra la persona física del condenado. Es, pues, de carácter ejecutivo y su origen debió ser antiquísimo según se desprende de su ritual, que reviste todos los rasgos propios de una época en la que imperaba la defensa privada[23]. Su régimen, establecido por las XII Tablas, del que Gayo nos informa, en síntesis, es el siguiente:

1.ª) Sentencia no cumplida en el plazo establecido por la Ley (30 días). 2.ª) Comparecencia de las partes ante el pretor, declaración solemne del ejecutante sobre su derecho e imposición de su mano sobre el ejecutado[24] y 3.ª) Discusión, en su caso, sobre la procedencia de la aprehensión corporal[25] y no siendo discutida, entrega por el pretor de la persona del ejecutado al ejecutante —*addictio*— que será llevado a casa de éste, donde permanecerá 60 días.

Las XII Tablas precisan la situación y vicisitudes desde este momento[26] del ejecutado. Sin embargo, en la práctica, se admitió,

---

[23]   Presenta 3 modalidades, según se ejerza, contra: a) los juzgados —*manus iniectio iudicati*—; b) los que hubieran confesado, pues al *confessus* se le tiene por juzgado —*manus iniectio pro iudicato*— (Después, algunas leyes, ampliaron esto a ciertos casos concretos —*postea quaedam leges ex aliis quibusdam causis*— contra determinados deudores como si hubieran sido juzgados —*pro iudicato manus iniectionem in quosdam dederunt*—. En general, se trataba de supuestos claros de deuda) y c) contra el juzgado que, por excepción legal, actúa como su propio fiador, *vindex* —*manus iniectio pura*—.

[24]   Según Gayo, el ejecutante decía: Puesto que tu has sido condenado —*quod mihi iudicatus es*— a pagarme 10.000 sestercios —*sestertium decem milium*— y puesto que no has pagado —*quandoc non solvisti*— por ello —*ob eam rem*— impongo mi mano sobre ti a causa de la sentencia de 10.000 sestercios —*ego tibi sestertium decem milium iudicati manum inicio*— (al mismo tiempo le sujetaba —*et simul aliquam partem corporis eius prendebat*—).

[25]   El ejecutado no podía desasirse ni ejercer por sí alguna acción de la ley, sino ofrecer un fiador (*vindex*), que ejercía la acción de la ley por él y asumía el riesgo, si al final se consideraba justificada la aprehensión, de pagar el doble de la suma a que estaba obligado el ejecutado —*litis crescencia*—. La intervención del *vindex* obligaba al pretor a detener el procedimiento y nombrar nuevo juez, encargado de verificar si existe o no el título invocado y si se siguieron, con exactitud, las reglas de la fase *apud iudicem* pues, de no haberse hecho, no habría verdadera sentencia y, por tanto un título para su ejecución.

[26]   Las XII Tablas, III, 3-5 refieren, respecto al ejecutado: a) su encadenamiento, 15 libras de peso; b) manutención, 1 libra diaria de harina; c) el admitir un ulterior

desde antiguo, que el deudor quedara en poder del acreedor, en situación de semiesclavitud —*nexum*— redimiendo con su trabajo, la deuda, situación que desaparecerá, en el año 326 AC, por una *lex Poetelia Papiria de nexis*.

V. Acción de la ley por toma de prenda, *legis actio per pignoris capionem*

Consiste, como su nombre indica, en que el acreedor podía tomar los bienes del deudor hasta cobrarse su crédito, sin previa condena. Su origen es muy remoto y se encuentra, dice Gayo, en las costumbres —*moribus*— y en la Ley de las XII Tablas. Es de carácter ejecutivo y aplicación excepcional. Los casos en que procede superan el ámbito del derecho privado y son más propios del público militar[27], impositivo[28] y sacro[29]. Respecto a sus formalidades se sabe: que se utilizaban

---

pacto; d) su tiempo de encarcelamiento, 60 días; e) la publicidad, el tener que llevarlo, durante este tiempo, en 3 mercados seguidos, al comicio, ante el pretor, pregonando la cantidad de dinero a que habían sido condenados —para mover a compasión a familiares y amigos y que pagaran la deuda— y f) su venta *trans Tiberim* o muerte. La referencia al Tiber se debe a que, en Roma, ningún ciudadano podía resultar esclavo y este río era entonces su frontera y respecto a la muerte un extraño precepto decenviral refería que tras el tercer mercado —*tertiis nundinis*— córtesele en pedazos —*partis secanto*— y que si cortaren más o menos —*si plus minusve secuerunt*—no será fraude—*se fraude esto*—. Según opinión difundida, la disposición se refería al cadáver del deudor, a la pluralidad de acreedores y volvía a ser un medio para estimular a parientes y amigos del deudor a pagar la deuda.

[27] Según Gayo, se introdujo en el ámbito militar —*rei militaris*— para reclamar de las personas acomodadas, no obligadas al servicio militar y en especial de las mujeres, su contribución para: a) el mantenimiento del ejército —*aes militare*— (estipendio de los soldados); b) la adquisición del caballo —*aes equestre*— y c) el pienso de éste —*aes hordearium*—.

[28] Por una ley censoria refiere Gayo, se concede a los publicanos, a quienes se arrendaba la percepción de impuestos —*publicanis vectigalium publicorum populi Romani*— contra los —*adversos eos*— contribuyentes morosos —*qui aliqua lege vectigalia deberent*—. Es un antecedente del llamado, en derecho moderno, procedimiento de apremio usado con este mismo fin.

[29] Según la Ley de las XII Tablas —*lege XII tabularum*— (se concede) contra el que —*adversus eum qui*— comprase un animal para su sacrificio —*hostiam emisset*— y no pagara el precio—*nec pretium redderet*—y también contra el que—*item adversus eum qui*— no devolviera el alquiler —*qui mercedem non redderet*— de un animal —*pro eo iumento*— que alguien le hubiese alquilado—*quod quis ideo locasset*—cuando el precio estuviese destinado a pagar una ofrenda —*ut inde pecuniam acceptam in dapem*— es decir —*id est*— un sacrificio —*in sacrificium impenderet*—.

ciertas palabras al apoderarse de los bienes del deudor —aunque no cuales—; que no se realizaba *in iure* —ante el pretor— y que podía ejercerse, en ausencia del demandado y día inhábil —*nefasti*— motivos por los que —refiere Gayo— se discutió su carácter de acción de la ley.

Tema 10
Procedimiento formulario

1. IDEAS GENERALES

I. Denominación y concepto

El *agere per formulas* es —*de iure*— el procedimiento propio del derecho clásico y recibe este nombre por el papel relevante que en él juega un breve escrito, *formula*[1], que resume los términos del litigio y el Magistrado remite al Juez, como instrucción, que le sirva de pauta para emitir su *sententia*[2].

II. Vigencia

Cronológica y sucesivamente: a) su génesis, se vincula al *Praetor peregrinus* (242 AC); b) su aplicación a los *cives*, aunque sólo en ciertos casos, a una *Lex Aebutia* (130 AC)[3] y c) su extensión a toda clase de reclamaciones y la consiguiente derogación de las acciones de la ley, a dos *leges Iuliae*, de Augusto (17 AC).

Su decadencia, *de facto*, se aprecia desde su implantación legal, pues la concentración de poderes en el Príncipe, ya con Augusto, irá, poco a poco, minando su vigencia hasta que, *de iure*, se deroga, por una constitución del 342, de Constancio y Constante.

---

[1]   El término latino *formula*, diminutivo de *forma*, en el ámbito procesal, equivale a «actuar en juicio a través de unos breves escritos» que así se llaman.

[2]   Normalmente será redactado por el propio magistrado, con la colaboración de las partes, pero puede estar preparado, antes, por aquél y publicado en su edicto.

[3]   Según la opinión más generalizada cuando procediera la *legis actio per conditionem*.

III. Caracteres

Son notas del *agere per formulas*: a) aplicarse a controversias entre extranjeros o entre éstos y ciudadanos romanos; b) basarse en el *imperium* del magistrado —*iudicium quod imperio continetur*[4]— y c) pertenecer a la ordenación de los juicios privados, *ordo iudiciorum privatorum*. Esta característica se mantendrá siempre, no así las otras dos, pues se terminará usando para dirimir litigios entre los propios *cives* y por las *leges Iuliae*, se integrará en el *ius civile*.

El ser, en algunos casos, un *iudicium legitimum* y pertenecer, en todos, al *ordo iudiciorum privatorum* hace que nos remitamos a lo dicho al tratar de las *legis actiones*, bajo ambos aspectos y que nos limitemos a destacar, respecto a ellas, como diferencias: en general, su carácter más progresista y en particular, en cuanto; a) los sujetos, existir una mayor actividad del magistrado en la ordenación del proceso y ser cosmopolita; b) las formalidades, ser menos formalista, tender a sustituirse las formas orales por las escritas —la fórmula es su manifestación más clara— y crearse la *exceptio* en favor del demandado y c) la condena, tener siempre carácter pecuniario

2. ESTRUCTURA DE LA FÓRMULA

Los romanos, con fines didácticos, analizan sus fórmulas y, en ellas, distinguen varias partes. De todas ellas pasamos a ocuparnos.

I. Nombramiento de juez o tribunal

Es la parte de la fórmula en la que el Magistrado ratifica la elección de Juez y le da el mandato de juzgar. Formalmente, la encabeza y se expresa con las palabras: «Ticio se juez» —*Titius iudex esto*— y si es un

---

4   Según Gayo, se dice que son juicios que dependen del poder del magistrado —*imperio contineri iudicia dicuntur*— porque tan sólo tienen vigencia —*quia tamdiu valent*— mientras —*quamdiu*— dura el poder del que los ordena —*is qui ea praecipit, imperium habebit*—. El diferente plazo de caducidad es una de las notas distintivas entre los juicios legítimos y los basados en el *imperium* del pretor, ya que éstos, están vinculados, en el tiempo, a su mandato —*mors litis*— y aquellos al de 18 meses, a partir de su inicio.

tribunal: «Ticio, Cayo, Seyo, sed recuperadores» —*Titius, Caius, Sextius recuperatores sunto*—.

II. *Intentio*

Es la parte más importante de la fórmula y en ella se expresa la pretensión del actor o, como dice Gayo, éste refleja su deseo —*actor desiderium suum concludit*—. Formalmente, aparece tras el nombramiento de juez y se presenta como una hipótesis a probar. Se inicia con las palabras: «Si resulta probado» —*Si paret*— y su redacción cambia, según el tipo de acción. Si es personal —como reclamar 10.000 sestercios— figurará, después el nombre del demandado —Numerio Negidio = *NN*— y la cantidad reclamada —10.000—[5] y si es una acción real —como reclamar el esclavo en poder de otro— se precisará el objeto reclamado —el esclavo— pero no el nombre del demandado, que poco importa y no aparecerá hasta la condena, *condemnatio*[6].

La *intentio*, puede estar basada (concebida) en el *Ius Civile* —*in ius concepta*[7]— o en un hecho —*in factum concepta*— al que el pretor ha prometido protección[8]. La *intentio in ius concepta* pude ser, a su vez, *certa* o *incerta*. Es *certa* si el objeto del derecho en litigio está fijado en la propia fórmula y no requiere posterior estimación[9]. Es *incerta*,

---

5   La *intentio in personam*, según Gayo, diría: «Si resulta probado —*Si paret*— que Numerio Negidio —*Numerium Negidium*— (debe dar) a Aulo Agerio —*Aulo Agerio*— 10.000 sestercios —*sestertium X milia*— (*dare oportere*)».

6   La *intentio in rem*, según Gayo, diría: «Si resulta probado —*Si paret*— que el esclavo —*hominem*— es de propiedad civil (según el derecho de los Quirites) de Aulo Agerio —*ex iure Quiritium Auli Agerii esse*—».

7   Si la acción es personal, figurarán las palabras «debe dar» —*dare oportere*— y si es real, la frase «según el derecho de los Quirites» —*ex iure Quiritium*—. En las dos notas anteriores pueden constatarse ambas expresiones. Faltando tales referencias estaremos ante una *intentio in factum* y así se aprecia en la nota siguiente.

8   Gayo, nos suministra el siguiente ejemplo de *intentio in factum concepta*, relativa al depósito. «Ticio se juez —*Titius iudex esto*—. Si resulta probado —*Si paret*— que Aulo Agerio —*Aulum Agerium*— en casa de Numerio Negidio —*apud Numerium Negidium*— depositó una mesa de plata —*mensam argenteam deposuit*— y ésta no ha sido devuelta por dolo malo de Numerio Negidio a Aulo Agerio —*eamque dolo malo Numerii Negidi Aulo Agerio reditam non esse*—...

9   Esto ocurre si se reclama la propiedad de una cosa —el esclavo Estico— o una cantidad determinada de dinero —10.000 sestercios— o de cosas específicas —aunque sean fungibles (100 medidas de trigo)—.

cuando su contenido versa sobre una prestación indeterminada, genérica o abstracta que, después, se deberá precisar ante el juez[10]. En tal caso deberá constar la causa por la que se reclama —*demonstratio*—.

III. *Demonstratio*

Es la parte de la fórmula que explica la causa por la que se reclama —*ut demonstretur res de qua agitur*— por ejemplo, una venta o un depósito. Constituye un antecedente del que derivará la pretensión —*intentio*— del actor —cobrar el precio o recobrar el objeto depositado— y la mayoría de las veces va implícita en la propia *intentio*. Se manifiesta, externamente, sólo, en los casos de *intentio incerta*, aludiendo, no a la restitución de un objeto o al pago de una cierta cantidad de dinero, como en los ejemplos que seguimos, sino a «todo lo que —*quidquid*— (el demandado, en favor del actor) deba dar o hacer —*dare, facere oportet*— según la buena fe —*ex fide bona*»[11]—.

Formalmente, se inserta al principio —*in principio inseritur*— de la fórmula —tras la designación del juez— y se inicia, con la partícula «puesto que» —*quod*— seguida de un verbo jurídico, «vendió» —*vendidit*— «depositó»... —*deposuit...*—.

IV. *Condemnatio*

Es la parte final de la fórmula y otorga al Juez la facultad de condenar o absolver[12]. Formalmente, se subordina a la *intentio* y depende de que los hechos alegados resulten probados por el actor. Se expresa así: «Si resulta probado, condena... si no... absuelve» —*Si paret... condemna, si non paret... absolve*—.

---

[10]   Por ejemplo cuando el deudor debe hacer una obra o prestar algún servicio, ya que se deberá proceder a la estimación del valor de aquella o de este hacer.

[11]   En síntesis, la razón de «todo lo que el reo deba dar o hacer conforme a la buena fe», tiene como causa explicativa el hecho de que —*quod*— el actor —*Aulus Agerius*— vendió —*vendidit*— al demandado —*Numerio Negidio*— (por ejemplo) un esclavo —*hominem*— sobre el que se litiga —*qua de re agitur*—.

[12]   Algunas fórmulas, llamadas prejudiciales —*praeiudicia*— y cuyo fin es reconocer una determinada situación de hecho o de derecho, lógicamente no la tendrán.

Siempre tiene carácter pecuniario —*omnis condemnatio pecuniaria esse debet*— por lo que aunque pidiéramos, dice Gayo, una cosa determinada —*corpus aliquot petamus*— como —*velut*— una finca —*fundum*— un esclavo —*hominem*— un vestido —*vestem*— o una cantidad de oro —*aurum*— o plata —*argentum*— el juez —*iudex*— no condena al demandado a la entrega de la misma cosa —*non ipsam rem condemnat*— sino que tras su estimación —*aestimata re*— le condena a una suma de dinero —*pecuniam eum condemnat*—. Para obviar tal inconveniente surgió la llamada cláusula arbitraria por la que se subordina el pago de la cosa a que «voluntariamente el demandado no la quiera entregar»[13].

Como la *intentio*, la *condemnatio* puede ser *certa* o *incerta*. En la *certa*, la cantidad que ha de pagar el demandado aparece fijada en fórmula[14]. En la *incerta*, deberá fijarse por el Juez —*litis aestimatio*— dentro de los márgenes de la propia fórmula, pues el Pretor podrá establecer límites —*condemnatio cum taxatione*[15]— o no —*condemnatio infinita*[16]—.

---

[13] El ser la condena siempre pecuniaria, implicaba, en el fondo, una «venta forzosa» del objeto reclamado y su pérdida material para el actor victorioso en juicio que debía conformarse con su valor —«precio de venta»—. Por la «cláusula arbitraria» el magistrado facultaba al juez a que condene al pago del valor de la cosa —*quanti ea res erit*— «a menos que, según tu arbitrio, el demandado (la) restituya» —*neque is arbitrio tuo restituetur*—. El juez permite que la fijación del valor lo determine el propio actor, a través de juramento —*ius iurandum in litem*— y el reo, previsiblemente, preferiría su entrega, ante el temor de una valoración, subjetiva y exagerada.

[14] La fórmula completa de la acción de petición de una determinada cantidad de dinero —*actio certae creditae pecuniae*—sería: Tició se juez. —*Titius iudex esto*— Si resulta probado —*Si paret*— que Numerio Negidio —*Numerium Negidium*— debe dar a Aulo Agerio 10.000 sestercios —*Aulo Agerio sertetium X milia dare oportere*— sobre lo que se litiga —*qua de re agitur*—. Juez —*Iudex*— condena a Numerio Negidio a pagar a Aulo Agerio 10.000 sestercios —*Numerium Negidium Aulo Agerio sestertium X milia condemna*—. Si no resulta probado absuelve —*Si non paret, absolve*—.

[15] Pueden ser: a) hasta una cierta suma de dinero; en la medida del peculio —*dumtaxat de peculio*—; b) de la ganancia obtenida —*in id quod Numerium Negidium pervenerit*—; c) de las posibilidades del demandado —*in id quod facere potest*—; d) del valor de la cosa —*tantam pecuniam quanti ea res*—...

[16] La determinación del «importe el asunto» puede hacerse en atención a un cierto momento o sin referencia temporal. En el primer caso, puede ser un momento presente, el de la *litis contestatio* —*est*— pasado, el de la comisión del delito —*fuit*— o futuro, el de la sentencia —*erit*—. El tiempo del verbo —presente, pasado o futuro— usado en la fórmula lo indicará y la ausencia de aquél, dejará libres las manos del juez, lo que ocurre si en la fórmula se dice: tanto dinero —*tantam pecuniam* (sin verbo)— cuanto importe el asunto —*in id quod interest...*—.

V. *Adiudicatio*

Es la parte de la fórmula que permite al Juez —*qua permittitur iudici*— adjudicar algo a alguno de los litigantes —*rem alicui ex litigatoribus adiudicare*—. Figura tras la *demonstratio*; sólo se da en los juicios divisorios[17] y, dice Gayo, en todos ellos —*nam illic*— se expresa así —*ita est*—: «Adjudica todo lo que se deba adjudicar» —*Quantum adiudicare oportet, adiudicato*[18]—. Tiene valor constitutivo de derechos, y es —lo veremos al tratar el condominio y la comunidad hereditaria— un modo de adquirir la propiedad[19].

VI. *Exceptio*

Es la parte de la fórmula consistente en una alegación del demandado que, de ser cierta, paraliza[20] la pretensión del actor[21]. Por ejemplo, el pacto de no pedir la cantidad prestada o haber dolo por parte del actor.

---

17 Así, según Gayo: cuando entre los coherederos —*si inter coheredes*— se litiga para dividir la herencia —*familiae erciscundae agatur*— o entre los socios —*aut inter socios*— para dividir la cosa común —*communi dividundo*— o entre vecinos —*aut inter vicinos*— para deslindar las fincas —*finium regundorum*—.

18 La fórmula de una partición de herencia diría: Puesto que Lucio Ticio y Cayo Seyo —*Quod Lucius Titius, Caius Seius*— han pedido que se les de un juez para la partición de la herencia del difunto Publio Mevio —*familiae Publii Maevii defuncti erciscundae iudicem postulaverunt*—. Juez —*Iudex*— adjudica todo lo que se deba adjudicar —*quidquid adiudicare oportet, adiudicato*— y a todo lo que por esta razón —*quidquid ob eam rem*— deba uno de ellos hacer en favor del otro —*alterum alteri praestare oportet*— según la buena fe —*ex fide bona*— condena —*condemna*—.

19 No en el caso de deslinde de fincas —*actio finium regundorum*— que tiene por objeto fijar, judicialmente, entre vecinos, los límites de una finca rústica.

20 Este carácter excluyente de la *exceptio* aparece en la definición que, de ella, da Ulpiano: Se llama excepción —*exceptio dicta est*— porque es como una cierta exclusión —*quasi quaedam exclusio*— que suele oponerse a una acción sobre cualquier asunto —*quae opponi actioni cuiusque rei solet*— para excluir —*ad excluendum*— lo que —*id quod*— se ha deducido en la *intentio* o *condemnatio* —*in intentionem condemnationemve deductum est*—.

21 La *exceptio* es una innovación del *agere per formulas*. Su fundamento lo refiere el propio Gayo al decirnos: que fueron establecidas en defensa del demandado —*exceptiones defendorum eorum gratia cum quibus agitur*— pues sucede con frecuencia —*Saepe enim accidit*— que quien está obligado por derecho civil —*ut quis iure civile teneatur*— sin embargo —*sed*— es injusto condenarlo en juicio —*iniquum sit eum iudicio condemnari*— Por ejemplo si... —*Velut si...*— yo hubiera pactado contigo —*pactus fuero tecum*— que no te pediría lo que me debes —*ne id quos*

Formalmente, todas las excepciones se redactan en forma negativa —*Omnes autem exceptiones in contrarium concipiuntur*— a lo que afirma el demandado —*quam adfirmat is cum quo agitur*— y se colocan entre la *intentio* y la *condemnatio*[22]. La sentencia se somete, pues, a una doble condición: a) que resulte probado lo que dice el actor —*intentio*— (en el ejemplo aludido que haya préstamo) y b) que no lo sea lo que dice el demandado —*exceptio*— (haya pacto de no pedir la cantidad o que el actor actuara con dolo).

Las excepciones pueden ser perpetuas —*perpetuae*— o perentorias —*peremtoriae*— y temporales o dilatorias —*dilatoriae*— según, como sus nombres indican, tengan eficacia perpetua —*quae perpetuo valent*— y neutralicen, definitivamente, la acción —*nec evitari possunt*— como la excepción de miedo, *exceptio metus*, o de dolo, *exceptio doli* o tengan vigencia temporal —*quae ad tempus valent*— como el plazo de no pedir durante cinco años —*ne intra quinquenium peteretur*— pues, como dice Gayo, acabado el plazo —*finito enim eo tempore*— no ha lugar la excepción —*non habet locum exceptio*[23]—.

VII. *Replicatio, Duplicatio y Triplicatio*

El actor, puede «replicar» —*replicatio*, réplica— a la *exceptio* del demandado[24]. Éste «duplicar» —*duplicatio*, dúplica— a la *replicatio*

---

22 *mihi debeas a te petam*— por supuesto que puedo demandarte por lo que estás obligado a darme —*nihilo minus id ipsum a te petere possum dari mihi oportere*— por que la obligación no se extingue por pacto —*quia obligatio pacto convento non tollitur*— pero se admite que mi petición —*sed placet debere me petentem*— debe ser repelida por la excepción nacida del tal pacto —*per exceptionem pacti conventi repelli*—.

22 Así, en la fórmula de petición de una determinada cantidad de dinero, tras la *intentio* debería reflejarse la excepción del pacto, *exceptio pacti*, en los siguientes términos: Si entre Numerio Negidio y Aulo Agerio —*si inter Aulum Agerium et Numerium Negidium*— no se hubiera pactado —*non convenit*— que no se pediría ese dinero —*ne ea pecunia peteretur*—. Después seguiría la *condemnatio*. En el caso de dolo, por ejemplo, pedir la restitución de una cantidad de dinero que no se entregó, se redactaría así: Si en este asunto —*si in ea re*— (el actor) no obró ni obra con dolo malo —*nihil dolo malo Auli Ageri factum sit neque fiat*—.

23 También hay excepciones que sólo podían oponerse contra ciertos actores —*exceptiones in personam*— y otras que podrían oponerse frente a cualquiera —*exceptiones in rem*— y, en caso de pluralidad de demandados, excepciones que se podían invocar sólo por alguno de ellos —como el pacto de no pedir, entre los que lo han celebrado— *exceptiones personae coherentes,* o por todos —como la de dolo— *exceptiones rei coherentes.*

del actor[25], que, también, podrá «triplicar» —*triplicatio*, tríplica— a la *duplicatio* del demandado y así sucesivamente[26].

VIII. *Praescriptio*

Es aquella parte de la fórmula que limita el objeto del litigio, concreta la reclamación y evita los efectos consuntivos de la *litis contestatio*.

Formalmente, y de acuerdo con su nombre *prae-scriptio* —lo escrito delante— va al inicio de la fórmula y, en el fondo, es una «advertencia» al Juez, para que, al dictar sentencia, tenga en cuenta ciertas circunstancias, que de no hacerlo, harían aquella injusta o, al menos, dañosa para alguna de las partes.

Estas «advertencias» —*praescriptiones*— pueden ser en beneficio del actor —*pro actore*— o del demandado —*pro reo*—. Ejemplo típico de *praescriptio pro actore*, es el de las obligaciones que comportan plazos o pagos sucesivos, en las que deberá advertirse que la reclamación recae «sólo» sobre el plazo o plazos vencidos y no pagados de la deuda (por tanto, exigibles) —*ea res agatur cuius rei dies fuit*— y no sobre su «totalidad»: Así, respecto a los pagos futuros, la acción permanecerá viva y, llegado el caso, se podrá ejercer para exigirlos[27].

---

[24] Gayo nos dice: A veces sucede —*interdum evenit*— que una excepción —*ut exceptio*— que a primera vista —*qua prima facie*— parece justa —*iusta videatur*— perjudica inicuamente al actor —*inique noceat actori*—. Cuando ocurre —*quod cum accidat*— es necesario añadir (a la fórmula) algo —*alia adiectione opus est*— para ayudar al actor —*adiuvandi actoris gratia*— que se llama réplica —*quae adiectio replicatio vocatur*— porque con ella se replica —*quia per eam replicatur*— y se priva de fuerza a la excepción —*atque resolvitur vi exceptionis*—.

[25] Sigue Gayo. Pero también sucede —*interdum autem evenit*— que a su vez —*ut rursus*— una réplica —*replicatio*— que a primera vista —*quae prima facie*— es justa —*iusta sit*— perjudica inicuamente al reo —*inique reo noceat*— si esto sucede —*quod cum accidat*— es necesario una nueva adición (a la fórmula) —*adiectione opus est*— para ayudar al demandado —*adiuvandi rei gratia*— que se llama dúplica —*quae duplicatio vocatur*—.

[26] Gayo termina diciendo: Y si de nuevo... perjudica al demandante inicuamente, es necesario otra nueva adición para ayudarle, llamada tríplica —*quae dicitur triplicatio*—. A veces, la variedad de negocios condujo a añadir aún más cláusulas.

[27] De no hacerlo así —resumimos el sentir de Gayo— entablada la acción por medio de la fórmula por la que pedimos una cosa incierta (Todo lo que resulte que Numerio Negidio debe dar o hacer en favor de Aulo Agerio) deduciríamos en juicio una

El ejemplo típico de *praescriptio pro reo* —y al que el derecho moderno reserva el término genérico de «prescripción»— es el que advierte al *iudex* de que, antes de entrar en el fondo del asunto, examine si ha pasado el tiempo concedido para ejercer la acción —*praescriptio longi temporis*—[28].

3. TRAMITACIÓN: PRINCIPALES MOMENTOS PROCESALES

I. Fase ante el Magistrado —*in iure*—

En la fase *in iure* se producen los mismos trámites que en las *legis actiones*, precedidos por la comunicación de la fórmula que el actor debe hacer al futuro demandado. De ellos pasamos a ocuparnos.

A) *Editio actionis*

El actor, antes de citar en juicio ha de comunicar al demandado, la acción que va a ejercer. Tal notificación extra procesal —*editio actionis*[29]— le advierte —*instruere*— de su propósito, y puede hacerse de distintas formas, desde remitir al reo un libelo de la acción, hasta acompañarle al tablón, *album* pretorio, donde figura. De incumplirse este deber informativo, el pretor podrá conceder contra el actor y en favor del reo una acción por este hecho —*actio in factum*—.

---

obligación entera —*totam obligationem, id est etiam futuram*—, incurriríamos en una *plus petitio* por razón de tiempo —*ante tempus obligatio in iudicium deducitur*— y no se obtendría una sentencia favorable —*condemnatio fieri non potest*— sin poder reproducir la acción —*neque iterum de ea agi potest*—.

[28] Poco a poco las prescripciones *pro reo* adoptaron la forma de excepciones, desapareciendo ya en época de Gayo.

[29] El término *editio actionis* tiene un triple significado y cabe referirlo: a esta primera notificación; a una segunda notificación que se produce *in iure* —mera repetición de la anterior— y al acto en que el demandante entrega la fórmula al demandado —integrante, pues, de la *litis contestatio*—.

B) In ius vocatio

La citación en juicio —*in ius vocatio*— sigue siendo un acto de naturaleza privada[30], aunque, en ciertos casos, respaldado por el Pretor. Así, la negativa del demandado a presentar fiador, dará lugar a una *actio in factum*; su ocultación dolosa, al embargo —*missio in possessionem*— de todos —*in bona*— o alguno de sus bienes —*in rem*— y el persistir en ella, a la venta de aquellos o de éste —*bonorum venditio*[31]—.

Según Ulpiano: a) hay personas que no pueden citarse en juicio: por su incapacidad, como los locos y los niños menores de siete años —*nec furiosos vel infantes*—; por razón de su cargo —como los magistrados *cum imperio*— o, simplemente, por la inoportunidad del momento en que se pretende[32] y b) algunas otras, para las que se exige previo permiso del pretor por el parentesco o patronato que les une con el actor.

C) Comparecencia in iure

Como en las *legis actiones* y por igual motivo —no poderse realizar la *litis contestatio*— las partes deben de comparecer, ante el Magistrado. Ante él, se producirán una serie de actos que, a veces, pueden implicar la paralización del proceso. Veamos aquellos y las causas de ésta.

---

[30] Nos remitimos, pues, al procedimiento de las *legis actiones* y las referencias a la *manus iniectio*, *vindex* y *vas*.

[31] Ulpiano cita como casos de inoportunidad los: del Pontífice mientras ejerce los actos sagrados —*nec Pontificem, dum sacra facit*—; del que está tomando esposa —*qui uxorem ducat*— o de la que se está casando —*aut eam, quae nubat*—; del juez mientras conoce un litigio —*nec iudicem, dum de re cognoscat*— y del que está ejerciendo una acción ante el pretor —*nec eum, dum quis apud Praetorem causam agit*—; del que preside un entierro de un familiar —*neque funus ducentem familiare*— o hace las exequias del difunto —*iustaeve mortuo facientem*—.

[32] Según Ulpiano, el Pretor dice —*praetor ait*—: mandaré se posean y vendan los bienes —*eius bona possideri vedique iubebo*— del que se oculte para defraudar a sus acreedores —*qui fraudationis causa latitabit*— si nadie le defiende según el arbitrio de un hombre recto —*si boni viri arbitratu non defendetur*—. Paulo, precisa: Se entiende que pueden venderse los bienes del ausente con dolo malo —*intelligimus eius, qui dolo malo abfuerit, posse venire*—».

a) Actor, magistrado y demandado deberán tomar parte activa. Así:

1.º) El Actor, enuncia su pretensión —*editio actionis*— y, tras ello, solicita la correspondiente acción —*postulatio actionis*— pudiendo, para tener la certeza en la efectividad de su ejercicio, asegurarse de la legitimación del demandado a través de *interrogationes*, o sea, de las oportunas preguntas que le formulará y serán contestadas ante el pretor —*in iure*[33]—.

2.º) El Magistrado, tras breve examen de la pretensión del actor —*causae cognitio*— de la capacidad y legitimación procesal de las partes y de su propia competencia —por razón del lugar, materia y personas implicadas— concederá —*dare*— o denegará —*aut denegare*— la acción solicitada —*actionem*—.

3.º) El Demandado, a su vez, podrá oponerse a la pretensión del actor; aceptarla, en todo o en parte —solicitando, entonces, la correspondiente *exceptio*— y, en todo caso, pedir al pretor un tiempo para deliberar.

b) El proceso puede paralizarse por: 1) denegación de la acción —*denegatio actionis*—; 2) *confessio in iure*, pues al *confessus, pro iudicato habetur*[34]; 3) acuerdo o transacción entre las partes —*transactio*—[35]; 4) indefensión —*indefensio*— del demandado[36] y 5) juramento necesario —*iusiurandum necessarium*— del que pasamos a ocuparnos.

---

[33] Por ejemplo, en la acción de petición de herencia —*hereditatis petitio*— preguntándole si es heredero —*an heres sit*— y en que cuantía —*et ex qua parte*— y en el de una acción noxal, si es dueño —*an dominus sit*— del esclavo o animal causante del daño.

[34] Ello implica: A) Si se ejerce una acción real, que se entregue la cosa —*addictio*— por el magistrado al actor. B) Si se ejerce una acción personal hay que distinguir: a) Reclamándose una cantidad determinada de dinero, la *confessio* equivale a una sentencia y pasados 30 días podrá solicitarse su ejecución por la *actio ex confessione* y b) Si comporta cualquier otra prestación, al tener que ser la condena, necesariamente, pecuniaria, antes deberá procederse a fijarla —*litis aestimatio*—.

[35] En materia de transacción, téngase presente: a) que si falta controversia el litigio, obviamente, decae; b) que se puede dar en cualquier tipo de litigio, salvo los que comportan lo que hoy llamaríamos derechos irrenunciables, como los relativos al estado de las personas (libertad, ciudadanía y familia) y conexos a ellos (edad, tutela, dote...) y c) que su eficacia se obtiene a través de la *exceptio*.

[36] La *indefensio*, se produce por la absoluta pasividad del reo. El Pretor, la combate con la amenaza de embargo del objeto litigioso —*missio in rem*— en el ejercicio de acciones reales o de todo el patrimonio —*missio in bona*— en el de las personales.

En casos especiales —el típico sería el del crédito para el que no hay otro medio de prueba—, el actor, previa autorización del Pretor, puede deferir (ofrece) —*deferre*— al reo, un juramento, que comporta renunciar a la acción si éste jura que nada debe. Si lo jura, queda absuelto. Si prefiere no hacerlo, podrá devolver —*referre*— el juramento al actor. Entonces, el juramento de éste equivaldría a una sentencia favorable y la negativa a hacerlo a que el demandado vencería en la litis. El *iusiurandum* es, pues, necesario —*necessarium*— pues no cabe resistirse a él, so pena de incurrir en el embargo de todos los bienes —*missio in bona*— y decisorio pues su uso implica el fin del proceso.

D) *Litis contestatio*

Fijadas las posiciones de las partes y los límites del litigio, se procede a la redacción de la fórmula, a designar al Juez, a concederle el mandato de juzgar —*iudicium dare*— y a la *litis contestatio*, que comportará el acuerdo de las partes de someterse a su futura decisión. Aludamos a su concepto, naturaleza jurídica y efectos.

a) La *litis contestatio* es, el acto central del proceso en el que se fijan, definitivamente, los límites del litigio y se pone fin a la fase *in iure*.

b) La moderna romanística discute sobre su naturaleza jurídica. A veces —siglo XIX— se ha dado una mayor relevancia al papel del Magistrado —tesis publicista— y otras —primera mitad del XX— a la intervención de las partes —tesis privatista—. El fondo de acuerdo o convención sobre el que se basa comporta —según los privatistas— el configurarla como auténtico contrato de arbitraje privado. Sin embargo, la necesaria autorización del Pretor, abre flanco a su crítica y —hoy— negado que los romanos llegaran a formular una categoría general, como la del contrato, vuelve a incidirse en el carácter relevante del Magistrado y se le tiene como «señor del proceso».

c) La importancia de la *litis contestatio* se pone de relieve en sus efectos, que —conviene aclarar— se producen de modo conjunto y no son más que diversos aspectos de un mismo momento procesal. Razones expositivas —y didácticas— permiten distinguir entre unos efectos: «fijatorios», sobre la relación litigiosa, que evita pueda alterarse[37]; otros

---

[37]   Así: A) en general, no pueden cambiarse los elementos: a) personales, b) reales o c) causales de la relación que figuran en la fórmula y B) en particular, se atiende a este

«excluyentes» —preclusivos, en términos procesales de hoy— sobre la acción deducida en juicio, que impiden, una vez trabada la *litis contestatio*, pueda volver a plantearse sobre el mismo asunto —*eadem res*—[38] y unos efectos «creadores» o «novatorios» sobre los derechos anteriores alegados por las partes en juicio, que se transforman en mero derecho a obtener una sentencia[39].

II. Fase ante el Juez —*apud iudicem*—

Acabada la *litis contestatio* y obtenida la fórmula, cesa la intervención del Magistrado y empieza la 2.ª fase ante el Juez, cuyos trámites, son como los de las *legis acciones*. Esto es: la comparecencia de las partes; la práctica de las pruebas y el pronunciamiento de la sentencia.

A) Comparecencia apud iudicem

Las partes, que han participado en la redacción de la fórmula y en la elección de Juez, asumen la obligación de comparecer ante él. Si no lo hace alguna, el proceso continúa en su ausencia —lo que no ocurría

---

momento para determinar: a) la capacidad y legitimación de las partes o sus procuradores, la competencia del magistrado y la capacidad del juez; b) la cosa; su valor y la cantidad reclamada y c) la existencia del derecho, el fundamento jurídico o causa en que las partes basan, respectivamente, su *intentio* y su *exceptio*.

[38] Esta extinción o consumición de la acción, expresada, sucintamente, con los términos: *non bis in idem* —uno no puede litigar dos veces sobre el mismo asunto— puede operar de dos formas: a) automática —*ipso iure*— impidiendo, sin más, el magistrado su ejercicio —lo que se produciría en los *iudicia legitima* y en los que se ejerciera una acción personal, basada en el *ius civile*— o b) por vía de excepción —*ope exceptionis*—, que deberá ser alegada por quien, indebidamente, es de nuevo demandado, en los casos que falte alguno de los requisitos anteriores, esto es: en los *iudicia quod imperio continent* o en los que se ejerciera una acción civil real o una acción *in factum*. La excepción sería la *exceptio rei iudicata* —si medió sentencia— o *la exceptio in iudicium deducta* —si sólo medió la *litis contestatio*—.

[39] Como se ha destacado en doctrina, viene a ser el aspecto positivo y material de la consumición de la acción. Ulpiano nos dice al respecto que la relación jurídica extinguida vierte su contenido —*idem debitum*— en otra obligación distinta —*prioris debiti in aliam obligationem...transfusio atque translatio*—. Al efecto novatorio parece aludir, también, Gayo al decir: que antes de la *litis contestatio* el deudor debe dar —*ante litem contestatam dare debitorem oportere*— y después someterse a la condena —*post litem contestatam condemnari oportere*—.

en las acciones de la ley— no estando, el Juez, en teoría[40], obligado a
fallar en favor del compareciente y estando su actuación presidida —en
terminología procesal moderna— por los principios de oralidad e
inmediación[41].

B) *Prueba de los hechos alegados*

Ante el Juez, y tras la exposición y defensa orales de las tesis de las
partes, se procede a la prueba de los hechos alegados por ellas.

a) Los principios que rigen, en general, la prueba son los mismos
que en las acciones de la ley[42] y en concreto: a') el dispositivo, por el
que Juez se tiene que limitar a las pruebas aportadas por las partes y b')
—lo que, en cierto modo, es novedad— el de la libre valoración de ellas[43].

b) Los principales medios de prueba, en este procedimiento, son:
1.º) las declaraciones de las partes; 2.º) el juramento[44]; 3.º) los testigos,
bajo juramento; 4.º) los documentos (con menor importancia que hoy);
5.º) la inspección ocular —*inspectio*— del Juez y 6.º) el reconocimiento
y dictamen emitido por expertos —pericial—.

4. LA SENTENCIA

Formado su parecer, el Juez emite su opinión —*sententia*—. Para
ello —al ser un simple particular— como en las *legis actiones*, puede
invocar el *consilium* de los *iurisprudentes* —al que no estará vinculado— y no viendo claro el asunto —*rem sibi non liquere*— jurarlo y

---

[40] En la práctica, la ausencia del actor le impediría probar su *intentio* —*si paret*, si
resulta probado— por lo que el *iudex*, terminaría por absolver al demandado y la
ausencia del demandado facilitaría al actor probar aquella al no haber nadie que
la discutiera.

[41] Así se designa la relación directa entre las actuaciones orales de las partes y el juez.

[42] El actor ha de probar los hechos en que basa su pretensión —*intentio*— y el reo los
de su oposición —*exceptio*—.

[43] Las presunciones (Tema 11) carecen de interés. La única —y no incide, en el ámbito
procesal— es la *praesumptio Muciana*, que proviene de la jurisprudencia republicana a la que aludimos en el Tema 3.4 y volvemos a hacerlo en el 18.1.

[44] Que en esta fase no tiene el carácter de *neccesarium* como en la *in iure*.

renunciar al mandato de juzgar, nombrándose otro juez —*mutatio iudicis*—.

I. Caracteres generales

La sentencia presenta los siguientes caracteres:

1.º) Se pronuncia —dicta— en forma oral, (por lo que, aún hoy, se sigue hablando de «dictar» sentencia) y en presencia de las partes —o al menos, siendo citadas para ello[45]—.

2.º) Será condenatoria o absolutoria, lo que no excluye que, en ciertos casos, según el tipo de acción, tenga carácter declarativa[46] —si se ejercen acciones prejudiciales[47]— o constitutiva[48] —si se ejercen acciones divisorias[49]—.

3.º) El Juez, debe guardar estricta observancia a la fórmula —principio de fidelidad— y ajustarse, exactamente, a lo que en ella figura sin poder corregir cualquier posible error. Así, en el caso de que se pida más de lo debido —*plus petitio*— como no resultará probada en su totalidad la pretensión del actor, deberá, necesariamente, absolver —*si non paret... absolve*[50]—.

4.º) Los efectos que la sentencia produce, son: a) la autoridad de cosa juzgada —*res iudicata*[51]—; b) tenerse por verdad para las partes

---

[45] Las sentencias se reproducen por escrito en tablas selladas, de las que las partes podrán obtener copia.

[46] Estas sentencias sólo implican un mero reconocimiento o declaración sobre circunstancias personales o de hecho. Así por ej.: que el demandado es heredero o libre.

[47] Su nombre obedece a que constituyen un antecedente para entablar, *a posteriori*, un verdadero litigio.

[48] Ya que no se limitan a declarar un derecho y, en cierto modo, lo constituyen.

[49] Lo que se produce a través de la *adiudicatio*.

[50] Son casos de *plus petitio*, pedir: a) más cantidad de la debida —*re*—; b) antes del tiempo exigible —*tempore*—; c) en lugar distinto al que deba cumplirse —*loco*— o d) por diferente causa —*causa*— (caso de las obligaciones alternativas, en las que se debe sólo una cosa de dos y se exigen ambas). En todos estos supuestos el actor pierde el litigio sin que pueda reproducir la acción por el efecto consuntivo de la *litis contestatio*. Tratándose de *minus petitio*, el actor puede reclamar el resto, aunque no en la misma pretura, pues el que así lo hace —*nam qui ita agitur*— (dice Gayo) es rechazado por la excepción —*per excepcionem excluditur*— que se llama de litigio dividido —*quae exceptio appellatur litis dividuae*—.

[51] Este efecto negativo o excluyente, impide entablar, de nuevo, la misma acción —*non bis in idem*— que será rechazada por la excepción de la cosa juzgada —*exceptio rei iudicata*— o deducida en juicio —*vel in iudicium deducta*—.

—*res iudicta pro veritate habetur*[52]—; c) ser inapelable y d) servir de título para su ejecución —*actio iudicati*—.

II. Clases de ejecución

El actor victorioso deberá solicitar al pretor, después de 30 días de haberse dictado sentencia, su ejecución, concediéndole éste la acción de lo juzgado, *actio iudicati*, a la que, el vencido podrá oponerse —*infitiatio*— o no. Si se opone, tiene lugar un nuevo proceso, cuya pérdida, si es por resistencia no justificada, hará crecer al doble el valor del litigio —*lis infitiando crescit in duplum*—. Si no se opone, se siguen los trámites de la *actio iudicati*[53], cuya ejecución presenta una triple modalidad, pues puede recaer: a) sobre la persona del condenado; b) sobre la totalidad de su patrimonio y c) sobre algunos de sus bienes.

a) La ejecución personal comportará los actos propios de la *manus iniectio*.

b) La ejecución patrimonial[54], sobre todo el patrimonio del condenado —*bonorum venditio*—, en principio, tiene cierto carácter subsidiario —por ejemplo ante la desaparición del deudor—; presenta analogías con los juicios universales, de hoy, de concurso de acreedores, por suspensión de pagos y quiebra y requiere, como trámites:

1.º) Puesta al ejecutante en posesión de los bienes del ejecutado y publicidad de ello.- El Pretor, mediante decreto, concede al ejecutante el embargo de todos los bienes —*missio in bona*— del ejecutado, para su conservación —*rei servandae causa*—, concesión que ha de ser conocida por todos los acreedores de éste, lo que se procura por anuncios —*proscriptiones*—.

---

[52]   Este es el efecto positivo o material de la sentencia —llamado también «santidad de la cosa juzgada»— ya que las partes se han sometido, libremente, a la decisión del juez. También se hace efectivo por la *exceptio rei iudicata*.

[53]   Esto es, los propios de la fase *in iure*: *editio actionis*; *in ius vocatio* y comparecencia *in iure*. En ella, el magistrado dictará una orden entregando al condenado a su acreedor —*duci iubere*— y convirtiéndose de *iudicatus* en *addictus*.

[54]   No está claro el origen de esta ejecución patrimonial en bloque. Sin embargo, ya que una *lex Iulia de cessione bonorum* —de la época de Augusto— posibilita que el demandado la solicite considerándolo como un beneficio para el reo, es lógico deducir, como se ha destacado en doctrina, que antes sólo se admitiera a instancia del actor y que, incluso, los acreedores prefirieran la ejecución personal.

2.°) Nombramiento de síndico.– Trascurridos 30 ó 15 días —según el ejecutado viviera o no— el Pretor convoca a los acreedoras y les autoriza para que designen a un representante —*magister bonorum*—, parecido a nuestro síndico actual, que deberá preparar las condiciones —*leges*— de venta —*venditionis*— de los bienes y requerirá aprobación pretoria y publicidad[55].

3.°) Venta y adjudicación de los bienes.– La venta de los bienes —*bonorum venditio*— tendrá lugar, el día señalado, y en pública subasta, adjudicándose al postor que ofrezca pagar a los acreedores, un mayor porcentaje de sus créditos —*portio*—. El propio *magister* procede a su adjudicación y el adjudicatario o comprador —*bonorum emptor*— a subrogarse en la posición del antiguo titular, para reclamar sus eventuales créditos[56].

Para combatir las enajenaciones fraudulentas del ejecutado, el Pretor se valió de: la restitución por entero —*restitutio in integrum*— y de un interdicto llamado fraudatorio —*interdictum fraudatorium*—. Justiniano, los refundirá en una acción, *actio Pauliana* —hoy, sinónima de revocatoria y recogida en los modernos ordenamientos— que permite revocar los actos hechos por el deudor en fraude de los acreedores.

c) La ejecución patrimonial por venta de algunos de los bienes —no todos— del deudor —*distractio bonorum*— fue consecuencia de la complejidad del procedimiento descrito. Por ella, se admite la venta de los bienes del vencido en juicio por partes, de modo progresivo y en la medida necesaria para satisfacer sus deudas.

Esta forma de ejecución, en origen excepcional y aplicable sólo a personas incapaces o de alto rango, *clarae personae*, terminó por generalizarse y sustituir a la *bonorum venditio*.

El deudor insolvente no culpable podrá hacer cesión de sus bienes —*cessio bonorum*— evitando la *bonorum venditio*, la nota de infamia que comportaba y gozando del *beneficium competentiae*[57].

---

[55] En lugares públicos se hará constar todo lo relacionado con la venta del patrimonio, por ejemplo: el inventario de los bienes; los gravámenes e hipotecas a que estén afectos; el modo de realizarse el pago; los créditos ordinarios y privilegiados; las garantías que deberá prestar el futuro comprador; postura mínima de licitación etc.

[56] Lo que podrá hacer mediante una acción con transposición de personas —fórmula Rutiliana— si el ejecutado vive, o ficticia —fórmula Serviana— si hubiera fallecido.

[57] Nombre —no romano— que implica que ciertos deudores no sean condenados a pagar sino en la medida de sus recursos económicos —*in id quod facere potest*— con

5. PROTECCIÓN JURÍDICA EXTRAPROCESAL: PRINCIPALES MEDIOS

A veces, el Magistrado ejerce su protección jurídica al margen del proceso, a través de una serie de medios, que tienen como fin: evitarlo; facilitarlo; eliminar algún inconveniente surgido o asegurar sus resultados. Se dice, entonces, que actúa más por su *imperium*, que por su *iurisdictio* y el único requisito exigible es una breve *cognitio* por su parte. Veamos los principales medios.

I. Estipulaciones pretorias, *Stipulationes praetoriae*

La estipulación es un contrato verbal, que se perfecciona por medio de una pregunta —del estipulante— y una respuesta —del promitente— . Así, por ejemplo: ¿Prometes darme 100 sestercios? —*Spondes centum mihi dari?*— ¡Prometo! —*Spondeo*—[58]. Es pretoria: si se hace ante el pretor, por su mandato[59] y en los casos y forma previstos en su edicto, sin que se pueda alterar por las partes[60]. En resumen, en ella: actúa el actor como estipulante; el demandado como promitente y éste promete pagar a aquél cierta suma de dinero si se produce determinado suceso[61].

[ ] lo que evitarían la ejecución personal e incurrir en infamia —falta de honorabilidad y consideración social que impedía ocupar cargos públicos y ser jueces o testigos—.

[58] Estudiaremos la *stipulatio* en el Tema 34.2.

[59] El Pretor podrá obligar a formalizarla a través de distintos medios coactivos. Los principales serían: el denegar la acción que pudiera corresponder al desobediente o poner al solicitante en posesión de los bienes de aquél.

[60] Así se desprende de Ulpiano, al decirnos: que las estipulaciones pretorias —*stipulationes praetoriae*— toman su forma (reciben su ley) —*leges accipiunt*— de la intención del pretor —*de mente Praetoris*— que las propuso (en el Edicto) —*qui eas proposuit*— y, en ellas, nada es lícito alterar —*nihil immutare licet*— ni añadir ni quitar —*neque addere neque detrahere*— (inmutabilidad de su contexto).

[61] La estipulación pretoria genera una obligación futura, exigible a través de la *actio ex stipulatu* y presenta distintas modalidades. Así: a) por su forma, pueden consistir en una mera promesa —se llama entonces *reipromissio*— o, lo más frecuente, garantizarse su cumplimiento por algún medio —y se designa, como *satisdatio* o *cautio*— y b) por su relación con el proceso, ser procesales, si facilitan su desarrollo normal —como la garantía de comparecer en juicio, *cautio iudicium sisti*— o extra procesales si al margen del proceso, intentan, prevenir un daño futuro o proteger una situación de hecho que se considera digna de ello, como la caución del daño temido, *cautio damni infecti*, por la que el dueño de una casa ruinosa promete resarcir a su vecino los daños que le pudiera producir su derrumbamiento.

II. Puestas en posesión de los bienes, *Missiones in possessionem*

Recordando al actual embargo, las *missiones in possessionem* —literalmente, «Envíos en posesión»— son resoluciones del magistrado por las que se autoriza a alguien a entrar en la posesión de una cosa —*missio in rem*— o de un patrimonio —*missio in bona*—de otro[62].

Su fin, en general, es doble: por un lado, forzar a quien la sufre a hacer algo y, por otro, defender los intereses del solicitante. Es, en suma, una medida coactiva de garantía, provisional e interina, que se aplica a múltiples casos: con diferente origen —*edictalis* o *decretalis*[63]—, extensión —*in rem* o *in bona*—, facultades (conservación, administración y/o venta) —*rei servandae causa* o *venditionis causa*[64]— y efectos —como base o no de adquisición de la propiedad[65]—.

III. Restituciones por entero, *Restitutiones in integrum*

«Las restituciones por entero» o «reintegraciones a un estado jurídico anterior», son decisiones del Magistrado, por las que resta-

---

[62] Tomando como referencia al *indefensus*, si se ejerciera una acción personal, procedería la *missio in bona* y si real, la *missio in rem*.

[63] Por la forma de otorgarse, por el origen si se quiere, el supuesto planteado podía estar previsto, o no, en el Edicto. En aquél caso, bastaría invocarlo —*missio in possessionem edictalis*— y en éste, que el pretor, tras breve examen de las alegaciones del solicitante, la otorgara por decreto —*missio in possessionem decretalis*—. Entre otras: son *edictales*, la *missio in bona* contra el *iudicatus* insolvente y contra el *indefensus* y la *missio ex causa damni infecti*; y *decretales*, las concedidas, en favor: de la viuda encinta, para salvaguardar los derechos del concebido no nacido, sobre los bienes de la herencia, hasta el nacimiento —*ventris nomine*— y del impuber, cuya filiación, y por tanto su derecho a la herencia, estuviese en litigio, hasta la pubertad —*ex Edicto Carboniano*—.

[64] Con base a la ejecución patrimonial de la sentencia sobre la totalidad del patrimonio, sería una *missio in possessionem rei servandae causa* la otorgada al actor ejecutante y *venditionis causa* la conferida al *magister bonorum*; con facultades de administración suelen ser las dadas en beneficio de un incapaz.

[65] Así, ante la negativa de formalizar la *cautio damni infecti*, el pretor, por un primer decreto —*ex primo decreto*— podría conceder una *missio in possessionem*, que comportaría la mera tenencia, sin más, del inmueble ruinoso. Pero, de persistir en su negativa el propietario, el pretor —*ex secundo decreto*— otorgará una verdadera *possessio civilis* (no simple tenencia) protegida por interdictos, que posibilitaría al *missus* adquirir la propiedad del inmueble por transcurso de tiempo —*usucapio*—.

blece una situación jurídica y se deja sin efecto un acto valido, con arreglo al *ius civile*, pero contrario a la equidad que produce un daño injusto.

Es un remedio extraordinario que para aplicarse exige: a) un acto válido según el *ius civile*; b) un perjuicio o lesión, derivado de éste, que se estima injusto —contrario a la equidad—; c) no existir otro medio jurídico para reparar el daño sufrido[66] y d) una *iusta causa*, según el Edicto del pretor o que, a juicio de éste, lo fuera[67].

Son *iustae causae* recogidas en el Edicto: a) la edad; b) la ausencia justificada; c) la *capitis deminutio*; d) el fraude de acreedores y e) el miedo, el dolo o el error, sufridos por el solicitante[68].

Pedida —*postulatio*[69]— la *restitutio in integrum* y concedida por el Magistrado, éste otorgará al solicitante las necesarias acciones para neutralizar los efectos del acto producido. Estas acciones —*iudicia rescissoria*— rompen, rasgan y destruyen tales efectos, considerándose, por la ficción: «como si el negocio no se hubiera realizado».

IV. Interdictos, *Interdicta*

Los Interdictos —de *interdicere*, prohibir y significando, no sólo lo prohibido, sino también lo mandado—son órdenes del Magistrado, a

---

[66] Aunque las fuentes suministran algunos supuestos en los que coexiste la posibilidad de esta *restitutio* con el ejercicio de una acción o excepción.

[67] El texto del Edicto —referido por Ulpiano— por un lado, tipifica las *iustae causae* pero, por otro, elude configurarlas como *numerus clausus* al decir: y también cualquier otra (similar) —*item si qua alia*— que me pareciera es justa —*mihi iusta causa videbitur*—.

[68] Así: a) *ob aetatem*, en favor de los menores de 25 años respecto a actos lesivos para su patrimonio —celebrados por ellos sus tutores o curadores— en los que no tenga aplicación la *Lex Plaetoria*; b) *ob absentiam rei publicae causa*, en favor del ausente, evitando, por ejemplo, la adquisición de la propiedad de sus bienes por poseerlos otros durante el tiempo de *usucapio*; c) *ob capitis deminutionem*, en favor de los acreedores del *sui iuris,* que pasa a *alieni iuris*, permitiéndoles reclamar sus créditos; d) *ob fraudem creditorum*, en favor de los acreedores y contra los actos del deudor promovidos con el fin de aumentar su insolvencia y en su perjuicio; e) *ob metum* y *ob dolum*, en pro de quienes actuaron movidos por miedo (coacción) o por dolo —engaño (fraude)— y que de no mediar no hubieran realizado el acto; y f) *ob errorem*, sobre todo en materia procesal —*plus petitio*— por mala información y en casos excepcionales.

[69] El plazo para pedirla fue 1 año en época clásica y 4 en la justinianea, a contar desde cesa el obstáculo.

instancia de parte, para provocar cierta actividad o impedir determinada conducta.

Estas órdenes tienen carácter provisional, ya que el Magistrado no entra en el fondo del asunto —parte de la veracidad de lo alegado por el solicitante— y tienden, en general, a mantener la paz y seguridad en las relaciones privadas y, en particular, a hacer respetar la apariencia jurídica de ciertas situaciones.

Gayo ofrece tres clasificaciones:

A) Por el carácter de la orden del pretor los interdictos son exhibitorios, prohibitorios y restitutorios. a) En los exhibitorios, el pretor ordena presentar o exhibir una persona o una cosa —en ellos figura la cláusula: «exhibas» *exhibeas*[70]—; b) en los prohibitorios, prohíbe usar la fuerza para alterar una cierta situación, pretendiendo mantener el *statu quo* y que nadie se tome la justicia por su mano —en ellos aparecerá la cláusula: «prohíbo utilizar la fuerza», *vim fieri veto*[71]—; y c) en los restitutorios, obliga a restituir alguna cosa o restablecer una anterior situación —y en ellos figurará la cláusula «reintegres» (restituyas) *restituas*[72]—.

B) Por la posesión —de la que los interdictos son principal medio de defensa[73]— pueden ser: de retener, *retinendi*; recuperar, *recuperandae* y adquirir, *adipiscendi,* la posesión, *possessionis.*

C) Por el sujeto destinatario o destinatarios y al papel que asumen en el proceso, los interdictos pueden ser: simples o dobles, según vayan dirigidos, respectivamente, a una sola de las partes o a las dos.

---

[70] El Pretor diría: «En el supuesto de que, como se dice, tengas en tu poder las tablas conteniendo el testamento de Lucio Ticio, exhíbelas —*exhibeas*—». De este tipo serían los interdictos de: *tabulis exhibendis*; *de homo libero exhibendo*; *de liberis exhibendis*; *de liberto exhibendo.*

[71] El Pretor vendría a decir: «Puesto que uno de vosotros posee tal cosa sin que se la haya arrebatado al otro, violenta o clandestinamente —*nec vi aut clam*— o la haya recibido de él en precario —*nec precario*— deberá continuar como hasta aquí dicha posesión y contra ella prohíbo usar la fuerza —*vim fieri veto*—». De este tipo son los interdictos de retener la posesión —*uti possidetis* (tal y como poseéis) y *utrubi* (aquel en cuyo poder)—.

[72] El pretor vendría a decir: «Puesto que tu en persona, o por gente de tu familia, has arrebatado tal objeto por la fuerza o con las armas, te mando que lo devuelvas —*restituas*—». De este tipo serían los interdictos de despojo por violencia —*unde vi*— o a mano armada —*de vi armata*—.

[73] De ellos tratamos en Tema 20.4.

Los primero, ocurre en los restitutorios y exhibitorios, en que se atribuye a cada parte el papel de actor y demandado. Los segundo, en los de retener la posesión, en los que las dos partes se pueden considerar, a la vez, actores y demandados.

El destinatario puede acatar la orden del magistrado —con lo que se habrá resuelto una situación con rapidez, evitando las dilaciones del proceso— o resistirse a ella por considerarla infundada. En este caso, la actuación del pretor sólo sirve de base y preparación a un procedimiento judicial posterior, lento y complejo, en el que se dilucidará si, en realidad, se ha producido o no desobediencia al magistrado, para lo que, antes, habrá que determinar la veracidad de los hechos alegados por el solicitante.

FÓRMULAS

ACTIO CERTAE CREDITAE PECUNIAE	ACCIÓN DE RECLAMACIÓN DE CIERTA CANTIDAD DE DINERO
1. NOMINATIO IUDICIS Titius iudex esto.	1. NOMBRAMIENTO DE JUEZ Ticio, sé juez.
2. INTENTIO IN PERSONAM Si paret Numerium Negidium, Aulo Agerio sestertium X milia, dare oportere, de qua re agitur,	2. ACCIÓN PERSONAL Si resulta probado que Numerio Negidio debe dar a Aulo Agerio 10.000 sestercios, acerca de lo cual se litiga,
3. EXCEPTIO PACTI Si inter Aulum Agerium et Numerium Negidium, non convenit ne ea pecunia intra annum peteretur,	3. EXCEPCIÓN DE PACTO Si no ha sido convenido, entre Aulo Agerio y Numerio Negidio, que no pediría ese dinero, durante un año,
4. REPLICATIO DOLI Aut si quid dolo malo Numerii Negidi, factum est,	4. RÉPLICA DE DOLO O se ha hecho algo con dolo malo de Numerio Negidio,
5. CONDEMNATIO CERTA PECUNIA Iudex, Numerio Negidio, Aulo Agerio sestertium X milia, Condemna. Si non paret, Absolve.	5. CONDENA DE UNA CIERTA CANTIDAD DE DINERO Juez, condena a Numerio Negidio a que pague a Aulo Agerio, 10.000 sestercios. Si no resulta probado, Absuelve.
REI VINDICATIO	ACCIÓN REIVINDICATORIA
1. NOMINATIO IUDICIS Titius iudex esto.	1. NOMBRAMIENTO DE JUEZ Ticio, sé juez.
2. INTENTIO IN REM Si paret fundum Capenatem quo de re agitur Auli Ageri esse, Ex iure Quiritium	2. ACCIÓN REAL Si resulta probado que el fundo inmediato a la puerta Capena es propiedad de Aulo Agerio según el Derecho de los Quirites
3. CLAUSULA ARBITRARIA Neque is fundus Arbitrio tuo, a Numerio Negidio, Aulo Agerio restituetur	3. CLÁUSULA ARBITRARIA Y no se restituye el fundo, según tu arbitrio, por Numerio Negidio a Aulo Agerio
4. CONDEMNATIO INCERTA Quanta ea res erit, tantam pecuniam, iudex, Numerium Negidum Aulo Agerio Condemna, Si non paret, Absolve.	4. CONDENA INCIERTA Juez, condena, a Numerio Negidio a pagar a Aulo Agerio, cuanto la cosa valga. Si no resulta probado, Absuelve.

Tema 11
Cognitio extra ordinem

1. IDEAS GENERALES

I. Denominación

La *cognitio extra ordinem* es el procedimiento propio del derecho imperial —*ius novum*— y su nombre refleja el que su conocimiento —*cognitio*— y trámites se producen al margen o fuera —*extra*— de la ordenación de los juicios privados —*ordinem*[1]—.

II. Origen

Contribuyen a su implantación distintos factores, cuyos orígenes cabe vincular: políticamente, a la aparición de un nuevo régimen, el Principado, y judicialmente, a las peculiaridades del régimen procesal observado en las provincias. Detengámonos sobre ello.

A) La concentración de poderes en manos del Príncipe, comportará, en el aspecto procesal, dos principales consecuencias:

1.ª) Que pueda sancionar, jurídicamente, una serie de deberes —ahora obligaciones— que hasta entonces sólo tenían un contenido moral y cuyo cumplimiento se dejaba a la libre voluntad de las personas afectadas por ellos[2]. Estas reclamaciones, pasarán a ser

---

[1]　Es curioso, en apariencia, que este procedimiento lleve el nombre de «extraordinario» si pensamos que desde Constantino a Justiniano —*de iure*— es el único en uso. La razón, está en la propia historia, pues desde tiempos remotos, ha estado en vigor como procedimiento «excepcional», siendo su más antigua aplicación, resolver las diferencias surgidas entre los particulares y la comunidad organizada de ciudadanos —hoy, Estado— por contratos celebrados entre ambos, pues al no hacer el «Estado» —como hoy— dejación de su soberanía, los problemas que derivan de ellos quedaban fuera de las reglas «normales» de los procesos civiles.

[2]　Las obligaciones por incumplimiento de los fideicomisos —encargos de confianza hechos por el testador al heredero—; de prestación de alimentos entre parientes y

«conocidas» y «resueltas» en una sola etapa, por el propio Príncipe o un delegado suyo como Magistrado-Juez[3].

2.ª) Que al corresponder al Príncipe el cuidado de las leyes y costumbres —*cura legum et morum*— podrá, también, «conocer» y «resolver» de modo directo —primera instancia— o en apelación — segunda— litigios que, en principio, deberían tramitarse en el *agere per formulas*.

B) El régimen procesal en provincias exige precisar:

1.º) Que en las provincias imperiales —dependientes del emperador— no hay vestigios seguros de haberse usado el *agere per formulas* y si otro procedimiento sustanciado, todo él, ante el gobernador y similar al que, en Roma, utiliza el Príncipe y sus delegados[4].

2.º) Que en las provincias senatoriales —dependientes del Senado— aunque se aplicó el procedimiento formulario, irá degenerando, aproximándose al de las provincias imperiales. Prueba de ello es que el gobernador, nombrará como Juez —en vez de a un ciudadano— a uno de sus funcionarios, al que las partes no se atreverían a recusar.

De todo ello resulta que en Roma, en Italia y en las provincias se va configurando un nuevo procedimiento con cierto carácter de unidad y que, en origen, es «extraordinario», pero que terminará siendo, en época postclásica, «ordinario» al ser el único sistema procesal en uso[5]. Su implantación oficial, *de iure*, se produce al suprimirse el procedimiento formulario, en el año 342, por una constitución de Constancio y Constante —hijos de Constantino—.

---

    del impago de honorarios por servicios que no pudieran incluirse en un contrato de arrendamiento, son ejemplos de unas materias cuyo número irá en constante aumento.

[3]   Estos fueron los casos de los pretores encargados: de los fideicomisos —*praetor fideicommissarius*— de las tutelas —*praetor tutelaris*— y de las causas de libertad —*praetor de liberalibus causis*—.

[4]   En ellas, pues, no cabría hablar, propiamente, de *cognitio extra ordinem*, sino de cognición oficial.

[5]   Una rigurosa exposición del procedimiento extraordinario comportaría separar, de un lado la *cognitio extra ordinem* clásica y, de otro, la postclásica y justinianea. Razones didácticas, justifican no hacerlo y centrarnos en su última etapa, sin perjuicio que, a nivel de notas se matice, someramente, algunas de las principales diferencias.

III. Caracteres

Los principales caracteres de la *cognitio extra ordinem* son:

1.º) El Procedimiento, se sustancia en una sola fase. Cesa, pues, la tradicional bipartición —*in iure* y *apud iudicem*— y una misma persona —funcionario— instruye, conoce y resuelve el asunto. Al corresponderle las dos funciones *iurisdictio* —propia del magistrado— y *iudicatio* —propia del juez— le llamaremos uniendo los dos nombres: Magistrado-Juez.

2.º) La Administración de justicia viene a ser una función del emperador —hoy diríamos del Estado—. Es él, pues, quien otorga protección jurídica, a través de funcionarios que actúan como delegados suyos. Ello comporta: a) la existencia de una escala burocrática imperial; b) que la sentencia emitida se pueda recurrir ante otro funcionario de rango superior; c) el devengo de unos gastos procesales que deberán soportar las partes y d) el nacer, en suma, de la justicia retribuida.

3.º) El Magistrado-Juez tiene un gran poder discrecional, con el consiguiente cese del formalismo típico anterior y la flexible adaptación del proceso a las concretas exigencias del caso.

4.º) Las Partes tienen el carácter de súbditos y al estar sujetas al poder del Magistrado-Juez, resulta innecesario el sometimiento expreso a su decisión. Por ello, al ser éste el principal fin de la *litis contestatio*, aunque, en la forma, se mantiene, deja de ser el acto central del proceso y se diluye.

5.º) Los Trámites procesales, están dominados por la escritura. Se levantan actas de las sesiones; la demanda y su contestación se hacen por escrito y prevalece la prueba documental sobre la testifical.

6.º) La Acción y la Excepción pierden su «tipicidad» y resultan, respectivamente, simples formas de pedir protección jurídica o de defensa ante la pretensión del demandante[6].

---

6   Así: a) junto al clásico término de *actio*, aparecen los de *petitio* y *persecutio* y b) la palabra *exceptio*, en esta acepción amplia —alegaciones de defensa del demandado— tiende a ser sustituida por la de *praescriptio*, en un sentido distinto al estudiado en la fórmula.

2. TRAMITACIÓN: PRINCIPALES MOMENTOS PROCESALES

I. Citación del demandado

La citación del demandado deja de ser acto de carácter privado y combinarse la actuación del demandante y la intervención del Magistrado-Juez —hoy diríamos autoridad judicial—. A mitad del siglo V[7] se impone el procedimiento «por libelo» —que termina por dar nombre a todo el proceso—. En el centraremos nuestra atención, apreciando, en su inicio, tres momentos:

1.º) El Actor, por escrito, con las correspondientes copias, presenta el llamado libelo de emplazamiento, *libellus conventionis* —hoy sería el escrito de demanda—. En él, solicita protección jurídica y expone los hechos y los fundamentos de derecho en que basa su pretensión. A este escrito, acompaña una petición —*postulatio simplex*— para que se de curso al proceso; se traslade una copia del libelo al demandado y se le cite para comparecer ante el Magistrado-Juez, con la triple promesa: a) de llevar a cabo la *litis contestatio* en el plazo máximo de dos meses; b) seguir el proceso hasta su fin y c) abonar, si es vencido, los gastos procesales.

2.º) El Magistrado-Juez, a la vista del *libellus conventionis*, concederá o denegará la acción y si la concede —hoy hablaríamos de admitir la demanda— ordenará que se notifique —*conventio*— al demandado y se le cite ante el tribunal. El *executor* —auxiliar subalterno— ejecutará la orden.

3.º) El Demandado, entregará al *executor* —de no allanarse a la reclamación del actor— su libelo de contradicción, *libellus contradictionis* —contestación a la demanda en términos procesales modernos— en el que figurará: la fecha de la citación; su postura ante las alegaciones del demandante y su compromiso de comparecer ante el tribunal, que asegurará, mediante caución —*cautio iudicio sisti*—[8]. El *executor*, trasladará al actor copia del escrito.

---

7   El sistema más antiguo es el de la notificación del litigio —*litis denuntiatio*— que, con distintas modalidades, terminará siendo el depósito de la demanda del actor en el juzgado, para que su personal subalterno invite al demandado a comparecer en un cierto plazo.

8   El *executor*, en defecto de garantía, podrá reducir al demandado a prisión.

II. Comparecencia en juicio

Asumido, por las partes, el compromiso de comparecer ante el tribunal, pueden, no obstante, incumplirlo. Esto, en contra de lo que ocurría en el procedimiento formulario, no impedirá que pueda dictarse sentencia. Veamos los distintos supuestos.

A) Si el actor no comparece en el plazo en que se obligó a trabar la *litis contestatio* —dos meses— y 10 días: deberá abonar al demandado los gastos procesales producidos y éste podrá pedir se le releve de participar en el proceso o, si le interesa, exigir que se cite al actor por edictos[9]. Si pese a ello no comparece, trascurrido un año, podrá seguirse el proceso sin él y fallarse a tenor de las conclusiones del demandado.

B) Si no comparece el demandado —*lis deserta* o *eremodicium*—: el proceso continuará —procedimiento contumacial o en rebeldía—; la sentencia dictada, no podrá apelarse por el demandado y si se trata de acciones reales, podrá el Magistrado-Juez, ordenar que el *executor* se incaute de lo reclamado y lo entregue al actor —*traslatio possessionis*—.

C) Si las dos partes comparecen se inician los debates orales —*narratio* y *contradictio*— en que reproducen, por sus *advocati*, las alegaciones antes formuladas en sus respectivos *libelli*[10].

III. La *Litis contestatio*

Maticemos su nueva naturaleza y significado y sus efectos.

A) Su naturaleza y significado cambian. Deja de ser un convenio arbitral y se convierte en un simple momento del proceso, cuya fijación no es tan precisa como en los procedimientos del *ordo*[11]. Según las fuentes, se produce después del primer debate oral, es decir: tras

---

9   Tres consecutivos con intervalos de 30 días.

10 Conviene reiterar: que todo medio de defensa del demandado recibe el nombre de *exceptio*, que tiende a sustituirse por el de *praescriptio* y que la *plus petitio* ahora no implica pérdida del litigio, sino reducirlo a sus justos términos y sancionar al actor por incurrir en falta procesal.

11 Formalmente, no responde a ningún acto concreto como ocurría en las *legis actiones* con la invocación de los testigos o en el procedimiento formulario con la entrega de la fórmula.

oponerse el demandado —*contradictio*— a la pretensión del actor —*narratio*[12]—.

B) Sus tradicionales efectos se diluyen y se desparraman entre: la *conventio*[13]; el primer debate oral contradictorio y la propia sentencia[14]. Sus efectos, ahora, son: a) tomarse como punto de partida —*dies a quo*— para el cómputo de los tres años que se fija como duración máxima del proceso[15]; b) tomarse como referencia para determinar el ámbito y extensión de los derechos que se reconocerían al actor de lograr sentencia favorable[16] y c) producir el estado de *litis pendencia*.

IV. La Prueba de los hechos alegados

A) El régimen de la carga de la prueba —*onus probandi*— es el de siempre: incumbe probar a quien afirma —*ei incumbit probatio qui dicit*— no a quien niega —*non qui negat*— y, en la última época de la *cognitio extra ordinem*, los principios relativos a su propuesta y valoración son los opuestos a los del *agere per formulas*. Así: en su proposición, se pasa del principio dispositivo al inquisitivo[17] y en su valoración, del de libre apreciación judicial al de prueba reglada o tasada.

---

12   En una constitución del a.530, recogida en Código de Justiniano, se dice que la litis —*lis*— se entiende contestada —*contestata*— *post narrationem propositam et contradicitionem obiectam.*

13   Efectos de la *conventio* son, entre otros, respecto: a) a las partes, fijar el fuero del demandado y que el actor no resulte perjudicado por cualquier hecho posterior; b) a las acciones, la transformación, en su caso, de intransmisibles en transmisibles y de temporales en perpetuas; c) al tiempo, interrumpir la prescripción extintiva y ser *dies a quo* para contar el plazo de 2 meses en que el actor debe comparecer ante el magistrado-juez, para realizar la *litis contestatio* y d) a la posesión, ser considerado el demandado desde entonces poseedor de mala fe.

14   Así: su efecto excluyente —*res iudicata*— y consumtivo, en las acciones personales —*non bis in idem*— se traslada a la sentencia. Por ello, la excepción de la cosa deducida en juicio, *exceptio rei in iudicium deductae* se funde con la excepción de la cosa juzgada, *exceptio rei iudicatae*. También, el momento para precisar la existencia o inexistencia del derecho del actor pasa a ser el de la sentencia.

15   Trascurrido este plazo caduca el juicio y se tiene por nulo todo lo actuado.

16   Así, por ejemplo: la cuantía de los frutos; las posibles accesiones de la cosa; los eventuales intereses y, en su caso, el resarcimiento de daños.

17   Modificación lógica, derivada del predominio del poder del emperador que limita la intervención de las partes en el proceso y comporta una mayor sumisión a su delegado: magistrado-juez.

B) En cuanto a los medios de prueba más tradicionales precisaremos que:

1) la confesión de las partes sigue versando sobre hechos[18] y puede limitarse a alguno de los alegados por el actor o recaer sobre su totalidad —allanamiento a la demanda—; 2) el juramento de las partes podrá ser: a) decisorio, en el doble sentido de determinar el resultado de la sentencia —pero no sustituirla— y de asumirse por el solicitante como verdad absoluta o b) indecisorio, que implicará un mero medio de prueba a valorar, con los demás, por el Magistrado-Juez; 3) las *interrogationes in iure*, aunque menos difundidas, siguen usándose para asegurar la legitimación del demandado ante el Magistrado-juez y 4) la prueba testifical pierde importancia, se supedita a la documental[19] y existen múltiples disposiciones en las que se fija el valor que el Magistrado-Juez deberá otorgarla, según el número de testigos[20], su rango social[21] e incluso, su religión[22].

C) Particular interés revisten: las pruebas documentales, periciales y las presunciones.

1) La prueba documental adquiere importancia, no sólo por influjos orientales, sino por la creciente desconfianza ante los testigos. Entre los documentos, ya se puede diferenciar entre públicos y privados y, en aquellos, distinguir entre: a) los redactados por funcionarios y oficiales públicos, los que tienen la facultad de redactar actas —*ius actorum conficiendorum*[23]— y b) los confeccionados por quienes ejer-

---

[18] El derecho, al ser funcionario el magistrado-juez, se presume conocido por éste —*iura novit curia*—.

[19] En el Código de Justiniano se lee «contra testimonio escrito —*contra scriptum testimonium*— no se prefiera el no escrito —*non scriptum testimonium haud profertur*— ».

[20] Una célebre constitución de Constantino prohíbe al magistrado-juez seguir el testimonio de una sola persona. De ella se extrae la absurda máxima: *unus testis nullus testis.*

[21] Se ha de dar preferencia a los testigos «más honestos» —*honestiores*— y no admitirse el testimonio de los «más humildes» —*humiliores*—. Justiniano, en sus Novelas, llega a decir a los jueces: «ved a que clase social pertenece el testigo para juzgar su credibilidad»; «ved que oficio público desempeña» y —sin el menor atisbo de rubor, identificando honradez y riqueza— «ved si es una persona acaudalada».

[22] No se admite contra los cristianos el testimonio de herejes y judíos.

[23] Estos documentos «hacen prueba» («hacen fe») plena y perpetua —*publica fides*— de los hechos a que se refieren y de las declaraciones que en ellos se registran, aún cuando su contenido pueda ser impugnado por falsedad.

cen una tarea similar a la de los notarios de hoy —*tabelliones*—[24]. Los documentos privados se redactan por los propios particulares y si firman, al menos, tres testigos alcanzan un valor parecido al de los públicos confeccionados por los *tabelliones*[25].

2) La prueba pericial sigue utilizándose, por la necesidad de acudir al dictamen de técnicos y especialistas en campos concretos para determinar aspectos relevantes para el juicio, que la autoridad judicial deberá valorar[26].

3) Marcado interés revisten también las presunciones. Es obvio que, en el *agere per formulas*, el juez podía deducir de un primer hecho dado y probado el convencimiento de que existía, como muy probable, otro hecho que, en la mayoría de los casos, solía acompañar al primero. En este proceso lógico de razonar actuaba libremente. Ahora, en la *cognitio extra ordinem*, es la ley la que impone que de ciertos hechos derivan, necesariamente, otros. Hay pues unas presunciones legales —*praesumptiones iuris*— entre las que se suele distinguir —con terminología no romana—: las *iuris tantum*, que admiten prueba en contra[27] y las *iuris et de iure*, que no[28].

3. LA SENTENCIA

I. Caracteres generales

1) La sentencia, por ser funcionario quien la emite, deja de ser simple opinión de un particular y se convierte en lo que hoy llamaría-

---

[24]   Estos *instrumenta publica* «hacen fe» —son fehacientes—siempre que sean confirmados, bajo juramento, ante el tribunal —*apud acta*— por el propio *tabellio*.

[25]   En otro caso, su valor probatorio dependerá de distintas circunstancias. Por ejemplo: que provengan de la parte a la que perjudican o de un tercero; que su autenticidad se acredite por cotejo de escritura, hecho por expertos —peritos calígrafos—; que sean el resultado de una causa criminal...

[26]   Así, los de: peritos calígrafos, a efectos de cotejos de letras; agrimensores —*gromatici*— respecto a división y fijación de lindes de fincas y los de médicos y comadronas —*obstetrices*— para temas relacionados con la existencia o no, de embarazo.

[27]   Por ejemplo, si se prueba que el parto de la mujer casada se ha producido después de los seis meses —182 días— de celebrado el matrimonio y antes de los 10 meses —300 días—siguientes a su disolución, no hace falta probar que el marido es el padre del hijo: lo presume la ley.

[28]   Como la veracidad de la cosa juzgada: *res iudicata pro veritate habetur*.

mos un «acto estatal». No obstante, si el Magistrado-Juez no «ve clara la solución», a diferencia de lo que ocurre en nuestro derecho, podrá elevar todo lo actuado a otro funcionario de superior rango —incluso al emperador— lo que constituyó el llamado procedimiento de relación —*relatio*— o consultivo —*consultatio*—[29].

2) Son requisitos formales de la sentencia: ser escrita y leída. La no escrita no merece tal nombre y la lectura se produce en el local donde el Magistrado-Juez ejerce, normalmente, sus funciones y en presencia del personal adscrito al tribunal y de las partes, citadas al efecto, aunque la ausencia de éstos no afectará a la validez de aquella.

3) El contenido de la sentencia debe hacer expresa referencia a las costas procesales[30], que sufragará el Magistrado-Juez en caso de omisión[31]. Puede ser absolutoria o condenatoria y, en este caso, tener carácter total o parcial e, incluso, darse contra el propio actor.

4) La condena no es, como antes, necesariamente, pecuniaria, y se adaptará, en lo posible, a la pretensión del actor[32]. Así, podrá implicar: la entrega de la propiedad —*dare*— o de la posesión de una cosa —*tradere, restituere*— su exhibición —*exhibere*— o el exigir que se cumpla una determinada conducta o se cese en ella. Ante la imposibilidad de cumplir la condena, lo que podría ocurrir por perecimiento de la cosa o tratarse de una obligación de hacer o no hacer, se substituirá por la entrega de una suma de dinero, cuya cuantía fijará el Magistrado-Juez.

---

[29] Tal *consultatio ante sententiam*, comporta: 1.º) un escrito del juez (*relatio*) que comprenderá los hechos, resultado de las pruebas practicadas y sus propias observaciones; 2.º) su comunicación a las partes para que, en 10 días, hagan, en su caso, y también por escrito, las modificaciones, adiciones o refutaciones que estimen oportunas (*libelli refutatorii*); 3.º) traslado de la *relatio*, de los *libelli* y de las actas del proceso en un plazo de 20 días al emperador; 4.º) resolución de éste, por rescripto, según la documentación enviada, sin que medie intervención del juez o de las partes, ni quepa ulterior recurso.

[30] En principio, se atribuyeron al litigante temerario; después, a todo vencido en juicio, sin relación a su *temeritas*.

[31] Una constitución de Zenón las impone al *victus*.

[32] Según Justiniano, el juez debe procurar —*curare autem debet iudex*— en lo posible —*ut omnimodo quantum possibile ei sit*— que la sentencia contenga una determinada cantidad de dinero o de una cosa cierta —*certae pecuniae vel rei sententiam ferat*— aún cuando la acción hubiera tenido por objeto una cosa indeterminada o una cantidad incierta —*etiam si de incerta quantitate apud eum actum est*—.

5) Son efectos de la sentencia firme a) instar su ejecución —hoy diríamos ser: título ejecutivo—; b) generar, para lograrlo, la acción de lo juzgado, *actio iudicati* y c) convertir el asunto litigioso en cosa juzgada —*res iudicata*[33]—. Obviamente, sólo produce efectos entre las partes y no prejuzga la cuestión respecto a personas ajenas al proceso[34].

II. Apelación: fundamento y trámites

A) El fundamento, en general, de la apelación es, según Ulpiano: corregir la injusticia y la impericia de los jueces, aunque (advierte) a veces sirve para empeorar sentencias bien dadas —*licet nonunquam bene latas sententias in peius reformet*— ya que no siempre falla mejor —*neque enim utique melius pronuntiat*— el último que pronuncia la sentencia —*qui novissimus sententiam laturus est*—.

B) Los trámites de la apelación son los siguientes:

1.º) Se interpone ante el propio Magistrado-Juez que dictó la sentencia, bien de palabra, en el momento en que aquella se pronuncia, y el simple uso del vocablo *appello*, bien, por escrito, por un *libellus appellatorius*, en el plazo de dos —*biduum*— o tres días —*triduum*— que en las Novelas, se amplia a diez. Trascurridos los plazos la sentencia es firme y puede ejecutarse.

2.º) Ante la apelación, se suspende la ejecución de la sentencia y si se acepta —*appellationem recipere*—[35] el Magistrado-Juez, redactará una relación de lo actuado —*littera dimissoria*— que entregará a las partes para su ulterior traslado al funcionario inmediatamente[36] superior[37].

---

[33] Se impide, merced a la *exceptio rei iudicatae* que el adversario pueda volver a plantear la misma acción —efecto excluyente formal— y podrá hacer valer su contenido como verdad indiscutible —efecto material: santidad de la cosa juzgada—.

[34] Este principio de: *res inter alios acta iudicata aliis non praeiudicat* comporta algunas excepciones como son en materia de alimentos y *status* de las personas.

[35] Lo que no procederán en las sentencias dictadas en proceso de rebeldía o en aquellas que resuelven incidentes.

[36] Nunca debe quebrarse el riguroso orden burocrático de la administración imperial, lo que no implica pueda llegarse, en forma sucesiva, hasta el Emperador. Así, contra las sentencias de un magistrado municipal se apelará ante el Gobernador de la provincia; contra las de éste, ante el *Vicarius* de la diócesis o ante el *Prefectus praetorio* y contra las del *Vicarius*, ante el Emperador. Las sentencias del *Praefectus praetorio* —que actúa en nombre del Emperador, *vice sacra*— no admiten ulterior recurso,

3.º) Ante el funcionario superior, tiene lugar un nuevo proceso por lo que más que un auténtico recurso, en el que se dilucida si el derecho ha sido o no bien aplicado, es una segunda instancia —o repetición del juicio— en la que la nueva autoridad puede proceder al examen total de la causa y dictar sentencia en los más amplios términos y las partes, también, formular nuevas alegaciones y aportar otras pruebas.

4.º) Recurrida la sentencia, la apelación debe sustanciarse en un plazo, que osciló entre uno y dos años. La incomparecencia del apelante hará que decaiga en su derecho y la sentencia sea firme. La del apelado que se supla, de oficio, por el mismo funcionario.

5.º) Si la apelación prospera —es *iusta*— puede declarar la nulidad de la sentencia impugnada y dictar otra nueva o sólo lo primero, con lo que tendrá que iniciarse un nuevo proceso. Si no prospera —es *iniusta*— las sanciones que deberá sufrir el apelante son, en principio, muy rigurosas[38]. Con Justiniano, sólo se le condena a las costas procesales, quedando al arbitrio del tribunal fijar posibles sanciones pecuniarias, según casos y temeridad.

6.º) La segunda instancia podía ser, también, recurrida, pero, con Justiniano, la tercera deviene firme.

III. Ejecución

Ante la sentencia firme, el *condemnatus* deberá cumplirla, en el plazo legal —*tempus iudicati*— que fue el de 2 meses —ampliado a 4 por Justiniano—. De no hacerlo, la parte en cuyo favor se dicta puede pedir su ejecución a través de la *actio iudicati* que, ahora, al tener la

---

salvo la súplica —*suplicatio*— ante el propio Emperador. Si las partes someten su controversia al arbitrio del obispo —*episcopalis audientia*— facultad que data de Constantino, decisión, en principio, inapelable, según Justiniano podrá recurrirse en el plazo de 10 días ante el magistrado-juez que hubiera sido competente de no haber optado, las partes, por someterse a la jurisdicción eclesiástica. Si confirma la sentencia resultará firme, si no lo hace, podrá ser objeto de una segunda instancia.

[37]   El magistrado-juez debe admitir la apelación y, de no hacerlo, el apelante podrá dirigirse en queja al funcionario e superior inmediato, el cual podrá imponer una sanción pecuniaria al magistrado-juez o, en su caso, al apelante.

[38]   Así, sucesivamente, se le impuso el cuádruplo de las costas de esta segunda instancia; el destierro por dos años y la confiscación de la mitad de sus bienes y siendo pobre, trabajos forzados por igual período.

sentencia fuerza por sí, es la mera solicitud al Magistrado-Juez de que proceda a su ejecución.

La ejecución puede ser personal y patrimonial y ésta, a su vez, general —o concursal— y especial —o singular— según, recaiga, respectivamente, sobre todo el patrimonio del ejecutado o sobre bienes concretos de éste.

A) La ejecución personal es el último residuo de la primitiva *manus iniectio* —obviamente mucho más atenuada— y en, el fondo, resulta un medio coactivo para asegurar el pago de la condena patrimonial[39].

B) La ejecución general sólo procede si el vencido ha hecho cesión de sus bienes —*cessio bonorum*— o hay una pluralidad de acreedores[40].

C) La ejecución especial o singular puede recaer: a) sobre una cosa concreta y determinada —*certae res*— en cuyo caso se procede *manu militari* por medio de los *apparitores* —auxiliares judiciales encargados de la ejecución— a apoderarse de ella y entregarla al vencedor o b) sobre bienes suficientes para pagar la cantidad de dinero —*certa pecunia*— a la que el vencido ha sido condenado. En tal caso, se procede al embargo de bienes concretos del *iudicatus* en cuantía suficiente para garantizar su pago, con preferencia de los muebles sobre los inmuebles. Esto viene a ser una forma procesal de prenda —*pignus*— y constituye la llamada toma de prenda en virtud de sentencia —*pignus ex causa iudicati captum*—. Si el embargado, en los 2 meses siguientes, no efectúa el pago, los objetos embargados son vendidos, en pública subasta, por los *apparitores* y no existiendo comprador o no pagando el precio necesario, el acreedor podrá exigir que se le entregue su propiedad en pago de la cantidad debida —*impetratio dominii*—.

---

[39]   Maticemos que: siempre puede evitarse mediante una *cessio bonorum* y las prisiones privadas terminan por desaparecer y sólo subsisten las cárceles públicas donde puede ser encerrado el *iudicatus*, por los *apparitores*, por orden judicial, probablemente sólo en los casos de deudores fraudulentos y deudores del Fisco.

[40]   Su tramitación es similar a la que se da en época clásica, en el procedimiento formulario. Se inicia con la *missio in bona rei servandae causa* a la que sigue la *distractio bonorum* (y no la *bonorum venditio*, en lo que se diferencian).

III. PERSONA Y FAMILIA

Tema 12

El sujeto de derecho

Es sabido que, en general, los conceptos jurídicos modernos, sobre todo en el ámbito del derecho privado, tienen su raíz remota en el Derecho Romano. También, que el casuismo de este Derecho y la practicidad de sus juristas, volcados en solucionar el caso concreto y no en formular abstracciones y teorías, hace que, a veces, algunos de estos conceptos no coincidan, fielmente, con el pensamiento romano ni reflejen el paulatino proceso de su formación. Esto ocurre, en particular, con el concepto de sujeto de derecho, o, si se prefiere, con los de persona y capacidad, términos íntimamente ligados.

1. PERSONA

I. La palabra persona y sus acepciones

El término «persona», etimológicamente, viene de su homónimo latino *persona*, derivado del verbo *persono*, compuesto, a su vez, de *per* (a través de) y *sonare* (producir algún sonido).

En principio, significó «máscara», designando la careta usada por los actores, en escena, que les servía para caracterizarse y ahuecar su voz. Más tarde, se usó, también, para referirse al propio «actor»; después, para aludir al actor de la vida social: al «hombre» y por último, en el ámbito jurídico, para designar: al «sujeto de derecho».

La palabra Persona termina, pues, por presentar dos principales acepciones. Una vulgar = a «hombre» y otra jurídica = a «sujeto de derecho». Éstas, no siempre coinciden ya que: a) en Roma, no todo hombre —ser humano— es sujeto de derecho —el esclavo es lo primero y no lo segundo— y b) hoy, no todo sujeto de derecho es hombre —ser humano— ya que pueden tener tal carácter ciertas organizaciones, agrupaciones de hombres —corporaciones[1] o asocia-

---

[1] Hoy se suele considerar que las corporaciones vienen a ser personas jurídicas de derecho público y citar como ejemplos: el propio Estado, Comunidades Autónomas,

ciones[2]— y ciertas ordenaciones de bienes —fundaciones[3]—. A estos sujetos, por contraposición al hombre —persona física— se les suele llamar personas jurídicas[4].

En síntesis, ser hombre: en Roma, es condición necesaria, pero no suficiente, para ser sujeto de derecho y, hoy, al revés, es condición suficiente pero no necesaria[5].

II. Persona y sujeto de derecho en Roma

La doctrina del sujeto de derecho y el uso, a este respecto, del vocablo persona, en Derecho Romano, puede resumirse así:

1.°) El término *persona* coincide con nuestra acepción vulgar de hombre y sólo a él se aplica[6] sin referencia jurídica alguna. a) Son personas, por tanto: los libres —*liberi*— y esclavos —*servi*—; los ciudadanos romanos —*cives*—, latinos —*latini*— y los extranjeros —*peregrini*— y los que, en la familia, son independientes —*sui iuris*— o dependen

---

2   Municipios, Universidades, Colegios Profesionales, Federaciones Deportivas y otros entes vinculados a la Administración por razones de jerarquía o tutela. Hoy, se suele considerar que las asociaciones, si bien son de «interés público» —en el sentido de tener un fin «no económico» y si altruista— son personas jurídicas de derecho privado y jerárquicamente independientes de la Administración. Un Club Deportivo; un Orfeón o la Sociedad protectora de animales, pueden servir de ejemplos.

3   Las fundaciones se suelen definir como «personificación» de un patrimonio, establemente, adscrito a un fin de carácter general, que —sin pretender ser exhaustivos— puede ser benéfico, cultural, laboral o religioso. La mundialmente famosa, fundación Novel nos pueden servir de ejemplo.

4   La expresión «persona jurídica», como se ha puesto de relieve, puede dar lugar a equívocos pues, ante el Derecho, tanto es «jurídica» la persona del hombre como la del ente distinto a él. Los términos: ficticia, incorporal, moral, social, abstracta o colectiva, son, también, aptos para aludirlas y evitan el inconveniente.

5   El atribuir derechos y obligaciones a entes distintos del hombre, no corporales, se manifiesta, históricamente, en la esfera del derecho público. En una 1.ª fase, se «personifica» lo que hoy llamaríamos Estado y después, a imagen de éste, a las ciudades y municipios. En una 2.ª fase, pasa al derecho privado, siendo su primera manifestación las llamadas *universitas personarum*, asociaciones y por último, las llamadas *universitas rerum*, fundaciones.

6   El termino persona jurídica aparece en la Edad Media en el seno de la Teología y de la Escolástica. Antes, sólo en forma excepcional un no jurista como Frontino, en expresión cómoda y no técnica, habla de *persona coloniae* y algún jurista aislado, como Florentino, se limita a decir de la herencia aún no aceptada —yacente— que actúa como si fuera una persona —*personae vice fungitur*—.

de la potestad familiar de otro —*alieni iuris*—. b) Sin embargo, no son sujetos de derecho los esclavos y extranjeros y sólo lo son, en forma restrictiva, los latinos y los sujetos a potestad.

2.º) Falta un nombre técnico para designar al sujeto de derecho, aunque existe un titular de relaciones jurídicas, cuyo exponente es el jefe de familia —*paterfamilias*—.

2. CAPACIDAD

En una acepción vulgar y amplia, capacidad equivale a «aptitud». Si tal «aptitud» se toma con relación al Derecho, es lógico se hable de capacidad jurídica. Con ello, se alude a la aptitud para la tenencia o goce de derechos, con independencia de su efectivo ejercicio. Sin embargo, los derechos se tienen para ejercerse. Por ello, junto a la capacidad jurídica se habla de capacidad de obrar, que designa la aptitud para ejercerlos, pues, «obrar» es sinónimo de «ejercer» o «actuar».

Detengámonos en estos conceptos; significado actual, y hasta que punto Roma los conoció.

I. Capacidad jurídica

Hoy, capacidad jurídica es: la aptitud para ser titular de relaciones jurídicas. O sea, para ser sujeto de derechos y obligaciones. Requiere una conciencia potencial. Supone sólo una posición estática y presenta como caracteres: 1.º) respecto a los derechos, ser general y abstracta —pues contiene todos aquellos de los que el hombre puede ser titular—; 2.º) respecto a los sujetos, ser única e indivisible —pues es común a todos los hombres por el hecho de nacer— y 3.º) respecto al tiempo de duración, ser permanente, pues cesa sólo con la muerte[7].

---

[7]   Conviene precisar que si consideramos, en concreto, la capacidad jurídica —con respecto a determinados derechos— es susceptible de ciertas restricciones a título excepcional por expresa disposición de la ley y por ello, no todas las personas tienen siempre todos los derechos. Algunos, sólo se conceden a partir de cierta edad —como, el contraer matrimonio, adoptar u otorgar testamento— y otros, se prohíben a ciertos personas, bien por el vínculo existente entre ellas —como el matrimonio entre padre

La doctrina del Derecho Romano sobre la capacidad jurídica cabe resumirla así:

1.º) Falta un nombre técnico para designarla, ya que *capacitas*[8], *capax*[9] y *caput*[10] no son utilizados con este carácter genérico.

2.º) Existen ciertos términos con el valor de una capacidad jurídica específica y que designan la aptitud de alguien para poder ser titular de una determinada relación. Así, entre otros: *commercium* = aptitud para enajenar; *conubium* = aptitud para contraer matrimonio o *testamentifactio* = aptitud para intervenir, otorgar o recibir por testamento.

3.º) No es atributo de la naturaleza humana y por ende permanente, sino consecuencia de una triple situación —*status*— que puede alterarse. Por ello, para tener plena capacidad jurídica además de una serie de requisitos naturales relativos al nacimiento —único que preocupa al derecho actual— se exigen otros requisitos civiles. A saber: ser libre —*status libertatis*—, ciudadano romano —*status civitatis*— y una determinada situación familiar, ser *sui iuris* —*status familiae*[11]—. Esto nos obliga, tras estudiar el principio y fin de la persona física, a tratar de los tres *status* y de su posible alteración —*capitis deminutio*—.

---

8   e hija— o por vía de sanción —como la pérdida de la patria potestad o el derecho a heredar por causa de indignidad—.

8   *Capacitas* —además de su valor de «medida de líquidos»— sólo se usa respecto a la adquisición —*capio*— de herencias y legados e implica que alguien posee tal aptitud y no se le prohíbe por la legislación de Augusto.

9   *Capax* = capaz, apto, no tiene carácter general y abstracto, sino específico y concreto, designando la particular aptitud, física o moral, de una persona para intervenir en una determinada relación.

10   *Caput* = cabeza, individuo, se equipara a *persona* —hombre— sin connotación jurídica alguna. El hombre libre, según Servio —a quien cita Paulo, al definir la tutela— es *liberum caput* y el esclavo, según el propio Paulo, *servile caput* y no tiene derechos —*servile caput nullum ius habet*—. Sólo en un texto de Justiniano, relativo al esclavo manumitido, *caput* es = a capacidad jurídica: el esclavo no tiene capacidad, *servus... nullum caput habuit.*

11   Hoy: a) superada la esclavitud, la nacionalidad —*status civitatis*— tiene interés sólo en algunas zonas de derecho para determinar la legislación aplicable y por lo común, el extranjero posee la misma capacidad jurídica que el «ciudadano» (nacional) y b) el «menor» —*alieni iuris*— carente de capacidad de obrar —o al menos muy restringida—, queda sujeto a la patria potestad, tutela o curatela y su situación familiar —*status familiae*— en el ámbito patrimonial, está plenamente reconocida.

II. Capacidad de obrar

Hoy, capacidad de obrar es: la aptitud que tiene una persona para realizar, por sí, actos que produzcan efectos jurídicos. Requiere una conciencia actual —inteligencia y voluntad—. Supone una posición dinámica y presenta como característica: ser contingente y variable, al no existir en todos los hombres, ni darse en ellos en igual medida. Por ello, el Derecho a veces la niega y otras la restringe o condiciona.

En Derecho Romano se aprecia: que aunque falta un nombre técnico para designarla, sin embargo, su concepto no le es ajeno y sin usarlo, en el fondo, lo tiene presente y, con frecuencia, en cada acto jurídico, en concreto, precisa, por un lado, si un hombre tiene aptitud —o no— para intervenir en él —diríamos hoy capacidad negocial— y por otro, si se le pueden —o no— imputar las consecuencia del acto ilícito que realiza —hoy hablaríamos de capacidad delictual—.

III. Capacidad jurídica y capacidad de obrar

Tanto en Derecho Moderno como en Derecho Romano —con los matices terminológicos expuestos— capacidad jurídica y capacidad de obrar pueden coincidir en una misma persona —con más frecuencia en el primero que en el segundo—. Sin embargo, en uno y otro Derecho, no siempre ocurre esto. Y así, por ejemplo, un niño de corta edad o un loco hoy tienen, y pueden tener en Roma, capacidad jurídica pero, en Roma y hoy, carecen de capacidad de obrar y precisan ser asistidos por otra persona —tutor o curador— que supla su falta de juicio. Así, son incapaces, en Derecho Romano[12], por razón: de edad[13],

---

[12] De todos estos incapaces tratamos en Tema 16.

[13] La importancia de la edad —el tiempo de existencia de una persona desde su nacimiento— resulta evidente, ya que el desarrollo físico y mental del hombre, incide en el ámbito jurídico, y en concreto, en su capacidad. Por ello, se le prohíbe o condiciona la realización de ciertos actos en aquellas épocas en las que carece de las condiciones necesarias para efectuarlos en forma consciente y libre. El Derecho Moderno suele establecer un límite general de mayoría de edad que señala el tránsito de la incapacidad a la capacidad de obrar aunque, también, algunas edades especiales para ejercer ciertos derechos. En Roma, se da un marcado paralelismo entre el desarrollo mental y volitivo y el sexual. En síntesis: la persona apta —capaz— para procrear se considera, en general, apta —capaz— para intervenir en derecho y el paso de la inmadurez a la madurez sexual —pubertad— refleja haberse alcanzado el necesario grado de desarrollo para actuar —obrar— en la vida jurídica.

los impúberes —*qui generare non possunt*[14]—; de sexo, las mujeres[15]; de discernimiento, los enfermos mentales —*furiosi*[16]—; de su ánimo de dilapidar, los pródigos[17] y de su inexperiencia en los negocios, los menores de 25 años[18].

¿Es posible lo contrario? Esto es: que se tenga capacidad de obrar pero no capacidad jurídica.

Hoy, no es posible: 1.°) porqué por el simple hecho de nacer se es persona —sujeto de derecho— y se tiene —como atributo derivado de ella— capacidad jurídica —de ahí que también se la denomine: personalidad— y 2.°) porqué los efectos del acto jurídico recaen en la misma persona que lo hace, engarzándose, así, su capacidad de obrar con su capacidad jurídica.

En Roma es factible, no sólo porqué el nacer no otorga, sin más, el carácter de sujeto de derecho —la capacidad jurídica— sino, porqué la hoy llamada capacidad de obrar se entiende en sentido más amplio y los efectos del acto realizado, no han de recaer, forzosamente, en quien los ejecuta. Así, quienes dependen de la autoridad de alguien, como los hijos de familia —*filiifamilias*— y los esclavos —*servi*— pueden celebrar actos que produzcan efectos jurídicos, pero, éstos, por lo común, no recaen en su persona, sino, respectivamente, en las

---

[14]   La principal distinción, por razón de edad, en Roma, es la de *impubes* = impuber y *pubes* = puber. *Impubes* es, el que, aún, carece, de la capacidad —aptitud— fisiológica de procrear —*qui generare non potest*— que se estima adquiere a los 12 años la mujer y a los 14 el varón. Es *pubes* = puber —*qui generare potest*— el mayor de estas edades. Dentro de los *impuberes*, se distingue entre: el *infans* (menor de 7 años) y los *infantia maiores* (mayores de 7 años y menores de 12 ó 14 años). Ambos están sujetos a tutela.

[15]   Si, aún hoy en día, se habla de la equiparación de la mujer al hombre, no debe extrañar que la situación, de aquella, en Derecho Romano, sea de clara inferioridad respecto a la del varón. La mujer siempre está sujeta a una potestad familiar: la *patria potestas*, si es hija de familia, la *manus* si está casada y la *tutela* si es huérfana o viuda.

[16]   Gayo se muestra claro: el loco no puede realizar negocio alguno —*furiosus nullum negotium gerere potest*— porque no comprende lo que hace —*qui non intelligit, quid agat*—. Desde las XII Tablas están sujetos a curatela.

[17]   Privados de administrar sus bienes —*cui bonis interdictum est*— están sujetos, desde las XII Tablas, a curatela.

[18]   La *pubertas* —12/14 años— comporta la plena capacidad de obrar. Sin embargo, la complejidad del tráfico negocial y la inexperiencia de los mayores de 14 años provocó una serie de consecuencias perjudiciales para éstos y por ello, desde el s. III, se establece un nuevo límite de edad, el de 25 años —*minores XXV annnis*— quedando estos *minores* —mayores de 12/14 años y menores de 25— sujetos a curatela.

de su *paterfamilias* o dueño. En resumen: la infamia[19] y *turpitudo*[20]; la religión[21]; la condición social[22]; el ejercer algunas profesiones[23],

---

[19] El honor es, no sólo la consideración de una persona ante la sociedad, igual a fama (*fama*), estima (*existimatio*) o prestigio (*dignitas*) sino, también, ante el Derecho y puede alterarse la capacidad jurídica si no existe —según Calistrato (s. III)— un estado de dignidad intachable —*dignitatis illaesae status*— comprobado por leyes y costumbres —*legibus ac moribus comprobatus*—. Su degradación —*minuitur*—se produce por infamia —mala fama o reputación deshonrosa—. En síntesis, baste constatar, en general, que las conductas que dieron lugar a ella, y sus efectos, varían en el curso histórico del Derecho Romano. En particular, con Justiniano, los efectos que produce la infamia son la prohibición de ejercer: cargo público, acciones populares y testificar —cesando la prohibición pretoria de nombrar o ser nombrado *procurator*— y son infames: a) los que ejercen ciertas actividades (como la: escena, gladiadores, prostitución o lenocinio); b) los que realizan algunos actos inmorales —como la bigamia, no cumplir la viuda antes de casarse el año de luto o contraerse dobles esponsales— y c) los condenados en algunos juicios públicos —prevaricación y calumnia— por ciertos delitos privados —hurto, robo, injuria o dolo— o por violar relaciones de confianza —así, en la tutela, depósito, sociedad o mandato—.

[20] Es la conducta que sin ser causa de infamia es incompatible con las ideas de moralidad y decencia ciudadanas, según el criterio discrecional del poder público. Según intérpretes es como una *infamia facti* y con efectos parejos.

[21] En la Roma pagana —politeísta— la religión no influye en la capacidad y las aparentes manifestaciones en contra de lo expuesto, obedecen, más a la protección del orden público y de las buenas costumbres que a motivos religiosos. En concreto, las persecuciones de los cristianos, responden a lo incompatible de las enseñanzas de Cristo con la concepción romana del Imperio; a su negativa a prestar sacrificio a los dioses y al emperador y al tenerse esto como un *crimen maiestatis* —lesa majestad—. En la Roma cristiana —desde Constantino— muda la situación y en derecho justinianeo —que cierra la evolución de la normativa imperial de los siglos anteriores—se puede, en general, afirmar que no se tiene la plena capacidad jurídica sin ser cristiano.

[22] Recordemos que: a) la contraposición patricio-plebeya, impidió a la plebe, en general, el acceso a magistraturas y al senado —*ius honorum*— y en particular, el desempeño del sacerdocio y el contraer matrimonio con patricios —*ius conubi*—; b) que a los senadores —desde una *lex Clodia*, 218 AC— se les prohíbe poseer naves y en general ejercer el comercio, lo que asume Augusto, que además, les obliga a invertir, al menos 1/4 de su patrimonio, en fundos itálicos y les priva, a ellos y sus descendientes, del derecho a contraer matrimonio con libertas, artistas e hijas de artista y c) que, en el Imperio, la distinción social entre *honestiores* —clase social elevada, compuesta por familias, cuyos miembros han desempeñado cargos públicos— y *humiliores* —clase social inferior, integrada por familias de extracción humilde— comporta un distinto trato penal.

[23] Sirva de ejemplo el soldado —*miles*—al que: a) por un lado, se le conceden privilegios en la esfera testamentaria —en la practica, se deroga el régimen normal en cuanto a requisitos de forma y fondo en el *testamentum militis*— y en la esfera patrimonial —se reconoce la capacidad del soldado hijo de familia respecto al *peculium castren-*

cargos públicos[24] o religiosos[25] y ciertas situaciones afines a la esclavitud[26] pueden considerar circunstancias que, en Roma, modifican la capacidad jurídica.

3. PRINCIPIO Y FIN DE LA PERSONA FÍSICA

Nacimiento y muerte son principio y fin de la persona física.

I. El nacimiento

El nacimiento señala el comienzo de la persona física y produce efectos jurídicos especiales en ciertos supuestos, sobre todo en la esfera sucesoria[27]. Por ello, se terminan por precisar sus requisitos[28].

---

[24] *se*— y b) por otro lado, se les prohíbe, en época clásica, hasta Septimio Severo, contraer matrimonio —las *focariae* (de *focus*, hogar) u *hospitae*, harán las veces de esposa— y el manumitir esclavos.

Así: magistrados y gobernadores provinciales: no podrán, en su provincia, adquirir inmuebles; recibir donaciones; ejercer comercio; manumitir esclavos ni contraer matrimonio con mujer provincial hasta cesar en el cargo.

[25] Desde Constantino, los sacerdotes del culto cristiano, clérigos —*clerici*— empiezan a gozar de un auténtico *status* que acabará siendo de privilegio y se refleja: en el orden fiscal y sucesorio —con un claro trato de favor—, tutela —exención de su ejercicio—, procesal —sujeción a la jurisdicción del Obispo (*episcopalis audientia*)— y patrimonial —los *clerici* hijos de familia, podrán disponer, libremente, de sus bienes por constitución de León y Artenio (472)—. No poder ejercer el comercio es una excepción a la favorable situación general de que gozan.

[26] Entre ellas, cabe citar: a) las personas *in mancipio*, esto es, los hijos de familia, *filii familias*, vendidos, en Roma, por su *pater familias* a otro, o entregados para reparar un delito que cometieron —*noxae deditio*—; b) los que alquilan sus servicios como gladiadores —*auctorati*— a un empresario —*lanista*— y asumen, bajo juramento, que éste pueda disponer, libremente, de su cuerpo; c) el rescatado de los enemigos —*redemptus ab hostibus*— mediante precio, por un tercero, que queda en poder de quien lo libera —*redemptor*— hasta restituir el rescate y d) los colonos —*coloni*— siervos de la gleba, en terminología de los Padres de la Iglesia, que en el Bajo Imperio, resultan adscritos —con sus familias— y con carácter permanente, a la tierra que trabajan.

[27] Por caso: a) la adquisición automática de derechos sucesorios por el nacido; b) la correlativa pérdida de ellos por otras personas; c) la ineficacia del testamento, en que no se hubiera contemplado —preterido—al que ahora nace y d) la capacidad de suceder de ciertas personas, condicionada, por Augusto, al número de hijos —*capacitas*—.

[28] Hay que advertir que, en puridad, en Derecho Romano: a) falta una teoría general sobre estos requisitos; b) que sólo con Justiniano se llegaría a tal formulación, con

Detengámonos sobre éstos y algunos problemas relacionados con ellos.

A) *Nacimiento efectivo*

El nacimiento es efectivo si hay un total desprendimiento del claustro materno. Papiniano recuerda: que el hijo aún no nacido —*partus nondum editus*— se dice con razón, no es un hombre —*homo non recte fuisse dicitur*— y Ulpiano: que el hijo antes del parto —*partus enim antequam edatur*— es una porción de la mujer o de sus entrañas —*mulieris portio est vel viscerum*—.

Ello plantea el problema del concebido no nacido, *nasciturus* = el que ha de nacer[29]. Al no tener vida extra uterina, dice Gayo que: no está en la naturaleza de las cosas —*in rerum natura*— y Ulpiano: que no puede contarse entre los humanos —*in rebus humanis*—. En síntesis, ni en Roma es hombre, ni hoy sujeto de derecho, sin embargo, en Roma y hoy, se tiene en cuenta su futura-próxima existencia y a ella se anudan algunos efectos de carácter personal y sucesorio. Así, en Derecho Romano, entre otros, en la primera esfera: se suspende la pena de muerte —*poena capitis*— de la embarazada; se sanciona el aborto provocado —*aborsus*[30]— y se determina su situación como hombre —*status personarum*[31]—. En la segunda: puede ser instituido

---

discrepancias en algunos puntos, como la madurez del parto y la forma humana y c) que, en época clásica, la jurisprudencia se limita a determinar el papel que puede jugar el nacimiento respecto al fin perseguido por una determinada ley o senadoconsulto. Por ejemplo, la *lex Iulia et Papia Poppaea*, respecto a la capacidad para suceder, en la que tomaba como base lo prolífico del matrimonio y el *sc.Tertullianum*, que confería la herencia del hijo a la madre que hubiera tenido 3 o 4 hijos (*ius liberorum*).

[29]   El utilizar este término se debe a la difusión que ha alcanzada en derecho actual, pues no aparece en las fuentes romanas en donde se acude a los: de concebido — *conceptus*— el que está en el útero —*qui in utero est*— el que se espera que nazca — *qui nasci speratur*— e incluso, *postumus*.

[30]   En el *aborsus* —aborto—, como se ha destacado, más que una tutela al propio concebido, se trata de proteger a la madre de las posibles lesiones que pueda sufrir y al marido al privársele de su esperanza de descendencia.

[31]   En cuanto a la determinación del *status personarum* —u *hominum*— siendo hijos legítimos, se le otorgará la condición del padre en el momento de la concepción.

[32]   El pretor puede conceder a la madre la posesión de los bienes —*missio in possessionem*— en nombre del vientre —*ventris nomine*— y, en su caso, nombrar un administrador de los mismos —*curator ventris*—.

heredero; heredar a falta de testamento —*ab intestato*—; invalidar el *testamentum* que no lo contemple —*ruptum*— y adoptarse, en general, medidas que protejan sus expectativas hereditarias[32].

De este conjunto de medidas concretas, se fue formando la idea de que al concebido —*conceptus*— se le tiene por nacido —*pro iam nato habetur*— para todos los efectos que le sean favorables —*quotiens de commodis ipsius partus quaeritur*[33]—. Esto no debe sorprender, ya que si el feto intrauterino es una esperanza de hombre, el Derecho no puede ser indiferente a ello.

B) *Nacimiento con vida*

Paulo dice que: los que nacen muertos —*qui mortui nascuntur*— no se consideran nacidos ni procreados —*neque nati, neque procreati videntur*—. Debe acreditarse, pues, la vida. Esta prueba resultó objeto de controversia. Para los proculeyanos, era imprescindible el emitir algún grito —*emittere vocem*—; para los sabinianos, bastaba cualquier manifestación de vida —movimiento del cuerpo, respiración...— aun sin emitir gritos —*etsi vocem non emisit*—. Justiniano, lógicamente, acoge este último criterio[34].

Relacionado con la vida del nacido está el problema de la Viabilidad. Literalmente, viable —de *vitae habilis*— significa capaz de vivir. Así pues, en una acepción amplia, viabilidad es la aptitud para seguir viviendo fuera del claustro materno —y vendría a implicar la capacidad orgánica suficiente para ello[35]—. En una acepción estricta, se identifica con madurez del parto —*partus perfectus*— y en tal sentido, Paulo, invocando la autoridad de Hipócrates, nos dice que al nacer en el séptimo mes el parto es perfecto —*septimo mense nasci perfectum partum*—. Por ello, para los romanos: viable es el «parto maduro», aunque un defecto orgánico impida al recién nacido seguir viviendo; y no viable es el parto «prematuro» —antes del séptimo mes de

---

[33]   La regla *conceptus pro iam nato habetur*, no encuentra expresa formulación en las fuentes romanas. La idea que encierra, sin embargo, se desprende de algunos textos y ha pasado a las modernas legislaciones inspiradas en el Derecho Romano. Su origen es debatido en doctrina.

[34]   Es obvio que el nacido mudo no puede emitir sonidos y pese a ello es un ser vivo.

[35]   *Sensu contrario*, sería: ausencia de tara física que impida al nacido seguir viviendo o condenara a morir en breve.

embarazo— y aunque el feto nazca vivo tendrá, en principio, el carácter de aborto —*aborsus*—[36].

C) Forma humana del nacido[37]

Paulo nos dice que no son hijos —*non sunt liberi*— quienes fuera de lo acostumbrado —*converso more*— son procreados con forma contraria a la del género humano —*qui contra formam humani generis... procreantur*— como si una mujer pariese —*veluti si mulier*— algo monstruoso o prodigioso —*monstruosum aliquid aut prodigiosum enixa sit*—.

La duplicidad de miembros, recuerda Paulo, no impide considerar al nacido como ser humano, y la ausencia de textos que contemplen la falta de algún órgano o miembro no vital y la casi nula practicidad del requisito, máxime si tenemos en cuenta los anteriores, nos evita más comentarios.

D) La prueba del nacimiento

En Derecho moderno, el modo normal de acreditar el nacimiento es la «partida de nacimiento», pues su inscripción en una oficina pública —Registro Civil— es título legitimador de este hecho. En Roma, Augusto crea un Registro de nacimientos[38]. Su fundamento es facilitar el cumplimiento de algunas de sus leyes en las que las edades y el número de hijos tenían especial relieve[39] y se convierte también, con el tiempo, en medio de prueba de la condición de ciudadano

---

[36] En la romanística sólo se discute si se tuvo en cuenta esta viabilidad «restringida», o sea, la aptitud de vida, en abstracto, coincidente con el *partus perfectus* y no la aptitud de supervivencia, en concreto, tras el nacimiento de un parto maduro. Es difícil profundizar más, pues los textos no tratan, directamente, el tema de la viabilidad y, a veces, consideran apto para producir algún efecto al cuerpo que nació vivo —*cum spiritu*— aunque *non integrum*.

[37] Requisito ligado a la creencia de que la mujer podía engendrar seres no humanos, como refleja, por caso, Plinio en su Historia Natural, acogiendo relatos fabulosos de hipocentauros y de una esclava que dio a luz una serpiente.

[38] Sólo para hijos legítimos. Marco Aurelio lo extenderá a los ilegítimos.

[39] La *lex Aelia Sentia* exige, para conceder la libertad a un esclavo, ciertas edades en éste y en su dueño y la *lex Pappia Poppaea* para cesar la tutela legítima, la mujer tenga 3 o 4 hijos —*ius liberorum* = derecho de los hijos—.

romano —*civis*—. El plazo de inscripción se fija en 30 días a partir de la fecha de nacimiento y pueden obtenerse copias —*testationes*— en las que se acredita: los nombres del hijo y de sus padres, la fecha de nacimiento y la ciudadanía de aquél.

II. La muerte

La persona física se extingue con la muerte. Esta —igual que el nacimiento y el matrimonio— es un simple hecho y, como tal, debe probarse. La carga de su prueba —*onus probandi*— competerá a quien alegue la muerte de alguien como fundamento de un derecho, que, por lo común, será de carácter sucesorio. Esta prueba, no siempre es fácil, sobre todo en Roma, en donde no hay un Registro de defunciones y se desconoce la figura de la ausencia —presumir la muerte de una persona, por transcurso de ciertos plazos sin noticias de ella[40]—. Lo difícil, a veces, deviene imposible, cuando varias personas, llamadas, recíprocamente, a sucederse —padre e hijo, por caso— fallecen en un mismo accidente —incendio, ruina, naufragio, guerra...— y es necesario precisar el momento en que cada uno falleció, pues el orden de los fallecimientos puede modificar los derechos sucesorios de los vivos.

Hoy, se opta por una de las dos posibles soluciones: la de la muerte simultánea —presunción de commoriencia— o la de la premoriencia.

La doctrina del Derecho Romano, se suele resumir así: a) en época clásica, se consideran fallecidos a la vez[41] —lo que no va más allá de reconocer que es imposible precisar quien murió primero— y b) en época justinianea, ante la imposibilidad de prueba, se generaliza presumir la premoriencia, en razón de la resistencia física. Por ello,

---

[40] La Ausencia es institución extraña al Derecho Romano y sus primeras bases se asientan en la práctica medieval, en donde se estimó el término ordinario de la vida de una persona en 70 años —como refiere el versículo 10 del salmo 89—. Por ello, se presume muerto el ausente si, de vivir, hubiera llegado a los 70 años y si al desaparecer los tenía, transcurridos 5 años.

[41] Se suele invocar para ello un texto de Marciano en el que se contempla la muerte de dos hermanos. Según el cual, si hubieren fallecido a un mismo tiempo —*si pariter deccesserint*— y no apareciera —*nec appareat*— quien murió primero —*quis ante spiritum emmisit*— no se considerará que uno sobrevivió a otro —*non videtur alter alteri supervixisse*—.

si padre e hijo mueren en un mismo accidente se presume[42] que si el hijo es impuber premuere al padre y si es puber le sobrevive[43].

4. CAPACIDAD JURÍDICA DE LA PERSONA FÍSICA

I. El triple *status*

El Derecho Romano, aún en su fase más evolucionada, no proclama —aunque tienda a ello— la igualdad jurídica de todos los hombres. Tres razones se oponen a ello: 1.ª) que Roma admite la esclavitud y los esclavos, aún hombres, no tienen tal capacidad; 2.ª) que concibe su derecho —*ius civile*— como algo propio y exclusivo de sus ciudadanos —*cives*— por lo que no contempla a quienes no lo son[44] y 3.ª) que su sociedad primitiva se basa en el carácter patriarcal de la familia, por lo que sólo su jefe —*pater familias*— tendrá plena aptitud —capacidad— ante el Derecho[45].

En suma, en Derecho Romano, para tener plena capacidad jurídica, además de nacer se exige, ostentar una triple situación —*status*— de privilegio: respecto a la libertad —*libertatis*—, ciudadanía —*civitatis*— y familia —*familiae*— situación que, además, puede cambiar —*capitis deminutio*—.

II. La *capitis deminutio*

Según Gayo la *capitis deminutio* es: el cambio de una situación (*status*) anterior —*prioris status permutatio*— y puede ocurrir de tres

---

[42]   Presunción *iuris tantum*, admite, pues, prueba en contra.

[43]   Así se desprende de Gayo y Javoleno, al contemplar el caso del perecimiento por naufragio de una madre y su hijo impuber y de Trifonino en caso de muerte, en guerra, de padre e hijo y su matización sobre si este es puber o impuber. Este criterio se quiebra si el padre fuera liberto, en cuyo caso, y no teniendo más hijos, se entiende, sin importar la edad del hijo fallecido, que premurió al padre en interés del patrono.

[44]   Este requisito, con el tiempo se diluirá: 1.º) al empezarse a reconocer cierta capacidad limitada al no ciudadano —aunque con referencia a su propio derecho y al de gentes— y 2.º) con la *constitutio Antoniniana* (212) al extender a todo habitante del Imperio la ciudadanía romana, proclamando, la igualdad jurídica de todos los hombres libres.

[45]   Con el tiempo, el gran número de excepciones a la incapacidad patrimonial de los *alieni iuris*, terminará por consagrar lo contrario, jugando un papel decisivo el llamado régimen de los peculios, Tema 15.4.

modos —*eaque tribus modis accidit*—. Paulo precisa que hay tres clases de *capitis deminutio* —*tria genera sunt*— *maxima, media* y *minima* y explica la razón: porque son tres, precisamente, los *status* que tenemos: libertad, ciudadanía y familia —*tria enim sunt, quae habemus libertatem, civitatem familiam*—[46].

La *capitis deminutio* es *maxima* cuando alguien pierde, a la vez, la libertad y ciudadanía —*maxima est capitis deminutio cum aliquis et civitatem et libertatem ammittit*—; *media* cuando se pierde la ciudadanía —*cum civitas amittitur*— pero se conserva la libertad —*libertas retinetur*— y *minima* cuando se conserva libertad y ciudadanía —*cum et civitas et libertas retinetur*— pero se cambia la situación del hombre —*sed status hominis comutatur*— es decir, se muda la situación familiar anterior, lo que ocurre cuando los que fueron *sui iuris* —*qui sui iuris fuerunt*— empiezan a estar sujetos a la potestad de otro —*coeperunt alieno iuri subiecti esse*— o a la inversa —*vel contra*—.

La *capitis deminutio*, no debe identificarse, necesariamente, con pérdida o disminución de la capacidad jurídica. Lo relevante es el cambio de una situación precedente, con independencia de las consecuencias jurídicas que comporte[47].

Salvo en el caso del *alieni iuris* que pasa a otra potestad familiar, en la *capitis deminutio*, hay un patrimonio —activo y pasivo— que se verá afectado y cuyo destino, será distinto según sus diferentes clases —y aún casos—. En general, lo trataremos de resumir, así.

A) Respecto al activo —derechos— del *capite deminutus*, pasará, en: a) la *maxima* a la comunidad organizada de ciudadanos (Estado) si se ha producido a título de pena o a un particular, en los demás casos; b) en la *media*, dejará de estar regulado por el Derecho Romano, pasando a estarlo por un nuevo derecho o por el *ius gentium* —si no adquiere otra ciudadanía— y c) en la *minima*, a quien quede sujeto el nuevo *alieni iuris*.

B) En cuanto al pasivo —deudas— en principio, no existe traspaso alguno, por lo que, quien se beneficia del activo del *capite deminutus*

---

[46] Cierto sector de la romanística, sostiene que libertad y ciudadanía forman unidad y no cabe escindirla en dos.

[47] En la *capitis deminutio minima*, pueden ser indiferentes —simple cambio en la sujeción familiar— perjudiciales —cuando no estando sujeto a una autoridad familiar se pasa a estarlo— o beneficiosas —en el caso contrario—.

no se hace cargo de sus obligaciones, ni tampoco a éste se le pueden exigir por carecer, ahora, de capacidad procesal. En suma se defrauda a sus acreedores. El Pretor termina evitando tal injusticia con distintos medios procesales, así: decretando en su favor la *in integrum restitutio*; la *missio in bona* o concediendo acción contra el *capitis deminutus* como si el hecho no se hubiera producido —*perinde quasi id factum non sit*—.

5. LA PERSONA JURÍDICA EN DERECHO ROMANO

I. Ideas generales

A) En Derecho Moderno —decíamos— que persona equivale a sujeto de derecho y que sujeto de derecho no es sólo el hombre —persona física, natural, tangible, corporal o individual— sino, también, otros entes —organizaciones— distintos del hombre, a los que el ordenamiento jurídico —y no la naturaleza— otorga este carácter.

A estos entes, se les llama personas jurídicas o —por oposición a los anteriores nombres aplicables a las físicas— personas: abstractas, incorporales, colectivas, ficticias o sociales.

Su fundamento obedece a que existen fines supraindividuales. Está claro que: hay fines que interesan, no sólo a un hombre, sino a una pluralidad de ellos; que, hay otros, que para conseguirse se exige una actividad que, en el tiempo, excedería de la vida normal del hombre y que no faltan los que, por su complejidad, sólo pueden lograrse —o es más fácil— mediante la colaboración de grupos más o menos amplios de individuos, lo que, a su vez, exige una cierta organización. En definitiva, razones de oportunidad y conveniencia práctica aconsejan que se de a tales organizaciones el carácter de sujetos de derecho.

Dos son los caracteres de las personas jurídicas: a) constituir una unidad orgánica y b) ser sujeto de derecho. El primero, precisa que se trata de un ente distinto de los seres físicos que la componen y el segundo, que tenga capacidad jurídica propia, independiente de éstos[48].

---

48   En tal sentido: poseen su patrimonio —distinto del de sus miembros— sus derechos de crédito —son independientes de los de éstos— asumen sus propias obligaciones

Dentro de estas personas jurídicas, se distingue entre las que su elemento fundamental es la colectividad de individuos —*universitas personarum*, en términos romanistas, que no romanos— asociaciones y corporaciones y aquellas otras cuyo elemento básico es un conjunto de bienes —*universitas rerum*— fundaciones[49].

Su naturaleza jurídica, es y ha sido muy debatida y su discusión, ajena al Derecho Romano, tan encarnizada como bizantina[50].

B) En Derecho Romano: 1.º) resulta difícil concebir que una «suma» de hombres o de bienes constituya «unidad»; 2.º) más aún, asumir que tal unidad, absorba las individualidades que la forman y 3.º) es inimaginable —de admitir lo anterior— que ello, comporte un nuevo ente con vida propia. En síntesis: si los juristas romanos, no se plantean, el concepto de sujeto de derecho, en abstracto, menos aún, lo hacen respecto a si ciertas organizaciones pueden tener este carácter. Así, la practicidad de sus juristas y el casuismo de su derecho, hará, que aquellos y éste, se limiten a analizar, en concreto, si ciertas organizaciones —el Pueblo de Roma, *Populus Romanus*[51],

---

49 y responsabilidades e incluso se considera que, este ente, puede generar una voluntad colectiva distinta de las individuales de sus componentes.

En nuestro Derecho —además de lo indicado en notas 1, 2 y 3— cabe constatar que la capacidad: a) de las corporaciones se rige por la ley especial que las crea o reconoce; b) la de las asociaciones por las voluntades individuales coincidentes, reflejadas en sus estatutos y c) la de las fundaciones, al presuponer un fin altruista y unos medios para alcanzarlo, por las reglas de su institución.

50 Primera, en el tiempo, es, la después, llamada teoría de la «ficción». Se vincula a la persona de Synibaldus Fieschus, conde de Lavagna, profesor de derecho en Bolonia y Papa —desde 1243— con el nombre de Inocencio IV; al Concilio de Lyon (1245) en donde se prohibió el entredicho y excomunión de las ciudades y a las luchas entre el Pontificado y el Imperio. El motivo en concreto, fue, frente a quienes mantenían que la ciudad podía ser objeto de aquellas penas, oponer que carecían de alma para pecar y la sanción, injustamente, pesaría sobre los inocentes: Si aún sin conciencia y sin alma —se matiza— las ciudades tienen derechos y ejercen acciones ocurre porque «se finge» que son personas (*collegium in causa universitatis fingatur una persona*) pero la excomunión exige una persona real y no «ficticia».

51 Respecto al *Populus Romanus* (hoy diríamos Estado) debemos hacer ciertas consideraciones a favor y en contra de su carácter de persona jurídica. A) A favor, que: 1) refleja la idea de unidad orgánica, pues es una comunidad organizada de *cives* y sobrevive a las personas que lo integran en un cierto momento; 2) tiene un patrimonio propio —*Aerarium Saturni*— las cosas públicas del pueblo romano —*res publica populi Romani*—; 3) tiene una voluntad propia que expresan sus magistrados actuando igual que los actuales órganos de una persona jurídica, y 4) puede ser propietario, comprador, vendedor, arrendador, heredero, tutor, demandar y ser demandado. B) En contra de su carácter de persona jurídica se advierte que: a) le

las ciudades, *civitates*[52] y, sobre todo, los *municipia*— o determinadas concentraciones de bienes —como el Erario, *Aerarium* o el Fisco, *Fiscus*[53]— podían, o no: adquirir, enajenar, heredar, ser demandadas o demandar.

Particular interés revisten los *municipia*. Recordemos que al convertirse algunas ciudades en *municipia* y perder su soberanía, si bien su organización interna seguía siendo propia del *ius publicum*, sin embargo, a efectos patrimoniales, sus relaciones externas —por su falta de soberanía— se empiezan a regir por el derecho privado y por tanto, en régimen de igualdad con la otra parte. Así pues, a tenor de este derecho privado, podrán contratar, ser acreedores o deudores y demandar o ser demandados. Surge, pues, el germen de nuestras personas jurídicas y empieza a aparecer nítida la separación entre las relaciones del conjunto —*municipia*— y las de los miembros que lo componen —*municipes*— aunque ello no autorizaría a la radical afirmación de que los *municipia*, tuvieran, para los romanos, en el ámbito del derecho privado, el mismo carácter que las personas jurídicas de hoy[54].

---

están vedados los actos propios del *ius civile*, siendo este el derecho de los *patres familias* —sujetos de derecho en términos de hoy—; b) los litigios en que se ve implicado no se sustancian ante el pretor —hoy diríamos la vía ordinaria— actuando, en cierto modo, como juez y parte y c) jamás se sitúa en plano de igualdad con la otra parte haciendo dejación de su soberanía. En suma, no es persona jurídica —sujeto de derecho privado— y sí sujeto de derechos patrimoniales de carácter público.

[52] Las ciudades —*civitates*— presentan una organización similar a la del *Populus Romanus* por lo que no debe extrañar que los juristas proyecten la «personificación» de aquél a éstas. Sin embargo, Gayo, nos dice que la designación de pública —*nam publica appellatio*— en buen número de casos —*in compluribus causis*— se refiere al pueblo romano —*ad populum Romanum respicit*— pues las ciudades se consideran en el lugar de los particulares —*civitates enim privatorum loco habentur*— y Ulpiano advierte: que los bienes de la ciudad —*bona civitatis*— se llaman, abusivamente, públicos —*abusive publica dicta sunt*— pues sólo son públicos los del pueblo Romano —*sola enim ea publica sunt, qui populi Romani sunt*—.

[53] Como se ha destacado, viene a ser la personificación económica del *Populus* y a sustituir al *Aerarium* republicano. Algunos textos lo consideran como conjunto de bienes que, en cierto modo, se asemejaría a las fundaciones, sin embargo, no es constante su sumisión a la esfera del derecho privado y si numerosos los privilegios que se le otorgan, por lo que resulta aventurado su asimilación.

[54] A) En general, del examen de las fuentes se desprende, que: a) el *municipium* es el titular de derechos y obligaciones y b) los *municipes* sólo alcanzan sustantividad propia en casos en que predominan situaciones de hecho —como el proceso y la posesión—. B) En particular, testimonian la capacidad de los municipios para poder:

En Derecho Romano existen una serie de agrupaciones de personas, con distintos nombres[55] que, en principio, recuerdan a lo que hoy llamaríamos asociaciones privadas y, desde el Principado, y a través de una serie de medios indirectos, se intentará cumplir los fines altruistas que, hoy, se cubren con la fundación. Detengámonos en ello.

II. Asociaciones

A) Concepto

En general, hoy, se entiende por asociaciones, al conjunto de personas, unidas orgánicamente, para la consecución de un fin y a las que el ordenamiento jurídico, reconoce como sujeto de derecho, o lo que es igual: otorga capacidad jurídica.

Al hilo de esta definición, es interesante constatar que, en las fuentes romanas, dos términos contrapuestos: a) *universitas* —que designa, de modo no técnico, la idea de «pluralidad», «conjunto» o «colectividad»— y b) *corpus*, en especial en la locución *corpus habere* —que alude a la idea de «unidad»— cobran cabal sentido. Pues un «conjunto» de personas *universitas,* frente a terceros se manifiesta como «unidad» y por la organización de sus miembros «toma cuerpo» —*corpus habere*— se «corporiza» y configura como algo distinto de sus componentes[56].

---

a) ser propietarios y titulares de servidumbres —y hasta 100 años, usufructuarios—; b) aceptar donaciones —no realizarlas—; c) manumitir esclavos —y ejercer sobre ellos el patronato—; d) suceder y adquirir por legado —si bien tras larga evolución—; y e) sustanciarse sus controversias por el procedimiento ordinario, resultando, en fin, dudosa su responsabilidad delictiva —ya que se admite por *metus* y niega por dolo—.

55   Hasta 45 vocablos aparecen en las fuentes romanas para designar a las asociaciones, destacando los de *collegium, ordo, universitas, corpus, sodalitas* e incluso *societas,* que designa: por un lado, al contrato de sociedad, que genera obligaciones internas para las partes —socios— pero no una unidad orgánica frente a terceros y por otro, se usa como sinónimo de asociación o corporación, que como tal posee una cierta capacidad. Así lo hace Gayo que la equipara a *collegium* y *corpus* y Florentino que lo hace con *municipium* y *decuria.*

56   Los romanos no conocen el término *corporatio,* que sería la versión latina de corporación, pero en el fondo, en *corpus habere,* late la idea que hoy expresamos con el término en castellano corporación («corporización»).

B) Elementos constitutivos

Para constituir la asociación se requiere: una pluralidad de personas; un estatuto y un fin lícito.

a) Pluralidad de personas. Según Marcelo —que sigue a Neracio— el número mínimo es tres: *tres facere collegium* y se funda en que un número inferior impediría la adopción de acuerdos por mayoría. No se exige, en general, como condición necesaria, que sus componentes tengan una misma profesión[57]; no hay certeza respecto a una edad mínima y en las fuentes se aprecia que, en algunas, había niños, mujeres e incluso esclavos con el consentimiento de sus dueños.

b) El estatuto, es una auténtica *lex collegii*; determina, en general, el régimen interno de la asociación y precisa, en particular, los requisitos de admisión, derechos y obligaciones de sus miembros y los supuestos de separación[58].

c) El fin, podrá ser: religioso, funerario, profesional o de otra índole, pero siempre lícito, matizándose que, en Roma, no hay asociaciones que persigan —en forma directa— el económico.

Relacionado con estos elementos constitutivos, hoy, se suele precisar que así como no hay hombres sin capacidad jurídica si pueden existir organizaciones sin ella y que se exige una intervención del poder público que las reconozca como sujetos de derecho[59]. El régimen, en Derecho Romano, de tal intervención podría resumirse —con la imprecisión que ello comporta— así: 1.°) en época arcaica y preclásica, al menos *de facto*, existe un régimen de libertad de asociación[60]; 2.°)

---

[57] Esto no impide hubiera asociaciones profesionales de artesanos o de pequeños comerciantes.

[58] Sus posibles lagunas se suplirían por *perpetua consuetudo*.

[59] Los criterios suelen ser: a) el de libre constitución —o reconocimiento genérico— que comporta el reconocer capacidad jurídica a las organizaciones, por el mero hecho de constituirse (como si dijéramos de nacer); b) el normativo, que lo subordina, no sólo a cumplir ciertos requisitos legales, sino a acreditar que se han cumplido por un acto de autoridad —en general, su inscripción en un Registro— y c) el de concesión, que requiere que la personalidad jurídica se reconozca, en cada caso, de modo expreso, por la autoridad gubernativa.

[60] Las primeras manifestaciones de intervención del poder público responden a vetar ciertas asociaciones que atentaban, abiertamente, contra la moral, las buenas costumbres y el orden público. Ejemplo típico es, el de las Asociaciones creadas para dar culto al dios Baco. Sus ceremonias —*bacchanales*— llegan a tal extremo que por un *senatusconsultum* del 186 AC fueron disueltas.

en época clásica, se muda por un intervencionísmo de la autoridad más o menos rígido[61] y 3.°) en época postclásica, el intervencionísmo imperial, llega a su máxima expresión, imponiendo asociaciones forzosas[62].

C) Organización interna y Disolución

Se organizan *ad exemplum rei publicae*. Por ello, no debe extrañar: A') En cuanto a sus elementos personales, que: a) el *populus* esté representado por una asamblea general de todos los asociados —*populus collegii*—; b) el *senatus*, grupo más reducido, por un órgano asesor o consejo (hoy diríamos de administración) —*ordo collegii*—; y c) los *magistrados*, por uno o más representantes (consejeros delegados, directores gerentes en terminología moderna) con carácter especial —*actores*— o permanente —*syndici*—. B') En cuanto a sus elementos reales, que: el *aerarium* o *fiscus*, esté representado por los bienes comunes —*arca collegii*— y C') En cuanto a sus elementos formales que, se rijan por la *lex*, es decir, por sus estatutos —*lex collegii*—.

La asociación se disuelve, sobre todo, por: a) muerte o renuncia de todos los asociados —no por renovación o reducción a uno sólo—; b) cumplimiento de su fin y c) decisión de la autoridad.

III. Fundaciones

Hoy, se llama fundación al patrimonio adscrito a un fin de utilidad pública —por acto *inter vivos* o *mortis causa*—, con carácter perpetuo o larga duración y al que el ordenamiento jurídico reconoce como sujeto de derecho. En suma, es la «personificación» de un patrimonio,

---

[61] Con precedentes en la última época de la República y respondiendo a fines más políticos que jurídicos —ya que con apariencia de asociaciones se atentaba contra el poder—, Augusto, por una *Lex Iulia de collegiis*, manda: disolver a todas las asociaciones —excepto las más antiguas y tradicionales—; que, en el futuro, cada asociación se autorice por el Senado y el Príncipe y que, en la práctica, se constituyan por causa de interés público.

[62] Esta creación de asociaciones forzosas, destruye el principio de la libertad de asociación; impone a sus miembros su obligatoria pertenencia e, incluso, se establece tal vinculación con carácter hereditario.

por voluntad de su fundador, con un régimen fijado en el estatuto fundacional.

En Derecho Romano, se siente la necesidad de adscribir bienes y patrimonios enteros a fines concretos y de utilidad pública, sin embargo, no llegan a considerarse como sujetos de derecho.

Veamos como se cumplieron estos fines, que son los precedentes de la moderna fundación.

A) En Derecho clásico, se logra a través de actos *inter vivos* —donaciones— o *mortis causa* —legados— por los que una persona —fundador— transmite la propiedad de ciertos bienes —o patrimonio entero— a una ciudad o a una asociación, que, a su vez, se obliga a destinarlos al fin previsto por el fundador. Es, en suma, una disposición sujeta a una «carga» —*modo*—. La propiedad es de la persona a quien se donan o legan aquellos bienes, pero su poder de disposición queda mediatizado al tener que dar a los bienes recibidos —o a los intereses que produzcan— un destino concreto[63]. Así se cumple el fin previsto sin necesidad de crear un nuevo ente, pudiendo, incluso hablarse de fundación mediata o dependiente y a esta idea, responden las llamadas fundaciones de caridad o alimenticias, cuyas modalidades presentan, a veces, un acusado carácter público y, otras, privado[64].

B) En época postclásica, proliferan —por influencia cristiana— una serie de instituciones de carácter piadosas, *Piae Causae*. Son patrimonios —sobre todo inmobiliarios— para crear hospitales, asilos, orfanatos, etc. o atender a su mantenimiento. A veces, es la Iglesia o el Obispo el que vigila el cumplimiento de tales fines, otras adminis-

---

[63] El establecimiento de una cláusula penal o prever la sustitución del receptor por otra persona será la forma usual de garantizar el fin previsto por el fundador.

[64] A) De carácter público cabe catalogar las prácticas iniciadas por Nerva y Trajano, otorgando créditos agrícolas a particulares, cuyos intereses se destinaban a la manutención y educación de jóvenes sin medios o confiando capitales a las ciudades con la obligación de destinar sus rentas a socorro alimenticio. Propietario de los bienes será el Emperador y la administración corresponderá a la ciudad. B) De carácter privado serían las cesiones gratuitas de la propiedad de fundos hechas por particulares —fundador— a una ciudad (es lo que hizo Plinio con su ciudad natal Como, para socorrer a sus pobres) que, a su vez, los alquila y destina el importe de los alquileres al fin designado por el cedente. El impago de los alquileres daría lugar al cese de la relación arrendaticia y al inicio de un nuevo arriendo con otra persona.

tran los bienes, pero, en todo caso, éstos no son de aquella o de éste, y, *de iure,* no tienen autonomía propia —es decir, carácter de persona jurídica— aunque, *de facto*, empiezan a funcionar como verdaderas fundaciones.

C) En derecho justinianeo, aunque a los patrimonios fundacionales no se les llega a reconocer capacidad jurídica, se empiezan a apreciar los pilares sobre los que se asentará la moderna fundación[65].

---

[65]   Rasgos de su autonomía se aprecian al reconocérseles las facultades de: heredar; reclamar créditos; entablar acciones; contratar permutas y enfiteusis etc.

Tema 13

Libres y esclavos

Según Gayo: la principal división —*summa divisio*— del derecho de personas —*de iure personarum*— es que todos los hombres —*quod omnes homines*— son libres o esclavos —*aut liberi sunt aut servi*—. A) A su vez —*rursus*— (prosigue) de entre los hombres libres —*liberorum hominum*— unos son ingenuos y otros libertos —*alii ingenui sunt, alii libertini*—.Ingenuos son —*ingenui sunt*— los que nacen libres —*qui liberi nati sunt*—; libertos —*libertini*— los que han sido manumitidos (liberados) de una justa esclavitud —*qui ex iusta servitute manumissi sunt*— (esto es, conforme al *ius civile*). B) Esclavos son los que no ostentan la condición de libres y es el derecho —y no la naturaleza— el que les priva de la libertad[1]. Entre ellos, jurídicamente, según Justiniano, no hay diferencia alguna —*in servorum conditione nulla diferentia est*[2]—.

1. LA ESCLAVITUD EN GENERAL

Esclavitud —*servitus*— es privación de libertad y Florentino dice: es —*est*— una institución de derecho de gentes —*constitutio iuris gentium*— por la que —*qua*— alguien —*quis*— queda sujeto, contra la naturaleza, al dominio ajeno —*dominio alieno contra naturam subicitur*[3]—.

---

[1] Justiniano, que reproduce la definición de libertad de Florentino, dice que: La libertad es —*Libertas est*— la facultad natural —*naturalis facultas*— de hacer cada cual lo que quiera —*eius quod cuique facere libet*— a no ser que algo se prohíba por la fuerza o el derecho —*nisi si quid vi aut iure prohibitur*—.

[2] El esclavo se designa con los términos: *servus, homo, puer* o *mancipium*. La esclava con los de *serva* y *ancilla*. Los nacidos en casa de su señor, con los de *verna* y *vernacula*. Y en el los casos planteados por los juristas es frecuente, usar para nombrar al esclavo los nombres de: *Hermodorus, Pamphilius* y sobre todo, *Stichus*.

[3] El existir esclavos sin dueños —*servi sine domino*— hace que se haya criticado la exactitud de esta definición.

I. Causas

Según las Instituciones de Justiniano, los esclavos —*servi*— nacen o se hacen —*nascuntur aut fiunt*—. Nacen de nuestras esclavas —*nascuntur ex ancillis nostris*— se hacen —*fiunt*— o por derecho de gentes —*aut iure gentium*— es decir, por cautividad —*id est, ex captivitate*— o por derecho civil —*aut iure civili*—. Precisemos algo más estas causas.

A) Nacimiento

Es esclavo el nacido de esclava y, con independencia de quien pueda ser el padre, se le considera propiedad del dueño de la madre[4]. En principio, sólo se atiende a la condición de ésta en el momento del parto, después —fines del s. II— a que no fuera libre en algún momento desde la concepción al parto. Esta medida en pro de la libertad —*favor libertatis*— obedece a dos razones: que al concebido se le tiene por nacido —*conceptus pro iam nato habetur*— para cuanto le favorezca y a que, según Justiniano, la desgracia de la madre —*quia calamitas matris*— no debe perjudicar al que está en el útero —*non debet ei nocere, qui in utero est*—.

B) Cautividad de guerra

La cautividad, es la primera en el tiempo y la causa más relevante de esclavitud. A tenor de ella, se distingue entre: *servi iusti* —esclavos justos— los extranjeros prisioneros de Roma[5] y *servi hostium* —esclavos de los enemigos— los *cives* que caen prisioneros[6]. La situación jurídica, de éstos, es: 1.º) Si retorna —*reversus fuerit*—, recupera todos sus antiguos derechos —*recipere omnia pristina iura*— por derecho de regreso —*iure postliminium*— considerándose habían

---

[4] Aunque se siguen las normas del *ius civile*, en materia de frutos, el *partus ancillae* —parto de la esclava— *de iure*, no se considera como tal.

[5] Son propiedad de Roma, que: los destina a servicios públicos —*servi publici*— vende a los particulares —*emptio sub corona*— o, excepcionalmente, entrega a los soldados.

[6] Esta esclavitud es calificada por los romanos de *iniusta* = no conforme al *ius civile*, por ser la cautividad reconocida sólo por el *ius gentium*. Por ello, la situación de los romanos prisioneros no se considera definitiva.

quedado, hasta entonces, en estado de pendencia[7]; 2.°) Si muere en poder de los enemigos, la suspensión temporal pasa a definitiva, con efectos retroactivos y graves consecuencias en el orden sucesorio, pues al perderse la libertad también se perdía la aptitud para hacer testamento —*testamentifactio*—, resultando nulo el realizado en Roma o el que pudiera haber hecho en cautividad. Tal problema fue resuelto por la *Lex Cornelia* —81 AC— merced a una ficción —*fictio legis Corneliae*—. Por ella, se considera que el *civis* murió en el campo de batalla y, por tanto, aún libre, con la consiguiente validez del testamento o, en su defecto, posibilidad de apertura de su sucesión a falta de él, *ab intestato*.

C) Disposición Legal

Entre las múltiples causas por las que puede perderse la libertad y que, por lo general, no se mantienen a lo largo de todo la evolución del Derecho Romano, cabe recordar, que:

a) En derecho arcaico —*Iure Civili*— el ciudadano puede ser vendido fuera de Roma —*trans Tiberim*— perdiendo su libertad por: impago de impuestos; deudas a particulares; eludir el servicio de las armas o el censo; desertar; violar el derecho de gentes y hurto manifiesto.

b) En derecho clásico —y aún en la propia Roma— comporta pérdida de libertad, por un lado: la condena a pena capital —*summa suplicia* (morir: *ad ferrum, ad crucem, ad bestias*)—, a trabajos en las minas —*ad metalla*— o a lucha de gladiadores —*ad ludum gladiatorum*[8]— y por otro, la disposición especial de la ley: así, respecto a la mujer, romana —o latina— no interrumpir sus relaciones con el esclavo ajeno tras la triple advertencia del dueño de que lo haga y respecto al hombre libre, mayor de 20 años, fingirse esclavo y consentir su venta, por el supuesto dueño, para después participar en el precio —*pretii participandi causa*—.

---

[7] Excepto aquellas situaciones de hecho, como posesión y matrimonio, que requerirán, respectivamente, nueva aprehensión o manifestar la intención de ser marido y mujer —*affectio maritalis*—.

[8] Estos esclavos, *de iure*, lo son de la pena, *servitus poenae* y, *de facto*, esclavos sin dueño, *servi sine domino*.

c) En derecho postclásico, surge como nueva causa de esclavitud, la revocación de la manumisión —*revocatio servitutis*— por ingratitud del liberto y con Justiniano se suprimen la mayoría de ellas.

II. Evolución

El número de esclavos y su importancia; su consideración social y tratamiento jurídico, varía a lo largo de la historia de Roma, según las distintas circunstancias económicas, sociales, políticas, religiosas y morales por las que atraviesa. En síntesis, esta es su evolución.

A) Derecho Arcaico

a) En origen, la esclavitud carece de importancia, el número de esclavos es reducido y cabe asumir la creencia de que, por lo común, en la familia no habría más de uno. Los nombres de los esclavos —por ejemplo, *Marcipor = puer Marci*, el esclavo de Marco— avalan lo segundo y el carácter de las propias guerras, primera causa de esclavitud, de ámbito muy reducido, lo primero[9].

b) La condición social de los esclavos es similar a la de los miembros libres de la familia sujetos a la autoridad del jefe doméstico —*paterfamilias*— y pueden servir de argumentos de ello, el sentido originario del término *familia* —de *famulus* = servidor— que comporta idea de servicio, y la palabra *liberi* —que, además de hijos, significa libres— y se usa para designar a los demás miembros, no *servi*, sujetos a aquella autoridad.

c) Su tratamiento jurídico, no difiere, en sustancia, del dispensado al hombre libre. Así, las XII Tablas sanciona las lesiones —*iniuriae*— del esclavo, aunque en menor cuantía que las del libre.

---

9   A la falta de importancia inicial de la esclavitud debe añadirse, como otros argumentos: la propia austeridad de la primitiva familia romana, autosuficiente para el cultivo de su fundo y que se prefiera acudir, en su caso, a *clientes* (esclavos manumitidos, extranjeros o familias plebeyas sometidas a la protección del *pater*). Y como motivo que posibilite la integración social de los esclavos, recordar, que en esta época, Roma lucha con pueblos de razas y creencias afines.

B) Derecho Preclásico

a) El número e importancia de los esclavos se incrementa en forma paulatina[10].

b) La condición social del esclavo sufre una notable involución y aunque la propia estructura de la sociedad romana impide hablar de una condición social unitaria[11], por lo general, pasa a ser un mero factor de producción agrícola o industrial y, ante su abundancia, objeto de toda clase de vejaciones. En los últimos siglos de la República, surgen los primeros levantamientos de esclavos y el de Espartaco —el más famoso— pone en peligro la estabilidad de Roma[12].

c) Su tratamiento jurídico, es similar al de una cosa —res— y así, la *Lex Aquilia de damno iniuria dato* = de daño injustamente causado —286 AC— sanciona la muerte del esclavo ajeno como simple daño en las cosas, castigando a quien la ocasione con el pago del valor máximo que hubiera alcanzado, en mercado, el año anterior.

C) Derecho Clásico

a) El número e importancia de los esclavos resulta influido por las vicisitudes políticas del Principado y la estabilización de las fronteras y la renuncia a las guerras de conquistas —a partir de Trajano y Adriano— incidirán en aquél y en ésta.

b) La condición social mejora; los principios y corrientes, que derivan del estoicismo —*humanitas*— y cristianismo, se hacen sentir[13] y cesan los levantamientos de esclavos.

---

[10] Son causas de ello: la creciente expansión territorial de Roma, por sus continuas conquistas; la inherente afluencia de prisioneros; la caída del antiguo concepto de la casa —*domus*— romana —presidida por la austeridad— el desmedido lujo y la aparición de los mercados de esclavos. Intentando matizar, este incremento, paulatino, puede tener —como se ha destacado— en las guerras púnicas el momento que reflejaría la separación entre dos épocas.

[11] Piénsese, por ejemplo, en el esclavo culto de Grecia que, presta sus servicios como médico o pedagogo.

[12] No fue, como se ha dicho, un movimiento derivado de la conciencia de clases, ni pretendía abolir la esclavitud, sino el reclamar un tratamiento más humano.

[13] La postura de la Iglesia se refleja, nítida, en la epístola de San Pablo a Filemón en la que tras exhortar al esclavo Onésimo, que había huido, regrese con su amo —Filemón— ruega a éste no sea severo al reprimir tal conducta.

c) Su tratamiento jurídico, con alguna excepción[14], también comporta, respecto a la época anterior, una notable mejora[15]. Así: se prohíbe su castigo inmoderado[16] y, en general, que el esclavo sea objeto de cualquier tipo de crueldad, ya que como dice Gayo —al tratar de ello— no debemos usar mal de nuestro derecho —*male enim nostro iure uti non debemus*— lo que viene a ser, en el tiempo, un primer precedente de la moderna teoría del abuso del Derecho.

D) Derecho Postclásico

a) Su número e importancia decrecen, y la razón es la crisis general que afecta al Imperio. Ahora, son los *cives* los que caen prisioneros y a los que se vende, como esclavos, incluso en el territorio romano.

b) Su condición social se nivela con otros estratos sociales, lo que más que mejora por su parte, es un empeoramiento por la de éstos, pues el colonato y los gremios y asociaciones forzosas hereditarias, comportan limitaciones a la libertad y situaciones afines a la esclavitud.

c) Su tratamiento jurídico se ve influido por la *caritas* cristiana. Constantino califica de *homicidium* la muerte intencionada del escla-

---

[14] El *Sc. Silanianum* —a.10— para reprimir los frecuentes casos de asesinato de los dueños por sus esclavos, entre otras medidas establece que si, aún, no se ha descubierto al asesino, todos los esclavos, que estuvieran en casa, sean sometidos a tormento —*quaestio de servis*— y, si no aparece el culpable, condenados a muerte.

[15] Así, prohíbe: a) una *lex Petronia* —a.19— de Augusto o Tiberio, que los esclavos se destinen a luchar en el circo con las fieras —*ad bestias depugnandas*—; b) un Edicto de Claudio, su abandono en caso de enfermedad —*ob gravem infirmitatem*— confiriendo al esclavo, si ocurre, la libertad y la latinidad. c) Un *sc.* de época de Domiciano —a.83—, su castración, castigando al dueño, según Venuleyo Saturnino, con multa en la mitad de sus bienes —*pro parte dimidia bonorum mulctatur*—.

[16] Según Ulpiano, Adriano desterró, por cinco años, a cierta matrona, llamada Umbricia —*Hadrianus Umbriciam quandam matronam in quinquenium relegavit*— porque por levísimos motivos —*quod ex levissimis causis*— había tratado muy cruelmente a sus esclavas —*ancillas atrocissime tractasset*—. Gayo, nos recuerda que en su tiempo —*hoc die*— no —*nec*— se permite —*licet*— maltratar a los esclavos inmoderadamente y sin causa —*supra modum et sine causis in servos suos sevire*—; que según una constitución de Antonino Pío se determina que quien matara sin causa un esclavo propio —*sine causa servum suum occiderit*— será tan responsable como si hubiera matado uno ajeno —*non minus teneri iubetur, eum qui alienum servum occiderit*— y que si se estimase intolerable la crueldad de los dueños se les obligará a vender a los esclavos —*ut si intolerabilis videatur dominorum saevitia, cogantur servos suos vendere*—.

vo y reconoce una nueva forma de manumisión *in Ecclesia*. En general, se fomentan las manumisiones, dulcifica la incapacidad del esclavo y se prohíbe la disolución de su familia natural por causa de venta.

E) Derecho Justinianeo

Con Justiniano, el número de esclavos y la importancia de la esclavitud decaen y así se desprende, como se ha destacado, por el contraste que existe entre las múltiples alusiones que a ellos se hace en el Digesto y las escasas, reflejadas en constituciones imperiales y en el Código.

Afirmada la igualdad entre todos los hombres, Justiniano, que se autoproclama defensor de la libertad —*fautor libertatis*— extingue ciertas causas de esclavitud, deroga —o rectifica— las leyes que restringen las manumisiones y amplía las causas de liberación.

2. SITUACIÓN JURÍDICA DEL ESCLAVO

En general, puede resumirse en dos premisas: 1.ª) que, jurídicamente, no es sujeto[17], sino objeto de derecho (Gayo lo califica, como cosa —*res*— corporal —*corporalis*— y mancipable —*mancipi*—) y 2.ª) que por su humana condición —inteligencia y voluntad— no se equipara, plenamente, a las demás cosas[18], pues tiene capacidad de obrar —negocial y delictual— y se respeta su esfera religiosa[19]. Proyectemos estas premisas en las diferentes esferas jurídicas.

---

[17] Gayo, dice: que el esclavo no puede tener nada suyo —*nihil suum habere potest*— Paulo: que no tiene derecho alguno —*servile caput nullum ius habet*— y Justiniano, que no tiene capacidad —*servus nullum caput habet*—.

[18] Bajo el prisma terminológico, es sintomático que el poder del dueño sobre el esclavo, por lo general, se suela calificar como *potestas* —no como *dominium*—. Gayo, dice: Están en potestad los esclavos respecto a sus dueños —*In potestate itaque sunt servi dominorum*— y sólo hay un texto de Ulpiano que habla de *dominica potestas*.

[19] Por ello: participa de los cultos de la familia a que pertenece —*sacra familiaria*—; se reconoce su libertad para honrar a sus muertos —*manes serviles*—; su sepulcro es *res religiosa*; su voto y juramento tienen fuerza vinculante; pueden formar parte de ciertas asociaciones —*collegia funeraticia*— con consentimiento de sus dueños y el

A) En la esfera pública, la incapacidad del esclavo es absoluta y razón de ello es: que el *ius publicum* se reserva a los *cives* y que la originaria condición del esclavo sea la de extranjero.

B) En la esfera procesal: a) por ser objeto de derechos, el esclavo no puede intervenir, ni como actor ni como demandado[20], en los dos procedimientos del *ordo iudiciorum privatorum*, pero, b) por su humana condición, podrá acudir, *extra ordinem*, al magistrado, en ciertos casos, para exigir: el cumplimiento de las disposiciones dadas para su protección; el de aquellas que llevan aparejado la concesión de su libertad y cuando el dueño la impida u obstaculice.

C) En la esfera personal: a) por ser objeto de derecho, su dueño puede disponer, libremente de él[21] y transmitir su propiedad o algún derecho sobre el mismo, por acto *inter vivos* —*mancipatio* o *in iure cessio*— o *mortis causa* —herencia o legado— y b) por su humana condición, manumitirlo, como veremos, por actos de una y otra naturaleza.

D) En la esfera familiar: a) por ser objeto de derecho, el esclavo no puede contraer matrimonio, crear una familia, ejercer la patria potestad[22] y generar parentesco civil —*adgnatio*—; b) pero, por su humana condición, se terminará prohibiendo separar a las familias de esclavos, se tendrá por impío hacerlo entre padres e hijos y se admitirá por la procreación —ya en época clásica— un parentesco de sangre —*servilis cognatio*— que, caso de ulterior manumisión, será primero, impedimento matrimonial y después, con Justiniano, producirá, además, efectos en la sucesión intestada del liberto excluyendo al patrono.

E) En la esfera sucesoria: a) por ser objeto de derechos, el esclavo es parte del patrimonio hereditario de su dueño difunto, carece de

---

vendedor —por la acción de venta, *ex vendito agendo*— puede exigir al comprador los gastos, producidos por las honras fúnebres del esclavo, vendido y aún no entregado, si muere sin su culpa.

[20]   Juliano, en general, nos dice que: el esclavo —*servus*— no puede ser demandado ni demandar —*conveniri vel convenire non potest*— y Gayo, en particular, que no hay acción contra el esclavo —*Cum servo nulla actio est*—.

[21]   En principio, según Gayo: podemos advertir que los dueños tiene derecho de vida y muerte sobre los esclavos —*animadvertere possumus dominis in servos vitae necisque potestatem esse*—.

[22]   El *contubernium*, unión de esclavos, no produce efecto y el hijo de esclava, *partus ancillae* es del dueño de ésta.

expectativas sucesorias *ab intestato* y, como nada tiene, no puede otorgar por testamento; b) pero, por su humana condición, puede ser manumitido e instituido heredero por su dueño[23] o un tercero, siempre que —entonces— su dueño le autorice, éste tenga capacidad para suceder al testador y actúe, personalmente, el esclavo. En todo caso, será el dueño del esclavo —y no él— quien adquiera la herencia o, en su caso, el legado.

F) En la esfera penal, prevalece su condición humana y como ente consciente, es responsable[24].

H) En la esfera patrimonial, el esclavo cobra singular relieve. Por un lado, a) como cosa no tiene nada suyo; b) por otro, como hombre, tiene capacidad de obrar. En síntesis, «actúa» como instrumento del dueño. Por ello, el dueño, a través del esclavo, adquiere —en materia de derechos reales— la propiedad y la posesión de las cosas y —en materia de derechos personales— se beneficia y es acreedor de todo crédito que aquél obtenga. Según el *ius civile*, el esclavo no puede empeorar la condición de su dueño, por lo que de resultar deudor, el *dominus* no respondía de la deuda, salvo en las obligaciones derivadas de delitos privados cometidos por el esclavo, en las que puede eludir el pago de la pena pecuniaria si entrega al propio esclavo —*noxae deditio*[25]—.

3. EXTINCIÓN DE LA ESCLAVITUD: LA MANUMISIÓN

La esclavitud se extingue por *manumissio* y disposición de la ley, revistiendo particular interés la primera.

---

[23] Gayo dice: nuestro esclavo —*Sed noster servus*— debe ser libertado e instituido heredero a la vez —*simul et liber et heres esse iuberi debet*— esto es —*id est*— de este modo —*hoc modo*— Mi esclavo Estico sea libre y heredero —*Stichus servus meus liber heresque esto*— o sea heredero y libre —*vel heres liberque esto*—. Con Justiniano la institución de heredero hace libre al esclavo.

[24] Como regla general, Venuleyo Saturnino —s. II— dice que: por todas las leyes los esclavos se hacen reos —*omnibus autem legibus servi rei fiunt*—, aunque el mismo formula, a esta regla, ciertas excepciones, derivadas, sobre todo, de las penas pecuniarias, ya que el esclavo nada tiene.

[25] La incapacidad patrimonial del esclavo se verá atemperada por el *peculium* y la ausencia de responsabilidad del dueño por las «acciones añadidas». De aquél y éstas se trata en Tema 15.4.

A) Ideas generales

Manumisión —*manumissio*— de *manu-missio* = salida (liberación) de la *manus*[26], es —*est*— el dar la libertad —*datio libertatis*—. En suma: la concesión de libertad al esclavo por su dueño.

Es un acto de doble naturaleza: a) de disposición, ya que la mera renuncia o abandono —*derelictio*— del esclavo lo convertiría en esclavo sin dueño —*servus sine domino*— y b) de interés público, ya que, en principio, a la concesión de libertad se anuda la de ciudadanía, por lo que se exige el cumplimiento de ciertas formalidades, la intervención del magistrado y surgen, desde Augusto, algunas restricciones.

Se manumite de muchos modos —*multis modis manumissio procedit*—. Entre ellos, a lo largo de historia de Roma, se aprecian dos grupos. Manumisiones formales —o solemnes— las tres del *ius civile* —*vindicta, censo* y *testamento*— más una cuarta del *ius novum* —*in Ecclesia*— que conceden la libertad y la ciudadanía y no formales —o no solemnes— las del derecho pretorio que, con el tiempo, otorgarán la libertad y la latinidad. De ello pasamos a ocuparnos.

B) Manumisiones formales o solemnes

a) La *Manumissio vindicta*, es un proceso fingido de reclamación de libertad —*vindicatio in libertatem*— en que intervienen tres personas: el defensor —*adsertor*— de la libertad —*libertatis*[27]—; el dueño del esclavo —*dominus*— y el magistrado. El *adsertor*, es un tercero, que de acuerdo con el dueño del esclavo y acompañado de éste, comparece ante el magistrado y afirma, solemnemente, que aquel hombre es libre[28], tocándolo con una vara, *vindicta* o *festuca*; el dueño, calla —no se opone— y el magistrado, tras la afirmación del *adsertor* y el silencio del dueño, reconoce y proclama la libertad del esclavo *addictio in libertatem*. Con el tiempo, estas formalidades se diluyen[29].

---

[26] *Manus*, en principio, designó el poder indiferenciado del *paterfamilias*, que ejerce sobre las personas y cosas que formaban parte de la comunidad familiar.

[27] Al carecer de capacidad procesal el esclavo, el *adsertor libertatis* actúa por él.

[28] Afirmo que este hombre es libre, según el derecho de los Quírites —*Hunc ego hominem liberum ex iure Quiritium esse, aio*—.

[29] La solemne afirmación de libertad es sustituida por cualquier tipo de declaración; ésta, necesariamente, no deberá hacerse *in iure*, puede hacerse *in transitu* y al

b) La *Manumissio censu*[30], consiste en inscribir al esclavo en el censo de ciudadanos, con autorización del dueño, *iussu domini*.

c) La *Manumissio testamento*, puede ser directa o indirecta (o fideicomisaria). La directa es la declaración de libertad hecha por el dueño, en su testamento, en forma imperativa[31]; se exige —según Gayo— que el esclavo sea del testador al otorgar el testamento, y a su muerte; la adquisición de libertad se produce al tiempo de la aceptación de la herencia y el manumitido pasa a ser liberto de aquél, que ya no existía, que estaba en el más allá —*qui erat in Orco*— de ahí se le llame, *libertus orcinus*.

La manumisión indirecta —o fideicomisaria— es el ruego del testador a cualquier beneficiario del testamento de que conceda la libertad a un esclavo determinado[32]. El esclavo podrá ser propio o ajeno —depende en este caso de que su dueño lo venda[33]— requiere la manumisión del heredero por medio adecuado, no adquiere hasta entonces la libertad y el esclavo será liberto suyo[34].

---

magistrado acaba por sustituirlo un *lictor*. Gayo y Hermogeniano nos dan testimonio de todo ello.

[30]   Desaparecido el censo a fines de la República, aunque Gayo sigue recordando esta manumisión, debió cesar en aquella época. Hasta entonces, se discute, si el esclavo adquiría la libertad ya desde la inscripción o sólo con la ceremonia quinquenal —*lustratio*— que ponía termino a la confección del censo.

[31]   Así, según Gayo: Sea libre mi esclavo Estico —*Stichus servus meus, liber esto*— o: Mando que (mi esclavo) Estico sea libre —*Stichum liberum esse, iubeo*—.

[32]   Esta sería la forma: Ruego —*Rogo*— encomiendo a la fidelidad de mi heredero —*fidei comitto heredis mei*— que manumita al esclavo Estico —*ut Stichum servum manumittat*—. Con Justiniano las palabras que están en uso son estas: *peto, rogo, volo, mando, fidei tuae committo*, —pido, ruego, quiero, mando, encomiendo a tu lealtad—, cada una de las cuales tiene el mismo valor que si estuviesen todas reunidas.

[33]   Gayo, nos dice: Concedida la libertad por fideicomiso a un esclavo ajeno —*Alieno servo per fideicommissum data libertate*— si el dueño no lo vende por su justo precio —*si dominus eum iusto pretio non vendat*— se extingue la libertad —*extinguitur libertas*— porque no se puede hacer computación del precio por libertad —*quoniam nec pretii computatio pro libertate fieri potest*— Con Justiniano, la libertad no se extingue, se aplaza —*non statim extinguitur fideicomissaria libertas, sed differtur*— porque puede en el tiempo surgir —*quia possit tempore procedente*— alguna ocasión —*ubicumque occasio*— de redimir al esclavo —*redimendi servi fuerit*—.

[34]   Gayo dice: El que ha sido manumitido por fideicomiso —*Qui autem ex fideicommisso manummittitur*— no se hace liberto del testador —*non testatoris fit libertus*— aunque fuera esclavo de éste —*etiamsi testatoris servus fuerit*— sino del que lo manumitió —*sed eius qui manumittit*—.

La *manumissio testamento* puede hacerse depender de una condición y el esclavo así manumitido, por ejemplo si diese 10.000 al heredero —*si decem milia heredi dederit*— se llama *statu liber*[35].

d) La *Manumissio in Ecclesia* —o in *sacrosanctis ecclesiis*— es introducida por Constantino y consiste en la declaración solemne de concesión de libertad, hecha por el dueño del esclavo, en la Iglesia, ante las autoridades eclesiásticas y el pueblo fiel.

C) Manumisiones no formales o no solemnes

En la práctica, los dueños empezaron a usar otras formas para conceder la libertad a sus esclavos, omitiendo las formalidades anteriores. Las principales fueron: a) declarar, de manera explícita, esta voluntad, en presencia de amigos —*inter amicos*—; b) hacerlo por carta dirigida al esclavo —*per epistulam*— y c) darlo a entender, implícitamente, sentando al esclavo a la propia mesa —*per mensam*[36]—. Estas manumisiones, en principio, conceden sólo una libertad *de facto*, pero, *de iure*, el así manumitido, sigue perteneciendo a su dueño; carece de derechos y los bienes que pueda obtener se consideran como *peculium*. El pretor, comenzó a proteger estas situaciones y una *Lex Iunia Norbana* —19 DC— les reconoció como libres y latinos iunianos[37].

---

[35] Su régimen es el siguiente. A) Mientras pende la condición (aún no ha entregado los 10.000); es esclavo del heredero —*quamdiu pendet condicio, servus heredis est*—que podrá incluso venderlo, aunque: el *Statu liber*, ya sea enajenado por el heredero —*seu alienetur ab herede*— ya usucapido por un tercero —*sive usucapitur ab aliquo*—arrastra consigo el poder ser libre —*libertatis condicionem secum trahit*—. B) Si se cumple (se han entregado los 10.000) resulta libre y aunque el heredero lo hubiera vendido —*etsi ab herede abalienatus sit*— dándole tal cantidad al comprador —*emptori dando pecuniam*— alcanza la libertad —*ad libertatem pervenit*—. C) Si se incumple (no se entregan los 10.000) permanecerá esclavo y si el incumplimiento se debe a haberlo impedido el propio heredero —*Si per heredem factum sit*—o el tercero al que deba cumplirse, se hace libre (por esto) —*proinde fit liber*— como si la condición se hubiese cumplido —*atque si conditio expleta fuisset*—).

[36] Son también manumisiones no solemnes, algunas de derecho postclásico: designar, en documento —*inter acta*— el dueño al esclavo como hijo suyo —*filium suum*—, entregar o destruir los documentos —*tabulas frangere*— en que consta la esclavitud y dar en matrimonio, a un hombre libre, la propia esclava, dotándola.

[37] Gayo dice: debemos advertir... *admonendi sumus*... que aquellos —*eos*— que ahora —*qui nunc*— se llaman latinos junianos —*Latini Iuniani dicuntur*—fueron en otro tiempo —*olim*— esclavos por derecho civil —*ex iure Quiritium servos fuisse*— pero

Con Justiniano cualquier forma de manumisión otorga libertad y ciudadanía. Subsisten la *vindicta, testamento* e *in Ecclesia* y para las *inter amicos* y *per epistulam* se exigen cinco testigos.

D) *Restricciones a la libertad de manumitir*

La manumisión es un acto de disposición del *dominus* sobre algo propio: el *servus*. Por ello, en principio, ni se restringió su ejercicio, ni tampoco hubo razón para ello, pues su escaso número no plantea problemas pese a introducir un elemento extraño a la romanidad. A fines de la República, la situación cambia. Las manumisiones proliferan —y con ellas el aumento de nuevos *cives*— a la par que se produce un gran descenso de la natalidad dentro del *ordo senatorius* —el estamento genuino de la Roma tradicional—.

El previsible predominio político de los nuevos ciudadanos —de conducta no siempre ejemplar—, la preterición de los antiguos valores romanos[38] y el problema demográfico apuntado, harán que Augusto estructure una política legislativa que: restrinja las manumisiones y atenúe sus efectos a la hora de adquirir la ciudadanía; combata ciertas razones que podían motivarlas[39] —leyes contra el lujo— y fomente la natalidad —legislación matrimonial[40]—.

Las restricciones a la libertad de manumitir se establecen por dos leyes: a) la *lex Fufia Caninia* —2 AC— que: (1) se aplica a las

---

con la ayuda del pretor —*sed auxilio praetoris*— se tuvo por costumbre mantenerlos en una especie de libertad —*in libertatis forma servari solitos*— por lo que —*unde etiam*— sus cosas —*res eorum*— solían pertenecer a sus patronos por derecho de peculio —*peculii iure ad patronos pertinere solita est*—. Pero después —*Postea vero*— en virtud de la Ley Junia —*per legem Iuniam*—... comenzaron a ser libres —*liberos esse cepisse*— y llamados latinos junianos —*et appellatos esse Latinos Iunianos*—. (Tema 14).

38 Por la política de expansión, los manumitidos son, con frecuencia, de pueblos lejanos, sin la anterior afinidad étnica y cultural, atisbándose un predominio de estos nuevos y exóticos ciudadanos, sobre los tradicionales.

39 Razones no siempre «morales», pues los motivos de los dueños, no son de gratitud o recompensa a una conducta ejemplar, sino de vanidad —por ejemplo el que acudieran a los funerales, tocados con el gorro de liberto, proclamando las excelencias de su dueño difunto— lujo, o, incluso, codicia —por ejemplo, que los dueños (tras la manumisión, patronos) pretendieran lucrarse con las ganancias que el liberto obtuviera en su trabajo—.

40 Trataremos de esta legislación matrimonial en Tema 17.2 —régimen del matrimonio— y 42 —*capacitas*—.

manumisiones testamentarias, (2) exige designar, *nominatim*, nominalmente, a los manumitidos y (3) fija su número en proporción a los esclavos del testador[41], hasta un máximo de 100[42] y b) la *lex Aelia Sentia* —4 DC— que: (1) establece edades mínimas para manumitente (20 años) y manumitido (30 años) —salvo que la manumisión se hiciera *per vindictam* y *iusta causa* apreciada por un *consilium*—[43]; (2) declara nulas las manumisiones hechas realizadas en fraude de acredores —*in fraudem creditorum*— o que no se ajusten a lo anterior —aunque tras la *Lex Iunia Norbana*, se otorga el carácter de *latini iuniani* al esclavo menor de 30 años— y (3) determina, que los esclavos que hubieran sufrido penas infamantes no alcancen la ciudadanía, sino la condición de *dediticii* (= *dediticii aeliani*)[44].

Justiniano derogó la *Lex Fufia Caninia*[45] y conservó, de la *Lex Aelia Sentia*: a) la exigencia de la edad del manumitente —que rebaja, primero a 17 años y luego, en las Novelas, a 14—; b) la *iusta causa* para las manumisiones *inter vivos* del dueño menor de 20 años y c) la nulidad de las manumisiones hechas *in fraudem creditorum*[46].

E) Adquisición de la libertad sin acto de manumisión

La manumisión es el modo más frecuente de adquirir la libertad pero no el único, ya que, también, podía lograrse —hoy diríamos— por

---

[41]   Así, en general: el que tenga, 1 o 2 está exento; de 3 a 10, sólo podrá manumitir la mitad; de 11 a 30, un tercio; de 31 a 100, un cuarto; y de 101 a 500, un quinto.

[42]   Gayo ofrece un ejemplo de *fraus legis*: designar los esclavos en un círculo para evitar se precise si excedan el número admitido.

[43]   Según Gayo, son *iustae causae*: que el dueño quiera manumitir al hijo, hija, hermano o hermana naturales; a su alumno o maestro; al esclavo para nombrarle administrador —*procurator*— o a su esclava para casarse con ella.

[44]   De los *dediticii aeliani* trataremos en Tema 14.

[45]   En sus Instituciones, Justiniano califica de odiosa esta ley —*quodam modo invidiam*— que consider(amos) debía ser derogada —*tollendum esse censuimus*— y esgrime como razón, que era bastante inhumano —*cum satis fuerat inhumanum*— ciertamente —*quidem*— autorizar a los vivos para dar la libertad a todos sus esclavos —*licentiam habere totam suam familiam libertate donare*— si no lo impedía alguna otra causa —*nisi alia causa impediat libertati*—y quitar a los que morían tal facultad—*morientibus autem huiusmodi licentiam adimere*—.

[46]   Por motivos distintos a los expuestos, implicó una restricción a la libertad de manumitir, la establecida por la *Lex Iulia de adulteriis* —a.18—, por la que —según Paulo y Ulpiano— la mujer y sus ascendentes no podían vender o manumitir esclavos durante los 60 días siguientes al divorcio, ya que al impedir el tormento de éstos, por ser libres, impediría descubrirse el posible adulterio de la mujer.

ministerio de la ley, *sine manumissione*. Así, se concedió la libertad al esclavo, entre otros casos, cuando: a) descubre al asesino de su dueño —o la conjura contra él—; b) es abandonado en la enfermedad; c) se incumple, respecto a la esclava, el pacto de no prostituirla; d) se incumple, en general, el plazo en que su dueño-comprador se comprometió, a su manumisión; e) comprada su libertad, con su propio dinero, su dueño no lo manumite y f) ha vivido de buena fe, como libre, por espacio de 20 años sin interrupción[47].

4. LOS LIBERTOS Y EL PATRONATO

Liberto, *libertus*[48], es el esclavo manumitido; patrono, *patronus*, el antiguo dueño respecto a él y derecho de patronato, *iura patronatus*, la relación, entre aquél y éste, tras la manumisión.

A) Los Libertos

La condición de liberto comporta, en época justinianea, ser ciudadano romano y en la anterior, ser: *cives* —si la manumisión fue solemne—, *latini iuniani* —si no lo fue, (aplicación de la *Lex Iunia*)— o *dediticii aeliani* —si son los esclavos delincuentes a los que alude la *Lex Aelia*[49]—.

Los libertos, no alcanzan la plena equiparación con los libres de nacimiento —*ingenui*— ni en derecho público[50] ni en el privado[51],

---

47 Los casos, a partir del Cristianismo, van en constante aumento.

48 En origen se llamó *libertinus* al hijo de liberto.

49 En las Reglas de Ulpiano se dice: Tres son las clases de libertos —*Libertorum genera sunt tria*— ciudadanos romanos —*cives Romani*— latinos junianos —*Latini Iuniani*— y dediticios —*dediticiorum numero*— y en Instituciones de Justiniano, que: a todos los libertos —*omnes libertos*— sin reparar —*nullo*— en la edad del manumitido —*nec aetatis manumissi*— ni en el dominio de los que manumiten —*nec dominii manumissoribus*— ni en la forma de la manumisión —*nec in manumissionis discrimine habito*— según se observaba antes —*sicuti antea observabatur*— hemos otorgado la ciudadanía romana —*civitati Romana donavimus*—.

50 En general: su *ius suffragii*, en su eficacia, está tamizado al incluírseles en las tribus más pobladas: las urbanas y Augusto, aun manteniendo su adscripción, llegó a privarles del voto; el *ius honorum*, al estarles vedado, les impide el acceso a magistraturas, dignidades religiosas, senado y curias municipales y no tienen el *ius legionis* ni pueden pertenecer a los *equites* = caballeros.

aunque pueden adquirir aquella condición por concederla el Príncipe —*natalium restitutio*— o su autorización para utilizar el anillo de oro de los caballeros, *equites* —*ius anulorum aurearum*[52]—. Justiniano, terminará por otorgar la condición de ingenuo a todo liberto[53].

B) El Patronato

El patronato es la relación de dependencia que vincula al liberto con el patrono. Su naturaleza es análoga a la patria potestad y su contenido se resume en: el *obsequium*, las *operae* y los *bona*.

a) El *obsequium*, es sinónimo de *reverentia, honor, gratitudo*; comporta una idea general de respeto y el considerar que el patrono y sus hijos son *personae sanctae* y *honestae*, lo que se refleja, sobre todo, en la esfera procesal. Así: el liberto no los podrá citar en juicio si se trata de una acción criminal; necesitará la autorización del pretor en los demás tipos de acciones[54] y no podrá obtener, contra el patrono, una condena superior a lo que sus medios económicos permitan pagar — *id quod facere potest*— lo que se llamaría: *beneficium competentiae*. En época postclásica y justinianea, incumplir esta *gratitudo* es causa de revocación de la manumisión —*revocatio in servitutem propter ingratitudinem*—.

b) Las *operae* comportan la obligación del liberto de prestar al patrono una serie de servicios[55], como prueba de gratitud —no como precio de la libertad—. Son exigibles, judicialmente, si se han prometido, antes de la manumisión, por juramento —*promissio iurata*

---

[51] Poseyeron el *commercium*, pero no el *conubium* con *ingenui*. Augusto —*Leges Iulia et Papia Poppaea*— prohíbe su matrimonio con los senadores y sus descendientes y establece diferencias, respecto a la mujer, para liberarse de la tutela y para adquirir por herencia —*capacitas*— por el número de hijos —*ius liberorum*— (tres para las ingenuas y cuatro para las libertas). Justiniano derogará la legislación matrimonial de Augusto.

[52] La *natalium restitutio* extingue el patronato. El *ius ànulorum aureorum* no.

[53] Al no extinguirse el patronato por ingenuidad, la diferencia entre ingenuos de origen y los nuevos es este derecho.

[54] Según Gayo, de hacerlo, podrá ser sancionado hasta con 10.000 sestercios.

[55] Estas *operae* se llaman *officiales*, por derivar del *officium* del liberto. Esto es: de la relación cuasi familiar que le liga con su patrono y de los deberes morales que conlleva. Comprende, también, las denominadas *operae fabriles*, que designan, con Justiniano, los trabajos derivados del ejercicio de una profesión u oficio.

liberti— o, después, por estipulación y las excesivamente gravosas, impuestas para procurarse el patrono lucros abusivos —*onerandae libertatis causa imposita*— carecerán de validez[56].

c) Respecto a los *bona*, patrono y liberto están, recíprocamente, obligados a prestarse alimentos en caso de necesidad[57].

Tres últimas notas completarán la visión sobre el patronato: 1.ª) que la relación cuasi-familiar que comporta, se manifiesta, sobre todo, en los campos de la tutela[58], sucesión[59] e incluso, en el procesal[60]; 2.ª) que, desde un *senatusconsultum Ostorianum* —de mediados del s. I— se autoriza al patrono a asignar, para después de su muerte, este derecho a uno o varios de sus hijos y 3.º) que se admitirá, con Justiniano, la renuncia a este derecho por el antiguo dueño.

---

[56]   Esta prohibición se remonta al año 182 AC y al Edicto del Pretor Rutilio y de ella nace en favor del liberto, para oponerse, la *exceptio onerandae libertatis*.

[57]   Relacionados con ello están los regalos que el liberto deberá hacer al patrono en fechas familiares —*munera*— o circunstancias excepcionales —*dona*—.

[58]   El liberto está obligado, en su caso: a asumir la tutela de los hijos del patrono; la administración de sus bienes y a promover la tutela del patrono impuber y el patrono es llamado, por ley, a la tutela sobre los hijos del liberto.

[59]   Del patronato nace un derecho de sucesión *ab intestato* y contra testamento, en favor del patrono y sus descendientes, sobre los bienes del liberto que muera sin *heredes sui*. Derecho respaldado, en el primer caso, por la *actio Calvisiana* y en el segundo, por la *actio Fabiana*.

[60]   Al patrono corresponde la asistencia y defensa en juicio del liberto; no ejercer contra él acusación por delito capital ni, injustamente, la *actio ingrati*, pues perdería la *bonorum possessio contra tabulas*.

Tema 14

La ciudadanía y la situación familiar

Hoy, los romanistas consideran que sólo tiene plena capacidad jurídica la persona que a su condición humana anuda una triple situación —*status*— de privilegio. Respecto a la libertad —ser libre—, a la ciudadanía —ser ciudadano romano— y a la familia —no estar sujeto a potestad alguna—. Vista, en el tema anterior, la situación de las personas respecto a la libertad —libres y esclavos— pasamos a analizar, en éste, su situación respecto a la ciudadanía y la familia.

1. CIUDADANOS, LATINOS Y PEREGRINOS

El *status civitatis* es aquella situación —*status*— de que goza el que es libre y ciudadano[1] A tenor de ella, los hombres pueden ser: ciudadanos —*cives*—, latinos —*latini*— o peregrinos —*peregrini*—.

I. *Cives*

A) *Concepto*

Por el principio de la personalidad de las leyes, propio de los pueblos antiguos, son ciudadanos romanos —llamados en principio *Quirites*— los que pueden participar en toda suerte de derechos y la manifestación externa de ciudadanía, se produce a través de los tres nombres —*tria nomina*— (*nomen*, de *noscere*, conocer) por los que el *civis* da a conocer su condición[2].

---

[1]   Sirva como dato, de su importancia, que no podrá cumplirse la pena capital sobre un hombre sin privarle antes de su condición de ciudadano y que, en el Imperio, el usurpar el título de ciudadano era castigado con la muerte.

[2]   El *nomen romanum* se compone: a) del *prae-nomen*, nombre individual, como nuestro nombre de pila, diferenciador del de los demás miembros de la familia —*Marcus*,

B) Derechos

La situación de *civis* comporta los siguientes derechos:

a) En la esfera del derecho público —*ius publicum*—: 1) el *ius suffragii* —de *suffragium*, voto, sufragio— derecho a emitir sufragio o voto en las asambleas populares; 2) el *ius honorum* —de *honos*, honor, magistratura— derecho de acceder a magistraturas y desempeñar cargos públicos y 3) el *ius legionis* —de *legio*, legión— derecho a servir en las legiones, cuerpo de milicia de los ciudadanos romanos.

b) En la esfera del derecho privado —*ius privatum*—: 1) el *ius actionis* —de *actio*, acción— derecho de acudir a los tribunales; intervenir, como demandante o demandado, en un proceso civil y defender, en juicio, nuestros derechos cuando son desconocidos por alguien; 2) el *ius conubii* (o *conubium*) —de *cum nubo*, matrimonio— derecho a contraer justas nupcias —*iustum matrimonium*— con las facultades inherentes, a la esfera familiar, a saber: patria potestad, *manus* y tutela; 3) el *ius commercii* (o *commercium*) —de *cum merx*, mercancía— que incide en los que, hoy, llamamos derechos patrimoniales y refleja el poder adquirir y transmitir la propiedad civil —derechos reales— y ser sujeto activo —acreedor— o pasivo —deudor— en relaciones contractuales —derechos obligacionales, personales o crediticios— y 4) la *testamentifactio* —de *testamentum facere*, hacer testamento— que en general, alude a la capacidad jurídica sucesoria, como disponente, beneficiario o testigo[3].

Quintus...—; b) el *nomen gentilicium*, nombre familiar, común al de los demás miembros de la familia y equiparable a nuestro apellido —*Tullius, Mucius*...— y c) el *cognomen* que alude, en principio, a la rama gentilicia a la que se pertenecía y termina por hacer referencia, también, a datos personales o familiares —*Cicero, Scaevola*...— Los nombres completos serían, en los ejemplos citados: los del orador, *Marcus Tullius Cicero* y el del jurista, *Quintus Mucius Scaevola*.

[3] Conviene hacer las siguientes observaciones: 1.ª) que la exposición detallada de todos los derechos propios del *civis optimo iure*, comportaría un *excursus* a lo largo de todo el Derecho Romano y que, por tanto, hemos actuado, en el texto por vía de síntesis; 2.ª) que hemos otorgado un valor amplio a expresiones cuyo significado, a tenor de las fuentes, es más restrictivo. Así, por ejemplo, en Reglas de Ulpiano, *conubium* es: la facultad de tomar esposa jurídicamente —*conubium est uxoris iure ducendae facultas*— y *commercium* el derecho recíproco de comprar y vender —*commercium est emendi vendendique invicem ius*—; 3.ª) que ciertos no *cives* —latinos y peregrinos— tienen algunos de los derechos referidos, aunque con efectos limitados y 4.ª) que la capacidad comercial y matrimonial —así se destaca en doctrina— a diferencia de la capacidad jurídica civil que es parte integrante de la *civitas*, son simples desviaciones de ésta.

C) *Adquisición de la ciudadanía*

Las principales causas son, por: a) Nacimiento; b) Manumisión; c) Precepto Legal y d) Concesión por el poder público.

a) Son *cives* los procreados en justas nupcias y los que nacen, extramatrimonialmente, de ciudadana romana[4]. b) También lo son los esclavos manumitidos, en derecho prejustinianeo, en forma solemne y en el justinianeo, cualquiera que fuese su forma de manumisión[5]. c) Algunas leyes fijaron ciertos medios para la adquisición de la ciudadanía. Ejemplo típico es la *Lex Acilia Repetundarum* —123/122 AC— que la otorgaba, como premio, al provincial que hubiera denunciado y obtenido condena de un magistrado por concusión (= malversar fondos públicos). d) También puede adquirirse por concesión del poder público, que podía ser individual o colectiva[6]. En el primer caso, extensiva o no a los hijos y en el segundo, plena o limitada —*civitas*

---

[4]   De las Reglas de Ulpiano, se desprende que: Existiendo matrimonio —*conubio interveniente*— los hijos —*liberi*— siempre —*semper*— siguen la condición del padre —*patrem sequuntur*—al tiempo de la concepción —*concepcionis tempus spectatur*—. No habiéndolo —*non interveniente conubio*— siguen la condición de la madre —*matris condicioni accedunt*— en el momento del parto —*editionis (tempus spectatur)*—. Esta última regla sufrió diversas modificaciones, en el tiempo y, en ellas, jugaron destacado papel: 1.º) una *Lex Minicia* (s. I AC), que manda que el hijo siga siempre la condición del ascendiente de rango inferior —*deterioris parentis condicionem sequi iubet*— así, de peregrino y ciudadana romana —*ex peregrino et cive Romana*— nace peregrino —*peregrinus nascitur*—; 2.º) un *Sc. Claudianum*, que proteje el error del *civis* respecto a la mujer que cree ciudadana, siendo latina o peregrina, y se permite —*permittitur*— probándolo —*causam erroris probare*— que ésta y el hijo sean ciudadanos —*et ita uxor quoque et filius ad civitatem Romanam perveniunt*— (lo que se aplica a otras hipótesis) y 3.º) un *sc.* de época de Adriano, que, deroga la *Lex Minicia* y admite que la adquisición de ciudadanía de los padres acarrea la de sus hijos, ya nacidos, si el matrimonio es válido con arreglo a las leyes y costumbres extranjeras (por ej. el contraído entre dos de ellos, de igual ciudadanía).

[5]   Recordemos, que: 1) en derecho preclásico, son ciudadanos romanos —*cives romani sunt*— los libertos —*liberti*— que son manumitidos legítimamente —*qui legitimi manumissi sunt*— es decir —*id est*— por vindicta —*vindicta*—, por censo —*aut censo*— o por testamento —*aut testamento*—; 2) en derecho clásico, iguales libertos siempre que no hubiera, además, impedimento jurídico alguno —*nullo iure impediente*— en su manumisión, esto es no estuvieran incursos en las leyes restrictivas a la libertad de manumitir de Augusto; 3) en derecho postclásico, también, los manumitidos *in Ecclesia* y 4) que con Justiniano toda manumisión, comporta, además, de la libertad la ciudadanía.

[6]   En la República, fueron órganos competentes, para ello los comicios y los magistrados autorizados por éstos y en el Principado e Imperio, el Príncipe y los Emperadores.

sine suffragio[7]—. Tras la guerra social —s. I AC— la ciudadanía se extendió a Italia y en el 212 —Edicto de Caracalla— a todos los hombres libres del Imperio.

D) Pérdida de la ciudadanía

La ciudadanía puede perderse con la libertad —*capitis deminutio maxima*— o conservando ésta —*capitis deminutio media*—. En este segundo caso, puede ser una pérdida voluntaria, al ingresar en una ciudad o colonia no romana —*exilium vertere* o *solo vertere*, cambio de suelo, territorio o residencia— o involuntaria, cuando —en la República— se dicta contra alguien la prohibición del agua y el fuego —*interdictio aquae et ignis*— o —en el Principado, desde Tiberio— se declara su deportación —*deportatio in insulam*—.

II. *Latini*

A) Concepto

Latinos son, en principio —de ahí su nombre— los habitantes del Lacio —*Latium*—. Más tarde, se llama así a los hombres libres de condición jurídica intermedia entre los *cives* y *peregrini* —y en ellos cabe distinguir tres categorías[8]—.

B) Clases

a) *Latini Veteres* —viejos— o *Prisci* —antiguos—. Son los miembros: 1) de las ciudades de una antigua Liga Latina —*nomen latinum*— fundada por Roma y los pueblos vecinos del Lacio[9]; 2) de las colonias fundadas por esta Liga y 3) de las fundadas, ya sólo por Roma, hasta

---

[7] Se discute si la concesión de la ciudadanía romana implicaba la pérdida de la de origen o se admitió lo que hoy se llamaría doble nacionalidad. La doctrina lo afirma, en principio, y vacila, a partir de los últimos tiempos de la República.

[8] Las fechas del texto que se toman como referencias diferenciales de los latinos *veteres* y de los *coloniarii* no son asumidas por algunos autores, manteniéndose, incluso, que no hay base segura para la distinción entre unos y otros.

[9] Según la tradición fue fundada en el año 493 —*foedus Cassianum*— y disuelta por Roma en el año 338 AC tras su guerra y victoria sobre las ciudades federadas.

el año 268 AC. Por sus afinidades geográficas, lingüísticas, religiosas, étnicas y culturales, se consideran como no *cives* de una misma nacionalidad y, en general, están equiparados a éstos en el *ius privatum* y no en el *publicum*[10].

b) *Latini Coloniarii* —de las colonias— son: 1) los miembros de las colonias fundadas por Roma, desde el 268 AC, a las que se da el carácter de latinas y 2) los habitantes de los territorios a los que se concede el derecho de latinidad —*Ius Latii*[11]—. En el *ius privatum* tuvieron todos los derechos menos el *conubium*, salvo concesión expresa —*si concessum sit*— y en el *publicum*, se limitó al *suffragium* si estaban en Roma.

Ambas categorías desaparecen al obtener la ciudadanía romana los habitantes de la península itálica, por las *leges Iuliae* (90 AC) y *Plautia Papiria* (89 AC).

c) *Latini Iuniani*. Constituyen una categoría legal —*ex lege*— y, según Gayo, se llaman *latini* porque están asimilados a los latinos coloniales —*quia adsimilati sunt Latinis coloniariis*— y *iuniani* porque adquieren la libertad gracias a la ley *Iunia Norbana* —*quia per legem Iuniam libertatem acceperunt*— pues —*cum*— en otro tiempo —*olim*— eran tenidos por esclavos —*servi viderentur esse*—. Tienen este carácter los esclavos manumitidos: en forma no solemne o en forma solemne, pero incumpliendo los requisitos de la *Lex Aelia Sentia*. Sólo gozaron del *commercium* y al carecer de *testamentifactio*, Salviano, teólogo de fines del s. IV, gráficamente, dice de ellos que: viven como ingenuos —*vivunt quasi ingenui*— y mueren como esclavos —*moriuntur ut servi*—. Esta categoría subsistirá hasta su derogación por Justiniano.

C) *Adquisición de la ciudadanía*

Los *Latini* podían obtener la ciudadanía de muchos modos —*multis modis ad civitatem Romanam perveniunt*—. Así, por: 1) traslado de su

---

[10]   Se suele afirmar tenía el *suffragium*, estando en Roma, en una tribu sacada a suerte y a su carácter originario se opone que los *comitia tributa* —por tribus— surgen en época posterior al *foedus Cassianum*.

[11]   Latinidad que fue concedida a partir de César a regiones enteras y a España, por Vespasiano —73/74—.

domicilio a Roma —*ius migrandi*[12]— 2) petición al Príncipe —*beneficio principali*— 3) hijos —*liberis*[13]— 4) reiteración —*iteratione*[14]— 5) premios de orden militar y social[15] y 6) derecho de latinidad —*iure Latii*[16]—.

III. *Peregrini*

A) *Concepto*

Peregrino —de *per agros* = a través de los campos, viajero—, es extranjero. Por tanto, se opone a *civis* y al estar relacionado con Roma no debe confundirse con enemigo —*hostis*— ni con quienes están al margen del mundo romano sin relación alguna —*barbari*—.

Son hombres libres, habitantes del Imperio, que no siendo *cives* ni *latini* usan en sus relaciones de las normas del *Ius Gentium*. Al no formar categoría homogénea, cabe distinguir tres tipos.

B) *Clases*

a) *Certae* (o *alicuius*) *civitatis* —Peregrinos de cierta ciudad—. Son habitantes de una ciudad a la que Roma, tras su conquista o anexión,

---

[12]   El *ius migrandi*, fue restringido y después abolido por una *Lex Licinia Mucia* (95 AC), lo que constituyó una de las principales causas de la Guerra Social.

[13]   Para favorecer la natalidad legítima. Se admitió en los casos en que la latina haya tenido 3 hijos —*quae sit ter enixa*— y en los que un ciudadano/a se casa por error con una latina/o (o peregrina/peregrino) —*erroris causa probatio*—.

[14]   Cuando habiéndose incumplido los requisitos de edad de la *Lex Aelia Sentia* — esclavo menor de 30 años— se subsana tal vicio, tras cumplir la edad legal, con una nueva manumisión —*iteratio*— por su antiguo dueño.

[15]   Fueron premios: A) de orden militar —*militia*—: el haber servido, primero 6 —*Lex Visellia*— después 3 años, en el cuerpo de los *vigiles Romae* —vigilantes de Roma— y B) de orden social: a) por la nave —*nave*— (según Edicto de Claudio) si construyese una con capacidad no inferior a 10.000 medidas de trigo y llevase trigo a Roma durante 6 años; b) por el edificio —*aedificio*— (según Edicto de Nerón) si teniendo un patrimonio no inferior a 200.000 sestercios invirtiera en Roma, en la construcción de un edificio, cuando menos la mitad de su patrimonio y c) por el molino —*pistrino*— (según edicto de Trajano) si al menos durante 3 años mantenía en Roma una panadería elaborando, al día, cuando menos, 100 medidas de trigo.

[16]   Así, por desempeño de magistraturas locales, *Latium minus*, o estar en la curia de su ciudad, *Latium maius*.

aunque dependerá del tratado —*foedus*— que se celebre, respeta su existencia, y en general, su organización política y autonomía. En suma: pueden usar sus leyes —*sui legibus uti*—; en las relaciones privadas, entre ellos, se rigen por su derecho —*lex civitatis*— y si es con los *cives* por el *Ius Gentium*, aunque se les puede conceder, especialmente, el *commercium* y el *conubium*.

b) *Dediticii* —de *deditio*, rendición sin condiciones—. De ellos dice Gayo, que son los que lucharon alguna vez contra el pueblo de Roma —*qui quondam adversus populum Romanum*— con las armas —*armis*— y después, vencidos —*deinde victi*— se rindieron sin condiciones —*se dediderunt*—. Esta situación excluye cualquier tratado, pues Roma no reconoce la existencia de la *civitas*. Por ello los *dediticii*, *de iure*, no pueden utilizar su *ius civitatis* y deben acudir, necesariamente, al *Ius Gentium*, aunque, *de facto*, es probable que en sus relaciones privadas usaran aquel derecho consagrado por la costumbre. No pertenecen, pues, a una ciudad —*sine civitate* o *nullius civitatis*— y para llegar a *civis*, antes deberán adquirir la condición de *peregrinus alicuius civitatis* o de latinos.

c) *Dediticii Aeliani* —de la *Lex Aelia Sentia*— Son, según Gayo, los libertos que, durante la esclavitud, sufrieron penas infamantes; fueron condenados, tras ser sometidos a tortura, o destinados a luchar en el circo contra las fieras o como gladiadores. Constituyen una categoría *ex lege* y, dice Gayo que: es la peor libertad —*pessima libertas*— pues nunca pueden adquirir la latinidad ni la ciudadanía romana —*nunquam aut cives Romani aut Latinos fieri*— tampoco testar o adquirir por testamento —*nullo modo ex testamento capere possunt... nec testamentum facere*— y se les prohíbe vivir en Roma —*in urbe Roma morari*— o en 100 millas a la redonda, so pena de ser vendido, como esclavo, con sus bienes —*ipsi bonaeque eorum publice venire iubentur*—. Esta categoría se deroga por Justiniano[17].

---

[17]   Discutiéndose si la *Constitutio Antoniniana* excluyó a los *peregrini dediticii* de la ciudadanía romana, y sea cual sea la opinión al respecto, si lo afirmamos, esta categoría pudo reaparecer.

2. LA SITUACIÓN FAMILIAR

Si *status* equivale a situación y la referimos a la familia, se hablará de *Status Familiae*, expresión que alude a la situación de alguien y, con más rigor, de una persona libre y ciudadana dentro del grupo familiar. Por ello Gayo dice que: algunas personas —*quaedam personae*— son independientes —*sui iuris sunt*— (= se pertenecen a sí mismas = no dependen del derecho de otro) y otras —están sujetas a un poder o derecho ajeno —*quaedam alieno iuri subiectae sunt*—.

I. *Sui iuris*

Independientes —*sui iuris*— son, los libres y *cives*, no sujetos a la autoridad de un jefe doméstico. En definitiva, los primeros de su familia[18], bien por carecer de ascendientes legítimos, como el *paterfamilias*, bien por ser liberados de la potestad de la que dependían, como los hijos emancipados.

A) El varón *sui iuris* se identifica con el *paterfamilias*, término que no alude a su mayor o menor edad ni al tener o carecer de hijos, sino al hecho de ejercer o poder ejercer una jefatura familiar. Según Ulpiano *paterfamilias* es: quien tiene el dominio de su casa —*in domo dominium habet*— aunque carezca de hijos —*quamvis filium non habeat*— y no designamos su sola persona sino también su derecho —*non enim sola persona eius, sed et ius demostramus*—. Tal vez, con más precisión, podría definirse como el varón, libre, ciudadano y *sui iuris* —independiente— que es, o puede ser, jefe de una familia. Un niño de corta edad podría tener este carácter.

B) La mujer puede ser *sui iuris*, si no está sujeta a autoridad alguna, pero no puede ejercer la jefatura familiar. Por ello, en su caso, como dice Ulpiano, será principio y fin de su propia familia —*caput et finis familiae suae*— y, aunque parezca perogrullada: no podrá ser *paterfamilias*[19].

---

[18] En Reglas de Ulpiano se dice: Son independientes —*Sui iuris sunt*— los primeros de su familia —*familiarum suarum principes*— esto es —*id est*— el padre de familia —*pater familiae*— y también la madre —*itemque mater familiae*—.

[19] El término *materfamilias* se utiliza, fundamentalmente, para designar a la mujer casada y el de *matrona*, para referirnos a la mujer *sui iuris*, de honesta condición, con independencia de su matrimonio.

C) Cabría resumir lo expuesto afirmando que: Si bien todo *pater familias* es *sui iuris* —pues es condición necesaria y suficiente al tratarse de varón— no todo *sui iuris* es *paterfamilias* —al ser condición necesaria pero no suficiente al referirse a la mujer—.

La plena capacidad jurídica, como dijimos en su momento, coincide con la condición de *paterfamilias*, y así, siendo el *Ius Civile* el derecho de los *patres familias*, resulta apropiado identificar al *paterfamilias* con nuestro concepto de sujeto de derecho.

II. *Alieni iuris*

A) Son las personas —libres y ciudadanas— con independencia de su edad y sexo, que están sujetas —*subiectae sunt*— a la autoridad de un jefe doméstico, esto es a un poder o derecho ajeno —*alieno iuri*—.

B) Tal poder doméstico corresponde al *paterfamilias*. En origen, se llamó *manus* y fue ejercido, en forma indiferenciada, sobre personas —libres y esclavos— y cosas, puestas unas y otras a su servicio. Después, se escinde y recibe distintos nombres, según sobre quienes o sobre qué se ejerce. Así: si es sobre la mujer, sigue denominándose *manus*; si sobre los hijos, *patria potestas*; si sobre otras personas que en virtud de ciertas causas se incorporan a la familia por *mancipatio*, *mancipium* y si sobre la casa (*domus*), *dominium*.

En atención al posible ejercicio de éste poder y al carácter de la sumisión al mismo, Gayo dice que: A su vez —*rursus*— de las personas que están sujetas al poder de otro —*earum personarum quae alieni iuri subiectae sunt*— (a) unas están bajo potestad —*in potestate*—[20] como los hijos —*liberi nostri*— procreados en justas nupcias —*quos iustis nuptiis procreavimus*— y los que adoptamos —*quos adoptamus*—; (b) otras bajo el poder marital —*in manu*— como la esposa, si se adquiere este poder por ciertas ceremonias[21]; y (c) otras, en fin, como compradas —*in mancipio* o *in causa mancipi*— como el hijo de familia cuyo padre lo vende —*mancipatio*— o entrega en

---

[20] Gayo alude primero a los esclavos: Están bajo potestad —*In potestae itaque sunt*— (dice) los esclavos respecto de sus dueños —*servi dominorum*—. Sólo un texto de Ulpiano califica tal poder como *dominica potestas*.

[21] Tales ceremonias, según testimonio de Gayo, fueron: por el pan de trigo —*farreo*— (*confarreatio*) por la compra ficticia —*coemptione*— o por el uso —*usu*—.

garantía de una deuda o en reparación de un delito cometido por el propio *filius*[22].

Estas situaciones inciden en forma diferente en la capacidad de quienes en ellas se encuentran y a continuación nos centraremos, como más significativa, en la de los hijos *in potestate*.

C) Respecto a los *filii familias*, por vía de síntesis, cabe precisar que siendo, en el *ius publicum*, plenamente capaces, no ocurre así en el ámbito del *ius privatum*, en donde: 1.º) en la esfera familiar, poseen el *conubium* y, aunque carecen de la *patria potestad*, pueden ser tutores[23]; 2.º) en la esfera procesal, no pueden ser actores, pero sí demandados, aunque la ejecución de la sentencia se pospondrá hasta que salgan de la patria potestad; 3.º) en la esfera patrimonial, no pueden tener nada suyo, actuando como instrumentos de adquisición del *pater*, aunque, a través de los peculios se irá afirmando su capacidad[24]; y 4.º) en la esfera sucesoria, no pueden, en general, otorgar testamento —carecen de *testamentifactio activa*— ya que si, como nos recuerda Gayo, nada suyo pueden tener —*nihil suum habere potest*— es difícil disponer, para después de la muerte, de algo que, en vida, no se tiene, pero pueden ser herederos —*testamentifactio pasiva*— y lo que con tal carácter adquieran revertirá en el patrimonio del *paterfamilias*.

3. LA FAMILIA ROMANA

La familia es una institución universal que no siempre ha tenido iguales caracteres. Así, la familia romana primitiva presenta hondas

---

[22] *In mancipio* están: a) los *filii familias* vendidos por el *paterfamilias* a un tercero, en virtud de su *ius vendendi* o entregados en reparación de un delito cometido por el propio hijo, en virtud del *ius noxae dandi*; b) los *nexi*, deudores que se dan en prenda en garantía de una deuda; c) el redimido del poder de los enemigos —*redemptus ab hostibus*— hasta restituir el precio de su rescate y d) los ladrones sorprendidos —*fures manifesti*— si se confiere la *adictio* por el magistrado. Su situación es una categoría intermedia entre la libertad y la esclavitud.

[23] Pomponio dice: El hijo de familia —*filiusfamilias*— en las cosas públicas —*in publicis causis*— se tiene en el lugar del padre —*loco patrisfamilias habetur*— como —*veluti*— para ejercer magistraturas —*ut magistratum gerat*— o ser nombrado tutor —*ut tutor detur*—.

[24] En Tema 15.4 tratamos de los efectos patrimoniales de la *patria potestad*.

diferencias respecto a la de hoy y sólo tras una lenta y progresiva evolución, en su última fase, se acerca a ella.

Partamos del propio sentido inicial del término «familia» para aludir, luego, al de otros vocablos jurídicos, relacionados con él, y que con plena vigencia, como significantes, en nuestro actual derecho, su significado, dista, y no poco, del que, en principio tuvieron.

I. Significado primitivo

A) Desde un punto de vista lingüístico, familia, proviene de *famulus*, fámulo, criado doméstico, servidor, y comporta idea de «servicio».

B) Desde un punto de vista jurídico —y sin abandonar la idea de servicio— en Derecho Romano, el término familia se aplica, según Ulpiano, a cosas y a personas y, en ellas, tanto a libres como a esclavos[25].

En las cosas designa el patrimonio familiar objeto de herencia[26] y en las personas alude, sobre todo[27], a un conjunto de ellas. En este sentido, dice Ulpiano, se habla de familia por derecho propio y por derecho común. La *familia proprio iure*, designa al conjunto de personas —*plures personas*— que están —*quae sunt*— sujetas a una misma potestad —*sub unius potestate... subiectae*— por razones naturales o jurídicas —*aut natura aut iure*—. La *familia communi iure* alude al conjunto de personas que estuvieron bajo una misma potestad familiar —*qui sub unius potestate fuerunt*— que cesa por muerte del ejerciente[28].

---

[25] *Familia rustica, urbana* —por caso— son términos que designan a esclavos que pertenecen a un mismo dueño.

[26] Así: *familia pecuniaque*, alude al patrimonio familiar; *emptor familiae*, al comprador de la herencia; *actio familiae erciscundae* a la acción de partición de herencia; y se dice si alguien muere intestato —*si intestato moritur*—... que el *agnatus proximus* —el agnado próximo— *familiam habeto* —tenga la herencia—.

[27] Las XII Tablas usan el término familia en singular, según Ulpiano, para referirse a patrono y liberto —*quum de patrono et liberto*— pues pertenecen a la misma familia y es sabido que la ley habla aquí de personas singulares —*et hic de singularibus personis legem loqui constat*—.

[28] Ulpiano dice que: Por derecho común —*communi iure*— llamamos familia —*familiam dicimus*— a la de todos los agnados —*omnium adgnatorum*— porque aunque muerto el *paterfamilias* —*nam et si patre familias mortuo*— cada uno tiene su propia familia —*singuli singulas familias habent*— sin embargo todos —*tamen*

Existe, pues, en principio, una armonización respecto a la idea de servicio, que comporta el término *familia*, tanto desde el prisma lingüístico como el jurídico, aplicable, pues, a toda persona —libre o esclava— y a todos los bienes sujetos a una misma autoridad.

II. Principales caracteres

Destaquemos los principales caracteres de la familia actual para contraponerlos a los de la familia primitiva romana.

A) La familia, hoy, tiene como base el matrimonio o las uniones de carácter estable. En la Roma primitiva, se asienta en la idea de unidad, que se refleja en la triple esfera religiosa, económica y política: a) la comunidad religiosa, representada por el culto a los dioses *manes* —almas de los antepasados— y por los dioses del hogar —*lares*—; b) su carácter de entidad económica independiente, por el *mancipium*, patrimonio agrario arcaico, integrado por las cosas más importantes —*res mancipi*— para, cuya designación, se usará el propio término *familia*[29] y c) en cuanto a su fundamento político —al margen de su posible incidencia en la formación de la *civitas*— baste recordar que Cicerón dice de la familia que es el origen de la ciudad —*principium urbis*— y la cataloga como germen de la República —*et quasi seminarium rei publicae*—.

B) El vínculo que une a los componentes de la familia es, hoy, el parentesco de sangre —consanguíneo o cognaticio— el cual, se trasmite tanto por el padre como por la madre y no cesa por emancipación. En Roma, por contra, en principio: a) el nexo que une a la familia es el parentesco de autoridad —agnaticio—; b) sólo se transmite por línea masculina —*virilis sexus*— y c) se extingue por emancipación. En suma, para pertenecer a la familia romana, la sangre ni es condición necesaria ni condición suficiente, pues tomando como ejemplo a los hijos, se incluye a los adoptados —que no lo son por sangre— y se excluye a los emancipados —que si lo son—.

---

omnes— los que estuvieron bajo la potestad de uno —*qui sub unius potestate fuerunt*— con razón —*recte*— serán llamados de la propia familia —*eiusdem familiae appellabantur*— ya que proceden de la misma casa y estirpe —*qui ex eadem domo et gente proditi sunt*—.

[29]   *Familia* se contrapone a *pecunia* (de *pecus*, ganado) que alude a los bienes de cambio, en especial al dinero.

C) La patria potestad, hoy, se ejerce, conjuntamente, por el padre y la madre; constituye un deber más que un derecho; se ejerce en interés de los hijos sujetos a ella —no en beneficio de sus titulares— y es limitada en el tiempo, pues cesa por la mayoría de edad, siendo responsable, hasta entonces, los padres de las posibles actuaciones del hijo. En Roma: a) de acuerdo a su denominación —*patria*, de *pater*— es un atributo exclusivo del *paterfamilias*; b) constituye un poder —*potestas*— integrado por facultades (no deberes) que van desde un originario derecho de vida y muerte —*ius vitae necisque*— hasta la entrega del cuerpo del hijo —*ius noxae dandi*— en reparación de algún acto por él cometido; c) se otorga en interés de su titular y d) no se limita en el tiempo ni extingue por alcanzar el hijo determinada edad.

D) La emancipación —causa principal de extinción de la patria potestad— es, hoy, una medida de favor en interés del hijo y no afecta a sus relaciones de parentesco ni a sus derechos sucesorios. En Roma, en principio: a) puede catalogarse como una medida de disfavor; b) el hijo emancipado deja de ser pariente del *paterfamilias* al no estar ya sujeto a su autoridad y c) según el *Ius Civile* —precisamente por la extinción del *ius adgnationis*— pierde sus derechos sucesorios, respecto a aquél.

E) La tutela y la curatela, hoy, son instituciones supletorias de la patria potestad y como ella, comportan «idea de deber» —no de derecho— y de ejercicio en interés del pupilo. En Roma: a) se aplican a los *sui iuris* y con el mismo carácter supletorio referido; b) comportan, en principio, como la *patria potestas*, la idea de derechos y c) se ejercen en interés de tutor o curador.

F) La *domus* —casa— en Roma, tiene un marco amplio y quienes la integran no la abandonan por edad o, tratándose de varones, por matrimonio y los antiguos romanos —*maiores nostri*— según Séneca, la consideraron como un «mini estado» —*domum pusilam rem publicam esse iuidicaverunt*—. Hoy, en cuanto al número de sus componentes tiene carácter muy restringido y aun siendo germen de la sociedad se elude cualquier tipo de posible connotación política.

4. AGNACIÓN, COGNACIÓN Y AFINIDAD

El parentesco puede ser de agnación, cognación y afinidad.

A) Agnación

La agnación —*adgnatio*— es el vínculo jurídico, que deriva de la autoridad del *paterfamilias* y une a los miembros de una familia civil[30]. Su fundamento es la sujeción a una misma potestad familiar y al sólo poder ejercerla el hombre, sólo por él puede transmitirse.

Son, pues, agnados —*adgnati*— según Gayo, los parientes por vía masculina —*virilis sexus*— como si dijéramos los parientes por parte de padre —*quasi patre cognati*—. Y tienen este carácter las personas que están, o hubieran podido estar, sujetos a un mismo *paterfamilias*. En el primer caso se encontrarían: los hijos legítimos de ambos sexos, los descendientes legítimos de hijos varones, los adoptados (o adrogados) y, en su caso[31], la esposa del *paterfamilias* —*uxor in manu*— o del *filius*; en el segundo: los hijos concebidos en vida del *paterfamilias* y nacidos tras su muerte —*postumi*— póstumos, en el sentido actual del término.

El parentesco agnaticio presenta las siguientes notas: a) es el parentesco propio del *Ius Civile* y único que reconoce a efectos sucesorios y de tutela; b) tiene carácter artificial; c) puede coincidir, o no, con el parentesco de sangre[32]; d) es combatido por el *Ius Honorarium* y e) sucumbe, en el *Ius Novum*, en pro del parentesco de sangre, tenido en cuenta, en principio, sólo en materia de impedimentos matrimoniales.

B) Cognación

La cognación —*cognatio*— es el vínculo de sangre que existe entre personas que proceden unas de otras o tienen un tronco

---

[30] Es familia civil, la *proprio iure*, esto es: el conjunto de personas sujetas a la autoridad de un mismo *paterfamilias*, por naturaleza o derecho —*aut natura aut iure*—.

[31] Cuando el matrimonio se hubiera acompañados de ciertas solemnidades.

[32] Coincide, por ejemplo, en el caso de hijos *in potestate* y no coincide en el de hijos emancipados o adoptados.

común[33]. Al fundarse en la sangre, es obvio, este parentesco se trasmite tanto por vía del varón como de la mujer —*cognatio naturalis*[34]—.

La familia cognaticia —o consanguínea— la integran: ascendientes, descendientes y colaterales y se hace necesario distinguir entre líneas y grados de parentesco y saber computar éstos, sobre todo, en materia de impedimentos matrimoniales y derecho hereditario[35].

a) Grado, es la medida de parentesco o la unidad de distancia que media entre dos personas y equivale a una generación —*tot gradus quot generationes*[36]—.

b) Una serie de grados forman una «Línea» y, a través de ella, se une a un conjunto de personas que tienen un tronco común. La «Línea» puede ser recta o colateral. La recta está formada por personas que descienden unas de otras, es decir, engendradas escalonadamente y se puede apreciar hacia arriba —*supra*— o si se prefiere, en un sentido u orden —*ordo*— ascendente —*superior*— (la que formamos nosotros con nuestros padres, abuelos, bisabuelos...) o hacia abajo —*infra*— esto es, en un orden descendente —*inferior*— (la que formamos con nuestros hijos, nietos, bisnietos...).

---

[33] Se llaman cognados, dice Modestino, porque —*quod*— son como nacidos juntamente o en común —*quasi una communiterve nati*— o (porque) nacieron y fueron engendrados de uno mismo —*vel ab eodem orti progenitive sint*—.

[34] Por extensión a los vínculos jurídicos, se habla, también de *cognatio civilis* que podría equipararse a nuestro parentesco adoptivo.

[35] Paulo, destaca la importancia del parentesco respecto a las herencias, la tutela, la *bonorum possessio* e incluso, bajo el prisma procesal, ya que no se puede prestar testimonio, contra nuestra voluntad, contra los afines y cognados, por ello, dice: el jurisconsulto debe conocer los grados de los cognados y de los afines —*iurisconsultus cognatorum gradus et afinium nosse debet*—.

[36] Paulo dice que: se llamaron grados —*gradus autem dicti sunt*— a semejanza de las escaleras —*a similitudine scalarum*— o de los lugares inclinados —*locorumve proclivium*— en los que entramos —*quos ita ingredimur*— de manera que —*ut*— pasamos del inmediato al próximo —*a proximo in proximum*— esto es —*id est*— al que, en cierto modo, nace de aquél —*in eum qui quasi ex eo nascitur, transeamus*—.

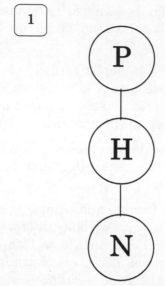

P = Padre; H = Hijo; N = Nieto

La línea colateral —*transversa linea*— está formada por una serie de personas que no descienden unas de otras pero que tienen un tronco o ascendiente común (tal sería, la formada por nosotros con nuestros hermanos, tíos, sobrinos, primos...).

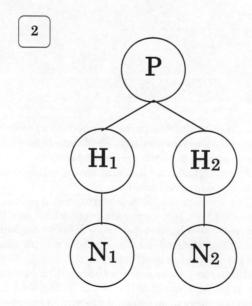

c) Partiendo de la equivalencia referida —grado = generación— para saber el número de grados existente entre dos personas —es decir, para proceder a un cómputo de grados— se contarán tantos como generaciones medien entre ellas[37].

En la línea recta habrá que subir —ascender— hasta el tronco o bajar —descender— desde él. Así, entre el hijo y su padre habrá un grado y entre el abuelo y su nieto, dos. Su calificación jurídica correcta, sería: primer —o 2.º— grado por consanguinidad, línea recta ascendente —o descendente[38]—.

En la línea colateral habrá que subir desde la persona que tomemos como referencia hasta el tronco —o ascendiente— común y bajar hasta la persona con la que queramos hacer el cómputo.

Por esa búsqueda del tronco común —que les une— no hay primer grado y los colaterales más próximos, los hermanos, estarán en 2.º grado, pues habrá que buscar el ascendiente común —los padres— para llegar de un hermano al otro[39]. Su cómputo correcto sería: 2.º grado por consanguinidad, línea colateral.

---

[37] Gayo, nos dice: En el primer grado están —*primo grado sunt*— en línea (recta) ascendente —*supra*— el padre —*pater*— y la madre —*mater*— y en la línea (recta) descendente—*infra*—el hijo—*filius*—y la hija—*filia*—. En el 2.º (grado) —*secundo*— están —*sunt*— en la línea (recta) ascendente —*supra*— el abuelo —*avus*— y la abuela—*avia*—en la línea (recta) descendente—*infra*—el nieto—*nepos*—y la nieta —*neptis*— y en la colateral—*ex transverso*— el hermano —*frater*— y la hermana — *soror*—. En tercer grado—*tertio grado*—están—*sunt*—en la línea (recta) ascendente —*supra*— el bisabuelo —*proavus*— y la bisabuela —*proavia*— en la línea (recta) descendente el biznieto —*pronepos*— y la biznieta —*proneptis*— y en la línea colateral —*ex transverso*— el hijo o hija del hermano y de la hermana —*fratris sororisque filius, filia*—y por tanto—*et convenienter*—el tío y la tía paternos—*patrus, amita*— y el tío y la tía maternos —*avunculus, matertera*—.

[38] Paulo refiere: Cuando se busca —*nam quotiens quaeritur*— en que grado está una persona —*quantu gradu quaeque persona sit*— se ha de empezar —*ab eo incipiendum est*— por aquel de cuya cognación se trate —*cuius de cognatione quaerimus*—y si —*et si*— es de los descendientes o de los ascendientes —*ex inferioribus aut superioribus gradibus est*— encontramos con facilidad el grado subiendo o bajando por la línea recta —*recta linea sursum versum vel deorsum tendentium facile invenimus gradus*— si por cada grado —*si per singulos gradus*— contamos cada próximo pariente — *proximum quemquem numeramus*— pues el que —*nam qui ei*— respecto a mí —*qui mihi*—está en el grado próximo—*proximi gradu est*—al que es mi próximo—*proximus est*— está, de mí, en segundo grado —*secundo gradu est mihi*— y así, de igual modo, crece el número por cada uno que se agrega —*similiter enim accedentibus singulis crescit numerus*—.

[39] Seguimos con Paulo: Lo mismo ha de hacerse —*idem faciendum*— en los grados colaterales —*in transveris gradis*— así el hermano —*sic frater*— está en 2.º grado — *secundo gradu est*— porque la persona del padre o de la madre —*quoniam patris vel*

Este sistema es aplicable a la agnación pues le sirve de base y —en Roma y hoy— también a la afinidad[40] —de la que pasamos a tratar— advirtiendo, respecto a ella, que el marido se deberá colocar en el lugar de la mujer —o ella, en el del marido— sin que este paso implique computar un grado, pues recuerda Modestino: La afinidad no tiene grado alguno —*Gradus autem affinitati nulli sunt*—.

C) Afinidad

La afinidad —*adfinitas*, de *accedit finem*— es el parentesco que une a un cónyuge con los consanguíneos del otro, esto es, según Modestino, los cognados del marido y de la mujer —*adfines sunt viri et uxoris cognati*—. Se llaman así —*dicti ab eo*— porque —*quod*— dos parentescos —*duo cognationes*— que son diversos entre sí (el del marido y mujer) —*quae diversae inter se sunt*— se unen por nupcias —*per nuptias copulantur*— y uno se aproxima al fin del otro —*et altera ad alterius cognationis finem accidit*—. Suegro o suegra, respecto a nuera o yerno; madrastra o padrastro, respecto a hijastra o hijastro y los cuñados, sirven de ejemplos[41].

---

matris persona— por los que se une —*per quos coniungitur*— se cuenta la primera —*prior numeretur*—.

40 Así, en la línea recta el yerno distará un grado de su suegra —madre de su mujer— y en l<a línea colateral dos de su cuñado —hermano de la mujer—. Los términos hijo político, madre política y hermano político puede ser ilustrativos. Sin olvidar que en las fuentes se argumenta que no cabe matrimonio con la hijastra o con la nuera porque una y otra ocupan el lugar de hijas —*quia utraeque filiae loco sunt*— ni con la suegra o la madrastra porque ocupan el lugar de madre —*quia matris loco sunt*—.

41 Téngase en cuenta que el marido y la mujer —unidos por matrimonio— no son afines entre sí —son cónyuges— y que faltan en la enumeración que hace Modestino, al decirnos: Los nombres de los afines, son: suegro —*socer*— el padre de la mujer —*viri pater uxoris*— suegra —*socrus*— la madre de ellos —*mater eorum*— yerno —*gener*— el marido de la hija —*filiae vir*— nuera —*nurus*— la mujer del hijo —*filii uxor*— madrastra —*noverca*— la esposa —*uxor*— respecto a los hijos —*liberis*— (del marido) nacidos de otra mujer —*ex alia uxore natus*— padrastro —*vitricus*— el marido de la madre —*matris vir*— respecto a los hijos (de la mujer) —*liberis*— nacidos de otro marido —*ex alio viro natis*— hijastro —*privignus*— el hijo de mi mujer —*uxoris meae filius*— nacido de otro marido —*ex alio viro nato*— e hijastra —*privigna*— la hija —*filia*—. Es cuñado —*levir*— el hermano del marido —*viri frater*— cuñada —*glos*— la hermana del marido —*viri soror*— y concuñadas las mujeres de dos hermanos —*ianitrices*—...

Tema 15
La patria potestad

La *patria potestas* es el poder jurídico que el *paterfamilias* tiene sobre los hijos que están bajo su autoridad y, dice Gayo, que es propio y exclusivo de los ciudadanos romanos —*ius proprium civium romanorum est*[1]—.

En Roma sufre una larga evolución, cuyos puntos de partida y arribo son: empezar siendo un «poder» ejercido en interés del propio *paterfamilias* y terminar configurado como un «deber» que se ejerce en interés de los sometidos a ella[2].

Titular de la *patria potestas* es: el *pater familias*, o lo que es igual, el varón, libre, ciudadano y *sui iuris* y la ejerce sobre los *filii familias*: legítimos —*quos iustis nuptis procreavimus*— adoptados —*quos adoptamus*— sean *sui iuris* —adrogación— o *alieni iuris* —adopción— los descendientes nacidos del hijo varón no emancipado y, en época postclásica, sobre los hijos legitimados.

1. LOS PODERES DEL *PATERFAMILIAS*

Los principales derechos que, históricamente, comporta la patria potestad y que, por tanto, corresponden al *paterfamilias*, son:

A) *Ius vitae necisque* —derecho de vida y muerte— que acaba por convertirse, *de facto*, como hoy, en mero poder de corrección[3]. Su

---

[1] Pues, continúa diciendo Gayo, casi —*fere enim*— en ningún otro pueblo —*nulli alii sunt homines*— hay una potestad sobre los hijos como la nuestra —*qui talem in filios suos habent potestatem qualem nos habemus*—.

[2] Hoy se suele diferenciar derecho —subjetivo— y potestad a tenor, precisamente de esto: «los derechos» —se dice— son poderes que otorga el ordenamiento a los particulares para satisfacer sus «propios» intereses; «las potestades» los que otorga para satisfacer los «ajenos», es decir los de otras personas distintas a quienes se confiere. La patria potestad es el ejemplo típico.

[3] En derecho clásico existen indicios de un cambio en la conciencia social, en el ejercicio de este derecho. Así: Trajano, según Papiniano, obliga a emancipar al hijo maltratado; Adriano, según Marciano, castigó con la *deportatio in insulam* a un *pater familias* que, en una cacería —*in venatione*— había matado a su hijo, que cometía adulterio con su madrastra —*qui novercam adulterabat*—porque lo mató, más como

origen se remonta a las XII Tablas y su uso es excepcional y, en modo alguno, arbitrario. Razones de religión, moral y afecto cabe esgrimir para lo primero y el control por un consejo de parientes —*iudicium domesticum*— y la posible nota censoria, más tarde, como freno a lo segundo. El que sea la familia, *ab initio*, una especie de «mini-estado», cuyo gobierno y poderes de sanción competen al *pater familias* y que no pueda ejercerse el *ius vitae necisque* sobre hijos menores de tres años, a los que por su edad nada hay que sancionar, pueden ayudar a comprender un derecho que, dice Justiniano, no existe en su época.

B) *Ius vendendi*. El *pater familias* puede vender al hijo. Si lo hace fuera de Roma —*trans Tiberim*— resultará esclavo. Si dentro de ella, en situación de semi esclavitud —*in causa mancipii*— quedando el poder del *paterfamilias* latente a la espera de que el comprador lo libere. Las XII Tablas ya fijan un límite a esta facultad, estableciendo que la triple venta del hijo hace que el *pater* pierda su potestad[4]. Este derecho, resurge en el s. III, por la crisis existente; en el s. IV, resulta prohibido y Justiniano lo admite sólo en casos de recién nacidos, padres de extrema pobreza y pudiéndose, siempre, rescatar a los hijos.

C) *Ius Exponendi*. La posibilidad de exponer o abandonar a los hijos recién nacidos se combate por los autores cristianos, se condena por los emperadores[5] y termina siendo, con Justiniano, causa de pérdida de la patria potestad sobre el *expositus* = abandonado[6].

---

ladrón que con el derecho de padre —*quod latronis magis quam patris iure*— proclamando que la *patria potestas* debe consistir en piedad y no en atrocidad —*in pietate debet non in atrocitate consistere*— y Ulpiano afirma que el *paterfamilias* no puede matar al *filius* sin oírlo y debe acusarle ante el prefecto o gobernador de la provincia. En época postclásica, Constantino sanciona al *pater* como reo de parricidio y Valentiniano y Valente, refieren que el *filius* que cometiera un *enorme delictum* tal que exceda al derecho doméstico de corrección —*ius domesticae emendationis excedet*— debe entregarse a la autoridad judicial.

4   *Si pater filium ter venum duit, filius a patre liber esto* = Si el padre vende 3 veces al hijo, sea el hijo libre del padre.

5   A diferencia del *ius vitae necisque*, no se basa en una potestad punitiva, sino en el derecho de propiedad. Diocleciano prohíbe que el padre se pueda oponer a las nupcias de la hija abandonada y con Constantino, se provee, como función pública a su cuidado, iniciándose una legislación tuitiva sobre los niños abandonados.

6   Constantino no excluye la posibilidad que el *expositus* resulte esclavo de quien lo recoja y críe y Justiniano considera que jamás pierde la libertad.

D) *Ius noxae dandi*. Es el derecho de dar el cuerpo del *filius* al perjudicado, en reparación de un delito cometido por éste, si no prefiere el *paterfamilias* asumir las consecuencias que de aquél derivan. Este derecho es abolido por Justiniano como contrario al espíritu de los nuevos tiempos —*nova hominum conversatio*— que reconocen la capacidad patrimonial de los *filii familias*.

El que el *pater* pueda reclamar al *filius*, con igual acción que la usada para reclamar una cosa —*reivindicatio*— y gozar de una serie de interdictos especiales para su exhibición o conducción a casa —*de liberis exhibendis* y *de liberis ducendi*— completan la panorámica del contenido de la patria potestad —si se prefiere de los poderes del *paterfamilias*— y de la defensa de su ejercicio.

2. ADQUISICIÓN DE LA PATRIA POTESTAD

Se adquiere la *patria potestas*, por causas naturales —*aut natura*— o jurídicas —*aut iure*—. Las primeras, tienen su representación más genuina en la filiación legítima, es decir, el nacimiento, las segundas, en la adopción.

I. Nacimiento

Según Ulpiano, es hijo (legítimo) —*filium eum definimus*— el que nace de un hombre y su esposa —*qui ex viro et uxore eius nascitur*—. O sea: los procreados en justas nupcias —*quos iustis nuptiis procreavimus*—.

Dicha filiación, es el modo más normal de ingreso en la familia y, como precisa Gayo, fuente (principal) de sumisión a la *patria potestas*.

Estos hijos *iusti* o *legitimi* siguen la condición del padre, desde el momento de la concepción y se contraponen a los *non iusti* —ilegítimos[7]— que siguen la de la madre en el momento del parto.

Así como la maternidad es fácil de demostrar por el hecho del parto, por ello Paulo dice que la madre siempre es cierta —*mater*

---

[7]   Estos, a su vez, pueden ser, espúreos —*spurii*— engendrados en uniones no estables o *naturales*, en concubinato.

semper certa est— no ocurre lo mismo con la paternidad ya que, según el propio Paulo, padre es el que demuestra las nupcias —*pater is quem nuptiae demonstrat*—. Por esto, se establecen presunciones tomando como base la duración normal del embarazo[8] y, a tenor de ellas, se consideran procreados por el marido: a) los hijos nacidos después de los 182 días —6 meses— siguientes a la celebración del matrimonio; y b) los nacidos antes de los 300 días siguientes —10 meses— a la disolución del mismo. Ambas son presunciones *iuris tantum* —admiten, pues, prueba en contrario— por lo que la ausencia[9], la enfermedad u otra causa que haya impedido la yacencia o la propia imposibilidad de engendrar, pueden desvirtuarlas[10].

Tres últimas consideraciones: 1.ª) que, en ningún caso, se tiene por *filius iustus* al nacido después de los 300 días de la muerte del marido[11]; 2.ª) que nada impide que éste reconozca al hijo nacido con anterioridad a los 182 días y 3.ª) que la declaración de la adúltera de que su hijo es espureo no prejuzga su legitimidad, pues, según Escévola, debe prevalecer la verdad —*veritati locum superfore*—.

---

[8] Es Ulpiano, esgrimiendo los conocimientos médicos y la autoridad de Hipócrates, el que nos da noticia de estos plazos, al dilucidar, respectivamente: a) un problema en orden al nacido de una madre manumitida antes de los 182 días de su nacimiento —*de eo centesimo octogesimo secundo die natus est*— al que se considera libre —*iusto tempore videri natum*— y no concebido en esclavitud —*nec videri in servitute conceptum*— y b) de la exclusión de la herencia legítima del nacido después de los 300 días de la muerte de su presunto padre —*post decem menses mortis natus non admittitur ad legitimam hereditatem*—.

[9] Ulpiano refiere: Si supusiéramos —*si fingamus*— que el marido estuvo ausente —*abfuisse maritum*— por ejemplo 10 años —*verbi gratia per decenium*— y después que volvió encontró un niño de un año —*reversus anniculum invenisse*— en su casa —*in domo sua*— nos place —*placet nobis*— el parecer de Juliano —*Iuliani sententia*— que este no es hijo del marido —*hunc non esse mariti filium*—.

[10] Sigue el propio Ulpiano, que comparte el sentir de Escévola, exponiendo: si constare —*si constet*— que el marido durante algún tiempo —*maritum aliquamdiu*— no yació con su mujer —*cum uxore non concubuisse*— por razón de enfermedad —*infirmitate interviniente*— o por otra causa —*vel alia causa*— o que el padre de familia tuvo tal enfermedad —*si ea valitudine paterfamilias fuit*— que no pudo engendrar —*ut generare non possit*— este —*hunc*— que nació en su casa —*qui in domo natus est*— aunque lo sepan los vecinos —*licet vicinis scientibus*— no es hijo suyo —*filium non esse*—.

[11] Téngase presente que si bien toda muerte comporta extinción del matrimonio, no todo matrimonio se disuelve por muerte —piénsese en el divorcio—.

II. Adopción

Gayo refiere que, no sólo están bajo nuestra potestad los hijos tenidos naturalmente —*no solum tamen naturales liberi... in potestate nostra sunt*—, sino también aquellos que adoptamos —*verum et hi quos adoptamus*—. La Adopción, en sentido amplio, es el acto jurídico solemne por el que se recibe como hijo —o nieto— al que no lo es por naturaleza. Según sea, éste, *sui iuris* o *alieni iuris*, hablaremos, respectivamente, de *Adrogatio* o *Adoptio*.

A) *Adrogatio*

La adrogación, se suele resumir, como la absorción de una familia por otra. Esto es, un acto por el que un *pater familias* adrogante —*adrogator*[12]— asume la *patria potestas* sobre otro *pater familias* adrogado —*adrogatus*— y, en su caso, la familia de éste[13]. Su fundamento es evitar la extinción de una familia, mediante la creación artificial de un heredero[14].

La forma de la adrogación varía en el tiempo. 1.°) según Gayo, se realiza por la autoridad del pueblo —*populi auctoritate*— ante los *comitia curiata*, presididos por el *pontifex maximus*, tras una triple *rogatio*, es decir, pregunta, *interrogatio* —de ahí su nombre— que se hace: (a) al adrogante —si quiere, *an velit*—, (b) al adrogado —si consiente en ello, *an id fieri patiatur*— y (c) al pueblo —si autoriza así se haga, *an id fieri iubeat*—. 2.°) Superados los *comitia curiata*, el pueblo se representa por 30 *lictores* y, 3.°) en época postclásica, la

---

[12]   Las mujeres no pueden adrogar ya que como dice Ulpiano, son principio y fin de su propia familia —*mulier autem familiae suae caput et finis est*— y en Instituciones de Gayo y en Reglas de Ulpiano se recuerda que ni siquiera tienen potestad sobre sus descendientes naturales —*quoniam nec naturales liberos in potestate habent*—.

[13]   Gayo nos dice: No sólo —*non solum*— se somete él (el que se da en adrogación) a la potestad del adrogante —*ipse potestati adrogatoris subicitur*— sino también sus hijos —*sed etiam liberi eius*— que quedarán bajo aquella misma potestad —*in eiusdem fiunt potestatem*— como si fueran nietos —*tanquam nepotes*—.

[14]   En principio, no pueden ser adrogados los impúberes, porque, según Aulo Gelio (gramático del s. II y autor de las Noches Áticas, en 20 libros) el tutor carece de autoridad para convertirlos en *alieni iuris*, ni las mujeres, por no poder participar en los comicios. Aquellos, según Gayo, bajo ciertas condiciones y justa causa, pudieron serlo en época de Antonino Pío, éstas, según la opinión más difundida entre los romanistas, sólo en derecho postclásico.

adrogación se efectúa por rescripto del príncipe, *rescriptum principis* o por declaración, concorde de las partes, ante el pretor —en Roma— o del gobernador —en provincias—.

A parte de los efectos derivados de la modificación familiar —*ius agnationis*— se produce una sucesión universal —*successio (per universitatem)*— *inter vivos* en favor del adrogante y el adrogado sufre una *capitis deminutio minima* —pasa de *sui iuris* a *alieni iuris*—. Sus obligaciones, *ex delicto*, subsisten. Sus derechos personalísimos se extinguen y también sus deudas, con arreglo al derecho civil —*iure civili*— pero el Pretor, según refiere Gayo, concede a los acreedores una acción útil, contra el adrogado, sobre la ficción de que la adrogación no ha tenido lugar —*perinde quasi id factum non sit*— y, según Ulpiano, contra el adrogante, la *actio de peculio*.

El régimen de la *adrogatio* se va afirmando, gradualmente, aunque sin carácter absoluto, pues admite un amplio margen de valoración y excepciones *ex iusta causa*. El adrogante: a) deberá tener al menos 60 años; b) carecer de hijos o estar en condiciones de tenerlos; c) no adrogar a más de una persona —*item non debet quis plures arrogare*— y d) no ser de peor condición económica que el adrogado. A éste, se le protege y, en general, se procura no sea objeto de especulación[15].

B) *Adoptio*

La adopción, en sentido estricto, cumple una función más modesta que la adrogación. Es el acto jurídico por el que un *alieni iuris* pasa de una familia a otra, como hijo o nieto. El adoptado sufre una *capitis deminutio minima* que en nada afecta a su capacidad anterior y el adoptante adquiere, sobre él, la patria potestad. Veamos su evolución.

a) En una primera época, como se ha destacado en doctrina, es, un mero cambio de fuerzas de trabajo de una familia en la que sobran a otra en que faltan y se hace, a través de un ceremonial complejo, en dos fases que, según Gayo, en síntesis, son: 1.ª) La triple venta —*mancipatio*— del

---

[15]   Así, ya desde la época de Antonino Pío, siendo impuber, se prohíbe su emancipación sin justa causa; se obliga a restituir lo adquirido a través de él y si se le deshereda o emancipa sin causa justificada, además de la devolución referida, se reconoce su derecho a la cuarta parte de los bienes del adrogante —*quarta Divi Pii*—.

futuro adoptado por su *paterfamilias*, con lo que éste pierde, según las XII Tablas, su patria potestad y 2.ª) Una reclamación —*vindicatio*— por el adoptante de la patria potestad —*in patriam potestatem*— ante la que el verdadero *pater* calla —cesión ante el pretor, *in iure cessio*— y el magistrado la otorga —*addictio*[16]—.

Al ser un acto privado de disposición que no imita a la paternidad natural y sólo posibilita el ingreso en una familia agnaticia por sumisión a otra nueva potestad familiar, resulta que: las mujeres no pueden adoptar —*feminae vero nullo modo adoptare possunt*[17]—; pueden hacerlo los incapaces de engendrar —*qui generare non possunt*— y se discute —*quaestio est*—, en s. II, si el más joven puede adoptar al de mayor edad —*an minor natu maiorem natu adoptare possit*—.

b) En la última fase del Derecho Romano la adopción, tiene como fin imitar o suplir la filiación natural y consolar a quien no tiene hijos, por ello, sufre notables variaciones.

El procedimiento se simplifica y basta: comparecer, ante el magistrado municipal, el adoptante, adoptado y el padre de éste; tomarse nota de la declaración concorde de los respectivos padres y que el que va a ser adoptado no se oponga.

Al imitar, ahora, la filiación natural: *adoptio naturam imitatutur*; el adoptante ha de tener, al menos, 18 años más que el adoptado[18]; no estar imposibilitado para la procreación; ser capaz de ejercer la patria potestad y no debe perjudicar al adoptado[19].

---

[16] Ya que las XII Tablas sólo hablan del hijo, Gayo dice: que en los demás casos —*in ceteris*— para dar en adopción una hija o un nieto basta con una sola (venta) *mancipatio* —*una scilicet mancipatio sufficit*— y unas veces se hace una nueva *remancipatio* al ascendiente y otras no —*et aut remancipantur parenti aut non remancipantur*—.

[17] Gayo, lo justifica así: puesto que ni siquiera —*quia ne quidem*— tienen potestad sobre sus hijos naturales —*naturales liberos in potestate habent*—.

[18] En Instituciones de Justiniano se dice: Se manda que el menor de edad no pueda adoptar al mayor —*minorem natu non posse maiorem adoptare placet*— pues la adopción imita a la naturaleza —*adoptio enim naturam imitatur*— y es monstruoso —*et pro monstruo est*— que sea mayor el hijo que el padre —*ut maior sit filius quam pater*— así pues debe —*debet itaque*—... excederle en una pubertad completa —*plena pubertate*— es decir —*id est*— 18 años —*decem et octo annis praecedere*—.

[19] Por ello: el tutor o curador no podrá adoptar al pupilo sin previa rendición de cuentas y, en general, el pobre no podrá adoptar al rico.

Justiniano distingue dos tipos de adopción. La *plena*, que es la realizada por un ascendiente del adoptado; produce, en éste, los mismos efectos que la clásica —*capitis deminutio minima*— y por ella adquiere la patria potestad el adoptante, y la *minus plena*, que es la realizada por un extraño; sólo otorga derechos en la herencia *ab intestato* del adoptante y no le confiere la patria potestad, por lo que podrá utilizarse por la mujer para consuelo de la pérdida de sus hijos —*ad solatium liberorum amissorum*—.

III. Legitimación

La legitimación es el acto por el que los hijos habidos de concubinato —naturales[20]— adquieren título y condición de legítimos. Surge en época postclásica, por influjo de la legislación cristiana, cuando la familia agnaticia ha perdido su importancia[21].

La Legitimación puede ser: por subsiguiente matrimonio; oblación de la curia y rescripto del príncipe.

A) *Per subsequens matrimonium* —subsiguiente matrimonio—. Tiene lugar cuando se toma por mujer a la concubina. Su origen se vincula a Constantino y el fin al que tiende es reducir el número de concubinatos. Tras esporádicas apariciones y derogaciones, Justiniano le devuelve su vigencia, produciendo como efectos que el hijo tenga iguales derechos que los procreados en justas nupcias[22].

---

[20]   Terminológicamente, en derecho clásico los hijos naturales son los «procreados» y se oponen, pues, a los que no lo son, es decir, a los adoptivos. En derecho postclásico, los procreados fuera de matrimonio son denominados espúreos —*spurii*— o concebidos vulgarmente —*vulgo quaesiti*— y el término naturales se reserva para los habidos de uniones estables —concubinato—. En general téngase presente que si el *paterfamilias* puede incorporar a su familia a extraños, en paridad con sus hijos, es superfluo un expreso reconocimiento a que pueda hacerlo con los hijos que tenga fuera del matrimonio, pues esta finalidad se puede obtener por otras vías.

[21]   Sus requisitos son, que: a) el hijo legitimado sea natural, esto es, habido de concubinato; b) consienta o al menos no se oponga —ya que deja de ser *sui iuris*—; c) los padres al momento de la concepción pudieran contraer matrimonio y d) el matrimonio conste en documento escrito, *instrumenta dotalia*.

[22]   Recuérdese que las curias eran una especie de senados municipales, cuyos miembros, decuriones, que gozan de honores y privilegios, están afectados por cargas tan onerosas que, en el Bajo Imperio, motivan su deserción.

B) *Per oblationem curiae* —ofrecimiento a la curia[23]—. Tiene su origen en una constitución de Teodosio II y Valentianiano III y responde a la necesidad de aumentar el número de decuriones y sus requisitos son simples: inscribir al hijo varón en el *ordo decurionum* o entregar en matrimonio a la hija a un decurión[24]. En principio, sólo produjo efectos sucesorios, permitiéndose al padre, sin hijos legítimos, testar o donar íntegramente en favor del legitimado. Después, se reconoce, a éstos, la sucesión *ab intestato* y, finalmente, Justiniano concede: al padre, la *patria potestas*, del hijo legitimado, aún teniendo otros hijos legítimos y al hijo, la condición de legítimo —sólo respecto a él— pero sin poder recibir *mortis causa* más que el hijo legítimo menos favorecido.

C) *Per rescriptum principis* —rescripto del príncipe—. Esta forma aparece con Justiniano para los casos en los que no fuese posible el matrimonio con la concubina. Se produce a instancia del padre —o del hijo si aquél muriera expresando tal deseo en testamento— y requiere que el padre carezca de hijos legítimos.

3. PÉRDIDA DE LA PATRIA POTESTAD: LA EMANCIPACIÓN

Es lógico que si el *paterfamilias* puede dar en adopción a sus hijos, a sus hijas *in manu* y facilitarles, en ambos casos, una nueva familia, también pueda desligarlos de su potestad sin que queden sometidos a otra. Esto es la Emancipación. Es decir, el acto solemne por el que el *paterfamilias* libera al hijo *in potestate* y lo convierte en *sui iuris*[25].

---

[23] Al hijo, deberá asignarle el correspondiente patrimonio y a la hija, dotarla con 25 fanegas de tierra.

[24] Sufre una *capitis deminutio minima* y a partir de ese momento podrá decirse que el *emancipatus familiam habet*.

[25] Marciano dice que: no puede el hijo que está bajo potestad del padre —*non potest filius, qui est in potestate patris*— de ningún modo compelerle —*ullo modo compellere eum*— para dejar de estarlo —*ne sit in potestate*—. Sin embargo, hay casos en que puede obligarse al padre a emancipar. Papiniano, alude al supuesto de malos tratos, invocando la autoridad de Trajano y también, dice, que se admitió, *causa cognita*, en el caso del impuber adoptado —*impubes qui adoptatus est*— que, ya puber, lo deseara —*si pubes factus emancipati desideret*— y, según Ulpiano, si la emancipación fuera condición necesaria en una disposición hecha, en testamento, en su favor.

De posible originaria sanción penal excluyendo al hijo indigno de los cultos familiares, pasa a medida de favor, pero siempre mantendrá el carácter de acto voluntario y libre del *pater* que el *filius* no podrá exigir[26].

El procedimiento, hasta época postclásica, es indirecto y descansa en el precepto de las XII Tablas que imponía la pérdida de la patria potestad al padre que vendiera por tres veces a su hijo[27].

En el siglo VI, aparece otra fórmula, por rescripto del príncipe —*per rescriptum principis*— establecida por el emperador Anastasio —*emancipatio anastasiana*— y aplicable al caso de ausencia del hijo. Los trámites son simples: solicitud del *pater* y concesión del Emperador.

Justiniano suprime las primitivas formalidades; establece como forma usual, la comparecencia y declaración del *pater* ante la autoridad judicial competente, en presencia del hijo, y reserva la emancipación anastasiana para el caso de que el hijo fuera *infans* y por ello imposible su comparecencia.

Además de la adopción, *conventio in manum* y emancipación, la patria potestad se extingue: a) por muerte del *paterfamilias*[28] o del hijo; b) *capitis deminutio maxima* o *media* de uno u otro[29]; c) entrar en

---

[26] El *pater*, de acuerdo con un amigo, vendía por *mancipatio*, al hijo que quería emancipar. El amigo, adquiría el *mancipium* sobre el hijo, liberándolo a continuación. Con ello volvía a recaer bajo la potestad del *pater*. Esto se repetía 3 veces. Tras ellas, el *filius*, libre del *mancipium*, no recaía —por la sanción aludida— en poder de su padre y quedaba emancipado. Respecto a las hijas, como en la adopción, basta una sola *mancipatio*. Es revelador el actual término «emancipación» y la forma a través de la cual «mancipación» se obtuvo en Roma.

[27] En el a.367, Valentiniano III establece la posible revocación de la *emancipatio* por ingratitud del emancipado —*propter ingratitudinem*—.

[28] La muerte del *paterfamilias* sólo libera a los descendientes en primer grado, es decir a los hijos. Los de segundo —nietos— o ulterior, sólo en el caso de que su padre hubiera premuerto o ya hubiera sido emancipado.

[29] Si el padre fuera hecho prisionero por los enemigos —*Si ab hostibus captus fuerit parens*—... queda en suspenso —*pendet*— el derecho sobre sus hijos —*ius liberorum*— por el derecho «de regreso» —*propter ius postliminii*—... ya que —*quia*— los que son apresados por los enemigos —*hi, qui ab hostibus capti sunt*— si regresan —*si reversi fuerint*— recobran todos sus primitivos derechos —*omnia pristina iura recipiunt*—. En el caso de pérdida de la ciudadanía, la razón de la pérdida de la patria potestad estriba en que es inadmisible que un hijo *civis* quedara sujeto a la potestad de un extranjero.

el sacerdocio, en época pagana, el hijo o hija[30] o, en el Bajo Imperio, alcanzar el hijo, altos honores políticos o dignidades religiosas[31] y d) por sanción del padre, en derecho justinianeo, por: exposición del hijo, prostitución de la hija o celebración de matrimonio incestuoso.

4. EFECTOS PATRIMONIALES DE LA PATRIA POTESTAD

I. Ideas Generales

A) Los *filii familias* carecen de capacidad jurídica, por lo que, como dice Gayo, no pueden tener nada suyo —*nihil suum habere potest*—. Al tener, sin embargo, capacidad de obrar, pueden realizar negocios jurídicos patrimoniales. No de disposición pues, nadie puede disponer —transmitir la propiedad— de lo que no es suyo —*nemo dat quod non habet*— y aquellos, nada tienen, pero sí de adquisición. Por ello, todo lo que se adquiera, revertirá en el patrimonio del *pater*, pues el *filius* —o el esclavo— parece hablar con la voz de aquél —*patris (vel domini) voce loqui videtur*—. Así: hijos (y esclavos) son instrumentos de adquisición patrimonial del *pater*.

B) El reverso de la moneda está representado por el carácter personal de las obligaciones y el principio de vinculación exclusiva de las partes. Por ello: el *pater* no responde de las deudas contraídas por el hijo y aunque éste puede ser demandado y condenado *in potestate*, la ejecución de la sentencia no se producirá hasta salir de la *patria potestas*.

Estos principios evolucionan, en el tiempo, y así, poco a poco se reconoce una capacidad patrimonial, cada vez mayor, de los *filii familias*, a través de los peculios y el padre responderá, por las actuaciones del hijo, en ciertas condiciones, por las llamadas «acciones añadidas», *actiones adiecticiae qualitatis*.

---

[30]   Así, los hijos ingresar en los *flamines diales* y las hijas en las *virgines vestales*.

[31]   Así: a) entre los cargos políticos, alcanzar la suma dignidad del patriciado —*summa patriciatus dignitas*— ser nombrado cónsul, prefecto del pretorio, *praefectus urbi*, *magister militum* y b) entre las dignidades religiosas, alcanzar el obispado.

II. Los Peculios

La palabra *peculium*, diminutivo de *pecus* —ganado— de donde deriva *pecunia*, hace referencia, según Ulpiano, a una pequeña suma de dinero —*pussilla pecunia*— o de bienes —*patrimonium pussillum*— que se confiere al *filius familias*, con facultades variables, según las distintas épocas y sus diferentes clases, de las que pasamos a ocuparnos.

A) *Peculium profecticium*. Es el más antiguo. Y se denomina así, por la romanística moderna, y terminología tomada de la dote, por venir del *pater* —*quasi patre profectum*—. Consiste en una pequeña masa de bienes o dinero, concedida por el *pater* —también por el *dominus*— al *filius* —o esclavo— en goce y administración —*libera administratio*— y cuya propiedad se reserva. Es revocable en todo momento —*ademptio peculii*— y retorna al *pater* a la muerte del hijo.

B) *Peculium castrense*. Procede de Augusto, y su nombre alude a los bienes que, en origen, comprende. Esto es, los que adquiere el hijo por su condición de soldado —*in castris*—. Tal contenido se fue ampliando a todo lo relacionado con la milicia[32]. El *filius*, tiene la libre disposición, incluso *mortis causa*, sobre él[33] y muriendo, antes que el *pater* y sin testar, pasará a éste, pero, como matiza Ulpiano, no por derecho de herencia —*iure hereditatis*— sino *iure peculii*, esto es como si ya le hubiese pertenecido.

C) *Peculium quasi castrense*. Procede de Constantino y recae, por asimilación al *castrense*, sobre los bienes que el *filius* adquiere como funcionario de la corte imperial. Con el tiempo, se amplía su contenido a los adquiridos en ejercicio de cualquier cargo público y ciertas profesiones o carreras civiles —como la de abogado— o religiosas —como la eclesiástica— y su régimen se equipara al *peculium castrense*.

D) *Peculium adventicium*. También proviene de Constantino y alude a los bienes que adquiere el *filius*, primero de la madre —*bona*

---

[32] Sirvan de ejemplo, entre otros suministrados por las fuentes: las donaciones hechas por el *pater* al hijo con ocasión de entrar en la milicia y las de la mujer a su marido militar —según Papiniano— y la herencia que le deja un compañero de armas —según Trifonino—.

[33] Ulpiano, resume la razón: Porque los hijos de familia —*quum filiifamilias*— respecto al peculio castrense —*in castrensi peculio*— son como *patresfamilias* —*vice patruum familiarum fungantur*—.

materna— por herencia testamentaría o legítima y, más tarde, de cualquier ascendiente materno, en general —*bona materni generis*— a título gratuito. Corresponde al *filius* la nuda propiedad y al *pater* el usufructo.

La capacidad patrimonial de los hijos de familia, con Justiniano puede resumirse así: 1.º) se mantienen los peculios castrense y cuasi castrense; 2.º) se mantiene, también, el régimen del peculio profecticio —ahora llamado *peculium paganum*— que se restringe a los bienes que provienen del padre (adquiridos con su dinero, *ex re patris* o entregados por un tercero por gratitud o en su consideración, *ex contemplatione patris*) y 3.º) los demás bienes del hijo que no provengan del padre son de su propiedad y al padre sólo le corresponde la mera administración y usufructo que, incluso, podrá serle privada por voluntad del disponente.

III. Las acciones añadidas, *Actiones adiecticiae qualitatis*

Su denominación —añadidas— procede de los glosadores y refleja que se «agregan» —o «añaden»— a las acciones civiles que el acreedor pudiera tener contra el *filius familias*. Su origen, es pretorio; su naturaleza, el de acciones con transposición de personas y su fundamento, el evitar el perjuicio de los acreedores derivado del principio de que la actuación del *filius* —o *servus*— no puede perjudicar la situación patrimonial del *pater* —o dueño—.

A través de ellas, el *pater* responde ilimitada o limitadamente:

A) El *paterfamilias* —o el dueño— responde, ilimitadamente, *in solidum*, siempre que exista, por su parte, un mandato —*iussum*— o un encargo (poner al frente) —*praepositio*—.

Así: a) si autorizó —*iussum*— a contratar con el *filius* —esclavo, o un tercero— pasa a responder por la *actio quod iussu* = de lo mandado[34]; b) si siendo armador de una nave —*exercitor navis*— colocó,

---

[34] Y con razón, dice Gayo, —*et recte*— por que el que hace un negocio así —*quia qui ita negotium gerit*— (confía) más en el padre o dueño —*magis patris dominive*— que en el hijo o esclavo —*quam filii servive fidem sequitur*— La razón es la misma para las dos siguientes acciones, la *exercitoria* y la *institoria* —*eadem ratione duas alias actiones exercitoriam et institoriam*—.

praepositus al hijo —esclavo o tercero— como capitán —*magister navis*— responde por las obligaciones contraídas como tal, por la *actio exercitoria* (acción del flete, comercio o tráfico marítimo[35]) y c) en iguales términos, si lo puso al frente —*praepositus*— como factor —*institor*— de una tienda, comercio o industria, por la *actio institoria* (acción de comercio o tráfico terrestre[36]).

B) En defecto de *iussum* o *praepositio*, el *paterfamilias* —o el dueño— responde limitadamente: a) en la medida del peculio, a través de la *actio de peculio* y b) en la medida de la ganancia obtenida, como consecuencia del negocio del *filius* —o del *servus*—a través de la *actio in rem verso* = de la ganancia obtenida.

Por último, si el *filius* interviene, con su peculio, sabiéndolo el padre —*scientia patris*— en el tráfico mercantil o industrial y resulta insolvente, se produce un concurso de acreedores, en el que se incluirán los propios créditos del *pater*, debiendo cobrar a prorrata, pero si éste actúa, con dolo o se creen, los acreedores, perjudicados por una distribución injusta, podrán actuar contra el padre solicitando el reparto del peculio —*vocare tributum*— por la *actio tributoria* = de distribución.

---

[35] Gayo, dice: se llama *exercitoria* —*exercitoria actio appellatur*— porque se llama *exercitor* (armador) —*quia exercitor vocatur is*— al que benefician las ganancias cotidianas de la nave —*ad quem cottidianus navis quaestus pervenit*—.

[36] Según, Gayo: se llama *institoria* —*institoria vocatur*— porque —*quia*— el que se pone al frente de una tienda —*qui taberna preponitur*— se le llama *institor* (factor) —*institor appellatur*—.

Tema 16
Tutela y curatela

Al tratar del sujeto de derecho hicimos dos observaciones: 1.ª) que en Roma —a diferencia de hoy— no todo hombre tiene capacidad jurídica —es sujeto derecho—, pues sólo recae esta condición en quien es *sui iuris* y, con más precisión, *pater familias* y 2.ª) que no todo sujeto de derecho tiene —lo que es aplicable al Derecho actual— plena capacidad de obrar, esto es, puede ejercer, por sí mismo, tales titularidades, por lo que su actividad se debió, según casos, limitar o suplir por otra persona. En el presente tema vamos a tratar de estos *sui iuris* incapaces y de las instituciones que, con el tiempo, los protegerán.

1. LA PROTECCIÓN DE LOS INCAPACES

Trataremos tres puntos: 1.º) recordar que *sui iuris* pueden ser incapaces; 2.º) citar las dos instituciones que terminaron encargándose de su protección y 3.º) precisar cual fue su periplo evolutivo.

1.º) Son incapaces, por razón: A) de edad, los impúberes; B) de sexo, las mujeres; C) de discernimiento, los enfermos mentales; D) de su ánimo de dilapidar, los pródigos y E) de su inexperiencia negocial, los menores de 25 años[1].

2.º) Dos instituciones —que con el tiempo se confundirán— terminarán cumpliendo, sobre ellos, una función protectora: A) la *tutela*, ejercida a lo largo de todo el Derecho Romano, sobre los *sui iuris* que no habían alcanzado la pubertad —*tutela impuberum*— y hasta el derecho clásico, sobre las mujeres —*tutela mulierum*— sin limite de edad y B) la curatela —*cura*— que se aplicó a las otras situaciones, aunque sólo desde el siglo III AC a los menores de 25 años.

3.º) Tutela y curatela van a experimentar, en el tiempo, una evolución pareja a la de la patria potestad. En síntesis, pasan de ser

---

[1]   Véase lo indicado en Tema 12.2.III y sus notas.

un derecho, ejercido en interés de tutor y curador a ser un deber ejercido en interés del incapaz. Detengámonos, en ello.

A) En una primera época, tutela y curatela responden a la falta de capacidad de las personas a ellas sujetas, pero su función no es protegerlas. Se establecen en interés de la familia y su fin es conservar el patrimonio del incapaz en favor de sus presuntos herederos[2]. Por ello —aunque pueda sorprendernos— es lógico que en defecto de tutela o curatela testamentaria o legítima —o lo que es igual, a falta de herederos por testamento o por ley— el incapaz carezca de una persona que lo proteja, pues proteger un patrimonio familiar en interés de una familia no tiene razón de ser cuando aquél o ésta no existen. En resumen, en esta etapa, tutela y curatela se configuran como derechos de quien las ejerce que administra unos bienes que, con el tiempo, serán suyos.

B) En una segunda fase, s. II AC: se instaura una nueva forma de tutela —dativa—; se supera la anterior concepción y la conciencia social rechaza que quien no puede defenderse, por sí, carezca de alguien que lo haga. Así, tutela y curatela pasan: de ser un derecho —*potestas*— a un deber —*munus*— o carga —*onus*—; de ejercerse en interés del tutor o curador a hacerse en interés del incapaz y de tener un matiz marcadamente patrimonial a no desatender, al menos económicamente[3], los aspectos personales del tutelado[4].

---

[2]   El que sus primeras manifestaciones —testamentaria y legítima— según se designe tutor o curador por testamento o ley, respectivamente, presupongan, como en la herencia, la muerte del *paterfamilias* (Paulo recuerda: que el *paterfamilias* tiene la facultad de disponer de los bienes o su tutela —*super pecuniae tutelave suae*—); el que se defieran por los mismos modos que ésta y que, en origen, el tutor o el curador sea, precisamente, el heredero designado por testamento y, a falta de éste, por la ley, son hechos reveladores que eximen de más comentario.

[3]   La educación del pupilo se suele confiar a la madre mientras no contraiga segundas nupcias.

[4]   A la transformación de estas instituciones en *munus publicum* se vinculan ciertas afirmaciones —referidas en las fuentes— inasumibles en el primer período y que surgidas en el ámbito de la nueva tutela —dativa— se extenderán a las demás.

2. LA TUTELA *IMPUBERUM*

I. Concepto

Paulo, recoge una definición de tutela, que atribuye a Servio Sulpicio Rufo —amigo de Cicerón—. Dice así: tutela es —*Tutela est*— según la definió Servio —*ut Servius definivit*—: El poder y potestad —*vis ac potestas*— sobre una persona libre —*in capite libero*— para proteger al que —*ad tuendum eum*— por su edad —*qui propter aetatem*— no puede defenderse por sí mismo —*sua sponte se defendere nequit*— (poder) dado y permitido por el derecho civil —*iure civili data ac permissa*—. Procedamos a su análisis.

A) La tutela es: un poder y potestad —*vis ac potestas*—. Términos que aluden a su primitiva naturaleza jurídica y cuyo uso refleja su sentido originario, que, como la patria potestad, comporta la idea de un poder —o derecho[5]— ejercido en el propio interés del tutor.

B) Se ejerce: sobre una persona libre —*in capite libero*—. Con ello se alude al sujeto pasivo de la tutela —el pupilo— y debe matizarse que el término *caput liberum* comporta, además, aquí, la condición de *sui iuris*. De ello, se desprendería la lógica incompatibilidad entre patria potestad y tutela y el carácter subsidiario de ésta respecto a aquella[6].

C) Su fin es: para proteger —*ad tuendum*—. Se pone de relieve la verdadera función de la tutela: adecuada a su etimología —de *tueor*, defender, proteger—; al uso vulgar y jurídico con el que hoy usamos esta palabra y con la idea de deber —*munus*— o carga —*onus*— que le es propia en su segunda fase y que es incongruente con las ideas de poder y potestad —*vis ac potestas*— del inicio de la definición.

D) Se protege: al que por su edad no puede defenderse por si mismo —*eum, qui propter aetatem sua sponte se defendere nequit*—. Prescindiendo de si el fragmento, en el inciso relativo a la edad —*propter aetatem*— está o no alterado o incluyera, en origen, una referencia, también, a la mujer —*vel sexum*— conviene destacar, sólo, que quien no puede defenderse por si, no es capaz, o lo que es igual es incapaz y que esta falta de capacidad se refiere a la capacidad de obrar.

---

[5] En Instituciones de Justiniano se cambia *vis* por *ius*.
[6] Si se refiriera a los *alieni iuris*, se llegaría al absurdo de una institución, distinta de la patria potestad, para cumplir sobre unas mismas personas, igual función.

E) La tutela es dada y permitida por el derecho civil —*iure civili data ac permissa*—. Con ello se alude, por un lado, al origen de la tutela, el *ius civile*, y por otro, a las posibles clases de tutela, la legítima, dada —*data*— en forma directa por la propia ley y la testamentaria, permitida —*permissa*— por ella[7].

II. Constitución

La tutela se constituye: por testamento —testamentaria— por ley —legítima— o por el magistrado —dativa, término que se debe a los compiladores—.

A) La tutela testamentaria es la que se defiere por testamento. Su origen está en las XII Tablas[8] y su fundamento, en la *patria potestas*[9]. De acuerdo con su nombre, precisamente se habrá de hacer en testamento —y por el carácter de la primitiva función tutelar— el impuber deberá ser instituido heredero, o al menos dejarle algún legado ya que, aún recuerda Paulo, no se puede dar tutor por separado sin los bienes —*tutor separatim sine pecunia dari non potest*—[10]. Como potes-

---

[7]   La tutela dativa podría incluirse en ambos términos. A favor de su inclusión en el primero tiene su propio nombre y de hacerlo en el segundo, permitirla la ley que la instaura.

[8]   Según Gayo decían así: *Paterfamilias uti legassit super pecuniae tutelave suae rei, ita ius esto*, Tal como legase acerca de sus bienes y del cuidado de sus cosas, así sea derecho.

[9]   Así pues, se permite —*Permissum est itaque*— a los ascendientes —*parentibus*— que, en su testamento, nombren tutores para aquellos descendientes que tienen bajo su potestad —*liberis quos in potestate sua habent testamento tutores dare*—. Por estar basada en la patria potestad sólo: a) puede nombrar tutor testamentario, quien ejerza la patria potestad, esto es, el *pater familias* y b) respecto a los hijos —*liberis*— impuberes que están bajo su potestad —*qui in potestate sunt*— que, por su muerte, pasarán a ser *sui iuris* (También sobre los que están *in mancipium* y los póstumos, siempre que —*si modo*— matiza Gayo: fueran de tal condición —*in ea causa sint*— que de haber nacido estando vivos nosotros —*ut vivis nobis nascantur*— hubieran entrado bajo nuestra potestad —*in potestate nostra fiunt*—).

[10] Exigencias que se irán debilitando —con la tutela dativa— al separarse la tutela, en general, de la *patria potestas* y asumir un nuevo significado. Así: a) el magistrado, por lo común, confirma el tutor nombrado por la madre, los parientes próximos, el padre natural e incluso un extraño siempre que instituyeran heredero al impuber —se suele llamar, por los interpretes *tutela confirmativa*— y se hace previa investigación —*ex inquisitione*— o sin ella y b) designar tutor, desde Augusto, además de en testamento, en codicilo confirmado.

tad familiar —*vis ac potestas*—puede renunciarse —*abdicatio*— pero no cederse —*in iure cessio*—[11].

Son notas complementarias a esta tutela: a) el ser principal, por lo que las demás formas de tutela sólo se producen si falta ésta, b) ser el tutor removible —sustituible— y c) que su responsabilidad se hace efectiva por la acción de tutor sospechoso, *actio suspecti tutoris*[12].

B) La tutela legítima es la deferida por ley[13]. Su origen está en las XII Tablas[14] y su fundamento en la sucesión *ab intestato*[15]. Por ello, en principio, son tutores legítimos quienes, a falta de testamento —*ab intestato*— son llamados a heredar por dicha ley. A saber: el agnado próximo —*adgnatus proximus*[16]— y en su defecto, los *gentiles*. Como potestad familiar, el agnado próximo puede cederla, *in iure*, ante otro

---

[11] En Reglas de Ulpiano se dice: Si el tutor dado en testamento... —*Si tutor testamento dato...*— abdicase la tutela —*abdicaverit se tutela*— deja de ser tutor —*desinit esse tutor*—pues abdicar —*abdicare autem est*—es decir no querer ser tutor—*dicere nolle se tutorem*—. En época clásica sólo se admitirá tal renuncia en la tutela de las mujeres. Tampoco el tutor testamentario puede ceder ante el magistrado la tutela —*In iure cedere autem tutelam testamento dato non potest*—.

[12] La *actio suspecti tutoris* tiende a sustituir—remover—al tutor testamentario doloso. Su origen se vincula —según Ulpiano— a las XII Tablas y tiene carácter popular. En derecho justinianeo: a) se funde con la *postulatio suspecti tutoris* —ejercida en época clásica con iguales fines, contra el tutor, no fraudulento, pero si inepto o negligente— ; b) puede dirigirse contra cualquier tipo de tutor —testamentario o no— antes de acabar el ejercicio de la tutela, después carecería de objeto «sustituir al tutor» y c) es infamante sólo en caso de dolo.

[13] En Reglas de Ulpiano se dice: Tutores legítimos son —*Tutores legitimi sunt*— los debidos a alguna ley —*qui ex lege aliqua descendunt*— pero se llaman legítimos por excelencia —*per eminentiam autem legitimi dicuntur*— los creados por la ley de las XII Tablas —*qui ex lege XII tabularum introducuntur*—. Por vía de *interpretatio* tendrán, también, el carácter de tutores legítimos: a) el patrono o sus hijos respecto al liberto impuber —*tutela patroni*— y b) el *parens manumissor* —padre que manumite a su hijo—respecto éste—*tutela fiduciaria*—(con Justiniano se extiende, a los hijos de aquél sobre su hermano).

[14] Refiere Gayo que: los agnados son tutores, según la Ley de las XII Tablas de aquellos a quienes no se haya dado un tutor en testamento —*Quibus testamento... tutor datus non sit, iis lege XII (Tabularum) adgnati sun tutores*—.

[15] En Instituciones de Justiniano se justifica esto así: En donde está el provecho de la sucesión —*Ubi succesionis est emolumentum*— allí debe estar, también, la carga de la tutela —*ibi et tutelae onus esse debet*—.

[16] Agnado próximo es el que junto con el causante de la sucesión —*decuius*— estaría bajo una misma potestad si el común ascendiente viviera, por caso: un hermano, un tío o un primo, por ejemplo —siempre por vía masculina—.

más lejano, mas no renunciar a ella[17]. Superados los criterios agnaticios, corresponderá a los parientes de sangre del pupilo más próximos, en el orden que son llamados a heredar por Justiniano, en la Novella 118[18].

Son notas complementarias a esta tutela: a) el ser subsidiaria —se produce en defecto de la testamentaria—; b) no ser el tutor removible —no puede sustituirse— y c) que su responsabilidad se hace efectiva a través de la acción de rendición de cuentas, *actio rationibus distrahendis*[19].

C) La tutela dativa es la deferida por el magistrado[20] a falta de tutela testamentaria o legítima[21]. Su origen se vincula —según Gayo—

---

[17]　Gayo, reflejando la nueva concepción de la tutela, como carga y no como derecho, precisa que a los tutores legítimos les está permitido ceder ante el magistrado la tutela de las mujeres, pero no la de los pupilos —*pupillorum autem tutelam non est permissum cedere*— pues no se considera onerosa —*quia non videtur onerosa*— ya que finaliza con la pubertad —*cum tempore pubertate finiatur*—. La contraposición, respecto a la cesión y renuncia, entre tutor legítimo y testamentario se resume en Reglas de Ulpiano, así: El tutor dado en testamento no puede ceder ante el magistrado la tutela —*In iure cedere autem tutelam testamento datus non potest*— y el legítimo puede ceder —*nam et legitimus in iure cedere potest*— pero no abdicar —*abdicare se non potest*—.

[18]　Tema 44.5 trata de la Novela 118. Una excepción es: la mujer que siendo heredera legítima no pueden ser tutora.

[19]　La *actio rationibus distrahendis*, reprime la sustracción por parte del tutor legítimo de alguna cosa del patrimonio pupilar. En principio, la sustracción de algún bien del pupilo, por el tutor, no tiene el carácter de hurto ya que éste actúa, sobre ellas, como dueño —*domini loco*—. Su origen se remonta a las XII Tablas. Tiene carácter penal y se sanciona al tutor *in duplum,* esto es, con el doble del valor del objeto sustraído. Según refiere Trifonino: Si... los tutores hurtaron una cosa de los pupilos —*Si... tutores rem pupilli furati sunt*— habrá de verse si por esta acción —*videamus an ea actione*— que fue creada por las XII Tablas —*quae proponitur ex lege XII tabularum*— contra los tutores por el doble —*adversos tutorem in duplum*— cada uno estará obligado por el todo —*singuli in solidum teneantur*—. Recogida en derecho justinianeo: a) ha perdido su exclusivo carácter penal —es mixta y abarca la pena e indemnización del daño— por lo que, también, se podrá dirigir contra los herederos del tutor; b) se ejerce tras el cese de la tutela —no durante él— contra cualquier tutor —no sólo contra el legítimo— y c) lleva anexa la nota de infamia.

[20]　Corresponde: a) en principio, en Roma, al *praetor urbanus*, asistido por los tribunos de la plebe y, en provincias, al gobernador; b) Claudio la confía a los cónsules; c) Marco Aurelio y Julio Vero a un *praetor tutelaris*; d) Justiniano, en la capital, al *praefectus urbis*, en las provincias a los gobernadores —*praesides*— y siendo la fortuna del pupilo modesta —hasta 500 sueldos— a los magistrados locales y a los obispos.

[21]　En Instituciones de Justiniano se aluden como casos de aplicación de esta tutela: a) cuando por cualquier causa está suspendida la tutela testamentaria, en espera

a una *lex Atilia* —198 AC— en Roma, y a una *lex Iulia et Titia* —de fines de la República— en provincias y su fundamento descansa —¡al fin¡— en la protección del incapaz. A ella deben vincularse una serie de normas que, en su mayoría, terminan extendiéndose a las otros dos tipos de tutelas y tendrán aplicación general.

a) Puede pedir su constitución cualquier persona y están obligados: la madre del impuber, sus herederos presuntos y los libertos de su padre. b) Al tutor se le exigen particulares requisitos que garanticen —o al menos posibiliten— una buena gestión tutelar. Por ello, de una parte, podrá serlo un *filius familias* y, de otra: la idoneidad física[22], la madurez de juicio, la imparcialidad, la honradez y la dedicación serán condiciones que, en general, se tendrán en cuenta y que recogerá Justiniano. c) Al ser la tutela carga obligatoria, en interés del pupilo, no cabe cederla ni renunciar a ella y sólo exponer las causas por las que el tutor designado puede ser excusado —*excusatio*— del cargo[23] o presentar, él, otra persona con más méritos para ejercerlo —*potioris nominatio*— lo que sólo aplicable a la tutela dativa no lo recoge Justiniano.

---

del cumplimiento de una condición o término —*quamdiu conditio aut dies pendebat*— o de la aceptación del heredero —*quamdiu nemo ex testamento heres existat*— b) estando el tutor prisionero —*ab hostibus tutore capto*— c) siendo loco, sordomudo, excusable o sospechoso y d) siempre que proceda el nombramiento de tutor *certae causae*.

[22] Recogiendo las 5 condiciones referidas en el texto, en derecho justinianeo no podrán ser tutores, por la 1.ª, los locos, ciegos, sordos y mudos; por la 2.ª, los menores de 25 años; por la 3.ª, los que hubieran tenido enemistad con el padre del pupilo o expresamente hubiesen sido rechazados por él o por la madre en testamento o codicilo o fueran acreedores o deudores de él —excepto la madre o la abuela—; por la 4.ª, si se sabía que había dado dinero para la obtención de la tutela y por la 5.ª, los soldados, obispos o monjes. Es de advertir que, en derecho postclásico, la madre y la abuela del impuber podrán acceder a su tutela si se comprometan, bajo juramento, a no contraer nuevas nupcias.

[23] Justiniano, en Instituciones, trata de las excusas de los tutores y curadores —*de excusationibus tutorum vel curatorum*— y entre ellas, alude: al número de hijos —*propter liberos*— la administración del fisco —*qui res fisci administrat*— la ausencia por causa de la república —*qui rei publicae causa absunt*— ejercer cualquier magistratura —*qui potestatem aliquam habent*— la carga de tres tutelas o curatelas —*tria onera tutelae vel curae*— la pobreza —*propter paupertatem*— la enfermedad (mala salud) —*propter adversam valetudinem*— el analfabetismo —*imperiti litterarum*— la enemistad —*propter inimicitiam*— la edad de 70 años —*maior septuaginta annis*— la milicia —*in militia*— y el ejercicio de ciertas profesiones liberales —*grammatici, medici, rhetores*—.

Son notas complementarias a esta tutela: a) ser subsidiaria en segundo grado —a falta de las dos anteriores— b) exigirse al tutor de ciertas garantías e imponerle algunas limitaciones —unas y otras se terminan extendiendo a las otras tutelas— y c) que su responsabilidad se hagan efectiva por la acción de tutela, *actio tutelae*[24].

III. Funciones del tutor

Dos son las funciones principales del tutor: la gestión de los negocios del pupilo —*negotiorum gestio*— y la asistencia a los actos que éste celebre interponiendo su autoridad —*auctoritas interpositio*[25]—.

A) La *negotiorum gestio*, se produce cuando el impuber es *infans* —menor de 7 años—. Término derivado de *in* (negación) y *fari* (hablar), que designa a quien no puede hablar —*qui fari non potest*— «con razón y juicio» —no por simple imposibilidad física, mudez—. Del *infans*, dice Gayo, carece de entendimiento —*nullum intellectum habet*— y por ello, no se diferencia mucho del loco —*non multum a furioso differt*—.

Esta *negotiorum gestio* no es distinta de cualquier otra gestión y administración de intereses ajenos y con su ejercicio, el tutor sustitu-

---

[24] La *actio tutelae* pretende, en general, la efectividad de las obligaciones del tutor. Surge a fines de la república en el ámbito de la tutela dativa —extendiéndose a las demás—. Tiene carácter general, es de buena fe, infamante y privilegiada, ya que el pupilo que ejerce la *actio tutelae* goza sobre los demás acreedores personales del tutor de preferencia —*privilegium inter personales actiones*— que, desde Constantino, se verá garantizada con una hipoteca legal sobre todos los bienes de aquél. Se ejerce por el pupilo, al fin de la tutela, contra el tutor y sus herederos y resulta adecuada a la nueva concepción de la tutela como deber y no derecho. La responsabilidad del tutor es objeto de controversia doctrinal. Algunos, consideran que sólo respondería por dolo —en época clásica— y luego, en época justinianea, por culpa. Mientras no faltan quienes consideran que ya responde por culpa en derecho clásico —*culpa in abstracto*— que será *in concreto* con Justiniano. Presuponiendo la tutela un actuar —*gerere*— en caso de inactividad o abstención —*tutor cessans*— refiere Papiniano, que se da contra él la *actio tutelae* por vía útil —*utilis*— Para resarcirse el tutor de los gastos anticipados en la gestión de la tutela, recuerda Ulpiano, que tendrá el correspondiente *iudicium contrarium*.

[25] En Reglas de Ulpiano se resume: Los tutores de los pupilos y pupilas —*Pupillorum pupillarumque tutores*— gestionan sus asuntos —*et negotia gerunt*— e interponen su autoridad —*et auctoritatem interponunt*—.

ye al *infans* dado su absoluta incapacidad de obrar. Actúa, por tanto, en nombre propio, aunque por cuenta ajena —representante indirecto, usando terminología moderna— y, por ello, es el mismo —y no el pupilo— quien resulta, acreedor, deudor o propietario, en suma, quien adquiere derechos y asume obligaciones[26] y se excluyen, de esta esfera, aquellos actos que, necesariamente, deben ser ejecutados en nombre propio[27].

B) La *auctoritatis interpositio*, exige cierto grado de razón en el pupilo —*aliquem intellectum*— y se produce, por tanto, cuando ha superado la infancia —mayor de 7 años, *infantia maior*— y no ha alcanzado la pubertad —12 años en la mujer y 14 en el varón—. A través de ella, el tutor, no suple al *impubes*, sino que le asiste y coopera en los actos jurídicos que celebra el propio pupilo, logrando así, su plena validez y eficacia[28]. En suma, complementa su capacidad.

En síntesis, la *auctoritatis interpositio*, es: a) necesaria, en todo negocio que realice el *impubes infantia maior* y pueda acarrearle cargas, disminución de su patrimonio o asumir obligaciones; b) innecesaria, en los que sólo le reporten un beneficio sin ningún tipo de obligación —como aceptar regalos (donaciones) o adquirir la propiedad de algo abandonado por su dueño por ocupación[29]— y c) inadecuada, en los actos personalísimos, como el testamento y el matrimonio que le están vedados al impuber.

La *auctoritas* del tutor deberá interponerse en los contratos bilaterales —que generan obligaciones para ambas partes— como la compraventa o el arrendamiento, entre otros. En su defecto, el negocio será válido para el impuber en lo que le beneficie y nulo en lo que le perjudique. Así pues, adquiere, derechos y no asume obligaciones. Ulpiano, dice que es como si el contrato existiera para una sola

---

[26]   La admisión de una serie de *actiones utiles*, pro y contra pupilo, debilita tal carácter.

[27]   Sirvan de ejemplo, entre otros, los actos de: aceptación o renuncia de herencia — *hereditatis aditio* o *repudiatio*— extinción de obligaciones estipulatorias por *acceptilatio* y el nombramiento de *procurator* o *cognitor*.

[28]   El tutor interpone su *auctoritas*: a) estando presente —*praesens*— en el acto; b) en el mismo momento en que se produce —*statim*— y c) pura y simplemente, o sea sin condición o restricción. Si falta el triple requisito será nula.

[29]   En Instituciones de Justiniano se dice: que se dispuso les fuera permitido mejorar su condición —*placuit meliorem quidem suam conditionem licere eis facere*— aun sin la autoridad de su tutor —*etiam sine tutoris auctoritate*— pero (hacerla) peor —*deteriorem vero*— sólo con ella —*non aliter quam tutore auctore*—.

de las partes —*ex uno latere constat contractus*[30]— criterio que, en el tiempo, se atenuó, en atención al posible enriquecimiento injusto por parte del pupilo[31].

Según Gayo, si en un asunto tienen intereses contrapuestos tutor y pupilo, «como el mismo tutor —*ipse tutor*— en un negocio propio —*in rem suam*— no puede interponer su autoridad —*auctor esse non potest*— se nombraba otro, que se llamaba tutor pretorio —*qui dicebatur praetorius tutor*— porque se daba por el pretor urbano —*quia a praetore urbano dabatur*[32]—».

IV. Derechos

La inicial amplitud de las funciones del tutor se refleja en las fuentes, que lo consideran «como dueño del patrimonio del pupilo» —*tutor domini loco habetur*[33]—. Sin embargo, desde la época imperial, empieza un proceso restrictivo que, de acuerdo con la evolución de la tutela, exige: que su administración y gestión se ejerza en interés del pupilo y no para su expolio[34].

V. Obligaciones

Poco a poco se establecen una serie de obligaciones del tutor en interés del pupilo y garantía de su patrimonio y según el momento, respecto a la tutela —antes, durante o después— en que se deben cumplir cabe proponer el siguiente ensayo clasificatorio.

A) Son anteriores: a) prestar garantía para asegurar el buen resultado de su gestión —garantía de que las cosas del pupilo queda-

---

[30]   Tales contratos reciben, con expresión no romana, el nombre de *negotia claudicantia*.

[31]   A mitad del s. II, Antonino Pío admite que el pupilo quede obligado, *sine tutoris auctoritate,* en la medida en que se enriquece, concediendo a la otra parte acción para exigirle la devolución de aquello con lo que se enriqueció.

[32]   Con Justiniano es sustituido por un curador.

[33]   Configurada la tutela como *potestas*, el tutor puede realizar todo tipo de actuaciones: paga y cobra, enajena, grava y dispone de los bienes, no comete hurto sobre ellos —al tenerse como suyos— coloca e invierte capitales...

[34]   Juliano, supedita la consideración que figura en el texto —*tutor domini loco habetur*— a cuando «administra» la tutela —*cum tutela administrat*— no cuando expolia al pupilo —*non cum pupilum spoliat*— y Paulo, la subordina a que provea al cuidado del patrimonio pupilar —*quantum ad providentiam pupillarem*—.

rán a salvo, *satisdatio rem pupilli salvam fore*[35]—; b) hacer inventario de los bienes a que se extiende la tutela y del valor de los mismos[36], incurriendo, de no hacerlo, en responsabilidad por dolo y siendo causa de remoción como sospechoso y c) prestar —con Justiniano— juramento de ejercer, fielmente, la tutela.

B) Son simultáneas, en general, las propias de todo administrador y, en particular, se fueron conformando, en el tiempo: a) respecto a los actos gratuitos, no poder hacer donaciones de importancia[37] y b) respecto a los onerosos, necesitar autorización del magistrado para enajenar fincas rústicas o suburbanas, limite establecido en un senadoconsulto del 195 de Septimio Severo y Caracalla —*oratio Severi*— que se amplía —por interpretación jurisprudencial— a la constitución de cualquier gravamen sobre ellos y, después —con Constantino— a la venta de toda clase de bienes inmuebles o muebles, salvo los perecederos o de escaso valor[38]. Con Justiniano el magistrado vigilará los actos menores de gestión[39] y controlará la inversión del capital del pupilo, propiciando la compra de inmuebles y el participar en negocios que le den un seguro interés.

C) Acabado el ejercicio de la tutela, el tutor debe: a) rendir cuentas de su administración; b) reintegrar al pupilo sus bienes —debiendo intereses por el dinero desde el día en que terminó en el cargo— y c) indemnizarle por los daños y perjuicios sufridos.

---

[35]   Anuncia esta garantía Gayo en sus Instituciones y lo confirma Justiniano en las suyas. Se excluye prestarla a los tutores testamentarios, pues al mismo testador le consta su buena fe y diligencia —*quia fides eorum et diligentia ab ipso testatore probata est*—y a los dativos, previa investigación —*ex inquisitione*— por que han sido elegidos por su idoneidad —*quia satis honesti electi sunt*—. Consiste en una promesa del tutor, garantizada con fiadores, contra los que tendrá el pupilo una *actio ex stipulatu*, con efectos similares a los que obtendrá por la *actio tutelae*. Su origen se vincula a Claudio y con Trajano, para su efectividad, se añade una *actio utilis*, llamada subsidiaria, contra el magistrado que: no la exija; admita garantía insuficiente o nombre tutor inadecuado.

[36]   Esta obligación es, en principio, indirecta y de no cumplirse valdría como tasación la que hiciera bajo juramento el pupilo. Con carácter, propiamente, de obligación, se establece por Arcadio y Honorio.

[37]   Se excluyen las hechas por razones morales o sociales.

[38]   Se declara la nulidad de toda actuación del tutor que no se ajuste a lo indicado y el pupilo puede recuperar tales bienes, cuyo plazo de prescripción no empezará a contar hasta que aquél deje de serlo.

[39]   Así: la venta de cosas perecederas o improductivas; la conservación de las necesarias para el menor; el cobro de créditos y rentas; pago de deudas, legítimamente, reclamadas al pupilo...

VI. Extinción

Se distingue entre propia extinción de la tutela y cese en el cargo de tutor y su reemplazo. En síntesis: A) La tutela se extingue —*finitur*— por parte del pupilo— *ex parte pupilli*—: por llegar a la pubertad —*cum puberes esse coeperint*— y por su muerte —*morte pupillorum*— o *capitis deminutio* —*capitis deminutione*[40]—. B) El tutor cesará en su oficio —*ex parte tutoris*—: por su muerte —*morte tutorum*— o *capitis deminutio maxima* o *media* —*capitis deminutione tutoris*[41]—; cumplirse, en su caso, la condición —*existente conditione*— o vencer el plazo —*finito (tempore)*[42]— del que depende su nombramiento y por su remoción como sospechoso —*qui vel removerentur a tutela ob id quod suspecti visi sunt*[43]—.

3. TUTELA *MULIERUM*

En principio, las mujeres siempre están sujetas a algún tipo de autoridad. Si son *alieni iuris*, a la *patria potestas* de su *pater familias* o a la *manus* de su marido; si son *sui iuris* y no han alcanzado la pubertad a la tutela de éstos —*tutela impuberum*— y si hubieran llegado a ella a otra tutela perpetua por razón de su sexo —*tutela mulierum*—. Veamos su involución.

A) En una primera fase —*ius civile*— su carácter es similar al de la tutela de los impúberes. Es una *potestas* familiar, ejercida en interés

---

[40]   Incluso la *capitis deminutio minima*, ya que la tutela sólo se da sobre los *sui iuris* y en el caso de *adrogatio* pasaría a ser *alieni iuris*.

[41]   En Instituciones de Justiniano se precisa: Sin embargo por la *capitis deminutio minima* del tutor —*Minima autem capitis deminutione tutoris*— como por ejemplo si se diera en adopción —*veluti si se in adoptione dederit*— sólo perece la legitima —*legitima tantum tutela perit*— pero no las demás —*ceterae non pereunt*—.

[42]   El tutor testamentario puede nombrarse: *ad certam conditionem* o *ad certum tempus*. También, en este caso puede incluirse al tutor legítimo si fuera la madre o abuela mientras no contraiga segundas nupcias y al tutor dativo si hay razones que suspendan o aplacen el entrar en funciones el tutor testamentario.

[43]   No incluimos los casos que el tutor se excusara de iniciar la tutela —*vel ex iusta causa sese excusant*— por no implicar cese en el cargo, salvo que se produjera y se alegara *a posteriori*.

de los presuntos herederos de la mujer e iguales son los medios de designación de tutor[44].

B) En una segunda fase —iniciada en época preclásica— cuando la tutela, por las *leges Atilia* y *Iulia Titia* —tutela dativa— asume una nueva función de protección al tutelado, la *tutela mulierum* decae; subsiste más en la forma que en el fondo y su razón de ser no convence, pues la fragilidad del sexo o la falta de madurez de sus juicios[45], invocadas en las fuentes, nos dirá Gayo, son razones más aparentes que reales —*magis speciosa quam vera*[46]—.

Son principales argumentos de la decadencia de la tutela de la mujer:

1.º) que en la tutela legítima —recuerda Gayo— la mujer pueda usar la *coemptio* no con fines de matrimonio, sino de evitar la tutela —*tutelae evitendae causa*— sometiéndose a la *manus* de alguien de su confianza, con pacto de emanciparla y, tras hacerlo, convertirse en su tutor —*tutor fiduciarius*—; 2.º) que en la tutela testamentaria —y existiendo matrimonio *cum manu*— el marido puede otorgar a su mujer la facultad de elegir —*optio tutoris*— tras su muerte, el tutor —*tutor optivus*[47]— que cambiará, a su antojo si

---

44 Notas diferenciales respecto a la *tutela impuberum* son: a) en general, su carácter perpetuo —no cesa por la pubertad—; b) en la tutela legítima, que el tutor conserva el derecho a transmitirla por *in iure cessio* y en la testamentaria, el de renunciar a ella —*abdicatio*— y c) según Gayo, que pueden ser tutores de la mujer los impúberes, mudos y sordos.

45 En los textos es frecuente invocara: la *fragilitas sexus*; *levitas animi*; *infirmitas consilium*; *imbecillitas mentis*.

46 Dice Gayo: para que las mujeres en edad adulta —*Feminae vero perfectae aetatis*— estén bajo tutela —*in tutela esse*— apenas existe una razón de peso —*fere nulla pretiosa ratio*— que parezca convencer —*suassisse videtur*— pues lo que vulgarmente se cree —*nam quae vulgo creditur*— que por la ligereza de su espíritu —*quia levitate animi*— son en general engañadas —*plerumque decipiuntur*— y era justo —*et aequum erat*— fueran regidas por la autoridad de sus tutores —*eas tutorum auctoritate regi*— parece más una razón aparente que real —*magis speciosa videtur quam vera*—.

47 Gayo dice: En cuanto a la mujer casada que está *in manu* —*In persona tamen uxoris quae in manu est*— se acepta también la opción de tutor —*recepta est etiam tutoris optio*— es decir —*id est*— que se le permita optar por el tutor que quiera para sí — *ut liceat ei permittere quem velit ipsa tutorem sibi optare*— de este modo —*hoc modo*—: A mi mujer Ticia doy la opción de tutor —*Titiae uxori meae tutoris optionem do*—. En cuyo caso —*Quo casu*— se permite a la mujer —*licet uxori*— que opte por un tutor —*(tutorem optare)*— para todos sus asuntos —*vel in omnes res*— o uno o, quizá, dos —*vel in unam forte aut duas*—.

la opción es plena[48]; 3.º) que es la mujer la que, por sí, administra su patrimonio[49] —el tutor no actúa, pues, como *negotiorum gestor*[50]— y 4.º) que la intervención del tutor —*auctoritas interpositio*— no se requiere para todos sus actos, sino sólo para algunos[51] y, aún en éstos, esta *auctoritas*, no pasa de ser mera formalidad —*dicis gracia*, según Gayo— pues también, con frecuencia —*saepe etiam*— se ve obligado por el pretor —*a pretore cogitur*— contra su voluntad a hacerlo —*invitus autor fieri*—.

Estos datos posibilitan afirmar —como se ha reiterado en doctrina— que es el tutor quien soporta a la mujer, más que la mujer al tutor.

C) En época clásica, la *lex Iulia et Papia Poppaea*, coherente con el fin demográfico que la inspiraba, exime, según Gayo, de tutela legítima a las mujeres que tuvieran el *ius liberorum*[52]. Esto es, 3 hijos si son ingenuas y 4 si libertas, aboliendo Claudio este tipo de tutela.

D) En derecho postclásico se cierra la involución de la *tutela mulierum*. Extendido el *ius liberorum* a las demás clases de tutela[53]

---

[48]   Seguimos con Gayo: Por lo demás —*Ceterum*— la opción que se da o es plena o restringida —*aut plena optio datur aut angusta*—. La plena suele darse —*Plena ita dari solet*— tal y como acabamos de decir (en nota anterior) —*ut proxime supra diximus*— La restringida se suele dar así —*Angusta ita dari solet*— doy a mi mujer Ticia —*Titiae uxore meae*— la opción de tutor por una sóla vez —*tutoris optionem dumtaxat semel*— o bien por dos veces —*aut dumtaxat bis (do)*—.

[49]   Gayo —que sigue criticando el fundamento de la *tutela mulierum*— dice: Pues las mujeres adultas —*Mulieris enim perfectae aetatis sunt*— tratan de sus negocios por sí mismas —*ipsae sibi negotia tractant*—.

[50]   Sigue Gayo, contraponiendo la *tutela impuberum* y la *tutela mulierum*: de ahí que contra el tutor —*Unde cum tutore*— en razón de la tutela, no se le de a la mujer la posibilidad de seguir un juicio —*nullum ex tutela iudicium mulieri datur*—.

[51]   Según Instituciones de Gayo —principal fuente informativa de la *tutela mulierum*— y a Reglas de Ulpiano, la autoridad del tutor es necesaria para las mujeres, por vía de síntesis, en las siguientes esferas: A) en la procesal, para actuar en los juicios legítimos; B) en la personal, para liberar esclavos y consentir que la liberta, que ha manumitido, viva con un esclavo ajeno; C) en la familiar, para contraer matrimonio y constituir dote; D) en los derechos reales, para enajenar *res mancipi*; E) en obligaciones, para asumirlas en general y poder extinguir créditos sin que se produzca entrega efectiva de dinero —*acceptilatio*— y F) en la esfera sucesoria, para testar y adir la herencia.

[52]   Es obvio que la supuesta incapacidad de la mujer no puede cesar por su número de hijos.

[53]   Aludida la *tutela mulierum*, sólo en dos constituciones de Diocleciano y silenciada por Constantino, en el Código Teodosiano no hay vestigios de ella.

y concedido por Teodosio y Honorio —a.410— a todas las mujeres del Imperio. La mujer, formalmente, se emancipa.

Resumiendo lo expuesto cabe convenir con Bonfante que la historia de la tutela de la mujer no es otra cosa que, la historia de su desaparición.

4. PRINCIPALES TIPOS DE CURATELA

El término latino, *cura* o curatela, comporta la idea de cuidado, atención, de donde *curator* o curador es el que cuida algo y *curare* designa el realizar o cumplir esta función.

La necesidad de este cuidado se puede sentir respecto a bienes, patrimonios o, incluso, respecto a ciertas personas y en Derecho Romano estos vocablos se usan —en la esfera de derecho público y privado— sobre todo, en su primera aplicación[54].

La distinción tutela y curatela no reviste especial importancia, máxime cuando sus diferencias tienden a difuminarse hasta desaparecer, prácticamente, con Justiniano, por ello nos limitaremos a las dos observaciones siguientes:

1.ª) que los criterios de que el *curator* carece de *auctoritatis interpositio* y que los supuestos de curatela —loco o pródigo— no presentan la misma regularidad que los de la tutela —impuber o mujer— son, en un principio, admisibles, pero no lo son tanto tras aparecer la curatela del menor, pues el consentimiento del curador respecto a él no difiere de la intervención del tutor y la falta de regularidad no puede esgrimirse y 2.ª) que el principio tradicional, según Marciano, que el tutor se da a la persona y el curador a la cosa

---

[54]   Sus múltiples manifestaciones, avalan, como se ha reiterado, que en puridad debiéramos hablar de ambos términos en plural —de *curae* y *curatores*— más que de uno y otro término en singular. Por vía de ejemplo, en derecho público, son *curatores*, los funcionarios encargados de diferentes servicios o funciones administrativas, como: el abastecimiento —*annonae*—, vías de comunicación —*viarum*—, riberas —*riparum*—, aguas —*acquarum*—, fisco —*fisci*—, cloacas —*coaclarum*—... y en derecho privado se habla de *curatores*: del vientre —*ventris*—, de bienes —*bonorum*—, del ausente —*absentis*—, de la herencia yacente —*hereditatis iacentis*— ...

—*tutor datur personae, curator rei*— debe matizarse, pues nadie cuida de persona alguna, sino de los bienes, aunque la tutela presupone, siempre, la persona del pupilo y la curatela puede darse en un patrimonio con sujeto inicialmente indeterminado[55].

I. *Cura furiosi*

Las enfermedades —*morbus*— nublan la inteligencia y la voluntad necesarias para realizar negocios jurídicos, por ello, afectan a la capacidad de obrar. Así, Gayo dice que: el loco —*furiosus*[56]— no puede hacer negocio alguno —*nullum negotium gerere*— porque no comprende lo que hace —*quia non intellegit, quid agat*[57]—.

En época arcaica, las XII Tablas establecen la curatela de los *furiosi* que carecen de *custos* —custodio— esto es, de *paterfamilias* o *tutor*[58]. Es un auténtico poder familiar —se califica de *potestas*— y la ejercen los herederos *ab intestato* del *furiosus*. Por su origen, es legítima —se basa en la ley— y por su aplicación, subsidiaria —procede sólo en defecto de *custos* del loco—.

En época clásica, surge la curatela dativa y aunque, *de iure*, no se admita la testamentaria, *de facto*, según Trifonino, el pretor suele confirmar la que así se hace[59]. Esto, con Justiniano, se necesita, además, para la curatela legítima que, pasa al pariente consanguíneo más próximo.

---

[55]   El *curator* de la herencia ofrecida y aún no acptada —*hereditatis iacentis*—o de la que espera el nacimiento del concebido —*ventris nomine*— aludidos en la nt. anterior pueden servir de ejemplos.

[56]   En las fuentes, aparecen expresiones como: *mente captus, stultus, insanis, fatuus, imbecillis, demens* para designar al enfermo mental. Debatidas sus posibles diferencias, se suelen considerar sinónimas de «debilidad mental», no faltando quienes las contraponen al loco violento —*furiosus*— con posibles intervalos lúcidos.

[57]   A diferencia del Derecho actual, en Derecho Romano no se exige un acto judicial previo de «incapacitación» y basta la mera conciencia social de que alguien no es «capaz» de regirse por sí mismo.

[58]   Según las XII Tablas, dice Cicerón: «si alguien está loco —*si furiosus escit*— los agnados y los gentiles —*adgnatum gentiliumque*— tengan la potestad sobre él y sus bienes —*in eo pecuniaque eius potestas esto*—». Lo que se debe subordinar —se desprende de Festo—: «(pero) si no tuviera custodio —*ast ei custos nec escit*—».

[59]   Si a un loco —*Si furioso*— le hubiera dado su padre tutor en testamento —*curatorem pater testamento dederit*— el Pretor debe nombrarlo —*eum Praetor dare debet*— según la voluntad del padre —*secutus patris voluntatem*—.

Son notas complementarias de la *cura furiosi*: 1.ª) que el *curator* ha de velar por la salud del enfermo[60] y le compete todo acto sobre su patrimonio, incluida la enajenación de bienes, que se ha de justificar, con Justiniano, por la *utilitas furiosi*; 2.ª) que se le considera como un gestor, por lo que se dará contra él, y a su favor, la *actio negotiorum gestio* directa y contraria y 3.ª) que el *furiosus* no realiza, válidamente, acto alguno —y al carecer de *aliquem intellectum* no procede la *auctoritas tutoris*— aunque en los momentos lúcidos —*dilucida intervalla*— en época clásica cesa la curatela, que con Justiniano se suspende.

II. *Cura prodigi*

Hoy se entiende por pródigo la persona que por su hábito de dilapidar, pone en injustificado peligro su patrimonio y el de su familia más cercana.

En Derecho Romano, en una primera fase —época arcaica— las XII Tablas consideran *prodigus* al que dilapida los bienes recibidos, *ab intestato*, por vía paterna —*bona paterna avitaque*—. Por ello, en interés de la propia familia —de los presuntos herederos del pródigo— se le prohíbe —*interdictio*— la administración de estos bienes, queda sujeto a curatela y se designan como *curatores* —igual que para el *furiosus*— a los agnados y gentiles[61], pero se exige —en esto se diferencian— la previa declaración formal de interdicción por el pretor[62].

---

[60] Juliano, refiriéndose al Pretor, dice: Con el consejo y trabajo del curador —*Consilio et opera curatoris*— debe proteger —*tueri debet*— no sólo el patrimonio —*non solum patrimonium*— sino el cuerpo y la salud del furioso —*sed et corpus ac salus furiosi*—.

[61] Ulpiano, dice: Por ley de las XII Tablas —*Lege XII tabularum*— se prohíbe al pródigo —*prodigo interdicitur*— la administración de sus bienes —*bonorum suorum administratio*— y en Reglas de Ulpiano se lee: La ley de las XII Tablas... —*Lex XII Tabularum...*— (manda) que el pródigo, a quien está prohibido administrar sus bienes —*prodigum cui bonis interdictum est*— esté bajo curatela de los agnados —*in curatione iubet esse agnatorum*—.

[62] La fórmula según Paulo, era: Puesto que tú, los bienes heredados de un ascendiente —*quando tibi bona paterna avitaque*— por tu negligencia —*nequitia tua*— los has disipado —*disperdis*— y a tus descendientes —*liberosque tuos*— has conducido a la necesidad —*ad egestatem perducis*— te prohíbo cualquier acto de disposición patrimonial (literalmente: negociar por el cobre y la balanza (*aere*) comprar y vender (comercio) —*ob eam rem tibi ea re «(aere)» comercioque interdico*—.

En una segunda fase —derecho preclásico y clásico (a la que cabría aplicar el concepto actual)—: se amplía la noción de *prodigus*; la *interdictio* recae sobre toda clase de bienes —*omnium bonorum*— no sólo los adquiridos *ab intestato*[63]; procede aunque el pródigo carezca de hijos —pues la curatela pasa a establecerse en su interés— y se admite se designe *curator* por el magistrado —*cura* dativa— y, también, que éste, confirme al propuesto en testamento.

Son notas complementarias de la *cura prodigi* y sirven para diferenciarla de la *cura furiosi*[64]: 1.ª) que la prodigalidad no es enfermedad, sino debilidad de carácter; 2.ª) que el *curator* carece de derecho sobre la persona del pródigo y sólo sobre sus bienes[65]; 3.ª) que el *prodigus* —como los *infantia maiores*— pueden realizar actos que mejoren su condición y no los que la perjudiquen[66] y 4.ª) que volverán a administrar sus bienes cuando por decreto se levante su interdicción[67].

III. *Cura minorum*

Puber —*pubes*— es el que ha alcanzado la pubertad, esto es: que puede generar —*qui generare potest*— por ello, tiene la plena capacidad de obrar.

---

[63] Un paso intermedio se produce en los bienes, recibidos por testamento. Así, en Reglas de Ulpiano se dice: Por el pretor se designa curador —*A praetore constituitur curator*— libremente —*quem ipse praetor voluerit*— a los libertos pródigos —*libertinis prodigis*— y a los ingenuos —*itemque ingenuis*— que instituidos herederos en el testamento de su ascendiente —*qui ex testamento parentis heredes facti*— disipan los bienes —*male dissipant bona*— pues a éstos —*his enim*— no se les podía dar curador según la Ley —*ex lege curator dari non poterat*—.

[64] Pomponio llega a equiparar a furioso y pródigo, al decir: Los furiosos o al que se prohibió la administración de sus bienes —*Furiosi vel eius cui bonis interdictum sit*— carecen de voluntad —*nulla voluntas est*—.

[65] En este sentido le corresponde todo lo que implica el amplio término de la *administratio* romana. Como el *curator* del *furiosus* está *domini loco* y presenta igual evolución en las facultades que comporta; tiene el carácter de *negotiorum gestor*; se dan las derivadas *actiones* —directa y contraria— y carece de *auctoritas interpositio*.

[66] A diferencia de éstos, dice Ulpiano: (Es sabido) que aquel —*Eum cui*— al que está prohibido por ley administrar sus bienes —*lege bonis interdicitur*— si es heredero —*institutum*— puede adir la herencia —*posse adire hereditatem constat*—.

[67] Como en la *cura furiosi* si el *curator* incurre en responsabilidad se da, contra él, la *actio negotiorum gestorum*, que sirve como *contraria*, para el posible reembolso de los gastos a aquél ocasionados.

En derecho arcaico y preclásico, respecto a los varones, para determinar la pubertad, se procedía a una *inspectio corporis* reflejándose, externamente, a través de una toga viril[68]. En derecho clásico, los sabinianos mantienen igual criterio, opuesto al de los proculeyanos que son partidarios de fijar topes de edad: 12 años para las mujeres y 14 para los varones. Justiniano optará por esto por razones de *puditia*[69].

Los inconvenientes de otorgar la plena capacidad de obrar a edad tan temprana —sobre todo, a partir de la segunda guerra púnica— motivó la adopción de medidas protectoras y que, de hecho, su capacidad se ampliara sólo: a poder otorgar testamento y contraer matrimonio.

Para los demás actos una *Lex Plaetoria* (o *Laetoria*), sobre el engaño de los adolescentes —*de circunscriptione adolescentium*— de fines del s. III AC, vino a establecer un nuevo límite de edad: el de los menores de 25 años —*minores viginti quinque annis*— o simplemente *minores*. Por esta ley, cualquiera puede interponer acción —*actio popularis*— de carácter penal y noxal, contra quien hubiese hecho víctima de engaño —*circumscribere*— a estos menores, ya fueran *sui*

---

[68] En el acto que refleja el tránsito de la *pueritia* a la *iuventus*, el niño deja de ser *praetextatus*, portador de una *toga praetexta* —blanca con una franja púrpura— y la cambia por la *toga virilis* —*libera* o *pura*— sin adornos. Debajo llevará una *tunica recta*. Desde entonces, se le llama *vesticeps* (de *vestis capio*, vestido como hombre) o *investis*. El ritual se completa con ciertas ceremonias: —*liberalia*— en honor a Baco, celebradas una vez al año —el 17 de marzo—; presentación del joven en el foro y anotación de su *praenomen* en el censo de los *cives*.

[69] Justiniano en sus Instituciones refiere: Los antiguos querían apreciar la pubertad de los varones, no sólo por los años, sino también por su desarrollo corporal — *Pubertatem autem veteres quidem non solum ex annis, sed etiam ex habitu corporis in masculis videtur*— Pero nuestra majestad creyó, acertadamente, ser digno de la castidad de estos tiempos —*Nostra autem maiestas dignum esse castitate temporum nostrum bona putavit*— que lo que entre los antiguos pareció ser impúdico respecto a las mujeres —*quod in feminis et antiquis impudicum visum est*— esto es —*id est*— la inspección del estado de su cuerpo—*inspectionem habitudines corporis*— se hiciese también extensivo a los varones —*hoc etiam in masculos extendere*— y por esto...— *et ideo...*— que la pubertad empezase, desde luego, en los varones al cumplir los 14 años —*pubertatem in masculis post quartum decimum annum completum illico initium accipere*—... dejando subsistente, acerca de las mujeres, la regla, bien establecida por la antigüedad, de que se reputen núbiles después de cumplidos los 12 años —*in feminis a persona bene positam suo ordine relinquentes ut post duodecim annum completum viripotentes esse credantur*—.

o *alieni iuris*. El pretor concederá, además, si el autor del engaño pretendiera el cumplimiento del negocio, una *exceptio legis Plaetoria* y extremará su protección —aún sin existir engaño— por una *restitutio in integrum propter aetatem*.

Aunque se discute si la *cura minorum* tuvo o no su origen en la ley *Plaetoria*, lo cierto es que se generaliza el que, a instancia del menor, el pretor, pueda nombrarle un *curator*[70], en principio, con carácter esporádico (de asesor en un negocio concreto —*ad singulas causas*— y desde Marco Aurelio, con carácter estable. Pese a este *consensus* no depende de él la validez del negocio[71].

Si los 12 ó 14 años podía resultar una «mayoría de edad» —usando terminología moderna— temprana los 25 años podía resultar tardía. Por ello, tras concesiones aisladas, Constantino establece, de modo general —a.321— la posibilidad de que a partir de los 18 años las mujeres y de 20 los hombres, siendo de buenas costumbres y conducta regular —*honesta morum, probitas animi*— puedan pedir al emperador la *venia aetatis*. Con su concesión se estima acabada la menor edad y quienes la obtuvieran podrían realizar toda clase de negocios, con la única excepción de donar y enajenar bienes inmuebles, a la que añade Justiniano, la de constituir hipoteca sobre ellos.

---

[70] Las características de *curator*, en principio, difieren, notablemente, de las del tutor al que se asimila con Justiniano. Así: a) su nombramiento no es obligatorio, procede a instancia del menor; b) su esfera de actuación no es permanente y general, sino para un sólo asunto; c) no es un administrador y si experto consejero y d) es «dativo», al corresponder su nombramiento, sólo, al magistrado.

[71] En época clásica, las medidas anteriores, referidas en el texto, mantienen su eficacia. En la postclásica, se tiende a equiparar a *minores* e *impuberes*, así como tutela y curatela y Justiniano, con su clasicismo contrastado, procurará restablecer las diferencias y aunque sigue hablando de *restitutio in integrum* entiende por ella todo medio —acción o excepción— restitutorio.

El matrimonio

1. CARACTERES DEL MATRIMONIO ROMANO

Tal y como hicimos al referirnos a los caracteres de la familia romana, tomaremos como base las principales notas del matrimonio actual, precisando, respecto a cada una de ellas, su interés en Derecho Romano. Las acepciones del matrimonio; su fundamento; la prueba y sus efectos en general, son los puntos de los que vamos a ocuparnos.

A) Hoy, cabe hablar de dos acepciones de matrimonio: como acto —matrimonio *in fieri*— que equivale a contrato matrimonial, y como estado —matrimonio *in facto esse*— que es la situación estable que deriva de dicho contrato. El Derecho Romano, sólo se centra en esta segunda acepción, siendo, el matrimonio, una situación de hecho socialmente reconocida.

B) Hoy, el matrimonio, se vincula: al Derecho —matrimonio civil— o a la Religión —matrimonio canónico—. En Derecho Romano no. El Derecho, a lo más, le proporciona un marco adecuado y la Religión y su incidencia en el carácter de sacramento del matrimonio, nada tiene que ver, pues es posterior en el tiempo[1]. Lo decisivo, para los romanos, es la ética social que sirve de base a la situación de hecho a la que hemos aludido.

C) Hoy, difícilmente se plantean problemas respecto a la prueba de la existencia, o no, de matrimonio y, si ello ocurre, bastará con demostrar su origen, es decir, el contrato matrimonial. Por contra, en Derecho Romano, si pueden plantearse tales problemas, debiendo acreditarse, en su caso, la *affectio maritalis*, esto es, la intención de comportarse, recíprocamente, los contrayentes como marido y mujer y el *honor matrimonii*, es decir, que existe una apariencia conyugal honorable.

---

[1]   Procede de un Derecho Canónico avanzado y no parece anterior al s. X.

D) Hoy, la relación matrimonial se considera como simétrica para marido y mujer y produce iguales efectos, en general, para uno y otro. En Derecho Romano, no ocurre así y resulta distinta según se considere bajo la óptica de aquél o de ésta. Así se desprende, bajo el prisma terminológico, del uso, inicial de los términos nupcias —*nuptiae*— referido a la mujer, y matrimonio —*matrimonium*— que como institución —y así se ha destacado— se contempla, desde el punto de vista del marido, aunque, con el tiempo, ambas voces llegaron a confundirse[2].

2. LOS ESPONSALES

I. Denominación y concepto

A) Si, en un tiempo, la mujer pudo ser objeto de compra, por razón de matrimonio —*coemptio matrimonii causa*— por lógica, más pudo serlo de obligación entre su *paterfamilias* originario y aquel bajo cuya potestad familiar fuera a caer. En principio, según Ulpiano, tal obligación se contraía, por *sponsiones* —promesas verbales— de ahí los términos: esponsales —*sponsalia*[3]— que se da a la promesa de matrimonio; prometido (o desposado) —*sponsus*— y prometida (o

---

[2]   *Nuptiae* —siempre en plural— alude, en general, a los ritos y ceremonias sociales que pueden acompañar a la celebración del matrimonio y en particular, a la situación de la mujer, pues sólo de ella se dice: es casadera —*nubilis*— se casa —*nubet*— y está casada —*nupta*—. Etimológicamente, proviene de *nubere* = cubrir con un velo y recuerda al *flammeum* —velo amarillo (del color de la llama) con el que la desposada cubría su cabeza—. *Matrimonium* es una voz compuesta cuyas simples se discuten, alude, en general, a la institución misma y, en particular, se enfoca bajo el prisma del marido, pues es el quien adquiere, como mujer, una madre —*mater*— para su casa —*domus*— a donde la conduce legalmente —*duxit uxorem*—. Etimológicamente, *matrimonium* puede provenir de *monos materia* = unión que produce una sola materia, referente a la naturaleza física del matrimonio, de acuerdo con la Biblia —en el Génesis— dos en una carne, *erant duo in caro una* y que desde un prisma lingüístico parece poco probable; de *matrem muniens* = defensa y protección de la madre, sociológicamente, tal vez, la más adecuada o de *matris munium* = carga, cuidado u oficio de madre, vinculada a las Decretales de Gregorio IX y reflejada en nuestras Partidas.

[3]   Ulpiano dice: Se llamaron esponsales —*Sponsalia autem dicta sunt*— de «prometer» —*a spondendo*— porque fue costumbre de los antiguos —*nam moribus fuit veteribus*— estipular y prometer —*stipulari et spondere*— para sí sus futuras mujeres —*sibi uxores futuras*—.

desposada) —*sponsa*— con que se alude a quienes prometen celebrarlo —los novios[4]—.

B) Según Florentino, los esponsales, son la promesa recíproca de futuro matrimonio —*mentio et repromissio nuptiarum futurarum*—.

II. Régimen y extinción

A) El régimen de los esponsales sufrió una profunda evolución

a) En derecho arcaico, es probable, que sólo se realizaran entre los *patres familias* (el de la prometida, que se obligaba a entregarla y el prometido —si era *sui iuris*— o su *pater familias*, que se constreñía a recibirla); la forma sería a través de estipulaciones mutuas —*sponsiones*— pudiendo exigirse su cumplimiento, esto es: el contraer matrimonio por la *actio ex sponsu*.

b) En derecho clásico: a') las promesas no tienen carácter formal y solemne y, según Ulpiano, basta el mero consentimiento de los contrayentes —*sufficit nudus consensus ad constituenda sponsalia*[5]—; b') no se tiene por ética la obligación de tener que casarse, aunque se admita una reparación pecuniaria de no hacerlo; c') la ruptura de la promesa puede producirse, en todo caso, e incluso, según Paulo, se considera deshonesto —*inhonestum visum est*— las sanciones previstas —*stipulatio poenae*— para reforzar su cumplimiento a las que podrá siempre oponerse la excepción de dolo —*exceptio doli*—; d') pueden celebrarse, antes de la pubertad[6], y e') la viuda, según Paulo, no ha de respetar, para contraerlos, el tiempo de luto, *tempus lugendi*.

---

[4] Florentino recoge este origen terminológico al decir: de donde nació la denominación de prometido y prometida —*unde sponsi sponsaeque apellatio nata est*—.

[5] Ya antes, Juliano los equipara a las nupcias, bajo el prisma del consentimiento —*sponsalia sicut nuptiae consentium contrahentium fiunt*— y dice, que en los esponsales la hija de familia debe consentir —*sponsalibus filiam familias consentire oportet*—. Paulo, respecto al hijo que disiente —*filio familias disentiente*— matiza, que no puede contraerse esponsales en su nombre —*sponsalia nomine eius fieri non possunt*— y que en los esponsales —*in sponsalibus*— también ha de exigirse el consentimiento de aquellos —*etiam consensus eorum exigendus est*— de quienes se requiere en las nupcias —*quorum in nuptiis desideratur*— aunque (escribe Juliano) se entiende el padre lo da siempre a la hija —*intelligi tamen semper filiae patrem consentire*— si no mostrara, claramente, su disenso —*nisi evidenter dissentiat, (Iulianus scribit)*—.

[6] Según Modestino para contraer esponsales no está definida la edad de los contrayentes —*aetas contrahentium definita non est*—. Justiniano exige al menos 7 años.

c) En época postclásica se exigen ciertas formalidades, derivando de ellas distintos efectos. Así, se introduce la práctica de las arras esponsalicias —*arrhae sponsaliciae*— que son cantidades que se intercambian los prometidos. La parte que, sin *iusta causa*, incumple su promesa pierde las arras dadas y ha de devolver las recibidas dobladas. En cuanto a los regalos del novio a la novia —*sponsalicia largitas*— la regla general es que están subordinados a la celebración del matrimonio. Por ello, deberán devolverse si no llega a celebrarse[7].

d) En derecho justinianeo se aprecia una tendencia a equiparar los esponsales a las nupcias y así se desprende, por ejemplo: de que se califique de adulterio la infidelidad de la prometida; de parricidio la muerte del desposado, a manos del otro o de sus padres y de que se tenga como impedimento matrimonial —*quasi adfinitas*— la relación con los parientes del otro prometido[8].

B) Los esponsales se disuelven por: celebración del matrimonio; muerte de una de las partes; impedimento sobrevenido que impida el matrimonio; mutuo disenso y voluntad unilateral.

3. CONCEPTO Y ELEMENTOS DEL MATRIMONIO

A) Concepto

Tres aspectos destaca Modestino en su concepto de nupcias, al decir: que son —*Nuptiae sunt*— la unión —*coniunctio*— de hombre y mujer —*maris et feminae*— el consorcio —*et consortium*— de toda la vida —*omnis vitae*— y la comunicación de derecho divino y humano —*divini et humani iuris comunicatio*—. Detengámonos sobre ello.

1.°) El matrimonio es unión —*coniunctio*— porque comporta una idea de vínculo, por ello están unidos quienes lo contraen y se les llama cónyuges. 2.°) Se da entre hombre y mujer —*maris et feminae*— (un macho y una hembra) porque ello constituye la base natural o real del

---

7   Constantino, establece que si no hay culpa del novio —su muerte— y mediara, en la ceremonia, beso entre los desposados —*osculo interveniente*— la novia tiene derecho a la mitad de lo recibido y si existe culpa, en todo caso, retenerlos.

8   En derecho bizantino, por influjo de las iglesias orientales se tiende hacia una inquebrantabilidad esponsalicia.

matrimonio, dos personas de diferente sexo, aplicable a otras uniones, estables, como el concubinato y las de los esclavos —*contubernium*—. 3.º) Es consorcio —*consortium*— de *cum sorte*, suerte común, por reflejar la idea de convivencia, de ahí que se llame consortes a los contrayentes, pues, en suma, van a compartir una misma suerte, en todas las cosas de la vida —*ominis vitae*— tanto prósperas como adversas[9].

El inciso final, comunicación de derecho divino y humano —*divini et humani iuris comunicatio*— alude, también, a la plena comunidad de vida y su interpretación no resulta clara por lo inexacto de su literalidad, pues el matrimonio no produce una comunicación de cultos entre los cónyuges ni una comunidad de bienes, aunque parece evidente que, en derecho justinianeo, esta frase servirá de fundamento para su interpretación cristiana[10].

B) *Elementos*

a) El matrimonio, en Roma, comporta dos elementos. Uno, subjetivo —interno, de derecho o intencional— el *consensus* que, plasma en la *affectio maritalis*, esto es, en la intención recíproca de los contrayentes de tenerse por marido y mujer y que no bastará, en principio, con ser inicial, sino deberá renovarse día a día. Y un segundo elemento objetivo —externo, de hecho o material— la *coniunctio*, que plasma en el *honor matrimonii*, la convivencia conyugal, entendida no en sentido material, sino ético. Por ello, no es necesario que sea efectiva y el matrimonio, dice Pomponio, podrá iniciarse en ausencia del marido, acompañando a la novia a su casa[11], y, como refiere Ulpiano, subsistir si los cónyuges habitaran largo tiempo por separado —*si*

---

[9] *Omnis vitae* no debe entenderse, ni traducirse «para toda la vida», fácil alusión a indisolubilidad matrimonial que chocaría frente a un divorcio que se admitió siempre en Derecho Romano. En Instituciones de Justiniano se mantienen las dos notas fundamentales de la definición de Modestino, al decir que nupcias o matrimonio —*nuptiae sive matrimonium*— es la unión de hombre y mujer —*viri et mulieris coniunctio*— con el propósito de vivir en comunidad —*individuam consuetudinem vitae continens*—.

[10] La alteración del texto o que el inciso aludiera a una época en que el matrimonio puede ir acompañado de ciertos ritos —*cum manu*— que sí produciría tal comunicación, son explicaciones que se han propuesto por la doctrina.

[11] No en el caso contrario porque es necesario que la conducción —*deductione enim opus esse*— sea (a casa) del marido —*in mariti*— no a la de la mujer —*non in uxoris domum*— como al domicilio del matrimonio —*quasi in domicilium matrimonii*—.

mulier et maritus diu seorsum quidem habitaverint— siempre que se guardaran el debido respeto y consideración —*sed honorem invicem matrimonium habebant*—.

b) El derecho postclásico, influido por el cristianismo, hace: que el *consensus*, de continuado se transforme en inicial[12]; el principio *consensus facit nuptias*, pase a referirse al matrimonio *in fieri* y que se interprete como la voluntad de los contrayentes de unirse en matrimonio, con independencia de que, tal voluntad, persista o cambie.

4. RÉGIMEN DEL MATRIMONIO

I. Requisitos

En las Reglas de Ulpiano se dice: Hay matrimonio legítimo —*iustum matrimonium est*— si entre los que —*si inter eos qui*— contraen las nupcias: —*nuptias contrahunt*— (A) existe *conubium* —*conubium sit*—; (B) tanto el varón es puber —*tam masculus pubes*— como la mujer núbil —*quam femina potens sit*— (C) y ambos —*et utrique*— consienten —*consentiant*— si son *sui iuris* —*si sui iuris sunt*— (D) o, también, sus padres —*aut etiam parentes eorum*— si están en potestad —*si in potestate sunt*—.

A) La capacidad jurídica de los contrayentes, comporta tener el *ius conubii* (o *conubium*), esto es, la facultad de tomar esposa con arreglo a derecho —*uxoris iure ducendae facultas*—. Lo tienen, en general, los *cives*; por especial concesión, latinos y peregrinos y jamás los esclavos.

B) La capacidad natural, implica haber alcanzado la pubertad, es decir, ser el varón *pubes* —puber— y la mujer *viri potens*[13]. En principio, la pubertad, quizá, se determine, merced a un examen corporal —*inspectio corporis*— postura defendida por sabiniananos

---

[12]   Ulpiano al plantearse el problema de la posible validez de una donación entre marido y mujer —prohibidas— y que habían vivido largo tiempo por separado considera que existe matrimonio ya que éste —*nuptias*—: no lo hace la cópula —*non concubitus*— sino el consentimiento —*sed consensus facit*—.

[13]   Contracción de *Quae viro pati potens* —que puede soportar varón—.

y, en derecho justinianeo, por alcanzar las edades de 12 años la mujer y 14 el varón —criterio proculeyano—[14]. La unión antes de la pubertad hace que no pueda ser catalogado el matrimonio como legítimo, logrando este carácter, sin efectos retroactivos, al alcanzarse.

C) Consentimiento, si son *sui iuris*. Respecto a él cabe matizar: 1.°) que no debe estar viciado, esto es, ha de ser libre[15] —no por la fuerza—; consciente —no se desvirtúa por locura posterior[16]—; continuado —no sólo inicial, en derecho clásico— y exteriorizado — socialmente, a través de la *deductio in domum mariti*— y 2.°) que la convivencia de un *civis* con mujer honorable de igual condición social se tiene —presume— por matrimonio y sin estas notas por concubinato.

D) Consentimiento de los *patres familias* si son *alieni iuris*[17]. Desde la *Lex Iulia de maritandibus ordinibus*, según Marciano, la negativa injustificada de éstos se puede recurrir ante el magistrado[18].

II. Impedimentos

La palabra impedimento no es un término técnico romano. Proviene del derecho canónico. Se caracteriza por su formulación negativa y equivale a prohibición[19]. Pueden ser absolutos o relativos. Los

---

[14] Carecen de capacidad natural los castrados —*castrati*— y las personas de sexo ambiguo —*hermaphroditi*— sólo aptas para el matrimonio si podían resultar encuadradas en algún sexo, al prevalecer los caracteres de él.

[15] Terencio Clemens —jurista del s. II, discípulo de Juliano— nos dice: No se obliga al hijo de familia a tomar mujer —*Non cogitur filiusfamilias uxorem ducere*—.

[16] Según Paulo: La locura no deja que se contraiga matrimonio —*Furor contrahi matrimonium non sinit*— porque es necesario el consentimiento —*quia consensu opus est*— pero no impide el rectamente contraído —*sed recte contractum non impedit*—.

[17] La importancia de este consentimiento respecto al de los contrayentes mudó en el sentido de que, en principio, aquél era el fundamental y el de éstos se presumía y después, el de éstos fue primordial y con referencia al de aquellos, bastaba su no oposición, pudiendo, en algunos casos —ausencia, cautividad o locura del *pater*— prescindirse o incluso recurrirse y suplirse —negativa injustificada— por el del magistrado.

[18] Se requirió también el consentimiento del padre natural cuando la condición de *paterfamilias* no recayese en éste.

[19] Conceptualmente, en el fondo, no difiere del término requisito. Este, será una condición positiva que exige el ordenamiento jurídico para la validez del matrimo-

primeros, impiden contraer matrimonio con cualquier persona — por ejemplo el ligamen— los segundos, sólo con algunas determinadas —como el parentesco—. De unos y otros pasamos a ocuparnos.

A) Ligamen. Se entiende por tal, la existencia de un matrimonio anterior no disuelto[20] y se funda en el carácter monogámico del matrimonio romano.

B) Parentesco. Distingamos entre: el cognaticio, adoptivo y la afinidad.

a) Cognaticio —*naturalis cognatio*—. Se funda en el carácter exogámico del matrimonio romano. En la línea recta —ascendientes y descendientes— se prohíbe las nupcias sin límite de grado, hasta el infinito[21] y en la colateral varia, según épocas[22], prohibiéndose, en derecho justinianeo, cuando alguno de los colaterales diste un grado del progenitor común[23].

b) Adoptivo —*adoptiva cognatio*—. En la línea recta está prohibido el matrimonio hasta el infinito incluso disuelta la adopción; en la colateral, hasta el tercer grado, cesando este límite al extinguirse aquella[24].

---

nio. Aquél, una circunstancia negativa, formulada por el propio ordenamiento, que impide su celebración. En suma, tanto da decir que la pubertad o el consentimiento son requisitos como que la falta de una u otro son impedimentos.

[20] Gayo, al tratar de la afinidad, nos dice: ni una misma puede estar casada con dos —*neque eadem duabus nupta esse potest*— ni uno mismo tener dos mujeres —*neque idem duas uxores habere*—.

[21] Gayo nos dice: Y si tales personas —*Et si tales personae*— se unieran entre si —*inter se coierint*— se diría han contraído nupcias sacrílegas e incestuosas —*nefarias et incestas nuptias contraxisse dicuntur*—.

[22] En época primitiva se prohibió hasta el 6.º grado; en la preclásico hasta el 4.º; en la clásica hasta el 3.º, (si bien se admitió entre tío y sobrina, siendo ésta hija de un hermano —*sc.Claudianum*— lo que obedece al deseo del emperador Claudio de casarse con Agripina, hija de su hermano Germánico). En derecho postclásico se abolió esta excepción y se vuelve a prohibir (a.396) hasta el 4.º grado, lo que se deroga a principios del s.V (a.405). Con Justiniano, los hijos de dos hermanos o hermanas —*duorum autem fratrum vel sororum liberi*— o el uno de un hermano y el otro de una hermana —*vel fratris et sororis*— pueden casarse —*iunci possunt*—.

[23] La razón es: que el que está inmediato al ascendiente común le representa para todos sus descendientes, por ello: ni a la nieta del hermano —*nec neptem fratris*— o de la hermana —*vel sororis*— puede tomarse por mujer —*ducere quis potest*— aunque estén en el cuarto grado —*quamvis quarto gradu sint*—.

[24] Según Gayo: Si la que por adopción llegó a ser mi hermana —*si qua per adoptionem soror mihi esse coeperit*— aunque es cierto que no puedo casarme con ella mientras

c) Afinidad. Se prohíbe el matrimonio en la línea recta en el primer grado con la que en algún momento —*quodam*— no ahora, pues sería bigamia, fuera: la suegra, nuera, hijastra o madrastra y en la colateral, en época postclásica y justinianea hasta el 2.º grado —cuñados[25]—.

d) Pública honestidad. Sin importar que el parentesco derive de justas nupcias, concubinato, contubernio u otra unión pasajera, se prohíbe el matrimonio entre un cónyuge y los hijos que el otro hubiera tenido después del divorcio. La razón es que, no sólo debe considerarse lo que es lícito —*in coniunctionibus no solum quid liceat consideratum est*— sino, también, lo que es honesto —*sed et quid honestum*[26]—.

C) Delitos. Está prohibido el matrimonio —desde Augusto— entre la adultera y su correo y con Justiniano entre el raptor y la raptada.

D) Motivos Sociales, Militares[27], Eticos y Religiosos[28].

a) Según épocas, está prohibido el matrimonio entre: patricios y plebeyos; ingenuos y libertos; senadores y descendientes en tercer grado, con libertas o mujeres de abyecta condición[29].

b) También está prohibido el matrimonio: al magistrado, en provincias con mujer provincial, hasta que cese en el cargo —*post depositum*

---

la adopción persiste —*quamdiu quidem constat adoptio sane inter me et eam nuptiae non possunt consistere*— una vez disuelta ésta... —*cum vero... adoptio dissoluta sit*— al ser ella emancipada... si puedo tomarla en matrimonio —*potero eam uxorem ducere*—... y si fuera yo el emancipado —*sed et si ego emancipatus fuero*— tampoco habrá impedimento para las nupcias —*nihil impedimento erit nuptiis*—.

[25] El llamado parentesco espiritual, en derecho justinianeo, prohíbe el matrimonio entre padrino y ahijado.

[26] En Instituciones se dice: Si tu mujer, después del divorcio —*Si uxor tua post divortium*— procrease de otro una hija —*ex alio filiam procreavit*— ésta —*haec*— no es ciertamente —*non est quidem*— tu hijastra —*privigna tua*— pero Juliano (dice) —*sed Iulianus*— debemos abstenernos de tales nupcias —*huiusmodi nuptiis abstinere debere (ait)*— además, si bien no es nuera la esposa del hijo —*nam nec sponsam filii nurum esse*— ni madrastra la del padre —*nec patris sponsam novercam esse*— sin embargo obrarán más recta y legalmente —*rectius tamen et iure facturus esse*— los que se abstengan de tales nupcias —*qui huismodi nuptiis se abstinuerint*—.

[27] Hasta Septimio Severo se prohíbe el matrimonio a los militares en activo servicio.

[28] Está prohibido el matrimonio, en el derecho nuevo, a cristianos con hebreos.

[29] La prohibición: a) de matrimonios mixtos —patricio y plebeyos— fue derogada por la Lex Canuleia (445 AC); b) la de ingenuos con libertas está en desuso en la segunda mitad de la república y c) la de senadores y descendientes con libertas y otras mujeres de peor condición, derogada por Justiniano.

officium[30]—; al tutor con la pupila, hasta que no se haya producido la rendición de cuentas[31] y a la viuda, antes de los 10 meses siguientes a la disolución del matrimonio por muerte del marido —tiempo o año de luto, *tempus, annus lugendi*— plazo que Justiniano amplia al año y aplica, también, al supuesto de divorcio. Su fundamento no descansa en razones sentimentales[32], sino evitar dudas en torno a la paternidad, por mezcla de sangre —*turbatio sanguinis*— y, por ello, debe cumplirse, dice Ulpiano, aunque el marido por su conducta no merezca ser llorado. Cesa si la mujer, antes de este plazo diera a luz[33] y su contravención, según el propio Ulpiano, no acarrea la nulidad del matrimonio pero si graves sanciones y la nota de infamia.

5. CELEBRACIÓN DEL MATRIMONIO Y *CONVENTIO IN MANUM*

A) *Celebración del matrimonio*

El matrimonio, en Derecho Romano, es una situación de hecho —*res facti*—; por ello, en rigor, no cabe hablar de una celebración del mismo —de ahí sus dificultades de prueba—. Ello no impide se puedan producir ciertos actos reveladores del inicio de la convivencia conyugal, como: acompañar a la mujer a casa del marido —*deductio in domum mariti*—; constituir la dote; la declaración por escrito o ante testigos —*testatio*— o el juramento del varón de tomar esposa para tener hijos —*liberorum quaerandorum causa*—. Tales actos sociales, sin embargo, no fueron jurídicamente necesarios.

---

[30] Paulo precisa como mujer provincial, no sólo la oriunda, sino también la domiciliada en la provincia —*oriundam vel ibi domicilium habentem*— aunque no se prohíba contraer esponsales —*quamvis sponsare non prohibeatur*—.

[31] Ampliable, según Paulo, al *paterfamilias* del tutor y a sus descendientes.

[32] Si así fuera no tendría razón las afirmaciones de Paulo: Los maridos no están obligados a guardar luto por sus mujeres —*uxores viri lugere non compellentur*— y no hay luto de esposo —*sponsi nullus luctus est*—.

[33] Según Pomponio, al que invoca Ulpiano y cuya opinión comparte: la que hubiera dado a luz dentro del tiempo de luto —*quae intra legitimum tempus partum ediderit*— puede desde ese momento casarse —*statim posse nuptiis se collocare*—.

B) La Conventio in manum

Manus es el poder del marido sobre la mujer y *conventio in manum*: el acto por el que ésta ingresa en la familia de aquél, rompe todo lazo con su familia de origen y queda sujeta a una nueva autoridad. Por este acto, si el marido es *sui iuris*, la mujer entra en la nueva familia como hija —*loco filiae*— y si *alieni iuris*, como nieta —*loco neptis*—.

Según Gayo, la *manus* se adquiría de tres formas —*tribus modis in manum conveniebat*— (a) por el uso —*usu*— (b) por el pan —*farreo*— y (c) por la compra —*coemptione*—.

a) La *confarreatio* —de *panis farreus*, pan de trigo— consistía en una ceremonia religiosa, de carácter patricio, presidida por el sacerdote de Júpiter —*flamen dialis*— y el *pontifex maximus*, ante 10 testigos, en la que se ofrecía un pan de trigo a Júpiter y decían ciertas palabras solemnes —*solemnia verba*— resultando necesaria para que los futuros hijos pudieran acceder a algunas dignidades sacerdotales[34]. b) La *coemptio*, era una compra fingida de la mujer, a través del ritual de la *mancipatio*[35]. c) El *usus*, requería el transcurso de un año continuo de matrimonio y la aplicación de las normas de la *usucapio*. La mujer puede eludirlo, al interrupir —*usurpatio*— el plazo anual ausentándose tres noches seguidas —*trinoctii*— de la casa del marido[36].

---

[34] Según Gayo, en su tiempo la *confarreatio* tiene aún vigencia y los *flamines maiores* y *reges sacrorum* no pueden ser elegidos si no han nacido de matrimonios celebrados con tal ceremonia ni mantenerse en su función si al casarse no la celebran.

[35] Resulta poco utilizada ya en tiempos de Cicerón y es aplicable a distintos fines en interés de la mujer, como para: evitar la tutela —*tutela evitandae causa*— y hasta el tiempo de Adriano, poder hacer testamento —*testamentum faciendi causa*—.

[36] Gayo nos dice: Quedaba (sujeta) a la *manus* por uso —*uso in manum conveniebat*— la que durante un año continuo —*quae anno continuo*— permanecía casada —*nupta perseverabat*— pues como ocurre con la posesión (de las cosas) por un año venía a ser usucapida —*nam velut annua possesione usucapiebantur*— pasaba a la familia del marido —*in familiam viri transitabat*— y ocupaba el lugar de hija —*filiaque locum obtinebat*—. Por eso la Ley de las XII Tablas estableció —*Itaque lege XII Tabularum cautum est*— que si alguna —*ut si qua*— no quisiera —*nollet*— de esta forma —*eo modo*— entrar bajo la *manus* del marido —*in manum mariti convenire*— que cada año se ausentara durante tres noches —*ea quotannis trinoctio abesset*— y así de este modo —*atque eo modo*— interrumpiría el uso del año —*cuisque anni (usum) interrumperet*—. Pero todo este derecho —*Sed hoc totum ius*— ha sido derogado en parte por las leyes —*partim legibus*— y en parte olvidado por falta de costumbre —*partim ipsa desuetudine oblitteratum est*—.

Debe advertirse que la *conventio in manum* es independiente del matrimonio, aunque presume su existencia, y que Gayo ya se refiere a ella como recuerdo histórico —*olim*, en otro tiempo—.

6. DISOLUCIÓN DEL MATRIMONIO

Al ser el matrimonio una «situación de hecho permanente» más que un «acto jurídico instantáneo», los requisitos y la ausencia de impedimentos para contraerlo, deben darse, no sólo *ab initio*, sino siempre y aquél subsistirá mientras esto ocurra. Por ello, en general, el matrimonio se disuelve por —*dirimitur matrimonium*—: muerte de un cónyuge —*morte*—; incapacidad o impedimento sobrevenido a cualquiera de ellos y por cese de la *affectio maritalis* —*divortio*—. Nos centraremos en las dos últimas causas.

I. Incapacidad o impedimento sobrevenido

Son principales causas: A) la pérdida de la libertad —*capitis deminutio maxima*—; B) de la ciudadanía —*capitis deminutio media*— y C) el incesto sobrevenido —*capitis deminutio minima*[37]—.

A) *Capitis deminutio maxima*. En derecho clásico, la pérdida de libertad —*captivitas*— extingue, sin más, el matrimonio[38] y en el justinianeo si transcurren cinco años sin noticias del cautivo —caso en que se producirá un *divortium bona gratia*—. De no respetarse el plazo se considerará divorcio sin causa —*divortium sine causa*— con las penas correspondientes.

B) *Capitis deminutio media*. En derecho clásico, la pérdida de la ciudadanía, el caso más frecuente sería la *deportatio in insulam*, es causa de disolución del matrimonio. Con Justiniano no produce, por sí, la disolución pero es justa causa de divorcio —*divortium ex iusta causa*—.

---

[37] A las que deberá unirse, en época clásica, el acceder al senado el marido de la liberta.

[38] Considerado el matrimonio como una situación de hecho —*res facti*— el volver de la cautividad el marido no implica su reanudación por derecho de regreso —*iure postliminium*— y, en su caso, deberá iniciarse *ex novo*.

C) *Capitis deminutio minima.* Si el suegro adopta, por ejemplo, a la nuera —esposa del hijo— ésta pasa a ser su hija, y por tanto, hermana de su marido, produciéndose, a efectos agnaticios, un incesto sobrevenido, *incestus superveniens.* En época clásica, se aconseja —*suadetur*— la previa emancipación del hijo —cesando así el problema— y Justiniano la exige como obligatoria.

II. El divorcio

El matrimonio se extingue por divorcio —*dirimitur matrimonium divortio*—. Gayo, dice que se llama divorcio —*divortium*— porque supone una divergencia de pareceres —*vel a diversitate mentium dictum est*— o porque van a diversas partes —*vel quia in diversas partes eunt*— los que deshacen el matrimonio —*qui distrahunt matrimonium*[39]—.

Su fundamento estriba en que el matrimonio, en derecho clásico, se basa en la *affectio maritalis* continuada de los cónyuges y al faltar ésta cesa aquél. Por eso se nos recuerda, incluso en el Código de Justiniano, que los antiguos quisieron que el matrimonio fuera libre —*libera matrimonia esse antiquitus placuit*— y por tanto no existen límites, ni requisitos, ni siquiera una forma establecida para manifestar la voluntad de disolver el matrimonio. A tenor de lo expuesto podría pensarse, con nuestra mentalidad, que siendo el matrimonio una situación de hecho y existiendo un sistema de divorcios libre, la proliferación de éstos sería la lógica consecuencia. Detengámonos en la estabilidad del matrimonio romano o, si se quiere, en la evolución histórica del divorcio.

A) En derecho arcaico: es un hecho poco frecuente; mirado con disfavor y frenado por la costumbre y la propia moral social.

B) En derecho preclásico —tras las guerras púnicas—: se produce una relajación moral y el divorcio pasa a ser frecuente, en los estratos sociales más elevados[40].

---

[39] Es una reveladora descripción plástica máxime si se contrapone al término *coniunctio* y refleja el hecho de que los cónyuges, tras recorrer juntos un trecho de su vida se alejan por distintos caminos —*in diversas partes eunt*—.

[40] El primer divorcio —según Aulo Gelio— es el de Espurio Carvilio Ruga producido en el año 523 de la fundación de la ciudad (alrededor del 231 AC) y el motivo alegado por Ruga fue la esterilidad de su mujer, de la que estaba profundamente enamorado,

C) En derecho clásico se mantiene esta tónica, surgiendo ciertas limitaciones, con el propio Augusto, en torno a la libertad del divorcio[41]. La *lex Iulia de adulteriis* establece que el *repudium*, debe notificarse por liberto, en presencia de 7 testigos, púberes y *cives*, pero tales formalidades son sólo *ad probationem* —efectos de prueba— y su incumplimiento no determina la subsistencia del matrimonio, sino ciertas sanciones para el infractor. También la *lex Iulia et Papia Poppaeae* prohíbe a la liberta divorciarse del patrono, contra su voluntad —*invito patrono*— sancionándola con la pérdida del *conubium*.

D) En derecho postclásico, los emperadores cristianos reaccionan contra la libertad del divorcio, aún sin negar su validez. Estos criterios restrictivos cabe polarizarlos, con ciertas oscilaciones, en tres aspectos: a) la exigencia de justas causas —*iustae causae*— en caso de *repudium*[42]; b) pérdidas patrimoniales, si se produce *sine iusta causa*[43] y c) penas personales[44].

E) Justiniano reordena la materia con un criterio restrictivo, exige la necesaria comunicación —oral o escrita— a la otra parte en presencia de 7 testigos y distingue 4 tipos de divorcio:

---

sacrificando su amor por la esperanza de unos hijos. Hasta este momento, nos recuerda Gelio, no se había creado aún la *actio rei uxoriae*. La difusión del divorcio —según testimonios epigráficos, la llamada *Laudatio Turiae*— es constatable en los últimos años de la República —época a la que pertenece la inscripción— ya que el elogio funerario del marido de Turia, tras 41 años de matrimonio resalta: que son raros tan largos matrimonios —*rara sunt tan diuturna matrimonia*— extinguidos por la muerte y no interrumpidos por el divorcio —*finita morte, non divortio interrumpta*—.

[41] Paulo dice: ningún divorcio es válido —*Nullum divortium ratum est*— si no —*nisi*— fuera presentado por siete testigos ciudadanos romanos y puberes —*septem civibus Romanis puberibus adhibitis*— además del liberto —*praeter libertum eius*— del que hiciera el divorcio —*qui divortium faciet*— y Ulpiano atribuye esta formalidad a la *Lex Iulia de adulteriis*, al decir: También la Ley Julia de adulterios tiene por no hecho el divorcio si no se hiciera de cierto modo —*item Iulia de adulteriis nisi certo modo divortium factum sit pro infecto habet*—.

[42] Están representadas por los *tria crimina*, que son: respecto al marido, ser reo de homicidio, de violación de sepulturas o envenenamiento y respecto a la mujer, ser culpable de adulterio, envenenamiento o alcahuetería.

[43] La mujer pierde la dote, la donación nupcial y hasta los más insignificantes objetos (hasta una horquilla de la cabeza —*usque ad acuculam capitis*—); el marido deberá restituir la dote y no podrá contraer segundas nupcias (y si lo hiciera la primera mujer podrá entrar en su casa y apropiarse de la dote de la segunda).

[44] Así: la deportación para la mujer y la reclusión, de por vida, en un convento para el infractor, sea quien fuere.

1.°) El *Divortium ex iusta causa* se produce por causa legal e implica la voluntad de uno de los cónyuges y la culpabilidad del otro. Entre las principales *iustae causae*, cabe citar: el adulterio[45]; el intento de lenocinio del marido —esto es la propuesta de prostitución de su mujer—; el abandono del hogar del marido; las malas costumbres de la mujer y las insidias del otro cónyuge. Las sanciones para el cónyuge culpable, son de carácter patrimonial y personal[46].

2.°) El *Divortium sine causa* se produce sin causa legítima —*iusta causa*—, acto unilateral de uno de los cónyuges e iguales efectos a los del divorcio anterior para el cónyuge culpable.

3.°) El *Divortium communi consensu* exige acuerdo entre los cónyuges, a quienes Justiniano les aplica las mismas penas anteriores y, por su arraigo social, Justino II declarara libres de sanción.

4.°) El *Divortium bona gratia*, se basa en un motivo previsto por la ley pero que no implica culpabilidad en el otro cónyuge, por lo que no cabe sanción alguna. Posibilitan, entre otros motivos, este divorcio: la impotencia incurable; el voto de castidad tras tres años de nupcias; la locura y la cautividad de guerra tras cinco años sin noticias.

Debe tenerse presente que no se llega a borrar el concepto romano de matrimonio y divorcio y que éste podrá ser ilícito pero nunca se declara su invalidez[47].

7. LAS SEGUNDAS NUPCIAS

Roma adopta dos posturas, diferentes, respecto a las segundas nupcias.

A) En época clásica, la legislación matrimonial de Augusto, las alienta. Así, con fines demográficos —aumentar la población— y

---

[45] Declarado de la mujer; asiduo del marido dentro o fuera de casa o su falsa acusación por parte del marido.

[46] El cónyuge culpable, pierde la dote, o sus derechos a ella, la donación nupcial y, en defecto de aquella o ésta, la 4.ª parte de sus bienes. Personalmente, se le pudo forzar a su retirada a un convento —lo que derogó Justino II—.

[47] Será necesario mucho tiempo para que, a través de la Patrística y un incipiente derecho canónico, se abra paso una nueva concepción, el matrimonio se configure como sacramento y el divorcio se prohíba.

morales —frenar la corrupción de costumbres— Augusto dicta las *leges Iulia de maritandibus ordinibus* —18 AC— y *Papia Poppaea nuptialis* —9 AC[48]—. Por ellas se pretende, no sólo inducir a los *cives* al matrimonio —hombres entre 25 y 60 años y mujeres entre 20 y 50—, sino a que éstos sean fecundos —mínimo de 3 hijos—. El logro de estos fines —sin perjuicio de lo discutible de su eficacia, según las fuentes literarias— sólo puede obtenerse, sin embargo, por vía indirecta, esto es a través de sanciones y recompensas.

a) Por vía de sanción, se privó de *capacitas* para suceder a los solteros —*caelibes*—, a los viudos o divorciados —*patres solitarii*— y a los casados sin hijos —*orbi*— y según el grado de parentesco respecto al causante —a partir del 6.º— los bienes pueden ser considerados caducos —*bona caduca*— pasando todos al Erario, caso de los *caelibes*, o en la mitad, en el de los *orbi*.

b) Por vía de recompensa, se exonera de ciertas cargas —*munera*— a quienes tuvieran 3 hijos en Roma, 4 en Italia y 5 en provincias; al varón se facilita el acceso a cargos públicos antes de la edad —un año menos por hijo— y a la mujer se concede el *ius liberorum* = derecho de los hijos, por el que se libera de la tutela si tiene 3 y es ingenua o 4 si es liberta.

B) En época postclásica, por influencia cristiana —aunque no exclusivamente— el Derecho Romano muestra una clara hostilidad hacia las segundas nupcias. Esta, se inicia con la legislación de Constantino y se proyecta hasta las Novelas de Justiniano[49] y comporta, por un lado, medidas de sanción para el cónyuge bínubo —*poenae secundarum nuptiarum*— y por otro, medidas de defensa de los intereses de los hijos habidos en el primer matrimonio. A esta doble orientación responden, entre otras disposiciones: a) la validez de la disposición testamentaria, en favor del viudo o viuda bajo condición —*sub conditione*— de no volver a casarse; b) la restricción de no poder dejar al nuevo cónyuge, por testamento, más que al hijo menos favorecido del anterior matrimonio; c) corresponder al cónyuge bínubo sólo el usufructo de los *lucra nuptialia* —todo lo adquirido, a título gratuito, del cónyuge premuerto— perteneciendo la propiedad a los

---

[48]   Refundidas en texto único —*Lex Iulia et Pappia Poppaea*— de su contenido sólo tenemos noticias esporádicas y fragmentarias.

[49]   En concreto hasta la Novela 22, que así se ha puesto de relieve, es una especie de Código matrimonial cristiano, *poenae secundarum nuptiarum*.

hijos y d) tener que prestar garantía, si quedó obligado por legados en favor de hijos, hermanos o sobrinos —*cautio legatorum servandorum causa*— de la que, por lo común, estaban dispensados los padres.

8. EL CONCUBINATO

Es la unión estable de hombre y mujer sin *affectio maritalis* o teniéndola, que carecen de *conubium*[50]. Precisamente, la ausencia de aquella o de éste lo diferencia del matrimonio y su nota de estabilidad de la simple y mera relación sexual.

El concubinato ni fue ilegal ni socialmente reprobable y su fundamento y amplia difusión, obedece a la legislación de Augusto en materia matrimonial que, vino a restringir, notablemente, el número de mujeres con las que poder contraer matrimonio. Así: a) por un lado —*lex Iulia et Pappia Poppaea*— se prohíbe las nupcias entre personas de diverso rango para evitar la mezcla de la clase social alta —*ordo senatorius*— con la de baja o abyecta condición —libertas, artistas o prostitutas— y de los demás ingenuos con libertas, adulteras, alcahuetas, artistas o condenadas en juicio público y b) por otro lado —*lex Iulia de adulteriis*— se declara ilícita la relación con mujeres *ingenuae* y *honestae*, se tipifican y sancionan los delitos de *adulterium* —si la mujer estaba casada— y *stuprum* —de no estarlo— y se enumera una serie de mujeres, de baja condición, con las que se podía mantener relaciones sexuales sin incurrir en las penas previstas para aquellos delitos.

A) En síntesis, en derecho clásico, el concubinato resulta ignorado jurídicamente y, en el fondo, se tiene como una relación de hecho —no regulada por el derecho— que dándose con la persona adecuada no produce efectos favorables o perjudiciales.

B) En derecho postclásico, por influencia del cristianismo, se suple la anterior indiferencia por claro disfavor. Se sanciona a los que están en tal situación —limitándose las donaciones a las concubinas e hijos

---

[50]   Según se ha puesto de relieve, un atento examen del Digesto y del libro y título correspondiente —*de concubinis*— parece indicar que el término concubina se restringe a la liberta que convive con el patrono.

naturales— y se les induce a su abandono —la legitimación por subsiguiente matrimonio, puede ilustrar esto último—.

C) En época justinianea el proceso se invierte. El concubinato pasa a considerarse como un matrimonio inferior —*inequale coniugium*— y se tiende a equipararlos. Pruebas de ello son, entre otras que: a) la unión de un varón con mujer *ingenua* y *honesta* —que, ahora, abolida la legislación de Augusto, puede ser concubinato o matrimonio— se presume matrimonio salvo declaración expresa —*testatio*— en contra; b) se puede legitimar a los hijos por rescripto del príncipe —*rescriptum principis*—; c) se aplican al concubinato los principios monogámicos[51] y exogámicos propios del matrimonio[52], así como los requisitos de edad para contraerlo y d) se reconocen ciertos derechos de alimentos y sucesorios en favor de la concubina y de los hijos naturales[53].

---

[51] El casado no puede tener concubina, ni el soltero varias.
[52] Impedimentos de parentesco.
[53] En Oriente, el concubinato es abolido en el s. IX por Basilio y su hijo León el Filósofo y en Occidente desaparece en el s. XII.

Tema 18

Derecho matrimonial de bienes

1. RELACIONES PATRIMONIALES ENTRE CÓNYUGES

En Derecho Romano el principio básico del régimen económico del matrimonio es el de unidad del patrimonio familiar, regido por el *paterfamilias*. Sin embargo, creemos, hay que precisar algo más y distinguir los diferentes supuestos que pueden darse, según la mujer sea *alieni iuris* o *sui iuris* y que, en uno y otro caso, el marido —o en su caso, su *pater familias*— adquiera, o no, la *manus* sobre ella.

A) Si la mujer es *alieni iuris* y celebra un matrimonio *cum manu*, sólo cambia la persona bajo cuya poder está sujeta y el nombre de dicho poder. Antes, de soltera, la mujer era *filia familias* y estaba sometida a la autoridad de su *pater*, es decir, *in potestate*. Ahora, de casada, pasa a estar sujeta a la autoridad de su marido —o del padre de éste— esto es, *in manu*, y ocupa el lugar de hija —*loco filiae*— o nieta —*loco neptis*—. Bajo un punto de vista patrimonial, en uno y otro caso, no se plantea problema alguno, pues, como nos recuerda Gayo, el hijo de familia no puede tener nada suyo —*nihil suum habere potest*—.

Tampoco comporta problemas si la mujer *alieni iuris* contrae un matrimonio *sine manu*, pues las adquisiciones que pueda hacer, después de casarse, seguirán redundando en beneficio de su *pater familias*, respecto al que no altera su relación y sigue siendo, por tanto, un mero instrumento de la adquisición patrimonial de aquél.

B) Si la mujer es *sui iuris* y contrae matrimonio *cum manu*, pasa a ser *alieni iuris*, se produce, respecto a todos sus posibles bienes, una *successio in universum* —*inter vivos*— en favor del marido; ella sufre una *capitis deminutio minima* y lo que, antes, tenía y lo que pueda adquirir, después, pasará al marido —o en su caso, al padre de éste—. Se produce, en suma, un régimen de absorción de bienes.

En el caso de que la mujer *sui iuris* contraiga matrimonio *sine manu* no pierde, por ello, la propiedad de lo que antes era suyo, que se incrementará con cuanto adquiera después del matrimonio. Aquello y esto le pertenece, formándose, en el matrimonio, al margen de los bienes del marido, un patrimonio separado y propio de la mujer. Se produce, pues, un régimen de separación de bienes.

C) Dos principios complementarios pueden servir de cierre a esta visión general introductoria del tema que nos ocupa. La llamada presunción muciana —*praesumptio Muciana*— y la prohibición de las donaciones entre cónyuges —*donationes inter virum et uxorem*—.

a) La presunción Muciana determina que los bienes de la mujer casada cuya procedencia no pueda demostrar, se presume provienen del marido[1].

b) La prohibición de donaciones entre cónyuges, según Ulpiano, tiene origen en las costumbres —*moribus*[2]— y su fundamento fue, nos dice: que no se expoliaran, recíprocamente, movidos por su mutuo amor —*ne mutuato amore invicem spoliarentur*— con donaciones sin medida —*donationibus non temperantes*[3]—. Otras razones, más asumibles —sobre todo si se ponen en relación con el divorcio— son: que no parezca se compra la concordia (conyugal) con dinero —*ne concordia pretio conciliari viderentur*— ni venga a caer en pobreza el mejor de los dos —*neve melior in paupertatem incideret*— y el peor se haga más rico —*deterior ditior fieret*[4]—.

---

[1]   Pomponio nos comenta: Dice Quinto Mucio —*Quintus Mucius ait*— que cuando se suscita controversia —*quum in controversiam venit*— de donde haya ido a poder de la mujer alguna cosa —*unde ad mulierem quid pervenerit*— es más verdadero y más honesto —*verius et honestius est*— que lo que no se demuestra —*quod non demosntratur*— de donde lo tenga —*unde habeat*— se estime que (llegó a ella) de su marido —*existimari a viro*— o de quien bajo la potestad de él estuviera —*aut qui in potestate eius esset (ad eam pervenisse)*—.

[2]   Pese a ello, es opinión dominante, que su origen no es consuetudinario y sí relativamente reciente ya que la *lex Cincia* —204 AC— excluye a los cónyuges de la prohibición general de donar. Por lo general, se vincula su origen a Augusto y a la *lex Iulia et Pappia Poppaea*, que, al menos, recoge y sanciona esta prohibición.

[3]   La razón esgrimida por Ulpiano es poco convincente, pues igual podría aducirse respecto a parientes, amigos u otras personas unidas por lazos de afecto. Otra razón, a la que alude Paulo, resulta incomprensible, pues no se entiende se prohíban las donaciones entre cónyuges: para que no cese en ellos la dedicación preferente de educar a los hijos —*nec esset iis studium liberos potius educendi*—.

[4]   Argumento esgrimido, según Ulpiano, en el senadoconsulto de Septimio Severo y Caracalla —*oratio divi Antonini*— al que se alude a continuación en el texto.

Desde Severo y Caracalla (a.206) para mitigar algo el rigor de este derecho —*ut aliquid laxaret ex iuris rigore*— se permitió que estas donaciones pudieran convalidarse, *mortis causa*, si antes no las había revocado el donante[5]. Se exige, en todo caso, no ya la premoriencia del donatario, sino que subsista el matrimonio[6].

2. LA DOTE Y SU RÉGIMEN

I. Denominación y concepto

A) La palabra dote, proviene de la latina *dos*, derivada de *do, dare* = doy, dar y *dono, donare* = dono, donar, y comporta, en origen, la idea de donación. En derecho clásico, dote equivale a *res uxoria*, cosa de la mujer y alude a los bienes, que recibe el marido, en contemplación a ésta, por razón del matrimonio.

B) La dote es el conjunto de bienes que la mujer —u otro por ella— entrega al marido para sobrellevar la cargas del matrimonio —*ad sustinenda onera matrimonii*— y por ello, Paulo, precisa que la dote debe estar allí —*ibi dos esse debet*— donde están éstas —*ubi onera matrimonii sunt*[7]—.

---

[5]   La razón resulta convincente, ya que, según Ulpiano la *oratio* lo justifica así: Es lícito, ciertamente, que se arrepienta el que donó —*fas esse eum quidem qui donavit poenitere*—pero que el heredero lo arrebate —*heredem vero eripere*—acaso —*forsitam*— contra la última voluntad de quien hizo la donación —*adversus voluntatem supremam eius, qui donaverit*— resulta duro y avaro —*durum et avarum esse*—.

[6]   La jurisprudencia primero, por vía de *interpretatio*, y luego, con más amplitud, la propia legislación imperial —*principalibus constitutionibus*— consideró, como válidas las donaciones entre cónyuges por ciertas causas —*certis ex causis*— así, entre otras: las que se realizan por causa de muerte —*mortis causa*—; divorcio —*divortii causa*—; para manumitir un esclavo —*servi manumittendi causa*—; las módicas o de poco valor —*temperantes*—; las que el donante no se hace más pobre y el donatario más rico, como las de sepultura —*sepulturae causa*—; las que tienen por fin obtener alguna dignidad —*honoris causa*—, las que se realizan por causa de destierro —*exilii causa*—; para reparar edificios —*ad villam extruendam*— etc.

[7]   Esta función se realza en buen número de textos de la Compilación. Destacamos uno de Trifonino, que alude a la promesa de dote de la mujer por causa de su propia muerte —*si mulier mortis suae causa promiserit*— y la razón que esgrime para su nulidad (*dos nulla est*) porque no hay dote si no sirve para las cargas el matrimonio —*quia nisi matrimonii oneribus serviat*—.

II. Origen, fundamento y naturaleza

Su origen, se suele vincular al matrimonio *cum manu* y su razón o fundamento, el ser una compensación a la pérdida que sufre la mujer —por la *conventio in manum*— de sus derechos sucesorios respecto a su antigua familia, al romper todo vínculo agnaticio con ella. Generalizado el matrimonio *sine manu*, asume como fin el de aportación o ayuda para sostener las cargas matrimoniales, primero como simple deber moral y luego, más tarde, jurídico.

Paulo dice que no puede haber dote sin matrimonio —*neque enim dos sine matrimonio esse potest*—. Su carácter o naturaleza viene a ser el de institución condicional y su eficacia depende, como precisa Ulpiano, de la celebración del matrimonio —*si nuptiae fuerunt secutae*[8]—.

III. Clases

Se puede distinguir distintos tipos o clases de dote, en aras a diferentes criterios. Así: por su procedencia, cabe hablar de: profecticia o adventicia; por la obligación de constituirla, de necesaria o voluntaria y por la valoración —*aestimatio*— o no, de los bienes que la integran, de estimada o inestimada.

A) Dote *profecticia* es la que constituye el padre de la mujer —*quam pater mulieris dedit*— y *adventicia*, si lo hace cualquier otro, *pro muliere*, incluso la propia mujer. Si el que otorga la dote *adventicia* se reserva el derecho a su restitución, al fin del matrimonio, recibe el nombre de *recepticia*. B) Dote necesaria es la que constituyen quienes, legalmente, vienen obligados a ello[9] y es dote voluntaria si lo hacen otros. C) Dote estimada es la que comporta una valoración de los bienes que la integran y dote inestimada la que no.

---

[8]   Se diría es una condición tácita —o de derecho— y se sobreentiende. El propio Ulpiano resume: así pues, donde no existe nombre de matrimonio —*ubicumque igitur matrimonii nomen non est*— no hay dote —*nec dos est*—.

[9]   Están obligados: la mujer, su padre o ascendiente paterno —si carece de bienes propios— y, por motivos graves, la madre. En una constitución de Diocleciano, recogida en el Código, la madre no está obligada a dar dote en favor de la hija —*mater pro filia dotem dare non cogitur*— a no ser por causa grave y digna de estima o determinada expresamente por ley —*nisi ex magna et probabili vel lege specialiter expressa causa*—.

La estimación, se puede realizar por tasación —*taxationis causa*— o venta —*venditionis causa*—. La primera implica el tasar, limitar o prefijar la responsabilidad del marido en caso de no devolverse los bienes que la constituyen. En suma, fija la indemnización a que queda sujeto si no hay restitución o hay pérdida, incluso parcial, de los propios bienes que componen la dote que son, en principio, los que se deben restituir. En la segunda —*venditionis causa*— se produce una auténtica venta de los bienes dotales por la mujer al marido. Aquella, como vendedora, aportará en dote, el precio de la venta y éste, como comprador, asumirá el posible riesgo del perecimiento —*periculum est emptoris*— de dichos bienes antes de la entrega y, tras ella, será mero deudor del precio. No responde, pues, con los mismos objetos, sino con su equivalente económico.

IV. Elementos constitutivos

A) Intervienen en la constitución de la dote: a) de una parte, el constituyente, que puede ser, la propia mujer; su padre —por excepción la madre, en época postclásica—; sus ascendientes paternos o cualquier extraño a su familia y b) de otra parte, el marido[10].

B) Si el fin de la dote es aumentar el patrimonio del marido, objeto de dote puede ser todo lo susceptible de incrementarlo; o sea, todo bien apto para transmitir y proporcionar un disfrute, aún temporal.

C) Por la forma de constitución, la dote —*dos*— según las Reglas de Ulpiano: o se da —*aut datur*— o se dice —*aut dicitur*— o se promete —*aut promittitur*—.

a) La dote se da —*dotis datio*, dote real— cuando se transmite la propiedad de los bienes que la integran, por su entrega efectiva al marido[11], mediante los medios adecuados para ello —esto es: *mancipatio, in iure cessio* o *traditio*—.

---

[10]   Por la función que desempeña la dote se separa, en cierto modo, del régimen patrimonial de la familia y corresponde al marido como tal, aunque sea *filiusfamilias*. En las fuentes se habla siempre del marido sin que ello suponga sea *pater familias*.

[11]   La atribución del usufructo o de cualquier otro derecho real; la renuncia del constituyente a un derecho que limita algún bien perteneciente al marido; el perdón de una deuda de éste; la creación de un derecho a su favor o la cesión de algún crédito del constituyente, pueden incluirse en la *dotis datio*. O sea, cualquier acto que comporte entrega efectiva y no una mera promesa de dar.

b) La dote se dice —*dotis dictio*, dote obligacional— si media promesa o declaración solemne del constituyente sin que exista pregunta del marido —*uno loquente*— forma que se reserva a ciertas personas[12].

c) La dote se promete —*dotis promissio*, dote obligacional de carácter estipulatorio— por la promesa, hecha por estipulación —*stipulatio*[13]— del constituyente —que puede ser cualquiera— en favor del marido, previa pregunta de éste.

En época postclásica, superados los antiguos formalismos propios de *mancipatio, in iure cessio* y *stipulatio*, basta para constituir la dote la simple promesa. Así, Teodosio II reconoce particular eficacia al pacto dotal —*pactum dotis*— que configura como *pactum legitimum* —con acción, pues, para exigir su cumplimiento— y Justiniano la otorga con carácter general, siendo en su época, lo usual acudir, para constituir la dote, al documento escrito —*instrumentum dotale*—[14].

V. Régimen durante el matrimonio

El régimen de la dote durante el matrimonio, en derecho clásico, plantea no pocos problemas. Bajo ciertos aspectos, parece ser de la mujer, bajo otros, pertenecer al marido. Así, Trifonino nos dice: aunque la dote está en los bienes del marido —*quamvis in bonis mariti dos sit*— sin embargo es de la mujer —*mulieris tamen est*—.

Con el deseo de ser claros, procedamos por contraposición; tengamos presente el fundamento y no olvidemos que su peculiar régimen es el resultado de un largo periplo evolutivo[15].

---

[12]   Según Reglas de Ulpiano, puede «decir» la dote —*Dotem dicere potest*— la mujer que va a casarse —*mulier quae nuptura est*— y el deudor de la mujer —*et debitor mulieris*— si lo hace (dice) por mandato de ésta —*si iussus eius dicat*— también el ascendiente varón de la mujer —*item parens mulieris virilis sexus*— emparentado con ella por vía masculina —*per virilem sexum cognatione iunctus*— como el padre —*velut pater*— o abuelo paterno —*avus paternus*—.

[13]   De la estipulación —*stipulatio*— tratamos en Tema 34.2.

[14]   También se admite la constitución tácita de la dote, según Modestino, cuando disuelto el matrimonio, por divorcio, sin haberse restituido la dote, se restablece aquél entre las mismas personas o, según Paulo, incluso, se celebra entre otras diferentes.

[15]   En síntesis, este podría ser el *iter*: a) El punto de partida es que el marido es titular de los bienes o derechos que comporta la dote y derivan del acto de su constitución

En teoría y bajo un prisma jurídico, al marido le corresponde la disposición y administración de los bienes dotales; pero, en la práctica y bajo un prisma económico, la dote pertenece a la mujer —es *res mulieris*— y, ésta, debe prestar su consentimiento para enajenar los fundos y esclavos dotales, realizar gastos útiles en aquellos y, en su caso, para cambiar su cultivo[16].

Este aparente contrasentido se explica si recordamos: 1.º) que la dote tiene una función que cumplir —sobrellevar las cargas del matrimonio—; 2.º) que, en este sentido, cabría decir que el marido sobre ella tiene una propiedad funcional; 3.º) que esta propiedad subsiste en tanto subsiste la función que la sirve de base —el matrimonio— y 4.º) que desaparecida la función —por extinción o disolución del matrimonio— cesa la propiedad debiéndose restituir.

Por ello, más que hablar de límites a la actuación del marido, sobre los bienes dotales, parece más preciso hacerlo de medios que garanticen la restitución de los mismos, lo que viene a ser, como anticipábamos, el resultado de una larga evolución.

VI. Restitución y destino

A) Disuelto o extinguido el matrimonio, la dote carece de razón de ser. Por ello se ha de restituir al constituyente. Tal restitución,

---

pero tiene obligación de restituirla (por un lado, propiedad, pues, del marido y por otro, derecho de crédito de la mujer). b) En una segunda fase, la *lex Iulia de adulteriis* (18. AC) prohíbe al marido, sin consentimiento de la mujer, enajenar y dar en prenda los fundos dotales *in solo Italico*. Maticemos: por un lado, el marido sigue siendo propietario de la dote pero sin la principal facultad de cualquier dueño, el poder de disposición y por otro, el derecho de la mujer no es ya un simple derecho de crédito, pues con su anuencia se puede disponer y gravar, válidamente, los bienes dotales (a la dote se la empieza a calificar de *res uxoria*, cosa perteneciente a la mujer). c) Con Justiniano acaba la evolución: la dote es de la mujer; se califica de sutileza legal —*legum subtilitas*— considerarla como propiedad del marido y se prohíbe enajenarse o hipotecarse el fundo dotal —también los sitos en provincias— incluso mediando consentimiento de la mujer.

[16] Dice Gayo: Por la Ley Julia el marido tiene prohibido enajenar el fundo dotal sin consentimiento de la mujer —*Nam dotale praedio maritus invita muliere per legem Iuliam prohibetur alienare*— aunque sea suyo por... causa de dote... —*quamvis ipsius sit... dotis causa*— pero se duda si este derecho se aplica sólo a los fundos itálicos o también a los provinciales —*quod quidem ius utrum ad Italica tantum praedia an etiam ad provincialia pertineat, dubitatur*—.

también, fue resultado de un largo proceso, cuyas fases, en síntesis, pudieron ser las siguientes:

a) En derecho arcaico, la adquisición de la dote tiene carácter definitivo para el marido, lo cual no parece injusto en una época en la que la causa normal de la disolución del matrimonio era la muerte de uno de los cónyuges[17].

b) En derecho preclásico, empiezan a proliferar los divorcios; considerarse injustificado que el marido se quedase con la dote e inicuo para la mujer divorciada que esto pudiera ocurrir, pues se le privaba de constituir otra dote para un nuevo matrimonio.

c) En derecho clásico, al inducir a los *cives* la legislación de Augusto al matrimonio, por los problemas demográficos ciudadanos que acucian Roma, la dote pasa a asumir una función social relevante y su restitución a considerarse, según Paulo y Pomponio de interés público[18]. Por ello, para garantizar su restitución conviven dos acciones: la *actio ex stipulatu*[19] —la más antigua— si, en su momento, previendo la posible disolución del matrimonio se celebró una estipulación restitutoria y la *actio rei uxoriae* —más moderna —en los demás casos[20].

---

[17] Analicemos las posibles hipótesis: A) Si el matrimonio era *cum manu* y: a) la mujer premuere al marido, la dote terminará pasando a sus hijos que, por ley de vida, sobrevivirán a su padre —marido de aquella— y b) si el marido premuere a la mujer, esta le heredará como hija —*loco filiae*—. En uno, u otro caso no se plantean problemas. B) Si el matrimonio era *sine manu*, resultó práctica frecuente que el marido dejara a la mujer un legado de dote —*legatum dotis*— lo que venía a ser una forma de restituirla.

[18] Paulo dice: es de interés publico —*Reipublicae interest*— que las mujeres tengan a salvo las dotes —*mulieres dotes salvas habere*— merced a las cuales pueden casarse —*propter quas nubere possunt*—. Los problemas demográficos y la preferencia para obtener la restitución de la dote los refleja Pomponio al decir: La causa de la dote es siempre y en todo caso preferente —*Dotium semper causa et ubique precipua est*— porque también es de interés público —*nam et publice interest*— que a las mujeres se les conserve la dote —*dotes mulieribus conservari*— porque es muy necesario que las mujeres estén dotadas para que procreen y llenen de hijos la ciudad —*quum dotatas esse feminas ad sobolem procreandam replendamque liberis civitatem maxime sit necesarium*—.

[19] La *actio ex stipulatu* es una acción: a) civil; b) transmisible a herederos, por lo que el marido, o los suyos, jamás podrán quedarse con la dote; c) no privilegiada y d) de derecho estricto, por lo que el juez sólo condenará al marido a lo que prometió en la *stipulatio* —ni más ni menos— tendrá que devolver, sin plazo alguno y será compatible con cualquier legado que el marido dejara a la mujer.

[20] La *actio rei uxoriae* tiene los siguientes caracteres: a) es pretoria; b) intransmisible a los herederos (tal vez, por un originario carácter penal) por lo que en caso de muerte

d) En derecho postclásico, se reconoce, también, eficacia al simple pacto de restitución —*pactum dotis*— que se protege por la acción propia de los contratos innominados[21] esto es, la de palabras prescritas —*actio prescriptis verbis*—.

e) En derecho justinianeo, se unifica el doble sistema clásico, refunden, en cierta manera, las *actiones ex stipulatu y rei uxoriae y* aparece la denominación de *actio dotis*[22].

B) El destino de la dote dependerá de las causas de disolución del matrimonio, veamos cual es en derecho clásico y sus diferencias y régimen final justinianeo.

a) En derecho clásico, *actio rei uxoriae*, si el matrimonio se extingue: 1) por muerte del marido, sus herederos deben restituir la dote, sin derecho alguno a retenciones y la mujer puede exigirlo si es *sui iuris* o su *pater* con su consentimiento, si no lo es; 2) si es por divorcio en general, el marido debe restituir la dote —sea adventicia o proficticia— y la mujer exigirlo como en el caso anterior[23]; 3) si el divorcio fue por culpa de la mujer, el marido puede realizar ciertas *retentiones*, por razón de hijos —*propter liberos*— (1/6 por cada uno, con el límite máximo de la mitad de la dote)[24] y por razón de la causa

---

de la mujer, la dote quedará en poder del marido (salvo que siendo proficticia viviera aún el padre); c) personal privilegiada —*privilegium inter personales actiones*— por lo que la mujer cobrará con preferencia a los demás acreedores del marido, respaldados por acciones personales y d) es de buena fe, por lo que el juez, al condenar al marido, actuará de acuerdo a ella, así, el marido gozará de ciertos plazos para restituir algunos objetos dotales; su ejercicio no es compatible con la efectividad de cualquier legado dejado por el marido a la mujer; éste, gozará del *beneficium competentiae* (sólo será condenado en la medida de sus posibilidades, *id quod facere potest*) y tendrá derecho a ciertas *retentiones* (por hijos —*propter liberos*—, inmoralidades cometidas por la mujer —*propter mores*—, gastos en los bienes dotales —*propter impensas*—, cosas donadas —*propter res donatas*— o por haber sustraído la mujer cosas al marido —*propter res amotas*—).

21   De los contratos innominados tratamos en Tema 36.
22   En teoría, se produce la abolición de la *actio rei uxoriae* y se otorga valor general a la *actio ex stipulatu*, que procede aún sin estipulación, pues se presume siempre existe —*presumitur stipulationem fecisse*— sin embargo, en la práctica, se mantiene el régimen de la *actio rei uxoriae*.
23   En Reglas de Ulpiano se lee: En caso de morir la mujer después del divorcio —*Post divortium defuncta mulieri*— no se da a su heredero la acción salvo —*heredi eius actio non aliter datur*— que el marido hubiese incurrido ya en mora para la devolución de la dote a la mujer —*quam si moram in dote mulieri reddenda maritus fuerit*—.
24   Según Reglas de Ulpiano: las sextas partes se retienen —*Sextae in retentione sunt*— no se piden —*non in petitione*—.

—*propter mores*— grave (1/6, caso de adulterio) o leve (1/8, las demás) que lo motivó[25]; y 4) si es por muerte de la mujer, la dote *adventicia* queda en poder del marido, salvo si tuvo carácter de *recepticia*[26] y lo mismo sucede con la dote *profecticia* si el constituyente hubiera premuerto, pero si viviera, debe restituirse admitiéndose la retención de 1/5 por hijo —*propter liberos*— sin límite máximo[27].

b) En derecho justinianeo. 1) el marido deja de considerarse, en el matrimonio, propietario de la dote, y pasa a ser usufructuario legal —*ex lege*— gozando del *beneficium competentiae*; 2) se suprime el *edictum de alterutro* = de lo uno o de lo otro, que obligaba a la mujer a optar entre la restitución de la dote o lo que le hubiese dejado el marido por cualquier título sucesorio; 3) desaparecen, también, todas las *retentiones*, al ser su función atendida por otros medios[28], así la de las *retentiones propter mores* se cumple con las penas contra el cónyuge culpable de divorcio *ex iusta causa* y la de las *propter liberos* al reconocerse a los hijos un derecho sucesorio respecto a los padres y 4.ª) el derecho de crédito de la mujer a la restitución de su dote se garantiza por una hipoteca general sobre los bienes del marido.

---

[25]   Seguimos con Reglas de Ulpiano: Son inmoralidades graves —*Graviores mores sunt*— sólo los adulterios —*adulteria tantum*— leves todas las demás —*leviores omnes reliqui*—.

[26]   Según Reglas de Ulpiano: Pero la dote adventicia —*Adventicia autem dos*— siempre queda en poder del marido—*semper penes maritum remanet*—excepto—*praeterquam*— si el que la dio —*si is qui dedit*— hubiera estipulado que la recobraría —*ut sibi redderetur, stipulatus fuerit*— dote que —*quae dos*— se llama, especialmente, recepticia —*specialiter recepticia dicitur*—.

[27]   Pomponio justifica la restitución de la dote profecticia, así: para que (el padre) no sintiera, a la vez, la pérdida de la hija y del dinero —*ne et filiae ammissae et pecuniae damnum sentiret*—.

[28]   Las funciones de índole económica: por gastos —*propter impensas*— necesarios, útiles o de lujo; por cosas donadas por el marido a la mujer —*propter res donatas*— o cosas sustraídas por ésta al marido—*propter res amotas*— se convierten en créditos o contrapartidas que el marido puede oponer por vía de compensación al ejercicio de la acción restitutoria de la dote. También como modificación respecto al derecho clásico: se extiende la prohibición de enajenar e hipotecar a los fundos provinciales incluso mediando el consentimiento de la mujer.

3. BIENES PARAFERNALES

La expresión griega *paraferna*[29], compuesta de los términos *pará*, fuera y *pherné*, dote, designa, en una acepción amplia, los bienes propios de la mujer que están fuera o al margen de la dote, es decir: los extra dotales[30]. En una acepción más restringida, se consideran parafernales, no todos los bienes *extra dotem*, sino sólo los que siendo de la mujer y estando al margen de la dote, se confía su administración al marido[31].

Por lo común, estos bienes solían ser: muebles, joyas, vestidos, y utensilios domésticos, aunque, en las fuentes, hay referencias a créditos[32] y predios. Según Ulpiano, se suele confeccionar un inventario para identificarlos y se tutela su devolución, por las acciones de depósito —*actio depositi*— de mandato —*actio mandati*— acción real —*rei vindicatio*— o personal —*condictio*— o de hurto —*actio furti*— según los casos, la naturaleza de los bienes y sus formas de entrega.

Con el tiempo, se tiende a que contribuyan a sostener las cargas del matrimonio, tendencia que cristalizará con Justiniano que los configura como aportación análoga a la dote[33].

4. DONACIONES NUPCIALES

En Roma es frecuente que el novio haga regalos —*donationes*— a la novia con motivo de los esponsales, que ni revistieron importancia, bajo el prisma económico, ni especial significado, bajo el prisma

---

[29] Aparece una sóla vez en un texto de Ulpiano.

[30] Inexistentes en un matrimonio *cum manu*, en el *sine manu*, la mujer *sui iuris*, respecto a ellos, no se diferencia de cualquier otro propietario.

[31] Conviene precisar, y se ha destacado en doctrina, que aunque los bienes parafernales están o pueden estar al lado de la dote, no, por fuerza, la presuponen.

[32] Respecto a los créditos, el marido puede ejercer las acciones oportunas sin necesidad de ratificación de la mujer.

[33] Así: a) el marido responde de su administración hasta por culpa leve *in concreto*; puede ejercer las acciones que sobre ellos correspondan a la mujer sin necesidad de ratificación por parte de ésta y las rentas que produzcan debe usarse para gastos de ambos cónyuges —*circa se et uxorem*— y b) la mujer goza, sobre los bienes del marido, como garantía, de una hipoteca legal no privilegiada.

jurídico. En cambio, en los pueblos orientales[34], es costumbre realizarlos con un doble objetivo: a) asegurar a la mujer un patrimonio en caso de disolución del matrimonio —hoy se hablaría de fondo de ahorro o subsidio de viudedad— y b), servir de contradote —*àntipherna*—.

Desconocida hasta el derecho romano postclásico la *donatio ante nupcias*: termina por asumir éste carácter de contrapartida dotal; admitirse, por Justino, su aumento, tras contraer matrimonio, y permitir Justiniano, incluso, se pueda otorgarse *ex novo*, de ahí se cambie el nombre de *ante nuptias* por el de donación por razón de matrimonio, *donatio propter nuptias* y constituya una excepción al régimen de prohibición de donaciones entre cónyuges.

Este acercamiento —que no equiparación— entre dote y donación nupcial se consolida[35] y así: el padre tendrá tanto obligación de dotar a la hija como de constituir donación nupcial en favor del hijo; ambas quedarán sujetas a colación[36] y también afectas a las sanciones derivadas del divorcio o de las segundas nupcias.

---

[34] Su origen, tal vez, se encuentre en la compra de la mujer, frecuente en ciertos pueblos primitivos.

[35] Justiniano, en el Código, dirá: que ni en el nombre ni en la sustancia —*et nomine et substantia*— hay diferencia —*nihil distat*— entre la dote y la donación antes del matrimonio —*a dote ante nuptias donatio*— manifestando que la donación se hace: por razón de la dote y del matrimonio —*propter dotem et nuptias*—.

[36] De las colaciones tratamos en Tema 41.4.

IV. DERECHOS REALES

Tema 19

Las cosas y los derechos sobre las cosas

En Derecho Romano debe tenerse presente: 1.º) que el esclavo —*servus*— pese a su humana condición, no es sujeto de derecho, sino objeto del mismo. Es una cosa —*res*— y además importante —*mancipi*—; 2.º) que el derecho de propiedad se identifica con la cosa sobre la que se ejerce —así, reclamamos el esclavo y no el derecho de propiedad sobre él—; 3.º) que no toda cosa en sentido material es objeto de derecho —pues hay cosas que no son aptas de relaciones jurídicas por estar fuera del comercio de los hombres, *res extra commercium*—; ni todo objeto de derecho es cosa en sentido material —pues hay cosas incorporales que consisten en derechos, *qui in iure consistunt*— y 4.º) que las clases de cosas de las que vamos a ocuparnos, no afectan a todos los objetos de derecho, sino tan sólo a aquellos sobre los que pueden recaer derechos reales.

1. LAS COSAS Y SUS ACEPCIONES

Entre las acepciones que presenta la palabra cosa nos limitaremos a destacar que: en sentido vulgar, es todo objeto material del mundo externo y en sentido jurídico, todo aquello que puede ser objeto de derechos, es decir de relaciones jurídicas[1].

A) Hoy, en doctrina, se suele distinguir entre: cosa, bien y objeto. a) Cosa, es la «subespecie» y designa a todo objeto material susceptible de relaciones jurídicas. b) Bien, es la «especie» —comprende la cosa— y designa a todo lo que proporciona utilidad al ser humano o, con más precisión, a todo elemento patrimonial de su activo y c) Objeto, es el «género» —comprende el bien— y designa la realidad social sobre la que puede recaer un derecho subjetivo.

---

[1]   Obsérvese la discrepancia entre ambas acepciones, ya que no toda cosa en sentido vulgar —una estrella— es cosa en sentido jurídico —puede ser objeto de derechos— . Y no toda cosa en sentido jurídico —contratar a unos músicos para dar un concierto— es cosa en sentido material, ya que el objeto de la relación no es una cosa material, sino la conducta de unas personas —los músicos—.

B) En Derecho Romano, el término *res* —cosa— también presenta múltiples acepciones y, entre ellas, el utilizarse en esos tres sentidos.

a) *Res* se utiliza para aludir a la cosa corporal —*corpus*— y coincide con nuestro sentido vulgar del término y la distinción doctrinal de «subespecie». Comporta, pues: una delimitación material, por lo que excluye a todo lo no susceptible de valoración económica o patrimonial —como el honor, la fama, la vida o la libertad— y de una autonomía jurídica, por lo que no tienen este carácter las llamadas partes que integran la cosa —como el mango, respecto a la espada—.

b) *Res* también se usa como bien, ya que las cosas en cuanto prestan una utilidad tienen este carácter y, precisamente por ello se llaman bienes. Hoy, podemos seguir diciendo, con Ulpiano, que se llaman «bienes» —*bona ex eo dicuntur*— porque bonifican —*quod beant*— es decir —*hoc est*— nos hacen felices —*beatos faciunt*— pues bonificar es obtener un provecho —*beare est prodesse*—. En este sentido coincide con la distinción doctrinal «especie», ya que proporciona utilidad —aprovechan— al hombre[2].

c) *Res*, por último, es usado para aludir al objeto de relaciones jurídicas —coincide con la distinción doctrinal «género»— y contrapone al sujeto de las mismas y a las acciones que las protegen. Así, Gayo vértebra sus Instituciones diciéndonos que todo derecho —*omne ius*— que usamos —*utimur*— pertenece a las personas —*vel ad personas pertinet*— o a las, cosas —*vel ad res*— o a las acciones —*vel ad actiones*—.

2. CRITERIOS CLASIFICATORIOS DE LAS COSAS

En Derecho Romano se aprecian distintas clasificaciones de las cosas con el fin de someterlas a un diferente tratamiento jurídico. En general, adoptaremos un triple criterio: I) su pertenencia y susceptibilidad o no de apropiación; II) su propia naturaleza y III) su relación con otras.

---

[2]   A veces, *res* significa patrimonio —*patrimonium*— indicando: ya el conjunto de bienes que pertenecen a una persona, susceptibles de valoración económica o el activo resultante tras detraer las posibles deudas. En este sentido, Paulo, nos dice que se entiende por bienes de cada uno —*bona intelleguntur cuisque*— los que deducidas las deudas —*quae deducto aere alieno*— quedan —*supersunt*—.

I. Por su pertenencia y susceptibilidad o no de apropiación

Hay cosas que no son objeto de relaciones jurídicas. Esto puede ocurrir en un momento determinado, aunque en un futuro podrían serlo —es común, aludir a los peces en alta mar— o deberse a una imposibilidad jurídica y por tanto con un carácter de presente y futuro —el coliseo romano podría servirnos de ejemplo—.

A) *Res in patrimonio* y *Res extra patrimonium*

La distinción se basa en el primero de los aspectos referidos —que una cosa pertenezca o no, a alguien—. *Res in patrimonio* son las que están en el patrimonio de alguien, y *res extra patrimonium* las que no lo están. Aún cabe precisar, en éstas, si nunca tuvieron dueño —*res nullius*— o si habiéndolo tenido, se han abandonado —*res derelictae*—.

B) *Res in commercio* y *Res extra commercium*

Distinción basada en el segundo de los aspectos expuestos —aptitud o no de apropiación—. *Res in commercio* son las cosas que son susceptibles de tráfico jurídico y *res extra commercium*, las que no[3].

A tenor de la prohibición que les afecta, Gayo dice que las *res extra commercium* pueden ser, de derecho divino —*divini iuris*— o de derecho humano —*humani iuris*—.

Las cosas de derecho divino —*res divini iuris*— en general, son las consagradas a los dioses o colocadas bajo su protección. No pueden estar en el patrimonio de un particular —*nullius in bonis est*— y son inalienables e imprescriptibles. A su vez, pueden ser sagradas —*sacrae*— religiosas —*religiosae*— o santas —*sanctae*—. a) Sagradas, son las consagradas a los dioses superiores —*qui diis superis consecratae sunt*— como los templos y objetos de culto[4]. b) Religiosas,

---

3 Debe advertirse que en las Instituciones de Gayo y en las de Justiniano se utilizan, siempre, las expresiones que referimos en el texto en el sentido que, a efectos de claridad, hemos asumido.

4 a) Adquieren este carácter por decisión del poder público —*ex auctoritate populi Romani*— (que, según épocas, adoptará la forma de: ley, senadoconsulto o constitución imperial) y ceremonia solemne —*consecratio*— (con intervención de los pontífices y con Justiniano, una simple ceremonia religiosa, celebrada por el Obispo con

las destinadas a los dioses de los muertos, es decir los dioses Manes —*diis Manibus relictae*—[5]. La más importante es el sepulcro —*aedificia Manium* o *domus defunctorum*—. c) Santas[6], las colocadas bajo la protección de los dioses, como los muros —*muri*—[7] y las puertas —*portae*— de la ciudad[8]. En cierto modo, cabría decir que están dedicadas a la los dioses medios, genios o héroes y pierden este carácter al caer en poder de los enemigos.

Las cosas de derecho humano —*res humani iuris*— son: las comunes a todos los hombres y las públicas. a) Las cosas comunes a todos los hombres —*res communes omnium*— son las que dispone la naturaleza para que el uso sea de todos y la propiedad de nadie, como el aire —*aer*—, el agua corriente —*aqua profluens*—, el mar —*mare*— y el litoral del mar —*litora maris*—[9]. b) Las cosas públicas —*res*

---

arreglo al ritual de la Iglesia) y b) lo pierden a través de otra ceremonia, de signo contrario —*profanatio*—. El pretor protege su inviolabilidad por interdictos y se establecen rigurosas sanciones cuando exista sacrilegio que llegan a la muerte en algunos casos.

[5] Se hace religioso un lugar solo por nuestra voluntad —*nostra voluntate*— cuando enterramos un cuerpo en nuestro solar —*mortuum inferentes in locum nostrum*— y se pierde por el traslado del cuerpo —*translatio corporis*— Se debería además, en el primer caso, cumplir otras condiciones: a) que la inhumación del cadáver se hiciera en realidad —*mortum inferre*—; b) que el terreno fuera hábil, pues existen, desde las XII Tablas limitaciones legales en interés de la religión, higiene o salud pública y c) que el que hiciera la inhumación tuviera derecho a hacerla. La inhumación en terreno ajeno sin consentir el dueño, da opción a éste a exigir la exhumación, previa autorización del los pontífices (emperador con Justiniano) o a que pague el terreno donde fue sepultado. El derecho a enterrar o ser enterrado en un determinado lugar *ius sepulchri*, es distinto, tiene el carácter de derecho patrimonial y es objeto de una compleja regulación, según el derecho sacro y pretorio.

[6] Gayo no las incluye entre las (*res*) *divini iuris* pero dice que en cierto modo —*quodadmodum*— lo son —*divini iuris sunt*— y Justiniano mantiene la cautela.

[7] Pomponio dice que si alguien hubiera violado los muros —*si quis violaverit muros*— será sancionado con pena capital —*capite punitur*— y refiere que Remo fue ajusticiado por haber intentado atravesar los muros de la ciudad trepando.

[8] Estas cosas, cabe precisar, que no son sagradas por no estar consagradas a los dioses ni profanas por estar bajo su protección. Así, Ulpiano dice que no son sagradas —*neque sacra*— ni profanas —*neque profana*— pero están confirmadas por alguna sanción —*sed sanctione quadam confirmata*— y Marciano que es sagrado lo defendido y protegido contra la ofensa de los hombres —*quod iniuria hominum defensum atque munitum est*—.

[9] Marciano, alude a estas cuatro cosas. Sin embargo, cabe matizar: a) que el aire no es, propiamente una cosa, aunque podría existir una propiedad sobre una mínima porción (aire contenido en un tubo); b) que del agua corriente puede decirse lo mismo (la contenida en una tinaja); c) que del mar, pese a que Ulpiano dice que por la

publicae— son, según Ulpiano, las que pertenecen al pueblo de Roma —*publica sunt quae populi Romani sunt*—. Dentro de ellas, y con terminología de hoy, cabe una triple distinción:

1) Bienes de dominio público —*res publicae usui destinatae*—, los que su propiedad es del pueblo de Roma y su uso común a todos sus ciudadanos[10], como: las calles —*viae publicae*— plazas, termas —*thermae*—, puertos —*portus*— y ríos públicos —*flumina publica*—[11]. 2) Bienes patrimoniales —*res in patrimonio populi*—, los que sin destinarse al uso público, están en el patrimonio del Pueblo de Roma (Estado) como en el de un particular y por tanto, a diferencia de los anteriores, los magistrados pueden negociar con ellos y transmitirlos a los particulares. 3) Bienes municipales —*res universitatis*—, los que no pertenecen ni al Pueblo de Roma, ni a los particulares —*non singulorum*—, sino a una corporación, colonia, ciudad o municipio —*quae civitatibus sunt*— y el uso a sus miembros, como los teatros —*theatra*—, estadios —*stadia*— y ciertos edificios[12].

---

naturaleza —*quod natura*— está a disposición de todos —*omnibus patet*— resulta llamativo el que se designe al Mediterráneo como *mare nostrum* y d) del litoral del mar, que Celso considera que las costas —*litora*— sobre las que el pueblo de Roma —*in quae populus Romanus*— ejerce su dominio —*imperium habet*— son del pueblo de Roma —*populi Romani esse*— y que Pomponio —respecto al propio mar y al litoral del mar— dice que si yo lanzara bloques al mar —*pilas in mare iactaverim*— y edificara sobre ellos —*et supra eas edificaverim*— el edificio se hace mío —*continuo aedificium meum fit*— y que la porción de playa en que se construye un edificio —*quod in litore publico vel in mare exstruxerimus*— se hace nuestro —*nostrum fiat*— siempre que medie el permiso de la autoridad —*decretum praetoris adhibeandum est*— para que se haga —*ut id facere liceat*—. Sin embargo, esta propiedad será temporal y dura mientras permanezca el edificio. Si se destruye la parte de playa donde se había levantado vuelve a ser *communis omnium*.

[10] a) El carácter público se establece por un acto solemne —*publicatio*—de la autoridad y por el uso inmemorial por parte de la colectividad —*vetustas*—; b) los extranjeros podrán utilizar estos bienes por mera tolerancia y c) el uso de los particulares está defendido por al *actio iniuriarum* y multitud de interdictos.

[11] Casio define río público —*publicum flumen esse Cassius definit*— como de caudal perenne —*quod perenne sit*—.

[12] Ulpiano dice que los bienes de una ciudad —*bona civitatis*— abusivamente —*abusive*— se han llamado públicos —*publica dicta sunt*— pues solo —*sola enim*— son públicas —*publica sunt*— las (cosas) que son del pueblo de Roma —*quae populi Romani sunt*—.

II. Por su propia naturaleza e importancia

A tenor de estos criterios, las cosas pueden ser:

A) *Corporales e Incorporales*

La distinción se basa en la tangibilidad. Esto es, que sean o no, perceptibles por los sentidos[13].

Gayo dice que, son corporales las que se que pueden tocar: —*quae tangi possunt*— como un fundo —*velut fundus*—, un esclavo —*homo*—, un vestido —*vestis*—, el oro —*aurum*—, la plata —*argentum*— y otras muchas —*aliae res innumerabiles*—. Son incorporales, las que no pueden tocarse —*quae tangi non possunt*— pues consisten en un derecho —*in iure consistunt*— como la herencia —*sicut hereditas*—, el usufructo —*usufructus*— y las obligaciones que de cualquier modo fueran contraídas —*obligationes quoque modo contractae*—[14].

Los romanos sólo admiten una excepción: el Derecho de Propiedad que, al materializarse y confundirse con su objeto, lo consideran como cosa corporal[15].

---

[13] La distinción se formula según el contenido del patrimonio de una persona. En él, al lado de objetos materiales, se aprecian una serie de facultades, poderes o derechos. De los filósofos griegos pasa a Roma y Cicerón la expresa diciendo que hay cosas *quae sunt* —percibidas por nuestros sentidos— y cosas *quae intellegitur* —que se perciben por los ojos de la mente, por nuestro intelecto—.

[14] No importa, advierte Gayo, que las cosas objeto del derecho sean corporales —en la herencia, puede haber esclavos, la finca usufructuada generar frutos y por una obligación se nos puede deber dinero— el derecho que sobre ellas recae —*ius successionis, ius utendi fruendi et ius obligationis*— será incorporal —*incorporale est*—.

[15] El valor de la distinción ha sido cuestionado y así, se ha dicho: que opone los derechos a sus objetos; confunde unos y otros; sólo tiene un carácter filosófico, tópico o retórico; es meramente escolástico y carece de relevancia práctica y que, los fragmentos —excepto los de Gayo— que la aluden, es probable estén interpolados. De todas formas, a veces, la objetivación de las relaciones jurídicas y su inclusión en el apartado de las cosas resulta técnicamente útil, por ello algunas instituciones se aplican sólo a las *res corporales* y no a las *res incorporales*, como la posesión y todos los modos de adquirir la propiedad en ella basados.

B) Consumibles y No consumibles

La distinción se basa en la posibilidad, o no, de uso repetido o continuado. Son consumibles las que su uso normal comporta su consumición —*res quae usu consumuntur*— como los alimentos en general (el vino —*vinum*—, el aceite —*oleum*—, el trigo —*frumentum*—[16]). No consumibles son las que su uso no las destruye —*res quae usu non consumuntur*— por lo que pueden ser objeto de un uso reiterado, como ocurriría con un fundo —*fundum*—, una casa —*aedes*—, un esclavo —*servus*— y otras muchas.

La consumibilidad puede ser física o jurídica. Ejemplo claro de lo segundo es el dinero —las monedas— que, físicamente, no se destruye al usarse por una persona, pero, jurídicamente, si se consume para ella, que no puede volver a utilizarlo.

Justiniano incluye dentro de las cosas consumibles las que se deterioran por el uso —*que usu minuntur*— como los vestidos —*vestimenta*—[17].

C) Genéricas y Específicas

Por su mayor o menor grado de determinación, por categorías —dinero, vino, aceite— o individualmente —el esclavo Estico— las cosas pueden ser genéricas o específicas. Son genéricas las que se determinan por categorías, aludiendo tan sólo a los caracteres comunes de todas las componentes de su especie o género. Son específicas las que se determinan individualmente, designándose por sus caracteres propios —del *corpus*— que la diferencian de las demás dentro de su especie o género.

---

[16] Dentro de la consumibilidad debe incluirse, también, la posible transformación, como cuando con materias primas se elabora un producto perteneciente a un nuevo tipo —tiene otro nombre— caso del trigo y el pan.

[17] La importancia de esta distinción consiste en que según sean las cosas de una u otra clase podrán ser objeto, o no, de determinadas relaciones jurídicas. Así, Ulpiano recuerda que no pueden darse en comodato (préstamo de uso) —*non potest commodari*— las cosas que se consume por el uso —*id quod usu consumitur*— a no ser —*nisi*— para pompa u ostentación —*ad pompam vel ostentationem*— del que las recibe —*quis accipiat*—. Tampoco podrá constituirse sobre ellas un verdadero usufructo, por la limitación que comporta: *salva rerum substantia*.

Todas las cosas pueden determinarse de una u otra forma. Depende, en suma, del mero arbitrio de las partes —criterio subjetivo—[18].

D) *Fungibles y No Fungibles*[19]

La distinción, se basa en la posibilidad o no, de sustitución[20]. Las cosas fungibles, son sustituibles por otras de su misma categoría pues se determinan por su peso, número o medida —*quae pondere numero mensurave consitunt*— como los alimentos, el vino o el dinero. Las no fungibles, no admiten esta sustitución —una obra de arte, o un objeto raro, pueden servir de ejemplo—. Esta distinción, en principio, puede confundirse con la anterior —genéricas y específicas— pero aunque el régimen es el mismo, sin embargo una y otra responden a distintos criterios. Son los usos sociales —criterio objetivo— los que determinan la fungibilidad, o no, de las cosas y es la voluntad de las partes —criterio subjetivo— el que decide sobre su carácter genérico o específico. Así, un esclavo siempre es no fungible y será cosa genérica o específica, según decidan las partes[21].

La importancia de esta distinción se aprecia, sobre todo, en las obligaciones y contratos. Así, el préstamo puede ser de consumo —*mutuo*— si recae sobre cosas fungibles y debe restituirse otro tanto de igual especie y calidad —*tantundem eiusdem generis et qualitatis*— o de uso —*comodato*— si es sobre cosas no fungibles y debe restituirse la misma cosa —*eadem res*—.

---

[18] Téngase presente que si bien *genus* puede traducirse por género, *species* sería más correcto no identificarlo con «especie» y sí con «cosa individualizada».

[19] El «*res fungibiles*» se debe a Ulrico Zasio (1461-1535) que lo usa, por vez primera, a tenor de un texto de Paulo, relativo al mutuo —préstamo de consumo— en el que alude a las cosas que son susceptibles de sustitución en el género de la categoría a que pertenecen, pues admiten su pago más bien con su género que con otras de su especie —*res quae in genere suo functionem recipiunt per solutionem magis quam specie*—.

[20] *In natura* no existen cosas idénticas, aunque su propia individualidad escape a nuestro poder de observación, pero, «socialmente» si se admite que esto se de dentro de una misma categoría de cosas.

[21] También se suelen confundir con las cosas consumibles. Es cierto que, en teoría, hay cosas fungibles que no son consumibles —el alfiler o el clavo suelen ser los ejemplos que se citan— pero, en la práctica, sufren tal depreciación en la conciencia social que suelen equipararse.

E) Divisibles e Indivisibles

La distinción se basa en la posibilidad, o no, de fraccionarse. Es divisible, la cosa fraccionable —un fundo—. Es indivisible, la no fraccionable —un animal— esto es, como diría Paulo, las que no pueden dividirse sin perecer —*sine interitu dividi non possunt*—.

Sin embargo, debe matizarse algo más, ya que: 1.º) todas las cosas son físicamente divisibles; 2.º) este criterio natural se subordina al económico y 3.º) existe una división jurídica.

Por la primera razón, se exige que las partes resultantes de la división tengan igual función que el todo —lo que no ocurre si se descuartiza a un animal—. Por la segunda, que no exista mengua de su valor, en el sentido de que las partes resultantes mantengan un valor proporcional al que tenía el todo —por lo que la piedra preciosa, que puede dividirse, se considera indivisible pues el valor de sus fragmentos no equivale al de la piedra entera—. Respecto a la división jurídica debe tenerse presente que no coincide con la física, por lo que un animal —que es indivisible— puede pertenecer a varias personas. En tal caso, no existe división material o física de la cosa, sino intelectual o jurídica del derecho[22]. No pertenece, pues, a un dueño la cabeza y a otro las patas, sino la mitad del caballo *pro indiviso* —sin dividir— a cada uno[23].

F) Res Mancipi y Res nec Mancipi

Por la importancia que tienen para la primitiva sociedad romana y la forma exigida por el *ius civile*, para transmitir su propiedad, las cosas son *mancipi* o *nec mancipi* —*aut mancipi sunt aut nec mancipi*—.

A) Son *mancipi*: a) los predios en el suelo itálico —*praedia in Italico solo*— ya sean rústicos —*tam rustica*—, como el fundo —*qualis est fundus*— o urbanos —*quam urbana*—, como la casa —*qualis domus*—; b) los esclavos —*servi*—; c) los animales de tiro y carga (que suelen

---

[22]   Algunos derechos, sin embargo, no admiten esta división ideal. Así, Pomponio, respecto a las servidumbres prediales, nos dirá que no pueden dividirse, *servitutes dividi non possunt*.

[23]   El valor de esta distinción se manifiesta, sobre todo en materia de obligaciones y en el condominio o copropiedad.

domarse por el cuello o por el lomo) —*ea animalia quae collo dorsove domari solent*—, como los bueyes —*velut boves*—, caballos —*equi*—, mulas —*muli*— y asnos —*asini*—[24] y d) las (antiguas) servidumbres de los predios rústicos —*servitutes praediorum rusticorum*— como las de paso, en sus distintas modalidades —*via, iter* y *actus*— y la de conducción de agua —*aquaeductus*—. B) Son *nec mancipi*, todas las demás —*ceterae res nec mancipi sunt*—[25].

Existe una gran diferencia entre las *res mancipi* y *nec mancipi*. Pues las *mancipi* se transmiten —*ad alium transferuntur*— por *mancipatio* (de ahí su nombre *unde etiam mancipi res sunt dictae*) o por cesión ante el pretor —*in iure cessio*— y las *nec mancipi* por este medio o por la simple entrega —*traditio*—.

Esta distinción que tiene capital importancia hasta el derecho clásico, empieza a decaer en época postclásica y, alejada de la realidad, es abolida, formalmente, por Justiniano.

G) Muebles e Inmuebles

Por la posibilidad o no, de desplazamiento sin menoscabo de su esencia, se distingue entre cosas, muebles, las transportables o trasladables de sitio e inmuebles las que no. Esta distinción, encuentra su más remoto precedente en el derecho arcaico[26]. Se va afirmando en derecho clásico, en algunas instituciones[27] y se consolida en

---

[24]   Gayo refiere las discusiones respecto a si los animales de tiro y carga tenían el carácter de *res mancipi* desde su nacimiento —*statim ut nata sunt*— (criterio sabiniano) o después (criterio proculeyano) «porque no se doman inmediatamente al nacer» —*quia non statim ut nata sunt domantur*—.

[25]   Así los animales salvajes —*ferae bestiae*— como los osos —*ursi*— leones —*leones*— elefantes —*elephanti*— camellos —*cameli*— aunque se domen por el cuello —*quamvis collo dorsove domantur*—y casi—*fere*—todas las cosas incorporales—*omnia incorporalia sunt*— excepto las (antiguas) servidumbres prediales.

[26]   Las XII Tablas contraponen, para adquirir la propiedad por transcurso de tiempo —*usucapio*— el *fundus*, para el que se exige la posesión —*usus*— de dos años y las demás cosas —*ceterae res*— para las que se exige sólo uno.

[27]   Así, en materia de: a) posesión, sirviendo de ejemplo que: por un lado, hay dos distintos interdictos de recuperar la posesión, el *uti possidetis* —tal y como poseéis— aplicable a las cosas inmuebles y el *utrubi* —aquel en cuyo poder— de aplicación a las cosas muebles y por otro, que el interdicto de recuperar la posesión, perdida por la fuerza —*unde vi*— sólo era de aplicación para las cosas muebles; b) de dote, como ocurre con el fundo dotal —*praedium dotale*— que recuerda Gayo, el marido —*maritus*— contra

derecho postclásico cuando para la adquisición de inmuebles, prescindiendo de su situación, se empiezan a introducir nuevas formas públicas y solemnes, como la escritura y su registro en archivos públicos, exigencias que derivan por ser las cosas —como ahora— tenidas por más importantes para aquella sociedad y su economía. Por ello, en cierto modo, viene a sustituir, por su importancia, a la distinción, *mancipi* y *nec mancipi*.

Dos precisiones respecto a cada uno de estos tipos de cosas. Las cosas muebles abarcan, también, las que se mueven por si mismas —*sese moventes*, semovientes— como los esclavos y animales[28] y en las cosas inmuebles cabe distinguir: a) por su situación, entre fundos en el suelo de Italia —*in solo Italico*— y provinciales —*in provinciali solo*— y b) por su carácter, entre predios rústicos —*praedia rustica*— y urbanos —*praedia urbana*— según estuvieran destinados al cultivo agrícola o a vivienda[29].

III. Por su relación de unas cosas con otras

A tenor de este criterio se suele distinguir entre:

---

la voluntad de la mujer —*invita muliere*— por la *Lex Iulia* —*per legem Iuliam*— tiene prohibido enajenar —*prohibetur alienare*— aunque sea de él —*quamvis ipisius sit*— (no así con las demás cosas muebles); c) de tutela, con análoga prohibición a la anterior para los fundos pupilares; d) hurto, que sólo se admite en las cosas muebles; e) limitaciones legales de la propiedad por razón de vecindad, sólo en los fundos.

[28] Se establecen algunas reglas especiales, precisamente, por su capacidad de movimiento. Así, la propiedad de los animales amansados —*mansue factae*— no se pierde mientras tengan el hábito de volver al corral —*animus revertendi*— y el dueño del esclavo fugitivo —*servus fugitivus*— aunque huya, sigue manteniendo su posesión —*possessio solo animo*—.

[29] Dentro de la amplia terminología jurídica romana para designar las cosas inmuebles, cabe precisar, que: A) *fundum* es su término más genérico; B) *praedium* se suele utilizar para designar al fundo configurado como unidad; C) en las fincas rústicas, a) *villa* es el edificio, b) *ager* el campo, c) son *agri arcifi* o *arcifinales* los terrenos delimitados por lindes naturales —río, montículo—, d) *agri limitati*, aquellos cuyos límites han sido objeto de mediación oficial —*limitatio*— por los agrimensores (medidores de los campos) y e) *Limes* es el lindero o franja de terreno de 5 pies de ancho que circundaba las fincas rústicas; D) en las fincas urbanas: a) *aedes* designa la casa; b) *insula* la casa de varios pisos; c) *area* al solar edificable; d) el *ambitus* vendría a ser lo que el *limes* en las fincas rústicas; y e) la proximidad a la *urbs* es lo que configura a los llamados *praedia suburbana*.

A) *Simples, Compuestas y Universalidades de cosas*

Según Pomponio hay tres tipos de cosas —*tria genera corporum*—:

a) uno —*unum*— es un todo unitario, se contiene en un sólo espíritu —*quod continetur uno spiritu*— (en griego se llama *henómenon* = objeto continuo o singular), como un esclavo —*homo*—, una viga —*tignum*—, una piedra —*lapis*— y cosas parecidas —*et simila*—. Hoy, las llamamos cosas simples y se definen como las que se perciben por los sentidos como unidad, con independencia de sus elementos integrantes, que resultan naturalmente unidos.

b) otro —*alterum*— es de cosas unidas —*quod ex contingentibus*— esto es —*hoc est*— consta de varias cosas coherentes entre sí —*pluribus inter se coherentibus constat*— (en griego se llama *synemménon* = conexo, objeto unido), como un edificio —*aedificium*—[30], una nave —*navis*— o un armario —*armarium*—. Hoy, las llamamos cosas compuestas y se definen como las que resultan de la unión o conexión de dos o más simples, de igual o distinta naturaleza[31].

La importancia de la distinción entre cosas simples y compuestas se manifiesta en su duración o existencia; en la propiedad; en su defensa procesal y en su posesión y usucapión[32].

c) el tercero —*tertium*— consta de cuerpos distantes —*quod ex distantibus constat*— como varias cosas no unidas —*ut corpora plura (non) soluta*— pero sujetas a un mismo nombre —*sed uni nomine subiecta*— como —*veluti*— el pueblo —*populus*—, la legión —*legio*—

---

[30] Respecto al edificio, en época justinianea, se dirá que: es un solo cuerpo —*unum corpus est*— compuesto de piedras reunidas —*ex cohaerentibus lapidibus*—.

[31] Se parecen a las simples en que se perciben como un todo unitario y se diferencian en que sus elementos no están unidos natural, sino materialmente, requiriendo el concurso o trabajo del hombre.

[32] A) Duración y Existencia: las cosas simples dependen de su propia naturaleza o uso al que se destinan; las compuestas, aún renovándose todos y cada uno de sus componentes, conservan su individualidad. B) Propiedad: en las cosas compuestas se admite que la propiedad sobre el todo —una casa— sea de una persona y la «propiedad latente» de alguno de sus componentes —materiales— de otra; en las cosas simples resultaría absurdo que quien es dueño de un esclavo no lo fuera de todas y cada una de sus partes. C) Protección: la defensa de la propiedad de la cosa que forma parte del todo —los materiales de la casa, por caso— sólo podrá hacerse efectiva en ciertas condiciones y D) Posesión y Usucapión. En las cosas compuestas —a diferencia de las simples— la posesión o usucapión del todo, no implica la posesión o usucapión de las partes que la componen.

o un rebaño —*grex*—. Hoy, las llamamos universalidades o conjuntos de cosas y se definen como una pluralidad de cosas «homogéneas» reunidas bajo un mismo nombre[33].

Desde los glosadores se suele distinguir, dentro de estas agrupaciones de cosas, dos clases. Las *universitas facti*, que designan lo que no son más que suma de cosas homogéneas, como una biblioteca o colección de cuadros, y las *universitas iuris,* que son una pluralidad de cosas heterogéneas a las que el derecho da un tratamiento común, como la herencia, la dote o el peculio.

La importancia de las universalidades de cosas se manifiesta, sobre todo: en el usufructo, en la prenda y en su tutela[34].

B) *Principales y Accesorias*

En principio no suele haber problema para saber que es una cosa pero, en la práctica, al establecer cualquier tipo de relación sobre ella si puede plantearse para precisar hasta donde llega o que comprende la cosa que por ej. se vende, arrienda o regala. Ello implica que se suela distinguir entre partes integrantes; cosas accesorias y pertenencias.

a) Partes integrantes, son los elementos componentes de una cosa, unidos entre sí para formarla y darla nombre. El puño y la hoja de la espada pueden servirnos de ejemplo. Sus caracteres son: 1) que se pueden distinguir; 2) que no se pueden separar, pues su unión es

---

[33] Los conjuntos de cosas se diferencian de las cosas compuestas en que sus elementos no están unidos materialmente, sino por un vínculo ideal o inmaterial. Se consideran como un todo unitario, objeto de relaciones jurídicas en su conjunto, con independencia de cada una de las individualidades de las cosas que los integran.

[34] A) En cuanto al usufructo son notables las diferencias entre: a) el usufructo de rebaño —*usufructus gregis*—, de yeguada —*equitii*— o ganado mayor —*armenti*— y el que recae sobre un animal determinado —*singulorum capitum*—. En éste, corresponde al usufructuario todos los frutos del animal —parto, leche, lana—; no puede venderlo —*salva rerum substantia*— y si el animal muere, el usufructo se extingue. En el usufructo del rebaño, las crías —frutos— sólo corresponden al usufructuario en el excedente; puede venderlas dentro de los límites de una normal administración y debe sustituir las cabezas muertas —*capita demortua*— con las que nacen. B) La prenda, presenta un régimen análogo al del usufructo. Así, se puede vender alguna cabeza —considerándolo como acto de gestión— y las nuevas que se adquieran quedan afectadas a la prenda. C) En cuanto a la tutela procesal, existe una *vindicatio gregis* colectiva y no tantas acciones como ovejas componen el rebaño.

permanente y no son susceptibles de utilización aislada y 3) que existe, entre ellos, una relación de igualdad —no de subordinación— pues son igualmente importantes.

b) La contraposición entre cosa principal y accesoria, se basa en la relación de subordinación existente en la unión de dos cosas para cumplir un mismo fin. La principal por sí —y sin más— lo cumple; la accesoria sólo contribuye a su mejor cumplimiento —si se quiere al mejor uso o destino de la principal—. La espada y la vaina nos sirven de ejemplo.

Son caracteres de la cosa accesoria, respecto a la principal: 1) que se puede distinguir; 2) que se puede separar, pues su unión se debe a la voluntad del que las usa y su vínculo es, por tanto, ocasional eventual y libre[35] y 3) que existe una relación de subordinación[36].

El valor de esta distinción, jurídicamente, estriba en que, por lo común, lo accesorio sigue a lo principal: *accesorium sequitur principalem.*

c) Las pertenencias, son cosas aptas de utilización aislada pero que se ponen al servicio de un inmueble con el que les liga una relación de destino económico. El ejemplo tradicional suele ser los aperos de labranza. Sus caracteres son: 1) que no son partes integrantes de la cosa, sino cosas en sí mismas; 2) que conservan su individualidad y son susceptibles de utilización aislada, aunque su vinculación al inmueble tiende a ser permanente o al menos duradera y 3) que existe una relación de subordinación respecto al inmueble —no al interés individual del propietario— para servirle, de tal manera que cabe decir: en cierto modo «le pertenecen», al crearse un vínculo objetivo entre la finca y estos objetos. Por ello, siguen la misma suerte que el fundo al que «pertenecen» —así, las enajenaciones, legados, y gravámenes de éste les comprenderá salvo, voluntad contraria de las partes[37]—.

Ejemplos de estas pertenencias es el llamado *instrumentum fundi* que comprende, según Sabino —cita de Ulpiano— las cosas que fueron

---

[35]   No es absorbida por la cosa principal pues de ser así se convertiría en parte integrante de ella.

[36]   El valor no es lo que determina el carácter de la cosa principal, sino la función a desempeñar. Ulpiano dice: que si las perlas —*si margaritae*— se engarzaron para adornar al oro —*auri ornandi gratia adhibitae sunt*— cederán al oro —*auro cedunt*— y si al contrario —*si contra*— el oro cederá a las perlas —*aurum margaritais cedit*—.

[37]   Ante la duda, el Derecho Romano acude a interpretar la voluntad de las partes.

preparadas para obtener —*quaerendi*—, retener —*cogendi*— y conservar —*conservandi*— los frutos[38]. Igual cabe decir de la casa y su mobiliario —*domus instructa*— y de la tienda y todo lo que el negocio comporta —*taberna instructa*— o, incluso, de la nave.

d) Se entiende por frutos las cosas que producen otras, en forma espontánea o por su adecuada explotación. Los romanistas suelen distinguir entre naturales y civiles.

Los frutos naturales, en su acepción biológica, son los productos que, periódicamente, suministran las cosas sin disminuir su esencia, como una bellota —*glans*— o una manzana —*pomum*— pero no el árbol, su esfera se reduce, pues, al reino vegetal y coincide con las producciones espontáneas de la tierra. En su acepción jurídica, es todo producto aprovechable, aunque biológicamente no tenga tal carácter. Su esfera es más amplia, y no ya dentro del propio reino vegetal —pues serán frutos las talas periódicas de bosques maderables—, sino que se extiende al reino animal e incluso al mineral —aunque no se renueve o sufra detrimento la *substantia rei*—. Así, son frutos: las crías —*fetus*—, lana —*lac*— o pelo —*pilus*— de los animales y los productos de canteras y minería. A destacar que, en derecho romano, el parto de la esclava —*partus ancillae*— no será considerado fruto —*in fructu non est*[39]—.

---

[38] Algunos ejemplos que recoge son: a) para la obtención —*quaerendi*— de frutos: los esclavos, que cultivan el campo y los que los dirigen, los bueyes, el ganado destinado a estercolar y los útiles para el cultivo, como arados, azadones, hoces de podar y otros análogos; b) para recogerlos —*cogendi*— las prensas de lagares, cestas, hoces de segar, guadañas y cestos de vendimiar y para transportar las uvas y c) para conservarlos —*conservandi*— las tinajas, aunque no estén empotradas y las cubas. En las cosas muebles introducidas por el colono en la finca cabe distinguir los semovientes —*illata*— y los aperos de la branza —*invecta*—.

[39] Se plantea el problema entre el propietario y el usufructuario de una esclava. Intervienen: a favor Mucio Scaevola y Manilio y en contra Junio Bruto. El fundamento de la exclusión, es, según Gayo, que es absurdo —*absurdum enim videbatur enim*— que el hombre —*hominem*— sea reputado fruto, —*in fructu esse*— cuando todos los frutos —*quum omnes fructus*— por la naturaleza de las cosas —*rerum natura*— son en provecho del hombre —*hominum gratia comparaverit*—. A zaga de esto Ulpiano argumenta, que el hombre como tal no puede reputarse entre los frutos de otro hombre —*neque enim in fructu hominis homo esse potest*—. Como se ha destacado, de admitirse tales razonamientos teóricos, por lógica, debería haberse abolido la esclavitud, por ello resulta más ajustado a la realidad defender que, en la práctica, bajo el prisma económico, era demasiado importante el pequeño esclavo para que pudiera pasar al usufructuario.

Los frutos civiles, son las sumas pecuniarias que produce la cesión del uso de una cosa y su esfera de aplicación se encuentra en el campo de las obligaciones; los juristas romanos aluden a ellos con expresiones cautas y asimilaciones genéricas y no siendo, propiamente frutos, se consideran como tales[40]. Pomponio priva de este carácter a los intereses del capital prestado —*usurae pecuniae*— porque no proviene del mismo dinero —*quia non ex ipso corpore*—, sino de otra causa —*sed ex causa alia est*—, es decir —*hoc est*—, de una nueva obligación —*nova obligatione*— la nacida del préstamo.

Los frutos naturales se llaman: según estén adheridos o separados de la cosa matriz, *pendentes* = pendientes[41] o *separati*; según se hayan recogido o no, *percepti* = percibidos[42] o *percipiendi* = que debieron percibirse, y según estén —*in natura*— en el patrimonio de quien los recogió, o no, por su transformación o consumo, *exstantes* = existentes o *consumpti* = consumidos[43].

3. LOS DERECHOS SOBRE LAS COSAS Y SUS TIPOS

El Derecho real suele definirse como: el derecho que atribuye a su titular un poder, directo e inmediato, sobre una cosa ejercitable frente a cualquiera. Tal poder puede ser pleno, es decir comprender todas las posibles facultades sobre la cosa, como la propiedad, o limitado, esto es comportar sólo alguna facultad concreta sobre ella, por ejemplo pasar por la finca del vecino.

---

[40] En las fuentes se habla de *reditus, merces, pensiones* y *usurae* y Ulpiano dirá respecto a las pensiones de los predios urbanos —*praediorum urbanorum pensiones*— que se consideran como frutos —*pro fructibus accipiuntur*— y refiriéndose a los juicios de buena fe, que los intereses —*usurae*— tienen la consideración de frutos —*vicem fructuum obtinent*— *loco fructuum*.

[41] Los pendientes son parte de la cosa matriz —*pars fundi*— teniendo su mismo régimen.

[42] La distinción entre *percepti* y *separati* es de interés, en materia de usufructo ya que si un ladrón roba los frutos *separati* de un fundo propiedad de Ticio y usufructuado por Cayo, queda obligado —*condictio furtiva*— frente a Ticio —dueño— y no frente a Cayo —usufructuario— ya que para adquirir la propiedad de los frutos el usufructuario es necesario no ya su separación, sino su percepción.

[43] La importancia entre *percepti*, *exstantes* y *consumpti* se manifiesta en los efectos del ejercicio de la *rei vindicatio*.

La propiedad es el derecho real por excelencia y también el presupuesto de todos los demás[44]. Junto a ésta cabe aludir a la posesión —confundida en algunas épocas, del derecho romano, con la propiedad y diferenciada, en otras, hasta el punto de decirse que nada tienen en común—. Todos los demás derechos reales se ejercen sobre cosas que no nos pertenecen, de ahí que se les llame derechos sobre cosas ajenas —*iura in re aliena*— y pueden comportar un goce o disfrute limitado de ellas —derechos de goce y disfrute[45]— o cumplir una función de garantía —derechos reales de garantía— que no permiten usar ni disfrutar la cosa, pero posibilitan venderla para, en su caso, cobrarnos con su importe la obligación incumplida que garantizan.

Los tipos de derechos reales conocidos en derecho romano —o con más precisión: que se protegió con acciones reales— fueron:

A) como derecho sobre cosa propia: la propiedad; B) como derechos sobre cosa ajena —de goce y disfrute—: a) las servidumbres prediales y personales —para Justiniano el usufructo el uso y la habitación tienen este carácter— y b) la enfiteusis y la superficie y C) como derechos reales de garantía, la prenda y la hipoteca. Todos los cuales han pasado al derecho moderno[46].

4. DERECHOS REALES Y DERECHOS PERSONALES

Dentro de los que hoy llamamos derechos patrimoniales —susceptibles de valoración económica— se suele distinguir entre derechos reales —que ya hemos definido— y derechos personales, crediticios u obligacionales. Se entiende por ellos: el derecho que compete a una persona —acreedor— encaminado a conseguir de otra persona —deudor— la observancia de una determinada conducta —prestación— cuyo cumplimiento se garantiza con todo el activo patrimonial del obligado.

---

44   El dueño de un fundo podrá: venderlo, regalarlo, ceder su uso gratuitamente o por precio, cultivarlo, construir y, en suma, tiene las máximas posibilidades de su uso, aprovechamiento y goce.

45   Así, sobre el fundo ajeno puede percibir sus frutos; pasar a través de un sendero que lo cruza; tomar agua de él para la propia finca; conducir el ganado para, pastar o abrevar en ella...

46   Del *ius civile* provienen propiedad y servidumbre; del *ius honorarium* prenda e hipoteca y del *ius novum*, aunque con precedentes pretorios, la enfiteusis y superficie.

Esta contraposición moderna se asienta en la distinción romana de acciones reales —*in rem*— y personales —*in personam*— y, en general, estas pueden ser sus más claras diferencias:

a) Por los sujetos. En los derechos reales el sujeto pasivo no está individualmente determinado pero a todos alcanza el deber de no perturbar su ejercicio (debemos respetar la propiedad ajena). En los personales el sujeto pasivo está, individualmente, determinado: es el deudor (sólo él nos «debe»).

b) Por el objeto. Los derechos reales recaen sobre una cosa corporal, específica y determinada —sobre su disposición o uso— (el esclavo de mi propiedad). Los personales sobre la conducta —prestación— de una persona (por ej. que pague el precio de la cosa comprada).

c) Por su naturaleza. Los derechos reales comportan un poder de exclusión, de que nadie se ingiera en la relación de su titular con el objeto sobre el que se ejerce. Los personales un poder de unión —la propia terminología de la palabra *obligatio*, de *ligare*, ligar, atar, vincular lo pone de relieve—.

d) Por su contenido. Al hilo de lo anterior, los derechos reales implican un deber de abstención, un deber negativo (no impedir la relación del dueño con el objeto de su propiedad). Los personales, por lo general, una conducta positiva por parte del deudor (pagar lo que adeuda).

e) Por su eficacia. Los derechos reales pueden hacerse efectivos frente a cualquiera —*erga omnes*— (podré reclamar la devolución de mi esclavo, perdido, a cualquiera que lo encuentre). Los personales sólo contra la persona del deudor —*inter partes*— (es obvio que, en principio, nada conseguiré si reclamo a Ticio lo que me debe Cayo). Por eso se dice que aquellos son absolutos y éstos relativos.

f) Por su duración. Los derechos reales tienden a la permanencia. Cuanto más se ejercen más se consolidan, hasta el punto de que la propiedad puede, bajo ciertas condiciones, adquirirse por transcurso de tiempo —*usucapio*—. Los personales tienen carácter transitorio y su ejercicio los extingue, pues satisfecha la prestación del deudor —pagada su deuda— cumplen su finalidad.

g) Por su extinción. Los derechos reales se extinguen por perecer la cosa sobre la que se ejercen —si muere mi esclavo Estico dejo de ser su dueño—. Los personales, a veces, por muerte del obligado —*intuitu personae*— (no es igual que me pinte un cuadro un Apeles o un Parrhasio que su heredero) y subsisten, por lo común, aunque perezca la cosa, pues no recaen sobre ella, sino sobre una conducta del obligado[47] e incluso, la imposibilidad de cumplirla, estrictamente (el entregar una cosa destruida), puede dar lugar a otra conducta: indemnizar.

Diferencias entre Derechos reales y Derechos personales

	Derechos reales (*in rem*)	Derechos Personales (*in personam*)
Sujetos	El sujeto pasivo no está individualmente determinado pero a todos alcanza el deber de no perturbar su ejercicio	El sujeto pasivo está individualmente determinado: Es el deudor
Objeto	Recaen sobre cosa corporal, específica y determinada	Recaen sobre la conducta de una persona: Es la prestación
Naturaleza	Comportan un poder de exclusión	Comportan un poder de unión
Contenido	Implican un poder de abstención, un deber negativo	Implican una conducta positiva por parte del deudor
Eficacia	Pueden hacerse efectivos frente a cualquiera (*erga omnes*)	Pueden hacerse efectivos sólo contra la persona del deudor (*inter partes*)
Duración	Tienden a la permanencia. Su ejercicio los consolida	Tienen carácter transitorio. Su ejercicio los extingue
Extinción	Se extinguen por perecer la cosa sobre la que se ejercen	A veces, se extinguen por muerte del obligado y subsisten aunque perezca la cosa, pues al no recaer sobre ella sino sobre la conducta del obligado, la imposibilidad de cumplirla puede dar lugar a una indemnización

Téngase presente que las diferencias que se apuntan tienen carácter general, y, por tanto, podrían presentar alguna posible excepción, en particular, en la mayoría de los apartados.

---

[47] El que recibe un préstamo de dinero no devuelve las mismas monedas que se le «prestaron» —y que ya ha gastado— sino otras, por lo que el perecimiento de aquellas en nada afecta a la extinción de su obligación.

Tema 20

La posesión

Una cosa es posesión y otra propiedad. Es cierto que, por lo común, quien "tiene" una cosa es su dueño, pero tampoco es raro que alguien "tenga" una cosa sin ser suya. Caben, pues, tres casos: que exista una propiedad con posesión; una propiedad sin posesión y una posesión sin propiedad. Los juristas romanos lo advierten y así, Ulpiano dirá que: debe separarse la posesión de la propiedad —*separata esse debet possessio a proprietate*— e incluso, que nada tienen en común —*nihil commune habet proprietas cum possessione*— y Venuleyo que no deben confundirse —*nec possessio et proprietas miscere debent*—.

1. IDEAS GENERALES: LA PROTECCIÓN POSESORIA

I. Terminología y concepto

A) En un sentido vulgar, posesión equivale a tener, ocupar o detentar alguna cosa, con independencia de su razón o fundamento, del por qué. En otro etimológico, poseer —*possidere*— y posesión —*possessio*— derivan de *sedere* —asentarse, estar asentado— y del prefijo *post (pot)* que lo refuerza y que, a su vez, proviene de *posse* —*potsum*— poder. De esta etimología derivan dos notas: que la posesión comporta una relación de hombre-cosa y, al tiempo, una idea de poder, que aquél ejerce sobre ésta. Todo sin prejuzgar si, lleva, o no, consigo la titularidad del dominio[1].

B) Las fuentes romanas no suministran una definición de la posesión. La hostilidad que los romanos a la hora de definir, según recuerda Javoleno; su aversión hacia los conceptos abstractos y la

---

[1] Paulo, citan a Labeón y dice que *possessio* viene de sede —*a sedibus*— como si se dijera "posición" —*quasi positio*— porque, naturalmente —*quia naturaliter*— la tiene —*tenetur*— quien se instala en ella —*ab eo qui ei insistit*—.

dificultad añadida de tener que enmarcar en una definición los diferentes tipos de posesión conocidos por Roma[2], pudieron ser causas de ello. Hoy, en su acepción más amplia, se suele definir como: el ejercicio de hecho de un derecho, con independencia de que —tal derecho— pertenezca a quien lo ejerce como propio.

II. Fundamento y origen

El por qué —fundamento— de la protección posesoria y el cuándo —origen— se comenzó, en derecho romano, a tutelar la posesión, ha sido muy debatido en doctrina.

A) El desconcierto, en cuanto a su fundamento, es lógico pues, a primera vista, implica una contradicción. En efecto, si la posesión es un simple hecho que comporta el ejercicio de un derecho y éste —el caso más claro sería el del ladrón— puede no corresponder a quien lo ejerce ¿por qué, jurídicamente, se protege? Los romanos no se plantean esta pregunta y la romanística, al contestarla se escinde en dos principales posturas, representadas por Savigny y Ihering.

a) Para Savigny, la protección posesoria tiene su fundamento: en la paz social. A su tenor, el ordenamiento jurídico protege al poseedor para evitar que nadie pueda tomarse la justicia por su mano y obliga a quien pretenda atacar tal situación a usar la vía judicial y demostrar su derecho.

b) Para Ihering, el fundamento de la tutela de la posesión, está: en la apariencia o exteriorización de dominio. La posesión es la manera más ostensible de exteriorizar la propiedad y se supone, en principio, que quien posee es dueño. De esta forma al proteger a los poseedores estamos, también, protegiendo a los dueños y se evita que éstos tengan que estar, constantemente, aportando los títulos que demuestren su condición[3].

---

[2]   A lo que habrá que añadir, y así se suele poner de relieve en doctrina: que la terminología usada por los juristas para designarlos tenga distinto valor en cada época y que resulte difícil precisar, en general, cual es la diferencia básica entre los diversos supuestos que engloban aquellos tipos y justifique un trato diferente en su tutela jurídica.

[3]   Tal vez, como se ha matizado, la postura de Savigny resultaría más adecuada dentro del derecho preclásico y la de Ihering más coherente con el sentir clásico.

B) También, en cuanto a su origen, en derecho romano, discrepa la doctrina.

a) Para unos, Savigny, la primera manifestación de su tutela jurídica está representada por los poseedores del *ager publicus*. Estos, al no ser propietarios por pertenecer sus parcelas a Roma, no pueden ejercer las acciones que protegen la propiedad y frente a los ataques o perturbaciones que sufrieran se debió crear un tipo de protección especial[4].

b) Para otros, Ihering, el punto de partida ha de verse en la atribución interina de la cosa —*manum conserere*— que el magistrado realizaba en favor de uno de los litigantes —*legis actio sacrammento in rem*— mientras se dilucidaba quien era su propietario. El Pretor, a través de ella, acaba con la violencia privada y al prohibir que se utilice la fuerza —*vis*— contra aquel a quien entrega la cosa posibilita el sólo uso de la vía judicial —*actio*—[5].

III. Evolución

Partamos del paralelismo entre el "derecho" de propiedad y el "hecho" de la posesión y de que si es difícil imaginar una sociedad en la que «nada sea de nadie» lo es, aún más, imaginar otra en la que «nadie tenga nada». Según esta hipótesis, el derecho en general, y el romano, en particular, debería enfrentarse a dos problemas concretos: a) que ha de exigir para que la posesión —la tenencia de una cosa, *corpus*— se convierta en propiedad y b) cuando se ha de proteger, sin más, esa posesión y cuando no. En época clásica, la primera cuestión, el *ius civile* la zanja, exigiendo una *iusta causa*[6] y la segunda, el *ius*

---

[4] Puede esgrimirse en su favor la propia etimología de la palabra *possessio*, recordada por Paulo y el que originariamente pudiera designar el asentamiento de un particular en el *ager publicus*.

[5] La importancia que en el origen de muchas instituciones romanas tiene el proceso y el que la atribución interina de la cosa reclamada pueda ser anterior a la *possessio* del *ager publicus* son argumentos que suelen esgrimirse en favor de esta teoría.

[6] Así pues, como se ha puesto de relieve, a tenor del *Ius Civile*, se contrapone la mera tenencia material de la cosa —posesión natural— y la que se adquiere en virtud de una *iusta causa* —posesión civil— que puede terminar comportando la adquisición de la propiedad. Se entienden por *iusta causa*, la que es apta para trasmitir el dominio, la compraventa o la donación (regalo) pueden servir de ejemplo.

honorarium, requiriendo un particular *animus*[7]. En época postclásica[8] y justinianea, superada la contraposición *ius civile-honorarium*, se tiende a tomar el elemento intencional —*animus*— como base de la posesión, se admite incluso, la posesión de los derechos —*quasi possessio*— y se abren las puertas al derecho moderno[9], llegándose, así, al concepto de posesión adoptado: el ejercicio de hecho de un derecho, con independencia de que pertenezca a quien lo ejerce como propio[10].

2. CLASES DE POSESIÓN

En derecho postclásico y justinianeo, aparece la tripartición: *possessio naturalis, ad interdicta* y *civilis*, que aluden, respectivamente: a) a la simple tenencia material de la cosa que no produce efecto alguno en cuanto a su protección jurídica; b) a la situación de poder ejercida sobre una cosa (posesión verdadera y propia) protegida por interdictos y c) a la posesión adquirida en virtud de una justa causa para adquirir el dominio, que podría convertirse en propiedad por transcurso de tiempo —*usucapio*— si el poseedor es de buena fe[11].

---

[7]   A tenor del *Ius Honorarium*, se contrapondría la posesión natural y la que protege el Pretor a través de interdictos —posesión, propiamente dicha o interdictal—.

[8]   El Vulgarismo, propio de la época postclásica, comportará el que propiedad y posesión se confundan.

[9]   Esta ampliación y abstracción de posesión, que no sólo comporta el ejercicio de hecho del derecho de propiedad, sino de cualquier otro, prosigue en el derecho moderno que tiende a proyectar la posesión de los derechos fuera de la órbita de los reales.

[10]   El *iter* de esta *quasi possessio* o posesión de derechos, puede sintetizarse así: a) en origen, la posesión sólo puede recaer sobre cosas corporales —nos dice Paulo— que pueden poseerse las cosas corporales (*possideri... possunt quae sunt corporalia)* y respecto a los derechos, concretamente al de servidumbre, que su naturaleza impide puedan poseerse (*natura enim servitutium ea est, ut possideri non possint)*; b) el pretor empieza a defender el ejercicio de hecho de algunos derechos, como el usufructo y algunas servidumbres, en tales casos se habla de *usus iuris* —no de *possessio*— y no extraña se considere como equivalente a la posesión —Gayo alude a interdictos *de possessione aut quasi possessione*—pues, en sustancia, esta tutela tiene igual función que la posesoria; c) a tenor de esta analogía, y confundidos los términos *usus* y *possessio* en época postclásica, con Justiniano se hablará de *possessio iuris* y esta identificación entre *possessio* y *quasi possessio* abarcará, no sólo el ejercicio de hecho del derecho de propiedad, sino de cualquier otro.

[11]   Ya que estos tipos de posesión evolucionan, se ha destacado, que será el estudio histórico de esta evolución, el mejor modo de explicar los casos de la posesión anómala del: acreedor pignoraticio, secuestratario y precarísta.

I. Posesión Natural

Como: *possessio naturalis* —posesión natural—, *possessio corpore* —posesión del objeto—, *detinere rem* —detentar la cosa— o *tenere rem* —tener la cosa— designan los romanos la mera tenencia, detentación material o el simple estar en la cosa —*corpus*— que no tiene medidas judiciales de protección, ya que no es propiamente una posesión, sino tan sólo una apariencia de ella. El único requisito que exige es el *corpus* y son poseedores naturales los que tienen la cosa en nombre de otro —*possessores nomine alieno*— en alquiler, en préstamo de uso o para su guarda. Esto es: (1) el arrendatario —inquilino o colono—; (2) el comodatario y (3) el depositario. En estos casos la protección posesoria corresponde al verdadero poseedor, de quien los indicados derivan su tenencia y que sólo podrán defender mediante las acciones que derivan de sus respectivos contratos —arrendamiento, depósito, comodato—. Junto a ellos deberemos citar, además, (4) al acreedor introducido por el pretor en los bienes del deudor —*missus bona debitoris ex primo decreto*— y (5) al usufructuario, por el carácter personalísimo de su derecho[12].

II. Posesión Interdictal

Con el término *possessio* —sin más— o posesión interdictal —*possessio ad interdicta*— por estar protegida por interdictos, se designa a la situación de poder caracterizada por la tenencia de la cosa —*corpus*— y la intención de disponer de ella con exclusión de los demás —*animus*—[13]. Exige, pues, dos requisitos, el *corpus* y el

---

[12] Ulpiano nos dice que el usufructuario se entiende que tiene la posesión natural —*Naturaliter videtur possidere, is qui usufructum habet*— y en parecidos términos se expresa Papiniano.

[13] Los textos romanos no explican en que consiste este *animus*. Según Savigny, se trata de un *animus domini,* intención de tener la cosa como dueño. (Ello explica, perfectamente, la concesión de los interdictos a los poseedores de buena y mala fe y el negarla al colono, inquilino, comodatario y al depositario, pero no lo hace respecto a su concesión al acreedor pignoraticio, precarista y secuestratario que, evidentemente, no tienen este *animus domini*. La matización del propio Savigny de que se trata de casos de posesión derivativa que hacen valer por el dueño de la cosa, carece del apoyo de las fuentes, en las que no aparece la expresión *animus domini*). Ihering invierte los términos del problema, el *animus*, para él, es un *animus possidendi*, que consiste en la intención genérica de tener la cosa. Se tiene la cosa, se sabe que se tiene y así

animus y puede ser justa —*iusta*— que es la no adquirida por la fuerza —*nec vi*—, con clandestinidad —*nec clam*— o por cesión gratuita, revocable en cualquier momento —*nec precario*— o injusta —*iniusta*— (también llamada viciosa) en otro caso[14]. Poseedores —*possessores*— interdictales, son: a) los que poseen en nombre propio —*nomine proprio*— como (1) el propietario poseedor; (2) el poseedor de buena fe, que, por error, se cree propietario y (3) el poseedor de mala fe —como el ladrón— y b) entre los poseedores en nombre ajeno —*nomine alieno*— que reconocen su deber de entregar la cosa que poseen a otro, (4) el superficiario y (5) el enfiteuta. A ellos, según las fuentes, deben añadirse: (6) el precarista; (7) el acreedor pignoraticio —acreedor de la cosa dada en garantía del cumplimiento de una obligación[15]— y (8) el secuestratario, es decir quien conserva en depósito la cosa sobre la que discuten los litigantes, con la obligación de reintegrarla a quien resulte victorioso[16]. Supuestos de difícil justificación como no sea por las especiales circunstancias históricas en que encuentran su origen.

III. Posesión Civil

En el ámbito del *Ius Civile*, se construye la teoría de la posesión desde el prisma de la adquisición de la propiedad y no de la protección interdictal. Así, se denomina *possessio civilis* —posesión civil—, *bonae fidei* —de buena fe—, *ex iusta causa* o *ad usucapionem*, a la situación de poder que se basa en una *iusta causa* —apta para adquirir el dominio (*causa habilis ad dominium trasferendum*) de no mediar un vicio de forma o de fondo, en la transmisión—. Se trata, en suma, de una propiedad que se va haciendo en la que, además, de la tenencia de la cosa —*corpus*— y la intención de excluir a los demás en ese poder de hecho —*animus*— al existir una *iusta causa* y darse la *bona fides*

---

se quiere. (Ello, evidentemente, explica todos los casos de protección interdictal a que aluden las fuentes, pero no el por qué, entonces, se niega dicha tutela a los poseedores naturales. La matización, del propio Ihering, de que ello obedece a razones históricas de carácter práctico y de conveniencia social, parece chocar con el testimonio de Paulo que basa, precisamente, en el *animus* la distinción entre posesión natural e interdictal).

[14]   Esta no favorece al poseedor cuando invoca su protección frente a su adversario, que puede oponer la *exceptio vitiosae possessionis*, pero si frente a terceros.

[15]   Tal vez, porque su interés es, ocasionalmente, mayor que el del pignorante.

[16]   La incertidumbre del resultado y de la persona a quien debe restituirse, justifica la necesidad de que goce de medios que protejan esta posesión.

del poseedor, por transcurso de tiempo —*tempus*— se convierte, por *usucapio*, en *dominium ex iure Quiritium*, estando tutelada hasta entonces, no sólo por los interdictos, sino, también, por la *actio Publiciana*.

3. VIDA JURÍDICA DE LA POSESIÓN

Si la posesión es el ejercicio de hecho de un derecho, su vida jurídica principiará con el inicio de dicho ejercicio y acabará con su cese. Veamos, como se adquiere, pierde y conserva.

I. Adquisición de la posesión

La posesión requiere dos elementos: el *corpus* y el *animus*, por ello, el concurso de ambos será causa necesaria para su adquisición; el desaparecer alguno causa suficiente para su pérdida y Paulo dirá que: adquirimos la posesión por el cuerpo y la intención —*corpore et animo*— y no —*neque*— sólo por la intención —*per se animo*— o sólo por el cuerpo —*aut per se corpore*—; matizando que, en todo caso: el *animus* ha de ser nuestro —*animo utique nostro*— pero el *corpus* puede tenerlo otro —*corpore vel nostro vel alieno*—. Trataremos, pues, de estos requisitos, de su evolucionó y de la llamada «adquisición por representante».

A) El elemento del *corpus* pasa de una idea material, representada por el contacto directo con la cosa, a otra cada vez más flexible y espiritual, sobre todo en casos de adquisición derivativa, es decir, cuando la tenencia de la cosa proviene de su entrega —*traditio*—. Surge la llamada entrega ficticia —*traditio ficta*—[17], según terminología medieval, en la que se agrupan los casos de: a) *traditio symbolica*, que consiste en la entrega de un símbolo que representa a la cosa o cumplir un determinado acto que, socialmente, se considere hace sus veces[18]; b) *traditio longa manu*, que es señalar la cosa a distancia,

---

[17] *Traditio ficta* expresa que: la *traditio* se hace sin efectiva y real entrega de la cosa pero produce iguales efectos.

[18] Ejemplos en las fuentes son: a) la entrega de las llaves de un almacén de mercancías —*traditio clavium*— donde están depositadas; b) la del documento justificativo de

siempre que resulte clara su identificación; c) *traditio brevi manu* —abreviada— cuando el adquirente ya era poseedor natural de la cosa —así, como arrendatario o depositario— y se convierte, por consentimiento de la otra parte, en poseedor jurídico[19] y d) el *constitutum possessorium*, que es la hipótesis inversa, o sea, cuando el propietario, traspasa la propiedad, pero retiene la posesión de la misma —por ej. el dueño pasa a arrendatario—[20].

B) El segundo elemento, el *animus*, supone capacidad en el sujeto, que debe ser apto para manifestar una voluntad seria, aunque no se requiere una capacidad negocial. Por ello, ni el *servus*, ni el *infans* ni el *furiosus* pueden adquirir, por sí, la posesión[21].

C) Respecto a la llamada «adquisición por representante». Por vía de síntesis, baste recordar: 1.°) que, desde siempre, por la peculiar estructura de la familia romana, se admitió que el *paterfamilias* o *dominus*, pueda adquirir la posesión a través de sus hijos y esclavos[22]; 2.°) que, en época clásica, pudo, además, hacerse —*utilitas causa*— a través de su administrador general —*procurator omnium bonorum*—[23] y 3.°) que, en derecho justinianeo, se generalizó la posibilidad de poseer a través de cualquier representante, haya previo mandato, o no, aunque, en este caso, se exigirá siempre ratificación —*ratihabitio*— del adquirente.

---

la propiedad del transmitente —*traditio instrumentorum*—; c) el marcar las cosas con determinada señal —*signatio mercium*— y d) el poner un guardián para que las custodie —*appositio custodis*—. Alguno de estos casos, como el de marcar algunas cosas —una tinaja, en concreto— planteó discusiones entre los juristas por poderse entender —criterio de Labeón, frente a Trebacio— que se señalan más para que no se cambien que por considerarse entregadas.

[19] En todo caso, será necesario el consentimiento de la otra parte y, en modo alguno, como recuerda Paulo, alguien puede, por sí mismo, cambiar la causa de su posesión —*nemo ipse sibi causam possessionis mutare potest*—.

[20] Savigny resume la doctrina sobre el *corpus*, diciendo que no es necesario se produzca el acto material de la aprehensión, basta tal posibilidad y Ihering que deberán estar en situación análoga a la que tendrían respecto al propietario.

[21] Con Justiniano, por razón de utilidad —*utilitas causa*— se admitió que el menor de 7 años —*infans*— pudiera hacerlo con la asistencia del tutor y superada esta edad —*infantia maiores*— por sí solos —criterio, este último, ya propugnado, en derecho clásico, por Ofilio y Nerva *filius*—.

[22] Es obvio, no son verdaderos representantes, sino meros instrumentos de la actividad del *dominus* o *paterfamilias*.

[23] Sigue, pese a ello, vigente en derecho clásico la máxima de que no puede adquirirse por medio de *extranae personae*, esto es, por persona libre no sujeta a nuestra potestad o derecho.

II. Pérdida de la posesión

Si para adquirir la posesión se requiere el concurso de dos elementos: *corpus* y *animus*, para perderla bastará que falte uno de ellos. Así pues, puede perderse de tres maneras: *corpore, animo* y *corpore et animo*. a) Se pierde *corpore*, cuando el poseedor queda privado de la disponibilidad física de la cosa o en situación que, socialmente, se considere no le pertenece. Ello ocurre, en general, en los casos de destrucción de la cosa o de quedar fuera del comercio; en las cosas muebles, en los de su pérdida o extravío[24]; en el de animales, si son domesticados cuando pierden su hábito de volver al corral —*animus revertendi*— y si fieros o salvajes cuando recobran su libertad —*naturalis libertas*— y en el de inmuebles, si alguien nos despoja o se apodera de ellos violentamente[25]. b) Se pierde *animo*, cuando el poseedor manifiesta no querer continuar su posesión, siendo necesario, pues, un acto intencional, es decir, una verdadera resolución, expresa o tácita de la que así se desprenda[26], por lo que los locos, al estar privados de voluntad, no podrán perder la posesión *solo animo*. c) Se pierde *corpore et animo*, en los casos de muerte del poseedor[27]; abandono voluntario de la cosa —*derelictio*— o su transmisión —gratuita u onerosa— a otro[28].

III. Conservación de la posesión

Si la doble exigencia *corpus* y *animus* era necesaria para adquirir la posesión, y la ausencia de alguno de estos elementos comportaba su pérdida, por lógica, sería necesario que subsistan ambos para que la posesión se conserve. Sin embargo, no se exigió para ello un contacto

---

[24] Papiniano nos dice que dejamos de poseer si lo que poseemos —*si id quod possidemus*— lo hubiéramos perdido de tal manera que ignoremos donde está —*ita perdiderimus ut ignoremus, ubi sit*—.

[25] No perdemos, sin embargo, la posesión por el hecho de apoderarse un tercero de nuestro fundo, en nuestra ausencia y sin saberlo.

[26] Así, en el supuesto al que alude Ulpiano de que alguien hubiera ido a la feria y a su regreso se encontrara ocupado su fundo, si no recurre a la fuerza y prefiere ejercer la acción correspondiente —*reivindicatio*— pierde la posesión *solo animo*.

[27] Según Javoleno, la posesión no se transmite *ipso iure* a los herederos, pues no les corresponderá hasta que no hayan adido la herencia.

[28] Esto podrá realizarse sin entrega material de la cosa en la *traditio brevi manu* y el *constitutum possessorium*.

material y constante con la cosa y así, la jurisprudencia, por razones de utilidad —*utilitas causa*— admitió una amplia serie de casos en los que la posesión se conservaba *solo animo*, siempre que hubiera una cierta perspectiva de recuperación del *corpus*. Así, por ejemplo, en los supuestos de los *saltus* —pastos— *hiberni et aestivi* —de invierno o verano— fundos que sus dueños no ocupaban durante buena parte del año —hoy sería el refugio de la nieve y el apartamento de la playa— y en el del *servus fugitivus* —esclavo fugitivo— se admitirá que la posesión *retinetur solo animo*. Justiniano, por su tendencia a configurar la posesión como derecho, terminará por generalizar la norma de que aunque se pierda el *corpus* la posesión puede mantenerse por la sola y exclusiva voluntad de poseer —*solo animo*—.

4. PROTECCIÓN POSESORIA

La defensa de la posesión, en derecho clásico, se produce a través de los interdictos. Estos, no deciden sobre el fondo —«derecho a poseer»— ni excluyen el ulterior ejercicio de la acción dominical correspondiente, y sí sólo sobre el «hecho de la posesión», resolviendo, de momento, la controversia posesoria entre dos personas. En derecho justinianeo, aunque mantienen su nombre se convierten en auténticas acciones posesorias. Estos *interdicta* pueden ser de retener —*retinendae possesionis*— y de recobrar —*recuperandae possessionis*— la posesión y se nombran con sus palabras iniciales.

A) Interdictos de retener la posesión. Son los que protegen al poseedor actual, lo mantienen y lo defienden ante cualquier perturbación. En derecho clásico son dos: a) el *uti possidetis* = tal como poseéis, para los inmuebles, que sirve para defender al poseedor actual, siempre que, respecto al adversario, hubiera adquirido la posesión de una manera justa —esto es, *nec vi, nec clam, nec precario*—[29] y b) el *utrubi* = aquel en cuyo poder, para las cosas muebles, que

---

[29]   Gayo resume su tenor literal con las siguientes palabras: Prohíbo se impida por la fuerza que sigáis poseyendo como lo estáis haciendo ahora —*uti nunc possidetis, quominus ita possideatis vim fieri veto*—. Tomando como basee Ulpiano y Festo, la fórmula general se completará con las referencias al inmueble y a la posesión justa, ...la finca de que se trata, sin violencia, ni clandestinidad, ni en precario, el uno del otro —*eas aedes, quibus de agitur, nec vim nec clam nec precario alter ab altero*—.

otorgaba la posesión al que hubiera poseído justamente —*nec vi, clam, precario*— respecto al adversario, por la mayor parte del último año[30]. Con Justiniano, aunque se conservan los nombres, aparecen fundidos en una sola acción posesoria y el régimen del primero se aplica al segundo de manera que, ya se trate de muebles o inmuebles, se asegura la victoria del que posee justamente respecto al adversario al iniciarse el proceso.

B) Interdictos de recuperar la posesión. Sirven para reintegrar en la posesión a quien ha sido despojado de ella, con violencia. En derecho clásico son dos: el *unde vi cottidiana* y el *unde vi armata*, según el despojo hubiera tenido lugar, respectivamente, por simple violencia o a mano armada. En este último supuesto el que despojaba debe restituir siempre, sin límite de tiempo[31] y sin poder oponer, en su caso, la *exceptio vitiosae possessionis*. En derecho justinianeo se funden en uno sólo —*unde vi*— el plazo de ejercicio es de un año —*exceptio temporis*— y no ha lugar la *exceptio vitiosae possessionis*.

---

[30] Gayo, también resume su tenor literal, así: Prohíbo se impida por la violencia que se lleve a este esclavo en disputa, aquel de los dos en cuyo poder estuvo la mayor parte de este año —*utrubi hic homo, de quo agitur, (apud quem) maiore parte huis anni fuit, quominus is eum ducat, vim fieri veto*—. Otto Lenel, a quien se debe la reconstrucción del Edicto Perpetuo, completará la fórmula con la referencia a la posesión no viciosa —*nec vi, nec clam, nec precario ab altero*—.

[31] El interdicto *unde vi* no podía usarse después del año a partir de la expulsión —*deictio*—.

Tema 21

La propiedad

1. IDEAS GENERALES

I. Denominación

En Derecho Romano hay tres palabras que designaron la propiedad: *mancipium*, *dominium* y *proprietas*[1].

A) La más antigua es *mancipium*, de *manu capere* = tomar con la mano, que refleja la idea de una aprehensión material de algo, sin descartar el uso efectivo de la fuerza. Es la denominación propia de unos primeros tiempos en los que la guerra, el botín y la lanza fueron la principal forma de adquisición[2].

B) La siguiente, en el tiempo es *dominium*, de *domus* = casa, de donde *dominus* = dueño, es el señor de la casa y *dominium* = el señorío que se ejerce sobre ella[3]. Es la denominación propia de una segunda fase —fines de la República— y comporta una idea de señorío —de «dominación», de titularidad— por lo que, no sólo se aplica al dueño de una cosa, sino al titular de cualquier otro derecho[4].

C) El término más reciente —y más difundido en derecho moderno— es *proprietas*, de *proprius* = propio, que deriva, a su vez, de *pro*

---

[1] Se ha intentado sintetizar la posible evolución histórica de la propiedad romana, en estos tres términos ya que podrían corresponder: a la propiedad de las cosas muebles, «cogidas por la mano» (*mancipium*); a la propiedad familiar, cuyo único titular sería el *paterfamilias* (*dominium*) y a la propiedad individual (*proprietas*).

[2] En época antigua cobra un sentido particular y designa no la adquisición de una cosa, en general, sino la realizada a través de ciertos ritos: *mancipatio*.

[3] Se identifica, pues, *dominus* —dueño de la casa— con *paterfamilias*, —jefe de familia— ya que, como recuerda Ulpiano, se llama *paterfamilias* al que tiene el dominio sobre la casa —*paterfamilias appellatur qui in domo dominium habet*—.

[4] Los términos *dominus obligationis* = acreedor, *dominus hereditatis* = heredero o *dominus litis* = actor, entre otros, aparecen, con frecuencia, en las fuentes.

privo = (lo que tiene alguien) como propio y que se opone a *publico*, por no ser compartido por los demás. Su uso se inició en el Principado y se suele vincular al usufructo, en donde, al aludirse al «titular» de este uso y disfrute sobre algo «ajeno» —usufructuario— como «dueño del usufructo» —*dominus usufructus*— por contraposición, se pasó a designar como *dominus proprietatis* al nudo propietario, es decir, al «titular» (dueño) de lo «propio» —de lo que es suyo— aún sin ese uso y disfrute.

II. Concepto

En las fuentes romanas no hay fragmento alguno que pretenda definir la propiedad y la moderna romanística, abandonado todo intento de definición que comporte una suma o enumeración de facultades del propietario, suele conceptuarla destacando sus caracteres de generalidad, abstracción y elasticidad[5]. En tal sentido, puede definirse como: "señorío jurídico pleno que puede tenerse sobre una cosa".

A) «Jurídico», destaca que la propiedad no comporta, necesariamente, una tenencia o sujeción material y física de la cosa. Esto —aunque normal— no es imprescindible y puede ocurrir —y tampoco es raro— que la cosa esté en poder y posesión de otra persona sin que «jurídicamente» deje de pertenecernos ni, por ello, se extinga nuestro derecho de propiedad.

B) «Pleno», destaca que la propiedad otorga a su titular las más amplias facultades sobre la cosa. Por ello, se considera que el derecho de propiedad es: «general» —al comprender todas las facultades que pueden ejercerse sobre aquella— y «abstracto» —existir distinta e independiente de ellas[6]—. No es, pues, una suma de facultades de las que ninguna pueda faltar, ya que la propia voluntad del dueño puede hacerle desprenderse de alguna o de su mayor parte —caso del usufructo— y subsistir la propiedad, aunque prácticamente «desnuda» —*nuda proprietas*—.

---

[5]   Se vuelve, a la idea de los glosadores del «derecho más pleno posible sobre la cosa».
[6]   Obviamente, deberá comprende un mínimo substancial del que no puede desprenderse el titular sin perder la propiedad misma, lo que ocurriría, por caso, si enajenara la facultad de goce a perpetuidad.

C) «Puede tenerse», indica mera posibilidad y la idea de que pese a que se conciban todas las facultades del propietario sobre la cosa como un todo unitario —como unidad— basta existan en «potencia», aunque en el caso concreto que se contemple, «realmente» no se tengan. En este sentido, el dominio es «elástico», porque esas facultades pueden ser, durante su vida, objeto de ampliaciones o restricciones, sin que afecte a su esencia. Así, cualquier derecho que lo limite —un usufructo, una servidumbre o una hipoteca— sólo es una presión externa que lo comprime y una vez desaparece —extinción de aquellos— la propiedad, por su propia naturaleza, recobra su amplitud primitiva. La expresión «elasticidad del derecho de propiedad» comporta, pues, no ya que el dueño puede ser despojado de una o muchas de sus facultades, sino que «potencialmente» reclama todas las posibilidades sobre la cosa, reabsorbiéndolas si no las tiene otro titular[7].

2. EVOLUCIÓN Y TIPOS HISTÓRICOS DE PROPIEDAD

A) El origen histórico de la propiedad sobre fundos es oscuro[8], hasta discutirse si el derecho romano más antiguo conoció una propiedad individual inmobiliaria[9]. Lo cierto es que en las XII Tablas la propiedad está individualizada y sufrirá una larga evolución, conociéndose —lo veremos— varios tipos que terminan unificándose y serán apenas recuerdo con Justiniano.

B) En derecho preclásico y clásico cabe diferenciar los siguientes tipos de propiedad:

---

7   Ello explica que mientras si el usufructuario renuncia al usufructo, automáticamente, el uso y disfrute vuelve a la propiedad que se consolida, por contra, si el dueño renuncia a su nuda propiedad está no pasa al usufructuario. En resumen: «elasticidad» es un paso más que «generalidad» pues comporta la llamada permanente a unas facultades que no pueden quedar solas sin titular porque si así sucede se reincorporan al dominio.

8   Nadie duda, exista en todo tiempo, una propiedad sobre las cosas muebles.

9   Es opinión difundida, no exenta de contradictores, y según la tradición, que la tierra fue propiedad colectiva de un grupo familiar amplio —la *gens*— y objeto de propiedad privada —y circunscrita al *paterfamilias*— sólo las cosas muebles, la casa y el pequeño huerto familiar —*bina iugera*, dos yugadas = media hectárea—.

I. *Dominium ex iure Quiritium*[10]

Es la propiedad del *Ius civile* y requiere: a) en cuanto a la persona, que el sujeto sea romano —*civis*—[11]; b) en cuanto a las cosas, que tengan el carácter de romanas, es decir, sean muebles o inmuebles en el suelo de Italia —*in solo Italico*— y c) en cuanto a la forma de adquisición, que se realice a través de modos romanos, esto es *mancipatio*, si es *res mancipi*, *traditio* si *nec mancipi* e *in iure cessio* para una u otra clase de cosas.

De cumplirse estos requisitos y siempre —claro está— que el transmitente sea dueño de la cosa trasmitida, se adquiere esta propiedad civil, que resulta protegida por la *rei vindicatio*.

Los inconvenientes que presenta el *dominium ex iure Quiritium* son: a) respecto a las personas, que quedan excluidos los no ciudadanos —*latini* y *peregrini*—; b) en cuanto a las cosas, que quedan excluidas, incluso para los *cives*, los predios situados en suelo provincial —*in provinciali solo*— y c) en cuanto a los modos de adquirir, que queda indefenso el adquirente, cuando no se transmite la cosa por el modo adecuado —ej. *res mancipi* por *traditio*— frente a una posible reclamación —*rei vindicatio*— del transmitente. Los inconvenientes apuntados; la mayor frecuencia de relaciones entre ciudadanos y extranjeros; las nuevas fuentes de riqueza y la multiplicación de transacciones, reñidas con el formalismo de los modos de adquisición del *ius civile* determinan que surjan los otros tipos de propiedad.

II. Propiedad peregrina

Resulta claro que aun sin considerarse como propiedad la relación de los extranjeros —*peregrini*— con sus cosas —piénsese, en la ropa— en realidad, lo era, por ello, el Pretor —en Roma— y los gobernadores

---

[10]   Se suelen señalar como caracteres de la propiedad inmobiliaria del *ius civile* los de: a) exclusiva —sus confines son santos, como las murallas de la ciudad—; b) ilimitada —en el sentido de absoluta— al no ser necesarias lo que hoy llamaríamos servidumbres legales y ser las voluntarias (como las de paso y acueducto) escasas; c) absorbente —pues todo lo que se incorpore al suelo accederá a él— d) inmune —al estar libre de cualquier impuesto— y d) perpetua, por no poderse constituir por un cierto tiempo —*ad tempus*—.

[11]   Se ampliará a los *latini* que tuvieran el *commercium*.

—en provincias— les concedieron, en su defensa, acciones útiles, similares a la *reivindicatio*, en las que se finge su condición de *civis*. Concedida, por Caracalla, la ciudadanía romana a todos los habitantes del Imperio, en el 212 —*constitutio Antoniniana*— se unifica la propiedad en este aspecto.

III. Propiedad provincial

No se admite sobre los fundos provinciales el *dominium ex iure Quiritium*[12], pues su propiedad es del pueblo de Roma —provincias senatoriales— o del emperador —provincias imperiales—[13]. Sin embargo, su uso se cede a los particulares a cambio del pago de un canon —*stipendium* o *tributum*—[14]. Tal tenencia, uso, goce o «propiedad de hecho» será protegida por los gobernadores por una acción similar a la *reivindicatio*. Cuando Diocleciano —a.292— somete a los fundos *in solo Italico* a tributación, se hace común hablar de *proprietas* para los inmuebles en provincias, lo que unido a la disminución de los fundos itálicos acaba por fusionar la propiedad inmobiliaria.

IV. Propiedad pretoria, bonitaria o *in bonis habere*

Al *dominium ex iure Quiritium* se irá contraponiendo la que suele llamarse propiedad pretoria —por estar protegida por el pretor— o simplemente «el tener en sus bienes» —*in bonis habere*, de ahí, también bonitaria—. En principio, se produce cuando se incumplen las formas prescritas por el *ius civile* para trasmitir el dominio —*res*

---

[12] Como dice Gayo, se considera que sólo podemos tener la posesión o usufructo —*nos autem possessionem tantum vel usumfructum habere videmur*—. La relación que se tiene sobre ellos se expresa con los términos *uti, frui, habere* y *possidere*. Los tres primeros —uso, disfrute y disposición— corresponden a las distintas modalidades de aprovechamiento y el cuarto se refiere a una situación de hecho, protegida interdictalmente, *possessio*.

[13] Gayo, dice que: en tal suelo —*in eo solo (provinciali)*—el dominio es del pueblo romano o del César —*dominium populi Romani est vel Caesaris*—.

[14] Sigue Gayo: son estipendiarios —*stipendiaria sunt*—los que están en las provincias —*ea, quae in his provincis sunt*—que se consideran propias del pueblo romano —*quae propriae populi Romano esse intelleguntur*—; son tributarios —*tributaria sunt*—los que están en las provincias —*ea, quae in his provinciis sunt*— que se consideran propias del César —*quae propriae Caesaris esse creduntur*—.

mancipi por *traditio*— y más tarde, también, en algunos casos en los que no existe tal vicio de forma pero sí un vicio de fondo —transmisión de la cosa por un no dueño, *a non domino*— mediando buena fe por parte del adquirente. Se llama, pues, propiedad pretoria a la situación, protegida por el pretor que se produce cuando una persona ha adquirido una cosa por un modo inadecuado o, siendo el correcto —y mediando buena fe— de un no dueño. Veamos como se produce esta protección.

a) Vicio de forma.- Se produce en el caso de entrega —*traditio*— de una *res mancipi* —por ej. un esclavo— en virtud de una *iusta causa* —por ej. a cambio de precio— hecha por su dueño —*a domino facta*—. Existe un vicio de forma —transmisión de una *res mancipi* por simple *traditio* (y no solemnemente[15])— y así: la transmisión es desconocida por el *ius civile*; el transmitente sigue siendo, para él, dueño —*dominus ex iure Quiritium*— y el adquirente solo tiene la cosa —esclavo— en sus bienes —*in bonis habere*—. El transmitente, es pues, dueño no poseedor y el adquirente poseedor no dueño y aquél —aunque injustamente— podría reclamar, la cosa —*reivindicatio*—. El pretor protege al adquirente concediéndole la «excepción de la cosa vendida y entregada» —*exceptio rei venditae et traditae*—. Con ella paraliza la *reivindicatio* del transmitente y el adquirente termina logrando el *dominium* por transcurso de tiempo, *usucapio*. Ahora bien, si el adquirente deja de tener la cosa entre sus bienes —pierde su posesión, antes de haber consumado en su favor el tiempo de la usucapión— al no poder reivindicarla —por no ser aún *dominus*— el pretor le concede la *actio Publiciana*, en la que se finge que ya ha transcurrido dicho tiempo y, al ya ser dueño, podrá reclamarla de quien la tenga, incluso del transmitente[16].

b) Vicio de fondo.- Se produce en el caso de entrega (*traditio*) de una cosa *nec mancipi*, en virtud de *iusta causa*, por un no dueño —*a non domino*— ignorándolo el adquirente —es decir, teniendo éste *bona fides*—. Como nadie puede transmitir más derechos de los que tiene

---

[15] Es decir, por *mancipatio* o *in iure cessio*.

[16] Es cierto que el transmitente podría oponer a la *actio Publiciana* esgrimida por el adquirente la *exceptio iusti domini* y que la «ficción» de aquella no podrá prevalecer sobre la «realidad» de ésta, pero el pretor le concede, según los casos, la «replica de la cosa vendida y entregada» —*replicatio rei venditae et traditae*— o la «replica de dolo» —*replicatio doli*— que la destruirá.

—*nemo dat quod non habet*— no se adquiría el *dominium*, pero el pretor admitirá el ejercicio de la *actio Publiciana* contra cualquier otro poseedor de peor condición que el transmitente, aunque no contra el verdadero propietario[17].

En síntesis cabría decir que la «propiedad pretoria» es la que defiende el pretor por la *exceptio rei venditae et traditae* y la *actio Publiciana.*

C) En derecho postclásico se unifica el régimen de la propiedad. La concesión de la ciudadanía romana; el someter a tributación a todos los fundos y el superarse la contraposición *ius civile - ius honorarium*, serán razones de ello, mientras que el vulgarismo propio de la época hará no se distinga —hasta Justiniano— entre propiedad y posesión.

D) El clasicismo de Justiniano: le hace mantener la *actio Publiciana* al lado de la *reivindicatio*; declarar no haber diferencias entre los distinto tipos de propiedad y hablar, indistintamente, de *dominium* o *proprietas,* que protege con la acción reivindicatoria.

3. LIMITACIONES LEGALES DE LA PROPIEDAD

Exigencias sociales, poco a poco, impondrán una serie de restricciones, difíciles de reducir a un concepto unitario, que, en general, comportan, en el ejercicio del derecho de propiedad, el paso de un régimen de absoluta libertad a otro solidario[18]. Según el interés,

---

[17] La «ficción» de la *actio Publiciana* no prevalecerá frente a la «realidad» y quedará paralizada por la *exceptio iusti dominii* opuesta por el «verdadero dueño».

[18] En la Roma primitiva los fundos rústicos están separados entre sí por un espacio libre de uso público, de manera que ninguno colindaba con otro (5 pies en los fundos rústico —*ager limitatus*— y 2 y medio en los urbanos —*ambitus*—). Así, se posibilitaba el paso y la conducción del agua. Igual sucede en los fundos urbanos, representados por el edificio bajo —unifamiliar, le llamaríamos hoy— aislado, con paredes ciegas al exterior y que recibe la luz y las aguas pluviales a través de su patio central —*impluvium*—. En uno y otro «territorio», el *dominus* no conocería más limitación que la que él quisiera imponer. Gradualmente, ese espacio entre fundos se suprime; la explotación de alguna finca rústica hará necesario ciertas influencias sobre la vecina y otro tanto sucederá con los edificios que, ya no sólo están en contacto unos con otros y tienen paredes comunes, sino que al ser de varios pisos —*insulae*— con ventanas al exterior, pueden tener problemas de desagüe o la necesidad de conservar la luz.

predominantemente protegido, pueden ser: en interés público y en interés privado —representadas, sobre todo, por las relaciones de vecindad—. Recordaremos algunas de uno y otro tipo.

I. Limitaciones en interés público

A) Por motivos religiosos, higiene y salud pública, se prohíbe la inhumación y cremación de cadáveres dentro de la ciudad y fuera de ella a menos de 60 pies del edificio más próximo[19].

B) Por motivos de estética, vivienda y urbanismo, se prohíbe la demolición de casas para vender sus materiales[20], que sobrepasen ciertas alturas, según la distancia que medie entre edificios, y se fijan cuales deben ser tales distancias[21].

C) En interés de la pesca, navegación fluvial y circulación, se establece el uso público de las riberas[22] y, en caso necesario, se obliga a facilitar el acceso a la vía pública a través de los fundos colindantes, manteniéndolos en buen estado[23].

---

[19]   En época arcaica, las XII Tablas ya aluden a esta prohibición, circunscrita a la ciudad. Mas tarde, también se refleja en los estatutos municipales de otras ciudades y Diocleciano la extiende a todas las ciudades del Imperio.

[20]   a) En derecho arcaico, las XII Tablas, prohíben separar la viga propia introducida en edificio ajeno —*tignum iunctum*— y por extensión jurisprudencial esto se terminó aplicando a todo material de construcción (su dueño solo podrá reclamar una indemnización y, en modo alguno retirarla o reivindicarla). b) En derecho clásico, por interés estético —*ne ruinis urbs deformetur*— un *sc. Hosidianum* (época de Claudio), prescribe ciertas normas para la conservación de edificios, prohíbe su derribo para revender los materiales —*negotiandi causa*— sanciona como nula la venta del edificio destinado a su demolición y castiga a sus infractores con el pago del doble del precio pagado y un *sc. Acilianum* —a. 122— prohíbe disponer por legado los materiales incorporados a un edificio. c) En derecho postclásico se mantienen estos principios, que se amplían al traslado de materiales.

[21]   Una extensa constitución de Zenón —recogida en Código de Justiniano— detalla el régimen sobre la materia.

[22]   Gayo, dice que los propietarios de los fundos ribereños tienen que permitir el uso público de sus riberas —*usu publicus riparum*— con fines de navegación o pesca.

[23]   Las XII Tablas ya establecen tal obligación, y si por desidia del dueño se incumpliera, sufriría el castigo del paso de jumentos por el fundo. En derecho clásico, Javoleno nos dice que cuando la vía pública —*cum via publica*— por la fuerza del río —*vel fluminis impetu*— o por ruina —*vel ruina*— se pierde —*amissa est*— el vecino próximo —*vicinus proximus*— debe permitir el paso —*praestare viam debet*—. No es, pues, una sanción como la reflejada en las XII Tablas, sino una limitación temporal del dominio.

D) En interés de la minería —en época postclásica—[24] se faculta el buscar y extraer materiales en fundo ajeno, pagando un 10% de lo obtenido al propietario y otro 10% al Fisco[25].

E) La expropiación forzosa —privación a alguien de sus bienes, previo abono de su justiprecio, por causa de utilidad pública— aunque se discute si fue conocida, con este carácter general, en derecho romano, las fuentes confirman su particular uso, al menos con respecto a la construcción de acueductos públicos.

II. Limitaciones en interés privado

A) Los árboles; ramas, troncos o raíces del fundo del vecino que se proyectan o introducen en el nuestro, podremos, en general, exigir se corten y si no se atiende a ello cortarlas nosotros[26].

B) Los frutos —y objetos— caídos en el fundo ajeno, podremos recogerlos en días alternos[27].

C) Las obras del vecino que alteren el curso natural de las aguas fluviales, las podremos impedir y —en época postclásica— también aquellas que nos priven del aire y viento necesarios para labores agrícolas o de vistas al mar o al monte.

D) Los humos y humedades, siendo moderados y usuales, deben ser tolerados[28], pero no los que sean excesivos —caso de la *taberna*

---

[24] En derecho clásico, el propietario del fundo lo es, también del subsuelo. Por ello, los extraños no podrán excavar sin su autorización de aquel.

[25] Se establece por Graciano —a.382— y se mantiene en derecho justinianeo.

[26] Con origen en las XII Tablas, el pretor concede dos interdictos sobre la corta de arboles —*de arboris coercendis*—. La diferencia entre ellos estriba en que se trate de fundos rústicos o edificios pues en aquellos solo puede cortarse las ramas a 15 pies del suelo y en éstos no existe esta limitación.

[27] Este derecho está protegido, en las XII Tablas, por la acción de recogida de bellota —*actio de glande legenda*—. El pretor la convierte en interdicto —*interdictum de glande legenda*— y establece que esta facultad se ejerza en días alternos —*tertio quoque die*—. Lo que en principio se establece para la bellota se extiende a toda clase de frutos y así, Ulpiano dirá: *glandis nomine omnis fructus continetur*.

[28] Se puede hacer, en la propia casa, un poco de humo —*fummum non grave*— como el de la cocina —*ut puta ex foco*— y se permite al dueño construir un baño, aunque con ello humedezca la pared vecinal —*quamvis umorem capiat paries*— o lavar el suelo, aún humedeciendo el techo del vecino... pero no deben soportarse los humos procedentes de una fábrica de quesos, los olores del estercolero o las cañerías que mantengan constantemente húmeda la pared adyacente.

casiaria, una fábrica de quesos— o produzcan grave daño. Estos tienen el carácter de inmisión y sólo se admiten si existe una servidumbre[29].

4. PROTECCIÓN DE LA PROPIEDAD

Al estar la propiedad expuesta a múltiples ataques, y de distinta índole, no extrañará que, también, resulte defendida por una gran variedad de acciones. Se pueden distinguir tres grupos: acciones recuperatorias, de defensa y de deslinde.

a) Las recuperatorias reprimen una lesión total al derecho de propiedad, como cuando se priva al dueño de la posesión de la cosa[30]. b) Las de defensa reprimen una lesión parcial, como cuando sin privarse al dueño del objeto de su propiedad, sin embargo se pretende desconocer algunas de las facultades que comporta, pudiendo matizarse, a su vez, según la perturbación ya se haya producido, como cuando, por ejemplo, alguien pasa —sin derecho a ello— por nuestro fundo[31] o esté por producirse y se pretenda prevenir un daño o riesgo que se tema, como cuando el edificio vecino, ruinoso, amenaza derrumbarse sobre nosotros[32]. c) Las de deslinde, tienden a señalar los límites del fundo que nos pertenece[33].

---

[29]   No es romana la doctrina de los llamados «actos de emulación». Es decir, los realizados por el dueño de una cosa sin utilidad para él y sí para perjudicar al vecino. El ejemplo que suele ponerse es el del propietario que construye al borde del límite de su finca un altísimo muro sin otro fin que el de privar de vistas y luces al vecino —*animus nocendi*—. Es cierto que no faltan algunas frases, en las fuentes, en que asentar esta teoría, pero tampoco otras en que negarla. Así, por ej. Gayo, con referencia a los esclavos, nos dice que no debemos usar mal de nuestro derecho —*male enim nostro iure uti non debemus*— pero, también, y con carácter general, que quien usa su derecho no perjudica a otro —*qui iure suo utitur neminem laedit*—.

[30]   Entre ellas cabría citar a la acción reivindicatoria; la publiciana y la rescisoria. La primera, es la única, en puridad, dominical, o sea, que nace del dominio, ya que la publiciana derivaría de la posesión de buena fe y la rescisoria, del dominio perdido por prescripción.

[31]   Procede la *actio negatoria* e incluir en este grupo, también, la *actio aquae pluviae arcendae*.

[32]   Procede la caución de daño temido —*cautio damni infecti*— e incluir en el grupo la denuncia de obra nueva —*operis novi nunciatio*—.

[33]   Lo que se produciría a través de la acción de deslinde de los campos —*actio finium regundorum*—.

Además de estas acciones que protegen directamente la propiedad —dominicales— se debe tener presente: 1.º) que existen algunas otras que pueden preparar el ejercicio de éstas[34]; 2.º) que el propietario también puede usar los *interdictos*[35] y 3.º) que, en época clásica, al existir distintos tipos de propiedad, tuvieron su propia tutela.

A continuación aludiremos, en particular, a la: Acción Reivindicatoria, la acción Publiciana y la Negatoria y después, en general, a las que derivan, sobre todo, de las relaciones de vecindad.

I. Acción Reivindicatoria

A) *Denominación y concepto*

a) Proviene de los términos latinos *vindicatio* = reclamación y *res, rei* = cosa y expresa fielmente, su finalidad: la reclamación de la cosa.

b) Es la acción que compete al propietario no poseedor contra el poseedor no propietario, que pretende se reconozca su derecho de propiedad y por ello, la restitución de la cosa —o en derecho clásico el pago de su precio—.

B) *Partes y objeto*

a) Actor es el propietario no poseedor —si tuviera la posesión sería un contrasentido— y demandado el poseedor no propietario. En derecho clásico, sólo puede ser demandado el *possessor* propiamente dicho[36] y no el simple detentador o poseedor natural[37]. En derecho postclásico, también, puede demandarse a éstos, siempre que tengan la cosa por un tercero y no por el actor[38] y en época justinianeo, en fin, se puede demandar a cualquiera que «tenga» en su poder la cosa —con

---

[34] Supuesto de la acción exhibitoria —*actio ad exhibendum*—de la cosa mueble, para una vez identificada poder ejercer con certeza la *reivindicatio*.

[35] Entre ellos cabe citar: el *interdictum quem fundo*; el *interdictum quod vi aut clam*, los *interdicta de arboribus caedendis* y el *interdictum de glande*.

[36] Es decir en el que concurre el doble requisito de *corpus* y *animus*.

[37] Si éste está ligado, contractualmente —arrendamiento, comodato, depósito— con el actor, deberá ejercer la acción personal derivada del contrato que los une.

[38] Constantino les permite eludir el proceso si confiesan el nombre del verdadero poseedor —*laudatio* o *nominatio auctoris*—.

independencia de la causa de esa tenencia— incluso, a los que no la tienen, poseedores ficticios —*ficti possessores*— en dos casos: a') cuando alguien deja dolosamente de poseer —*qui dolo desiit possidere*— antes de la *litis contestatio* y b') cuando sin ser poseedor se fingiera como tal para que el pleito se siga contra él —*qui liti se obtulit*— y así mientras el verdadero poseedor poder usucapir.

b) Dado que la *reivindicatio* se funda en el derecho de propiedad, todo lo que puede ser objeto de ella podrá serlo de esta acción. La cosa, pues, basta que exista en los momentos de la *litis contestatio* y sentencia, ya que las destruidas —material o jurídicamente— no pueden reclamarse —*res extinctae vindicari non possunt*—.

C) Prueba

El actor debe probar la identidad del objeto y su derecho de propiedad sobre él. Si la propiedad se "origina" en mí (adquisición originaria) —no plantea especiales dificultades— pero si "deriva" de otro (adquisición derivativa) —Ticio, actor, ha adquirido de Cayo— se ha de probar también el derecho del transmitente —Cayo— y el de la serie, más o menos larga, de transmitentes anteriores. Esta complicada prueba —*probatio diabolica*, según comentaristas— se atenúa por la *usucapio*, ya que si el actor puede probar que ha poseído la cosa —por sí o por su causante[39]— el tiempo necesario para usucapirla estará dispensado de otra prueba. El demandado puede o no defenderse, pues como recuerda Ulpiano: contra su voluntad —*invitus*— nadie —*nemo*— está obligado a defender una cosa —*rem cogitur defendere*—, pero si no lo hace se entrega al actor[40].

D) Efectos

Se pretende el reconocimiento del derecho de propiedad del actor y, en derecho justinianeo, la restitución de la cosa con todos sus frutos

---

[39] Puede unirse el tiempo de la posesión del reivindicante con el del transmitente, lo que se denomina accesión de la posesión, *accesio possessionis*.

[40] Ello se hacía, en derecho clásico: a) si se trata de un fundo, mediante concesión del Pretor al actor del *interdictum quem fundum*; b) si es mueble y está en presencia del magistrado, por simple orden de éste, *rem duci vel ferri pati*, y c) si no lo está, mediante la concesión de la *actio ad exhibendum*, para solicitar su presentación e identificarla.

y accesiones[41], debiendo tenerse en cuenta, además: los gastos que el poseedor hubiera hecho en la cosa y los deterioros que ésta pueda haber sufrido.

El régimen en materia de frutos, gastos y daños resulta complejo, al tener que distinguir, no sólo en cuanto a la naturaleza de cada uno de ellos, sino también entre la buena o mala fe del poseedor y el derecho clásico y justinianeo. Procuraremos resumirlo, según este último derecho, anticipando que el poseedor siempre será de mala fe desde la *litis contestatio*.

a) Frutos[42].– el poseedor de buena fe deberá restituir los no consumidos —*exstantes*— y, desde la *litis contestatio*, los percibidos —*percepti*— y los que hubiera debido percibir —*percipiendi*— y el de mala fe —considerado como administrador de cosa ajena— deberá restituir los frutos que se encuentren en las tres citadas situaciones.

b) Gastos —*impensae*— los hay de tres tipos —*impensarum species sunt tres*—: necesarios (o de conservación) —*necessariae*— útiles (o de mejora) —*utiles*— y voluptuarios (o de lujo, ornato o mero recreo) —*voluptuariae*— Son necesarios los hechos para la conservación de la cosa y que de no hacerse se dañaría —como la reparación de una casa que amenaza ruina—; útiles, los que de no hacerse no se daña la cosa pero al hacerlos aumenta su renta y productividad —como si se plantase, en un fundo, vides u olivos— y voluptuarios los que de no hacerse no se daña a la cosa y hechos no aumenta su productividad —como en el caso de jardines o pinturas—. El régimen de los gastos, con Justiniano[43] y a tenor del principio de que nadie debe enriquecerse a costa de otro —*nemo ex aliena iactura locupletari debet*— fue: 1) respecto a los necesarios, que todo poseedor —de buena o mala fe— excepto el ladrón, tiene derecho a su reembolso; 2) a los útiles, que sólo lo tiene el poseedor de buena fe y 3) respecto a los de lujo, que todo poseedor podrá retirarlos —*ius tollendi*— si no se hace con daño en la cosa e implica utilidad para él.

---

41 Al ser en derecho clásico, toda condena en dinero —*omnis condemnatio pecuniaria esse debet*— el Pretor acude a vías indirectas para lograrlo.

42 En derecho clásico, el poseedor, si es de buena fe sólo ha de devolver los percibidos —*percepti*— después de la *litis contestatio* y si es de mala fe también los anteriores.

43 En derecho clásico, se excluye, en todo caso de una posible indemnización al poseedor de mala fe y en cuanto al poseedor de buena fe, se le deberían abonar: los necesarios; la menor suma resultante entre la suma gastada y el valor de la mejora, en los útiles y nada respecto a los voluntarios.

c) Daños.– Por la causa que los motive, pueden ser dolosos —por mala fe del poseedor— culposos —por su culpa o negligencia— y fortuitos —por simple azar—. Se responde: 1) de los dolosos, siempre; 2) de los culposos, el poseedor de buena fe, sólo de los posteriores a la *litis contestatio* y el de mala fe de los anteriores y posteriores y 3) de los fortuitos nunca, incluso el poseedor de mala fe si pudiera probar[44], que también se hubieran producido de estar la cosa en poder del propietario.

II. Acción Publiciana

A) *Denominación, concepto y naturaleza*

a) Su nombre alude a su creador: el pretor Quinto Publicio —s.I AC—.

b) En general, puede definirse como la acción que compete al que ha perdido la posesión de una cosa, adquirida *ex iusta causa*, antes de haber consumado en su favor la *usucapio*, contra el que la posee con un título inferior al suyo para obtener su restitución.

c) Es una acción ficticia, pues se finge, sin ser cierto, que ciertos poseedores —los que tienen la cosa en sus bienes, *in bonis habere*— han cumplido el tiempo necesario para adquirir su propiedad por *usucapio*.

B) *Partes, objeto y efectos*

a) Actor es, en general, el usucapiente no poseedor[45]. Demandado puede ser cualquier persona que tenga la cosa, pero para que prospere la acción será necesario que la tenga con un título inferior al demandante. Así: si existe vicio de forma, el propietario bonitario la ejercerá siempre con éxito contra el dueño transmitente y contra terceros; pero si existe un vicio de fondo, el poseedor de buena fe perderá frente

---

[44]   No así en derecho clásico.
[45]   En concreto: el propietario bonitario —adquisición de un dueño (*a domino*) mediando un vicio de forma en la transmisión (*res mancipi* por *traditio*)— y el poseedor de buena fe —adquisición de un no dueño (*a non domino*) existiendo un vicio de fondo que ignora el adquirente—.

al verdadero dueño —pues a la *exceptio iusti dominii* de éste no cabe *replicatio*: la realidad se impone a la ficción[46]— y frente a terceros, dependerá sean, o no, de peor condición que él —que tengan «título inferior al suyo»—. Ulpiano nos dice que: si actor y demandado habían comprado la cosa, por separado, a una misma persona —no dueña— teniendo ambos buena fe, tiene condición preferente el que la adquirió primero —*potior sit, cui priori res tradita est*—; pero si —*quodsi*— lo hicieron a personas distintas, no dueñas —*a diversis non dominis*— se da preferencia —*melior causa sit*— al último, es decir, al poseedor actual —*possidentis quam petentis*—.

b) Son objeto de esta acción todas las cosas que puedan usucapirse y siendo similar a la *reivindicatio*, producirá iguales efectos que ésta.

III. Acción Negatoria[47]

A) Concepto y naturaleza

a) Es la acción que incumbe al propietario de un inmueble contra quien pretenda tener algún derecho real sobre él —ej. una servidumbre o un usufructo—.

b) Es una acción de defensa de la «plenitud» de la propiedad

B) Partes y efectos

a) Actor es el propietario del inmueble que niega la existencia del gravamen y que deberá probar su derecho de propiedad y la perturbación causada por el demandado. Demandado será el causante de la perturbación, que deberá probar el derecho que le asiste para ello, ya que la propiedad se presume libre.

b) Su finalidad es: 1) que se declare la «libertad» del fundo; 2) se repongan las cosas a su primitivo estado —cese de la perturbación—; 3)

---

[46]   Si el transmitente no era dueño de la cosa al entregarla y después sí —por ej. por heredarla— a su *exceptio iusti dominii* el actor podrá oponer la *replicatio doli*.

[47]   Su nombre proviene de la fórmula negativa de la *intentio* (*si paret Numerio Negidio ius non esse* = si resulta probado que el demandado no tiene derecho) y se contrapone, pues, a aquella en que se pretende se declare el derecho sobre una cosa ajena —*vindicatio servitutis*— llamada por los postclásicos *actio confesoria*.

la indemnización de los daños sufridos y 4) en su caso, preste garantía el demandado de no causar nuevas molestias —*cautio de amplius non turbando*—.

IV. Otras acciones derivadas de las relaciones de vecindad

Entre ellas cabe recordar:

A) La acción de contención de agua pluvial —*actio aquae pluviae arcendae*—. Suele definirse como la acción que tiene por finalidad restablecer el curso natural de las aguas, que ha sido modificado por una obra realizada por el vecino. Así, por ejemplo cuando el dueño de un predio superior hace una obra —o destruye la existente— y se produce, por ello, una avalancha o aumento perjudicial del agua para el predio inferior o cuando el dueño de éste hace una presa con iguales consecuencias[48]. En derecho justinianeo se extiende esta acción a todo litigio sobre aguas entre vecinos[49].

B) La caución de daño temido —*cautio damni infecti*—. Es la promesa de resarcir los daños que amenazan a una finca por el mal estado de la contigua o las obras realizadas en ella por el vecino[50].

---

[48] I) Origen: ya en las XII Tablas. II) Fundamento: que las aguas deben discurrir naturalmente —*naturaliter defluere*—. III) Actor: el propietario del predio que resulte o pueda resultar perjudicado por el agua pluvial. IV) Demandado: el propietario del fundo en que se han realizado las obra o permitió la ruina de las existentes, aunque no sea su autor. V) Fin: la destrucción de la obra —que desvía el curso natural de las aguas, reduce su cauce o la hace discurrir con más fuerza— y la indemnización de los daños y perjuicios que sobrevengan tras la *litis contestatio*. Si el propietario de la finca es el autor de la obra, *auctor operis*, se hará a su costa, si no es el propietario actual deberá soportar su demolición.

[49] El agua se considera un bien que interesa a todos por igual y debe ser usada en los límites de la propia utilidad, condenándose su abuso y la realización de obras con el único fin de perjudicar a otro —*animus nocendi*—.

[50] I) Origen: derecho pretorio. II) Por lo general suele prestarse extrajudicialmente y es subsidiaria —no procede si el daño temido puede resarcirse por otros medios—. III) Actor: en derecho clásico el propietario de la cosa amenazada y en el justinianeo el titular de cualquier derecho real sobre ella. IV) Demandado, tratándose de situación ruinosa —*vitium fundi*— el propietario, enfiteuta o poseedor de buena fe y si es por obras realizadas —*vitium operis*— el autor de la obra. V) Si solicitada esta caución, el vecino no la presta —o abandona la finca— el pretor, con fines coactivos, otorga al solicitante la detentación de la finca —*missio in possessionem ex primo decreto*— durante un año y si persiste en su actitud, el pretor confirma esta posesión —*missio in possessionem ex secundo decreto*— que protege por la *actio Publiciana* y puede convertirse en propiedad por *usucapio*.

C) La denuncia de obra nueva[51] —*operis novi nuntiatio*—. Es un medio enérgico y sumario de paralizar las construcciones de nuestro vecino que, por su naturaleza, pueden ocasionarnos algún perjuicio, por ej. impedirnos las vistas al mar, por existir, sobre el fundo en que se realizan las obras una servidumbre de no elevar la edificación —*altius non tollendi*—[52].

D) El interdicto de lo hecho por la fuerza o clandestinidad —*interdictum quod vi aut clam*—. Es un medio pretorio por el que el propietario o titular de un derecho real o personal sobre un fundo puede exigir, en el plazo de un año, la demolición de la obra hecha en él, contra su prohibición —*vi*— o clandestinamente —*clam*—[53].

E) La acción de deslinde de fincas —*actio finium regundorum*—. Es una acción de carácter divisorio[54] —no sujeta a prescripción— que

---

[51]   Por obra nueva se entiende toda construcción, demolición, reforma o reconstrucción que altere, notablemente, la fisonomía de un lugar, pero no la restauración de canales y cloacas o aquellas cuya demora ocasionaran peligro.

[52]   I) Denunciante —*nuncians*—: el perjudicado, que podrá hacerlo por sí o por medio de procurador. II) Denunciado —*nunciatus*—: el vecino dueño de la obra o cualquier otra persona que esté allí en su nombre —*domini operisve nomine*— (su mujer, un operario, un esclavo) ya que la denuncia se hace más a la obra que a la persona —*nunciatio in rem fit non in personam*—. III) Lugar: la denuncia deberá hacerse en el mismo sitio de la obra —*in re praesenti*— y si sólo se refiere a una parte de ella deberá designarse. IV) Efectos, en general: su suspensión sin prejuzgar su legitimidad. V) El denunciado tiene las siguientes posibilidades: a) interrumpir la obra y proceder a demostrar su derecho a hacerla; b) lograr del pretor la autorización de continuarla —*remissio nuncupationis*—; c) prometer que devolverá las cosa a su primitivo estado si el denunciante vence en el ulterior ejercicio de su acción y d) continuarla pese a la denuncia. Si lo hace el pretor concederá al denunciante el *interdictum demolitorium* y si pese a prestar caución, el *nuncians* se opone, el pretor le concede el *interdictum ne vis fiat edificanti* y si, aún así, se sigue oponiendo tendrá que valerse de la *actio negatoria* o de la *vindicatio servitutis*.

[53]   I) Actor: cualquiera que tenga interés legítimo en que cese la obra. II) Demandado: el autor de la obra y sus herederos, con independencia de su derecho, siempre que lo hubiera hecho *vi aut clam*. III) La obra —*in alieno* o *in suo*—: debe implicar un cambio en la situación anterior del fundo —apertura de fosas, construcción o demolición de edificios, contaminación de aguas...—. IV) Efecto principal: restituir la cosa a su primitivo estado. Si el poseedor actual es el autor de la obra, deberá restituir por sí y a su costa; si no es poseedor, sufragar los gastos de demolición y los daños causados y si el poseedor actual no es el autor, deberá soportar la destrucción —*patientia destruendi*—.

[54]   No es, realmente, una acción para dividir cosas comunes —como la *actio communi dividundo* y la *actio familiae erciscundae*—. Sin embargo, en derecho romano se incluye dentro de las de este tipo al tener *adiudicatio*, y pese a que ésta, a diferencia

tiene por objeto fijar, judicialmente, entre vecinos, los límites de un fundo rústico[55].

5. EL CONDOMINIO O COPROPIEDAD

El dueño de una cosa —un esclavo— no es, por fuerza, una sola persona —el esclavo Estico puede ser de Ticio, Cayo y Sempronio— en estos casos se habla de condominio o copropiedad.

I. Denominación, concepto y caracteres

A) El término condominio o copropiedad no aparece en las fuentes romanas que para referirse a las situaciones en que una cosa pertenece, a varias personas dicen: que se tiene la cosa en común —*rem communem habere* o *rem communem esse*— o que es de varios —*rem plurium esse*— llamándose a sus titulares dueños —*domini*— o socios —*socii*—[56].

B) La copropiedad suele definirse como la situación jurídica que se produce cuando la propiedad de una cosa pertenece *pro indiviso* —sin dividir— a varias personas.

C) Son, por tanto, sus caracteres en cuanto: a) a los sujetos, su pluralidad; b) al objeto, su unidad —indivisión material— y c) al derecho, su atribución de cuotas —división intelectual—[57].

---

de los demás *iudicia divisoria*, tiene carácter declarativo (y no constitutivo) de unos derechos ya existentes.

[55] Su origen se remonta a las XII Tablas y su evolución resumirse así: a) en el procedimiento de las *legis actiones* se ejercitaba a través de la *legis actio per iudicis arbitrive postulationem*; b) en el formulario, la fórmula contiene la correspondiente *adiudicatio* y c) con Justiniano tiene carácter de acción mixta —*tam in rem quam in personam*—.

[56] El derecho de cada copropietario se designa como *dominium pro parte* o *pars dominii* y también —por traslación de la cosa por el derecho—*pars rei pro indiviso* o *pars iuris qui intellectum habet*.

[57] Estas representan, la proporción aritmética en que cada condomino: ha de gozar de los beneficios de la cosa, contribuir a sus cargas y obtener una parte material de la misma cuando se divida —o de su valor si es indivisible—. En el ejemplo propuesto en el texto, corresponderá 1/3 a cada condueño.

II. Origen y clases

A) La primera manifestación de copropiedad es el consorcio entre hermanos —*consortium inter fratres*— comunidad universal de bienes, propia de los ciudadanos romanos —*quaedam erat genus societatis proprium civium romanorum*— que se producía entre los hijos de familia a la muerte del *pater*[58]. En ella, todo es de todos y el poder integro de cada uno sólo se ve limitado por el posible veto del otro —*ius prohibendi*—.

B) El condominio puede deberse a la voluntad de los que lo constituyen (Ticio, Cayo y Sempronio unen su dinero para comprar a Estico) y se habla entonces de copropiedad voluntaria, o a un hecho ajeno a dicha voluntad (el dueño de Estico, al morir, lo deja —lega— a Ticio, Cayo y Sempronio) y entonces se habla de copropiedad incidental[59].

III. Naturaleza jurídica

En el condominio aparecen en conflicto dos principios opuestos: el de unidad del derecho de propiedad y el de la pluralidad de sus titulares. Es imposible que una misma cosa, íntegramente, pertenezca a varias personas y es una contradicción hablar de copropiedad, ya que si algo es mío no puede ser, a la vez, de otros. Los romanos lejos de teorizar al respecto —cosa que queda para la dogmática moderna— eluden el problema y así admitiendo, con Celso, que, «fácticamente», no es posible una propiedad —o posesión— ejercida por dos personas, *in solidum*, sobre una misma cosa —*duorum quidem in solidum dominium (vel possessionem) esse non posse*— se reconoce, con Ulpiano, una indivisión —*in solidum*— de la cosa común, en la que el derecho de propiedad se concibe «jurídicamente» dividido en cuotas ideales o partes abstractas. Es decir, como una propiedad dividida en cuotas ideales[60] en

---

[58]   Gayo nos dice que: antiguamente —*olim*— a la muerte del *paterfamilias* —*mortuo patre familia*— entre sus (hijos) herederos —*inter suos heredes*— había una cierta sociedad, legítima y natural —*quaedam erat genus societatis legitima simul et naturalis*— que se llamaba —*quae appellabatur*— propiedad —*ercto*— sin dividir —*non cito*—, es decir —*id est*— dominio sin dividir —*dominio non diviso*—.

[59]   Las fuentes hablan de *incidere* (de ahí incidental) *in communionem*.

[60]   El dominio de toda la cosa se concibe como atribución de partes. Ulpiano, y respecto al *servus communis* —esclavo común— nos dice que es de todos, no como si todo el

la que la atribución, a cada condómino de una fracción aritmética de la cosa común se incorporará a su patrimonio como entidad autónoma mientras dure la indivisión y se individualizará y concretará en una porción material de la cosa al ser dividida.

IV. Régimen

El régimen de la copropiedad varía en el tiempo.

A) En época arcaica estaría representado por aquel *consortium inter fratres*, al que hemos aludido, en el que cada condómino se considera dueño del todo con la única limitación del posible veto de los demás.

B) En época clásica, al producirse una comunidad por cuotas, su régimen es más complejo. Así, cabe distinguir: a) por un lado, entre actos que puede realizar cada condómino por sí sólo y con plena libertad; los que puede hacer de no mediar oposición expresa de otro condómino y los que necesitan el consentimiento de todos; b) por otro lado, entre los actos que afectan a la propia cuota y los que afectan a la cosa común y c) finalmente, entre los que comportan una mera disposición material de la cosa o una disposición jurídica. Procuraremos armonizarlos.

1.º) Respecto a la propia cuota, cada condueño tiene su plena propiedad. Así pues, podrá disponer libremente de ella —o sea, realizar cualquier acto de disposición jurídica, como enajenarla *inter vivos*, trasmitirla *mortis causa*, gravarla o hipotecarla...— pero si la abandona pasará, acrecerá, a los demás —*ius adcrescendi*, derecho de acrecer[61]—. Esta cuota —que puede ser diversa entre los condóminos— determinará la participación proporcional del condómino en los actos de disposición material —uso, frutos, utilidades y cargas en la cosa común—.

2.º) Respecto a la cosa común, todos los actos de disposición jurídica sobre ella —enajenarla, constituir una servidumbre, convertirla en *extra commercium*— necesitarán, siempre, el consentimiento de to-

---

fuese de cada uno —*non quasi singulorum totus*— sino por partes indivisas —*sed pro partibus utique indivisis*— de suerte que tengan las partes mas bien intelectual que corporalmente —*ut intellectu magis partes habeant, quam corpore*—.

[61]   Constituye un residuo del régimen arcaico.

dos los condominios y los de simple disposición material —una mera innovación o alterar el destino de la cosa, como el cambio del cultivo de la finca, suprimir un edificio, elevar uno nuevo...— bastará que no exista el veto o prohibición de cualquier condómino —*ius prohibendi*—[62].

V. Extinción

El condominio es una situación antieconómica y semillero de discordias, por ello se considera en derecho romano —y se proyecta al moderno—: su carácter transitorio; que ningún condueño está obligado a permanecer en esta situación; que el pacto en contrario es nulo y que cualquier condómino puede solicitar que cese el estado de copropiedad.

La acción a utilizar es la de división de la cosa común —*actio communi dividundo*[63]—. Si la cosa es divisible, sin pérdida de su valor —dinero, frutos naturales...— se procederá a su división, correspondiendo a cada uno de los antiguos condóminos una parte «divisa» —concreta, específica y determinada—[64], en proporción a su cuota y tal adjudicación —*adiudicatio*— tendrá carácter constitutivo —no declarativo—. Si la cosa es indivisible, se adjudica a uno o varios de los condómino, que deberán indemnizar al resto en proporción a sus cuotas o, en otro caso, se vende, en pública subasta, a un tercero, repartiéndose el precio de venta en igual proporción. En derecho justinianeo, esta acción, que se remonta al s. III AC[65], se configura como mixta —*tam in rem quam in personam*— y puede utilizarse, sin que cese la copropiedad, para regular las relaciones entre los condóminos —así, en materia de gastos, frutos, daños...—[66].

---

[62]   El *ius prohibendi*, en derecho justinianeo, sólo se admite si es en beneficio de la comunidad no por mero capricho.

[63]   Si el origen de la comunidad fuera por causa de herencia se acudiría a la acción de partición de herencia, *actio familiae erciscundae*.

[64]   No como antes: *indivisa*, abstracta, ideal, intelectual.

[65]   Establecida por una *Lex Licinia*, anterior al 210 AC.

[66]   La *actio communi dividundo* procede también en casos de mezcla de líquidos —*confusio*— o sólidos —*commixtio*—.

Tema 22

Modos originarios de adquirir la propiedad

La adquisición de la propiedad —originaria o derivativa— requiere el concurso de tres requisitos. Un sujeto, que adquiere, un objeto, susceptible de adquisición y una forma o modo de adquirir. De aquella, en general, y de éstas, en particular, trataremos en este tema y en el siguiente.

1. MODOS DE ADQUIRIR LA PROPIEDAD EN GENERAL

Los modos de adquirir la propiedad son los diferentes hechos jurídicos a los que el Derecho reconoce el efecto de originar el dominio en una persona.

La pluralidad de estos medios[1] da lugar a múltiples clasificaciones. Las dos más difundidas, desde un prisma histórico y moderno, distinguen entre modos naturales y civiles y entre modos originarios y derivativos.

A) Por su origen, Justiniano, siguiendo a Gayo, distingue entre modos de adquirir: a) de derecho natural —*quod appellatur ius gentium*— o de derecho de gentes —*iuris gentium*— que son comunes a todos los hombres; y b) modos de adquirir de derecho civil —*iuris civilis*— privativos de los ciudadanos romanos[2].

---

[1]   Así, pueden ser: hechos naturales simples —como la accesión— o complejos —como la usucapión—; actos de autoridad —como la adjudicación— y negocios jurídicos, unilaterales —como la ocupación— o bilaterales —como la *mancipatio*—.

[2]   Esta clasificación reviste gran interés en derecho clásico, pero extendida la ciudadanía romana a todo habitante del Imperio, abolida la diferencia entre las *res mancipi* y *nec mancipi* y superados los viejos formalismos civiles, su valor, incluso

B) Según medie o no relación con el antecesor jurídico, se suele distinguir entre: modos originarios, si no se da dicha relación —lo que ocurre, por ej. si Ticio coge una concha que encuentra en la playa—[3] y derivativos, en caso contrario, es decir cuando existe —por ej. si compramos algo a su dueño y nos lo entrega[4]—.

2. LA OCUPACIÓN

I. Denominación, concepto e importancia

A) *Occupatio*, de *occupare*, es palabra compuesta de *ob* = por, a causa de y *capere* = coger, aprehender, adquirir, tomar, apoderarse... y como modo de adquisición del dominio, refleja que, se produce por —a causa de— la aprehensión o apoderamiento de una cosa.

B) La ocupación es un modo de adquirir la propiedad consistente en la aprehensión o toma de posesión de una cosa que no tiene dueño con intención de hacerla propia.

C) Su importancia es capital en épocas primitivas y decrece en las históricas. No hay pues, evolución, sino involución. Las principales causas de ello son: que el número de cosas sin dueño se reduce a medida que la sociedad avanza en civilización y cultura y que las legislaciones modernas tienden a atribuir la propiedad de las cosas carentes de dueño —o al menos las de un mayor valor— al Estado.

---

en Derecho Romano, termina por ser sólo histórico. Pese a ello, Justiniano extiende esta clasificación a todos los modos de adquirir. Así: a) son de derecho de gentes, la ocupación, accesión y tradición y b) de derecho civil, la *mancipatio*, *in iure cessio*, *usucapio*, legado, fideicomiso, donación, adjudicación y ley.

[3]   En este caso, la adquisición de Ticio no se vincula a la pérdida de un anterior dueño; su adquisición no «deriva» de otro ni requiere la colaboración de un transmitente.

[4]   Se basa, pues, en un derecho anterior de propiedad —nuestro derecho «deriva» de él— y, por tanto, se recibirá en las mismas condiciones. Así, tratándose de una casa que estuviera hipotecada, pasaría al adquirente con esta carga. La distinción de que en los modos originarios surge para el adquirente un derecho *ex novo* y en los derivativos se da un mero traspaso de un derecho que ya existía: es de carácter bizantino; goza del favor de la romanística y, en algunos casos, no resulta del todo clara y precisa, como en los supuestos de la usucapión y de la adquisición de frutos.

II. Fundamento y naturaleza jurídica

A) Su fundamento resulta claro, ya que es obvio, dice Gayo, que lo que no es de alguien —*quod enim nullius est*— se conceda por razón natural —*id ratione naturali*— al que lo ocupa —*occupanti conceditur*—.

B) Es un modo de adquirir la propiedad originario y de derecho de gentes. Es *iuris gentium*, porque representa la forma más natural, antigua y universal de generar la propiedad y es originario, hasta el punto que Nerva hijo ve en él el origen de la propiedad. El dominio de las cosas —*dominiumque rerum*— (dice) empezó por la posesión natural —*ex naturali possessione coepisse*— de lo que quedan vestigios —*eiusque rei vestigium remanere*— en las cosas que se cogen en la tierra, en el mar y en el aire —*de his quae terra, mari coeloque capiuntur*—.

III. Elementos

Los elementos de la ocupación se desprenden de su concepto y se deben vincular: A) al sujeto y su intención; B) al objeto y su aptitud y C) al acto de toma y posesión y su forma.

A) El elemento personal o subjetivo, se refiere a la intención del sujeto de adquirir la propiedad de la cosa —*animus domini*— y requiere un acto de voluntad adquisitiva. Por ello, los que carecen de discernimiento no podrán adquirir por este medio[5]. Esto no implica que se exija la plena capacidad y así el impuber mayor de 7 años —*pupilli infantia maior*— podrá adquirir sin la autoridad del tutor —*sine tutoris auctoritate*— al tratarse, de una «cosa» de hecho y no de derecho —*rem facti non iuris esse*—.

B) El elemento real u objetivo, se refiere a la cosa, que exige una doble condición: ser apropiable por su naturaleza —*in commercium*— y carecer de dueño —*res sine domino*—; bien porque nunca lo tuvo —*res nullius*—; bien porque su dueño, libremente, la abandonó —*res derelicta*—; bien por pertenecer a los enemigos o extranjeros —*res hostium*—. Se excluyen: a) las cosas perdidas o extraviadas, como las que de un carruaje en marcha —*rheda currente*— sin que el dueño lo

---

[5]   Así el *furiosus* cuya situación equipara Paulo a cuando alguien pone una cosa en la mano del que duerme —*sicuti si quis dormienti aliquid in mano ponat*—.

note —*non intelligentibus dominis*— caen —*cadunt*—; b) las hurtadas y c) las abandonadas para evitar un peligro mayor, como las lanzadas al mar —*iactus mercium*— para salvar la nave, puesto que no fueron abandonadas libremente.

C) El elemento formal, se refiere al acto de toma de posesión, que no debe entenderse en un sentido estrictamente material, sino más amplio, es decir, en el de ser adecuado a la naturaleza de la cosa y considerado, socialmente, suficiente para revelar que queda sometida a la disponibilidad del sujeto. Al estar tal posible diversidad en conexión con los diferentes objetos susceptibles de ocupación nos referiremos a los distintos casos en que puede esto tener lugar.

IV. Casos

Según las fuentes son casos de ocupación, aunque de *res nullius* solo los tres primeros:

A) La isla nacida en el mar —*insula in mari nata*—[6].

B) Las cosas encontradas en el litoral del mar —*res inventae in litore maris*— como guijarros, piedras preciosas y demás objetos —*lapilli gemmae et cetera*— que serán del que los encuentra —*inventoris fiunt*—.

C) Los animales susceptibles de caza y pesca —*venatio, aucupium* y *piscatio*—: el caso más frecuente.

D) Las cosas abandonadas —*res derelictae*— libremente por su dueño que si se ocupan —*occupaverit*— se adquieren inmediatamente —*statim domini efficit*—[7].

---

[6]   Gayo dice que esto rara vez ocurre —*quod raro accidit*— y que se hace del ocupante —*occupantis fit*— porque se considera de nadie —*nullius enim esse creditur*—.

[7]   A los juristas les preocupó determinar cuando se produce la pérdida de la propiedad. Para los proculeyanos, coincide con la aprehensión; para los sabinianos, con el momento de su abandono. Juliano y Paulo defienden esta segunda postura que refrenda Justiniano al decirnos que: se considera abandonado por su dueño —*pro derelicto autem habetur*— lo que éste desecha —*quod dominus abiecerit*— con intención de no contarlo entre sus bienes —*ea mente... ut id rerum suarum esse nollet*— y, por ello, deja de ser su propietario inmediatamente —*ideoque statim dominus esse desinit*—. Esta postura, según parte de los actuales romanistas, parece concebir la *derelictio* como «una entrega a persona indeterminada» —*traditio in incertam personam*— lo que comportaría no poderse aplicar a las *res mancipi* que no transmitiéndose por *traditio* necesitarían de la *usucapio*.

E) Las cosas de los enemigos —*res hostium*—[8] ya que al no tener capacidad todo lo que, de hecho, les pertenece, de derecho, carece de dueño[9]

Respecto a los animales que, como hemos indicado, es el caso más frecuente de ocupación, precisaremos algo y se debe distinguir entre:

a) Animales mansos o domésticos.– Son los que nacen y crían, ordinariamente, bajo el poder del hombre (gallinas, patos, gansos). Éste conserva siempre su dominio y no son objeto de ocupación. Por ello, si espantados por cualquier accidente —*aliquo casu turbati*— volasen, aunque no estén a tu vista, se entiende son tuyos en cualquier lugar que se encuentren —*quocumque loco sint*— y quien los retiene para apropiárselos —*et qui lucrandi animo retinet*— comete hurto —*furtum committere*—.

b) Animales amansados o domesticados —*bestiae mansuefactae*— son los que siendo por naturaleza fieros o salvajes —*fera natura*— se ocupan, reducen y acostumbran por el hombre. Las fuentes se refieren a ellos, diciendo que tienen la costumbre de «marcharse» y «volver» —*quae ex consuetudine abire et redire solent*—[10]. Son susceptibles de ocupación y pertenecen a quien los ha amansado —*mansue factae*— mientras permanezcan en dicha condición. Así se considera,

---

8   Gayo recuerda, que su fundamento, según los antiguos, obedece a que la propiedad más legítima —*quando iusto dominio*— nacía, precisamente, de las cosas a ellos arrebatadas —*quae ex hostibus cepisset*—. Téngase presente que: a) los inmuebles y el botín de guerra —en conjunto— corresponde al Pueblo de Roma, pero el apoderamiento individual de bienes singulares del enemigo es del ocupante y b) que el concepto de *res hostium* se extiende, no sólo a las cosas adquiridas en guerra, sino a las tomadas a cualquier «extranjero» con cuyo pueblo no medie tratado de amistad.

9   F) Ciertos campos abandonados —*agri deserti*— en el Bajo Imperio, ya por su situación —confines del Imperio— ya por insolvencia de su dueño, en cierto modo, pueden ser una modalidad especial de ocupación. Así: a) respecto a los primeros, una constitución de Valentiniano, Teodosio y Arcadio, priva de la *rei vindicatio* al antiguo dueño contra el ocupante que lo cultive por espacio de 2 años; la adquisición no parece tenga lugar por *usucapio* —ausencia de requisitos— ni por ocupación —no se produce inmediatamente— sino por su cultivo, *pro cultura* y b) respecto a los segundos, una constitución de Arcadio y Honorio confiere su propiedad al primer ocupante que se haga cargo del pago de los impuestos, si en el plazo de 6 meses, el antiguo dueño, no atiende, la invitación, oficial y pública, de regresar; la adquisición no parece tenga lugar por *usucapio* —ausencia de requisitos— y tampoco por ocupación —al mediar un tiempo y exigirse un pago—.

10   Así, respecto a los pavos y palomas se dice *ex consuetudine avolare et revolare solent*; respecto a los ciervos: *qui in silvas ire et redire solent*.

si mantienen la costumbre de volver al corral —*donec animus revertendi habeant*—; si dejan de hacerlo se pierde su propiedad.

c) Animales fieros o salvajes —*ferae bestiae*—. Tienen este carácter los que vagan libremente y sólo pueden ser cogidos por la fuerza (osos, lobos, jabalíes, abejas, pavos reales, palomas, ciervos...). Son susceptibles de ocupación y nos pertenecen mientras permanecen en nuestro poder. Se pierde su propiedad si huyen y recobran su libertad natural y se entiende la recobran cuando escapen a tu vista —*cum oculos tuos effugeret*— o, aun viéndolos —*in conspectu tuo*— resulte difícil su persecución —*difficilis sit eius persecutio*—.

Dos aspectos merecen destacarse. El del lugar en que se produce la caza y el del momento de la aprehensión de la pieza.

1) Respecto al lugar, poco importa —*nec interest*— en principio, si la captura se produce en fundo propio o ajeno —*utrum in suo fundo an in alieno*— ya que, en Roma, no existen «cotos vedados» y el derecho de caza, considerado como natural y originario del hombre —cazador antes que pastor y agricultor— prevalece sobre el de propiedad[11].

2) El momento de la adquisición de la propiedad de la caza motivó no pocas discrepancias. Para algunos —como Trebacio— si has herido al animal —*si fera bestia vulnerata sit*— ya es tuyo —*statim*— mientras sigas persiguiéndolo —*donec persequaris*—. Para otros —como Gayo— sólo lo será cuando lo hayas cogido —*si ceperis*—. Justiniano confirma esta opinión porque suelen ocurrir muchas cosas que te impidan cogerlo —*quia multa accidere solent, ut eam non capias*—.

3. ADQUISICIÓN DEL TESORO

I. Concepto y naturaleza jurídica

A) Paulo define *thesaurus* como viejo depósito de dinero —*vetus quaedam depositio pecuniae*— del que no existe memoria —*cuius non extat memoria*— que ya tenga dueño —*ut iam dominum non habeat*—.

---

[11] El dueño puede prohibir la entrada —si lo ve antes— al cazador; exigirle indemnizaciones por los daños ocasionados en la finca, pero la pieza será de aquél. Una excepción tiene lugar, según Juliano, cuando, precisamente, la caza sea el rédito normal del fundo —*nisi fructus fundi ex venatione constet*— pues entonces dañaría el derecho del dueño.

Las notas que caracterizan al tesoro, son:

a) Ser una cosa de valor —dinero, alhajas u otros objetos preciosos— ya que el término *pecunia* (dinero) debe entenderse en sentido
lato[12].

b) No pertenecer a alguien, *res sine domino*[13], por ignorarse quien
lo depositó —*ab ignotis dominis*— o, aún conociéndolo, no poder
identificar a su heredero. No falta el derecho —suele decirse— sino
la prueba —*non deficit ius, sed probatio*— por tanto, si alguien puede
acreditar su titularidad no se dará esta figura.

c) La ocultación y antigüedad, no deben entenderse como elementos autónomos, sino en función del elemento anterior, produciendo
una situación en que el tesoro ya no pertenece a alguien.

B) El tesoro es un modo de adquisición del dominio originario y
iuris gentium que presenta hondas analogías con la ocupación y con la
accesión, prueba de ello es que en ciertas épocas se le aplicó su
régimen. Sin embargo, se diferencia de la ocupación en que no
requiere una verdadera toma de posesión, basta con el hallazgo y de
la accesión en que no siempre pertenece, por entero, al dueño del
suelo donde se encuentra.

II. Requisitos y régimen

A) El tesoro requiere: a) un hallazgo o descubrimiento —*inventio*—
y b) no ser buscado —*non data opera*— sino hallado por casualidad
—*fortuito caso*—.

B) La atribución de la propiedad del tesoro varía, en Derecho
Romano, según épocas: a) En una primera, se considera como incremento del fundo y se atribuye al propietario de éste[14]; b) en una segunda, es
un bien vacante —*bona vacantia*— pasando al Erario —luego al Fisco[15]—; c) por último, Adriano —en una constitución recogida por
Justiniano— concede al descubridor —*inventor*— por razones de natu-

---

12   Otros textos hablan de *mobilia*.
13   No es *res derelicta*, por ser depositado por quien, probablemente, era su dueño ni *res
      nullius*, por pertenecer, al heredero, más o menos lejano del deponente.
14   Bruto y Manlio admiten que la *usucapio* del fundo se extienda al tesoro.
15   Aplicación del régimen de la *Lex Iulia et Papia Poppaea*.

ral equidad —*naturalem aequitatem*— los tesoros que encuentre en su fundo —*suo loco*— o en terreno sagrado o religioso —*aut in sacro aut religioso loco*— y sólo la mitad si fuera en fundo ajeno —*in alieno loco*—. La otra mitad sería del dueño del fundo en que se produjo el hallazgo[16].

4. ACCESIÓN

I. Denominación, concepto, y fundamento

A) La palabra accesión equivale a la latina *accessio* = aumento, acrecimiento, que, derivada de *accedo*, comporta la idea de añadirse, juntarse, unirse, sumarse, agregarse. Fiel a esto, en las fuentes jurídicas, *accessio* no designa el modo de adquirir, sino la porción o aumento que se «añade» a una cosa, por lo que presupone el que una cosa se «une» a otra[17].

B) Se entiende por accesión el modo de adquirir la propiedad en virtud del cual el dueño de una cosa hace suyo todo lo que se une o incorpora a ella, natural o artificialmente.

Tres notas ayudan a precisar este concepto. A saber: a) que se produzca la unión de dos cosas pertenecientes a distintos dueños; b) que, tal unión, tenga carácter permanente o inseparable y c) que se pueda distinguir entre cosa principal y accesoria[18].

C) Se esgrime como fundamento de la accesión, el principio de que lo accesorio sigue a lo principal, lo que resulta más práctico que crear un estado de condominio entre los dueños de las cosas unidas.

---

[16]   Igual criterio se mantiene si el descubrimiento no es en suelo privado —*privato loco*— sino público —*loco Caesaris*— mitad para el descubridor, mitad para el César, lo que se aplica, también, a otros terrenos —*publico loco*— que pertenezcan a las ciudades o al Fisco.

[17]   Nuestra palabra accesorio puede ser ilustrativa y refleja la idea de que el dueño de una cosa principal hace suya la accesoria, que se le une cede o accede —*cedere*—.

[18]   La posible indemnización al perjudicado, según tenga buena o mala fe y la posesión de la cosa principal o accesoria, podría incluirse entre las notas que figuran en el texto, pero este aspecto no haría referencia, propiamente, a los derechos reales —adquisición de la propiedad— sino a los de obligaciones.

II. Clases

Los romanistas suelen encuadrar los posibles casos que refieren las fuentes, distinguiendo entre: A) accesión de inmuebles —como consecuencia de incrementos fluviales— B) de muebles —en casos de soldadura de metales, tejidos, tinte, escritura y pintura— y C) de mueble a inmueble —en los de edificación, siembra o plantación—[19].

A) La accesión de inmueble a inmueble, se produce por: aluvión, avulsión, mutación de cauce y nacimiento de una isla.

a) Aluvión, *alluvio*. Es el acrecimiento que sufren las heredades confinantes con los ríos, paulatinamente, por efecto de la corriente de las aguas. Dice Gayo: que se produce tan lentamente, que nos engaña a la vista —*ut oculos nostros fallat*—; tan imperceptible, que no podemos decir cuanto se agrega en cada momento —*ut aestimare non possimus quantum quoque mommento temporis adiciatur*— y que tal incremento por razón natural —*naturali ratione*— se hace nuestro —*nostrum fit*—.

b) Avulsión, *avulsio*[20]. Es el incremento que experimentan los fundos ribereños, como consecuencia de la acción violenta y transitoria de una avalancha[21]. El dueño de aquellos adquiere esta porción. Sin embargo, es necesario para que se produzca la accesión, la *coalitio*, es decir, la unión orgánica de tierra, árboles y plantas transportadas al nuevo fundo. Hasta entonces procede la *reivindicatio* del antiguo dueño, después no tiene indemnización, quizá por su negligencia[22].

---

[19] En una sociedad agrícola y artesanal —como la romana— tiene gran interés: que la corriente de un río reduzca la extensión de una finca; se mezclen granos o vinos de distintos dueños o se construya, siembre o plante en suelo ajeno sin derecho a ello. Las soluciones de los juristas romanos han pasado a los códigos modernos, aunque —es lógico— en un contexto en el que tales problemas han perdido importancia.

[20] Su nombre se debe a los intérpretes y alude a la fuerza del río —*vis fluminis*—.

[21] Gayo nos dice que si el río desgajase una porción conocida de (tu) terreno —*flumen partem aliquam ex tuo praedio rescinderit*— transportándola a mi predio —*et ad meum praedium pertulerit*— es evidente sigue perteneciéndote —*haec pars tua manet*—. Pero si estuviese adherida por mucho tiempo —*si longiori tempore fundo vicini haeserit*— y los árboles que llevó —*arboresque, quam secum traxerit*— arraigasen en él —*in eum fundum radices egerint*— desde entonces —*ex eo tempore*— se considera que el dueño de éste lo adquiere todo —*videntur vicini fundo adquisitae esse*—.

[22] Si el desprendimiento de la tierra no es la fuerza del río, sino por simple quiebra del terreno o cualquier otro agente —*crusta lapsa*— el régimen será el mismo.

c) Cauce abandonado, *alveus derelictus*. Se produce cuando el agua de un río abandona su primitivo cauce abriéndose un nuevo curso —*alia parte fluere coeperit*—. Plantea dos problemas. La propiedad del cauce abandonado y la del nuevo.

a') Respecto al cauce abandonado —*prior alveus*— cabe distinguir: 1) Si no separa fundos pertenecientes a distintos dueños, será de los dueños de los fundos ribereños —*qui prope ripam eius praedia possident*— en la longitud de cada uno —*pro modo silicet latitudinis cuiusque agri*—. Para ello se trazarán perpendiculares desde sus límites respectivos. 2) Si los separa, la nueva línea divisoria quedará equidistante de unos fundos y otros. Para ello se trazarán perpendiculares desde los límites de cada uno al eje imaginario o línea media del antiguo cauce.

b') Respecto al nuevo cauce —*novus alveus*—, éste será de dominio público —*est publicus*— aunque atraviese fundos privados, pero si las aguas vuelven a abandonarlo —*quodsi post aliquod tempus ad priorem alveum reversus fuerit flumen*— el antiguo dueño recobra su dominio —*esse incipit, qui prope ripam eius praedia possident*—[23].

d) Isla nacida en el río, *insula in flumine nata*. A diferencia de la isla nacida en el mar, a tenor de las fuentes, ocurre con cierta frecuencia —*quod frecuenter accidit*— y puede tener lugar cuando por la acumulación sucesiva de arrastres superiores, se produce la emersión de parte del cauce fluvial. El criterio básico a seguir es el señalado respecto al cauce abandonado, pudiendo distinguirse diferentes supuestos, dependiendo de la exacta ubicación de la nueva isla[24].

---

[23]   Si un campo se inundara, lógicamente, seguiría perteneciendo a su dueño.

[24]   Estos son los tres posibles casos: 1) Si nace a un lado del eje imaginario, o línea media, del río —*si non sit in medio flumine*— pertenece al dueño —o dueños— de los predios de la orilla o margen más cercano —*ad eos pertinet qui ab ea parte quae proxima est iuxta ripam praedia habent*—. Siendo varios, la porción se determina por las perpendiculares trazadas desde los confines de estos predios al eje imaginario que atravesaría el centro del río. 2) Si nace en el medio del río —*si in medio flumine insula nata sit*— pertenece a los dueños de los predios de una y otra orilla —*communis est eorum, qui ab utraque parte fluminis prope ripam praedia possident*—. Así, la isla, se divide entre ellos longitudinalmente y por mitad —*pro modo latitudinis cuiusque fundi, quae latitudo prope ripam sit*—. 3) Si nace en medio del río, pero dista menos de una orilla —no está, pues, por completo, a uno de los lados del eje o línea media del río— pertenece a los predios de una y otra orilla, adjudicándose a los de la derecha, la parte de la isla que esté a la derecha del referido eje y a los de la izquierda, la parte de la isla que esté a la izquierda de aquél.

Cuando queda «aislada» una heredad —o parte de ella— al dividirse en brazos la corriente del río y reunirse después, no se produce accesión y esta heredad —en forma de isla— seguirá perteneciendo a quien primitivamente corresponda.

B) La accesión de mueble a mueble se produce por soldadura de metales —*ferruminatio*— y en los casos de bordados —*textura*—, tintes —*tictura*—, escritura —*scriptura*— y pintura —*pictura*— en tela, pergamino o tabla ajena.

a) La *ferruminatio*, es la unión de dos objetos del mismo metal sin otra sustancia que los una[25]. Parece como si tuviera lugar una transfusión de moléculas entre ambas cosas[26] y al ser un todo orgánico pertenecerá al dueño de la principal. b) La *textura*, cuando en una tela se hace una labor de bordado o entretejido con hilos de propiedad ajena. Los hilos acceden a la tela[27]. c) La *tinctura*, cuando se tiñe la tela ajena. El tinte o colorante accede a la tela, lo que es lógico y equiparable, según Labeón, al caso en que hubiera caído en el lodo o en el cieno perdiendo su color primitivo[28]. d) En la *scriptura*, lo escrito en una tabla, pergamino o papiro ajeno, aun con letras de oro —como dice Gayo— accede al dueño del papel[29] y e) en la *pictura*, lo que se pinta en una tabla ajena —al revés de lo que ocurre con lo escrito— no accede al dueño de la tabla[30]. Justiniano, dirá que sería ridículo —*ridiculum est*—

---

[25] Paulo distingue la *ferruminatio* de la *adplumbatio* diciendo que la soldadura con la misma materia produce confusión —*ferruminatio per eandem materiam facit confusionem*— y que no es lo mismo que la unión que se produce con un tercer elemento, como el plomo —*quod adplumbatum sit*— pues en tal caso no hay una unión definitiva y por tanto, tras la *actio ad exhibendum*, procedería la *reivindicatio*.

[26] Así, Paulo nos dice que si a una estatua mía —*si statuae meae*— le hubieras adherido el brazo de otra —*bracchium statuae alienae addideris*— no se puede decir —*non posse dici*— que el brazo es tuyo —*brachium tuum esse*— porque toda la estatua —*quia tota statua*— constituye una unidad —*uno spiritu continetur*—.

[27] Gayo no la menciona. Ulpiano concede al dueño del hilo la *actio ad exhibendum* y lo equipara al de la rueda incorporada a tu carro o al de la tabla incorporada a mi armario o nave —parecería no producirse una adquisición definitiva de los hilos—. Justiniano establece la regla general expuesta en el texto.

[28] Un único texto de Paulo, recoge esta figura e invoca el sentir de Labeón expuesto.

[29] Adviértase que se trata de la propiedad de la materia sobre la que se escribe y nada tiene que ver con lo que hoy llamamos propiedad literaria o los derechos de autor.

[30] En derecho clásico hay pareceres diversos. Según Paulo, la pintura accede a la tabla ya que sin ella no puede existir —*quod sine illa esse non potest*—. Gayo, mantiene el parecer contrario, la tabla accede a la pintura —*tabulam picturae cedere*— aunque (respecto a la escritura) no se explica de modo satisfactorio este distinto trato —*cuius diversitatis vix idonea ratio redditur*—.

que una pintura de Apeles o Parrhasio —*picturam Apellis vel Parrhasi*— cediera a una despreciable tabla —*in accessionem vilissimae tabulae cedere*—.

C) La accesión de mueble a inmueble se produce en casos de construcción —*inaedificatio*—, siembra —*satio*— o plantación —*plantatio*— en suelo ajeno. En todos ellos rige el principio de que lo que está en la superficie cede al suelo, *superficies solo cedit*. Así, lo construido, plantado o sembrado pertenecerá al dueño del suelo en donde se construyó, sembró o plantó.

a) *Inaedificatio* es toda construcción —edificio— u obra del hombre —como un *aquaeductus*— que tenga carácter estable. Y tanto si se construye en terreno propio —*in suo solo*— con materiales ajenos —*aliena materia*— como en terreno ajeno —*in alieno solo*— con materiales propios —*sua materia*— todo lo que se construya —*omne quod inaedificatur*— pertenecerá al dueño del suelo. Este se entiende, pues, dueño de la obra completa —del todo— y el dueño de los materiales con los que se hizo sólo tendrá una propiedad latente sobre ellos, que podrá hacer efectiva cuando se produzca la separación[31], sin que le perjudique la usucapión del edificio.

b) *Plantatio* es el hecho de fijar una planta en suelo ajeno. También pertenece —y con más razón, dice Gayo— al dueño del suelo, siempre —*si modo*— que arraigara —echara raíces en la tierra, *radicibus terram complexa fuerit*— pues hasta ese momento conservaría su propia individualidad y es de su antiguo dueño, que podrá reivindicarla.

c) *Satio* es la semilla arrojada en suelo ajeno, y por la misma razón —*eadem ratione*— que ceden al suelo las plantas arraigadas también los granos sembrados —*frumenta quoque sata sunt*— ceden al suelo[32].

En algunos casos de accesión la unión se produce al margen de la voluntad del dueño de la cosa accesoria, que pierde su propiedad, a la

---

[31] La separación de los materiales se prohíbe ya en las XII Tablas (la *actio de tigno iuncto*, posibilita obtener, si fueron robados el doble de su valor *duplum*). Justiniano admitirá que se retiren —*ius tollendi*— estando el edificio en pie si puede hacerse sin menoscabo de éste.

[32] A diferencia de los casos de *plantatio*, es probable baste la sola mezcla del grano con la tierra y, siempre, deberá entenderse le pertenecen, no ya los granos, en sí, sino los frutos que produzcan pues éstos le corresponden *iure soli* y no *iure seminis*.

par que se produce un enriquecimiento en el dueño de la cosa principal. A tal fin, el derecho honorario arbitró, en defensa de aquél, algunos medios para lograr una justa indemnización[33].

5. ESPECIFICACIÓN

I. Denominación y concepto

A) La palabra especificación proviene de la latina *species*, que significa: aspecto, forma, apariencia exterior de una cosa y se contrapone a *substantia*, que designa la esencia, sustancia, materia prima con la que se hace. *Nova species*, es, pues, la cosa nueva o diferenciada, por su forma, de la materia con que ha sido hecha; *novam speciem facere* equivale a hacer (dar) a algo una nueva forma (apariencia), hacer una cosa nueva con cierta materia y el término *specificatio* — acuñado por los glosadores— comporta la idea de dar nueva forma a la materia ajena.

B) La especificación es un modo de adquirir el dominio consistente en elaborar una cosa nueva con materia ajena. En resumen, tiene lugar: cuando se produce la unión de materia ajena y trabajo propio — *cum ex aliena materia species aliqua facta ab aliquo*—. Así sucede, ejemplifica Gayo, si de mis uvas, aceitunas o espigas —*ex uvis aut olivis aut spicis meis*— tú hicieras, vino, aceite o harina —*vinum aut oleum aut frumentum feceris*—[34].

---

[33] A) Mediando buena fe en el dueño de la cosa accesoria, cabe distinguir, según la tenga o no, en su poder. a) Si la tiene (tanto si la accesión proviene de su propia conducta, del azar, de la conducta del dueño de la cosa principal, mediando buena fe o de la conducta de un tercero con igual carácter), podrá oponer la *exceptio doli* a la *reivindicatio* del dueño de la cosa principal para que le indemnice por el aumento de su valor; b) si no la tiene en su poder, se produce su indefensión (que en ciertos supuestos se palia con la concesión de una *actio in factum*). B) Si media mala fe por parte del dueño de la cosa principal o del tercero, se puede ejercer contra ellos distintas acciones, según casos, —*actio furti, actio ad exhibendum* (contra el 3.º que deja dolosamente de poseer) o una *actio in factum*—.

[34] El que tú hicieras una vasija, con oro o plata míos; un armario, nave o silla, con mis tablas; un vestido con mi lana; una mezcla, con vino y miel de mi propiedad; o un emplasto o colirio con mis medicinas, son otros tantos ejemplos que Gayo refiere.

II. Problemática y régimen jurídico

Se pregunta —*quaeritur*— ¿A quién corresponderá la propiedad de la cosa nueva? ¿A tí o a mí? —*tuum an meum?*— ¿Al dueño de la materia o al ejecutor del trabajo?

A) En derecho clásico, los Sabinianos, dan prioridad a la materia —*materia et substantia*— y, según ellos, su dueño también lo será del objeto con ella elaborado. Los Proculeyanos dan preferencia al trabajo y atribuyen la propiedad de la nueva cosa al que la hizo —*qui fecerit*—. Distinguen, éstos, a su vez, entre si la *nova species* puede reducirse, o no, a su primitivo estado. Si es posible —*si ea species ad materiam reduci possit*— como convertir el ánfora en una masa informe del oro o plata con que está hecha, la propiedad se concede al dueño de la materia —*dominus materiae*—; si no lo es, *si reverti non potest* —imposibilidad de convertir el vino en uva— al especificador[35].

B) En derecho justinianeo se acoge esta *media sententia* a la que se añade: que el especificador adquirirá la propiedad de la cosa, en todo caso, si hubiera utilizado en parte materia propia. Al producirse un enriquecimiento, bien en el dueño de la materia, bien en el artífice, procederá la correspondiente indemnización al perjudicado[36].

6. CONFUSIÓN Y CONMIXTIÓN

I. Denominación, concepto y naturaleza jurídica

A) De *confusio* = confusión, unión y *conmixtio* = conmixtión, mezcla.

B) En general, se producen cuando cierta cantidad de materias, liquidas o sólidas, susceptibles de mezcla y de diversos dueños, se funden en una sola masa. En particular, si las cosas mezcladas son líquidas, por su naturaleza (vino o aceite) o por haberse procurado su fusión (oro o plata) se habla de confusión; si son sólidas (trigo, dinero) de conmixtión.

---

[35] Si la materia utilizada es *res furtiva*, corresponderá al dueño la *actio furti* y, en su caso, la *condictio*.

[36] Si la *nova species* está en poder del perjudicado a la reclamación opondrá la *exceptio doli*. Si no lo está, se discute en torno a una posible indefensión o al ejercicio de una *actio in factum*.

C) Se distinguen de la accesión por no haber relación entre una cosa principal y otra accesoria y de la especificación por no surgir una cosa nueva y el todo resultante no ser algo diverso al de sus componentes. En general, se produce una transformación de la propiedad, que de separada y autónoma se convierte en *pro indiviso*.

II. Régimen

A) Si la mezcla se produce por voluntad de los dos dueños —*ex voluntate dominorum*— ésta —*id corpus*— se hace común a ambos —*utriusque commune est*—. Igual regla se aplica —*idem iuris esse placuit*— si la mezcla es por azar —*fortuitu*—. Obviamente, uno y otro podrán ejercer la acción de división de la cosa común —*actio communi dividundo*— cesando la copropiedad.

B) Si se produce por cualquier otra causa debe distinguirse: a) Si las cosas mezcladas pueden separarse, *diduci possit* —caso de plomo con plata, *plumbum cum argento*— cada propietario sigue siéndolo y puede ejercer la acción exhibitoria —*ad exhibendum*— previa a la *rei vindicatio*. b) Si no pueden separarse —*diduci non possit*— ya sean del mismo género —plata con plata, *argentum meum et tuum* o trigo de dos, *frumentum duorum*— ya sean de diferente —cobre con oro, *aes et aurum mixtum fuerit*— se ha de vindicar por la parte respectiva —*pro parte esse vindicandum*—. Es decir, procede contra el poseedor de la totalidad una *rei vindicatio pro parte indivisa*, en proporción —*pro modo*— a la cantidad, volumen o valor de la materia mezclada.

C) La mezcla de monedas —*commixtio nummorum*— presenta un régimen especial. Quien las recibe y confunde con las suyas adquiere su dominio y ante la imposibilidad de identificarlas —*discerni non possent*— no se da contra él la *reivindicatio*. Si se tratara de monedas robadas, el despojado podrá ejercer contra el ladrón la *actio furti*. Y si el que las recibe no tiene derecho a ello procede, contra él, la *condictio* para que restituya el *tantundem* y evitar su enriquecimiento injustificado.

7. ADQUISICIÓN DE FRUTOS

Los frutos *pendentes*, carecen de individualidad propia mientras no se separen de la cosa matriz de la que recuerda Gayo se consideran parte —*fructus pendentes pars fundi videntur*—. Así, pues, pertenecen, al dueño de la cosa que los produce. Cuando se separan, sin embargo, hay situaciones en las que: por un hecho natural —posesión de buena fe— o por un acto jurídico —haberse constituido un derecho real, como el usufructo o la enfiteusis, u obligacional como el arrendamiento— pueden corresponder a otras personas distintas del propietario. Entonces es necesario precisar cual es el hecho o momento en que se determina su adquisición: la separación, la percepción o la consumición.

a) El dueño de la cosa fructífera, el enfiteuta y el poseedor de buena fe —en derecho clásico— adquieren los frutos por el simple separarlos o desunirlos —*separatio*— de la cosa matriz.

b) El usufructuario y el colono, por la aprehensión efectiva y consciente —*perceptio*— si bien éste lo hará *ex voluntate domini*, esto es, en tanto subsista —aun tácitamente— la voluntad del dueño —arrendador—[37].

c) El poseedor de buena fe, en derecho justinianeo, por haberlos consumidos material o jurídicamente —*consumptio*— y en recompensa de su cultivo y trabajo —*pro cultura et cura*—.

---

[37]   Si se opusiera, la adquisición no podrá realizarse, sin perjuicio del eventual resarcimiento de daños.

Modos derivativos de adquirir la propiedad

1. *MANCIPATIO*

I. Denominación, concepto y evolución

A) *Mancipatio*, proviene de *manu* = mano y *capio* (de *capere*, adquirir, tomar) = coger y, según Gayo, se llama así —*mancipatio dicitur*— porque se coge la cosa con la mano —*quia manu res capitur*—.

B) La *mancipatio* es un modo, primitivo y solemne de transmitir el *dominium ex iure Quiritium* de las *res mancipi*, a través de las formalidades propias de los negocios *per aes et libram* —del cobre y la balanza— y consiste —*eaque fit*— en formular, el adquirente, unas palabras precisas —*certis verbis*— ante el transmitente, el portador de una balanza y cinco testigos —*libripende et quinque testis praesentibus*—.

C) El origen de la *mancipatio* es antiquísimo: recogida ya en las XII Tablas. Alcanza su apogeo en derecho arcaico, preclásico y clásico y decae en el postclásico, en el que la escritura tiende a sustituir sus formalidades. Utilizada aún en el s. IV, es abolida, formalmente, por Justiniano y los compiladores sustituyen, en los textos, esta palabra por *traditio* —entrega—.

II. Naturaleza jurídica

Es un modo de adquirir *iurie civile* y de carácter derivativo.

A) En una primera fase, la *mancipatio*, es una compraventa real —o al contado— en la que: a) la cosa ha de estar presente, al ser necesario —nos dice Gayo— que el adquirente coja, por sí mismo, lo que le es dado[1] y b) el cobre —*aes*— hace la función del dinero que, al no haber moneda acuñada, no se cuenta, sino se pesa en una balanza —*libra*— para determinar su valor.

B) En una segunda fase, pasa a ser un negocio jurídico formal —pues deben cumplirse las mismas formalidades prescritas por el *ius civile* que antes— y a tener carácter abstracto, al no reflejar, en el fondo, su verdadera causa, que no ha de ser, necesariamente, el cambio de una cosa por un precio adecuado. Es decir, una compraventa. Así, por caso, puede tratarse de una donación, en que figuraría se compra una cosa por un precio irrisorio: por una sola moneda —*nummo uno*—[2].

El arraigado tradicionalismo de los romanos, unido al principio de la economía de los medios jurídicos determinará que lejos de desaparecer, la *mancipatio*, como mera forma, se adapte a las nuevas necesidades —con una simple modificación de su formulario— y resulte, por su carácter abstracto, apta para el logro de los más variados fines y no sólo en el ámbito de los derechos reales, sino en el de todos los demás[3].

III. Elementos constitutivos

A) Elementos personales.– Primero, según Gayo, su uso está restringido a los *cives* —*ius proprium civium Romanorum est*—.

---

[1] Sólo en época posterior, nos dice Gayo, las fincas distantes estarán representadas por un objeto simbólico.

[2] Ahora bien, aún siendo la causa una compraventa, realmente, existen ahora muchas diferencias con respecto a la de la primera fase. A saber: la compraventa ya no es real, sino consensual —es decir, se perfecciona por el simple consentimiento y se produce al margen de estas formalidades—; al estar la moneda acuñada —*pecunia numerata*— el dinero no se pesa, se cuenta; la pesada del portador de la balanza deviene simbólica; el pago del precio efectivo se produce fuera del negocio y la *mancipatio*, en suma, resulta una venta imaginaria —*imaginaria venditio*— al poder ser la causa de la transmisión de la cosa otra diferente de la compraventa.

[3] Así, pueden servir de ejemplo: a) En el ámbito de los derechos reales, además de para trasmitir la propiedad de las *res mancipi*, se usa para constituir y transmitir derechos sobre cosa ajena; b) En los derechos de obligaciones: para extinguirlas —*solutio per aes et libram*— y establecer garantías personales —*nexum*— y reales —*fiducia*—; c) En derecho de familia: para la emancipación, adopción, adquisición de la *manus* —*coemptio*— y constituir la dote; d) En derecho de personas, para la venta del hijo —*mancipium*— y e) En derecho sucesorio: para la compra de la herencia —*mancipatio familiae*— y hacer testamento —*testamentum per aes et libram*—.

Después, se extenderá a los *Latini* —*Iuniani* y *Coloniarii*— y a los *Peregrini* a quienes se confiera el *commercium* —*quibus commercium datum est*—.

B) Elementos reales.– Son objeto de *mancipatio*, las *res mancipi*[4].

C) Elementos formales.– Su ritual, según Gayo, es el siguiente: Presentes —*adhibitis*— al menos —*non minus quam*— cinco testigos, ciudadanos romanos y púberes —*quinque testibus civibus romanibus puberibus*— y otra persona de igual condición —*et praeterea alio eiusdem condicionis*— que sostiene una balanza de cobre —*qui libram aeneam teneat*— que se llama *libripens* (pesador o fiel contraste) —*qui appellatur libripens*— el adquirente —*is qui mancipio accipit*— sujetando la cosa —*rem tenens*— (hace una doble afirmación) dice así —*ita dicit*—: que el objeto (esclavo) le pertenece según el Derecho de los *Quirites* —*hunc ego hominem ex iure Quiritium eum esse aio*— y que lo compra con este cobre y esta balanza de cobre —*isque mihi emptus esto hoc aere aeneaque libra*—. Después golpea la balanza con el cobre —*deinde aere percutit libram*— y lo da al transmitente —*idque aes dat ei, a quo mancipio accipit*— como precio —*quasi pretio loco*—.

El transmitente no necesita, pues, hacer ninguna declaración si bien puede pronunciar ciertas frases —*nuncupationes*— sobre las condiciones de la cosa vendida. Así, tratándose de fincas, es frecuente que aluda a la existencia o inexistencia de gravámenes o a su extensión. Estas declaraciones, en su caso, tendrán fuerza obligatoria, pues según las XII Tablas: lo que la lengua (en una *mancipatio*) declare —*uti lingua nuncupassit*— será derecho —*ita ius esto*—.

IV. Efectos

A) Si el transmitente —*mancipio dans*— es dueño de la cosa, se produce la transmisión del *dominium ex iure Quiritium* de la *res mancipi* al adquirente —*mancipio accipiens*—.

B) Si no lo es —adquisición de un no dueño, *a non domino*— el adquirente iniciaría la usucapión y si antes de consumarla, se le priva de la cosa por el verdadero dueño, mediante el ejercicio de la corres-

---

4   También, según Gayo, las personas libres —*liberae personae mancipantur*—.

pondiente *rei vindicatio*, podrá ejercer contra el transmitente, la acción de garantía, *actio auctoritatis* por la que obtendrá, como indemnización, el doble del precio pagado.

C) Si, al enajenar el fundo, el transmitente faltara a la verdad, sobre la inexistencia de gravámenes —apareciendo una servidumbre— o a su extensión —resultando de menor cabida— corresponderá al adquirente, en el primer caso, la *actio auctoritatis* —pagando el transmitente el doble de lo que para el fundo comporte la disminución— y, en el segundo, la *actio de modo agri* —de la medida del campo— por la que obtendrá el doble del valor de la extensión que faltaba.

2. *IN IURE CESSIO*

I. Denominación y concepto

A) Si *In Iure* es ante el magistrado y *Cessio* (de *cedere*, ceder, abandonar, acto de retirarse) es cesión. *In iure cessio* es Cesión ante el magistrado e *In ius cedere*: evitar un litigio por abandono.

B) La *In iure cessio* es un modo de transmitir el dominio común a toda clase de cosas —*mancipi* y *nec mancipi*— mediante un proceso aparente de reivindicación[5], en el que el adquirente actúa como demandante y el transmitente como demandado. Constituye, pues, un uso de las normas procesales desviadas de su recta finalidad.

II. Evolución y naturaleza jurídica

A) Conocida ya en las XII Tablas su origen es algo posterior al de la *mancipatio* y su desaparición la precede[6]. Los compiladores justinianeos suprimen de los textos las palabras *in iure* —con lo que *cessio* asume el significado actual de transmitir— o las sustituyen interpolando *traditio*. Su evolución es, pues, similar a la de la

---

[5] Su ritual, como veremos se asienta en la primitiva *legis actio sacrammento in rem*.
[6] Alcanza su apogeo en derecho arcaico y preclásico; decae en el clásico y apenas se usa en derecho postclásico Una constitución de fines del s. III es su última referencia.

mancipatio, aunque, en la práctica, ésta resulta preferida siendo su uso e importancia menor[7].

B) Es un modo de adquisición del *ius civile* —formal y exclusivo de los *cives*— de carácter derivativo y abstracto, pues sólo se observa que la propiedad de un objeto pasa de una persona a otra sin apreciarse la causa subyacente que lo motiva.

III. Elementos

A) Su carácter procesal comporta que sólo pueden adquirir por *in iure cessio*, los *sui iuris*, pues, como dice Gayo, si los *alieni iuris* nada suyo pueden tener —*nihil suum habere potest*— es difícil puedan reclamar, ante el magistrado, algo como tal. Intervienen tres personas, resume Ulpiano: el que cede —*in iure cedentis*—; el que reclama —*vindicantis*— y el que adjudica —*addicentis*—. Propietario es el que cede —*in iure cedit dominus*—; reclama aquél a quien se cede — *vindicat is, cui ceditur*— y adjudica el pretor —*addicit praetor*—.

B) Se aplica para trasmitir la propiedad de cosas *mancipi* y *nec mancipi* —*communis alienatio*— y para constituir —o extinguir— cualquier derecho sancionado con *vindicatio*[8].

C) Sus formalidades son, según Gayo: Puestos antes de acuerdo adquirente y transmitente: (a) comparecen —*in iure*— ante el pretor urbano o gobernador provincial —*apud magistratum populi Romani vel praetorem*—; (b) el adquirente (que actúa como demandante) —*is cui res in iure ceditur*— sujetando la cosa —*rem tenens*— (formula su reclamación), dice así —*ita dicit*—: afirmo que esta cosa me pertenece con arreglo al derecho de los *Quirites* —*hunc ego hominem ex iure*

---

[7] Gayo dice: la mayoría de las veces —*plerumque tamen*— y casi siempre —*et fere semper*— utilizamos la *mancipatio* —*mancipationibus utimur*—. La razón de tal preferencia —manifiesta— es la comodidad, pues lo que —*quod*— (podemos hacer) por nosotros mismos —*ipsi per nos*— en presencia de unos amigos —*praesentibuis amicis agere possumus*— no es necesario (hacerlo) —*hoc non est necesse*— con mayor dificultad —*cum maiore dificultate*— ante el magistrado —*apud praetorem*— o ante el gobernador de la provincia —*apud presidem provinciae agere*—.

[8] Así: en los derechos reales, se utiliza, además de para transmitir la propiedad, para la constitución de servidumbres, usufructo y otros derechos análogos; en derecho de familia, para la emancipación, adopción y cesión de la tutela legítima de la mujer; en derecho de personas, para la manumisión, en su forma *vindicta*; y en derecho sucesorio, para transmitir los derechos de la herencia legítima.

Quiritium meum esse aio—; (c) el magistrado pregunta —*praetor interrogat*— al transmitente (que actúa como demandado) —*eum qui cedit*— si formula alguna contra alegación —*an contra vindicet*—; (d) éste niega o no contesta —*quo negante aut tacente*— y e) el magistrado, al evitarse la *lis* por abandono —*in ius cedere*— adjudica la cosa al adquirente actor —*ei qui vindicaverit eam rem addicit*—.

IV. Efectos

El efecto de la *in Iure cessio* es: la transmisión del *dominium ex iure Quiritium*. No admite cláusulas restrictivas por parte del enajenante —que sólo niega (*negante*) o (*aut*) calla (*tacente*)— ni las garantías procesales de la *mancipatio* —*actio auctoritatis* y *actio de modo agri*—.

3. *TRADITIO*

I. Denominación y concepto

A) *Traditio* = entrega, viene de *tradere* = entregar, poner en manos de otro y puede entenderse en dos sentidos. De acuerdo con su significado gramatical, en una acepción amplia —y vulgar— equivale a simple entrega de una cosa de una persona a otra —*nuda traditio*—. En una acepción estricta —y jurídica— que es la que nos interesa, debe matizarse ya que la *traditio* no siempre comporta la entrega material de una cosa y si, en cambio, la transmisión de su propiedad, para lo cual deberá ir acompañada de ciertos requisitos.

B) Es, en suma, un modo de adquirir el dominio, por la entrega de una cosa, con intención de transmitir su propiedad en virtud de una justa causa.

II. Naturaleza jurídica y evolución

A) La *traditio* es un modo de adquirir el dominio *iuris gentium* y derivativo y, entre éstos, el más sencillo y natural. Como se ha destacado en doctrina, si el modo más lógico de adquirir algo que no pertenece a alguien es apoderarnos de ello —ocuparlo— el más natural de adquirir algo de otro es que nos lo entregue.

B) En derecho clásico sirve para transmitir la propiedad de las cosas *nec mancipi*; y con Justiniano, abolida la distinción entre cosas *mancipi* y *nec mancipi* y las viejas formas del *ius civile* —*mancipatio* e *in iure cessio*— termina por ser, el modo común de transmitir la propiedad *inter vivos*, pasando, así, a los derechos modernos[9.]

III. Requisitos

A tenor de su definición, la *traditio* comporta el concurso de tres requisitos: uno objetivo, *corpus*, la propia entrega de la cosa, esto es: «ponerla a disposición del adquirente»; otro subjetivo, *animus*, la concorde voluntad de las partes de transmitir y adquirir, respectivamente, el dominio de aquella y un tercero, jurídico, la *iusta causa*, es decir, la relación o fundamento que sirve de base a la entrega. Detengámonos en ellos.

A) La entrega de la cosa sufre una larga evolución y pasa de una concepción materialista a otra más espiritual. En síntesis, y aun siendo difícil encajar su evolución en épocas concretas, cabría decir:

a) en derecho arcaico, es necesario la entrega efectiva de la cosa; si es mueble, pasar de una mano a otra, si es inmueble, entrar en el fundo o realizar ciertos actos, también materiales, en él, en presencia y con la anuencia del transmitente; 2.º) en derecho clásico, la entrega se empieza a espiritualizar y se admiten ciertos casos y determinados actos en los que se tiene por cumplida sin pasar materialmente de manos del transmitente al adquirente; estas situaciones, los intérpretes medievales las agruparán, bajo el nombre de entregas ficticias —*traditiones fictae*—; 3.º) en derecho postclásico y justinianeo la tendencia es cada vez mayor y se llega a admitir casos en los que no existe el menor atisbo de entrega, entendiéndose que se produce por la simple voluntad —*nuda voluntate*—[10.]

---

[9]   Hoy ha perdido algo de su importancia. Ello se debe a la admisión por algunas legislaciones que la propiedad pueda adquirirse y transmitirse por el simple consentimiento —sistema francés— y por la importancia del Registro de la Propiedad, cuya publicidad es mucho más perfecta que la operada por la *traditio*.

[10] Marciano, llega a decir: a veces incluso —*interdum etiam*— sin la entrega —*sine traditione*— por la nuda voluntad del dueño —*nuda voluntas domini*— es suficiente —*sufficit*—para transmitir una cosa —*ad rem transferendam*—. Ello ha posibilitado una interpretación de las fuentes romanas que defiende la transmisión de propiedad

b) La intención de las partes se ha llegado a negar por algunos romanistas como elemento propio de la *traditio* y, entre los que la admiten, entendido, de distinta manera[11]. Se ha destacado en doctrina —y con ello se armoniza la diversidad de textos—: 1.º) que es necesaria la intención de las partes; 2.º) que a través de ella, se pretende lograr unos resultados económicos y una efectiva disponibilidad de hecho sobre la cosa y 3.º) que para lograrlo no se exige que adquirente y transmitente tengan que pensar, en una concreta configuración jurídica[12].

c) La justa causa, también, plantea problemas. Algunos autores la identifican con la intención de las partes y nos dicen que es la exteriorización de esa misma voluntad concorde de transmitir y adquirir la propiedad. Otros, por contra, consideran que es un elemento distinto y que consiste en la relación jurídica precedente que sirve de base a la transmisión. La primera opinión conduce a una

---

por simple consentimiento y que adoptada por algunas modernas legislaciones se consagra en el llamado sistema francés.

[11]   Las opiniones más difundidas han sido: considerarla como doble voluntad de traspasar y adquirir el dominio; como doble voluntad de transmitir y adquirir la posesión y como voluntad unilateral de traspasar el dominio sólo por parte del transmitente.

[12]   Según Juliano: si estamos de acuerdo en la cosa que se entrega —*Quum in corpus quidem, quod traditur, consentiamus*— pero disentimos en las causas —*in causis vero dissentiamus*— (nos dice) «no entiendo —*non animadverto*— por qué —*cur*— debe ser ineficaz la entrega» *traditio* —*inefficax sit traditio*—. Pone el ejemplo de que yo creyera —*si ego credam*— que por testamento, te estaba obligado —*me ex testamento tibi obligatum esse*— a entregarte un fundo —*ut fundum tradam*— y tú creyeras —*tu existimes*— que por estipulación —*ex stipulatu*— te lo debía dar —*tibi eum deberi*—. Y recuerda, que si se entrega dinero como donación y se recibe como préstamo «es sabido —*constat*— que pasa a ti la propiedad —*proprietatem a te transire*— y no es impedimento —*nec impedimento esse*— que hayamos disentido respecto a la causa de dar y recibir» —*quod circa causam dandi atque accipiendi dissenserimus*—. Ulpiano nos dice que, en este último caso: «ni hay donación ni hay préstamo» y que el dinero no se hace del que lo recibe —*mummos accipientis non fieri*— porque lo recibió en otra inteligencia —*quum alia opinione acceperit*—. Como se ha destacado en doctrina: a) Juliano jamás dice que el traspaso de la propiedad tenga lugar sin justa causa, sino que se produce aunque las partes no tengan una misma idea del negocio que precede a la *traditio*; b) que hay un nexo de coincidencia mínima suficiente para justificar dicho efecto traslativo y c) que cuando a la *traditio* precede un negocio creador de obligaciones —la donación y el mutuo, que refiere Ulpiano— no es éste la *iusta causa*, sino el pago o *solutio* que se produce.

configuración abstracta de la *traditio*, la segunda a su configuración causal[13].

Precisemos algo más y descendamos a la realidad de los hechos. Sabemos que cuando se nos entrega una cosa, a veces hemos de devolverla y otras no, e incluso, que en el primer caso, a veces, podemos utilizarla y otras no. Hemos de devolverla cuando, en nuestro interés, se nos entrega para que la usemos por cierto tiempo, en forma gratuita —préstamo de uso, comodato— u onerosa —alquiler— y cuando, en interés de quien nos la entrega, se nos da para que, sin usarla, la guardemos —depósito— o garantice una obligación anteriormente contraída —prenda—. Sin embargo, no hemos de devolverla si se nos entrega porque hemos pagado por ella —compra— nos la regalan —donación— nos la dan como dote o en pago, porque se nos debía, la razón es simple: no hay que devolverla porque hemos adquirido su propiedad.

En síntesis: la conciencia social determina que algunos actos sirvan de base para la transmisión de la propiedad y otros no. *Causa* será, pues, el fin práctico —económico-social— que motiva y sirve de fundamento a la entrega —*traditio*— de una cosa. Será *Iusta* si se encamina a la transmisión de la propiedad y, en este sentido, *Iusta Causa* se define por los comentaristas como «causa hábil para transmitir el dominio» —*causa habilis ad dominium transferendum*—. Las fuentes no ofrecen una enumeración de *iustae causae*[14]. Pese a esto,

---

[13] A tenor de las opiniones de Juliano y Ulpiano, referidas en la nota anterior, la *traditio* romana parecería abstracta, según aquél y causal, según éste. Las consecuencias de que, en general, se configure de una u otra manera reviste importancia decisiva, ya que si bien es notorio, que el derecho rechaza que alguien pueda enriquecerse, sin causa, en perjuicio de otro y que protege al transmitente perjudicado, sin embargo, dicha protección puede producirse de forma muy distinta. Si se entiende la *traditio* como abstracta —desconectada de la causa, de la razón objetiva por la que se ha realizado— el adquirente, adquiere la propiedad, a la par que la pierde el transmitente; éste —al no ser ya dueño— no podrá ejercer contra aquél —que lo es— la *reivindicatio* y si sólo una acción personal —*condictio*— para evitar su enriquecimiento injustificado, que al ser *in personam* no afectará a terceros. Si por contra, se configura a la *traditio* como causal —vinculada y dependiendo de la causa— el adquirente no adquiere la propiedad de la cosa que conserva el transmitente; por ello podrá ejercer éste —dueño no poseedor— contra aquél —poseedor no dueño— la *reivindictaio*, que al ser *in rem*, afectará a terceros.

[14] Más bien aluden a las que se considera como injustas —*iniustae*— que por tanto, al viciar la *traditio* impedirían la adquisición de la propiedad de la cosa entregada.

cabe destacar, como más caracterizadas: la compraventa, la donación, la dote, la concesión de un préstamo de consumo —mutuo— y el pago.

Dos apuntes finales, propios del Derecho Romano, pueden servir de conclusión a estos elementos de la *traditio* en general y de la *iusta causa* en particular:

1.ª) Que en él se consagra, taxativamente, la insuficiencia del acuerdo de voluntades para transmitir, por sí sólo, la propiedad de una cosa, siendo necesario su entrega. Así, con Justiniano, se establece la regla de que: el dominio de las cosas se transmite por tradiciones y usucapiones y no por meros pactos —*traditionibius et usucapionibus, non nudis pactis dominia rerum transferuntur*—.

2.ª) Que además del acuerdo y entrega de la cosa, se exige una causa explicativa y justificativa del traspaso de la propiedad. Así, Paulo, dice: Nunca la mera entrega —*numquam nuda traditio*— transfiere el dominio —*transfert dominium*— si no —*sed ita si*— hubiera precedido una compraventa[15] u otra justa causa —*venditio aut aliqua iusta*

---

[15] Centrémonos en la relación que existe entre compraventa y transmisión de la propiedad y en las tres posibilidades que pueden derivarse de ella y que han dado lugar a otros tantos sistemas legislativos modernos. A) Sistema español.– a) Tiene su origen en los dos postulados referidos en el texto, que el dominio de las cosas no se transmite por el mero acuerdo y si por la tradición y en la necesidad de que ésta sea precedida de una *iusta causa*; b) su desarrollo, en el derecho medieval, en el que se distingue entre causa remota o título, acuerdo entre las partes —compraventa— que sólo genera la posibilidad de poder transmitir determinada cosa y causa próxima o modo —entrega— que dota de efectividad el acuerdo anteriormente tomado y c) desemboca en el CC español que exige ambos requisitos. La propiedad se adquiere a través de ciertos contratos —compraventa— mediante la tradición —entrega—. B) Sistema francés.– a) Tiene como origen las entregas ficticias —*traditiones fictae*— b) se consolida en los antiguos derechos nacionales en los que se mantiene la *traditio* como mera verdad teórica y c) desemboca, en el plano doctrinal, en la escuela iusnaturalista y en el legal, en el Código civil francés. La compraventa —acuerdo de voluntades— por sí sola —sin necesidad de la *traditio* (entrega de la cosa)— transmite la propiedad. C) Sistema alemán.– a) Tiene su origen en el derecho medieval alemán, que no admite que alguien pueda ser propietario de un inmueble sin una entrega solemne de la posesión; b) se consolida, después, con la intervención, en dichas transmisiones, de un oficial judicial y c) desemboca —prescindiendo de matices por razón del carácter de la cosa (mueble e inmueble)— en que toda transmisión supone un negocio real abstracto, con independencia del título (compraventa) por el que se quiera enajenar y de su licitud, validez o nulidad. La *traditio* (entrega de la cosa) transmite, pues, la propiedad, con independencia de la compraventa que la sirve de base.

causa praecesserit— por la cual se siguiese (la entrega) —*propter quam traditio sequeretur*—.

Los dos textos aludidos dan lugar a la creación, por la Glosa, de la teoría del título y el modo que, en síntesis, se reduce a dilucidarla si basta para la transmisión del dominio y de los demás derechos reales el mero contrato o acto constitutivo —título— como sucede cuando se trata de los derechos personales —o de obligación— o si es necesario alguna formalidad más —modo—.

IV. Elementos

A) Intervienen transmitente —*tradens*— y adquirente —*accipiens*—.

a) El transmitente, en principio y como regla general, ha de ser dueño de la cosa que transmite, ya que nadie puede transmitir a otro más derechos de los que tiene —*nemo dat quod non habet*—[16]. Sin embargo, esta regla, tiene excepciones pues: no todo propietario, puede ser *tradens* —transmitir la propiedad— y no sólo puede ser *tradens* —transmitirla— el propietario[17].

1) No todo propietario puede transmitir la propiedad, pues se requiere, además: por un lado, que sea poseedor —en otro caso, a lo más, transmitiría un derecho de obligación— y, por otro, que tenga capacidad de obrar, por lo que los menores de 7 años —*infantes*—, los locos —*furiosi*— y los pródigos —*prodigi*— aún dueños no podrán transmitir su propiedad y los impúberes —*infantia maiores*— necesitarán de la autoridad de su tutor —*auctoritas tutoris*—.

2) No sólo el propietario puede transmitir la propiedad, ya que sin serlo, lo podrán hacer: el acreedor pignoraticio —respecto a la cosa en prenda—, los representantes legales o voluntarios —respecto a cual-

---

[16]   Ulpiano nos dice: La entrega no debe ni puede transferir al que recibe más de lo que hay en poder del que entrega —*traditio nihil amplius transferre debet vel potest ad eum, qui accipit, quam est apud eum, qui tradit*—. Así, si alguien —*si aliquis*— tuvo el dominio sobre un fundo —*dominium in fundo habuit*— lo transfiere al entregarlo —*id tradendo transfert*— y si no lo tuvo —*si non habuit*— al que lo recibe —*ad eum, qui accipit*— nada transfiere —*nihil transfert*—.

[17]   Gayo resume: «Sucede a veces —*accidit aliquando*— que el que es dueño —*ut qui dominus sit*— no tiene la facultad de enajenar la cosa —*alienandae rei potestatem non habet*—y quien no es dueño —*et qui dominus non sit*—puede enajenar»—*alienare possit*—.

quier cosa—, el *filius* o el *servus* que tiene la administración de su peculio —respecto a él— e incluso, el Fisco, el Emperador y la Emperatriz —res-pecto a cosas que pertenecen a otro—.

b) El adquirente: deberá tener el *commercium*; no hará falta, aún cuando es lo normal, que esté determinado —*traditio in incertam personam*—[18] y podrá adquirir por sí o por otra persona libre o sometida a su autoridad.

B) El elemento real de la *traditio* está representado por las cosas que, a través de ella, se transmiten y que deberán ser: *in commercio*; no estar prohibida su enajenación y, en derecho clásico, según Gayo, tener la doble condición de corporales y *nec mancipi*.

C) El elemento formal es la transmisión del objeto que puede realizar-se por diversos medios y que dan lugar a los distintos tipos de tradición.

V. Efectos

El efecto propio de la *traditio* es transmitir la propiedad de la cosa, que, en derecho clásico, será civil o pretoria según se cumplan o no, los requisitos formales exigidos para los distintos tipos de cosas[19].

4. LA ADQUISICIÓN POR *USUCAPIO*

I. Denominación y concepto

A) *Usucapio* viene de *usus* = uso —posesión, en derecho arcaico— y *capio*, de *capere* = tomar, obtener, adquirir y, en principio, refleja la idea de adquirir algo por su uso —posesión—.

---

[18] En Instituciones se dice: «Hay casos, también —*interdum et*— en que la voluntad de un dueño que se refiere a una persona indeterminada —*in incertam personam collocata voluntas domini*— transfiere la propiedad de una cosa —*transfert rei propietatem*— por ejemplo —*ut ecce*— los pretores y los cónsules —*pretores vel consules*— que arrojan al pueblo monedas» —*qui missilia iactant in vulgus*—.

[19] Recordemos, siguiendo a Gayo: a) la entrega —*traditio*—de una *res nec mancipi*, en virtud de una justa causa —*ex iusta causa*— hecha por el dueño —*a domino facta*— transmite el *dominium ex iure Quiritium*; b) la entrega —*traditio*— de una *res mancipi*, en virtud de una justa causa —*ex iusta causa*— hecha por el dueño —*a domino facta*— transmite la propiedad propietaria —*in bonis habere*— y posibilita al adquirente para usucapir.

B) Modestino dice que: Usucapión es —*Usucapio est*— la adquisición del dominio —*adiectio dominii*— por la posesión continuada (de una cosa) —*per continuationem possessionis*— durante el tiempo señalado por la ley —*temporis lege definiti*—[20].

II. Origen y fundamento

A) El origen de la *Usucapio* es antiquísimo, hasta el punto que las XII Tablas ya presuponen su existencia.

B) Su fundamento, en doctrina, plantea un problema: que el poseedor de una cosa ajena, por transcurso del tiempo, termina siendo su dueño. En consecuencia —*a contrario*— se priva de un derecho, legalmente adquirido, a su titular. Ello motiva que, algunos, la traten de expoliación y se la tache de inmoral y antijurídica —teorías negativas—. Otros, por contra —teorías positivas— ven su fundamento: bien en la presunción de renuncia de su derecho por parte del dueño de la cosa usucapida, derivada de su inactividad —criterio subjetivo— o bien en la necesidad social de dar fijeza y estabilidad a una situación de hecho que pasa a convertirse en situación de derecho —criterio objetivo—. Este criterio es el esgrimido por Gayo cuando nos dice: parece que se admitió por esta razón —*ideo receptum videtur*— para que la propiedad de las cosas —*ne rerum dominia*— no permaneciera en incertidumbre por largo tiempo —*diutius in incerto esse*—.

III. Naturaleza jurídica y funciones

A) Resulta clara la inclusión de la *usucapio* dentro de los modos de adquirir de derecho civil —*iuris civilis*— pero se cuestiona y es difícil su acomodo dentro de los modos originarios, dado que las posibles cargas que afectan a la cosa usucapida no desaparecen, sino que pasan al nuevo dueño, o los derivativos, al no haber relación de traspaso entre el antiguo y el nuevo dueño.

---

[20]   Tal definición coincide con la de su maestro Ulpiano, salvo la concreta referencia temporal, que hace éste, de uno o dos años —*anni vel bienni*— según se trate, respectivamente, de cosas muebles o inmuebles.

B) En cuanto a sus funciones, en Derecho Romano, cabe distinguir: a) en una primera fase, es un mero complemento de la *mancipatio* o *in iure cessio* y subsana un vicio de forma en la transmisión de las cosas, es decir, cuando ésta se realiza de modo inadecuado —*res mancipi* por *traditio*—[21]; b) en una segunda —sin abandonar aquella función— pasa, también, a subsanar un vicio de fondo, es decir, sirve para la adquisición de cosas entregadas por quien no era su dueño —*quae non a domino nobis traditae fuerint*— y c) en una tercera etapa, en la que cesa la distinción entre *res mancipi* y *nec mancipi* y desaparecen los formalismos propios de los primeros tiempos, abandona su primera función para centrarse en la segunda, transformando en verdadera una situación jurídica aparente o lo que es igual, protegiendo al adquirente de un no dueño —*a non domino*— si actúa de buena fe, esto es: creyendo que el transmitente de la cosa era su dueño —*cum crederemus eum qui traderet dominum esse*—[22].

IV. Régimen

La usucapión —hoy, prescripción adquisitiva— arranca de las XII Tablas y se proyecta hasta Justiniano, en donde aparece como fusión de dos distintas instituciones, que coexisten en derecho clásico, aunque en distintas zonas del Imperio. Una, propia del *ius civile*, la *usucapio*. Otra, propia del *ius honorarium*, la prescripción de largo tiempo —*longi temporis praescriptio*—. Veamos su evolución y régimen.

---

[21] Así se desprende de Gayo —y con ello completamos n. 19— cuando nos dice que si te transmito una *res mancipi* por la simple entrega —*traditio*— pasa a estar entre tus bienes (propiedad bonitaria) —*in bonis quidem tuis ea res efficitur*— pero permanecerá mía, según el derecho de los Quírites —*ex iure Quiritium vero mea permanebit*— hasta que —*donec*— poseyéndola la adquieras por usucapión —*tu eam possidendo usucapias*— pues cumplida la usucapión —*enim impleta usucapione*— se hace tuya de pleno derecho —*proinde pleno iure incipit*—.

[22] Gayo, a este respecto dice: «Por lo demás, también —*ceterum etiam*— nos compete la usucapión de todas las cosas —*earum rerum usucapio nobis competit*— que nos fueron entregadas por quien no era su dueño —*quae non a domino nobis tradita fuerint*— ya sean *mancipi* o *nec mancipi* —*sive mancipi sint eas sive nec mancipi*— con tal que —*si modo*— las hubiéramos recibido de buena fe —*eas bona fide acceperimus*— creyendo —*cum crederemus*— que el que las entregó —*eum qui traderet*— era su dueño» —*dominum esse*—.

A) *Usucapio*

a) En Derecho arcaico —XII Tablas— aparece bajo el nombre de *usus auctoritas. Usus*, es la posesión y *auctoritas*, la ayuda, garantía o responsabilidad que debe prestar el enajenante al adquirente. La ley dispone que la garantía del uso del fundo —*usus auctoritas fundi*— es dos años —*bienium est*— y el de todas las demás cosas —*ceterarum rerum omnium*— un año —*annus est usus*—. De ello se deduce que: por un lado, pasados tales plazos, el adquirente ya puede defenderse por si mismo o, lo que es igual, cesa la garantía del transmitente y por otro lado, que si antes de trascurrir, el adquirente se veía privado, en juicio, de la cosa, podría ejercer contra el trasmitente, por incumplir su garantía —*auctoritas*— esta acción: *actio auctoritatis*.

A esta regla general, las propias XII Tablas establecen, dos excepciones. Una, respecto a cosas robadas —*res furtivae*— que no podrán usucapirse —posiblemente por el propio ladrón— y otra, respecto a las personas y así nos dice que: frente al extranjero —*adversus hostem*— dure siempre la garantía —*aeterna auctoritas*—. Así, la obligación de garantizar —*auctoritas*— no tiene límite en el tiempo si el adquirente es extranjero por su imposibilidad de adquirir por usucapión.

En resumen: en derecho arcaico, la usucapión exige: un sujeto apto —*civis*—; una cosa cuya usucapión no estuviera prohibida por ley —*res habilis*—; el hecho de la posesión —*usus*— y el tiempo de 1 o 2 años —*tempus*— según se tratara de muebles o inmuebles.

b) En derecho preclásico, dos leyes reiteran y amplían la prohibición de usucapir las cosas robadas: la *Lex Atinia de rebus furtivis* —s. II AC— que impide usucapir, no solo al ladrón, sino a cualquiera a quien hubiera ido a parar la cosa robada, hasta que no volviese a manos del dueño —*reversio ad dominum*— y la *Lex Plautia de vi* —s. I AC— que prohíbe usucapir las cosas arrebatadas por la fuerza.

c) En derecho clásico, la usucapión, mantiene el mismo régimen respecto al sujeto, objeto y tiempo y presenta como novedades: 1) aplicarse, no sólo para subsanar vicios de forma —*res mancipi* por *traditio*— sino vicios de fondo, adquisiciones de un no dueño —*a non domino*—; 2) incorporar dos nuevos requisitos posesorios: la justa causa —*iusta causa*— que se exigirá en todo caso, vicios de forma y fondo, y la buena fe —*bona fides*— que sólo se exigirá en el de vicios de fondo[23] y 3) perfeccionar su carácter complementario de la *mancipatio* al concederse la acción Publiciana al poseedor que aún no hubiera completado el tiempo de usucapión.

B) *Longi temporis praescriptio*

La prescripción de largo tiempo —*longi temporis praescriptio*— es una institución de derecho pretorio, paralela a la *Usucapio*, que coexiste con ella y en cierto modo complementa, pues hará sus veces respecto a los extranjeros y a los fundos provinciales. En origen, es una *exceptio* conferida por el pretor al poseedor, por largo tiempo, de un inmueble en provincias ante la acción real de quien pretenda tener, sobre él, mejor derecho. Por tanto, a diferencia de la usucapión, no fue un modo de adquirir el dominio de las cosas, sino una forma de dar seguridad a su posesión, que presenta los siguientes caracteres:

1) Sujetos, son los ciudadanos romanos y los peregrinos; 2) Objeto, los predios provinciales —respecto a ambos— y más tarde, también los muebles —respecto a los segundos[24]—; 3) El tiempo de posesión

---

[23] Gayo alude algunos supuestos de usucapión lucrativa, llamada así —*lucrativa vocatur*— pues sabiendo uno —*nam sciens quisque*— que la cosa es ajena —*rem alienam*— se lucra —*lucrum facit*—. En ellos no se exige buena fe. Son casos de *usucapio lucrativa*: la *usucapio pro herede* —como heredero— que tenía lugar cuando alguien se apoderaba de una cosa de una herencia en el tiempo que media entre la muerte del causante y la aceptación del heredero y *la usureceptio* —de *usus* (posesión) y *receptio* (recuperación)— producida cuando el antiguo dueño que entregó una cosa en garantía de una obligación volvía a poseerla.

[24] Obviamente, los *cives* podían usucapir las cosas muebles *in provinciali solo*. Respecto a la *praescriptio* de cosas muebles, cabe recordar que, Marciano se refiere a ella, en general, al decirnos: «Se dispone en algunos rescriptos —*rescriptis quibusdam... cavetur*— que respecto a los bienes muebles —*ut in rebus mobilibus*— tenga lugar —*locus sit*— la prescripción de larga posesión —*praescriptioni diutinae possessionis*—» y en particular, con relación al esclavo, Modestino, dice: «Es evidente que la prescripción de larga posesión tiene lugar tanto respecto a los predios como respecto a los esclavos —*Longae possessionis praescriptionem tam in praediis quam in mancipiis locum habere manifestum est*—.

es —sin distinción, muebles/inmuebles— de 10 años entre presentes y 20 entre ausentes —lo que equivale a decir que vivan, o no, en el mismo municipio propietario y prescribiente—; 4) Otros requisitos posesorios exigidos son, el inicio de una justa posesión —*iustum initium possessionis*— que termina por identificarse con la *iusta causa* y, más tarde, la *bona fides*; 5) Su ámbito, como hemos dicho, es el de un remedio procesal defensivo —*exceptio* oponible a una acción— y 6) Sus efectos, el logro de una situación inatacable, por lo común, la propiedad provincial[25].

V. La prescripción adquisitiva justinianea

Concedida, por Caracalla, la ciudadanía a todo habitante del Imperio y superada, con Diocleciano, la distinción entre fundos itálicos y provinciales, el mantener las dos formas clásicas de *usucapio* y *praescriptio longi temporis* carecía de sentido. Así, en derecho postclásico desaparecen y son sustituidas por una serie de prescripciones especiales. Constantino —s. IV— introduce una prescripción —*praescriptio*— de larguísimo tiempo —*longissimi temporis*— que tiene carácter de excepción a cualquier *reivindicatio*, sobre bienes inmuebles, siempre que se haya poseído por 40 años sin más —el tiempo es su único requisito— y Teodosio II —s. V— con carácter y aplicación general —no sólo a inmuebles— establece una prescripción extintiva de todas las acciones que fija en 30 años.

Justiniano lucha con su deseo de volver al derecho clásico y su propio tiempo que le impide prescindir de los precedentes postclásicos. Por ello, distingue entre una prescripción ordinaria —que nos recuerda al primero— y otra extraordinaria —que lo hace con el segundo—.

En la ordinaria, exige *iusta causa* y *bona fides*. La llama *usucapio* si recae sobre bienes muebles, aumentando el plazo de posesión a 3 años y *longi temporis praescriptio*, si recae sobre inmuebles para la que mantiene los plazos de 10 años entre presentes y 20 entre ausentes.

En la extraordinaria, que llama *longissimi temporis praescriptio*, sigue el sentir postclásico, en cuanto a los plazos y en el poco rigor de

---

25   Con el tiempo y en la práctica, el mayor o menos plazo exigible será la nota diferencial entre *usucapio* y *praescriptio*.

los requisitos, aunque como novedad introduce la *bona fides* y muda su carácter extintivo por el adquisitivo.

Los requisitos de la prescripción adquisitiva justinianea, son:

1.º) *Res habilis.* Como regla general, las cosas deberán ser *in commercio*, excluyéndos: las hurtadas —*res furtivae*—, poseídas con violencias —*res vi possessae*— y las que por ley está prohibida su enajenación[26].

2.º) *Possessio.* Es la base fundamental de la *usucapio* y, aunque parezca redundante, ha de tener tal carácter, o sea comportar *corpus* y *animus*. Por ello, deberá ser: a) en concepto de dueño —*animus*— no pudiendo usucapir, pues, el arrendatario, depositario, comodatario o cualquier otro poseedor en nombre ajeno —*nomine alieno*—; b) pública, pues los actos a espaldas del dueño o clandestinos —*nec clam*— no afectan a la posesión; c) pacífica, ganada sin violencia —*nec vi*— y d) ininterrumpida, pues en otro caso —*usurpatio*— deberá iniciarse de nuevo[27].

3.º) *Bona fides.* En síntesis estos son sus puntos de interés. a) Tiene un carácter subjetivo, moral o psicológico. b) Se puede definir desde un prisma positivo o negativo. Y así, será, respectivamente: bien la creencia de que el transmitente es el dueño de la cosa y, por ello, puede transmitir su dominio[28] o bien la simple y mera creencia honesta de que con la posesión de la cosa no se perjudica a un tercero. En todo caso, no cabe identificar la buena fe con la ignorancia de que en el modo de adquirir la propiedad existe un vicio que lo inválida —supuesto de la transmisión de la *res mancipi* por *traditio*—. c) Se exige sólo al principio de la posesión, basta, pues, sea inicial, ya que la mala fe sobrevenida no perjudica —*mala fides superveniens non nocet*—. d) La buena fe se presume siempre y al que alega la mala incumbe la prueba.

4.º) *Titulus.* En terminología postclásica y justinianea equivale a lo que los clásicos llaman *causa.* Por tanto ni es un documento ni el acto

---

[26] Las cosas del emperador y emperatriz, de la Iglesia y obras pías, de los menores y ausentes y las enajenadas por el poseedor de mala fe, fueron, entre otras, algunas de las cosas que no se podían usucapir.

[27] Puede ser interrupción natural, pérdida de la posesión material de la cosa, o civil, por reclamación judicial del dueño en derecho justinianeo. En derecho clásico, la *litis contestatio* no interrumpe la usucapión, aunque si se consuma entre aquella y la *sententia* del *iudex*, se deberá restituir.

[28] Así la define Gayo cuyo texto completo hemos transcrito en nota 22.

traslativo de la posesión, sino el hecho o relación en que se funda y para que sirva de base a la *usucapio* ha de ser: justo, verdadero, válido y probado. Veamos lo que esto significa:

a) Justo —o *iusta causa*— significa que es apto para transmitir el dominio —*causa habilis ad dominium trasferendum*—. Es decir, que tiene eficacia traslativa de la propiedad[29].b) Verdadero, que ha de ser real y efectivo, o sea, que la relación que encierra exista. Esto es, que si se basa en una compraventa, por ejemplo, se haya producido en realidad y no se haya simulado[30]. c) Válido. La pregunta surge de inmediato. ¿Si la compraventa o la donación —por caso— es válida por qué acudir a la *usucapio*? La contestación, por reducción al absurdo, tampoco se hace esperar. Puede ocurrir que exista una relación válida como tal —compraventa o donación en la que se cumplen todos sus requisitos— siendo válida en la forma —no viciada— pero en la que exista un vicio de fondo —adquisición *a non domino*— y resulte ineficaz, pues nadie puede transmitir más derechos que los que tiene —*nemo dat quod non habet*—[31]. En este sentido, debe, pues, entenderse: título que bastaría para transmitir la propiedad de una cosa si el

---

[29] Legalmente, bastaría para transferir el dominio de una cosa de no mediar un vicio que, precisamente, la usucapión tiende a subsanar. Las *iustae causae* se suelen indicar en las fuentes precedidas de la preposición *pro* —como— y entre ellas cabe distinguir tres tipos: uno, coincide con las que justificaban la *traditio*, salvo el préstamo, así, la compraventa —*pro emptore*—, donación —*pro donato*—, dote —*pro dote*— y el pago —*pro soluto*—; otro, se identifica con las que pueden justificar una posesión civil, como, el abandono —*pro derelicto*—, legado —*pro legato*—, herencia —*pro herede*— y concesión pretoria (de la posesión) por decreto —*ex decreto*— y el tercero, alude a cualquier otra causa, sin nombre especial, por la que el usucapiente tiene algo como propio —*pro suo*—.

[30] En las fuentes aparecen una serie de textos en los que se admite la usucapión en casos de título, no ya defectuoso, sino inexistente. Los intérpretes hablan de "putativo" y se entiende por tal, la creencia del poseedor de que, en efecto, existía un título que legitimaba su situación no siendo así en realidad. Esta creencia errónea, aunque disculpable —*iusta causa erroris*— divide a los juristas. Unos, se muestran contrarios a su admisión —Celso es su principal representante— y otros, consideran su suficiencia, criterio que parece prevalecer a partir de Juliano. Para algunos romanistas el título *pro suo* se identifica con este título putativo.

[31] Procedamos por vía de ejemplo e imaginemos que Ticio adquiere, por legado, según testamento de Cayo, una casa que pertenecía en vida a éste y que procede a venderla a Sempronio —título válido—. Al cabo de un tiempo —superior al exigido para usucapir— se descubre un segundo testamento de Cayo, en que revocaba (anulaba) el legado de su casa a Ticio. ¿Acaso no podrá usucapir Sempronio, que ha actuado de buena fe, convencido que Ticio era dueño de la casa?

trasmitente fuese su propietario. d) Probado, es que nunca se presume y deberá probarlo el que lo alega, o sea, el usucapiente[32].

5.º) *Tempus*.– En el régimen justinianeo se hace necesario distinguir como anticipamos, entre prescripción: a) ordinaria, cuyo tiempo es de 3 años para las cosas muebles y 10 años entre presentes y 20 entre ausentes para las inmuebles —según habite, o no, en la misma provincia—[33] y b) extraordinaria, que será de 30 años, o incluso de 40 siendo cosas del emperador, emperatriz, fisco, Iglesia u obras pías.

---

[32] Posiblemente, como se ha destacado, este criterio contrario al que se exige con respecto a la buena fe —e incluso, para la posesión— se basa en el carácter ofensivo de la prescripción adquisitiva.

[33] En el cómputo de este tiempo —relacionado con la buena fe y la posibilidad de sumar la posesión del transmitente a la del adquirente— hay que distinguir si la transmisión es a título singular —por ejemplo por compra o legado— o es a título universal —por herencia—. a) En el primer supuesto, se habla de accesión de la posesión —*accessio possesionis*— y el adquirente, necesariamente, ha de tener buena fe, siendo indiferente la buena o mala fe del transmitente, que teniendo buena fe, se agrega a la del adquirente y en caso contrario, el adquirente empezaría a usucapir. b) En el segundo supuesto, se habla de sucesión en la posesión —*successio possessionis*— y se invierten los términos, ya que el transmitente ha de tener, necesariamente, buena fe y es indiferente la buena o mala fe del heredero. Al ser la posesión un hecho único y el heredero un continuador de la personalidad del causante, en todo caso, rematará la usucapión. Si actúa de buena fe se sumará su tiempo al del causante y si de mala, será una mala fe sobrevenida que no afectará a la usucapión.

Tema 24

Las servidumbres

La propiedad es el derecho real por excelencia. Sin embargo, no es el único. Hay otros que se ejercen, también, directamente, sobre cosas pero que pertenecen a otras personas, es decir, sobre cosas ajenas y este es su nombre: derechos sobre cosa ajena —*iura in re aliena*—. Estos, pueden ser: de goce y disfrute —servidumbres, usufructo, uso, habitación, enfiteusis y superficie— o de garantía —fiducia, prenda e hipoteca—. A continuación, trataremos de las servidumbres y en los dos temas siguientes de los restantes.

1. IDEAS GENERALES

I. Denominación y concepto

A) Servidumbre, de *servitus* —contrapuesto a *libertas*— en el orden moral y en el físico refleja una relación de sujeción, una restricción de libertad. Aplicado a las personas designa la esclavitud y son *servi* los esclavos. Aplicado a las cosas, alude a una limitación o restricción al poder absoluto de la propiedad, que, en principio, se supone libre.

B) En un sentido amplio —jurisprudencia postclásica— designa toda desmembración del derecho de propiedad. En una acepción estricta es: la carga o gravamen impuesto sobre un inmueble en beneficio de otro perteneciente a distinto dueño[1].

El fundo en cuyo favor se establece —*cui servitus debetur* o *qui servitutem habet*— se llama predio dominante —de *dominus*, dueño—. El predio sobre el que se constituye —*fundus qui servit* o *qui servitutem*

---

[1]   En general, consiste en poder impedir ciertos actos al dueño del fundo —por ej. no elevar la edificación— o en usarlo, sin ser su dueño, de cierta manera —por ej. pasar a través de él—.

debet— predio sirviente —de *servus*, privado de libertad—. Y las relaciones entre uno y otro: derechos de los predios —*iura praediorum*—. Expresiones que si bien reflejan relaciones entre fundos, no implican que los juristas romanos olviden que los titulares de derechos son las personas —no las cosas— destacando, tan sólo, la adscripción permanente de la servidumbre a los fundos con independencia de los posibles cambios de sus titulares. Por ello se llaman servidumbres prediales —*servitutes praediorum appellantur*— por no poderse establecer sin los predios —*quoniam sine prediis constitui non possunt*—.

II. Origen y fundamento

Los romanos no conocen una categoría general de las servidumbres, sino un número limitado de ellas. Ello obedece a no truncar la libertad del dominio por la libre constitución de éstas y se expresa con la palabra tipicidad. Aparecen, pues, en forma progresiva. Responden siempre a concretas necesidades agrícolas, urbanas o industriales y su razón de ser, en general, es promover la explotación de los fundos que no pueden utilizarse en su aislamiento.

2. PRINCIPALES TIPOS DE SERVIDUMBRES

El contenido del derecho de servidumbres, en general, puede ser cualquier utilidad que un fundo pueda rendir a otro. Roma, sin embargo, conoce —como dijimos— un número limitado de servidumbres y a lo largo de su historia se aprecia los siguientes tipos o distinciones.

A) En derecho arcaico, se distingue entre: *mancipi* y *nec mancipi*. Son *mancipi*, las servidumbres de paso en su triple modalidad de: senda —*iter*— (a pie, caballo o en litera); paso de ganado, «herradura» o «rueda» —*actus*— y camino para todo uso —*via*— así como la de acueducto —*aquae ductus*—, o sea, el derecho de conducir agua por un fundo ajeno —*ius aquam ducendi per fundum alienum*—. Todas las demás, posteriores en tiempo, serán *nec mancipi*.

Las más antiguas, responden a las exigencias de la primitiva economía —agropecuaria— y al igual que ocurre con el derecho de propiedad que se confunde con el objeto sobre el que se ejerce, tampoco aquí se distingue entre el derecho de paso o conducción de agua y el camino o lugar por donde se pasa o discurre la conducción. Tienen, pues, el carácter de cosas —*res mancipi*—, son susceptibles de *dominium ex iure Quiritium* y se adquieren por *mancipatio* o *usucapio*.

B) En derecho clásico, se distingue entre: rústicas y urbanas. El criterio distintivo, silenciado por las fuentes, se induce —por los ejemplos que aquellas suministran— tanto de la situación del fundo dominante, como de la función económico y social perseguida. Son rústicas: a) las de paso —*iura itinerum*—[2]; b) aguas —*iura aquarum*—[3]; c) abrevadero y pasto del ganado[4] y d) las de extracción o cocción de materiales —arena, greda o cal— para el fundo dominante[5]. Son urbanas: a) las de vertiente de aguas —*iura stillicidiorum*—[6]; b) paredes (vigas, muros, balcones, voladizos y tejados) —*iura parietum*—[7] y c) luces y vistas —*iura luminum*—[8].

---

[2] Las servidumbres de paso por un fundo ajeno fueron las tres primitivas catalogadas como *res mancipi*.

[3] Además de la de acueducto —*aquae ductus*— a destacar: la de toma de aguas del fundo sirviente —*aquae haustus*— (de *haurior* = sacar, extraer) que comprende el *iter*, es decir, el derecho de ir —*ius eundi*— al manantial.

[4] Son, respectivamente, la de poder abrevar el ganado del fundo dominante en el fundo sirviente —*pecoris ad aquam adpulsum*, de *apello* = dirigirse— o a pastar —*pecoris pascendi*—. Ambas comprenden el *Actus*.

[5] La de cocer cal —*calcis coquendae*— y las de extraer greda, arcilla —*cretae exhimendae*— o arena —*arenae fodiendae*— del fundo sirviente; siempre están limitadas a las necesidades del fundo dominante y nunca con fines industriales.

[6] El vertido de las aguas pluviales al fundo sirviente, puede hacerse: naturalmente, sin conducción alguna, o, por canalones u otro tipo de conducción. Las fuentes hablan, respectivamente, de *servitus stillicidii* —gota a gota— y de *servitus fluminis* —torrencialmente—. El derecho a desaguar, por tuberías, a través del fundo sirviente, las aguas negras o residuales, constituyó la *servitus cloacae*.

[7] El soportar: a) la carga del edificio contiguo, sobre nuestra columna o muro, dio lugar a la *servitus oneris ferendi*, de *fero* = soportar; b) el que se introduzca una viga en nuestra pared para apoyar la edificación ajena, a la *servitus tigni immitendi*, de *immitere* = introducir. El derecho de proyectar sobre el fundo ajeno, un balcón o terraza, dio lugar a la *servitus proiicendi*, de *proiacio* = dirigirse hacia delante y el de avanzar un voladizo o el tejado, a la *servitus protegendi*, de *protego* = construir un alero.

[8] Según Paulo, la palabra *lumen* significa que se vea el cielo, de ahí que se incluya el derecho a abrir ventanas sobre el fundo del vecino —*ius luminum*— y el de impedir, en general, que las construcciones que puedan hacerse en el fundo sirviente, priven de luces o vistas al dominante. A ello responden las servidumbres de: no elevar la

En esta época las servidumbres, según Paulo, son ya derechos —*res incorporales*— distintos, de las cosas sobre las que recaen —*iura in re aliena*— y así matiza que: las servidumbres de los predios rústicos —*servitutes praediorum rusticorum*— aunque inherentes a los fundos —*etiamsi corporis accedunt*— sin embargo son cosas incorporales (derechos) —*incorporales tamen sunt*—.

C) En derecho postclásico, se distingue entre: servidumbres *in solo* o *in superficie*, según afecten al suelo o a lo en él edificado —*servitutes praediorum aliae in solo, aliae in superficie consistunt*—.

El vulgarismo propio de ésta época hace no se distinga entre uso y posesión; que se admita ésta sobre cosas incorporales —*quasi posessio*— y que las servidumbres se constituyan por transcurso de tiempo o tolerancia del propietario ante su uso.

D) En derecho justinianeo, se distingue entre servidumbres reales o prediales y personales. Se otorga este carácter al usufructo, uso y habitación y la clasificación se basa en que se contemple la utilidad objetiva de los fundos —reales— o el beneficio e interés de una persona —personales—.

E) Los glosadores crean la categoría de los derechos reales sobre cosa ajena. A ello se oponía la idea de tipicidad romana antes referida.

F) La moderna doctrina, establece tres criterios clasificatorios, respecto a las servidumbres prediales, cuya aplicación al derecho romano no resulta forzada. Así, se suele distinguir: por su contenido, entre positivas y negativas[9]; por su ejercicio, entre continuas o discontinuas[10] y por las señales de su existencia, entre aparentes y no aparentes[11].

---

edificación —*altius non tollendi*—, de *tollo* = elevar; de no privar de luces —*ne luminibus officiatur*, de *ob-facio* = obstaculizar, estorbar— y de no privar de perspectivas —*ne prospecti officiatur*—.

[9]   Las positivas imponen al dueño del fundo sirviente la obligación de dejar hacer algo —tolerar se haga, *pati*— como las servidumbres de paso. Las negativas le prohíben hacer lo que le sería lícito de no mediar la servidumbre —abstención de hacer, *non facere*— como elevar la edificación.

[10] Son continuas, aquellas cuyo uso es, o puede ser, incesante, sin intervención de hecho alguno del hombre —como las de luces—. Discontinuas, las que se usan a intervalos, más o menos largos, dependiendo de actos del hombre —así, las de paso—. Por lo general, las continuas corresponden a las urbanas del Derecho Romano y las discontinuas a las rústicas.

[11] Aparentes, son las que se anuncien y están siempre a la vista, por medio de signos externos que revelan su uso y aprovechamiento —como la de acueducto—No

3. CARACTERES DE LAS SERVIDUMBRES PREDIALES

A veces las fuentes y otras los intérpretes —a tenor de ellas— formulan una serie de máximas, principios o aforismos que precisan las características de las servidumbres, en particular, y de todos los *iura in re aliena* en general. Veamos algunos[12].

A) **Nadie puede tener una servidumbre sobre algo suyo** = *nemini res sua servit*[13].

Su fundamento es doble: el carácter de la servidumbre como derecho sobre cosa ajena y la propia naturaleza del derecho de propiedad. El propietario de un fundo no puede tener derechos reales parciales o limitados, sobre él. Sería, sin duda, un contrasentido pues la propiedad, en principio derecho absoluto e ilimitado, abarca el objeto sobre el que recae en todas sus facetas. Así, el que saca agua de un fundo propio para otro, que también lo es, no ejerce una servidumbre —aunque la facultad que usa (sacar agua) podría formar contenido de ella— sino su derecho de propiedad. Actúa, pues: *iure dominii* y no *iure servitute*.

Consecuencia de esta norma es la extinción de la servidumbre cuando la propiedad de los fundos —dominante y sirviente— se reúnen en una persona —*confusio*—. En otro caso, el cambio de titulares no le afecta[14].

B) **La servidumbre no puede consistir en un hacer** = *servitus in faciendo consistere nequit*[15].

---

aparentes, las que no revelan indicio alguno exterior de su existencia —como la de no elevar la edificación—.

[12] Sin perjuicio de que su uso pueda ser continuo o no, por razón de la utilidad —unos— y de la naturaleza de la servidumbre —otros— se ha discutido la aplicación a todas las servidumbres de la máxima: *servitutis perpetua causa esse debet* = la servidumbre debe tener una causa perpetua. Es opinión generalizada que no se exigió, para todas, en derecho clásico, sino tan sólo para las de aguas. Por ello la omitimos.

[13] Esta regla se basa en un texto de Paulo en que se niega a un copropietario pueda hacer algo en la cosa común por derecho de servidumbre sin el consentir el otro.

[14] Este principio es de común aplicación a todos los *iura in re aliena* y congruente con la afirmación de Marciano de que nadie puede mandarse y prohibirse a sí mismo —*neque imperare sibi, neque se prohibere quisquam potest*—.

[15] Esta regla es formulada por los intérpretes en razón a un texto de Pomponio, según el cual, no es propio de las servidumbres —*servitutem non ea natura est*— que alguien haga algo —*ut aliquid faciat*—, sino que lo tolere o que no lo haga —*sed ut aliquid patiatur aut non faciat*—.

Se funda: en el carácter de la servidumbre como derecho real —no personal u obligacional—; en que se establece en interés de los propios inmuebles —*iura praediorum*— y en que afecta sólo de una forma mediata o indirecta a las personas instaladas en ellos.

Consecuencia de ello es que el dueño del predio sirviente no puede ser obligado a un *facere*: que levante jardines —*viridia tollat*—; proporcione una vista más agradable —*amoeniorum prospectum praestet*— o que pinte en su propiedad —*ut in suo pingat*—. Si se da esto no estamos ante un derecho sobre la cosa —real— sino sobre la actividad de una persona —obligacional[16]—.

C) **Las servidumbres son indivisibles** = *servitutes dividi non possunt*[17].

Su fundamento descansa en la concepción de la servidumbre como cualidad del fundo —*qualitas fundi*— parangonable, según Celso, a su belleza, salubridad y amplitud —*bonitas, salubritas et amplitudo*—. Se basa, en el propio uso —*nam earum usus*— de las servidumbres que está encadenado de tal manera —*ita conexus est*— que si se dividiera aquel uso se corrompería la naturaleza de ésta —*ut qui eum partiatur, naturam eius corrumpat*—.

Consecuencia de esto será que no pueden adquirirse, usarse o extinguirse por partes. Si el predio sirviente o dominante se divide, en dos o más, la servidumbre no se modifica y el derecho o servicio que representa comprende cada una de las partes en que resulta dividido[18]. En derecho justinianeo esta regla sufrió algunas atenuaciones.

---

[16]   Una aparente excepción a esta regla —objeto de polémica entre Aquilio Galo y Servio Sulpicio Rufo— se da en la *servitus oneris ferendi* = servidumbre de soportar la carga de un edificio, que impone al propietario de la pared, columna o muro del fundo sirviente, sobre el que se apoya, la obligación de mantenerlos en buen estado y, eventualmente, repararlos —*reficere parietem*—. Labeón, siguiendo a Servio, afirmó su carácter de verdadera servidumbre. La explicación es: que siendo cierto que la solidez del sostén interesa al predio dominante, el sostén mismo pertenece al sirviente y no es razonable que el propietario de aquél, repare a sus expensas, una cosa ajena, por producirse un enriquecimiento injusto.

[17]   La formulación más explícita de la indivisibilidad de las servidumbres es de Pomponio, aunque su sentir se recuerda, con frecuencia, por otros juristas clásicos.

[18]   Son aplicaciones de esta regla, los supuestos de constitución de servidumbres de un fundo indiviso —que requerirá el consentimiento de todos los condóminos— y el legado de servidumbre, en el que los coherederos se obligan por el todo —*in solidum*—.

D) **Las servidumbres no están ni en nuestro patrimonio ni fuera de él** = *servitutes neque in bonis, neque extra bona sint*[19]. Así, no está *in bonis*, por no poderse disponer de ella independientemente del fundo, y no es *extra bonis* por que constituye, sin embargo, una entidad patrimonial. Su fundamento estriba, en la consideración de la servidumbre como *qualitas fundi* y, por tanto, en su propia naturaleza.

Consecuencias y aplicaciones de este principio son: que no puede enajenarse el fundo reteniendo la servidumbre o enajenarse ésta reteniendo aquél, por ser inseparables de la finca a que activa o pasivamente pertenecen, y que su titular tampoco podrá constituir sobre ella relación jurídica alguna separadamente del fundo, ya sea: —ejemplifica Ulpiano— arrendarla —*locare servitutem nemo potest*—, darla en prenda o —recuerda Africano— constituir sobre ella un derecho de usufructo —*neque servitutis fructus constitui potest*—.

En derecho justinianeo se mitigó esta regla admitiéndose el usufructo y la prenda de las servidumbres rústicas[20].

E) **Los predios deben ser vecinos** = *praedia vicina esse debent*[21].

Su fundamento está en la propia naturaleza de las servidumbres como *iura praediorum* y en la utilidad material y objetiva que, siendo su primitiva razón de ser, deben representar.

Consecuencias de ello será que: el término *vicinus* no deba traducirse, a ultranza, por contiguo —éste es, según Ulpiano *vicinus proximus*—; tenga que interpretarse con mayor o menor rigidez, según la concreta naturaleza y finalidad del particular tipo de servidumbre contemplado; evoque la idea de posibilidad; y, que, en suma, baste que los predios estén en una situación topográfica tal que posibiliten el ejercicio de la servidumbre.

---

[19] Se formula por Paulo y alude a su inalienabilidad, pues es un derecho inherente al fundo y debe seguir su suerte.

[20] La regla *servitus servitutis esse non potest* = no puede constituirse una servidumbre sobre otra, en origen, según opinión generalizada, se refería al usufructo: *fructus servitutis esse non potest* = no puede existir una servidumbre sobre un usufructo. Alteración que pudo tener lugar por error del copista o interpolación consciente al ser el usufructo una servidumbre personal en derecho justinianeo.

[21] Con frecuencia se alude en las fuentes, respecto a ciertas servidumbres, que no pueden existir sobre un predio ajeno —*in alieno*— más que a favor de quien tiene un predio vecino —*nisi fundum vicinum habeat*— Así lo expresa Ulpiano, haciéndose eco del sentir de Neracio, Próculo y Atilicinio.

Existen, pues, ciertas servidumbres que requieren continuidad de los predios —así los *iura parietum*— y otras no. Éstas —por ejemplo los *iura itinerum*— pueden estar separados por la vía pública o —como la *altius non tollendi*— por un fundo intermedio.

F) **La servidumbre debe ser útil al fundo** = *servitus fundo utilis esse debet*[22].

Su fundamento está en que implican una limitación al derecho de propiedad, por lo que no pueden establecerse sin proporcionar una utilidad objetiva al fundo dominante, posibilitando o aumentando su productividad —si es rústico— o su funcionalidad —si se trata de un edificio—.

Consecuencia de esto será que se excluya la utilidad subjetiva, personal o simple capricho. Un conocido fragmento de Paulo, refiere que: para coger fruta —*ut pomum decerpere liceat*— pasear —*et ut spatiari*— o cenar en un fundo ajeno —*et ut coenare in alieno*— no puede establecerse una servidumbre —*servitus imponi non potest*—. También quedan exceptuadas, las hoy denominadas, servidumbres industriales, pues la industria se vincula más a la persona que al fundo. En tales casos, eventualmente, se podrá constituir una relación de usufructo[23].

4. VIDA JURÍDICA DE LAS SERVIDUMBRES

Como toda institución jurídica las servidumbres nacen y, mueren y pueden ser objeto durante su vida de actos que impidan o perturben su normal ejercicio. De todo ello pasamos a hablar.

---

[22] La utilidad debe entenderse en un sentido amplio, comprensivo de la simple *amoenitas* —amenidad, encanto, belleza— como en las servidumbres de vistas.

[23] Así, Paulo nos dice que: se pueda cocer cal —*ius calcis coquendae*— extraer piedra —*et lapidis eximendi*— y sacar arena —*et arenae fodiendae*— del fundo sirviente para satisfacer las necesidades del fundo dominante y, dentro del límite de éstas, hacer vasijas o ánforas para trasportar el vino que produce o tejas para edificar un caserío en él —*aedificandi eius gratia quod in fundo est*— pero no si se hubiese establecido una fábrica destinada a la venta de dichos vasos, ánforas o tejas.

I. Constitución

De las fuentes se desprende que los modos de constituirse las servidumbres pueden ser: A) voluntarios —por negocios *inter vivos* o *mortis causa*—; B) judiciales —por adjudicación del juez—; C) temporales —por usucapión, tolerancia del dueño del fundo sirviente, ejercicio inmemorial de la servidumbre o prescripción adquisitiva— y D) tácitos —por presunción, signo aparente o destino del *paterfamilias*—. Modos que no siempre se dieron, ni de igual forma, a lo largo de toda la historia del derecho romano.

A) Modos voluntarios

Son: 1.°) los negocios jurídicos —*inter vivos*— celebrados entre el dueño de la cosa y quien va a ser titular de la servidumbre, que adoptarán distintas formas, en derecho clásico y justinianeo y en aquél, según se trate de fundos itálicos o provinciales y 2.°) los negocios jurídicos *mortis causa*, testamento o legado, otorgados por el dueño del fundo. Así, el dueño de dos fundos puede atribuir en testamento, la propiedad de cada uno a diferentes personas y crear, a la vez, una servidumbre entre ambos. En síntesis: en derecho romano clásico, los modos voluntarios de constituir la servidumbre son: 1) la *mancipatio* e *in Iure cessio*, (tratándose de fundos *in solo Italico*); 2) en ambos casos, la *deductio*, (deducción o reserva de la servidumbre a favor de otro fundo del transmitente); 3) los pactos y estipulaciones (estando los fundos *in provinciali solo*), por los que el constituyente y sus herederos se comprometen a no perturbar su ejercicio y 4) los legados. Con Justiniano[24]: a) los pactos y estipulaciones —*pactionibus et stipulationibus*— son el modo general de constitución; b) el legado, como en todo tiempo, la forma más difundida y c) la *deductio* se admite en la transmisión de propiedad hecha por *traditio*.

B) Modo judicial: Adjudicación —adiudicatio—

Tanto en derecho clásico como justinianeo, el juez —*iudex*— podrá, en los juicios divisorios, constituir una servidumbre —*adiudicare*

---

[24]   Recuérdese que en esta época han desaparecido las distinciones *Ius Civile-Ius Honorarium*; predios *in solo Italico-in provinciali solo*; *res mancipi-nec mancipi* y la *mancipatio* e *in iure cessio* han sido sustituidas por la *traditio*.

servitutem— entre dos fundos o las partes resultantes de la división, cuando, como consecuencia de ella, resulte necesario o, al menos, oportuno.

C) *Modos temporales*

En síntesis, este podría ser el *iter* cronológico de sus manifestaciones: 1.ª) en derecho arcaico, la *usucapio*, se admite sobre las 4 primeras servidumbres, por ser *res mancipi* y modo apto para adquirirlas (lo que una *Lex Scribonia*, de fecha incierta, prohíbe y así se mantiene en derecho clásico[25]); 2.ª) ya en derecho preclásico, el pretor protege, el *diuturnus usus*, o sea, cuando las servidumbres, sin constituirse en forma, su ejercicio se remonta a tiempo inmemorial, lo que se reflejará, sobre todo, por las obras que existan en el fundo sirviente[26]; 3.ª) en derecho clásico, este *diuturnus usus* se amplía a a la tolerancia —*patientia*—; 4.ª) así se mantiene en el postclásico, en que se oscurece la distinción *usus* y *possessio* y alcanzando ésta a los *corpora* y a los *iura*, se admite una *quasi-possessio* de las servidumbres y por tanto su *traditio* —mejor *quasi traditio*—, representada por la *patientia*, es decir, la tolerancia notoria del titular de un predio el ejercicio de la servidumbre[27]; 5.ª) Justiniano, además del ejercicio de la servidumbre desde tiempo inmemorial —*diuturnus usus*, *vetustas*— reconoce la prescripción adquisitiva de toda servidumbre, aplicando los requisitos y plazos de la *longi temporis praescriptio* sobre inmuebles —10 o 20 años, según sea entre presentes o ausentes—.

---

[25] La escisión del *usus* de las XII Tablas en un *uti*, referido al ejercicio de derechos y un *possidere*, referido al de las cosas corporales; el ser base de la usucapión, la *possessio*; el concebirse las servidumbres no ya como cosas, sino como derechos —de *res incorporales*, las califica Gayo—; el no ser, obviamente, éstas susceptibles de *traditio* = entrega —*incorporales res traditionem non recipere manifestum est*— son razones de ello. Paulo esgrime esta última razón y por ello no pueden usucapirse —*et ideo usu non capiuntur*—.

[26] Esta prerrogativa *temporis* (*diuturnus usus* o *vetustas*) no es modo de adquirir y sí medio de probar su existencia.

[27] Entre reconocer que la *vetustas* sustituya a la prueba del título y que el ejercicio, de hecho, de una servidumbre implique adquisición, el paso era muy pequeño.

D) *Constitución tácita*

Los postglosadores, a tenor de ciertos textos aislados de Justiniano, hablan de una constitución de servidumbre tácita por destino del padre de familia. Tiene lugar cuando el propietario de dos fundos, destina, con signos visibles, uno al servicio del otro y se entiende constituida por el hecho de dejar de pertenecer ambos predios al mismo propietario.

II. Defensa

Las servidumbres están protegidas por:

A) La *vindicatio servitutis* —llamada, después, *actio confesoria*—. Es similar a la *reivindicatio* y compete al dueño del predio dominante, en principio, sólo contra el dueño del predio sirviente, y más tarde, también, contra el poseedor o tercero que impida el ejercicio de la servidumbre. Su fin es —de ahí su última denominación— que se «confiese» y reconozca la servidumbre; restablecer su uso y obtener el correspondiente resarcimiento de daños.

La negación de la servidumbre tendrá lugar a través de la *actio negatoria*.

B) Interdictos.- El titular de la servidumbre está protegido, además, por un buen número de interdictos en su mayoría de carácter prohibitorio[28]. Con carácter restitutorio le compete, también, aunque deba antes proceder a la denuncia de obra nueva, el denominado interdicto demolitorio para la destrucción de la obra —inacabada— que impide o perjudica ejercer la servidumbre.

III. Extinción

En la extinción de las servidumbres, se aprecia, en las fuentes tres tipos de causas: subjetivas, objetivas y temporales.

---

[28] Entre ellos, podemos destacar, dentro de los de aguas: los de agua cotidiana y estival —*de aqua cottidiana et aestiva*— en favor de quien saca agua del fundo ajeno en verano o diariamente y los de cloacas —*de cloacis*—, fuente —*de fonte*— y arroyos —*de rivis*— para sus correspondientes reparaciones; y, dentro de los de paso: los de senda y conducción privada —*de itinere actuque privato*— en favor de quien usa la servidumbre al menos 30 días al año y los de reparación del camino de paso —*de itinere actuque reficiendo*—.

A) Son subjetivas: a) la confusión —*confusio*— cuando la propiedad de los predios —dominante y sirviente— confluye en una misma persona —principio *nemini res sua servit*— y b) la renuncia del titular —*remissio servitutis*—[29].

B) Son objetivas: la demolición o destrucción de los predios dominante y/o sirviente o resultar *extra commercium*.

C) Es causa temporal: el no uso —*non usus*—. a) En derecho clásico, siendo servidumbres rústicas —cuyo contenido consista en que el titular haga algo— el plazo es de dos años; siendo urbanas —cuyo contenido consista en la facultad de impedir que se haga algo— es necesario, además, la *usucapio libertatis* —usucapión de la libertad— para lo que se requiere que el titular del predio sirviente realice un acto contrario a la servidumbre y el titular de ésta no se oponga durante el bienio. b) En derecho justinianeo se amplía el plazo a 10 años entre presentes y 20 entre ausentes.

---

[29]   En derecho clásico, la renuncia, se hará por *in iure cessio* ante el ejercicio de la *actio negatoria* y en derecho justinianeo, adoptando cualquier forma.

Tema 25

El usufructo y otros derechos reales de goce

1. CONCEPTO Y CARACTERES DEL USUFRUCTO

I. Denominación y concepto

A) El término latino *ususfructus* = usufructo, es palabra compuesta de *usus* (de *utor*, usar) = uso y *fructus* (de *fruor*, disfrutar, gozar) = disfrute.

B) Paulo define el usufructo —*usufructus est*— como: un derecho sobre cosas ajenas —*ius alienis rebus*— que permite usarlas y percibir sus frutos —*utendi fruendi*— dejando a salvo su sustancia —*salva rerum substantia*—. Esta definición refleja la naturaleza de este derecho, su contenido y sus límites. Detengámonos sobre ella.

a) *Ius alienis rebus,* se refiere a la naturaleza del derecho —derecho sobre cosas ajenas—, de lo que se deduce que nadie puede tener en usufructo una cosa de su propiedad: *nemini res sua servit*.

b) *Utendi Fruendi*, se refiere a su contenido —uso (utilización) y disfrute (aprovechamiento) de una cosa por el usufructuario—. El *uti* por si sólo puede dar lugar a un derecho independiente: el uso —*usus*—. El *frui*, por contra, no puede existir sin aquél pues lo presupone y así el propio Paulo recuerda que: *fructus sine usu esse non potest*.

c) *Salva rerum substantia*, se refiere, en general, a los líimites que comporta este derecho. Esta expresión ha sido diversamente interpretada en doctrina. Para unos, significa que el usufructuario no puede alterar el destino económico de la cosa; para otros —dándole un sentido más jurídico que económico— alude a la privación de la facultad de disponer de la cosa usufructuada por parte del usufructuario y, para unos terceros, indica la necesidad de conservarla[1].

II. Origen y fundamento

A) El usufructo nace después que las servidumbres. Probablemente, en la segunda mitad del s. II AC, momento en que entra en crisis la vieja concepción de la familia y se difunde el matrimonio *sine manu*. En origen aparece vinculado al derecho familiar y hereditario, ya que pretende subsanar la falta de derechos sucesorios de la mujer respecto al marido y el legado constituye, siempre, la forma más usual de su constitución[2].

B) Su fundamento respondió a la necesidad de dejar a la viuda, lo necesario para seguir viviendo igual que antes de la muerte de su marido, sin nombrarla heredera en perjuicio de los hijos. Precisemos esto. El testador se plantea: por un lado, la necesidad de dejar a su mujer los medios suficientes que garanticen su independencia económica; por otro, que no disponga de ellos en beneficio de terceras personas y en perjuicio de los hijos. La armonización de estos dos fines, se logrará dejando a su muerte —legando— a la mujer el *ususfructus* de la casa, bienes y esclavos, cuyo uso y disfrute —*uti frui*— (rentas de este capital) garantizará a aquella su actual situación, pero privándola del *habere* —poder de disposición— incluso del *possidere* —posesión[3]— de los mismos que deja a sus hijos.

Estos reciben, pues, la propiedad «desnuda» de atribuciones, *nuda proprietas* —sin *uti frui*— por lo que no podrán perjudicar a la madre —titular del *uti frui*— y ésta tampoco podrá privar a los hijos de estos bienes al carecer de poder de disposición sobre ellos. Esta *nuda proprietas* volverá a ser plena a la muerte de la viuda.

III. Naturaleza jurídica

En época clásica el usufructo es un derecho real y personalísimo de carácter alimenticio; en derecho justinianeo servidumbre perso-

---

1   Celso interpreta, con simplicidad, esta frase al decir que el usufructo es un derecho sobre algo corporal —*ius in corpore*— que desaparecido —*quo sublato*— es necesario que también se extinga —*et ipsum tolli necesse est*—.

2   Precisamente, hoy en día, es en el campo del derecho familiar y sucesorio donde el usufructo tiene más relieve. Así, por ejemplo reflexionemos sobre unos padres que queriendo dar, en vida, cuanto tienen a sus hijos, quieren seguir percibiendo, mientras vivan, las rentas de su fortuna.

3   Le otorga la simple detentación.

nal y, en todo tiempo, tiene carácter temporal, pues de otra forma equivaldría a vaciar de contenido al derecho de propiedad.

El usufructo se diferencia de las servidumbres prediales por su carácter, objeto, contenido y finalidad: a) por su carácter, al ser transitorio —y no permanente— ya que comprime, por un tiempo, las facultades del propietario que recobran su inicial contenido al extinguirse; b) por su objeto, al poder recaer sobre cosas muebles e inmuebles —y no sólo sobre predios—; c) por su contenido, al limitar totalmente —y no en parte— las facultades del nudo propietario, cuya propiedad está desnuda de atribuciones y d) por su fin, al ser personalísimo y establecerse, pues, en interés de una persona —y no de un fundo— = *fuctus sine persona esse non potest*.

IV. Elementos constitutivos

A) Personales.– Intervienen usufructuario, *usufructuarius*, *fructuarius* o *dominus usufructus* y nudo propietario, *proprietarius* o *dominus proprietatis*. Ante la contradicción entre el carácter temporal del usufructo y la posible duración perpetua de las personas jurídicas, en tiempos de Gayo se discute si pueden ser usufructuarios los *municipia*. Justiniano lo admite señalando, en tales casos, como tiempo máximo de duración el de 100 años.

B) Reales.– Objeto del usufructo es a) como regla general, toda cosa no consumible —mueble o inmueble— b) por excepción, y a partir de un *sc.* del s. I DC, se admitió el legado de usufructo de cosas consumibles, como el vino, aceite o trigo, siempre que el usufructuario, mediante caución —*cautio*— se comprometiera a devolver otro tanto del mismo género, especie y calidad —*tantundem eiusdem generis et qualitatis*— al fin del usufructo o, lo que es más práctico, restituir su estimación en dinero. Esta figura se llamó *quasi-usufructus* —cuasi-usufructo— y presenta grandes diferencias con el usufructo y hondas similitudes con el mutuo[4].

C) Formales.– Los modos de constituir el usufructo son similares —aunque no idénticos— a los de las servidumbres prediales y a lo

---

4   Así: a) por su carácter, el cuasiusufructuario no tiene un derecho sobre cosa ajena —*uti frui*— sino la propiedad y posesión —*habere possidere*— de algo propio; b) por la restitución, no devolverá la misma cosa —*eadem res*— sino otro tanto —*tantundem*—

largo de su historia, en las fuentes, pueden distinguirse entre: modos voluntarios, judiciales, temporales e incluso legales.

a) Voluntarios.– El usufructo puede constituirse por voluntad de los particulares en actos *inter vivos* o de última voluntad. Debe matizarse, respecto a éstos, que el legado, es el modo más antiguo y, en toda época, el de mayor difusión e importancia y, respecto a aquellos: 1.ª) que en derecho clásico, si se trata de fundos *in solo Italico*, puede establecerse por *in Iure cessio* y por su reserva —*deductio*— en la *mancipatio* y si se trata de fundos provinciales, por pactos y estipulaciones —*pactiones et stipulationibus*— y 2.ª) que en derecho justinianeo: los pactos y estipulaciones adquieren carácter general; la *traditio* sustituye a la *in iure cessio* y la reserva del usufructo —*deductio*— puede realizarse en aquella.

b) Judiciales.– También se constituye el usufructo por decisión judicial por *adiudicatio* en los juicios divisorios.

c) Temporales.– Superada la concepción clásica del usufructo como *res incorporalis*, se podrá adquirir por transcurso de tiempo y tolerancia en su ejercicio —*patientia*— que se equipara a la *traditio*, (tal vez mejor *quasi traditio*).

d) Legales.– En derecho justinianeo, se establece un usufructo por ley: en favor del padre sobre el peculio adventicio del hijo no emancipado y en favor del cónyuge supérstite bínubo, sobre los bienes adquiridos a título gratuito —*lucra nuptialia*— del premuerto.

2. RÉGIMEN

Por el carácter residual de la *nuda proprietas* es lógico que las obligaciones y derechos del dueño sean contrapartida de los derechos y obligaciones del usufructuario.

---

de la misma especie y calidad; c) por la extinción, no se extinguirá por pérdida o destrucción de la cosa usufructuada, al no tener que devolverla y d) por la protección, no estará protegido por una acción real, sino personal —*actio ex stipulatu*—.

I. Situación del nudo propietario: obligaciones y derechos

A) Como regla y obligación general, el nudo propietario no debe realizar actos en contradicción con el derecho de usufructo, que invadan la esfera de actuación del usufructuario, obstaculicen el ejercicio del usufructo o empeoren su condición[5].

B) Si bien el usufructo absorbe la mayor parte del contenido del derecho de propiedad, que se sustrae al dueño, éste no queda privado, sin más, de toda utilidad que la cosa pueda producir durante el usufructo pues no todo entra en el *uti frui*. Así: a) le corresponden los frutos no percibidos por el usufructuario; b) puede supervisar la cosa usufructuada para asegurar, en su momento, su restitución y acudir para ello a un *saltuarius* o *insularius*, incluso en contra de la voluntad del usufructuario —*invito fructuario*— y c) puede también enajenar o hipotecar la nuda propiedad, adquirir servidumbres en favor del fundo o imponerlas siempre que no afecten al *uti frui*, como la de no elevar la edificación —*altius non tollendi*— aunque no podrá renunciar a las ya existentes[6].

II. Situación del usufructuario: derechos y obligaciones

A) El derecho base del usufructuario es el usar la cosa usufructuada y servirse de ella logrando todas las ventajas compatibles con su naturaleza y destino económico. Precisemos algo más en materia de: a) frutos, b) accesiones, c) tesoro, d) mejoras y d) cesiones.

a) Respecto a los frutos, corresponde al usufructuario todo lo que produce el uso al que se destina la cosa y hace suyos los frutos naturales, por percepción y los civiles por días. Este derecho a los frutos presentará distintas variedades según sea el objeto de usu-

---

[5]   Ulpiano formula este límite negativo al decir que: el dueño de la propiedad —*dominus proprietatis*— no deberá impedir al usufructuario —*non debebit impedire fructuarium*— que use de este modo —*ita uendum*— para no hacer peor su condición —*ne deteriorem eius conditionem faciat*—. Así: no podrá, sin conformidad del usufructuario: elevar el edificio, construir sobre el solar, cortar árboles...

[6]   Para la manumisión del esclavo en usufructo —*servus fructuarius*— necesitará el consentimiento del usufructuario y de no obtenerse el esclavo tendrá la condición de *servus sine domino* —esclavo sin dueño— en usufructo. El dueño tampoco podrá entregar al esclavo en reparación de un delito cometido —*noxae deditio*— pero las consecuencias de él las sufrirá el usufructuario.

fructo y así por ej: si es de ganado —*usufructus gregis*— le corresponderá la lana, la leche y las crías; si es de una casa, el alquiler derivado de su arriendo y si es de un esclavo, las adquisiciones realizadas por él con medios del usufructuario —*ex re fructuarii*— o con su propio trabajo —*ex operis suis*—[7].

b) El usufructo recae sobre la cosa según se encontraba al tiempo de su constitución, por ello no se extenderá, por ejemplo, sobre el solar de la casa destruida, ni tratándose del usufructo de un fundo ribereño sobre la isla que nazca en el río.

c) El usufructuario carece de derecho alguno sobre el tesoro descubierto por un tercero en el fundo usufructuado, y siendo él quien lo halle deberá compartirlo por mitad con el dueño.

d) En origen, por el principio *salva rerum substantia*, el usufructuario no podrá mejorar la cosa usufructuada —así, convertir un erial en viñedo o abrir nuevas minas—. Este criterio cesa en derecho postclásico por razón de la crisis económica y ya podrá mejorar la finca usufructuada.

e) Al ser el usufructo un derecho personalísimo, el usufructuario no podrá trasmitirlo, pero si ceder su «ejercicio», ya sea por venta, arrendamiento o donación. La condición de usufructuario permanece en el cedente y a su muerte, no sólo se extingue el usufructo, sino también la cesión.

B) En razón del tiempo, el usufructuario tiene una obligación anterior al efectivo ejercicio del usufructo, otras simultáneas durante él, y una posterior a su cese. Tales obligaciones, a través del derecho común, terminarán siendo inherentes al usufructo en los derechos modernos. a) La anterior, es el prestar la *cautio usufructuaria*[8], garantía por la que el usufructuario se compromete a usar y disfrutar de la cosa con la diligencia de un hombre recto —*boni viri*

---

[7]   Las adquisiciones, derivadas de donaciones, herencias o legados hechas al esclavo pertenecerán al dueño. Así como los hijos de las esclavas —*partus ancillae*— dadas en usufructo, ya que no tienen la consideración de frutos y la importancia económica de los esclavos está en su actividad de trabajo, que sí se equipara a los frutos.

[8]   Los medios para forzar al usufructuario a prestar la *cautio* fueron: la negativa, por parte del dueño, a la entrega de la cosa y si ya fue entregada, la denegación de la *vindicatio ususfructus* o la concesión al dueño de una *replicatio* contra la *exceptio ususfructus*, ante la *reivindicatio* del dueño.

arbitratu— y a restituirla al fin del usufructo. b) Las simultáneas, son: la guarda y conservación de la cosa en buen estado; el servirse de ella diligentemente, haciendo las reparaciones necesarias[9], y el asumir el pago de los tributos, impuestos y otras cargas que la afecten. c) La posterior, implica la restitución de la cosa usufructuada al fin del usufructo.

3. DEFENSA Y EXTINCIÓN DEL USUFRUCTO

A) Compete al usufructuario la *vindicatio usufructus* —llamada *actio confesoria* en terminología postclásica— similar a la *vindicatio servitutis*, contra cualquiera —nudo propietario o tercero— que impida u obstaculice su derecho de usufructo. Frente a la *reivindicatio* del propietario opondrá la *exceptio usufructus*, concediéndole el Pretor, por vía útil, los interdictos posesorios —*uti possidetis* y *unde vi*—.

B) Tres tipos de causas —subjetivas, objetivas y temporales— pueden apreciarse en las fuentes, como extintivas del usufructo.

a) Son subjetivas: 1) la renuncia del usufructuario —que puede tener lugar por *in iure cessio* en derecho clásico y declaración no formal en el justinianeo—; 2) la consolidación —*consolidatio*— de los derechos de usufructuario y nudo propietario; 3) la resolución del derecho del constituyente del usufructo y 4) la muerte o *capitis deminutio* —se excluye la mínima en derecho justinianeo— del usufructuario.

b) Son objetivas: 1) La pérdida, desaparición o destrucción —*interitus*— del objeto usufructuado; 2) la transformación —*mutatio rei*— que impida el ejercicio del derecho y 3) la exclusión de la cosa del comercio.

c) Son temporales: 1) El no uso —*non usus*— durante los plazos de la *usucapio* o *praescriptio*; 2) el transcurso de los 100 años en el

---

9   Así, tratándose de usufructo de un edificio, realizando las reparaciones necesarias —*modica refectio*—; si de un rebaño, mantener el número de cabezas recibidas, sustituyendo las muertas por las nacidas; si de un bosque talar, reponer los árboles caídos por vejez y proseguir las talas según venía haciéndose...

supuesto de que el usufructuario fuera una persona jurídica y 3) en su caso, el cumplimiento de la condición resolutoria —*extitit*— o vencimiento del plazo —*in diem*— establecido.

4. EL USO

I. Concepto y evolución

A) El uso —*usus* o *nudus usus*— es un derecho sobre cosa ajena, que permite a su titular —usuario— utilizarla, sin percibir sus frutos. Ulpiano, precisa: *uti potest frui non potest*. Así, el usuario de un rebaño no puede percibir la leche —*neque lacte*— ni los corderos —*neque agnis*— ni la lana —*neque lana*— porque están comprendidos en los frutos —*quia ea in fructu sunt*— pero podrá usarlo para abonar su campo —*ad stercorandum agrum*—.

B) Razones prácticas motivaron que la jurisprudencia fuera ampliando su concepto, ya que, por un lado, el simple uso de muchas cosas, no reporta ventaja alguna y, por otro, es difícil asumir que el constituyente —el testador, por lo general— hubiera querido conceder ventajas ilusorias. Por ello, se admitió que el usuario pudiera percibir, también los frutos, pero limitados a las necesidades de él y su familia —*ad usum cottidianum*— y a su consumo en el propio lugar —*in villa*—. En el caso del rebaño aludido, Ulpiano dice que podrá usar una moderada cantidad de leche —*modico lacte*— fundamentándolo en una de las razones aludidas: porque no hay que interpretar las disposiciones testamentarias de un modo tan estricto —*neque tam stricte interpretandae sunt voluntates defunctorum*—.

II. Naturaleza jurídica y régimen

A) En derecho clásico el uso tiene el carácter de *ius in re aliena*. En derecho justinianeo, como usufructo limitado —*minus... iuris in usu est, quam in usufructu*— el de servidumbre personal.

B) Su régimen es similar al del usufructo. Se constituye por los mismos modos —*iisdem istis modis quibus ususfructus constituitur*—. Se extingue por las mismas causas —*iisdemque illis modis finitur*— e incluso se garantiza la conservación y restitución de la cosa, a su término, mediante una *cautio usuaria*.

5. LA HABITACIÓN

I. Concepto, naturaleza jurídica y régimen

A) La habitación —*habitatio*— es un derecho real, que atribuye a su titular —*habitator*, habitacionista— la facultad de habitar una casa ajena —*non solum in ea degere*— o de arrendarla —*sed etiam aliis locare*— pero no cederla a título gratuito.

B) Justiniano considera a la habitación como derecho independiente del usufructo y del uso —*quasi proprium aliquod ius*— siendo más amplio que éste y más restringido que aquél. Suele tener carácter vitalicio. Por su objeto, se diferencia de ambos en que aquellos pueden recaer sobre toda clase de bienes, mientras la habitación sólo sobre edificios. A destacar, también, que en el *usus* de una casa, el usuario puede habitarla y cederla gratuitamente, pero no arrendarla[10] y en la *habitatio* al revés, podrá alquilarla, pero no cederla a título gratuito.

C) El régimen de la *habitatio* es similar al del usufructo. Se constituye, por lo general, por legado y no se extingue por *capitis deminutio* o no uso por parte del habitacionista.

6. *ENFITEUSIS*

I. Denominación y concepto

A) El término enfiteusis, del griego *émfúteusis*, deriva de *émfuteúo* = plantar y significa, hacer plantaciones[11].

B) Con Justiniano.– es un derecho real, enajenable —*inter vivos*— y transmisible —*mortis causa*— que atribuye a su titular un poder, prácticamente, análogo al del propietario, sobre un fundo rústico ajeno, mediante el pago de un canon anual y la obligación de no deteriorarlo.

---

[10]   Se entiende en su totalidad, si respecto a las habitaciones sobrantes.

[11]   *Emfuteúo* es término compuesto de *fío (fúo)* = brotar, hacer nacer (crecer) o producir y de *ém* = lugar en donde algo está (en latín *in*), de donde: *ém-fúo* = implantar (en), arraigar (en), crecer (en); *émfutos* = implantado; *émfuteúo* = plantar y *émfuteusis* = hacer plantaciones.

II. Origen y evolución

La Enfiteusis nace como derivación de los arrendamientos a largo plazo y a través de dos instituciones distintas refundidas por Justiniano: la *conductio agri vectigalis* —propia del derecho preclásico y clásico— y la *enfiteusis* griega —propia del derecho postclásico—. A ellas nos referiremos, brevemente.

A) En derecho preclásico y clásico —consecuencia de la expansión territorial— Roma concentra, en sus manos, grandes extensiones de terreno cuya propiedad le pertenece. Estas tierras forman parte del *ager publicus* y de ellas algunas son arrendadas, mediante el pago de un canon —*vectigal*— anual —*ager vectigalis*—. Este —*ius in agro vectigali*— es el precedente más remoto de la Enfiteusis[12]. El ejemplo de la *res publica* fue seguido, respecto a sus tierras, por algunos *municipia* y corporaciones religiosas y la duración de estos arriendos, primero cinco años —el del cargo del censor que los realizaba— fue dilatándose, como consecuencia de presiones político-sociales, pasando a tener carácter perpetuo o una duración de cien años. Se produce, pues, una discordancia entre la naturaleza jurídica de la relación que sirve de base —arrendamiento, por el pago del *vectigal*— y la duración y amplias atribuciones que ostenta el concesionario —poder enajenar su derecho, hipotecarlo y trasmitirlo a sus herederos—.

B) En derecho postclásico —consecuencia de la crisis del s. III— se dan, en el s. IV, una serie de prácticas o contratos agrarios, entre la administración imperial y los particulares, respecto a tierras incultas a fin de lograr su explotación. Dos de estas concesiones: el *Ius Emphyteuticum* y el *Ius Perpetuum*, terminarán, en el s. V, por confundirse, adoptando el nombre de *Emphyteusis* y extendiéndose su uso a las tierras de los particulares[13].

---

[12]   Otras: son abandonadas para su ocupación —*ager occupatorius*—; distribuidas o asignadas a los particulares —*ager adsignatus*— o incluso vendidas —*ager quaestorius*—.

[13]   Las notas que, en principio, suelen señalarse como distintivas entre estos, son: a) por razón del objeto, el *Ius Emphyteuticum*, recae sobre las tierras que forman el *patrimonium Principis* —*fundi patrimoniales*— o bienes privados del Emperador y el *Ius Perpetuum* sobre las del Fisco o de la corona como tal —*fundi rei privatae*— vinculados, pues, a la función imperial; b) por el fin perseguido, el *Ius Emphyteuticum*, pretende obtener una explotación cada vez más rentable con un posible aumento del canon, ante la amenaza de un mejor postor y el *Ius Perpetuum* tiende a asegurar una renta fija y c) por sus efectos, el *Ius Emphyteuticum*, impone al concesionario la

III. Naturaleza jurídica

El contraste entre las exigencias políticas económico y sociales sobre las que se asienta la enfiteusis y su construcción jurídica hace que su naturaleza varíe a lo largo del tiempo.

A) En derecho clásico, el *ius in agro vectigali*: a) en principio, tiene carácter de un simple derecho personal, arrendamiento; b) más tarde, por su larga duración, empieza a cuestionarse, dentro de su naturaleza contractual, si se trata de un arrendamiento o de una compraventa prevaleciendo, según Gayo, la primera opinión —*magis placuit locationem conductionemque esse*—; c) en una tercera fase, la relación jurídica empieza a adquirir auténtica eficacia real al protegerse al concesionario primero a través de interdictos y más tarde, por acciones reales similares a la *reivindicatio*.

B) En derecho postclásico, la *emphyteusis* vuelve a plantear la duda de si es una compraventa o un arrendamiento para determinar quien debe asumir el riesgo —*periculum*— en caso de perecimiento o deterioro de la finca. Según el emperador Zenon —s. V— es un contrato autónomo —ni compraventa ni arrendamiento, *tertium genus*: *contractus emphyteuseos*— y así, el canon no se debe en caso de perecimiento —riesgo del concedente— y se debe, por entero, en el de deterioro —el riesgo pasa al concesionario—.

C) En derecho justinianeo, la enfiteusis se configura como *ius in re aliena*[14]. Como tal, presenta hondas analogías con el Usufructo, aunque sus diferencias son notables[15].

---

obligación de cultivo y el *Ius Perpetuum*, no. La fusión de ambas modalidades se produce cuando se prohíbe el aumento del canon en el *Ius Emphiteuticum* y se impone en el *Ius Perpetuum* la obligación de cultivar.

[14] Los glosadores la configurarán como dominio dividido.

[15] Por vía de síntesis cabe recordar, que: a) por su objeto, la enfiteusis solo recae sobre inmuebles rústicos mientras que el usufructo también sobre muebles y fundos urbanos; b) por su duración, la enfiteusis tiende a la perpetuidad y el usufructo no pasa de ser vitalicio; c) por su naturaleza, la enfiteusis al no ser personal, es enajenable —*inter vivos*— y transmisible —*mortis causa*— y el usufructo, al ser personalísimo, se extingue con la muerte de la persona y no cabe su enajenación y d) por su contenido, el enfiteuta debe pagar un canon, adquiere los frutos por separación, puede cambiar el cultivo del fundo y variar su destino económico, mientras el usufructuario adquiere los frutos por percepción, carece de los derechos referidos y el pago no es esencial en el usufructo.

IV. Elementos constitutivos

A) Los personales están representados por: concedente —dueño del dominio directo, *dominus emphyteuseos* o mero dueño— y concesionario, enfiteuta o vectigalista —dueño del dominio útil—. B) Los reales, por: la cosa gravada que ha de ser un inmueble rústico y fructífero y el canon o pensión anual a pagar —*vectigal*—. Y C) en cuanto a los formales, como *ius in re aliena* baste recordar que su constitución puede ser: voluntaria —por actos *inter vivos* (contrato), la forma más usual, o *mortis causa*—; judicial —*adiudicatio*— y temporal —*usucapio*—.

V. Régimen: derechos y obligaciones del enfiteuta

A) El enfiteuta tiene, como derechos, el pleno goce y disfrute del fundo como si fuera su propietario. Por ello: a) en cuanto a los frutos, los adquiere por separación; b) en cuanto a la finca, puede hacer los cambios que quiera (cambiar su cultivo, mejorarla o alterar su sustancia) con tal que no la deteriore o disminuya su valor y adquirir servidumbres en su favor o gravarla con ellas y c) en cuanto a su derecho, constituir subenfiteusis, conceder su usufructo, hipotecarlo, enajenarlo —*inter vivos*— y transmitirlo —*mortis causa*—.

B) Las obligaciones del enfiteuta son: a) pagar el canon anual —*vectigal*— sin derecho a reducción por mala cosecha o destrucción parcial del fundo; b) conservar el fundo en buen estado siendo responsable de su deterioro; c) soportar todas las cargas y pagar los impuestos que pesen sobre él, entregando al dueño sus justificantes —*reddere apochas*—; d) notificar al dueño su propósito de enajenar la enfiteusis para que pueda, en el plazo de dos meses, ejercer su derecho de preferencia —*ius praelationis* o *ius protimíseos*— y e) pagarle, si no lo ejerce, el 2% del precio de venta o de la estimación de la enfiteusis si la transmisión es a título gratuito. Esta obligación se llama, por los intérpretes medievales, *laudemium* —de *laudare* = aprobar— y viene a ser una recompensa al dueño por consentir la enajenación y reconocer al nuevo enfiteuta.

VI. Protección y extinción

A) El enfiteuta tiene en su favor las acciones conferidas al propietario que ejercerá por vía útil. Así: para defender su derecho, la reivindicatoria, por las servidumbres, la confesoria y negatoria y si su adquisición fue de buena fe, pero *a non domino*, la Publiciana.

B) Las causas de extinción de la enfiteusis, son, en general, las mismas que para los demás *iura in re aliena* y, en particular, el incumplimiento de las obligaciones del enfiteuta, siendo necesario, en el caso de impago del canon, cargas o impuestos el retraso de tres años[16].

7. LA SUPERFICIE

I. Denominación y concepto

A) El término latino *superficies* está compuesto de *super* = sobre, encima y de *facies* = aspecto físico o forma externa de una cosa. Significa, pues, la parte superior (de un objeto) y se opone a *solum* que designa la parte más baja o inferior —lo que sostiene una cosa y le sirve de base, soporte o apoyo—. Aplicados ambos términos a la tierra, *solum* alude al terreno en su configuración natural y *superficies* a todo lo que hay o se eleva sobre él como consecuencia de una actividad humana, *facere*, por ejemplo: un edificio o construcción.

B) La superficie —con Justiniano— es un derecho real, enajenable —*inter vivos*— y transmisible —*mortis causa*— que otorga a su titular, un poder prácticamente análogo al del propietario, sobre un edificio construido en suelo ajeno.

II. Origen y evolución

Sigue una evolución paralela a la de la enfiteusis.

A) En derecho preclásico y clásico se produce un choque entre el carácter absorbente de la propiedad inmobiliaria romana, representado por el principio *superficies solo cedit* —por el que se hace del propietario del suelo todo lo que se le incorpora— y la problemática socio-económica de las ciudades, muy pobladas, que ponen de relieve la necesidad de reconocer a una persona distinta del dueño del suelo

---

[16]   Se reduce a 2 si el dueño es una entidad eclesiástica.

un derecho sobre lo que en él se construya[17]. A la armonización de aquel principio y esta necesidad, responden una serie de concesiones que los magistrados hacían a los banqueros —*argentarii*— para construir, en suelo público —en el foro— establecimientos —*tabernae*— donde ejercer su labor, mediante una contraprestación económica. Tales concesiones suelen revestir la forma de un peculiar arrendamiento, pues ni por el sujeto —una de las partes no es un particular— ni por el contenido —posibilidad de transformar el suelo, construyendo sobre él— se acomoda, en puridad, a dicha figura arrendaticia. Esta práctica, terminará extendiéndose a los *municipia* y, por último, a los particulares.

La importancia y difusión de estas situaciones, unido a la larga duración de las mismas, obligó al pretor a asimilar la situación del superficiario con la de un poseedor interdictal protegiéndolo no ya contra el concedente, sino contra cualquier tercero que quisiera perturbar su pacífico goce.

B) En derecho postclásico, el riesgo de edificar *publico solo* ante una posible demolición ordenada por la autoridad, motiva que el emperador Juliano —ante la escasez de viviendas— conceda al constructor un poder análogo al del propietario. El proceso culmina con la derogación del principio *superficies solo cedit*, reconociendo al que edificó en suelo ajeno, con permiso del dueño, la plena propiedad sobre lo edificado.

III. Naturaleza jurídica

A tenor de la evolución vista, similar a la de la enfiteusis, y a cumplir una función respecto a los predios urbanos parecida a la de aquella en los rústicos, no debe extrañar sufra, en cuanto a su naturaleza jurídica, una evolución análoga. Así:

A) En derecho preclásico y clásico: a) en principio comporta una especial relación obligatoria asimilable a un arrendamiento de derecho público[18]; b) más tarde, extendida su práctica a los particulares

---

[17]   Tras las guerras púnicas, Roma rebasa el millón de habitantes y termina extendiéndose, verticalmente, con casas que alcanzan 5 pisos. Sin embargo, no se reconocerá la propiedad horizontal —propiedad de casas por pisos—.

[18]   La concesión puede asumir la naturaleza contractual de venta.

mantiene igual carácter arrendaticio —se habla de *locare/conducere superficiem* y de *conductor* o *inquilinus*— y la relación obligacional solo produce efectos *inter partes*; c) en una tercera fase, por sus especiales características, importancia y, sobre todo, larga duración, tiende a convertirse en derecho real, por ello el pretor cataloga la situación del superficiario como auténtica posesión y otorga, en su favor el interdicto *de superficiebus* —similar al *uti possidetis*— contra cualquiera, siempre que respecto a él no poseyera *nec vim nec clam nec precario*.

B) En derecho postclásico —y por el vulgarismo en él imperante— su carácter de derecho real se acentúa y se asimila a un difuso derecho de propiedad.

C) En derecho justinianeo se configura como *ius in re aliena* y por tanto, se contempla la superficie como entidad distinta e independiente del suelo[19]. Las Novelas terminan por asimilarlo a la enfiteusis[20].

IV. Elementos constitutivos

A) Como elementos personales, intervienen, el concedente o dueño del suelo, *dominus soli* y el superficiario, *superficiarius*. B) Como reales, el fundo urbano —cuyo destino no se puede cambiar— y las concretas prestaciones que, en su caso, en el acto constitutivo, se haya comprometido a realizar el superficiario. Y C) en cuanto a los formales, baste recordar, en general, que como *ius in re aliena* se podrá constituir por modos: voluntarios, judiciales y temporales y en particular, que la forma más usual es el contrato[21] y las modalidades que puede presentar: que el dueño del fundo lo ceda a otro para que construya en él un edificio y lo posea; que arriende la construcción ya existente o, en fin, que venda el terreno reservándose lo edificado.

---

[19]   La relación entre superficie y suelo, en derecho justinianeo se asimila a una relación de servidumbre en la que el fundo dominante es el edificio y el sirviente el fundo que debe soportar, permanentemente, el peso de aquel.

[20]   La superficie, como hemos visto, es, prácticamente, un derecho paralelo a la enfiteusis con relación a los fundos urbanos. Sin embargo, es mucho más amplio, pues el superficiario carece de obligaciones respecto al dueño del suelo y ni siquiera el *solarium* tiene carácter esencial.

[21]   La naturaleza de este acto puede ser diversa. Es donación, si el *dominus soli* renuncia a cualquier tipo de retribución; es venta si recibe una cantidad, una vez y para siempre y es arrendamiento si se pacta el *solarium*.

V. Régimen: derechos y obligaciones del superficiario

A) El superficiario tiene como principal derecho el de edificar en suelo ajeno, adquiriendo el pleno goce del edificio. En consecuencia, podrá: a) disponer, libremente, de él, en forma onerosa o gratuita, sin necesidad de notificación o autorización del dueño del suelo; b) trasmitirlo, *mortis causa*, a sus herederos y c) constituir hipotecas y gravar —o adquirir— servidumbres sobre la edificación.

B) Las obligaciones del superficiario se reducen al pago del *solarium* = canon o pensión anual —o, en su caso, de las prestaciones convenidas en el acto constitutivo—[22] y al pago de los impuestos y cargas que graven el fundo. Al extinguirse debe restituir el fundo en buen estado, sin responder de los deterioros no culpables, y sin cambiar su destino —a diferencia del enfiteuta—.

VI. Protección y extinción

A) La protección del derecho del superficiario está basada en la de la propiedad por lo que, por vía *util*, se le conceden, a favor y en contra, los mismos recursos procesales que al propietario.

B) La superficie se extingue por las causas propias de todos los *iura in re aliena*, con el matiz que el superficiario puede reservarse, si se destruye el edificio, el derecho de reconstrucción.

---

[22] El *solarium* anual que le daría un carácter fijo —como ocurre con el *vectigal* en la enfiteusis— no tiene, como vimos en la nota anterior, carácter esencial.

Tema 26

Derechos reales de garantía

1. LAS GARANTÍAS Y LOS DERECHOS REALES DE GARANTÍA

Partamos de un importante préstamo dinerario y del riesgo que comporta para el prestamista su no devolución. El deudor, en una primera época, responde con su propia persona. Más tarde, desde la *Lex Poetelia Papiria* (326 AC), con todos sus bienes. Esta responsabilidad patrimonial, es general —pues recae sobre todos los bienes del deudor— e indeterminada —por no hacerlo en ninguno en concreto—. La sustitución de la responsabilidad personal por la patrimonial es importante, sin embargo no asegura al acreedor la satisfacción de su crédito. Los bienes del deudor pueden ser escasos; caso de no serlo, el deudor puede contraer nuevas deudas y resultar insuficiente para cubrirlas y, en fin, nada impide que el deudor gaste —o malgaste— su patrimonio; que se arruine; que enajene sus bienes de tal manera que no se pueda impugnar la enajenación como hecha en fraude de acreedores —*fraus creditorum*— o simplemente, muera y pasen a unos herederos en los que no se confía.

Para eludir estos riegos puede acudirse a una doble vía: a las garantías personales o a las garantías reales. Las primeras, "extienden" la responsabilidad a otras personas, vinculando su patrimonio —todo o en parte— al cumplimiento de la obligación. Caso típico sería el de la fianza: por la que una persona —fiador— se obliga a pagar por otra —deudor— de no hacerlo ésta. Las segundas, "intensifican" la responsabilidad, vinculando o adscribiendo, una o más cosas, incluso del patrimonio del deudor, en forma directa e inmediata, al cumplimiento de la deuda. En tal caso, se constituye un «derecho» sobre la cosa o cosas —«real»— con una función de «garantía».

Los derechos reales de garantía producen como efectos: a) poder perseguir —*persecutio*— la cosa —*rei*— adscrita como garantía —reiper-secutoriedad— a través de las distintas personas que la puedan tener; b) hacer que se venda, convirtiéndola en una suma de dinero y c) sobre esta cantidad, cobrar anteponiéndonos a cualquier otro acreedor —preferencia—.

Así pues, son derechos reales de garantía: los que se establecen para asegurar el cumplimiento de una obligación, concediendo al acreedor, una parte del valor económico de la cosa sobre la que se impone, para el caso de que dicha obligación no se cumpla.

2. MODALIDADES HISTÓRICAS

En Derecho Romano —a diferencia del moderno— se prefiere la garantía personal a la real y —de ésta— se conocen tres figuras que son otras tantas etapas históricas en su evolución: la fiducia, la prenda y la hipoteca[1]. En síntesis, cabe anticipar sus diferencias diciendo: que la primera, trasmite la propiedad de una cosa, la segunda su posesión y la tercera ni lo uno ni lo otro.

I. La *Fiducia*

La fiducia es un acto en virtud del cual una persona —deudor / fiduciante— trasmite a otra —acreedor/fiduciario— la propiedad de una cosa —por *mancipatio* o *in iure cessio*— y ésta, a su vez, se obliga, a través de un pacto —*pactum*— de confianza —*fiduciae*— a restituir-la —remanciparla— tras ser satisfecha la deuda[2].

La fiducia, es tan beneficiosa para el acreedor como perjudicial para el deudor, ya que al desprenderse de la propiedad de un objeto,

---

[1]   En rigor, sólo las dos últimas son verdaderas figuras de derechos reales especiales.

[2]   La *fiducia*, no sólo sirve para garantizar el cumplimiento de obligaciones —*fiducia cum creditore contracta*—. Cumple, también, otros fines. En general, comporta que el fiduciario, dé a la cosa que recibe, un determinado destino si se cumple cierta circunstancia que se establece. El manumitir al esclavo, guardar gratuitamente un objeto o usarlo, también en forma gratuita, fueron algunos de ellos y, en concreto, los dos últimos, con el tiempo, serían el contenido de los contratos de depósito y comodato.

por lo común de superior valor a la deuda garantizada[3]: 1.º) ve limitada su capacidad económica; 2.º) no puede, con él, garantizar otras obligaciones; 3.º) se ve privado de los frutos, que en su caso, pudiera producir —lo que, a veces, le podría haber ayudado a saldar su deuda[4]— y 4.º) aun pagando la deuda, no tiene seguridad de lograr la restitución del objeto mancipado —caso de estar en poder de terceros— ya que el acreedor fiduciario como dueño de la cosa la puede vender y el deudor fiduciante ha de conformarse con el mero ejercicio de la *actio fiduciae*, de carácter personal, por la que sólo podrá exigir el cumplimiento del pacto o una mera indemnización en caso de que se incumpla[5].

II. La Prenda —prenda dada, *pignus datum*[6]—

Nuestra palabra «prenda» proviene de la latina *prehendere* = asir, aprehender, tomar alguna cosa, sentidos que reflejan la base de esta relación: pasar una cosa a poder del acreedor[7].

La prenda, es un acto por el cual una persona —deudor/pignorante— transmite a otra —acreedor/pignoraticio— la posesión de una cosa, en garantía de una deuda —propia o ajena— que deberá restituirse a su cumplimiento[8].

---

[3] De otra forma no lo aceptaría el acreedor. (Si se me deben 100, no aceptaré, como garantía, un objeto cuyo valor se estime en 20, pero si uno valorado en 500).

[4] Puede obviarse esto dejando el nuevo dueño —acreedor fiduciario— la cosa en poder del deudor ya sea en forma gratuita u onerosa.

[5] No prospera la *actio fiduciae* si el fiduciario obtiene, por pacto expreso, la facultad de vender la cosa —*pactum de vendendo*— pero se podrá exigir la diferencia entre el precio de venta logrado y el valor del crédito incumplido.

[6] El término *pignus* se utiliza, también para designar la cosa ofrecida como garantía, por ello, *pignus datum* = a cosa dada con esta finalidad.

[7] El origen de la palabra *pignus* es oscuro. Gayo dice que (viene) se llama prenda —*pignus appellatum*— de puño —*a pugno*— porque las cosas —*quia res*— que se dan en prenda —*quae pignori dantur*— se entregan con la mano —*manu traduntur*—. Es difícil asumir esta etimología, pero si parece claro que la palabra «prenda» deriva, en castellano, del término latino consignado en el texto.

[8] El origen de la prenda es muy antiguo, sin embargo no lo es tanto su protección jurídica. En principio, el acreedor pignoraticio sólo tiene la facultad de retener la cosa en tanto no se satisfaga la deuda que garantiza y el deudor sólo sufre la presión que tal retención comporta. Su tutela jurídica se empieza a producir a fines de la República cuando el pretor considera como verdadero poseedor al acreedor pignoraticio.

Subsiste, aún, como inconveniente para el deudor la disminución de su capacidad patrimonial, al privarle del uso de la cosa, de sus posibles frutos e impedirle garantizar con ella, pese a su superior valor, otras deudas.

III. La Hipoteca —prenda convenida, *pignus conventum*—

El término *hypotheca*, proviene del griego *hyphotéke*, compuesto de *hypo*, debajo (en latín *sub*) —que comporta idea de subordinación— y del verbo *tizemi* (aoristo, *ezeka*) = poner... colocar en situación de... considerar como... Refleja, pues, que algo (el objeto de hipoteca) se entiende, se considera, se acuerda —*conventum*— sin necesidad de desplazamiento material, subordinado a algo (cumplimiento de una obligación)[9].

La hipoteca sujeta directa e inmediatamente los bienes sobre los que se impone —sea quien sea su poseedor— al cumplimiento de la obligación que garantiza y otorga al acreedor un derecho de embargo o de realización de valor sobre ellos, si al vencer la deuda no se cumple.

Al no desplazarse la posesión —se basa en un acuerdo, *pignus conventum*— y poderse constituir varias hipotecas sobre una misma cosa, se superan, para el deudor, los inconvenientes de la prenda.

3. EVOLUCIÓN

La fiducia desaparece, en derecho postclásico, y prenda e hipoteca coexisten, como institución única, sin clara diferencia. Ello nos obliga a hacer algunas precisiones.

1.ª) Que utilizaremos *pignus*, en latín, en un sentido amplio, siguiendo a Marciano, según el cual: entre los términos prenda e hipoteca —*inter pignus autem et hypothecam nominis*— la diferencia es sólo fonética (del sonido del nombre) —*tantum nominis sonum difert*—.

---

[9]   La palabra hipoteca empieza a preferirse a la de *pignus conventum* desde los Severos; Gayo y Marciano escriben monografías sobre la fórmula hipotecaria y Justiniano generaliza la identificación de ambos términos —*pignus hypothecave*—.

2.ª) Que usaremos prenda e hipoteca, en castellano, en un sentido estricto, siguiendo a Ulpiano, según el cual: propiamente llamamos prenda —*proprie pignus dicimus*— lo que pasa al acreedor —*quod ad creditorem transit*— e hipoteca —*hypothecam*— cuando no pasa —*cum non transit*— ni siquiera la posesión al acreedor —*nec possessio ad creditorem*—.

3.ª) Que debemos tener presente, como se ha puesto de relieve en doctrina, que prenda e hipoteca comportan un derecho a poseer una cosa que se ejerce en distintos momentos en el tiempo, la prenda al constituirse y la hipoteca cuando la obligación garantizada se incumple.

4.ª) Que, con Justiniano, se empieza a referir el *pignus* a las cosas muebles y la hipoteca a los inmuebles, pero que dicho requisito nunca tuvo el carácter de esencial[10], como, parece tenerlo en nuestro derecho[11].

4. LA HIPOTECA: ORIGEN Y PROTECCIÓN

A) El origen de la hipoteca se encuentra en los arrendamientos de fincas rústicas. Muchos colonos no podían ofrecer al arrendador como garantía del pago del alquiler otros bienes que los aperos de labranza —*invecta*— y los esclavos y animales que llevaban a la finca para cultivarla —*illata*—. De hacerlo, difícilmente podrían explotar la finca, obtener rendimientos y con ellos pagar el canon arrendaticio. Por ello, se abrió camino, en la práctica, un acuerdo, por el que, se garantizaba con estas cosas el pago del alquiler, sin ser necesario el desprenderse de su posesión.

---

[10]   Gayo, dice: que algunos opinan —*quidam putant*— que la prenda —*pignus*— propiamente —*proprie*— se constituye sobre cosas muebles —*rei mobilis constitui*—. Justiniano precisa, que no hay diferencia entre prenda e hipoteca por razón de la acción pero que difieren en otros aspectos —*sed in aliis differentia est*— y que la prenda —*pignus*— designa propiamente —*proprie*— el objeto —*quae*— que se entrega al acreedor — *traditur creditori*— sobre todo —*maxime*— si es mueble.

[11]   Aún siendo regla general, no cabe olvidar que existen: hipotecas mobiliarias y prendas sin desplazamiento.

B) La protección de la hipoteca atravesó por distintas fases.

La primera, está representada por el *Interdictum Salvianum*[12], que tiene para su ejercicio, un triple límite: a) en cuanto a las personas, sólo poder ejercerse contra el arrendatario; b) en cuanto a las cosas, sólo ser objeto de este convenio los *invecta et illata* y c) en cuanto a la obligación, sólo garantizarse las derivadas de arrendamiento. La segunda fase, por una *actio* Serviana[13] (s. I), en la que se dan las dos primeras limitaciones, pero ya puede ejercerse contra cualquiera que tuviera los *invecta et illata*. La tercera, por una *actio hypothecaria* o *pigneraticia in rem*[14] (s. II), para cuyo ejercicio desaparecen las restricciones primitivas y la hipoteca puede recaer sobre toda clase de cosas y garantizar todo tipo de obligaciones.

5. EL *PIGNUS* EN GENERAL

I. Naturaleza jurídica

Son principales caracteres del *pignus* —comunes, pues, a prenda e hipoteca— los de: A) ser derechos reales, pues recaen directa e

---

[12]　El *interdictum Salvianum*. A) En principio es de «retener» la posesión, por lo que los aperos que estaban en el fundo, no podrán sacarse hasta que se pagara la renta, Cabría deducir que el acreedor ya tenía la cosa en su poder y, por tanto, estábamos más que ante una hipoteca ante una prenda, al considerarse que se había desplazado la posesión. B) Más tarde es de «adquirir», por lo que se podrá exigir la restitución de los aperos, de haberse sacado. Ahora parecería que nos encontramos ante una hipoteca, ya que si se adquiere la posesión es que antes no se tenía.

[13]　Entonces ya cabe hablar de hipoteca, propiamente dicha.

[14]　Otros nombres con los que se la conoció fueron los de *quasi Serviana* y *Serviana utilis*. En el Edicto del Pretor existe una sola fórmula para la prenda e hipoteca. Justiniano dirá, en sus Instituciones, que entre prenda e hipoteca por razón de la acción no hay diferencia —*inter pignus autem hypothecam quantum actionem nihil interest*—. Sin embargo: a) en la prenda, el acreedor pignoraticio demandado, tras cumplirse la obligación garantizada, podrá oponer al deudor demandante, diversas excepciones, como las relativas a los gastos hechos para la conservación de la cosa —necesarios y útiles— y b) en la hipoteca —si hubiera varias en favor de un mismo acreedor— se le podrá exigir que actúe antes contra los bienes concretos —hipoteca especial— que contra el total patrimonio —hipoteca general— (*beneficium excussionis realis*). Justiniano, en fin, por el carácter accesorio del *pignus*, determina que si se ha constituido por un tercero, éste pueda pedir, al acreedor, se dirija antes que a él, al deudor y los posibles fiadores de éste —*beneficium personalis*—.

inmediatamente sobre las cosas (específicas y determinadas) sobre las que se impone y comportan la facultad de instar a su venta —*ius distrahendi*— cualquiera que sea su poseedor, al estar protegidos por una acción —*pigneraticia*— real —*in rem*— ejercitable *erga omnes*; B) ser derechos accesorios o de garantía, pues se establecen para asegurar el cumplimiento de una obligación principal y sin ella, carecen de razón de ser y C) ser indivisibles, puesto que garantizan toda la deuda —y cada una de sus partes— y afectan, totalmente, a las cosas que se ofrecen como garantía, que están adheridas y son inseparables de ella[15].

II. Elementos constitutivos

A) Elementos personales, son: por un lado, el titular del *pignus*, es decir el acreedor en garantía de cuyo crédito se establece —acreedor pignoraticio o hipotecario— y por otro, el constituyente del derecho —deudor pignorante o deudor hipotecario— que grava la cosa, para asegurar la efectividad del crédito. El constituyente —dado que el *pignus* comporta la posible venta de la cosa sobre la que recae si se incumple la obligación que garantiza— además de tener capacidad de obrar deberá: ser dueño de la cosa; tenerla *in bonis* o ser titular de un derecho real sobre ella —*iura in re aliena*— que le permita establecer tal garantía[16].

B) Los elementos reales del *pignus* son: la obligación o deuda que se garantiza, pues sin ella carece de fundamento (es un derecho accesorio) y la cosa que se pignora o hipoteca en su garantía (es un derecho real).

a) Respecto a la obligación, poco importa: que sea obligación natural o civil; la deba cumplir el constituyente del *pignus* —deuda

---

[15]   La indivisibilidad, como se ha puesto de relieve, se manifiesta: a) en el crédito, ya que mientras subsista parte de él subsiste el *pignus* íntegramente —aunque se divida entre los herederos del acreedor—; b) en la deuda, ya que aunque se divida entre varios —herederos del deudor— ninguno podrá pedir su extinción mientras no se pague por entero y c) en los bienes, ya que aunque se reduzca la obligación o los bienes perezcan parcialmente, subsiste.

[16]   Así, la enfiteusis o superficie, que son enajenables y transmisibles. Razón del *in bonis* es su origen pretorio.

propia— u otra persona —deuda ajena— e, incluso, se trate de una deuda presente o de futuro —sujeta a condición—[17].

b) Respecto al objeto del *pignus*, viene determinado por su propio carácter de derecho de realización de valor, su naturaleza real y su función de garantía.

Así: 1.º) por ser un derecho de realización de valor, que comportar la posible venta del objeto —si se incumple la obligación que garantiza— debe repetirse, con Gayo: que todo lo que se puede comprar o vender —*quod emptionem venditionemque recipit*— también puede ser objeto de prenda —*etiam pignerationem recipere potest*—[18]; 2.º) al ser derechos sobre cosa ajena, habrá que excluir —aun siendo susceptibles de venta— las cosas que sean propias del acreedor[19] y 3.º) al ser un derecho real, en principio, el *pignus* sólo pudo recaer sobre cosas corporales, pero con el tiempo, fue ampliando su campo a todo lo susceptible de valoración económica, así, primero a los propios derechos reales y por último, a los derechos personales[20].

C) Elementos formales.– El *pignus* puede constituirse, voluntaria, judicial y legalmente.

a) La constitución voluntaria podrá hacerse por acto *inter vivos* — acuerdo de voluntades— o *mortis causa* —testamento—. Si es por

---

[17] En este último caso no existirá la garantía hasta que nazca la obligación, que tendrá, entonces, efectos retroactivos.

[18] La prohibición de enajenar comportaría la de no poder dar la cosa en *pignus*, pues viene a ser una venta sujeta a una condición suspensiva —que no se cumpla la deuda que garantiza—.

[19] Juliano, ante la posibilidad de que un poseedor de buena fe entregue a su acreedor —ignorándolo éste— la cosa que es de su propiedad, nos dice que deja de usucapir. La razón que esgrime es: que no se entiende —*non intelligitur*— que alguien —*quis*— adquiera prenda de su propia cosa —*suae rei pignus contrahere*— lo que repetirá, respecto a la hipoteca, porque también de este modo —*quoque modo*— no se considera se contrae prenda alguna —*nullum pignum contractum videtur*—.

[20] En particular, al menos en época justinianea, terminaron siendo objeto del *pignus*: 1) las cosas singulares, —*mancipi* o *nec mancipi*—, muebles o inmuebles, propias o ajenas (en este caso condicionadas a la ratificación del dueño o a su ulterior adquisición) y presentes o futuras (como la próxima cosecha); 2) las universalidades de cosas —como un rebaño, *pignus gregis* o un almacén, *pignus tabernae*—; 3) los patrimonios enteros; 4) los derechos reales de usufructo, enfiteusis y superficie; (pero no las servidumbres por carecer de vida independiente del fundo al que sirven); 5) el propio *pignus* —prenda de prenda, *pignus pignoris* o subprenda, *subpignus*— y 6) los derechos personales —prenda de crédito, *pignus nominis*—.

acto *inter vivos*, basta el simple acuerdo de las partes sin más formalidad[21] —si es prenda, además deberá procederse a la entrega de la cosa—.

b) La constitución por decisión del magistrado, prenda judicial o *pignus praetorium,* podía darse en los casos de: *adiudicatio*; ejecución de una sentencia en la *cognitio extra ordinem* —*pignus ex causa iudicati captum*[22]— y cuando el pretor —para vencer la temeridad de un deudor pertinaz o para asegurar un derecho actual o futuro— ponía al acreedor en posesión —*missio in possessionem*— de todos o parte de los bienes del deudor sin mediar sentencia definitiva[23].

c) Son hipotecas legales, las que establece la ley, en ciertas condiciones, para salvaguardar los intereses de algunas personas que se considera merecen una protección especial. Pueden ser generales o especiales, según recaigan, sobre todo un patrimonio o determinados bienes y dentro de éstas, las primeras en el tiempo se consideraron como tácitas —*pignus quod tacite contrahitur*— por presumir la voluntad del constituyente.

a') Son hipotecas generales, las que se establecen en favor: 1) del Fisco, sobre los bienes del deudor, por toda deuda con él contraída[24]; 2) del marido, sobre los bienes del que prometió la dote, por la dote prometida; 3) de la mujer —y en su caso, de su padre y herederos—

---

21   Gayo compara la hipoteca: por un lado, a los contratos que se perfeccionan por simple consentimiento —consensuales— y dice, que por esta razón —*et ideo*— si se convino sin escritura —*si sine scriptura si convenit*— que haya hipoteca —*ut hypotheca sit*— y se puede probar —*et probari poterit*— quedará obligada la cosa —*res obligata erit*— sobre la que se convino —*de qua conveniunt*—; por otro lado, la compara con el matrimonio —*nuptiae*— que existe —*sunt*— aunque —*licet*— no se haya redactado documento del acto —*testationes in scriptis habitae non sunt*—. Adviértase que en Derecho Romano no existe un sistema de publicidad sobre las hipotecas, por ello, al poder: constituirse varias sobre una misma cosa; desconocerlo el acreedor y resultar vana la garantía pactada, la hipoteca, tuvo menor importancia que la que tiene en derecho moderno.

22   En tal caso tendría valor de cosa juzgada, *res iudicata.*

23   Ocurre esto: cuando la casa del vecino amenazaba ruina —*damni infecti causa*—; en los legados hechos bajo condición —*legatorum servandorum causa*—, cuando la viuda entra en posesión de la herencia para asegurar los derechos del hijo —*ventris in possessionem*— y cuando el demandado no comparece en tiempo para formalizar la *litis contestatio* —*rei servandae causa*—.

24   Tal vez, sea el único caso reconocido en derecho clásico. Se exceptúan las que provienen de delito y con Justiniano se extiende a los créditos en favor del emperador o emperatriz.

sobre los bienes del marido, por razón de dote, *donationes propter nuptias* y bienes parafernales; 4) de los hijos, sobre los bienes del padre o madre —viudo o casado en segundas nupcias— por razón de los *lucra nuptialia* de uno u otra y de los bienes, administrados por el padre, que proceden de la madre o ascendientes maternos —*bona materna*—; 5) de los *sui iuris* incapaces, sobre los bienes de sus tutores y curadores, por las obligaciones asumidas en nombre del incapaz; 6) del legatario, sobre los bienes de la herencia aceptada, por razón de sus legados; 7) de la Iglesia, sobre los bienes del enfiteuta, por los deterioros causados en el fundo enfitéutico.

b') Son hipotecas especiales: las que se establecen en favor: 1) del arrendador de un fundo urbano, sobre las cosas del inquilino introducidas en él —*invecta et illata*—[25]; 2) del arrendador de un fundo rústico, sobre los frutos percibidos por el colono[26]; 3.º) del acreedor refaccionario —prestamista— sobre el edificio para el que presto dinero[27]; 4.º) del pupilo, sobre la cosa adquirida por el tutor con su dinero y no en su nombre y 5) de los legatarios y fideicomisarios, sobre los bienes del gravado con ellos.

III. Contenido

Cuando el *pignus* alcanza su completa evolución, acreedor y deudor tienen como principales derechos y obligaciones los siguientes:

---

[25]   Neracio nos dice que se consideran que están en prenda —*pignori esse credantur*— como si tácitamente se hubiera convenido —*quasi id tacite convenerit*— y Ulpiano alude al *interdictum de migrando*, que se establece en favor del inquilino —*inquilino*—si pagada la renta—*soluta pensione*—quiere marcharse—*vult migrare*— y así, en su caso, poder retirar las cosas pignoradas.

[26]   Pomponio nos dice que en los predios rústicos —*in praediis rusticis*— los frutos —*fructus*— que en ellos nacen —*qui ibi nascuntur*— se entiende, tácitamente —*tacite intelliguntur*— están en prenda —*pignori esse*— del dueño del fundo arrendado —*domini fundi locati*— aunque expresamente —*etiamsi nominatim*— no se hubiera convenido esto —*id non convenerit*—.

[27]   Papiniano y Ulpiano refieren el origen de este derecho a un Edicto del emperador Marco Aurelio, que le otorgaba carácter de hipoteca privilegiada. Decía así —*ita edixit*— «El acreedor —*creditor*— que por razón de la reparación de un edificio —*qui ob restitutionem aedificorum*— hubiese prestado —*crediderit*— respecto a la cantidad de dinero que prestó —*in pecunia, quae credita erit*—tendrá privilegio para exigir —*privilegium exigendi habebit*—» también a quien por mandato del dueño, suministró dinero al constructor —*qui redemptori domino mandante pecuniam subministravit*—.

A) *Son derechos del acreedor —pignoraticio o hipotecario—*

1.º) Tomar posesión de la cosa —*ius possidendi*— que se ejercerá en distinto momento, según sea prenda o hipoteca. 2.º) Proceder a su venta —*ius distrahendi*—[28] cobrándose con su precio cuando se incumple la obligación garantizada[29]. 3.º) Solicitar la atribución de su propiedad —*impetratio dominii*— en su justo precio, si no existiera comprador. (Atribución interina durante dos años —tiempo en el que puede rescatarla el deudor— y definitiva después). En tal caso la deuda se considera extinguida[30]. 4.º) Percibir sus frutos —*anticresis*— si la cosa es fructífera, en compensación de los intereses que produzca la deuda que garantiza[31] y 5.º) Retener la cosa pignorada —*ius retentionis*— aun satisfecha la deuda que garantiza, si existen otros créditos contra el mismo deudor, no garantizados con prenda[32].

El acreedor no tiene derecho a cobrarse con la cosa si la deuda no se paga. Este pacto —*lex*— comisorio —*commissoria*— fue prohibido —a.326— por Constantino[33].

---

[28] La evolución del *ius distrahendi* es: 1) en principio, sólo se admite si media pacto expreso que lo autorice; 2) la difusión de este pacto hace pase a considerarse como una mera cláusula de estilo; 3) en época de los Severos, se entiende incluido tácitamente; 4) a partir de Constantino, se convierte en elemento natural del *pignus* y 5) con Justiniano el pacto en contra —*non distraendo pignore*— sólo tiene el efecto de que antes de proceder a la venta, el acreedor notifique, tres veces, al deudor que pague —de venderse, omitiendo esto, el acreedor comete hurto—.

[29] Si el precio alcanza para el pago de la deuda, ésta se extingue. Si es inferior, la deuda subsiste por la diferencia y si es superior, se restituye al deudor el excedente, *superfluum*. En un único texto, de Trifonino, se califica este exceso con el término griego *hyperocha*.

[30] No se aplica nada de esto en la prenda judicial.

[31] Parece ser que sólo tiene aplicación automática en época justinianea. Hasta entonces si se perciben los frutos sin haberse pactado se aplicarían primero a los intereses de la deuda; luego al capital, debiendo restituirse al deudor el excedente.

[32] Establecido este derecho por el emperador Gordiano, se le conoce, también, con el nombre de *pignus Gordianum*.

[33] En realidad se trataba de una venta con pacto de *retro* —volverse atrás—. En nuestro derecho sigue prohibido y de no ser así, sería difícil aceptar un *pignus* sin él, con el perjuicio de quienes acuciados por la necesidad, terminarían empeñando cosas de gran valor por el mínimo importe que se les quisiera dar. Veámoslo por vía de ejemplo. a) Ticio, necesitando, con urgencia, cierta cantidad de dinero (1.000) la pide a Cayo, que exige garantías, excluyendo las de tipo personal. b) Al ser Ticio propietario de un ánfora de oro cuyo valor es de 1.500, propone vendérsela a Cayo por la cantidad solicitada —1000— y así lo hacen. c) Acuerdan, además, deshacer la referida venta si en el plazo de 1 año Ticio restituye a Cayo el precio que éste pagó y, de no hacerlo, quedar en propiedad de Cayo. En la compraventa: el objeto —ánfora

B) Son obligaciones del acreedor —pignoraticio o hipotecario—

1.º) Conservar la cosa. Por ello no debe usarla (salvo pacto), ni disponer de ella —salvo cuando la obligación resulte incumplida— y deberá cuidarla y responder de su pérdida o deterioro. En época justinianea, se le exigirá la diligencia propia de un buen *pater familias* y 2.º) Restituir la cosa una vez cumplida la obligación garantizada o, en caso de haber procedido a su venta, por incumplimiento de aquella, restituir el superfluo.

C) Derechos y obligaciones del constituyente del pignus

Son correlativos a los del acreedor pignoraticio. Distinguiremos tres momentos en el tiempo.

a) Antes de vencer el término de la obligación: sigue siendo dueño de la cosa y tiene todas las facultades que comporta el derecho de propiedad. Así, puede servirse y usar de ella[34], seguir usucapiendo[35], e incluso enajenarla —aunque seguirá afectada a la obligación que garantiza—[36].

---

de oro— (es lo que se da en garantía); el precio 1000 —(el importe del préstamo); el prestamista (acreedor), actúa como comprador y el prestatario (deudor) como vendedor. El pacto de retro (un año) comporta la reserva del vendedor a recobrar el objeto vendido devolviendo el precio que se pagó—. Si al fin del plazo no puede devolver el préstamo (no utiliza el pacto de retro) el comprador adquiere, irrevocablemente la cosa vendida. En suma: la venta sería por razón de garantía y no por propia voluntad.

[34] En el caso de hipoteca, pues tratándose de prenda si el deudor privara al acreedor de la posesión de la cosa cometería *furtum possessionis*. Así, Gayo nos dice: A veces —*aliquando*— también —*etiam*— sobre una cosa propia —*suae rei*— alguien comete hurto —*quisque furtum comittit*— como por ejemplo —*veluti*— si un deudor —*debitor*— sustrae la cosa dada en prenda a su acreedor —*rem quam creditori pignori dedit subtraxerit*—.

[35] Juliano, asimila al constituyente del *pignus* con el que deposita una cosa —depositante— o la da en préstamo de uso —comodante— y refiere que: quien da una cosa en prenda —*qui pignori rem data*— usucape —*usucapit*— mientras —*quamdiu*— la cosa esté en poder del acreedor —*res apud creditorem est*— pero si su acreedor —*si creditor eius*— entrega la posesión a otra persona —*possessionem alii tradiderit*— se interrumpe —*interpellabitur*— la usucapión —*usucapio*—. Termina diciendo que ciertamente —*plane*— si el acreedor —*si creditor*— hubiera contraído hipoteca por pacto —*nuda conventione hypothecam contraxerit*— el deudor continúa usucapiendo —*usucapere debitor perseverabit*—.

[36] Antes de entregarla al comprador, deberá pagar la deuda o dar otra garantía al acreedor. Si no se hace así o se vende sin consentimiento o contra la voluntad del acreedor, comete hurto de posesión —*furtum possessionis*—.

b) Incumplida la obligación y ejercido el *ius distrahendi* por el acreedor, pierde la propiedad y no importa que el acreedor vendedor no sea propietario de la cosa pignorada, pues se entiende que lo hace con la voluntad del constituyente del *pignus*[37].

c) Cumplida la obligación y resultando el *pignus* de un contrato, podrá exigir la restitución de la cosa. Con Justiniano le asiste para ello la *actio pigneraticia in personam*, que será *directa*, en contraposición a la del acreedor que será *contraria* y por la que éste podrá obtener la indemnización por los gastos causados por la conservación de la cosa[38].

IV. Extinción

Las causas de extinción del *pignus* —prenda e hipoteca— son de dos tipos. Unas, comunes a todos los derechos sobre cosa ajena —*iura in re aliena*— pues tiene este carácter. Otras, propias de la función de garantía que cumple y su obligada accesoriedad.

A) Como *iura in re aliena* se extingue: a) por razón del sujeto, por la renuncia, expresa o tácita[39] del acreedor y por reunirse en la misma persona la condición de dueño del objeto gravado y titular del *pignus* —confusión[40]—; b) por razón del objeto, por pérdida o destrucción de la cosa que sirve de garantía o su exclusión del *commercium*[41]

---

[37] Gayo nos dice como reflexión general: que sucede a veces —*accidit aliquando*— que quien es dueño —*qui dominus sit*— no tiene la facultad de enajenar una cosa —*alienandae rei potestatem non habet*— y quien no es dueño —*et qui dominus non sit*— puede enajenar —*alienare possit*—. Entre los ejemplos que cita se refiere al acreedor pignoraticio —*creditor pignus*— en virtud de pacto —*ex pactione*— aunque la cosa no es suya —*quamvis eius ea res non sit*—. La explicación que ofrece para este caso es que: quizá se hace así —*forsitan ideo videatur fieri*— porque se considera que la prenda se enajena con la voluntad del deudor —*quod voluntate debitoris intelligitur pignus alienari*— el cual, en otro tiempo —*qui olim*— pactó —*pactus est*— que le sea lícito al acreedor vender la prenda —*ut liceret creditori pignus vendere*— si no paga la deuda —*si pecunia non solvatur*—.

[38] En derecho clásico, probablemente tendría una *actio negotiorum contraria*.

[39] Así, por ejemplo restituyendo la cosa al deudor.

[40] Recordemos que Ulpiano decía: que no puede existir un *pignus*... de cosa propia —*neque pignus... rei suae consistere potest*—.

[41] Marciano, al hablar de la extinción del usufructo por destrucción de la cosa, alude a la prenda e hipoteca diciendo que por pérdida de la cosa corporal —*re corporali extincta*— perecen —*extincto pignus hypothecave perit*—. Ahora bien, el *pignus* no se

y c) por razón del tiempo, por la prescripción, completada por un tercero[42], que posee la cosa, como libre, durante 10 años —entre presentes— o 20 —entre ausentes[43]—.

B) Por su función de garantía se extingue: a) por cumplirse, íntegramente[44], la obligación garantizada y b) por la venta de la cosa hecha por el acreedor[45].

6. PLURALIDAD DE HIPOTECAS SOBRE UNA MISMA COSA

La prenda, al comportar transmisión de la posesión, sólo se puede establecer a favor de un sólo acreedor[46]. La hipoteca, en cambio, admite la posibilidad de constituirse, sucesivamente, en favor de distintos acreedores —de créditos independientes—. Es decir, posibilita que exista una pluralidad de hipotecas sobre una misma cosa. E *iure*—[47]. Por

---

extingue por mera transformación o restauración de la cosa. Así, si por ejemplo, la casa dada en prenda se quema —*domus pignori data exusta est*— Lucio Ticio compra el solar —*eamque aream emit Lucius Titius*— y edifica sobre él —*et exstruxist*— al preguntarse —*quaesitum est*— sobre el derecho de prenda —*de iure pignoris*— Paulo responde —*Paulus respondit*— que subsiste la persecución de la cosa —*pignoris persecutionem perseverare*— (aunque siendo poseedores de buena fe no restituirán el edificio salvo cuando el acreedor les indemnizase los gastos hechos en el edificio en cuanto éste aumentó su valor).

[42] No podrá aplicarse al constituyente del *pignus* por faltarle los requisitos necesarios para poder adquirir por *usucapio* —buena fe y justa causa—.

[43] La prescripción, en época justinianeo, tiene carácter adquisitivo y al prescribir, en general, todas las acciones —y por tanto la pignoraticia o hipotecaria— se podrá hacer valer, por el propio constituyente, incluso, contra el antiguo dueño y el acreedor pignoraticio. También el poseedor de buena fe, aún sin título justo, podrá adquirir la propiedad de la cosa pignorada, libre de gravámenes, tras cumplirse el plazo de 30 o 40 años.

[44] No aprovecha —*non prodest*— dice Paulo, para liberar una prenda —*ad pignus liberandum*— pagar una parte al acreedor —*partem creditori solvere*—. Papiniano nos da la razón: ya que —*propter*— es indivisa la causa de la prenda —*indivisam pignoris causa*—.

[45] Se entiende por el primero, ya que los demás, en su caso, sólo tienen derecho al sobrante, tras satisfacerse el crédito de aquél. La prenda se extingue para todos los acreedores.

[46] Si cabe una prenda y una o varias hipotecas sobre una misma cosa.

[47] Téngase presente que siempre se hace referencia a la antigüedad en la constitución de las hipotecas y no a la de los créditos garantizados por ellas.

ello, el primer acreedor hipotecario —*Primus*— es el que tiene el derecho a vender —*ius vendendi*— la cosa hipotecada y cobrar su crédito con el precio obtenido. Los demás acreedores —*Secundus, Tertius, Quartus...*— sólo cobrarán después de aquél; del remanente, y por el orden, de sus respectivos créditos.

Son excepciones a este principio de prioridad temporal, es decir hipotecas que aún siendo de fecha posterior se cobrarían primero, las llamadas privilegiadas y las documentales.

A) Son hipotecas privilegiadas: la general del Fisco, sobre los bienes de los contribuyentes, por razón de impuestos y las especiales de la mujer, sobre los bienes del marido, por restitución de la dote y del acreedor refaccionario o que presta dinero sobre la finca para cuya construcción o reparación lo prestó.

B) Son hipotecas documentales: en época postclásica, las que constan en documento público —*pignus publicum*— y con Justiniano, también, las que constan en documento privado, firmado por tres testigos —*pignus quasi publicum*—.

El acreedor posterior en rango —*Secundus, Tertius, Quartus*— tiene el derecho a ofrecer —*ius offerendi*— al anterior —*Primus*— el pago de su crédito y subrogarse en su lugar y éste deberá aceptar.

También se produce una subrogación o sucesión en el lugar de otro —*successio in locum*— en ciertos casos. Los más frecuentes son: el de novación de obligaciones y el del pago de la deuda por un tercero. En el primero, se produce la extinción de una obligación —que estaba garantizada con hipoteca— por la creación de otra nueva que la reemplaza y que también se garantiza con hipoteca. La nueva hipoteca, en vez de colocarse en último lugar, se coloca en el que correspondía al antiguo crédito extinguido. Igual ocurre cuando un tercero paga o presta dinero al deudor para satisfacer el crédito garantizado con hipoteca, constituyéndose en su favor una nueva hipoteca, la cual, también, ocupará el lugar de la antigua.

V. OBLIGACIONES Y CONTRATOS

Tema 27

La obligación en general

1. CONCEPTO DE OBLIGACIÓN

I. Concepto doctrinal

Hoy, se suele conceptuar la obligación como el derecho de una persona —acreedor— encaminado a exigir de otra —deudor— la observancia de una determinada conducta —prestación— de cuyo cumplimiento responde ésta con todo su activo patrimonial.

A tenor de ella, cabe hacer dos precisiones: 1.ª) que la obligación comporta dos elementos: el débito —el deber de cumplir una cierta conducta— y la responsabilidad —los efectos jurídicos, que derivan de su incumplimiento— y 2.ª) que su estructura, como relación jurídica[1], requiere: a) unas personas, que intervienen —sujeto activo (acreedor) y pasivo (deudor)—; b) un vínculo que las une —en cuya virtud, el sujeto activo puede exigir y el sujeto pasivo debe cumplir— y c) un objeto, representado por la conducta del deudor (prestación) que puede consistir en dar, hacer o no hacer alguna cosa.

II. Concepto histórico

Por un lado, la definición de *obligatio*, legada por las fuentes romanas y su análisis y por otro, las fases, a través de las cuales se incorpora, a su concepto, el segundo de sus elementos, la responsabilidad, serán los dos puntos en los que centraremos nuestra atención.

---

[1] El término obligación puede tomarse en dos sentidos: uno amplio, como relación obligatoria en su conjunto —a ello responde la definición del texto— y otro estricto, como un aspecto de esa relación, el que afecta al deudor, como consecuencia de ella.

A) Definición de Obligación

Justiniano, en sus Instituciones, dice que: la obligación es —*Obligatio est*— el vínculo jurídico —*iuris vinculum*— por el que, necesariamente, somos constreñidos —*quo necessitate adstringimur*— a pagar alguna cosa —*alicuius solvendae rei*— según los derechos de nuestra ciudad —*secundum nostrae civitate iura*—.

En su análisis se suelen hacer las siguientes observaciones:

a) Que la expresión «vínculo jurídico» —*iuris vinculum*— refleja que la obligación es un vínculo, porque comporta un nexo o lazo de unión que liga a dos personas. Ello, coincide con el significado etimológico de la palabra *obligatio*, de *ob* —alrededor de, en torno a...— y *ligare* —atar, ligar—, con el de *solutus* y *liberatus* —liberado, suelto— con el que se designa al deudor que ha pagado y, es probable que, en origen, responda a una realidad material. Esto es, al vínculo o sujeción personal que sufría el *ob-ligatus* y que, en época histórica, se concretaría, por vía de ejecución, cuando el condenado a pagar no lo hace[2].

A partir de la *Lex Poetelia Papiria de nexis* —326 AC— se empieza a sustituir la sujeción personal por la de carácter patrimonial y aquel lazo físico termina por idealizarse. El *vinculum* ya no es material, y si espiritual, abstracto, en suma, jurídico, de derecho —*iuris*—[3].

b) Que compeler, necesariamente, al deudor —*quo necessitate adstringimur*— a observar cierta conducta es la finalidad de este vínculo. Sólo hay, pues, obligación, si se le puede constreñir, incluso en contra de su voluntad, a que cumpla[4]. La pregunta surge, de

---

[2]   El obligado, como se ha destacado en doctrina, no es un deudor en el sentido actual del término, sino en el de alguien sometido al acreedor y sobre el que puede satisfacerse si no observa el comportamiento debido. También es indicativo, como se suele reiterar, que desde el prisma del acreedor —*creditor*— su derecho se designa con la palabra *nomen*, «nombre» y tener un crédito —*habere nomen*—, literalmente «tener un nombre» bien pudo reflejar, en origen: tener sometido o sujeto un «nombre», a una persona.

[3]   Pese a ello, el Derecho Romano, no perderá de vista la idea de vinculación personal y, como veremos, se muestra reacio a admitir: la representación directa —actuar en nombre ajeno y por cuenta ajena—; los contratos a favor o a cargo de terceros o al cambio de acreedor —cesión de créditos— o deudor —asunción de deuda— sin extinguir, antes, el vínculo primitivo —novación—.

[4]   En este sentido, Modestino, define al deudor al decir: se entiende por deudor —*debitor intelligitur*— aquel de quien —*is a quo*— contra su voluntad —*invito*— se puede exigir

inmediato, ¿como conseguir que el deudor «haga algo» si ello depende de su voluntad[5]? Maticemos, algo más —aunque sea por vía de síntesis— sobre: el fundamento de esta coactividad; la forma de ejercerla y sus efectos. 1.°) Esta coactividad, no puede descansar en un hecho —pongamos la fuerza— sino en el Derecho —hoy hablaríamos de la legislación positiva—; 2.°) se manifestará, por el ejercicio de una acción —*actio in personam*— ante un tribunal —distinto según la época y tipo de obligación— y 3.°) su efecto, en general, no será el exacto cumplimiento y ejecución de la prestación debida, sino una condena pecuniaria obtenida sobre el patrimonio del deudor.

c) Que el «pagar alguna cosa» —*alicuius solvendae rei*— no se debe entender en sentido literal, sino en el más amplio, equivalente a «cumplir una determinada conducta»[6].

d) Que «según los derechos de nuestra ciudad» —*secundum nostrae civitate iura*— no es algo banal y superfluo[7], sino que limita, históricamente, el campo de la obligación al *Ius civile* y excluye el *ius honorarium*, lo que, con el tiempo, será irrelevante.

B) *La responsabilidad del deudor*

La pandectística suelen señalar distintas fases históricas[8].

---

dinero —*exigi pecunia potest*—. Lo que debe entenderse en un sentido más amplio y no circunscrito, por ejemplo, a quienes tengan que devolver una cantidad prestada, sino a todos los que por cualquier causa deban. Así, se desprende del concepto de acreedor que nos da Gayo, al decir: Con la denominación de acreedores —*creditorum appellatione*— son comprendidos no solamente —*non hi tantum accipiuntur*— los que prestaron dinero —*qui pecuniam crediderunt*— sino todos aquellos —*sed omnes*— a quienes —*quibus*— por cualquier causa —*ex qua libet causa*— se les debe —*debetur*—.

[5]   Ejemplo típico serIa el del cantante, contratado, que se niega a cantar.

[6]   Paulo, dice: La sustancia (esencia) de las obligaciones —*obligationum substantia*— no consiste en —*non in eo consistit*— que (se haga) nuestra alguna cosa corporal —*ut aliquod corpus nostrum*— o una servidumbre —*servitutem nostram faciat*— sino en que —*sed ut*— constriña a otro —*alium nobis obstringat*— a darnos algo —*ad dandum aliquid*— o a hacer —*vel faciendum*— o a responder —*vel prestandum*—.

[7]   Banal, por cuanto toda obligación debe estar reconocida, por lo que hoy llamaríamos el ordenamiento jurídico y superflua, por entenderse implícita en el término «vínculo jurídico» —*iuris vinculum*—.

[8]   Criticada esta doctrina por algunos romanístas y civilistas tiene el indiscutible mérito —para nosotros— de separar dos elementos, que, hoy, se unen en el concepto de obligación, con la importancia que desde el prisma docente comporta.

a) En una primera fase, la responsabilidad —*obligatio*— tan sólo surgía del delito y su autor, abandonado a la venganza —*vindicta*— responde con su propia persona frente a la *civitas*, si había cometido un delito público —*crimina*— o frente a la víctima, o su familia, si era un delito privado —*delicta*—. En esta época, los contratos, que terminan siendo —y son hoy— la principal fuente de obligaciones no existen o no generan responsabilidad y aunque debía cumplirse la palabra dada, de no hacerlo, se carecería de medios coactivos para lograrlo. En suma, el deudor asumía el debito, *debitum* —debía cumplir— pero no la responsabilidad, *obligatio*, esto es, los efectos derivados de su incumplimiento.

b) Esta inseguridad producida en el tráfico jurídico, motivó que, en una segunda fase, se añadiera al débito una especial garantía, creando así la responsabilidad que aquél, por sí, no podía lograr. La responsabilidad, pues, nace de estos actos, entre los que merecen especial mención el *nexum* y la *sponsio*. Por el *nexum* —de naturaleza debatida[9]— el obligado —*nexus*— se daba en prenda al acreedor quedando en situación similar a la del esclavo. Por la *sponsio*, un tercero, hoy, diríamos fiador, asume la responsabilidad, permaneciendo el débito en el deudor. El *sponsor* es, pues, responsable —*obligatus*— sin ser deudor y éste, siéndolo, no es responsable.

c) Paulatinamente, la asunción de la garantía de la obligación por el propio deudor fue sustituyendo a la del tercero, cosa que, en principio, sólo procedía en caso de no encontrar *sponsor*. En consecuencia, aquel acto especial se va convirtiendo en mero formalismo, que termina por desaparecer. La responsabilidad va a nacer, pues, directamente del débito y ambos elementos confluyen en la persona del deudor.

2. SUJETOS DE LA OBLIGACIÓN Y TERCEROS

La obligación, como hemos visto, es un vínculo, nexo o lazo de unión entre personas. Requiere, pues, dos sujetos, uno activo, acreedor —

---

[9]   La escasez de fuentes sólo permite asegurar que se celebraba, como la *mancipatio*, a través del ritual del cobre y la balanza —*per aes et libram*— y que la situación de los *nexi* era, prácticamente, de esclavitud. La *lex Poetelia Papiria de nexis* (326 AC) abolió la figura del *nexum*.

creditor o *reus stipulandi*— que tiene derecho a exigir una determinada conducta y otro pasivo, deudor —*debitor* o *reus promittendi*— que tiene el deber de cumplirla. Por ello, tomando como base el contrato, principal fuente de obligaciones, que se asienta en un acuerdo de voluntades y el carácter personal de éstas cabe precisar: a) que se llaman «partes» a los que lo realizan y «terceros» a los que no intervienen en él y b) que rige el principio de vinculación exclusiva, por lo que sólo las «partes»[10] resultan vinculadas por el contrato y, por tanto, serán nulos los contratos[11] o estipulaciones a favor o a cargo de «terceros».

I. Estipulaciones a favor de tercero

Son aquella en las que una de las partes —promitente— se obliga respecto a la otra —estipulante— a realizar una prestación en beneficio de un extraño —tercero—. Así: Cayo —promitente— promete a Ticio —estipulante— que dará 100 a Sempronio —tercero—.

A) Esta estipulación, en principio, no produce efecto alguno. Así: por un lado, el tercero —Sempronio— no puede reclamar contra el promitente —Cayo— ya que no intervino en el contrato y éste nada le ha prometido y por otro lado, el estipulante —Ticio— tampoco, pues aunque intervino en el contrato, carece de un interés, jurídicamente, protegido[12], ya que, como dice Ulpiano, lo que mueve a una

---

[10]   Término ampliable a sus sucesores, pues asumen la posición jurídica de las partes, propiamente dichas, si a ello no se opone la propia naturaleza de la obligación, *intuitu personae,* —como pintar un cuadro— en las que las especiales características del deudor son determinantes para su exigibilidad.

[11]   Preguntarse si en Derecho Romano clásico fue válido el llamado contrato a favor de tercero carece de sentido, pues si hemos visto lo costoso que resultó admitir que el contrato fuera fuente de obligaciones y, en Roma, no existe una doctrina general del contrato, menos, aún, cabría hablar de esta modalidad. Hoy, reviste particular interés y de él se consideran aplicaciones, entre otras, las estipulaciones contenidas en el contrato de transporte, en favor del consignatario, de la renta vitalicia, en favor de su receptor y en el seguro de accidentes y, sobre todo, en el seguro de vida, en favor del beneficiario.

[12]   Quinto Mucio Escévola dice: Ni pactando —*nec psciscendo*— ni imponiendo una condición —*nec legem dicendo*— ni estipulando —*nec stipulando*— puede uno obligar para otro —*quisquam alteri cavere potest*— y Paulo remarca: No (podemos) ni estipular —*neque stipulari*— ni comprar —*neque emere*— ni vender —*vendere*— ni contratar —*contrahere*— de modo que otro —*ut alter*— litigue con derecho en su propio nombre —*suo nomine recte agat (possumus)*—. Por ello, se ha destacado, en

persona a contratar es adquirir para sí y no para otro —*ut alii detur nihil interest mea*— y cabe resumir, con él, que: nadie puede estipular para otro —*alteri stipulari nemo potest*—.

B) Este principio sufrió algunas excepciones. Así: a) respecto al tercero, en Derecho Justinianeo, se reconocen acciones en su favor, entre otros, en los casos de: comodato o depósito de cosa ajena, con pacto de restitución a su dueño en favor de éste y b) respecto a las partes, ya en Derecho clásico, se advierten algunas decisiones contrarias referidas, siempre, al supuesto que el estipulante tuviera algún interés —patrimonial— en que la prestación en favor del tercero se cumpla[13]. En todo caso, debe tenerse presente que, por vía indirecta y a través de la estipulación de una pena, —*stipulatio poenae*— podría lograrse su efectividad —Cayo promete a Ticio que dará 100 a Sempronio y si no lo hace, dará 200 al propio Ticio[14]—.

II. Estipulaciones a cargo de tercero

Son aquellas en las que una de las partes —promitente— promete a la otra —estipulante— una prestación a realizar por un extraño —tercero— Así, por ejemplo: Cayo —promitente— promete a Ticio —estipulante— que Sempronio —tercero— le dará 100. Obviamente, tal estipulación carece de efectos y ni al tercero —que

---

doctrina, que este principio, es consecuencia del más amplio que excluye la representación directa —*per extraneam personam adquiri nobis non potest*—.

[13] Otros casos a incluir en a) serían: la venta de la cosa dada en prenda, con pacto de rescate en favor del deudor pignorante y venta del fundo arrendado con pacto de respetar el arriendo, en favor del arrendatario; la donación *sub modo* con pacto de restitución a favor de otro, en su interés y en la dote, constituida por el padre con estipulación de que se restituya, en favor de la hija dotada o sus nietos si ésta ya hubiera fallecido. A b) se refiere Ulpiano al decir: Si yo estipulase para otro —*Si stipuler alii*— cuando a mí me interesase —*quum mea interesseet*— veamos si tendrá efecto la estipulación —*videamos an stipulatio commitattur*—. Y dice Marcelo —*Et ait Marcellus*— que la estipulación es válida en este caso —*stipulationem valere in specie huiusmodi*— (Se refiere al supuesto en que el tutor cede la gestión del patrimonio del pupilo y se hace prometer del cotutor que administrará con diligencia, ya que de no hacerlo así éste, aquél es responsable).

[14] En Instituciones de Justiniano se lee: Por tanto —*Ergo*— si alguno estipulare —*si quis stipuletur*— que se de (una cosa) a Ticio —*Titio dari*— nada hace —*nihil agit*— pero si añade una pena —*sed si addiderit poenam*— por ejemplo si no la dieres ¿prometes dar tantos áureos? —*nisi dedideris tot aureos dare spondes?*— Entonces —*tunc*— la estipulación producirá obligación —*committitur stipulatio*—.

no intervino en el contrato y nada prometió— ni al promitente —que intervino, pero, personalmente, no prometió nada— se les podrá exigir su cumplimiento. La razón es, como dice Hermogeniano, que no puede prometerse la conducta ajena, «nadie se obliga prometiendo el hecho ajeno» —*Nemo autem alienum factum promittendo obligatur*— y, si se hace, se promete inútilmente —*Factum alienum inutiliter promittitur*—.

Sin embargo, dos son los medios para lograr su efectividad: 1.º) la estipulación de una pena (*stipulatio poenae*) —Cayo promete a Ticio que Sempronio le dará 100 y si no lo hace, que él mismo le entregará 200— y 2.º) prometer una conducta o actividad propia —Cayo promete a Ticio que hará (actividad propia de mediación) que Sempronio le entregue 100— en cuyo caso, Cayo quedará obligado —*obligatur*[15]—.

La rigidez de esta nulidad de contratos a cargo de terceros se observa en la estipulación pero no en los contratos de buena fe que serán válidos *inter partes* aunque el tercero no quede obligado.

3. PLURALIDAD E INDETERMINACIÓN DE LOS SUJETOS

Por lo general, los sujetos de la obligación están determinados, —Ticio presta 100 a Cayo, pongamos por caso, Ticio es acreedor y Cayo deudor— manteniendo sus respectivas posiciones, desde el nacimiento de aquella hasta su extinción. También, por lo general, hay, en la obligación, un sólo sujeto activo —Ticio, en el caso anterior— y un sólo sujeto pasivo —Cayo— Sin embargo, como veremos, algunas veces ocurre, que los sujetos, o al menos uno de ellos, no están determinados, *ab origine* y otras veces, puede haber más de un acreedor o de un deudor o incluso varios acreedores y deudores. En el primer supuesto se habla de obligaciones ambulatorias, en el

---

[15] En Instituciones de Justiniano se dice: Si alguno —*Si quis*— hubiera prometido que otro dará o hará algo —*alium daturum facturumve quid spoponderit*— no quedará obligado —*non obligatur*— como si prometiera —*veluti si spondeat*— que Ticio dará 5 aureos —*Titium quinque aureos daturum*—. Pero si —*Quodsi*— (prometiera) que el ha de hacer —*effecturum se*— que Ticio los dé —*ut Titius daret (spoponderit)*— queda obligado —*obligatur*—.

segundo de obligaciones con pluralidad de sujetos o pluripersonales, que, a su vez, podrán ser: cumulativas, parciarias y solidarias.

I. Obligaciones ambulatorias[16]

Obligaciones ambulatorias, son aquellas en las que el acreedor o el deudor —o ambos— ni son conocidos, en el momento de constituirse la obligación —de ahí, también, se las denomine con sujeto indeterminado— ni son, invariablemente, los mismos desde su nacimiento hasta su extinción —por lo que, también, se las llama, con sujeto variable— determinándose por la relación que tengan con respecto a alguna cosa —por ello, también se designan como *propter rem*, por razón de la cosa—.

En Derecho moderno estas obligaciones tienen gran importancia, como consecuencia de la difusión de los títulos al portador, en los que la persona, como tal, queda relegada a un segundo plano, en cambio, en Derecho Romano, por lo arraigado de la idea de obligación, como vínculo o atadura personal entre dos personas, su interés es más reducido y, como veremos, su ámbito se suele circunscribir a los campos del derecho de familia y sobre todo, al de los derechos reales. Se suele citar como principales casos[17] de estas obligaciones, en Derecho Romano:

A) La del heredero de cumplir una prestación en favor de una persona —bajo designación clara, *sub certa demonstratione*— en la que recaiga determinada circunstancia. Así, en ejemplo de Gayo, dar 10.000 a aquel de mis parientes —*ei ex cognatis meis*— que primero —*qui primus*— llegue a mis funerales —*ad funus meum venerit*—. El acreedor resulta, pues, inicialmente indeterminado dentro de un grupo de personas, los parientes.

B) La de resarcir los daños causados —*noxia*— por un *filius familias*, esclavo o animal, que por el principio: «el daño sigue al

---

[16] El origen del término ambulatorias lo encontramos en Paulo al decirnos: Las obligaciones de injurias y las acciones provinentes de delito siguen siempre a la persona («deambulan») —*Iniuriarum et actionum ex delicto venientium obligationes cum capite ambulant*—.

[17] En todos estos casos existe una responsabilidad legal con sujeto pasivo indeterminado que supera el campo propio de las obligaciones al atribuirse al deudor (poseedor) poder consignar o abandonar el objeto causa de su responsabilidad, lo que, en principio, no se admite en el ámbito obligacional.

causante» —*noxa caput sequitur*— será exigible al que fuese dueño de aquellos —*propter rem*—[18] no en el momento de producirse el daño, sino en el de entablarse la reclamación judicial. La responsabilidad, pues, nace con la comisión del delito pero respecto a una persona indeterminada; la obligación, por tanto, viaja —*deambula*— con el esclavo o animal y el deudor variará tantas veces como enajenaciones se hicieran.

C) La de demoler las obras que impidan el curso natural de las aguas, derivada de la acción de contención de agua fluvial —*actio aquae pluviae arcendae*— que puede ejercerse contra el poseedor de aquellas, aunque no las hubiera ejecutado[19].

II. Obligaciones pluripersonales

Como hemos indicado, la regla general es que las obligaciones sean unipersonales, esto es, tengan un sólo acreedor y deudor. Así, por vía de ejemplo, Ticio (acreedor) prestaba 100 a Cayo (deudor). Pero también anticipábamos, que puede haber varios acreedores, varios deudores o varios acreedores y deudores —supongamos que Ticio, Sempronio y Marco, prestan 9.000 a Cayo, Lucio y Seyo— en tales casos, hablaremos de obligaciones con pluralidad de sujetos o pluripersonales. En éstas caben dos posibilidades: que el crédito o la

---

[18] Téngase presente, como recuerda Gayo, que en las acciones noxales —*noxales actiones*— el padre o dueño están facultados para —*proditae sunt uti liceret patri dominove*— o pagar la indemnización —*aut litis aestimatione suferre*— o entregar al causante —*aut noxae dedere*—.

[19] Otros casos a incluir junto a los del texto serán: D) Reparar el muro —*reficere parietem*— en la servidumbre de soportar carga» —*oneris ferendi*— cuyos sujetos activo y pasivo se determinarán —*propter rem*— en razón de la propiedad de los fundos. Varían, pues, según las vicisitudes de los mismos y se concretan, en el momento en que se ejerza la acción, en quienes fueran, entonces, sus titulares respectivos. Por ello, Ulpiano nos dice que esta acción es más real que personal —*in rem magis quam in personam*— E) Pagar los impuestos vencidos sobre fundos provinciales cuyo deudor será determinado por la propiedad del fundo —*propter rem*— aunque el impago se deba a los anteriores dueños, ya que son los predios y no las personas los sujetos a contribución y por tanto, como matiza Papirio Justo, (jurista del s. II) son demandados los mismos predios y no las personas —*ipsa praedia non personas convenire*—. F) Restituir la cosa adquirida por miedo, que garantizada por la *actio quod metus causa* podrá ejercerse contra cualquiera que tenga la cosa o haya obtenido provecho de ella, por lo que es calificada por Marcelo y Ulpiano como establecida sobre la cosa —*in rem scripta*—.

deuda —9.000— se dividida, en tantas partes (iguales) como acreedores o deudores haya, o que resulte atribuido, íntegramente, a cada acreedor o deudor. En el primer caso se denominan obligaciones parciarias, en el segundo solidarias.

A) Las obligación parciarias —también llamadas *pro parte* o *pro rata*, y en nuestro actual Derecho mancomunadas[20]— son aquellas en las que existiendo una pluralidad de sujetos, el crédito o la deuda se considera dividido en tantas partes como acreedores o deudores haya, reputándose créditos o deudas distintos unos de otros. Son, pues, sus notas características: 1.ª) la pluralidad de sujetos y 2.ª) la división del crédito o deuda[21]. Así, si por ejemplo A, B y C venden el fundo X por 9.000 a D, cada uno de los vendedores (acreedores del precio) tendrá derecho a una parte de la total prestación (A, 3.000; B, 3.000 y C, 3.000) y, en su caso, cada deudor (imaginémonos, es D quien vende a C, B y A) tendrá la obligación de pagar parte de la misma.

B) Las obligaciones solidarias —de *solidum*, entero, sin dividir—[22] son aquellas en las que existiendo una pluralidad de sujetos, cada uno tiene el derecho a exigir (si son acreedores) o el deber de pagar (si son deudores) el objeto integro de la prestación. Son, pues, sus notas características: 1.ª) la pluralidad de sujetos[23] y 2.ª) la unidad o indivisión del crédito o deuda[24]. A ellas debe sumarse, en derecho

---

[20] En rigor, el término mancomunada —«mano común»— debería aplicarse a la obligación colectiva o pluripersonal. Sería, pues, el género y, dentro de él, cabría distinguir entre: obligaciones mancomunadas (pluripersonales) simples o a *pro rata* —en las que crédito o deuda, estaría dividido o prorrateado— y mancomunadas solidarias —en las que permanecería, sin dividir, integro—. Nuestro Código Civil no sigue este criterio: formalmente, contrapone el género (obligaciones) mancomunadas a la especie (obligaciones) solidarias, si bien el principio de actuación conjunta de acreedores y/o deudores —el crédito o la deuda está en «mano común»— inspira alguno de sus artículos: así, tratándose de un crédito o deuda divisible —y no siendo la obligación parciaria— se establece que: «solo perjudicarán a los acreedores los actos colectivos de éstos y sólo podrá hacerse efectiva la deuda procediendo contra todos los deudores».

[21] Como se ha destacado en doctrina, que la división sea por partes iguales —*pro virile parte*— o por un criterio de proporcionalidad —*pro rata parte*— nada importa, lo decisivo es que se tengan por créditos o deudas independientes.

[22] Integro, macizo, compacto, sin fisuras, son otros significados del término *solidum* que ayudan a recordar la esencia de este tipo de obligaciones.

[23] De ahí se llamaran, también, correales, de *con-reus*, codeudor.

[24] En doctrina, se discute, bizantinamente, si hay una sola obligación o varias con igual objeto e idéntica causa. Los textos se contradicen. Así: Ulpiano habla de que existe

justinianeo, como 3.ª) la existencia de una relación interna entre acreedores, o deudores, por la que cada uno de ellos —si cobra o paga— es, frente a los demás —por la llamada «acción de regreso»— sólo acreedor o deudor por su parte.

Por razón: a) de las personas, puede hablarse de una solidaridad activa (pluralidad de acreedores), pasiva (de deudores) o mixta (de acreedores y deudores) y b) por su origen, distinguirse entre solidaridad voluntaria —*ex voluntate*— constituida[25] por acto *inter vivos* —en principio, a través de *stipulatio*[26] y más tarde por cualquier otro contrato[27]— o *mortis causa* —por legado[28]— y solidaridad legal —*ex lege*— en los casos de: 1) delitos cometidos por varias personas —o que resulten perjudicados varios— y que en principio, eran, como veremos, obligaciones cumulativas[29]; 2) de pluralidad de fiadores y 3) del ejercicio de *actiones adiecticiae qualitatis*.

En los delitos cometidos por varias personas, se reitera en doctrina, que la mente moderna no admitiría que la reclusión cumplida por un coautor liberara al otro, o que, el tiempo de aquella se dividiera entre los coautores. Al *ius civile*, también, repugna esta división. Por ello, superada la fase de la venganza —*vindicta*— y sustituida por la

---

una sola obligación —*una sit obligatio*— y Paulo de que hay un sólo débito —*unum debitum esse*— pero Venuleyo alude a *duae obligaciones*; también el propio Ulpiano, habla de *obligationes duarum* y en Instituciones de Justiniano de que: en una y otra obligación se trata de una sola cosa —*in utraque obligatione una res vertitur*—.

25 La obligación, salvo pacto en contra, en principio, se presume parciaria.

26 La activa tendría lugar cuando después de la pregunta de cada estipulante el promitente diera una única respuesta. Así, a la pregunta de Ticio a Cayo: ¿«prometes darme 100»? —*spondes centum mihi dare?*— y a igual pregunta, formulada por Marco, al propio Cayo, éste respondiera, a los dos, a la vez: «a uno y otro de vosotros —*utrique vestrum*— prometo dar 100 —*centum dare spondeo*—». La solidaridad pasiva nacería cuando dirigiéndose el estipulante a cada uno de los promitentes, éstos respondieran por separado. Así, a la pregunta de Ticio: Cayo ¿prometes darme 100? —*spondes centum mihi dare?*— Seyo ¿prometes darme los mismos 100? —*eosdem centum dare spondes?*— cada uno respondería prometo —*spondeo*— (o prometemos —*spondemus*—).

27 Ocurre cuando la solidaridad ya no se hace depender de la unidad de acto, sino de la voluntad de las partes.

28 Primero, sólo deriva de un tipo de legado, el de obligación —*legatum per damnationem*— más tarde, superados formalismos, de la voluntad expresa e indubitada del testador.

29 Las obligaciones cumulativas tienen como notas: la pluralidad de sujetos y la acumulación de obligaciones: así, el pago de la total prestación hecho por un deudor al acreedor, no libera a los demás deudores de hacer otro tanto en favor de aquél.

imposición de «penas» —sanciones pecuniarias— el pago de un delincuente no exime que, también, deban pagar los demás[30]. Se produce, pues, una acumulación de obligaciones. El *ius honorarium*, en casos especiales, empieza a excluir esta cumulatividad[31], denegando el Pretor la acción al acreedor que ya ha cobrado contra el otro coautor[32] —o concediendo a éste una excepción—. Se produce, en suma, una nueva concepción de la acción cuyo objeto, en estos casos, dice Paulo, es que el acreedor no quede perjudicado, y no que, también, logre un lucro —*non ut etiam lucrum faceret*—. Tal enriquecimiento injustificado se produciría si, habiendo cobrado de uno, no se considerase extinguida la acción contra los demás coautores. Así, si Ticio, Cayo y Sempronio han causado a Marco, por un acto ilícito, un daño de 100, al pagar cada uno de ellos dicha cantidad —100— Marco obtendría un lucro de 200.

Un caso de obligación cumulativa, que veremos en la compraventa, es el de la venta de una misma cosa, por separado, a varias personas.

III. Régimen de las obligaciones solidarias

La peculiaridad del régimen de las obligaciones solidarias se refleja en: sus causas de extinción; los efectos de la mora o de la culpa y el llamado derecho de regreso.

A) Respecto a la extinción, hay que hacer dos observaciones, que derivan, precisamente, de sus notas características: 1.ª) que por su pluralidad de sujetos, hay causas de extinción, que, sólo pueden ser alegadas por la persona afectada y sólo a ella liberan, mientras la

---

[30]   Ulpiano tratando de la muerte de un esclavo —refiere y comparte el sentir de Juliano— al decir: todos quedan obligados como si hubieran matado —*omnes quasi occiderint teneri...*— y aunque se ejerza la acción contra uno —*et si cum uno agatur*— los demás no quedan libres —*ceteri non liberantur*— pues en virtud de la ley Aquilia —*nam ex lege Aquilia*— lo que uno paga —*quod alius praestitit*— no releva al otro —*alium non relevat*— porque es una pena —*cum sit poena*—.

[31]   Así, nos dice Ulpiano: si varios impiden, con dolo —fraude— que alguien acuda a juicio, la acción puede ejercerse contra todos —*omnes tenentur*— pero si uno ha pagado —*si unus praestiterit poenam*— los demás se liberan —*ceteri liberantur*— porque «nada más importa» (no hay más interés) —*quum nihil interesit*—.

[32]   Ulpiano tratando un caso de dolo nos dice: podrás ejercer la acción solidariamente contra cada uno —*adversus singulos in solidum agi poterit*— pero demandado uno— *sed altero convento*— si pagara —*si satisfecerit*— deberá denegarse la acción contra el otro —*in alterum actionem denegari oportebit*—.

obligación subsiste para las demás y 2.ª) que por la unidad o indivisión del crédito o deuda —una sola obligación, un sólo objeto (prestación) y una sola acción— las obligaciones solidarias se extinguen, con carácter absoluto —para todos— no sólo por el pago de alguno de los deudores al acreedor (o a uno de ellos, si son varios), sino por todas las demás causas extintivas que afectan a la propia naturaleza de la prestación[33].

B) Respecto a la mora o la culpa de algún codeudor *in solidum* baste decir: que la mora, según Paulo y Marciano, no produce efecto alguno respecto a los demás deudores —probablemente porque se inicia con la reclamación (*interpellatio*) que se hace a uno sólo de ellos— y que la culpa de un codeudor, al menos con Justiniano, afectará a los demás, que deberán responder de ella —así, se asegura el fin práctico de la solidaridad pasiva: reforzar la situación del acreedor—.

C) La llamada «acción» o «derecho de regreso» —a la que aludíamos al destacar las notas de la solidaridad y concedida, con carácter general, por Justiniano— es aquella, en virtud de la cual, cada acreedor solidario, que cobra, es deudor de los demás acreedores —que no han cobrado— por su parte y cada deudor que paga, es frente a los demás deudores —que no han pagado— acreedor por la suya. Procedamos por vía de ejemplo.

Si imaginamos que A, B y C deben, *in solidum*, 9.000 a D, E y F, cualquiera de estos acreedores (D, E o F) podrá exigir a cualquiera de los deudores (A, B o C) íntegramente, el pago de la deuda (los 9.000) y cualquier deudor deberá cumplir, en su totalidad, la prestación. Estas relaciones —acreedores y deudores— son externas y con ellas la obligación se extingue. No es justo, sin embargo, que el acreedor más avispado —pongamos D— cobre y no lo hagan los demás (E y F) o que el deudor menos afortunado, al ser elegido —imaginemos A— pague y queden liberados los otros —B y C—.

Este es el fundamento de la «acción de regreso», por la cual, se genera otro tipo de relaciones, por oposición a las de antes internas,

---

[33] Ejemplos de lo primero sería: la muerte o *capitis deminutio* de alguno de los sujetos; la *in integrum restitutio*; la confusión o el pacto de no pedir (*pactum de non petendo in personam*) y ejemplos de lo segundo: la *acceptilatio*; novación; el pacto de no pedir *in rem*; la destrucción fortuita de la cosa o imposibilidad sobrevenida con este carácter, la compensación y, en derecho clásico —por consumir la acción— la *littis contestatio*.

entre los propios acreedores y deudores y, que, en el ejemplo propuesto, comportaría que el Acreedor D —que ha cobrado los 9.000 de A— resultará deudor de E por 3.000 y de F por otros 3.000. Y que el deudor A —que ha pagado— resultará acreedor de B por 3.000 y de C por otras 3.000[34].

4. EL OBJETO DE LA OBLIGACIÓN: LA PRESTACIÓN

I. Concepto y contenido

La prestación es el objeto de la obligación, o sea: la conducta a que se ve constreñido el deudor[35], que, a su vez, puede consistir en un: «dar», *dare*, «hacer», *facere*, o «prestar», *praestare*.

A) *Dare*: en sentido estricto, es trasmitir la propiedad de una cosa, al acreedor y en un sentido amplio, también, constituir, en su favor, cualquier otro derecho real sobre ella.

B) *Facere*: en sentido estricto, es toda conducta del deudor no incluida en el *dare* y en un sentido amplio, toda conducta del deudor, positiva o negativa, comprendiendo, por tanto, el *dare* y el *non facere*.

C) *Praestare*: —de *prae stare*, mantenerse firme, proteger, en relación con *praedes*, de *prae vas*, que comporta idea de garantía— alude a la asunción de responsabilidad[36]. En un sentido estricto, puede actuar como «cajón de sastre», refiriéndose al contenido de la

---

[34] Esta «acción de regreso», en época clásica, esta al margen de la solidaridad —no nace de ella— y sus efectos sólo pueden lograrse de dos formas: 1.º) por las relaciones preexistentes, que unían a los codeudores o coacreedores —socios, copropietarios o coherederos— y a través de la acciones derivadas de las mismas —*pro socio*, *communi dividundo* o *familiae erciscundae*— y 2.º) en su defecto, haciéndose ceder el deudor solidario elegido por el acreedor, antes de pagar, la acción que tenía contra los demás deudores —*beneficium cedendarum actionum*—.

[35] Como tal comportamiento se refiere a cosas o servicios, puede distinguirse entre: objeto inmediato de la obligación, que es, en general, la conducta del deudor —la prestación— y objeto mediato, que es, en particular, el contenido de dicha conducta —esto es: las cosas o servicios sobre los que aquella recae—.

[36] Así, cuando la prestación resulta imposible por dolo o culpa del deudor, se hablará de *praestare dolum* —responder por dolo— o *praestare culpam* —responder por culpa— traduciéndose en el pago de la estimación pecuniaria del daño producido — *praestare aestimationem*—.

obligación cuando, cómodamente, no se puede incluir en un *dare* o en un *facere* y en sentido amplio, designar, sin más, la conducta que debe observar el deudor, de donde derivaría el término moderno, prestación.

Como se ha puesto de relieve, probablemente, estas expresiones, que recoge Gayo al definirnos la acción personal y que aparecen en algunas fórmulas[37], más que intentar una clasificación de conductas, nítidamente diferenciadas, tan sólo pretenden abarcar todo posible objeto de obligación, con la acumulación de los tres primeros verbos —*dare, facere, praestare*— añadiendo la idea de deber representada por el cuarto —*oportere*—.

II. Requisitos

So pena de nulidad, la prestación ha de ser: posible, lícita, determinada o determinable y patrimonial.

A) Posible, pues como dice Celso —con plena vigencia— la obligación de lo imposible es nula —*imposibilium nulla obligatio est*—. Maticemos algo más.

a) Por su origen, la imposibilidad de la prestación puede ser física y jurídica, según dependa, respectivamente, de su propia naturaleza o del Derecho. Lo primero, ocurre si alguien se obliga a dar algo que nunca existió[38] o que ya había dejado de existir[39]. Lo segundo, cuando se obliga a trasmitir la propiedad de algo que está excluido del dominio particular —*res extra commercium*[40]— o que ya pertenecía al acreedor, pues, dice Gayo: no se nos puede trasmitir la propiedad de lo que ya es nuestro —*nec enim quod nostrum est nobis dari potest*—. Una

---

[37] Es frecuente la referencia a: todo lo que Numerio Negidio deba dar, hacer o prestar a Aulo Agerio —*quidquid Numerium Negidium Aulo Agerio dare facere praestare oportere*—.

[38] Ejemplo referido por Celso, es la entrega de un animal mitológico, el hipocentauro —*dare hyppocentaurum*—.

[39] Modestino alude a, un esclavo ya fallecido —*mortuum hominem*—.

[40] Así, dice Modestino: Un hombre libre no puede ser deducido en una estipulación —*Liber homo in stipulatum deduci non potest*— porque ni se puede pedir que se dé —*quia nec dari oportere intendi*— ni se puede pagar su estimación —*nec aestimatio eius praestari potest*— lo mismo que —*non magis quam*— si alguien —*si quis*— hubiese estipulado dar —*dari stipulatus fuerit*— un esclavo fallecido —*mortuum hominem*— o un predio en poder de los enemigos —*aut fundum hostium*—.

y otra imposibilidad producen el mismo efecto: la nulidad de la obligación;

b) Por las personas, la imposibilidad puede ser objetiva (o absoluta) y subjetiva (o relativa). La primera, afecta a toda persona (sería el caso, referido, de obligarse a trasmitir la propiedad de una cosa a quien ya es su dueño) e implica la nulidad de la obligación. La segunda, sólo afecta al deudor (por ejemplo, trasmitir la propiedad de algo ajeno) y en tal caso, la obligación nace y produce efectos jurídicos, pero al no poder cumplirse, éstos se traducen en el *id quod interest*, es decir, en la indemnización de daños y perjuicios, derivados del propio incumplimiento;

c) Por el tiempo, la imposibilidad puede ser originaria y sobrevenida. Aquella, es la que existe desde que se pretende constituir la obligación y comporta su nulidad. Esta, cuando siendo, en origen, la prestación posible, se hace imposible después (sería el caso del perecimiento del esclavo que el deudor se ha obligado a entregar) y, en ella, la obligación nace pero la indemnización dependerá de la conducta observada por el deudor y de la causa que la motive.

B) Además de posible, la prestación ha de ser, lícita, esto es, que no se oponga a la ley o a la moral —*contra leges* o *contra bonos mores*[41]—.

C) También ha de ser determinada, o al menos, determinable, pues se admite cierto grado de indeterminación inicial, bastando con que pueda hacerse, *a posteriori*, sin necesidad de nuevo acuerdo entre las partes[42]. Las formas, de esta determinación ulterior, pueden descansar en criterios objetivos con referencia a una cosa o a una circunstancia cierta —así, el precio máximo que alcance la venta de un *servus*,

---

[41] En las Instituciones de Justiniano se dice que: Lo que se ha prometido por causa torpe —*Quod turpi ex causa promissum est*— como si uno prometiera cometer un homicidio o un sacrilegio —*veluti si quis homicidium vel sacrilegium se facturum promittat*— no vale —*non valet*—. En derecho clásico, en las acciones de buena fe resultaría incompatible con el *oportere ex fide bona* y, en su caso, también, el pretor podría denegar la acción.

[42] Nos dice Ulpiano, con referencia a la compraventa y a la fijación de su precio, que será válida la venta «por cuanto tú lo compraste» —*quanti eum emisti*— o «por las monedas que tengo en el arca» —*quantum pretii in arca habeo*— y Marcelo, respecto a una estipulación genérica de dar trigo —*dare triticum*— que es una cuestión más de hecho que de derecho —*facti quaestio est, non iuris*—.

en cierto día y mercado— o subjetivos, como confiar la fijación del precio o del valor de la cosa, a un tercero —no a una de las partes[43]—. Entonces, habrá, que indagar si la referencia al tercero es personalísima y exclusiva —*merum arbitrium*— en cuyo caso, su juicio actuará como condición y si no quiere o no puede emitirlo la obligación será nula o si se confía en el criterio de una persona leal y justa —*arbitrium boni viri*— supuesto en el que, siendo necesario, podrá determinarse por el juez[44].

D) Patrimonial significa, valorable en dinero. Ulpiano, dice: que la obligación sólo puede consistir —*ea enim in obligatione consistere*— en lo que se puede liquidar y pagar con dinero —*quae pecuniae lui praestarique possunt*— sin olvidar que, en el proceso formulario, la condena debe ser pecuniaria. Por ello, es nula la prestación consistente en entregar un hombre libre, pues, recuerda Modestino, no es susceptible de estimación —*nec aestimatio eius praestari potest*—.

5. CLASES DE OBLIGACIONES POR RAZÓN DEL OBJETO

Las formas y modalidades que puede revestir la prestación son múltiples, por lo que es lógico que, a su tenor, también, puedan hacerse múltiples clasificaciones de las obligaciones. De las principales pasamos a ocuparnos.

I. Genéricas y específicas

Uno de los requisitos de la prestación es: ser determinada —o determinable— Esta determinación admite, sin embargo, diversos grados, por ello, las obligaciones pueden ser específicas y genéricas.

---

[43]   En general, dice Javoleno: No puede subsistir promesa alguna —*nulla promissio potest consistere*— que adquiera validez según la voluntad del promitente —*quae ex voluntate promittentis statum capitis*—. En los contratos de buena fe, Gayo refiere, que, también, es nula la venta cuya determinación del precio sea por lo que tu quieras —*quanti velis*— por cuanto tú juzgaras justo —*quanti aequum putaveris*— por cuanto estimases —*quanti aestimaveris*— (el precio podría no resultar serio).

[44]   Ulpiano considera que, en general —*Generaliter*—... ha de entenderse se confía al arbitrio de hombre bueno —*pro boni viri arbitrio hoc habendum esse*—.

Son obligaciones específicas, aquellas cuyo objeto se fija por su propia individualidad, por ejemplo la entrega del esclavo Estico. Recaen, pues, sobre algo cierto, individual y concreto. Son genéricas, aquellas cuyo objeto se determina por el género, clase o categoría al que pertenece y no por su individualidad, como la entrega de cierta cantidad de trigo. Los romanos consideran, en cierto sentido, que tienen por objeto todas las cosas que, en particular, comprende el género[45].

Debe matizarse, en las obligaciones genéricas, que sus límites ni pueden ser tan amplios que priven al objeto de toda determinación —genus summum— y a la voluntad de obligarse de la necesaria seriedad —entregar una cosa[46]— ni tan reducidos que la hagan perder su carácter genérico y resultar específica o alternativa[47].

El régimen de las obligaciones específicas —las más corrientes— comporta: la entrega de la cosa, con sus posibles accesorios y la liberación del deudor si el objeto perece sin su culpa —ni constituirse en mora[48]—. El régimen de las obligaciones genéricas se centra en los tres siguientes puntos: A) quién elegirá el objeto, dentro del género; B) qué es lo que, dentro de él, puede elegir y C) si pueden extinguirse, o no, por perecimiento.

A) El derecho de elección —ius electionis— dependerá, usando terminología moderna, de lo que determine el título constitutivo —hayan acordado las partes— y si nada hubieran previsto, corresponderá al deudor, en razón al favor debitoris —el que se obliga se obliga a lo menos—.

B) Si no se hubiera precisado la calidad y circunstancias de la cosa, en principio, el acreedor podría exigir la calidad óptima y el deudor,

---

[45] Así dice Papiniano, que el legado de un esclavo —hominis enim legatum— en cláusula abreviada —orationis compendio— abarca a cada uno de los esclavos —singulos hominies continet—.

[46] Dice Ulpiano, refiriéndose al legado de una casa: pero si el testador no hubiera dejado casa alguna —quodsi nullas aedes reliquerit— el legado es más bien irrisorio que útil —magis derisorium est quam utile legatum—.

[47] Son frecuentes lo que en términos modernos se suelen llamar obligaciones de género limitado, esto es: aquellas en que el objeto de la prestación, no sólo se determina por el género al que pertenece las cosas que han de entregarse, sino, además, por otras circunstancias externas, como la procedencia, el lugar donde aquella se encuentra u otras.

[48] Es frecuente la referencia, en los textos que tratan de la stipulatio, la afirmación: la especie perece para aquel al que se debe (acreedor) —species perit ei cui debitur—.

cumplir, entregando la ínfima, pero, ya en época clásica[49], se considera que ni aquél puede exigir la superior ni éste cumplir con la inferior, por ello, Justiniano —sin decir es una innovación— se pronunciará por la calidad media —*mediae aestimationis*[50]—.

C) En abstracto, la amplitud del género, sirve de base a los intérpretes para formular la máxima de que: el género nunca perece —*genus nunquam perit*— por ello, el deudor no podrá liberarse por la destrucción fortuita del objeto. Ello debe matizarse y si, en general, es asumible, requiere, en cada caso, calibrar la propia extensión de «este género» y cuanto más reducido sea, será menor su aplicación.

II. Divisibles e indivisibles

Según la naturaleza de la prestación —objeto de la obligación— las obligaciones pueden ser divisibles o indivisibles.

Son obligaciones divisibles cuando la prestación que constituye su objeto puede fraccionarse en otras varias —sin menoscabo de su valor—. Esto es, pueden cumplirse por partes sin que se altere su esencia. Como por ejemplo la entrega de determinada suma de dinero. Son indivisibles, aquellas cuya prestación no puede realizarse por partes sin alterar su esencia. Por ejemplo, el devolver una bolsa, cerrada y sellada, que contiene una piedra preciosa y se nos dió en depósito.

La importancia de esta distinción es escasa cuando hay un sólo acreedor y un sólo deudor, aumentando su interés cuando concurren pluralidad de acreedores o deudores[51]. Entonces, puede plantear

---

[49] Su origen parece encontrarse en un rescripto de Septimio Severo y Caracalla al que alude Ulpiano, quienes respondieron —*qui rescripserunt*— que legado un esclavo —*homine legato*— no puede ser elegido (por el legatario) el que es administrador —*actorem non posse eligi*—.

[50] Son precedentes, entre otros, las referencias de Ulpiano y Gayo, respecto al esclavo artífice y al cocinero. Dice Ulpiano: Si uno hubiera prometido un artífice —*Si quis artificem promisserit*— o hubiera dicho que lo era —*vel dixerit*— no debe entregar, ciertamente, el que sea perfecto —*non utique perfectum eum praestare debet*— sino en cierto modo el que sea perito —*sed ad aliquem modum peritum*—. Gayo, respecto al esclavo cocinero —*cocus*— precisa: se considera, el vendedor cumple suficientemente —*satisfacere videtur*— aunque entregue un cocinero «mediocre» (corriente)— *Etiamsi mediocrem coquum praestet*—.

problema la diferenciación entre las obligaciones solidarias y las indivisibles[52].

En Derecho Romano, el precisar cuando la prestación era, o no, divisible, se determinó en cada caso concreto sin que se pueda señalar, *a priori*, otro criterio que el de su propia naturaleza y valor que en el aspecto económico social tuviera. Así, según el contenido de la prestación cabe señalar:

1) Las obligaciones que comportan un *dare*, son divisibles, en general, y es indiferente que el objeto lo sea —una finca— o no —un buey— ya que la propiedad y los demás derechos reales, como en su momento vimos, pueden constituirse *pro parte*. Pero, son indivisibles: a) las servidumbres prediales —porqué no pueden constituirse por partes—; b) las obligaciones genéricas (la entrega de un esclavo) —porqué sería absurdo el que un deudor cediese una parte *pro indiviso* del esclavo *Pamphilius* y el otro hiciera lo mismo con el esclavo *Dama,* con lo que el acreedor no tendría el esclavo objeto de la prestación— y c) las obligaciones alternativas (entregar el caballo *Velox* o el esclavo *Stichus*) porqué no se admite que pueda cumplirse la obligación entregando parte de un objeto —*Stichus*— y parte del otro —*Velox*—.

2) Las obligaciones que implican un *facere* pueden ser divisibles o indivisibles. Son indivisibles cuando la actividad del deudor se contempla como un resultado único, esto es: una obra, *operis* —como, un baño (*balneum*), teatro (*theatrum*) o un estadio (*stadium*) ya que el objeto de la prestación no es una actividad, sino el resultado de ella y antes de finalizarla, recuerda Gayo, no tendría este nombre ni cabría hablar, en los casos citados, del baño, del teatro o estadio—. Por ello, nos dice Paulo que la ejecución de una obra no se puede dividir en partes —*operis effectus in partes scindi non potest*—. Son

---

[51] Téngase presente que ya la Ley de las XII Tablas establece el principio de que los créditos hereditarios se dividen en forma automática —*nomina hereditaria ipso iure divisa sunt*— lo que nos siguen recordando Gordiano.

[52] Dos criterios permiten distinguirlas. a) Por su naturaleza, las obligaciones solidarias tienen su fundamento, en el vínculo obligacional —*ex obligatione*— o sea, en la voluntad de las partes o la ley —*ex lege*— y las indivisibles en la naturaleza de la prestación —*ex neccesitate*— que no puede fraccionarse. b) Por sus efectos, la indivisibilidad cesa por incumplimiento de la obligación —que traducida en indemnización de daños y perjuicios es fraccionable— y la solidaria no se extingue por esta transformación.

divisibles las obligaciones que: a) contemplan la prestación de servicios —*operarum*— por unidad de tiempo —días de trabajo—; b) la ejecución de obras por unidades métricas y c) la confección dc cosas determinadas por peso, número o medida —*quae numero, pondere, mensura consistunt*—.

3) Las obligaciones que implican un *non facere* pueden ser tanto divisibles como indivisibles dependiendo de que el «no hacer» exigido al deudor, corresponda a una actividad fraccionable o no. Así, por ejemplo: no ejercitar una servidumbre de paso será indivisible y no pedir una suma de dinero será divisible en el caso de que el primitivo deudor sea sustituido por varios.

En cuanto al régimen de las obligaciones indivisibles, en derecho clásico tienen el carácter de solidarias y con Justiniano se configuran como categoría distinta. Así, en caso de incumplirse, el codeudor sólo será condenado *pro parte*[53]; si cumple un deudor, podrá exigir caución del acreedor satisfecho, de que los demás no se dirigirán contra él[54] y se responderá sólo por la propia culpa.

III. Obligaciones alternativas

Obligaciones alternativas[55] son las que comportan una pluralidad de prestaciones de las que sólo una debe cumplirse. Por ejemplo, comprometernos a entregar una vaca, o un caballo o un esclavo[56].

---

[53] Así, respecto a la partición de herencia y el supuesto que el testador estableciera una servidumbre de paso, Paulo, dice: A todos les compete acción por el todo —*Omnibus in solidum competere actionem*— y si no se prestara la servidumbre de camino —*et si non praestetur via*— se debe condenar en favor de cada porción de la herencia —*pro parte hereditaria condemnationem fieri oportet*—.

[54] Ulpiano, después de tratar de un depósito de dinero dentro de un saco sellado —*si pecunia in sacculo signato deposit*— habiendo pluralidad de herederos del depositario, alude al caso de pluralidad de depositantes y respecto al depositario, dice: Pero si son cosas que no pueden dividirse —*Sed si res sunt, quae dividi non possunt*— deberá entregarlas todas —*omnes deberi tradere*— debiéndosele dar por el reclamante fianza suficiente —*satisdatione idonea petitione ei praestanda*— en lo que excede a su parte —*in hoc quod supra eius partem est*—.

[55] Debemos advertir: 1) que el nombre no es romano, sino de los intérpretes; 2) que su concepto, como figura unitaria y abstracta es elaboración de la dogmática moderna y 3) que el casuismo típico del Derecho Romano, el enfoque, eminentemente procesal de las relaciones jurídicas, con diferentes acciones, según la fuente de obligación y el distinto trato, según el *ius electionis* corresponda al acreedor o al deudor, son, entre

Según un texto de Paulo, se suelen resumir sus notas, así: hay varias prestaciones —*plures res sunt*— en la obligación —*in obligatione*— pero sólo una —*una autem*— en el pago —*in solutione*—.

No existe, pues, una suma de obligaciones, de las que todas y cada una deben cumplirse, sino una obligación única, cuyo objeto, inicialmente, resulta indeterminado dentro de los límites de la estipulación. Estas obligaciones, por la inicial indeterminación, se aproximan a las genéricas[57] pero al poder recaer la prestación sobre un distinto género se distancian.

Las peculiaridades del régimen de las obligaciones alternativas se centran en: A) el derecho a elegir la prestación entre las que disyuntivamente se ofrecen —*ius electionis*—; B) la posibilidad de rectificar —*ius variandi*— y C) su extinción.

A) La elección —*ius electionis*— corresponde al deudor, salvo que, expresamente, se hubiera concedido al acreedor[58], en ambos casos este derecho, se transmite a los herederos[59] y si se cumplen —*per ignorantiam*— las dos prestaciones, con Justiniano, corresponderá la elección de lo que deba restituirse al que, en origen, tenía el *ius electionis*[60].

---

otras, razones, destacadas por la romanística, que impiden, en Roma, una noción unitaria de estas alternativas y obligan a que el jurista trate, con independencia, sus distintos tipos.

[56] Un boleto premiado con opción a varios premios o el menú, en un restaurante, en el que por un precio fijo podemos optar entre varios platos, serían algunos de los casos que se producen, hoy, de obligaciones alternativas.

[57] Pese a ello, téngase presente: a) que las obligaciones genéricas pueden ser ilimitadas dentro del género, mientras que las alternativas están limitadas entre varias determinadas específicamente y b) que por ello, aquellas, en principio, no se extinguen por perecimiento —*genus nunquam perit*— y éstas si.

[58] Si se concediera el *ius electionis* a un tercero la obligación no sería alternativa, sino condicional y su elección actuaría como cumplimiento de la condición.

[59] En el caso de la elección por un tercero si éste no quiere —o no puede— elegir, la obligación será nula y mientras no elija —al no cumplirse la condición— la obligación —y con ella el correspondiente *ius electionis*— no se transmite a los herederos.

[60] En derecho clásico la cuestión resultó controvertida. Así: Celso, Marcelo y Ulpiano, consideraron que correspondía al acreedor primitivo, ahora deudor y Juliano y Papiniano al que tenía, en principio, el *ius electionis*. Criterio por el que, como reflejamos en el texto, opta Justiniano —*Nobis haec decidentibus Iuliani et Papiniani sententia placet*— en el Código y con las mismas palabras: «que el mismo que tuvo la facultad de dar la tenga de recibir» —*ut ipse habeat electionem recipiendi, qui et dandi habuit*—.

B) En principio[61], en general[62], se puede cambiar de opinión —*ius variandi*—hasta el momento del pago efectivo —*solutio*[63]—.

C) Respecto a la extinción por imposibilidad o perecimiento de la cosa, se exige, en general[64], que perezcan todos los objetos en que la obligación consiste —la vaca, el caballo y el esclavo, del ejemplo inicial— en otro caso —supongamos la muerte del esclavo— se concentraría en los demás y si sólo quedara uno se convertiría en obligación única o simple.

Con Justiniano y en el caso más frecuente —que competa la elección al deudor— su régimen, en síntesis, es: 1) que el deudor puede pagar el valor —*aestimatio*— de la cosa que pereció sin su culpa[65] y 2) que queda sujeto a la *actio de dolo*, si perecen algunas cosas por su culpa y la última sin ella[66].

IV. Obligaciones facultativas

Obligaciones facultativas —*cum facultate solutionis*, con facultad (alternativa) de pago— son aquellas que recayendo la prestación en un objeto único y determinado, el deudor (está facultado), puede pagar, no sólo entregando éste, sino otro previsto en el título constitutivo[67] o en la ley.

---

[61] Las partes pueden acordar una duración determinada o establecer la cláusula *quem voluero*—el que hubiere querido—lo que impediría cambiar de criterio. Si por contra, establecen la cláusula *quem volam* —el que quiera— se podría cambiar de opinión hasta el pago —*solutio*—.

[62] La redacción del título constitutivo —sobre todo, en legados y estipulaciones— puede comportar la irrevocabilidad de la primera elección, amén que al aceptarla la otra parte se tenía como un *pactum de non petendo* respecto a las demás cosas.

[63] Si se produce contienda procesal, el *ius variandi*, finalizaría: A) para el deudor, en la fase *apud iudicem*, al ser la condena pecuniaria (época clásica) o cuando se ejerza, contra él, la *actio iudicati* (época justinianea) y B) para el acreedor, con la *litis contestatio*, al consumirse la acción (época clásica) o por la reclamación judicial (época justinianea).

[64] En particular dependería de que: a) se destruyan o perezcan todos o alguno de los objetos; b) se produzca esto simultánea o sucesivamente; c) medie, o no, culpa de las partes; c) corresponda la facultad de elección al acreedor o al deudor y d) que se produzca en derecho clásico o justinianeo.

[65] En derecho clásico se produciría sólo la concentración.

[66] En derecho clásico la obligación se extinguiría.

[67] En estos casos, en Derecho Romano, se suele establecer con carácter condicional. Ello se desprende, por ejemplo, de Paulo, al decir: Si yo hubiera estipulado así —*si ita*

Así, por ejemplo, el obligado a resarcir los daños causados por un esclavo o animal de su propiedad, puede pagarlos, pero, tiene la facultad de liberarse mediante otra prestación prevista por la ley: la entrega del esclavo o animal causante directo del daño —*noxae deditio*—[68].

Existe, pues, una prestación —*una res in obligatione*—, un sólo objeto en la obligación pero varios en el pago —*plures in facultate solutionis*— (varias formas de pago).

La obligación facultativa se diferencia de la alternativa: a) por la prestación, que es una y no varias; b) por el *ius electionis,* que siempre compete al deudor y nunca al acreedor y c) por la extinción, ya que el perecimiento del objeto único —al estar *in obligatione*— extingue la obligación y no se concentra en el que queda, que, no lo olvidemos, es simple «facultad» del deudor.

---

stipulatum sim—: «si no dieres el fundo —*si fundum non dederis*— prometes darme 100 —*centum mihi dari spondes?*—» (se dice, en tal caso que) sólo los 100 están comprendidos en la estipulación —*decem in stipulatione sunt*— y en el pago el fundo —*in ex solutione fundus*—.

[68]   Otro caso puede ser el de la *laesio aenormis* de la que nos ocupamos al tratar de la compraventa.

Tema 28

Cumplimiento e incumplimiento de las obligaciones

La obligación se crea para cumplirse y se cumple por pago. Así pues, pago, en general, es sinónimo de cumplimiento. En el presente tema: procedemos a su estudio; al de las causas que lo impiden y al de sus efectos, según dependan, o no, de la voluntad del deudor.

1. EL CUMPLIMIENTO DE LAS OBLIGACIONES: EL PAGO

I. Denominación, concepto y acepciones

A) En Derecho Romano se expresa el cumplimiento de la obligación con el término *solutio*, que deriva de *solvere* —liberar, desligar, soltar— y es coherente con la etimología de *obligatio*, de *ob ligare* —atar, anudar, ligar— por lo que es lógico que el deudor que paga quede *solutus* —liberado, desatado— del vínculo que sobre él pesaba[1]. Hoy, usamos los términos «solvente» e «insolvente» para designar a quien puede, o no, pagar.

---

[1]   Se mantiene, por un sector doctrinal, que el término *solutio* se reservaría, en derecho clásico, al cumplimiento de las obligaciones de dar —*dare*— aplicándose el de «satisfacer» *satis facere,* para las que comportaran un hacer —*facere*—. Decimos que satisfacemos —*satisfacere dicimus*— a aquel cuyos deseos llenamos —*ei cuius desiderium implemus*—. Ulpiano, respecto a estos dos términos, dice que: a) La satisfacción se obtiene por pago —*satisfactio pro solutione est*—; b) que con la palabra pago —*solutionis verbo*— se comprende toda satisfacción —*satisfactionem quoque omnem (placet)*— y c) que aunque la palabra satisfacción se extiende a más —*satisfactionis verbum licet latius patet*— se refiere, sin embargo, al pago del legado —*tamen ad exsolvendum legatum refertur*—.

B) El pago presenta diversas acepciones: a) en una amplia, equivale a cumplimiento de la obligación —comprende, pues, el pago voluntario o normal; el anormal o forzoso e incluso la extinción obligacional por cualquier modo[2]—; b) en otra estricta, es la exacta ejecución de la prestación debida —se circunscribe, pues, al cumplimiento voluntario[3]— y c) en una tercera, más restringida, se identifica con la entrega de una suma de dinero. La excesiva amplitud de la primera acepción y el carácter vulgar de la tercera, hace que circunscribamos nuestro estudio a la segunda, que produce un triple efecto: respecto a la obligación, la extingue; respecto al acreedor, satisface su interés y respecto al deudor, lo libera[4].

II. Sujeto activo —¿Quién puede hacer el pago?—

A) Como regla general: «debe» pagar el deudor. Pero, también, «puede» hacerlo un tercero, produciendo efectos liberatorios si tiene capacidad[5] y lo hace con intención de extinguir la deuda ajena[6], siendo irrelevante que el pago sea conocido, o no, por el deudor y, en el primer supuesto, lo apruebe o se oponga[7].

B) Se exceptúa de esta regla general, la obligación que comporta un hacer en el que las especiales características del deudor —técnicas, artísticas o de otra índole— son la causa determinante de establecerla.

---

[2] En este sentido lo utiliza Paulo, al precisar que: la palabra pago —*solutionis verbum*— corresponde —*pertinet*— a toda liberación —*ad omnem liberationem*— hecha de cualquier modo —*quoquo modo factam*— y se refiere más a la sustancia de la obligación —*magisque ad substantiam obligationem refertur*— que al pago del dinero —*quam ad numorum solutionem*—.

[3] Así, lo usa Ulpiano al indicar: decimos que paga —*Solvere dicimus*— el que hizo —*eum qui fecit*— lo que prometió hacer —*quod facere promissit*—.

[4] Efectos: extintivo, satisfactivo y liberatorio, según dirían los autores modernos.

[5] Ulpiano nos dice: Que el pupilo sin la autoridad del tutor —*pupillum sine tutoris auctoritate*— no puede pagar —*nec solvere posse*— es evidente —*palam est*—... y si hubiera dado dinero —*et si dederit numos*— no se hará del que lo recibe —*non fient accipientis*—y podrá ser revindicado—*vindicarique poterunt*—(aunque si se hubiera consumido —*si fuerint consumti*— se liberará —*liberabitur*—).

[6] Es evidente —y así lo recuerda Ulpiano— que lo que uno paga en nombre propio —*nam quod quis suo nomine solvit*— no en el del deudor —*non debitoris*— no libera al deudor —*debitorem non liberat*—.

[7] Gayo, nos dice el por qué: porque —*quum*— se halla establecido en derecho civil —*sit iure civile constitutum*— que es lícito también —*licere etiam*— hacer mejor la condición del que lo ignora, aún contra su voluntad —*ignorantis invitique meliorem condicionem facere*—.

III. Sujeto pasivo —¿A quién debe hacerse el pago?—

A) Como regla general «debe» pagarse al acreedor. Pero, también, «puede» hacerse a cualquier persona autorizada o designada para ello. Están «autorizadas», sus representantes legales —tutores o curadores— o voluntarios —*procurator*, mandatario— y, en derecho clásico, están «designadas» el *adstipulator* —coestipulante[8]— y el *adiectus solutionis causa* —«añadido» como receptor del pago[9]—.

B) En ciertos casos, por excepción, es válido el pago hecho a un tercero si se convierte en utilidad para el acreedor[10] y se discute —entre los romanístas— el efecto liberatorio del pago realizado «al acreedor del acreedor» sin consentirlo éste. Se admitió en el caso del pago hecho —di-rectamente— por el subarrendatario al arrendador (y no al arrendatario) aunque es aventurado, considerar que fuera ésta la solución general[11]. También, cuando el acreedor no está presente donde debiera recibir el pago, puede liberarse el deudor depositando *in publicum*[12].

IV. Objeto —¿Qué debe pagarse?—

A) El pago, como hemos dicho, es la exacta y completa ejecución de la prestación debida, por lo que la prestación en que consiste —su objeto— lleva aparejadas las notas de identidad, integridad e indivisibilidad. En suma, es exigible y debe pagarse: a) la prestación convenida y no otra —*aliud pro alio invito creditori solvi non potest*— (idéntica); b) entregarse la cosa o cumplirse el servicio, por completo

---

8   La *ad-stipulatio*, era un contrato verbal por el que el deudor promete a otra persona —*adstipulator*— la misma prestación que a su acreedor estipulante. Así, por ejemplo, ¿prometes darme 100 a mí o a Ticio? —*centum mihi aut Titio dari spondes?*—. En época justinianea desaparece y en derecho clásico, según Gayo, el *adstipulator* (Ticio) podría no sólo recibir el pago, sino reclamarlo en juicio y condonar la deuda.

9   No podía, pues —y ello le diferencia del *adstipulator*— reclamarlo, condonarlo o disponer del crédito; sólo recibir, si el deudor, en forma espontánea, pagase.

10 En general, Paulo dice: Siempre que lo que yo te deba —*(In perpetuum) quoties id quod tibi debeam*— haya ido a tu poder —*ad te pervenit*— y nada te falte —*et tibi nihil absit*— y no se pueda repetir lo que se pagó —*nec quod solutum est repeti possit*— compete (a perpetuidad) la liberación —*competit liberatio*—.

11 Es probable que fuera válido cuando —como en el caso del arriendo y subarriendo— las obligaciones estaban ligadas entre sí.

12 De esta forma de pago, consignación, hablaremos al tratar de la mora.

(integra) y c) el acreedor no podrá ser compelido a su cumplimiento parcial (indivisible).

B) Esta regla general, puede sufrir excepciones. 1.º) Porque el acreedor puede aceptar del deudor, a título de pago, algo distinto de lo debido —así, en vez de entregarse el esclavo Estico, entregar la vaca Stella—. Este cumplir una distinta prestación —*aliud pro alio solvere*— fue llamado por los intérpretes: *datio in solutum* = dación en pago[13]. 2.º) Porque a ciertos deudores se les dispensa pagar por entero, si, con ello, van a quedar desprovistos de lo necesario para subsistir[14], y sólo pueden ser condenados en *id quod facere potest*, en la medida de sus posibilidades. Esto, fue llamado por los intérpretes: *beneficium competentiae*[15]. y 3.º) Porque los acreedores de una herencia pueden pactar con el heredero una rebaja proporcional de sus créditos: *pactum ut minus solvatur*[16], que, en principio, solo afectará, a los acreedores que lo contraigan y, desde Marco Aurelio —ratificado por el Pretor— obligará, incluso a los ausentes o presentes que no quisieran tomar parte en el mismo[17].

---

[13] Tres matizaciones en orden a la *datio in solutum*: 1.ª) que el término «dación» puede inducir a error y considerarse que sólo se admite en los supuestos de «entrega» de una cosa. Téngase presente que los romanos hablan de *aliud pro alio solvere*, lo que comporta la idea de cualquier prestación distinta de la debida y, por ello, no se da esta aparente limitación; 2.ª) que, según Gayo, en época clásica, se discute sobre su eficacia, los proculeyanos consideran que la obligación se extingue *ipso iure* (automáticamente) y los sabinianos *ope exceptionis* (por vía de excepción —de dolo o pacto—), Justiniano acoge la primera opinión y 3.ª) que el propio Justiniano admite una «dación en pago» legal y al margen de la voluntad del acreedor —*beneficium dationis in solutum*— en ciertos casos —como el del deudor, de dinero, que sólo poseyera inmuebles, sin lograr venderlos, y que se liberará dando al acreedor alguno de ellos, previa estimación—.

[14] Tienen este carácter algunos deudores, en general, frente a cualquier acreedor —como los militares— y otros, sólo respecto a ciertos acreedores —como: los socios entre sí; el marido respecto a la mujer; los ascendientes respecto a los descendientes; el patrono respecto al liberto y el donante respecto al donatario—.

[15] Justiniano admite, por humanidad, el cumplimiento parcial y con él, la función del *beneficium competentiae* se amplía, por lo que el deudor sólo puede ser condenado de manera que con lo que le quede pueda atender a sus necesidades. Sin embargo, hay que tener en cuenta que se reduce la condena y no la obligación que, si el deudor deviene a mejor fortuna, deberá completar.

[16] El interés del heredero, lo destaca Escévola: para conservar el buen nombre del difunto —*famae defuncti conservandae gratia*— y el de los acreedores es evidente: temer que el heredero, ante el estado de la herencia, no la acepte y se deba proceder al complejo procedimiento de la *bonorum venditio*.

[17] Refiere Ulpiano: Si (los acreedores) disintieran —*Si vero dissentiant*— entonces —*tunc*— es necesaria la intervención del pretor —*Praetoris partes neccesariae sunt*—

V. Lugar.—¿Dónde debe hacerse el pago?—*Locus solutionis*

A) Como regla general: deberá atenderse al lugar acordado, en su caso, por las partes o que se desprenda de la propia naturaleza de la obligación —como en el supuesto de la entrega de un inmueble o de un trabajo a realizar en él—.

B) En defecto de aplicación de la regla anterior: a) en las obligaciones específicas, el pago debe hacerse en el lugar donde se encontraba la cosa al tiempo de constituirse la obligación —*ibi dari debet ubi est*[18]— y b) en las genéricas, donde puedan exigirse en juicio —*ibi dari debet ubi petitur*[19]— esto es: en el domicilio del deudor.

En las obligaciones de derecho estricto —*stricti iuris*— cuando se fija el *locus solutionis*, así, como dice Ulpiano: si alguien hubiera estipulado que se den 100 en Efeso —*Ephesi decem dari*— o un esclavo en Capua —*aut Capua hominem*— podrían surgir, en el procedimiento formulario problemas. Así, de un lado, la posibilidad de incurrir en *plus petitio loco* —si se pide en otro lugar— y, de otro, la imposibilidad de reclamar en juicio en ausencia del demandado —si no está donde debiera— provocando la indefensión del acreedor. Para evitarlo, el pretor otorgó la acción «de lo que se debe dar en un lugar determinado» —*actio de eo quod certo loco dari oportet*— por la que se puede pedir que se cumpla la prestación en lugar distinto al previsto, siempre que esté allí el demandado[20].

---

que, en su decreto —*qui decreto suo*— seguirá —*sequitur*— la voluntad de la mayor parte —*maioris partes voluntatem*—. Según Papiniano, para fijar el concepto de la mayor parte —*Maiorem esse partem*— hay que considerar la cuantía de los créditos —*pro modo debiti*—y no el número de personas —*no pro numero personarum*—. Como se ha puesto de relieve, este pacto *ut minus solvatur* es claro precedente de los actuales convenios de «quita y espera», en los concursos de acreedores y quiebra.

18   Licinio Rufino —jurista del s. III, discípulo de Paulo— dice: a no ser que con dolo malo... —*nisi dolo malo*— hubiere sido trasladado —*subductum fuerit*— pues entonces —*tunc enim*— debe darse allí donde se pide —*ibi dari debet ubi petitur*—.

19   Sigue, Licinio Rufino: Además —*Praeterea*— lo que se contiene en peso número o medida —*quod pondere aut numero aut mensura continetur*— debe darse allí donde se pide —*ibi dari debet ubi petitur*— a no ser que se añadiera —*nisi si adiectum fuerit*—: (por ejemplo) «100 medios de aquel granero» —*Centum modium ex illo horreo*—.

20   Ulpiano, puntualiza: Comprende esta acción arbitraria la utilidad de uno y otro —*Arbitraria actio utriusque utilitatem continet*— tanto del actor como del demandado —*tam actoris quam rei*— porque si le interesa al demandado —*Quodsi rei interest*— (que la demanda se entablase en otro lugar) se reduce la cuantía de la

VI. Tiempo —¿Cuándo debe pagarse?—

Como regla general, el momento del pago vendrá determinado por la voluntad de las partes, la naturaleza de la obligación[21] y sus posibles modalidades —pura, condicional o plazo—.

Así: a) si es pura —nada se dice en cuanto al tiempo[22]— se debe cumplir inmediatamente —*praesenti die*—; b) si es condicional, cuando la condición se cumpla —*conditio extitit*— y c) si está sujeta a plazo, cuando venza éste, o sea: llegue el día —*ex die*—.

El término —al implicar un aplazamiento del pago— se presume, dice Ulpiano, establecido en favor del deudor, por lo que podrá renunciar a él y pagar antes de que venza[23]. Pero, si se estableciera en interés del acreedor —por ejemplo en un depósito— o de ambos, el deudor no podrá exigir al acreedor que acepte el pago anticipado.

VII. Prueba. —¿Cómo se acredita?—

Al que afirma que ha pagado le incumbe su prueba. En derecho clásico rige el principio de libertad, y se acredita por cualquier medio. Esto no ocurre en la época justinianea, en la que el recibo —*apocha*— cobra especial relieve, se exige, necesariamente, en ciertos casos y, aún en estos, no siempre tiene, de inmediato, absoluta eficacia liberatoria[24].

---

condena —*minoris fit pecuniae condemnatio*— de lo que se reclamó —*quam intentatum est*— y si al actor —*at si actoris*— se hace de cuantía mayor —*maioris pecuniae fiat*—.

[21] Pomponio dice: Si yo hubiera estipulado de ti, así: —*Si ita stipulatus essem ab te*— «prometes que se edificará una casa» —*domum edificari*—...le parece bien a Celso —*Celsus placet*— que no se puede ejercitar la acción —*non (ante) agi posse*— por esta causa —*ex ea causa*— (antes) que haya transcurrido el tiempo —*quam tempus prateriiset*— en que —*quo*— se podría edificar la casa —*insula aedificari posset*—.

[22] Paulo dice: A veces, la estipulación pura —*Interdum pura stipulatio*— por virtud de la misma cosa (por su propia naturaleza) —*ex re ipsa*— comporta dilación —*dilationem capit*— como si (se hubiere estipulado) —*veluti si*— lo que está en el claustro materno —*id, quod in utero sit*— o los frutos futuros —*aut fructus futuros*— o que se edifique una casa —*aut domum aedificari (stipulatus sit)*— pues la acción comienza entonces —*tunc enim incipit actio*— cuando por la naturaleza de las cosas —*quum ea per rerum naturam*— puede darse —*praestari potest*—.

[23] Celso, dice: lo que se prometió para cierto día —*quod certa die promissum est*— también puede darse de inmediato —*vel statim dari potest*— pues (se entiende) que en todo el tiempo intermedio —*totum enim medium tempus*— al promitente se le deja libre para pagar —*ad solvendum promissori liberum relinqui (intelligitur)*—.

VIII. Imputación de pagos —¿A qué deuda debe aplicarse el pago existiendo varias con un mismo acreedor?[25]—

De las fuentes se deduce este orden: 1.º) a la designada por el deudor al pagar; 2.º) a la designada por el acreedor; 3.º) a los intereses antes que al capital[26]; 4.º) a la más onerosa —gravosa[27]— y 5.º) a *pro rata* —propor-cionalmente—[28]. En resumen, pues, sucesivamente, los criterios de voluntariedad; accesoriedad; onerosidad y proporcionalidad.

---

[24]   Así: a) las deudas que constan en documento suscrito por el deudor sólo se podrían probar por otro documento a título de recibo del acreedor o declaración de 5 testigos; b) tal recibo sólo tendrá plena eficacia después de 30 días, desde su fecha de expedición, sin haber sido impugnado por el acreedor —*exceptio non numeratae pecuniae*—; c) si la deuda excede de 50 libras se exige, además, que el recibo esté suscrito por 3 testigos y d) aunque la destrucción del título o su entrega al deudor sea presunción de pago o de cancelación de la deuda, Modestino precisa, que legítimamente se demanda al deudor —*recte debitor convenitur*— en la cantidad — *in eam tamen quantitatem*— que, con evidentes pruebas —*quam manifestis probationibus*— el acreedor —*creditor*— (hubiere demostrado) todavía se le debe — *sibi adhuc deberi (ostenderit)*—.

[25]   Obviamente, se entiende: son de igual especie, exigibles y que el pago no las cancela en su totalidad. Imaginémonos que Ticio entrega a Cayo 4.000, pero que le debe: 1.000, por un préstamo ya vencido; 500, por algo —no pagado— que le compró; 2.000, en concepto de honorarios y 3.000 por daños causados, que debe, aún, resarcir. La entrega de una cantidad coincidente con alguna de las deudas podría presumir la voluntad del deudor de cancelar ésta.

[26]   A la duda de Marcelo sobre si debe aplicarse el pago insuficiente *a pro rata* al capital y a los intereses, Ulpiano, nos dice: No dudo —*non dubito*— que esta caución —*quin haec cautio*— por el capital y los intereses —*in sortem et in usuras*— afecta primero a los intereses —*prius usuras admittat*— y luego, después —*tunc deinde*— si quedara algo —*si superfuerit*— se aplicará al capital —*in sortem cedat*—.

[27]   Según Papiniano, la onerosidad de las obligaciones se determinaría por este orden: 1) las que comportan tacha de infamia; —*potior... quae sub infamia debetur*— 2) las que acarrean penas pecuniarias por su incumplimiento —*mox... quae poenam continet*—; 3) las garantizadas con prenda o hipoteca —*tertio, quae sub hypotheca vel pignore contracta est*—; 4) las propias, respecto a las contraídas como deudor accesorio o a título de garantía —*post... propria... quam aliena causa*— y 5) la antigua, respecto a la más moderna —*vetustior contractus ante solvetur*—.

[28]   Dice Pomponio —al que cita Paulo— que si fuera igual la causa y los vencimientos de los contratos —*si par et dierum et contractuum causa sit*— (se consideraba pagado) en proporción a todas las sumas —*ex omnibus summis pro portione videri solutum*—.

2. LAS OBLIGACIONES NATURALES

Al tratar del concepto de la obligación, dijimos que su fin era constreñir, necesariamente, al deudor a observar una cierta conducta. Es decir —en terminología moderna— destacábamos la obligatoriedad de su cumplimiento y la posible exigibilidad del mismo, a través de la correspondiente acción personal. Ahora, reiteramos que toda obligación va acompañada de una acción y que, *a contrario sensu*, no existe aquella sin ésta, pues no se darían las notas referidas.

En este sentido, con Justiniano, se habla de obligación civil —cualquiera que sea su origen— y se contrapone a otra serie de relaciones, también de carácter patrimonial, estructura análoga a la obligación y susceptibles de pago voluntario, pero que no son, coactivamente, exigibles —carentes, por tanto, de acción— y que se denominan obligaciones naturales[29].

I. Definición, naturaleza y delimitación conceptual

A) Juliano, viene a definir a las obligaciones naturales como las que sin estar sancionadas por una acción pueden ser objeto de un pago válido[30].

B) En general, las obligaciones naturales, no son más que una categoría intermedia entre el simple deber moral y la obligación jurídica o civil. Se distingue de aquél en que puede producir ciertos efectos —sobre todo, no poder repetirse el pago hecho, en forma voluntaria, por el deudor— y de ésta, en que no engendra acción para hacer efectivo su cumplimiento. En suma, como se reitera en doctrina, la obligación natural, se delimita por un rasgo negativo, carecer de acción y otro positivo, poder comportar ciertos efectos jurídicos y

---

[29]   También se utiliza el término naturales —*obligatio naturalis*— o se habla de *natura debere*, en otro sentido. En el de aludir, tan sólo, al origen o fundamento de la obligación, esto es, al derecho de gentes y que en nada afecta a su posible exigibilidad. Juliano, alude a los dos posibles sentidos.

[30]   Decir que las obligaciones naturales, son obligaciones: a) imperfectas; b) que entrañan un débito, pero no una responsabilidad; c) que están huérfanas de tutela jurídica —o desprovistas de acción—; d) sujetas a condición suspensiva de pago o e) —gráficamente— que son una media obligación, no es más que reflejar un mismo hecho con distintas palabras.

viene a ser un simple hecho —*factum*— que no exige justificación abstracta o moral alguna[31].

C) Debe advertirse: que el Derecho Romano no forma un concepto unitario de obligación natural[32], ni traza unas reglas que sean de general aplicación a todos los casos de los que nos da noticia[33]. En suma: ni todas las obligaciones que se suelen agrupar dentro de este nombre se acomodan a las mismas reglas, ni producen, necesariamente, los mismos efectos[34].

II. Casos

A efectos docentes, intentaremos agrupar los distintos casos que aparecen en los textos jurídicos romanos y que, al menos, se ha discutido su carácter de obligaciones naturales. Sus principales fuentes son: la falta de capacidad del sujeto; el defecto de forma; la aplicación de ciertos principios procesales y la prohibición jurídica.

A) Por falta de capacidad, son obligaciones naturales las contraídas por: a) los esclavos[35] —sin duda la principal fuente, la más

---

[31]   Así, resulta de Ulpiano, cuando dice: ni el esclavo puede deber cosa alguna —*nec servus quicquam debere potest*— ni se puede deber al esclavo —*nec servus potest deberi*— pero cuando «abusamos» de esta palabra —*sed cum eo verbo abutimur*— aludimos a un hecho —*factum magis demostramus*— más que referimos la obligación al derecho civil —*quam ad ius civile referimus obligationem*—.

[32]   La expresión *obligatio naturalis* tiene un carácter muy limitado en derecho clásico y suele circunscribirse o bien a las obligaciones contraídas por el esclavo o el hijo de familia, o como obligación *iuris gentium* —por la identificación de éste con la *naturalis ratio*—. En otros casos, se usan las palabras *natura debere* o, como hace Papiniano, se acude a una perífrasis para referirse a ellas.

[33]   Son los compiladores, según opinión dominante, quienes extienden a otros casos la terminología *obligatio naturalis*, que ahora se basa en la nueva concepción del *ius naturale*, distinta de la antigua identificación con el *ius gentium*, comprendiendo algunas hipótesis, examinadas por los clásicos, en que faltando acción podían producir ciertos efectos jurídicos.

[34]   Justiniano termina por admitir ciertos casos, en los que se podría retener lo pagado, que no tienen nada de jurídicos y sí de morales, piadosos o socialmente asumibles, que se suelen conocer como obligaciones naturales impropias. Entre ellas, cabe citar: el prestar alimentos a los parientes a quienes no se está obligado civilmente y servicios —*operae*— al patrono sin haber mediando promesa —*promissio iuriata*—; el pago del funeral hecho en favor de un pariente o de la madre para redimir al hijo de la cautividad; el constituir la dote la propia mujer por creerse obligada a ello...

[35]   Gayo, al hablar del fiador —*fideiussor*— precisa que puede obligarse, también, por el esclavo —*adeo quidem ut pro servo quoque obligetur*—.

antigua y tal vez la única en derecho clásico—; b) los *alieni iuris*, sujetos a una misma potestad, con su *paterfamilias* o entre sí[36]; c) el pupilo sin intervención del tutor —*auctoritas tutoris*[37]— y d) las extinguidas por *capitis deminutio*[38].

B) Por defecto de forma, son obligaciones naturales: las que proceden de simples acuerdos o pactos, sin otras formalidades —*nuda pacta* = pactos desnudos (de formalidades)— ya que, como dice Ulpiano, los «pactos desnudos» —*nuda pactio*— no «paren» obligación —*obligationem non parit*— sino «paren» excepción —*sed parit exceptionem*[39]—.

C) Por aplicación de ciertos principios procesales, se extingue la obligación como civil y subsiste como natural en los casos que[40]: a) tras la *litis contestatio* no se llegara, a pronunciar sentencia[41]; b) se absuelva, injustamente al demandado[42] y c) haya prescrito la acción[43].

D) Por prohibición jurídica, se considera que los préstamos que contraen los *filii familias*, contra la prohibición establecida por el Senadoconsulto Macedoniano, generan una obligación natural y si se

---

[36] Las contraídas con extraños serán obligaciones civiles y, en principio, sólo podían reclamarse cuando dejara el deudor de estar *in potestate*.

[37] Este supuesto es muy debatido al existir, textos contradictorios. Así, por vía de ejemplo Ulpiano dice que: ni el pupilo ni la pupila, sin la autoridad de su tutor puede obligarse —*sine auctoritate tutoris obligari possunt*—y, al tratar de la novación, pone, precisamente, como ejemplo de obligación natural —*aut naturaliter*— el del pupilo que hubiera prometido algo sin la autoridad de su tutor —*ut puta si pupillus sine tutoris auctoritate promiserit*—.

[38] Extinguidas *iure civile*, subsisten como naturales.

[39] Ahora bien, los textos, de los que nos da noticia: se refieren, al pacto de pagar intereses —por ello, algunos autores consideran no puede generalizarse el carácter de obligación natural a otros pactos que no sean éstos—.

[40] Debe advertirse que no reflejamos todos los que aparecen en las fuentes y que, incluso los del texto, son, en doctrina, muy debatidos.

[41] En el procedimiento *extra ordinem*, tal supuesto resulta superado.

[42] Se opone a ello la propia seguridad jurídica, que exige, como vimos, que la cosa juzgada se tenga por verdad —*res iudicata pro veritate habetur*—.

[43] Se ha destacado, que esta aplicación se refiere sólo al caso del *sc.Macedonianum*, por lo que no debe generalizarse y que este particular régimen, obedece a que la *exceptio* se otorgaba más como castigo a la conducta del acreedor —*in poenam (in odium) creditoris*, en palabras de Marciano— que como tutela al demandado.

pagaban, después de salir de la patria potestad —en vez de oponer la excepción del senadoconsulto— no podía repetirse lo pagado[44].

III. Efectos

Los efectos de la obligación natural, en general, oscilan, según casos, entre la plenitud —su pago— y la inexistencia y se suelen destacar, en particular, como principales: a) que se podía retener lo pagado —*solutio retentio*— siendo improcedente, por tanto, su posterior reclamación —*conditio indebiti*, acción de lo no debido[45]—; b) que podían ser compensadas[46]; c) reconocerse o convertirse en una obligación civil —no-vación[47]—; d) servir de base a una relación jurídica accesoria, personal o real, esto es, garantizarse por fianza[48], prenda o hipoteca[49], y e) poder computarse en herencias y peculios[50].

---

[44] La razón, dice Paulo, que aún pagando no repitan —*quamquam autem solvendo non repeteant*— es porque permanece la obligación natural —*quia naturalis obligatio manet*—.

[45] Es su efecto principal y su conexión tan estrecha que cabe simplificar en los siguientes términos: a) la obligación natural comporta la *solutio retentio* —no puede repetirse— (dice Pomponio, subsiste la obligación natural —*naturalis obligatio manet*— y por esto no puede repetirse lo pagado —*et ideo solutum repeti no potest*—); b) la *solutio retentio* comporta la obligación natural (Trifonino, dice: no podrá repetir —*tamen repetere non poterit*— porque pagó una deuda natural —*quia naturale adgnovit debitum*—).

[46] Paulo, contemplando el caso de un esclavo manumitido en testamento, que ha de pagar algo al heredero, expone: Pero si se le mandó que diera 10 al heredero —*Quodsi heredi dare iussus est decem*— y debiera el heredero esta suma al esclavo —*et eam summam heres debeat servo*— si el esclavo quisiera —*si velit servus*— compensar esta cantidad —*eam pecuniam compensare*— será libre —*erit liber*—.

[47] Un sólo texto, de Ulpiano, precisamente en el que define la novación, alude a este efecto, permitiendo poder novar una obligación civil y otra natural —*obligationem vel civilem vel naturalem*— no faltando quienes consideran que, en origen, debería decir, estipulación útil o inútil —*stipulatio utilis et inutilis*—.

[48] La razón, práctica, la ofrece Juliano: porque como no se puede repetir lo pagado —*quod enim solutum repeti non potest*— es conveniente que —*conveniens est*— de esta obligación natural —*huius naturalis obligationis*— pueda recibirse fiador —*fideiussorem accipi possse*—. También, podrá servir de base para fijar un plazo para su pago —*constitutum*— pues para ello, dice Ulpiano: basta que se deba naturalmente —*debitum autem vel natura sufficit*—.

[49] Marciano, advierte: Se ha de saber que puede darse en hipoteca una cosa —*Res hypothecae dari posse sciendum est*— por cualquier clase de obligación —*pro quaqumque obligatione*— ... y o —*...et vel*— por obligación civil u honoraria —*pro civili obligatione vel honoraria*— o sólamente natural —*vel tantum naturali*—.

3. EL INCUMPLIMIENTO DE LAS OBLIGACIONES: SUS CAUSAS

Toda obligación —sabemos— constriñe al deudor a observar una determinada conducta —prestación— que constituye su objeto. El fin que persigue, pues, es su cumplimiento. Esto es: la exacta y completa ejecución de la prestación debida. La entrega del esclavo Estico en la fecha prevista, puede servir de ejemplo.

Si así no ocurre, la obligación no se cumple y existe, por tanto, incumplimiento. Cuando las causas que lo ocasionan, afectan a la propia esencia de la obligación e impiden su ulterior cumplimento se suele hablar de incumplimiento propio —la muerte de Estico en el ejemplo anterior—. Si por contra, no la afectan, ni impiden se puedan cumplir *a posteriori*, se habla de incumplimiento impropio —la entrega de Estico, días después de la fecha acordada—.

Las causas del incumplimiento propio: unas veces dependen de la voluntad del deudor —en el ejemplo de referencia, el deudor mata, consciente y voluntariamente (dolo) a Estico o no le atiende, en su enfermedad, por lo que (por su culpa) se produce su muerte— y otras veces son ajenas a ella —muere Estico al golpearle una teja, levantada por el viento o víctima de un terremoto (caso fortuito o fuerza mayor)—. En los dos primeros casos, al mediar la voluntad del deudor, éste es responsable; en los dos últimos, al producirse por circunstancias ajenas a ella, no.

El incumplimiento impropio —defectuoso— se suele representar en razón al tiempo. Es, pues, el simple retraso (mora) en el cumplir.

Analizaremos, en particular, cada una de estas causas y, después, en general, los efectos del incumplimiento imputable al deudor.

I. El dolo

A) Concepto y naturaleza jurídica

a) Dolo equivale a mala fe y, aplicado a las obligaciones, es toda acción u omisión que, con conciencia y voluntariedad de producir un resultado antijurídico, impide su cumplimiento. Así, habiéndome comprometido a entregar al esclavo Estico le clavo una daga que causa su muerte.

b) El dolo implica el incumplimiento de la obligación por una «causa prevista y querida» por el deudor. Comporta, pues, una «previsión efectiva». Se diferencia de la culpa en que, el incumplimiento, en ésta, se produce por una «causa que se pudo y debió prever», aunque no se hizo: «posibilidad de previsión» —desatención al esclavo enfermo— y del caso fortuito y fuerza mayor en que, en ellos, el incumplimiento obedece a una «causa que no se pudo prever»: «imposibilidad de previsión».

B) Requisitos y efectos

a) Son requisitos del dolo, los dos enunciados en su concepto. A saber: uno intelectual, la conciencia —saber que voy a matar a Estico, en el ejemplo anterior— y otro volitivo, voluntariedad —querer hacerlo[51]— aunque no es necesario la intención de perjudicar al acreedor.

b) Los efectos que produce el dolo, son: 1.º) el deudor es siempre responsable, hasta el punto que se considera nulo el pacto de no responder por él —*pactum ne dolus praestetur*[52]—; 2.º) la actuación dolosa implica una agravación de la responsabilidad y la condena, por ella, la nota de *infamia*, con repercusiones no sólo sociales, sino jurídicas[53]; y 3.º) la obligación subsiste, aunque, ante la imposibilidad de su cumplimiento, será sustituida por una indemnización de daños y perjuicios —*perpetuatio obligationis*—.

---

50 Así, para precisar el montante de una herencia o de un peculio se toman en cuenta las obligaciones naturales, que se restan como parte del pasivo.

51 Las fuentes usan, también, otras voces, como sinónimas de dolo, que reflejan, siempre, esto. Así: *animus* —intención— *consulto* —propósito— *sciens prudens* —sabiendo y conociendo—...

52 1.º) Celso —citado por Ulpiano— nos dice: no es válido si se hubiera convenido que no se responda de dolo —*non valere si convenerit ne dolus praestetur*— 2.º) El acreedor, *a posteriori*, puede no exigir esta responsabilidad —tal renuncia afectaría, sólo, a su interés privado— y 3.º) Se admitió, el pacto por el cual no se ejercería la acción derivada del contrato, lo que comportaría, a veces, la imposibilidad de reclamar por dolo.

53 Es opinión difundida en doctrina que, en principio, había deudores que sólo respondían por dolo, aquellos cuya condena llevaba aparejada infamia y otros, en caso que no la comportara, que respondían, también de culpa.

II. La culpa

A) Concepto y naturaleza jurídica

a) Culpa equivale a negligencia —esto es, falta de diligencia— y aplicada a las obligaciones, es toda acción u omisión voluntaria, pero no maliciosa, que impide se cumplan. No atender al esclavo enfermo que debemos entregar y que por ello muere, es el ejemplo que anticipábamos.

b) Por un lado, se diferencia del dolo en la ausencia de mala fe[54] y del caso fortuito en la voluntariedad. Por otro lado, se separa del dolo —como dijimos— en que éste comporta una previsión efectiva y la culpa simple posibilidad de previsión y del caso fortuito y de la fuerza mayor en que implican una imposibilidad de previsión.

B) Clases y grados

La culpa es objeto de distintas clasificaciones (a) y, lo ha sido, de diferente gradación (b).

a) Así: 1.º) Según sea su causa determinante un hacer —acto positivo— o un no hacer —omisión— se habla, de *culpa in faciendo* y de *culpa in omittendo*[55]. 2.º) Según medie, o no, entre el causante y el perjudicado una relación contractual, se puede distinguir entre culpa «contractual» y culpa «extra-contractual». Regulada, ésta última, por la *Lex Aquilia de damno iniuria dato* —de daño injustamente causado— los comentaristas también la llaman culpa «Aquiliana». 3.º) Por su mayor o menor grado de intensidad, se habla de: *culpa lata*, *culpa leve* y *culpa levissima* y 4.ª) Por razón de la persona, se diferencia entre culpa propia o ajena[56] y, aún en ésta, se distingue, si la responsabilidad se produce por una desacertada elección de las

---

[54] Resulta fácilmente de asumir que una persona cause daño a otro «sin querer».

[55] En las obligaciones de derecho estricto —las derivadas de estipulación (*stipulatio certae rei*)— sólo se tomaba en cuenta el incumplimiento derivado de actos positivos; más tarde, en las obligaciones derivadas de acciones de buena fe —*negotiae bonae fidei*— se toma, también, en consideración la *culpa in non faciendo*, equiparándose.

[56] Esto se produce cuando entre el autor material del hecho y el responsable hay un vínculo por el que, con razón, se presume que si hubo daño, se debe atribuir más a la desacertada elección o a la falta de vigilancia del responsable que al propio autor material.

personas que la originan —*culpa in eligendo*— o por falta de vigilancia de las mismas —*culpa in vigilando*[57]—.

b) En cuanto a los grados de culpa. La *Culpa Lata*, equivale a negligencia excesiva. Es no hacer lo que todos hacen o, como dice Ulpiano, no comprender lo que todos comprenden —*non intelligere quod omnes intelligunt*—. Esta muy próxima al dolo y en derecho justinianeo se equiparan = *culpa lata dolo aequiparatur*[58]. La *Culpa Levis*, equivale a la simple falta de diligencia y, por tanto, exige un patrón o modelo para contrastarla o medirla. Si se toma como arquetipo la diligencia que observa en sus propios asuntos el mismo sujeto de cuya responsabilidad se trata —*diligentia quam quis in suis rebus adhiberi solet*[59]— se habla de *culpa levis in concreto*; si se parte de un arquetipo, abstracto, el «buen padre de familia», se habla de *culpa levis in abstracto*. La *Culpa levissima*, es el omitir una diligencia sólo exigible a hombres extremadamente cuidadosos[60] y se acerca, pues, al caso fortuito.

---

[57]   Es opinión dominante que, en Derecho Romano, los casos de aparente responsabilidad ajena, se consideran como supuestos de culpa del propio deudor, por haber procedido, con negligencia, en la elección de tales personas o no haber atendido a su vigilancia.

[58]   Refiere Celso: lo que Nerva decía —*Quod Nerva diceret*— que el dolo es una culpa más lata —*latiorem culpam dolum esse*— y que a Próculo no parecía bien —*Proculo displiciebat*— a mi me parece muy cierto —*mihi verissimum videtur*—. Ulpiano, respecto a un esclavo, depositado, para someterlo a tormento, al que, por misericordia, el depositario, lo libera, nos dice: (opino) que lo que se hizo está próximo al dolo —*dolum proximum esse quod factum est arbitror*— porque —*quia*—... (el deudor) practicó, intempestivamente la misericordia —*intempestive misericordiam exercuit*— pudiendo más bien no tomar a su cargo tal depósito —*quum posset non suscipere talem causam*— que defraudar —*quam decipere*—. Paulo, en un intento de diferenciación, nos dice: la «magna» negligencia es culpa —*Magna negligentia culpa est*—y la «magna» culpa es dolo —*magna culpa dolus est*—.

[59]   Gayo, dice: El socio se obliga al socio también por razón de culpa —*Socius socio etiam culpae nomine tenetur*— esto es —*id est*— de desidia y de negligencia —*desidiae et negligentiae*— Pero la culpa —*Culpa autem*— no se ha de referir a la exactísima diligencia —*non exactissima diligentiam dirigenda est*— porque basta que ponga en las cosas comunes tal diligencia —*sufficit etenim talem diligentiam communibus rebus adhibere*— como suele poner en sus propias cosas —*qualem suis rebus adibere solet*— porque el que se procura un socio poco diligente —*quia qui parum diligentiam sibi socium acquirit*— debe quejarse de sí mismo —*de se queri debet*—. En parecidos términos se expresa Paulo, respecto a los coherederos y respecto a la restitución de la dote y Celso, con relación al depósito.

[60]   Aparece formulada, sobre todo, en la ley Aquilia. Así, Ulpiano nos dice: En la Ley Aquilia se comprende, también, la culpa levísima —*In lege Aquilia et levissima culpa*

C) Efectos

Así como —vimos— la responsabilidad por dolo no plantea problemas y liberarse de ella por caso fortuito —como veremos— tampoco, sin embargo, si los plantea —y muchos— la situación intermedia: la de la culpa. De un lado, el deudor, por su conducta, ocasiona un perjuicio al acreedor, que, sin duda, le es imputable. Pero por otro, no ha tenido intención deliberada de producir estos efectos perjudiciales e imprevistos, derivados de su conducta. Por ello, es lógico preguntarse ¿Hasta que punto —si prefiere, en qué grado— el deudor debe responder?

El Derecho Romano no contesta a este interrogante con precisión ni de un modo general y uniforme[61], dependiendo de las distintas épocas y de los diferentes tipos de obligación, aunque, en cada caso que se plantea, el jurista, formulará una solución justa[62]. Por ello, nos limitaremos a constatar, en general: 1.º) que aunque se responde por culpa, es posible, a través de *pactum*, como recuerda Ulpiano, atenuarla, agravarla o excluirla; 2.º) que la complejidad del problema de los efectos de la culpa, comporta un largo proceso, cuyas etapas, de difícil precisión, van ampliando la responsabilidad del deudor y 3.º) que tal proceso, pudo tener como punto de partida, las acciones

---

venit—. Los textos que hablan de *culpa levissima* según opinión generalizada, no pretenden establecer un tercer grado de culpa y, o usan el superlativo en vez del positivo o se refieren a una diligencia técnica empleada para realizar ciertos actos que constituyen el objeto especializado de ciertas profesiones —guiar caballos, realizar operaciones quirúrgicas...—.

[61] Por razón de la *utilitas contrahentium* se ha dicho que: a) la culpa lata se exigiría en los negocios en interés exclusivo del acreedor (como el depósito); b) la leve, en los de interés recíproco (como la sociedad) y c) la levísima en los negocios en interés exclusivo del deudor (como el comodato —préstamo de uso gratuito—). Pero, es opinión unánime, que tal generalización, de los tres grados de culpa, «presentada como romana tiene poco de romana». Así, baste recordar que: mandatario y gestor, deudores, en unos negocios que son gratuitos, responden de culpa leve y otro tanto cabe decir de tutores y curadores —si bien responden de culpa leve *in concreto*— y que el precarista —que obtiene un beneficio gratuito— responde de culpa lata —no de la leve—.

[62] Las distintas relaciones; las diversas estructuras de las fórmulas; los diversos elementos, en particular, de aquellas y éstas; el carácter infamante o no, de la acción que se ejerza; y la ventaja o utilidad de las partes en cada concreta situación planteada, serán entre otras, razones destacadas en doctrina, que certifican la doble afirmación resumida en el texto.

infamantes en las que, por su gravedad, sólo se respondía por dolo[63]; su desarrollo, en las acciones de buena fe, en las que la responsabilidad del deudor se ampliaría, también a la culpa, matizada según la utilidad que pudiera obtener del negocio en concreto de que se tratara[64] y su cierre, obviamente, con Justiniano, que intentará desarrollar y dar un carácter general a la doctrina, ya existente, subsumiéndola en algunos principios[65].

III. Caso fortuito y fuerza mayor

A) Concepto y denominación

Con los términos caso fortuito o fuerza mayor[66] se designa al accidente, no imputable al deudor, que le impide cumplir la obligación y, en principio, le libera de responsabilidad. En síntesis: «caso» equivale a evento, suceso, acontecimiento y «fortuito» —término que le acompaña— excluye toda idea de culpa del deudor[67].

---

[63] O sea, hay deudores que respondían por dolo —caso de acciones infamantes— y deudores que respondían por culpa —caso de acciones no infamantes—.

[64] La concreción de la fórmula *oportere ex fide bona* exige contemplar la negligencia del deudor, que resultará valorada con más o menos rigidez, según las particulares relaciones de que se trate.

[65] En síntesis, estos principios serían: 1.º) la distinción entre culpa lata, que se equipara al dolo, y culpa leve (la razón obedecería a ser demasiado rígido, a efectos de responsabilidad, un concepto unitario de culpa); 2.º) por razón de la «utilidad» del negocio para los contrayentes —*utilitas contrahentium*— responder por *culpa in abstracto* ciertos deudores que, antes sólo lo hacían por dolo (serían los casos del mandatario, gestor de negocios ajenos y del tutor); 3.º) aplicación de la *culpa in concreto*, en algunos casos, (relaciones entre: socios, copropietarios; depósito, maridos por restitución de la dote y del tutor) pero sólo como criterio atenuante en favor del deudor (téngase presente que, hasta entones, en teoría, podría perjudicar o beneficiar al deudor según fuera, en sus asuntos, más o menos diligente) y 4.º) en caso de estipulación —*stipulatio certae rei*— que los deudores respondan por culpa, sólo si deriva de hecho positivo —*in faciendum*— y no de abstención —*in ommitendo*—.

[66] En Derecho Romano, se usan las expresiones de: caso —*casus*— caso fortuito —*casus fortuitus*— fuerza —*vis*— fuerza mayor —*vis maior*— que no puede resistirse —*cui resisti non potest*— y otras análogas.

[67] Son ejemplos de casos fortuitos: a) hechos naturales —como terremotos, inundaciones o la muerte natural del esclavo o del animal debido—; b) hechos jurídicos —como cuando la cosa debida pase a ser *extra commercium*— o c) actos del hombre —como la fuga del esclavo debido, o el robo del objeto que se debe—.

B) Naturaleza jurídica

Precisadas ya las diferencias del caso fortuito, respecto al dolo y a la culpa, aludiremos, aun no siendo pacífico, al posible criterio distintivo entre éste y la fuerza mayor, sin olvidar que los efectos derivados de uno y otra, en principio, son iguales.

Se suele decir que: el caso fortuito es «imprevisible» pero «evitable» —si se hubiera podido prever[68]— y que la fuerza mayor, siendo, también «imprevisible», aunque se hubiera podido prever, sería «inevitable o irresistible»[69] y vendría a ser el grado máximo del caso fortuito.

En este sentido, considerando la fuerza mayor como un límite o tope a la responsabilidad exigible por caso fortuito aparece en los textos romanos relativos a los armadores —nautae—, posaderos —caupones— y dueños de establos —stabularii— que aunque responden por los daños ocasionados por ciertos eventos que no les son imputables —casos fortuitos— como los de hurto —furtum— y el daño ocasionado —damnum iniuria datum— por terceros —auxiliares suyos, en dichos negocios— no lo hacen de toda destrucción, deterioro o desaparición de las cosas que les fueron confiadas —fuerza mayor— como los de incendio, inundación o naufragio[70].

C) Efectos

Como regla general, tanto el caso fortuito como la fuerza mayor liberan al deudor de toda responsabilidad[71]. Sin embargo, por excep-

---

[68] El ataque, por sorpresa, que sufre el vigilante de una posada y que motiva el robo del equipaje del huésped —de haberse previsto se hubiera podido evitar—.

[69] Serían ejemplos: los incendios, naufragios, terremotos, guerras... en los que todas las medidas que hubiera podido tomar el deudor para evitar sus consecuencias resultarían estériles.

[70] Según esto se ha distinguido entre caso fortuito y fuerza mayor por razón de: la procedencia interna o externa del obstáculo que impide el cumplimiento de la obligación. El caso fortuito se produce dentro de la empresa o círculo afectado por la obligación; en la fuerza mayor el evento se ocasiona fuera de la empresa o circulo del deudor con tal violencia que resulta insuperable e irresistible.

[71] Ulpiano dice —tras hablar de la responsabilidad del dolo y de la culpa—: Pero de los accidentes de los animales —Animalium vero casus— y de las muertes que sobrevienen sin culpa —mortesque quae sine culpa accidunt— de las fugas de los esclavos —fugae servorum— que no suelen estar custodiados —qui custodiari non

ción, debe responder: 1) si así se ha pactado[72]; 2) se ha constituido en mora y 3) en ciertos casos —hoy diríamos, establecidos por Ley— por el carácter especial de la relación que media entre acreedor y deudor y en los que la prestación de éste, es conservar una cosa de aquél para luego devolvérsela. O sea: comportan obligación de custodia[73].

Esto ocurre en los casos referidos, de los navieros, posaderos y dueños de establos, respecto a las cosas —mercancías, equipajes y cuadrúpedos— a ellos confiados por razón de su oficio[74]. En todos estos casos las fuentes hablan de responder por custodia —*praestare custodiam*[75]— y su sentido es, el de cierto grado o medida de responsabilidad del deudor peculiar, ya que: a) puede faltar, directamente, culpa de éste; b) no se admite la prueba de que no la hubo y c) comprende, incluso, hechos causados, materialmente, por otras personas, distintas de aquél a quien se atribuye la responsabilidad —sus auxiliares en estos negocios[76]—.

---

[72] *solent*— de los robos —*rapinae*— tumultos —*tumultus*— incendios —*incendia*— avenidas de agua —*aquarum magnitudines*— y acometida de ladrones —*impetus praedonum*— no se responde —*a nullo praestantur*—.

Así lo refiere Ulpiano, respecto al depósito: a menos que expresamente se hubiera convenido —*Ut puta si hoc nominatim convenerit*—.

[73] Si la prestación del deudor es guardar algo por un tiempo y después restituirlo al acreedor, en síntesis, su conducta es «custodiar». «Responder» por «custodia» —*praestare custodiam*— equivaldría a responder por culpa —*praestare culpam*—. Sin embargo, en las fuentes aparecen estos términos en otro sentido, equivalente a un cierto grado —o medida— de responsabilidad, cuya singularidad es: abarcar una serie de supuestos —*damnum iniuria datum* y *furtum*— en los que no existe culpa del deudor —o al menos se le impide probar que no la hubo— debiendo responder.

[74] O como dice Ulpiano, comentando el Edicto del Pretor, «lo que de cualquiera hubieren recibido para que esté a salvo» —*quod cuius salvam fore receperint*— Aunque: Si alguna cosa hubiere perecido por naufragio o por fuerza de piratas, no es injusto que se exima de responsabilidad al que reciba la cosa y lo mismo debe decirse si en un mesón o establo ocurrió algo por fuerza mayor.

[75] Gayo, incluye como casos de *praestare custodiam*, los del: acreedor pignoraticio; tintorero —*fullo*—; sastre —*sarcinator*— y comodatario —en los que cada una de las personas citadas obtienen una «utilidad», sea la garantía de su crédito, el pago por su trabajo o el uso gratuito de una cosa— y expresamente, excluye, el del depositario, pues, aunque éste debe «guardar» —custodiar— la cosa depositada, es un negocio que se establece, en exclusivo interés del depositante —no del depositario—.

[76] Conviene precisar, pues, que si bien, la mayoría de las veces se sigue un criterio de responsabilidad «subjetiva», cuyas manifestaciones serían, el dolo, la culpa y el caso fortuito, en otras —casos de navieros, posaderos y dueños de establos— se sigue un criterio de responsabilidad «objetiva» —sin considerar la conducta del deudor— por lo que, al lado del dolo se responde, del *periculum* —riesgo— derivado del *furtum* y

4. EFECTOS DEL INCUMPLIMIENTO IMPUTABLE AL DEUDOR

Según Paulo: los antiguos establecieron —*veteres constituerunt*— que siempre que interviene culpa del deudor —*quotiens culpa intervenit debitoris*— la obligación se perpetúa —*perpetuari obligationem*—. En otras palabras, el incumplimiento de la obligación imputable al deudor hace que ésta continúe en toda su extensión[77]. Sin embargo, su objeto no puede ser, exactamente, el mismo, pues ni aún hoy puede existir siempre, una ejecución forzosa directa, ya que, como decían los comentaristas: nadie —*nemo*— absolutamente —*praecise*— puede ser obligado —*cogi potest*— a un hecho —*ad factum*[78]— (a hacer algo). Por ello, esta *perpetuatio obligationis*, se debe entender como una prestación equivalente, de carácter pecuniario, que sustituye a la inicial y restablece el equilibrio en el patrimonio del acreedor, que se ve alterado al no cumplirse aquélla.

Para fijar este interés patrimonial, el Derecho Romano, se sirvió de diferentes vías. A saber: a) la determinación previa de las partes a través de una *stipulatio poenae* —estipulación o cláusula penal—; b) la hecha por el *iudex* y c) la hecha por el propio acreedor, bajo juramento[79].

---

del *damnum* —por custodia— mientras que de otros riesgos, causados por la fuerza mayor o irresistible, no se responde.

[77] El perecimiento de la cosa, incluso por caso fortuito, no exime de responsabilidad al deudor, aunque en textos de Gayo y Paulo se admite pueda liberarse, si probara que, también, hubiera perecido de estar en poder del acreedor.

[78] Hoy, si se trata de una obligación: a) de «dar» una cosa determinada y está en el patrimonio del deudor, puede lograrse; b) si fuera de «dar» una cosa genérica, en tal situación, el acreedor, también, podría obtener su entrega directa; c) si fuera de «no hacer» podrá exigir se deshaga lo mal hecho a expensas del deudor y d) si fuera de «hacer», al estar ligada a la persona y libertad del deudor, no cabe obligar a una prestación en forma específica y el acreedor se deberá contentar con el resarcimiento de daños y perjuicios.

[79] Según Marciano, tal juramento: a) puede limitarse por el juez hasta cierta suma —*iudex potest praefinire certam sumam usque ad quam iuretur*—; b) no le vincula, al ser un mero elemento de juicio —*et si iuratum fuerit licet iudici vel absolverit vel minioris condemnare*—; c) queda limitado al caso de dolo del deudor —*in his omnibus ob dolum solum in litem iuratur*— no a los de culpa —*non etiam ob culpam*— porque ésta —*haec enim*— la estima el juez —*iudex aestimat*— y d) reviste particular interés, cuando no pueda estimarse el valor de una cosa que ya no existe —*quia iudex aestimari sine relatione iusiurandi non potest rem quam non extat*—.

En el segundo caso, podía comprender el simple valor de la cosa —*verum rei pretium*— esto es: el «daño producido» o también, todas las consecuencias desfavorables que el incumplimiento comportara al acreedor —*id quod interest*— esto es: los «perjuicios causados».

Esto último, en derecho clásico[80], se asienta, sobre todo en las formulas de buena fe[81] y, en época justinianea, se aprecia la tendencia generalizada de comprender en este «interés» —y así se recoge en derecho moderno—, no ya el daño efectivamente producido —*damnum emergens*, daño emergente—, sino la ganancia dejada de obtener —*lucrum cessans*, lucro cesante—[82] con el único límite de no exceder del doble del valor de la prestación[83].

5. LA MORA

Mora, literalmente, significa retraso —demora—. En un sentido lato, es el retraso en el cumplimiento de una obligación y en otro estricto, cuando ese retraso, es injustificado, culpable y, en todo caso, no excluye el posterior cumplimiento de aquella.

La mora puede ser del deudor —*mora solvendi* o *debitoris*— lo más frecuente, o del acreedor —*mora accipiendi* o *creditoris*— y de sus requisitos, efectos y extinción, pasamos a ocuparnos.

---

80   El carácter pecuniario de la *condemnatio* en el *agere per formulas*; el principio de la «tipicidad» de la fórmula y la gran variedad de éstas hace que la indemnización se haga con más o menos libertad, según la concreta acción que se ejerza.

81   Recuérdese que se incluía en la condena: todo lo que —*quidquid*— (el deudor) deba dar o hacer con arreglo a la buena fe —*dare facere oportet ex fide bona*—.

82   Se ha discutido si los términos «daños» y «perjuicios» son sinónimos o significan, respectivamente, la «pérdida» que se sufre y la «ganancia» que se deja de obtener. Hoy, se habla de «daño» en sentido amplio, abarcando tanto el daño positivo como el negativo y en sentido estricto, limitado al primero.

83   Así lo establece una constitución del 531, recogida en el Código de Justiniano respecto a: todos aquellos casos (en que la obligación) —*in omnibus casibus qui*— verse sobre una cosa que sea susceptible de estimarse con certeza —*certam habent quantitatem vel naturam*—.

I. Mora del deudor

A) Son requisitos para que se produzca: 1.°) respecto a la obligación, que sea: a) civil —no natural— pues, como matiza Escévola, sin acción no puede haber mora; b) válida —o, como dice Paulo, que no pueda el deudor oponer excepción alguna—; c) exigible —esto es, vencida, no sujeta, por tanto, a condición o término— y d) que, aún, pueda cumplirse —pues, de otra forma, estaríamos ante un total incumplimiento[84]—. 2.°) Respecto al deudor, se exige que su retraso, sea culpable e injustificado[85] y 3.°) respecto al acreedor, que requiera de pago al deudor —*interpellatio*[86]— No es necesario tal requerimiento en algunos casos —se habla, entonces, de *mora ex re*— siendo el más claro el de las obligaciones que nacen de delito, ya que, en palabras de Ulpiano: el ladrón es como un deudor que siempre está en mora —*semper enim moram fur facere videtur*[87]— y, el más discutido, el de las obligaciones a plazo, en las que los comentaristas suelen aplicar la regla: el plazo —*dies*— interpela —*interpellat*— en lugar del hombre —*pro homine*[88]—.

B) El efecto general de la mora es: que la obligación se perpetúa —*perpetuatio obligationis*— esto es, producirá, en lo posible, todas

---

[84] La ausencia del coro contratado para actuar en una boda, podría servir de ejemplo, al excluir, de forma absoluta, que se pueda llevar a cabo con posterioridad —los civilistas hablarían de término de cumplimiento esencial—.

[85] Pomponio, refleja en algunos textos esta idea. Así, por ejemplo al decirnos: Si me debieras cierto esclavo —*Si... hominum certum mihi debeas*— después de su muerte no me estarás obligado de otro modo (salvo) —*non aliter post mortem eius tenearis mihi*— que si en ti hubiera consistido (si hubiera dependido de ti) —*quam si per te steterit*— no dármelo viviendo él —*quominus vivo eo eum mihi dares*—; lo cual sucederá así —*quod ita fit*— si habiéndotelo pedido —*si aut interpellatus*— no me lo diste —*non dedisti*— o lo mataste —*aut occidisti eum*—.

[86] Marciano dice: Se entiende que se produce la mora —*moram fieri intelligitur*— no por la cosa —*non ex re*— sino por la persona —*sed ex persona*— esto es —*id est*— si el (deudor) requerido —*si interpellatus*— no hubiera pagado en lugar oportuno —*oportuno loco non solveret*— lo que se examinará por el juez —*quod ad iudicem examinabitur*— pues como escribió Pomponio... —*nam ut Pomponius... scripsit*— es difícil (determinar) la definición de esto —*dificilis est huius rei definitio*—.

[87] Según Trifonino: porque se considera que —*quia videtur*— quien desde un principio —*qui primo*— contra la voluntad de su dueño —*invito domino*— hubiere tomado una cosa —*rem contractaverit*— siempre —*semper*— al restituir aquello —*in restituenda ea*— que no debió quitar —*quam nec debuit auferre*— incurre en mora —*moram facere*—.

[88] Es opinión mayoritaria que la fijación de un término no excluía la *interpellatio*, criterio mantenido por nuestro Código Civil.

sus consecuencias, dependiendo, lógicamente, de la distinta naturaleza en que consista la prestación. Así: tratándose de una obligación de dar alguna cosa, en época clásica, el deudor asume, incluso, el riesgo de su perecimiento por caso fortuito, si bien, en derecho justinianeo, salvo en el supuesto de *furtum*, se libera si consigue probar que, también, habría perecido estando en poder del acreedor; si la cosa fuese fructífera —y la obligación de buena fe— deberá los frutos producidos *post moram*[89] y si fuera una obligación dineraria, intereses[90].

C) Se extingue la mora: a) por renunciar el acreedor a sus efectos; b) conceder, al deudor, un aplazamiento o moratoria y c) por su enmienda, corrección —*emendatio morae*— purga o purificación —*purgatio morae*— que se produce cuando ofrece el deudor al acreedor el pago íntegro de la deuda, rechazándolo, éste, sin motivo que lo justifique. Paulo, se pregunta de que modo debe apreciarse esto —*quemadmodum intelligendum sit*— y, según él, deberá hacerse caso por caso, siendo —igual que la propia mora, como matiza Marciano— una cuestión más de hecho que de derecho —*magis iuris quam facti*[91]—.

II. Mora del acreedor

A) Son requisitos para que se produzca: 1.º) respecto a la obligación, que esté vencida, requiriéndose para cumplirse el concurso del acreedor; 2.º) respecto al deudor, que ofrezca el pago, en el sentido

---

[89]   Con el tiempo, esto se extenderá a los legados y fideicomisos. Así, según Papiniano: dejadas en fideicomiso unas yeguas —*Equis per fideicommissum relictis*— después de la mora —*post moram*— se deberá entregar, también, su feto como fruto —*foetus quoque praestabit ut fructus*—.

[90]   Lógicamente, si se tratara de una obligación de hacer comportaría la indemnización de los daños y perjuicios causados.

[91]   Celso el joven escribe: —*Celsus adulescens scribit*— (según refiere Paulo) que el que incurrió en mora —*qui moram fecit*— en entregar el esclavo Estico —*in solvendo Sticho*— que había prometido —*quem promiserat*— puede enmendar esta mora —*posse enmendare eam moram*— ofreciéndolo después —*postea offerendo*—: porque esto es una cuestión —*esse enim hanc quaestionem*— de bondad y equidad —*de bono et aequo*— en cuyo género de cuestiones —*in quo genere*— muchas veces —*plerumque*— atendiendo a la autoridad —*sub auctoritate*— de la ciencia del derecho —*iuris scientiae*— perniciosamente —*perniciose*— dice —*inquit*— se yerra —*erratur*— y verdaderamente —*et sane*— es admisible esta opinión —*probabilis sententia est*— que, también, sigue Juliano —*quam quidem et Iulianus sequitur*—.

más estricto de la palabra —exacta ejecución de la prestación debida— y 3.º) respecto al acreedor, que se niegue sin justificación, *sine causa* dice Marcelo, ante tal oferta.

B) Los efectos que produce, son: 1.º) excluye la mora del deudor; 2.º) el riesgo de perecimiento de la cosa pasa al acreedor, salvo en caso de dolo del deudor[92]; 3.º) el acreedor responde de los daños y perjuicios que se irroguen al deudor por su causa y 4.º) el deudor puede obtener la liberación de su deuda, mediante la consignación (= depósito) de la cantidad debida *in publico* —*obsignatio in aede publica*— cesando, desde entonces, la obligación de pagar intereses[93].

C) Se extingue la mora *creditoris*, bien por la declaración de voluntad del acreedor de aceptar el pago o bien por conceder el deudor al acreedor una moratoria para que así lo haga.

---

[92] Marcelo dice: El que debe diez —*Qui decem debet*— si los hubiera ofrecido a su acreedor —*si ea obtulerit creditori*— y éste —*et ille*— sin justa causa —*sine iusta causa*— rehusare recibirlos —*ea accipere recusavit*— y luego el deudor —*deinde debitor*— los hubiere perdido sin culpa suya —*ea sine sua culpa perdiderti*— puede protegerse con la excepción de dolo malo —*doli mali exceptionem potest se tueri*— pues no es justo —*etenim non est aequum*— que esté obligado por el dinero perdido —*teneri pecunia amissa*— porque no lo estaría —*quia non teneretur*— si el acreedor hubiera querido recibirlo —*si creditor accipere voluisset*—.

[93] La mora del acreedor, por sí misma, no hacía cesar los posibles intereses de la deuda, siendo necesario para su cese, la consignación. Así, Papiniano, dice: un deudor que debía también intereses —*Debitor usurarius*— ofreció al acreedor el importe de la deuda —*creditori pecuniam obtulit*— y no habiéndolo querido recibir —*et eam quum accipere noluisset*— lo selló y lo depositó —*obsignavit ac deposuit*— desde este día —*ex eo die*— no se tendrá cuenta de los intereses —*ratio non habebitur usurararum*—.

Tema 29

Garantía y refuerzo de las obligaciones

El cumplimiento de toda obligación está respaldo por el activo patrimonial del deudor. Sin embargo, tal respaldo puede acabar siendo ilusorio porque el deudor: a) no ejerza —por su culpa— los derechos que le corresponden; b) haga desaparecer —por dolo— todo o parte de su patrimonio; c) realice —lícitamente— enajenaciones que lo reduzcan o d) contraiga nuevas deudas. Para eludir esta posible insolvencia, se intenta asegurar o reforzar el cumplimiento de las obligaciones.

A) Se aseguran, bien vinculando un determinado objeto, a la acción directa del acreedor, hablándose entonces de garantías reales —como la prenda o la hipoteca— bien una persona distinta del deudor, que responda con su patrimonio, hablándose entonces de garantías personales, la fianza, el mandato de apertura de crédito y la constitución de plazo —*constitutum*— por deuda ajena —*debiti alieni*— son sus principales manifestaciones.

B) Se refuerzan las obligaciones por el propio deudor en los casos de: cláusula penal, constitución de plazo —*constitutum*— por deuda propia —*debiti proprii*— arras y juramento.

1. LA FIANZA

I. Concepto e historia

A) La Fianza es una forma de garantía personal por la que una persona —fiador— se obliga a responder de una deuda ajena con su propio patrimonio. Por ejemplo, Ticio, necesitando dinero, acude a Cayo que accede a prestárselo, ya que Sempronio, persona solvente, responderá de su devolución. Ticio, es deudor, Cayo acreedor y Sempronio fiador.

B) A lo largo de su historia conoció tres formas. a) La más antigua es la *Sponsio*. Institución del *Ius Civile* que vierte en esta figura: su formalismo y rigidez, a través del necesario empleo del verbo *spondere*, prometer[1] y su exclusivismo, al ser sólo accesible a los *cives Romani*. b) A esta forma siguió la *Fidepromissio*. Institución del *Ius Gentium*, en la que, en congruencia con este derecho: se supera el valor mágico-religioso de la palabra que deja paso a la *Fides*, lealtad y respeto a la palabra dada[2] y puede usarse por los *peregrini*. c) La forma más evolucionada fue la *Fideiussio*[3] que posibilita garantizar todo tipo de obligaciones —no sólo, como hasta entonces, las derivadas de *stipulatio*[4]— y, como novedad, admite su transmisión hereditaria.

II. Naturaleza jurídica y elementos

A) La Fianza, en su configuración justinianea, es accesoria y subsidiaria. A) Accesoria, porque no tendría razón de ser sin una obligación principal que garantizar, y B) subsidiaria, porque el fiador —tras larga evolución histórica— sólo responde si el deudor principal no cumple. Es opinión doctrinal extendida que: en origen, el fiador sería el único responsable; después, lo haría en un mismo plano que el deudor —*in solidum*— y finalmente, con Justiniano, sólo respondería en caso de no hacerlo éste.

B) Habiendo aludido a la condición del fiador —*cives* y *peregrini*— a las obligaciones susceptibles de fianza —todas, cualquiera sea su objeto[5]— y a la forma de constituirse —verbalmente, *verbis*— nos

---

[1]   El *sponsor*, según Gayo, es preguntado así —*ita interrogatur*— ¿Prometes dar lo mismo? —*Idem dari spondes?*— debiendo contestar ¡Prometo! —¡*Spondeo!*—.

[2]   Seguimos con Gayo, El *fidepromissor* es preguntado así: «Prometes por tu fe lo mismo» —*Idem fidepromittes?*— a lo que contestaría que sí —¡*Fidepromitto!*—.

[3]   La forma, según Gayo, sería: ¿Aseguras, por tu fe, lo mismo —*Id fide tua esse iubes?*— A lo que contestaría: ¡Lo aseguro! —¡*Fideiubeo!*—. Los compiladores suprimen los términos *sponsio* y *fidepromissio* de los textos, supliéndolos por el de *fideiussio*.

[4]   Gayo precisa esta diferencia: La condición del *sponsor* y *fidepromissor* son parecidas —*similis condicio est*— pero la del *fideiussor* es muy diferente —*valde dissimilis*—. Pues aquellos —*Nam illi*— no pueden intervenir en obligaciones —*nulli obligationibus accedere possunt*— a menos que sean verbales —*nisi verborum*—... el *fideiussor*, en cambio, puede intervenir en toda clase de obligaciones —*omnibus obligationibus... adici potest*— y, no importa —*ac ne illud quidem interest*— que la obligación (a que se adhiera) sea civil o natural—*utrum civilis an naturalis obligatio sit (qui adiciatur)*—.

[5]   En la *fideiusssio* —que ya comporta la nota de subordinación— es necesario que la obligación principal sea válida, civil o naturalmente, en otro caso, su nulidad acarrea la de la fianza. En cambio, en la *sponsio* y *fidepromissio*, pueden subsistir éstas, aunque la obligación garantizada sea inválida.

referiremos a la extensión de la fianza, bastando señalar: 1.º) que el fiador no puede obligarse a más —*in duriorum*— que el deudor pero sí a menos —*in leviorem*— lo que, no sólo debe entenderse respecto a la cantidad, sino, también a lo oneroso de las condiciones[6]; 2.º) que el fiador, explícitamente, puede obligarse a pagar no lo que el deudor debe —*quod Titius debet*— sino, sólo, lo que el acreedor no consiga cobrar de aquél. Así: «cuanto no pudiera conseguir del (deudor) Ticio» —*quanto minus a Titio consequi possim*— lo que se ha llamado, *fideiussio indemnitatis*[7] y 3.º) que una *lex Cornelia*[8] (prohíbe) que alguien se obligue por un mismo deudor —*pro eodem*— frente a un mismo acreedor —*apud eundem*— y en un mismo año —*eodem anno*— (*vetatur*) en un crédito pecuniario por más de 20.000 sestercios —*in ampliorem summam obligari creditae pecuniae quam XX milia*[9]—.

III. Efectos

En general, cabe distinguir tres tipos de efectos en la fianza, los que produce: A) entre fiador y acreedor; B) entre fiador y deudor y C) en su caso, entre los posibles cofiadores. Los beneficios —*beneficia*— de excusión u orden —*excussionis*—; cesión de acciones —*cedendarum actionum*— y división —*divisionis*— se destacan en el particular tratamiento jurídico de ellos en Derecho Romano justinianeo.

---

[6]   Justiniano, en sus Instituciones, a zaga de Gayo, lo justifica al decir: pues su obligación —*nam eorum obligatio*— es accesoria de la principal —*accesio est principalis obligationis*—y no puede haber más en lo accesorio—*nec plus in accesione esse potest*— de lo que haya en la cosa principal —*quam in principali re*—.

[7]   Su fin práctico fue evitar que extinguida, por *litis contestatio*, una obligación, la otra se pudiera, también, extinguir con independencia de su efectivo pago. Recuérdese que, en cierto momento histórico, el acreedor podía dirigirse contra el fiador —antes que al deudor— y extinguida, por *litis contestatio*, la obligación, el deudor quedaría liberado.

[8]   Probablemente de Sila —fines de la República—.

[9]   Según Gayo, el beneficio de la ley Cornelia es común a todos —*Sed beneficium legis Corneliae omnibus communis est*— y la propia ley, establece una doble matización: a) Entendemos por crédito pecuniario (nos dice) —*Pecuniam autem creditam dicimus*— no sólo el que damos por causa de un préstamo —*non solum eam quam credendi causa damus*— sino todo aquél —*sed omnem quam*— que resulte claramente debido cuando se contrae la obligación —*tum contrahitur obligatio certum est debitum iri*— y b) Con el término dinero —*Appellatione autem pecuniae*— se comprende en esta ley todas las cosas —*omnes res in ea lege significantur*—.

A) Efectos entre fiador y acreedor

En principio, como vimos, el acreedor podía dirigirse contra el fiador, aun antes que contra el deudor, y por la totalidad de la deuda. Con el tiempo, el fiador podrá, provisionalmente, detener esta acción —*beneficium excussionis*— y limitar sus efectos —*beneficium divisionis*—.

a) El beneficio de orden o excusión —*beneficium excussionis*— es el derecho que tiene el fiador para eludir el pago de la deuda afianzada mientras no se acredite la insolvencia total o parcial del deudor. O sea: el fiador puede exigir al acreedor que se dirija antes contra el deudor[10].

b) El beneficio de división —*beneficium divisionis*— presupone una pluralidad de fiadores y es el derecho que compete a cada fiador de exigir al acreedor —que pretende cobrar el importe de la deuda garantizada— que divida su reclamación entre todos ellos.

B) Efectos entre fiador y deudor

Después del pago[11], el fiador intentará resarcirse. Hoy, en doctrina, se suele hablar de: acción de reembolso —acción personal, que deriva de la propia fianza— y acción del acreedor pagado —por subrogarse el fiador en su posición—. En Derecho Romano no se conoció la primera y sí la segunda: *beneficium cedendarum actionum*.

a) La acción de regreso, es, pues, la que compete al fiador, que paga, contra el deudor, para obtener el reembolso de su pago. En Roma, la fianza no comporta, el nacimiento de una acción especial que cumpla esta función y sólo se logra el «regreso» por medios indirectos. Esto es: a través de otras acciones. Estas fueron:

1.º) La acción derivada de la relación interna que pudiera existir entre fiador y deudor. Un mandato —*actio mandati contraria*— si el

---

[10] Se implanta en las Novelas de Justiniano y es coherente con el carácter accesorio de la fianza.

[11] Aún cabría distinguir entre los derechos que tiene el fiador contra el deudor, antes o después del pago. Antes del pago, se podrá dirigir, judicialmente, contra él para ser relevado de la fianza por el peligro de la insolvencia que el propio deudor está provocando, dice Marcelo, si empieza a dilapidar sus bienes —*certe bona sua dissipabit*—.

deudor le encargó que prestara la fianza; una gestión de negocios —*actio negotiorum gestorum contraria*— si, por iniciativa propia, medió como fiador para evitar un perjuicio[12] o una sociedad, si ésta existía entre ellos —*actio pro socio*[13]—. 2.°) La «acción de lo pagado» —*actio depensi*— establecida por la *lex Publilia*, sólo respecto al *sponsor* que ha pagado, de carácter penal —*in duplum*— contra el deudor que no le reintegrase el pago en 6 meses[14] y 3.°) Con Justiniano —ya generalizada— la *actio mandati contraria*.

b) El beneficio de cesión de acciones —*beneficium cedendarum actionum*— es el derecho del fiador, una vez ha pagado, para exigir al acreedor la cesión de las acciones que pudiera haber ejercido contra el deudor[15]. Respecto a él, en Derecho Romano, se entiende: 1.°) que el acreedor incurre en dolo si no las cede —pues ya no las necesita— y 2.°) que —en derecho clásico— las acciones no se extinguían por el pago hecho por el fiador, al fingirse, según Paulo, que tal pago es el precio de su compra.

C) *Efectos entre cofiadores*

Cuando hay varios fiadores por una misma deuda: a) antes del pago, cada uno podrá hacer uso del *beneficium divisionis*; b) al pagar, deberá suplir la insolvencia de los otros y c) tras el pago —en su caso— rembolsar al que de ellos pago por los demás[16]. Nos centraremos en el primer punto.

---

[12] Según Gayo: Si alguno —*si quid*—... pagó por el deudor —*...pro reo solverit*— (tiene) para recuperarlo —*eius reciperandi causa habet*— contra él —*cum eo*— la acción de mandato —*mandati iudicium*—. Paulo, refiere otra posibilidad: el fiador tiene la acción de gestión de negocios —*fideiussori negotiorum gestio est actio*— si hubiere sido fiador por un ausente —*si pro absente fideuisserit*— pues no puede proceder la acción de mandato —*nam mandati actio non potest competere*— cuando no haya precedido mandato —*quum non antecesserit mandatum*—.

[13] Por el carácter de la fianza es difícil imaginarse casos en que naciera de otra forma.

[14] Gayo recuerda que esta ley otorgó al *sponsor* que pagaba una ejecución personal —*manus iniectio*— contra el deudor que no le reintegrase lo pagado en este tiempo, «como si» existiera una sentencia —*pro iudicato*—. En el Digesto no se alude a esta acción.

[15] Obviamente, también sería un medio indirecto para lograr la efectividad de lo que hoy llamaríamos derecho de «regreso» del fiador, pudiendo, incluso, solicitarse antes del pago, si el fiador estuviese dispuesto a hacerlo.

[16] Según Gayo: La ley Apuleya —*lex Apuleia*— (introdujo) entre *sponsores* y *fidepromissores* una especie de sociedad —*quandam societatem introduxit*— pues si

El *beneficium divisionis*, es el resultado de una larga evolución, cuyas fases, son, en síntesis: 1.ª) Responsabilidad solidaria de los cofiadores[17]. 2.ª) Por una *Lex Furia*, división de la deuda entre ellos por igual, sin atender al supuesto que alguno fuera insolvente[18]. La posible insolvencia, pues, perjudica al acreedor sin que implique un aumento de la cuota de los restante fiadores solventes. De ahí que, una *Lex Cicereia* impusiera al acreedor el deber de declarar públicamente —*palam*— el importe total de la deuda y el número de fiadores, que quedaban liberados de no hacerse así. 3.ª) El proceso acaba con una epístola de Adriano, por la que: se ha de dividir la reclamación entre los fiadores «solventes»[19]. El fiador deberá oponer tal beneficio al acreedor por vía de excepción —*ope exceptionis*— cuando sea requerido del pago y resultando algún cofiador insolvente su parte aumentará la de los demás[20].

2. EL MANDATO DE CRÉDITO, *MANDATUM PECUNIAE CREDENDAE*

El *mandatum pecuniae credendae*, es una modalidad de fianza que posibilita su aplicación para garantizar obligaciones entre ausen-

---

        alguno de ellos pagó más de su porción —*nam si quis horum plus sua portione solverit*— por lo que dio de más —*de eo quod amplius dederit*— estableció acciones contra los otros —*adversos ceteros actiones constittuit*—.

[17]   O sea, el acreedor podía dirigirse, a su arbitrio, y por el todo, contra todos o cualquiera de ellos.

[18]   La división se produce, pues, *ipso iure*, respecto a todos los cofiadores —solventes o no— y el propio Gayo dice que, por esta ley, de fianzas —*de sponsu*— se concede una ejecución personal —*manus iniectionem pro iudicato*— contra el que hubiera hecho pagar a un *sponsor* —*adversus eum qui a sponsore*— más de la parte que le correspondía —*plus quam virilem partem exegessit*—.

[19]   Gayo, dice: Pero ahora —*sed nunc*— en virtud de una epístola del divino Adriano — *ex epistula divi Hadriani*— se compele al acreedor —*compellitur creditor*— (a pedir por partes) a cada uno (de los fiadores) —*a singulis*— a condición de que sean solventes —*qui modo solvendo sint (partes petere)*—.

[20]   El distinto régimen, por sus efectos, de la *lex Furia* y de la epístola de Adriano, es precisado por Gayo: en aquella, tal carga no afecta a los demás —*hoc onus ad ceteros non pertinet*— en ésta, incluso si uno solo fuese solvente —*etsi unus tantum solvendo sit*— le corresponde también a éste la carga de los demás —*ad hunc onus ceterorum quoque pertinet*—. En su caso, por la correspondiente cesión de acciones podrá obtener, la parte de éstos.

tes[21]. Este mandato de crédito —de apertura de crédito o de prestar dinero[22]— consiste, como su nombre indica, en el encargo —mandato— que hace una persona (Ticio) a otra (Cayo) de que preste una suma de dinero (100) a un tercero (Sempronio).

Hay, pues, una pluralidad de relaciones. Por un lado, existe un mandato —entre Ticio y Cayo— cuyo objeto será la concesión de un préstamo a un tercero. Por ello, quien encarga (o manda) —Ticio— será mandante y quien asume el encargo (mandato) —Cayo— mandatario. Por otro lado, y como consecuencia de cumplir el mandato, el mandatario —Cayo— será acreedor del importe del préstamo —los 100 que entrega al tercero, Sempronio— (por tanto, además, resultará prestamista o mutuante) y éste, deudor de los 100 que recibe (y por ello prestatario o mutuatario).

En caso de no devolverse el préstamo, Cayo —como mandatario— se podrá dirigir contra Ticio —mandante— por razón del mandato y, por la *actio mandati contraria*, exigir se devuelva el préstamo, ya que el mandante es responsable de todo perjuicio, riesgo o daño que pueda irrogarse al mandatario por la ejecución del mandato, por lo que, en definitiva, éste (Ticio) actuará, *de facto*, como fiador.

En época clásica, el *mandatum pecuniae credendae*, es un mandato, sin más, cuyas diferencias con la fianza resultan claras[23]. Pero, paulatinamente, se produce un proceso de asimilación a la fianza. Por ello, así como, en principio, el acreedor del préstamo podría dirigirse, indistintamente contra su deudor —*condictio* = acción del mutuo— o contra su mandante —*actio mandati contraria*— después, deberá hacerlo, sucesivamente, primero contra el deudor y luego, en su caso, contra el mandante. En suma, terminan por aplicarse a este *mandatum* los *beneficia* de la fianza.

---

[21] Recuérdese que tanto *sponsio*, como *fidepromissio* y *fideiussio* eran contratos verbales y, por ello, debían hacerse en presencia de las partes.

[22] *Mandatum qualificatum* en el decir de los comentaristas.

[23] La validez de este mandato fue negada en principio por Servio —*supervacuum*— por considerarlo en interés exclusivo del mandatario. Sin embargo, Sabino lo admite, porque —*quia*— (dice) tú no hubieras prestado... si no se te hubiese mandado —*non aliter credidiss, quam si tibi mandatum esset*—.

3. REFUERZO DE LAS OBLIGACIONES

Los principales medios de reforzar las obligaciones, prestados por el propio deudor, fueron: la cláusula penal; las arras; el juramento[24] y el pacto de constitución de un plazo —*constitutum debiti proprii*— para pagar la deuda —del que nos ocuparemos al tratar de los pactos—.

I. La cláusula penal

A) La cláusula penal es la promesa de realizar cierta prestación —generalmente la entrega de una suma de dinero[25]— en caso de no cumplirse la obligación. Así, por ejemplo, deducir del precio de compra de una cosa —el esclavo Estico— una cantidad determinada por cada día de retraso en su entrega —3 sestercios—.

B) La forma de establecerse fue: a través de la *stipulatio —stipulatio poenae—* o, en los contratos de buena fe[26], por un pacto añadido —*pactum adiectum*—.

C) Su finalidad es doble. Por un lado, liquidadora, al fijar la responsabilidad del deudor *a priori* sin esperar a que el *iudex* la determine[27] y por otro, de garantía, ya que, ante la amenaza de la pena, el deudor procurará cumplir la obligación asumida.

---

[24] Él juramento sólo se admite, como refuerzo de la obligación, en una hipótesis: en la contraída por el menor de 25 años sin asistencia de su curador. En tal caso impide que pueda pedirse la *restitutio in integrum* y su origen está en un rescripto de Alejandro Severo.

[25] Esta puede revestir dos modalidades. Así, por ejemplo: a) Si no me entregaras a Panfilio —*Si Pamphilium non dederis*— ¿prometes darme 100? —*centum dare spondes?*— (existe, pues, una sola estipulación, la de la pena, cuyo cumplimiento no queda al arbitrio del deudor —*in facultate solutionis*— lo que comportaría una obligación facultativa) o b) ¿prometes darme a Estico? —*Stichum mihi dari spondes?* — y si no lo dieras —*si non dederis*— ¿prometes darme 100? —*centum mihi dari spondes?*— (hay, pues, dos estipulaciones, una para la prestación —entregar el esclavo Estíco— y otra para la pena —entregar 100— que se subordinaba a no cumplirse la primera, lo que la diferencia de las obligaciones alternativas, en las que hay un sólo vínculo obligacional).

[26] En derecho clásico, pudo también añadirse, como cláusula testamentaria para reforzar la obligación del heredero por un legado *per damnationem*.

[27] En Instituciones de Justiniano, al referirse a las estipulaciones que comportan un hacer —*facere*— se nos dice: lo mejor será añadir una pena —*optimum erit poenam*

D) Los efectos que produce, según se acuerde, son de carácter sustitutorios[28] o acumulativos[29].

II. Las arras

Se entiende por arras, en general, la entrega de una suma de dinero —o de otras cosas fungibles— realizada por el deudor al acreedor en el momento de la celebración de un contrato[30].

Pueden desempeñar una triple función: 1.ª) la de ser prueba o señal de la celebración del contrato[31] —arras confirmatorias[32]— soliéndose computar, si la obligación se cumple, como un adelanto a deducir de la total prestación del deudor; 2.ª) la de constituir un medio lícito de desligarse las partes del contrato mediante su pérdi-

---

subiiceret— para que no sea incierta la cantidad de la estipulación —*ne quantitas stipulationis in incerto sit*— ni sea preciso al estipulante probar —*ac necesse sit actori probare*— a cuanto asciende su interés —*quod eius interesit*—.

[28] Las fuentes parecen configurar esta sustitución como una especie de novación —*quasi novatio*—. Así, Paulo nos dice: Si estipulé que se hiciera una nave —*Sed si navem fieri stipulatus sum*— y si no se hiciera la suma de cien —*et si non feceris, centum*— se ha de ver si hay dos estipulaciones —*videndum utrum duae stipulationes sint*— una pura y otra condicional —*pura et condicionalis*— y si cumpliéndose la condición de la segunda —*et existens sequentis conditio*— no se extinguirá la primera —*non tollam priorem*— o si la transfiere —*an vero transferat*— a sí —*in se*— y se hace como una novación de la primera —*et quasi novatio prioris fiat*— lo que es más verdadero —*quod magis verum est*—.

[29] Si la estipulación penal se hubiera añadido a un pacto o a un contrato de buena fe, entonces no se da acumulación, ya que, como refiere Labeón —citado por Paulo— sería injusto —*iniquum enim esse*— se posea el esclavo —*et hominem possidere*— y se exija la pena —*et poenam exigere*—. En derecho justinianeo, se concede al que hubiera usado una de las dos posibilidades —acción de la obligación principal o acción de la cláusula penal— el poder reclamar la diferencia que obtuvo al elegir una de estas vías y lo que hubiera obtenido de haber seguido la otra.

[30] Esta entrega actual y no la promesa de una futura prestación es lo que la diferencia de la cláusula penal.

[31] Téngase presente que los contratos en Derecho Romano, son *numerus clausus*; que los llamados reales y los innominados se perfeccionan, respectivamente, por la entrega de una cosa o el cumplimiento de una prestación por una de las partes y que, en consecuencia, el momento de su perfeccionamiento o la prueba de su existencia pudo, en la práctica, plantear no pocos problemas, por ello la función confirmatoria o probatoria es la propia de las arras en derecho clásico.

[32] Gayo al tratar de la compraventa se refiere a ellas y nos dice: Lo que se da a título de arras —*quod arrae nonmine datur*— es una prueba —*argumentum est*— de que la compraventa se ha contraido —*emptionis et venditionis contractae*—.

da, caso de incumplir quien las entrega, o su devolución doblada si el que incumple es el receptor —arras penitenciales o de desistimiento[33]— y 3.ª) la de establecer una garantía de su cumplimiento, con iguales efectos que en el supuesto anterior, sin perjuicio, de poder exigirse que se cumpla la prestación —arras penales— siendo, en este último caso, cuando tienen, en puridad, función, de garantía o refuerzo de las obligaciones[34].

4. LA INTERCESIÓN

En general, los términos *intercessio* e *intercedere* significan asunción o asumir una garantía. La fianza, pues —vocablo más restringido— no es más que una forma de *intercessio*, cuya noción se elabora, por la jurisprudencia, en función de un senadoconsulto Veleyano —*Velleianum*— de la época de Nerón (46) que, según Paulo, en forma amplia estableció —*plenissimum comprehensum est*— que las mujeres no pudieran asumir garantías por otro —*ne pro ullo feminae intercederent*[35]—.

El fundamento del senadoconsulto era doble: de un lado, impedir, según costumbre, que las mujeres desempeñaran funciones propias

---

[33]   Su origen se encuentra en en una constitución del a.528 y aparecen como una excepción a la facultad que tienen las partes de arrepentirse, sin sanción alguna, en las compras que se hacen por escritura —*cum srciptura conficiuntur*— en tanto no se hayan cumplido todos los requisitos formales —redacción de documentos, firma de las partes e intervención (hoy diríamos) notarial—.

[34]   Hoy, supone una indemnización por incumplimiento que no excluye la exigibilidad de la obligación ni, cuando sea posible, la opción por el cumplimiento forzoso. Las fuentes romanas no permiten, con certeza, corroborar la compatibilidad de la pérdida de las arras con la exigibilidad de la prestación.

[35]   Según Ulpiano: ya en tiempos de Augusto y Claudio —*Et primo quidem temporibus Divi Augusti, mox deinde Claudi*— se había prohibido por edictos —*Edictis eorum erat interdictum...*— que las mujeres fueran fiadoras de sus maridos —*ne feminae pro viris suis intercederent*—. En derecho clásico, la vulneración del sc. Veleyano no comporta la nulidad *ipso iure* de la obligación contraída, sino la posible paralización de sus efectos a través de la inherente *exceptio*. Sin embargo, siendo injusto, para el acreedor, que la mujer pudiera usar tal excepción y que, a la par, el deudor no pudiera ser demandado, se concedió contra él, por vía útil, la acción que habría surgido, normalmente, del negocio celebrado de no haber mediado la intercesión.

del hombre y de otro, protegerlas, de posibles responsabilidades que pudieran contraer, dada su inexperiencia en los negocios y el peligro, patrimonial, que ello podía comportar. No priva, pues, a las mujeres de su capacidad patrimonial, intenta evitar que contraiga obligaciones por y en interés ajeno, ignorando los perjuicios y riesgos que asumía al intervenir en tales actos[36].

---

[36] En derecho justinianeo, el régimen de la intercesión fue: A) Nulidad, de pleno derecho y en todo caso, de la intercesión prestada por la mujer en favor del marido (De ahí procede la *Authentica si qua* mulier) o en favor de otras personas a menos que, en este supuesto, constara en documento público firmado por tres testigos y B) Validez, si la mujer: la confirmaba en los dos años siguientes; renunciaba a la excepción del senadoconsulto para encargarse de la tutela de sus hijos o declaraba, en documento público, haberla realizado a cambio de precio u otra cosa —*pecuniam vel rem*—.

Nacimiento, transmisión y extinción de obligaciones

1. LAS FUENTES DE LAS OBLIGACIONES

Se llaman fuentes de las obligaciones —*causae obligationum*— los diferentes hechos jurídicos que las generan, o lo que es igual, colocan a dos personas, entre si, en la situación de acreedor y deudor. Su variedad y amplio número aconseja intentar agruparlos en categorías homogéneas. El Derecho Romano lo procuró y las principales clasificaciones que nos lega, cronológicamente, son las siguientes:

1.ª) Gayo, en sus Instituciones, dice: Toda obligación —*omnis obligatio*— nace de un contrato o de un delito —*vel ex contractu nascitur vel ex delicto*—. Esta clasificación —*summa divisio*— es insuficiente[1], pues hay otras causas que generan obligaciones y no pueden calificarse como acuerdos reconocidos válidamente para producir efectos jurídicos —contratos— ni como hechos ilícitos sancionables, por los que el culpable debiera pagar una pena pecuniaria a quien hubiera dañado —delitos[2]— El propio Gayo se percata de esto y así lo constata al tratar del pago de lo indebido —*indebiti*

---

[1] La obligación que afecta al heredero de cumplir algo dispuesto por el testador en favor de un tercero —legado— o de restituir lo entregado por error —pago de lo indebido— son dos ejemplos, de los muchos, que podrían ponerse y que no cabría catalogar como contratos, ni menos aún como delitos. Respecto al legado, Gayo dice: El heredero que debe un legado —*Heres quoque, qui legatum debet*; (no se entiende) — que está obligado ni por un contrato ni por un delito —*neque ex contractu neque ex maleficio obligatus esse (intelligitur)*— pues ni con el difunto —*nam neque cum defuncto*— ni con el heredero —*neque cum herede*— se entiende que el legatario contrató cosa alguna —*contraxisse quidquam legatarius intelligitur*— y que no hay delito en este caso —*maleficium autem nullum in ea re esse*— es más que evidente —*plusquam manifestum est*—.

[2] Es obvio, que el delincuente no pretende contraer una obligación, pero que el Derecho, le sanciona y castiga.

solutio— que produce, en quien por error lo recibe, la obligación de restituir[3].

2.ª) En una obra postclásica —atribuida, erróneamente, al propio Gayo— «Las cosas cotidianas» —*Res cottidianae*— o «reglas de oro» —*sive aurearum*— se intenta subsanar la insuficiencia de la clasificación anterior, añadiéndose que las obligaciones nacen, también, de otros «diversos tipos de causas» —*ex variis causarum figuris*—. Este, genérico e impreciso, enunciado es un verdadero «cajón de sastre» que agruparía todos los hechos que generaran obligación y no tuvieran cabida en los contratos o delitos. Por ello, siendo estas dos categorías homogéneas, y no así la nueva fuente —*variae causarum figurae*— sólo certifica lo que ya se había advertido, lo incompleto de la primera clasificación.

Ahora, las obligaciones nacen: del contrato —*ex contractu*— del delito —*ex delicto*— y de (otros) diversos tipos de causas —*ex variis causarum figuris*—.

3.ª) En época justinianea, tras ahondar en estos «diversos tipos de causas», se observa que los casos, que comprende, algunos, presentan ciertas analogías con los contratos —sin serlo por faltar el acuerdo de voluntades[4]— y, otros, con los delitos —aún sin identificarse con éstos— pese a lo cual se estaba obligado al pago de una pena pecuniaria.

Por ello, en Instituciones de Justiniano se suprime el tercer término de la clasificación anterior —*ex variis causarum figuris*— y se sustituye por otros dos que destacan esta analogía: los de *quasi ex contractu*, como (casi) del contrato y el de *quasi ex maleficio*, como (casi) del delito[5].

---

[3] Gayo, advierte: Pero esta clase de obligación —*Sed haec species obligationis*— no parece —*non videtur*— nacer de contrato —*ex contractu consistere*— porque —*quia*— el que —*is qui*— entrega con intención de pagar —*solvendi animo dat*— más bien quiere disolver un negocio —*magis distrahere vult negotium*— que contraerlo —*quam contrahere*—.

[4] Así ocurre: con el mandato y la gestión de negocios ajenos sin mandato —*negotiorum gestio*—; con la sociedad y la comunidad hereditaria —*communio incidens*— y con el mutuo o préstamo de consumo (dinero) y el pago de lo indebido —*indebiti solutio*—.

[5] Las expresiones *quasi ex contractu tenetur* o *quasi ex maleficio tenetur*, como se ha destacado en doctrina, son ya usadas, en derecho clásico, para indicar una analogía procesal, esto es, la equiparación de responsabilidad —*actione teneri*— con los contratos o con los delitos.

Se hace, pues, una división en cuatro clases —*divisio in quattuor species deducitur*— ya que, las obligaciones nacen de un contrato —*aut enim ex contractu sunt*— como de un contrato —*aut quasi ex contractu*[6]— de un delito —*aut ex maleficio*[7]— y, como de un delito —*aut quasi ex maleficio*[8]—.

A estas cuatro fuentes Justiniano, incorpora la Ley, hablándose de *obligationes ex lege* si nacen por disposición expresa de ésta y no pueden incluirse en los grupos anteriores[9].

4.ª) Los Intérpretes griegos postjustinianeos, por un afán de simetría, alteran la anterior clasificación. El resultado es, que las obligaciones nacerán: de la ley —*ex lege*—; del contrato —*ex contractu*—; del como-contrato —*ex quasi contractu*—; del delito —*ex delicto (maleficio)*— y del como-delito —*ex quasi delicto (maleficio)*—. Cambian, pues, el orden de los términos *quasi ex* «como del», por *ex cuasi* «del como» y se pasa de señalar una analogía, a la creación, terminológica, de una nueva figura a la que se ha de dar contenido. No se trata que las obligaciones puedan nacer «como de un contrato» o «como de un delito», sino que nacen de «un como-contrato» y de un «como-delito», que se configuran como categorías independientes y así las recibe el derecho moderno, donde se sigue discutiendo y criticando su razón de ser[10].

---

6   En Instituciones, Justiniano cita: la gestión de negocios —*negotiorum gestio*— el legado, la tutela, comunidad hereditaria —*communio incidens*— la *interrogatio in iure* y el pago de lo indebido —*indebiti solutio*—

7   Así: el hurto —*furtum*—; el robo —*rapina*—; las lesiones —*iniuriae*— y el daño injustamente causado —*damnum iniuria datum*—.

8   Son obligaciones *quasi ex delicto*, según las Instituciones de Justiniano: la del juez que hiciese suya la litis —*iudex litem suam fecerit*—; la de quienes ocupan los edificios, por las cosas que caen o se arrojan desde ellos —*effusum et deiectum*— o que puestas o colgadas amenazan caer —*possitum et suspensum*— y las de los armadores —*nautae*— posaderos —*caupones*— y dueños de establos —*stabularii*— por los hurtos cometidos por las personas a su servicio.

9   En dos textos atribuidos a Paulo, se alude a esta fuente: «siempre que la ley introduce una obligación» —*Quoties lex obligationem introducit...*— determinándose: «Si por una nueva ley se hubiera introducido una obligación —*Si obligatio lege nova introducta sit*— y no se previno —*nec cautum*— en la propia ley —*eadem lege*— de que género de acción hayamos de usar —*quo genere actionis experiamur*— se ha de intentar la que nazca de la ley» —*ex lege agendum est*—.

10 La inadecuación, cuando menos terminológica es evidente ya que el cuasicontrato carece de lo que es esencial en los contratos, el acuerdo de voluntades y el cuasidelito de lo más característico en el delito, la culpabilidad.

2. TRANSMISIÓN DE LAS OBLIGACIONES

Hoy, se concibe el crédito como un valor económico o entidad de carácter patrimonial. Por ello, su titular puede disponer de él y traspasarlo, en general, a otra persona, a título oneroso —venta— o gratuito —donación— y, en cierto modo, no difiere, en sustancia, de la transmisión de la propiedad de cosas corporales.

En este sentido, se suele definir la cesión de créditos como aquel acto en virtud del cual una persona —cedente— transmite a otra —cesionario— su derecho de crédito permaneciendo una y la misma obligación. Son notas, pues, de la cesión: a) que un nuevo acreedor —cesionario— sustituya al antiguo —cedente—; b) que sea en iguales condiciones y c) que, pese al cambio de acreedores, subsiste la misma obligación —con iguales garantías, acciones y excepciones—.

En Derecho Romano, se concibe la obligación como vínculo jurídico eminentemente personal; por tanto, no cabe, en principio, sustituir o cambiar sus sujetos —activos o pasivos— y es lógico, que no sea indiferente al deudor tener un acreedor más compasivo o más riguroso, ni al acreedor tener un deudor solvente y honrado que otro que no lo sea. Veamos su evolución en esta materia.

I. Evolución

A) En época arcaica, amén del carácter personal de la *obligatio*, postulado por el *ius civile*, se ha destacado en doctrina, que la sencillez de la primitiva economía romana, representada por las *res mancipi*, no debió hacer sentir la necesidad de considerar a los créditos como elementos de un activo patrimonial susceptibles de traspaso a otras personas, excepto en caso de herencia. Por ello, la única forma apta, durante las *legis actiones*, para lograr los efectos económicos de la cesión, fue la *delegatio nominis*, delegación de crédito. Tal delegación, se hacía por una *stipulatio*, que exige el previo acuerdo entre los tres implicados —el antiguo acreedor cedente, el nuevo acreedor cesionario y el deudor[11]—, mantener el

---

[11] La pregunta formulada por el cesionario al deudor, sería: ¿Lo que debes a Ticio —*quod Titio debes*— prometes dármelo (a mí)? —*mihi dari spondes?*— contestando el deudor: ¡prometo! —*spondeo*—.

objeto de la obligación, que no cambia —*idem debitum*— y deshacer el primitivo *vinculum iuris*, que se extingue y nace otro nuevo[12].

Bajo un prisma económico, hay una cesión. Bajo un prisma jurídico no, produciéndose la extinción de la primitiva obligación —la del cedente— y el nacimiento de otra —la del cesionario—. En suma, es una estipulación novatoria con cambio de deudor[13].

B) En época preclásica, el desarrollo del tráfico comercial, y, en suma, las causas determinantes del *ius gentium*, hacen sentir la necesidad de que el crédito se configure como un valor económico, pero, la inadecuación del *ius civile* y su concepción personalista de la obligación, impedirán, se reconozca, directamente, la cesión de créditos y se acuda a un medio indirecto, de carácter procesal —un *mandatum ad agendum*— que usado para un fin que no es el suyo, resultará defectuoso[14].

Así, en el *agere per formulas,* admitida la representación procesal —*litigare pro alio*— quien pretende ceder un crédito (el acreedor-cedente) otorga un mandato judicial a su cesionario, esto es, le nombra *cognitor* (*procurator*) —para que «accione» contra el deudor, pero relevándole de rendirle cuentas y traspasarle lo obtenido en virtud de la sentencia[15]. Por este *mandatum ad agendum*, mandato para actuar, el *cognitor* (*procurator*) actúa en nombre (por) del

---

12   La *delegatio* presenta como ventaja, que el cesionario adquiere el crédito de manera irrevocable y como inconveniente que: a) el cedente, necesita el concurso del deudor; b) el cesionario, pierde las posibles garantías que respaldaban la antigua obligación y c) el deudor queda sujeto a una obligación de derecho estricto —la *stipulatio*— sin poder usar, en su caso, las excepciones que tuviera contra el primitivo acreedor.

13   Gayo dice: Las obligaciones —*obligationes*— de cualquier modo que se contraigan —*quoquo modo contractae*— no admiten los modos de transmisión —*nihil modo recipiunt*—... por los que se transmiten las cosas corporales —*...quibus res corporales transferuntur*— (*mancipatio, in iure cessio* y *traditio*)... sino que es necesario —*sed opus est*— que consintiéndolo yo —*iubente me*— tú lo estipules con mi deudor —*tu ab eo stipuleris*— de modo que —*quae res efficit*— éste resulte libre respecto a mí —*ut a me liberentur*— y empiece a obligarse para contigo —*et incipiat tibi teneri*—. Esto se llama novación de la obligación —*quae dicitur novatio obligationis*—.

14   Sigue Gayo —de la nota anterior—: Pero sin esta novación —*Sine hac vero novatione*— no puedes —*non poteris*— reclamar en tu nombre —*tuo nomine agere*— sino que debes (actuar) —*sed debes*— en mi nombre —*ex persona mea*— como —*quasi*— representante procesal —*cognitor aut procurator (experiri)*—.

15   En la fórmula se produciría una simple transposición de personas, en la *intentio* figuraría el nombre del mandante —el cedente— y la *condemnatio* se realizaría en favor del mandatario —el cesionario—.

mandante-cedente, pero en interés propio —*in rem suam*— de ahí se le llame *procurator in rem suam*[16].

C) En época clásica, los inconvenientes citados, poco a poco, se corrigen, por el nuevo derecho imperial —*ius novum*—. El punto de partida —y único caso conocido en derecho clásico— según refiere Ulpiano, es una constitución de Antonino Pío, por la que se otorga al comprador de una herencia una *actio utilis*, que puede ejercer en su propio nombre —*suo nomine*— contra los deudores hereditarios[17].

D) En época postclásica, otras constituciones imperiales van incidir en esta vía, ampliando los casos en que se permite al cesionario ejercer *actiones utiles*, en nombre propio, contra el deudor[18].

II. Régimen justinianeo

Con Justiniano, se consagra el principio de que el deudor no puede pagar válidamente al acreedor-cedente desde que el cesionario le hubiese hecho saber —*denuntiatio*— la transferencia del crédito, por ello, la cesión de créditos cobra autonomía y el crédito pasa a ser transmisible[19].

Se admite, pues, su cesión por simple acuerdo de voluntades entre cedente y cesionario y sólo se requiere una *iusta causa* —venta,

---

[16] Tiene como ventajas: no requerir el consentimiento del deudor y que el derecho de crédito que hace efectivo el cesionario es el mismo que el del cedente, manteniéndose sus garantías y excepciones... y como inconvenientes: la eventual extinción del mandato y el posible abuso del cedente de mala fe. Téngase presente que por su naturaleza procesal sólo tras la *litis contestatio*, el cesionario resulta *dominus litis* y que como mandato, antes de producirse aquella, puede cesar por muerte del mandante —cedente— o mandatario —cesionario— y por revocación. Sin olvidar, por un lado, que el mandato no extingue el vínculo entre acreedor-cedente y deudor, por lo que aquél podía exigir el crédito o éste pagarlo y el cesionario ver frustrada la cesión y por otro, que ni el cesionario puede dirigirse contra los herederos del deudor; ni los herederos del cesionario contra el propio deudor.

[17] La *actio util*, presenta como ventaja que —ajena a la idea del mandato— el cesionario queda a salvo de su posible extinción y como desventaja, que el crédito no se llega a desligar del acreedor por lo que el deudor puede liberarse pagando al acreedor-cedente a quien compete la *actio directa*.

[18] En resumen, se admite que los negocios jurídicos que llevan implícita una cesión de crédito, éste pueda reclamarse por el adquirente, con independencia de si se le había conferido, o no, un mandato para ello.

[19] Si el acreedor pretende, tras la *denuntiatio*, reclamar el crédito cedido, el deudor podrá oponerle la *exceptio doli*.

donación, legado...—. Esta *causa* determina las responsabilidades del cedente y así: si la cesión es a título oneroso —caso de venta— responderá de su existencia —*verum nominis*— aunque no de la solvencia del deudor —*bonum nomen*— y nada responderá si es cesión a título gratuito.

Ahora bien, no todos los créditos son transmisibles y se prohíbe la cesión de: a) los de carácter personalísimo; b) los de obligaciones penales exigibles mediante las llamadas *actiones vindictam spirantes* —que claman venganza—; c) los créditos litigiosos; d) la cesión de créditos a personas de rango elevado y poderosas —*cessio in potentiorem*— para evitar cualquier hostigamiento al deudor[20] y e) los del pupilo en favor del tutor.

Respecto a los créditos litigiosos, la experiencia determinó, en Derecho Romano —y está vigente en nuestros días— una gran desconfianza contra los compradores, que acostumbran a especular con el litigio; que compran a bajo precio los derechos discutidos y, luego, expertos en los mecanismos del proceso, persiguen, con saña al deudor e intentan cobrar su totalidad. Una constitución de Anastasio —*lex Anastasiana*— ratificada y reformada por Justiniano, para evitar este odioso tráfico, otorgó al deudor la *exceptio legis Anastasiana*, por la que se liberaba, reembolsando, sólo, al cesionario el precio real que pago por la cesión[21].

III. La cesión de deudas

Con relación a transmisión de deudas, baste constatar que: al no darse las exigencias prácticas que motivaron la admisión de la cesión de créditos, sólo se admitió, de forma directa, en el supuesto de la sucesión hereditaria, rechazándose en la «sucesión particular» que un tercero, por ley o voluntad de las partes, pudiera sustituir al deudor[22].

---

20   La prohibición c) fue de Diocleciano y Maximiano y la d) de Justiniano en sus Novelas.
21   Es debatido en doctrina, quien debe probar la adquisición del crédito por su valor nominal, si el deudor o el cesionario y es parecer dominante que éste.
22   En origen, no fue posible otro recurso que el de la estipulación novatoria subjetiva por cambio de deudor —*expromissio*— y que más tarde se admitió que el deudor-cedente nombrase al cesionario como *cognitor in rem suam*, en cuyo caso, si el acreedor efectúa la *litis contestatio* con el cesionario, el deudor queda liberado y el *cognitor*

3. EXTINCIÓN DE LAS OBLIGACIONES

Se llaman modos —o causas— de extinción de las obligaciones los diferentes hechos jurídicos en cuya virtud la obligación deja de existir.

En el primitivo Derecho Romano, las causas de extinción están basadas en el principio del «acto contrario» —*contrarius actus*—. Dice Paulo, cualquiera que sean —*quibuscumcumque*— los modos —*modis*— con que nos obligamos —*obligamur*— por los mismos —*iisdem*— actos contrarios —*in contrarium actis*— nos liberamos —*liberamur*— . Se exige pues, una plena correspondencia entre el acto formal creador de la obligación y el que determina su extinción.

Se suele distinguir entre causas de extinción *ipso iure* y *ope exceptionis*. Las primeras, son las propias del *ius civile* y extinguen la obligación, en forma absoluta y aun antes —o sin necesidad— de ser alegadas. Las segundas, son propias del *ius honorarium*, no la extinguen de una forma absoluta —para todos los obligados en su caso— y sólo, como su nombre indica, facultan a impugnarla cuando se alegan por vía de excepción[23].

El principal modo de extinguir la obligación es su pago o cumplimiento, tratado en Tema 28 al que nos remitimos. A continuación, lo haremos, con los dos que pueden presentar una mayor dificultad, la novación y la compensación, para por último, referirnos a otras causas extintivas.

4. LA NOVACIÓN

I. Denominación, concepto y naturaleza jurídica

A) La palabra novación, según recuerda Ulpiano, proviene del término latino *novatio*, que, a su vez, deriva de *novo* «nuevo» y comporta la idea de una «nueva obligación».

---

resultará único responsable de la deuda. Sin embargo, el acreedor no podía ser constreñido a trabar la *litis contestatio* con éste —cesionario— salvo que el deudor asegurase los efectos y el buen resultado del juicio mediante una *satisdatio iudicatum solvi*.

[23] En Derecho justinianeo todas las causas de extinción tienen igual eficacia.

B) El propio Ulpiano la define diciendo que novación es —*Novatio est*— la transfusión y traslación de una deuda anterior a otra obligación —*prioris debiti in aliam obligationem... transfusio atque translatio*—. O sea, la extinción de una obligación, por la creación de otra nueva destinada a reemplazarla.

C) En cuanto a su naturaleza, es un acto jurídico de doble función. De un lado, extingue una primera obligación; de otro, crea una nueva que reemplaza a aquella. Ulpiano, lo resume diciendo: se constituye una nueva obligación —*nova constituatur*— que extingue la anterior —*prior perimatur*—. La novación, pues —y así se ha puesto de relieve gráficamente— «crea» extinguiendo y «extingue» creando.

II. Requisitos

Los requisitos de la novación son: 1.º) una previa obligación, de cualquier clase, que se extinga —sin ella carecería de causa—; 2.º) creación de otra nueva obligación —civil o natural— encaminada a sustituir a la anterior y que según Gayo, debería nacer de un contrato formal, sea verbal (*stipulatio*) o literal (*transcriptio*) pues aunque la *stipulatio* se basa en la voluntad de las partes, no es ésta voluntad, sino la forma en que se manifiesta, la que produce el efecto novatorio[24]; 3.º) disparidad entre ambas obligaciones, en el sentido de que debe haber entre ellas «algo nuevo» —*aliquid novi*[25]— ya sea, como luego

---

[24]   Gayo, refiere algunos supuestos de estipulaciones inválidas que no generando obligación civil o natural, sin embargo extinguían la anterior, por novación. Así: la establecida para después de la muerte —*stipulatio post mortem*— o la del pupilo o de la mujer, *sine tutoris auctoritate*. En estos casos, se pierde la prestación —*rem amitto*— pues el primer deudor queda liberado —*nam et prior debitor liberantur*— y la segunda obligación es nula —*et posterior obligatio nulla est*—. No se aplicaría esta norma —*non enim iuris est*— cuando el contrato novatorio ha sido realizado por persona plenamente incapaz —caso del esclavo— ya que si estipulara con él —*si servus stipulatus fuero*—... el primer deudor continúa todavía obligado —*prior proinde adhuc obligatus tenetur*— como si después —*acsi postea*— yo hubiera estipulado con nadie —*nullo stipulatus fuissem*—.

[25]   Respecto al *aliquid novi*, Gayo, dice: sólo habrá novación —*ita demum novatio sit*— si en la segunda obligación hay algo nuevo—*si quid in posteriore stipulatione novi sit*— por ejemplo —*forte*— si (se añade o quita) una condición —*si conditio*— o un plazo —*vel dies*— o un fiador —*aut sponsor (adiciatur aut detrahatur)*—(Este último caso —el del fiador— según el propio Gayo, no fue asumido, por los proculeyanos, como supuesto novatorio). Hoy, en nuestro derecho, nos limitaríamos a decir, que si no hay algo nuevo, habría un mero reconocimiento de deuda.

veremos, respecto a las personas, a la naturaleza de la obligación o alguna de sus modalidades, aunque, en derecho clásico, deberán tener idéntico objeto —*idem debitum*— pues de no ser así carecería de efectos extintivos[26] y 4.º) la intención de novar —*animus novandi*[27]—.

En época de Justiniano, cuando la forma deja paso a la voluntad, no se mantiene la exigencia del mismo objeto —*idem debitum*— que se salva mediante la indagación de la intención de las partes —*animus novandi*—. Esta, a su vez, pasa a convertirse en requisito, y por ello, si las partes lo han querido —*animus novandi*— se sustituirá la primera obligación por la segunda y habrá una sola obligación y, en otro caso —falta de *animus novandi*— la primera obligación no se extingue, se le acumula la segunda y habrá dos obligaciones[28].

III. Clases y efectos

A) Por los elementos de la obligación que pueden alterarse, la novación será: subjetiva u objetiva.

a) La subjetiva, implica el cambio de alguno de los sujetos. Por ello, a su vez, se puede distinguir entre novación subjetiva activa —cambio de acreedor— y pasiva —de deudor—.

La novación por cambio de acreedor —*delegatio nominis*[29]— implica el encargo del antiguo acreedor al deudor, que prometa la misma

---

[26] La razón la refiere Gayo: la primera obligación se extingue —*prima obligatio tollitur*— «trasladada» a la siguiente —*translata in posteriorem*— sin olvidar el concepto de novación, legado por Ulpiano: *transfusio atque translatio*—«transfusión» y «traslación»— de un débito anterior —*prioris debiti*—.

[27] En síntesis: a) primera obligación; b) segunda nacida de contrato formal (en derecho clásico) o de estipulación no formal (en época justinianea); c) *aliquid novi*; y d) *idem debitum* (en derecho clásico) o *animus novandi* (en derecho justinianeo), son los requisitos y matices de la novación en Derecho Romano.

[28] Así, Justiniano, en Código, refiere que: sólo por la voluntad se produce la novación y no por la ley —*voluntate solum esse, non lege novandum*— (Su sentido es: que la nueva obligación —sustituye— «nova» a la primera sólo si resulta «positivamente» la voluntad de novar).

[29] Ulpiano nos dice: delegar —*delegare*— es —*est*— dar en lugar suyo —*vice sua*— otro deudor —*alium reum dari*— al acreedor o a aquél para quien se hace la autorización —*creditori vel cui iusserit*—. La delegación se hace —*Fit autem delegatio*— o por estipulación —*vel per stipulationem*— o por *litis contestatio* —*vel per litis contestationem*—.

prestación a un tercero y requiere el consentimiento de éste[30] y la novación —delegación— por cambio de deudor[31], reviste dos modalidades, según intervenga o no, el primitivo deudor. Así: puede hacerse entre el acreedor y el nuevo deudor, al margen de conocerlo el antiguo que quedará liberado aun sin saberlo —*ignorante*— o sabiéndolo, incluso, contra su voluntad —*invito suo*[32]— supuesto que se conoce como *expromissio* o bien, ser el propio deudor quien presenta al acreedor a una tercera persona que, es aceptada por él, asume la obligación, le sustituye y le releva de la misma, lo que vendría a ser un caso de *delegatio*[33].

b) La novación es objetiva, cuando el cambio afecta: bien a la causa de la obligación —por ejemplo, lo debido por compraventa, se pasa a deber por *stipulatio*[34]— bien a sus modalidades —por ejemplo, el cambio de lugar del pago, la modificación del tiempo en que debe cumplirse[35], la adición o supresión de un fiador— o bien, en derecho justinianeo, al cambio de objeto —como en el caso que debida una cosa o servicio, se sustituye por otra u otro distintos—.

B) El efecto general de la novación es la sustitución de la antigua obligación por la nueva y, en particular, el cese de: a) todas sus

---

[30] La fórmula sería, Cayo (nuevo acreedor) preguntaría a (Sempronio) deudor: Lo que debes a Ticio —*quod Titio debes*— ¿prometes dármelo a mí? —*mihi dare spondes?*— El antiguo acreedor sería Ticio —delegante—; el deudor seguiría siendo el mismo —delegado— y el nuevo acreedor el estipulante (Cayo) —delegatario—.

[31] La fórmula podría ser: ¿(Cayo) Lo que Ticio me debe —*quod Titius mihi debet*— prometes tú (Cayo) dármelo a mí? —*mihi dare spondes?*— Ticio primer deudor cesaría en esta condición; el promitente (Cayo) le reemplazaría y el estipulante (el acreedor) se mantendría en igual situación.

[32] Es obvio, que se necesita consentimiento del acreedor, que no podrá verse obligado, contra su voluntad al cambio.

[33] Paulo dice: Se considera que el que manda que paga, paga él mismo —*Qui mandat solvi ipse videtur solvere*—y en doctrina se suele precisar que el deudor queda liberado por el pago y no por la delegación.

[34] Con las lógicas consecuencias, derivadas de estar protegido por una acción de buena fe (compraventa) —*iudicium bonae fidei*— o de derecho estricto —*stricti iuris*—.

[35] Gayo dice: Pero lo que hemos dicho —*Quod autem diximus*— de que si se añade una condición —*si condicio adiciatur*— se produce novación —*novationem fieri*— debe entenderse de (tal) manera —*sic intellegi oportet*— que consideremos realizada la novación —*ut ita dicamus factam novationem*—si la condición se cumple —*si condicio extiterit*— de no ser así —*alioquin*— si no se cumpliera —*si defecerit*— permanece la primera obligación —*durat prior obligatio*—.

garantías reales y personales —salvo expreso pacto en contra— b) sus posibles privilegios y c) el devengo de intereses[36].

5. LA COMPENSACION

I. Denominación y concepto

A) La palabra compensación —*compensatio*— de *cum pensare* = pesar juntas dos cosas, evoca la idea de una operación figurada de pesar, a la vez, dos obligaciones para extinguirlas en la medida en que el importe de una esté comprendida en el de la otra. O sea, a reflejar la extinción de dos deudas o créditos recíprocos hasta la concurrencia de sus respectivos valores. Por vía de ejemplo, si Ticio debe 20 a Cayo, y Cayo, a su vez, 10 a Ticio, es lógico evitar un doble pago y que sólo Ticio pague a Cayo 10, que es el saldo que resulta de restar de 20, 10.

B) A tenor de este significado, Modestino, dice que la compensación es —*compensatio est*—: el saldo recíproco de débito y crédito —*debiti et crediti inter se contributio*— y, hoy, sin abandonar esta idea, la podríamos conceptuar como el modo de extinguir en la cantidad concurrente, las obligaciones de aquellas personas que, por derecho propio, sean recíprocamente acreedoras y deudoras la una de la otra.

II. Fundamento y clases

A) Su fundamento es claro, y lo recuerda Pomponio, al decir que nos interesa más no pagar —*quia interest nostra non solvere*— que repetir lo pagado —*quam solutum repetere*— sin olvidar que, como dice Paulo: obra con dolo —*dolo facit*— quien pide —*qui petit*— lo que ha de devolver —*quod redditurus est*—. Puede configurarse, pues, como una forma de pago abreviado que proporciona una doble ventaja: facilita el pago de la deuda —evita el desplazamiento de dinero— y garantiza la efectividad del crédito —evita que la parte que paga, pueda resultar, después, a su vez, impagada—.

---

[36] Paulo, recuerda que: por la novación hecha legítimamente —*Novatione legitima facta*— se liberan —*liberantur*— las hipotecas y las prendas —*hypothecae et pignus*— y no corren los intereses —*et usurae non currunt*—.

B) Por sus efectos, la compensación puede ser total —en los casos infrecuentes, en que las deudas sean iguales— y parcial —en los supuestos de desigualdad— y, por su origen, suele distinguirse tres clases de compensación: la convencional, que es la acordada libremente por las partes —por lo que no es más que un caso de aplicación de mutuo desistimiento por un especial motivo—; la judicial, que es la acordada por el juez a petición de una de las partes por vía de excepción —*ope exceptionis*— y la legal, que se produce *ipso iure*, por ley, al darse los requisitos que ella establece[37].

III. Régimen en derecho clásico

Según las fuentes, sólo en cuatro supuestos se admitió —y con matices diversos— la compensación[38]. A saber, en: los juicios de buena fe[39]; los créditos bancarios[40]; la compra de un patrimonio en concurso[41] y en los juicios de derecho estricto. En todos ellos, se

---

[37]   En síntesis, la convencional requiere dos voluntades; la judicial, sólo una y la legal ninguna, ya que el juez está, preceptivamente, obligado a tenerla en cuenta.

[38]   En ellos se tiende a tratar cada crédito con carácter independiente, son derechos específicos y se individualizan en cada fórmula. Por ello, el principio de «saldo recíproco de créditos contrapuestos» no aparece con carácter general y sólo se aplica, en la práctica, cuando la estructura de la fórmula permite al juez oponer el crédito del demandado, absolviéndole si fuera igual al exigido por el actor o condenándolo sólo por la diferencia, en otro caso.

[39]   Sin embargo, dice Gayo: el juez tiene libertad —*Liberum est tamen iudici*— para no tener en cuenta la compensación —*nullam omnino invicem compensationis rationem habere*—... por ello, se deja a su discreción —*ideo officio eius contineri creditur*—.

[40]   En los créditos bancarios. Cuando el banquero —*argentarius*— demande a su cliente sólo debe hacerlo por el saldo a su favor, es decir, previa deducción de lo que, a su vez, le debe —*agere cum compensatione*— siempre que, según Gayo, se trate de deudas de la misma clase y estén vencidas. De otra forma incurriría en *plus petitio*. Supongamos, seguimos con Gayo, que (el banquero) debiera 10.000 a Ticio y que este le debiera 20.000, la *intentio* (de la fórmula) estaría redactada así: Si resulta que Ticio —*Si paret Titium*— le debe dar 10.000 más —*sibi X Milia dare oportere amplius*— de lo que él, por su parte, debe a Ticio —*quam ipse Titio debet*—. Gayo, dice: Si hecha la compensación —*si facta compensatione*— el banquero pide una moneda más (de las debidas) —*plus nummo uno intendat argentarius*— la causa decae —*causa cadat*— y por ello —*et ob id*— pierde el pleito —*rem perdat*—. No se trata, pues, en este caso —como en el de los *iudiciae bonae fidei*— de una compensación judicial ya que es el propio *argentarius* quien debía hacerla previamente y en todo caso.

[41]   En la compra de un patrimonio en concurso —*bonorum emptio*—. Si el *bonorum emptor*, comprador reclamara a un deudor del ejecutado, debe hacerlo con «descuen-

detecta la impronta procesal y por su carácter más genérico, nos referiremos, aquí, al primero y al último.

A) En los juicios de buena fe —*iudicia bonae fidei*— es lógico que el *iudex* pudiera valorar todas las alegaciones de las partes y por tanto, la de tener el demandado un crédito contra el demandante, aunque no todas las obligaciones recíprocas de las partes podían compensarse, sino sólo las derivadas del acto o negocio que motivó el litigio, por ser el único sometido al *iudex*. O sea, créditos que derivaban de una misma causa —*ex eadem causa*— como las obligaciones recíprocas entre arrendador y arrendatario, por causa del arriendo o entre comprador y vendedor por causa de la venta

B) En los juicios de derecho estricto —*iudicia stricti iuris*—. El emperador Marco Aurelio, estableció que el demandado, podía oponer a la petición del actor, por la excepción de dolo —*exceptio doli*— la compensación, pues al pedir, aquél, a quien, a su vez debe, incurre en dolo —*dolo facit*[42]—.

IV. Requisitos en derecho justinianeo

En derecho justinianeo se nos presenta la compensación como un modo de extinción general de las obligaciones y de entre los diferentes textos entresacamos una serie de requisitos que cabe anudar a las personas, a los créditos o deudas y a la ausencia de prohibición legal.

A) En las personas, se exige la reciprocidad, esto es, que sean, entre sí, acreedoras y deudoras la una de la otra[43].

---

to» —*agere cum deductione*— o sea, restando lo que, a su vez, debe a ese deudor el concursado. En este caso, al pretenderse la mayor rapidez en la liquidación, no es necesario —según Gayo— que las prestaciones sean de la misma naturaleza; ni que el crédito contrario esté vencido y al hacerse la «deducción», por el juez, en la *condemnatio*, el actor no podrá incidir en *plus petitio*.

[42]   Se trata de una compensación indirecta. Y el actor procedería a deducir su crédito antes de la demanda por miedo a que prosperase la *exceptio* del demandado y fuera absuelto, pues en las acciones de derecho estricto el juez no podría reducir o ampliar la condena. Los detalles de este rescripto suscitan no pocas dudas en doctrina, que las pocas referencias de las fuentes no permiten resolver.

[43]   Como excepción a que los sujetos sean exactamente los mismos, téngase presente que el heredero podrá oponer el crédito de su causante; el fiador el del deudor principal y el deudor solidario el de su codeudor.

B) Respecto a los créditos o deudas, se requiere, por una parte, su fungibilidad y homogeneidad, es decir, que sean de dinero[44] u otras cosas fungibles de igual especie y calidad y por otra, su exigibilidad, vencimiento y liquidez. Las deudas, pues, deben ser: a) exigibles, aunque, por excepción, se admite compensar las obligaciones naturales; b) vencidas, se excluyen, pues, las obligaciones condicionales o a plazo hasta que aquella o éste se cumplan, y c) líquidas, esto es, de cuantía determinada, que se oponga con suficiente claridad y de fácil comprobación[45].

C) Ausencia de prohibición. Se excluye la compensación, cuando se reclama la restitución de cosas depositadas o de las que se hubiese sido despojado por violencia y contra los créditos del Fisco o Municipio.

6. OTROS MODOS DE EXTINCIÓN

I. Pago por el bronce y la balanza, *Solutio per aes et libram*

Consiste en un acto formal, propio del *ius civile*, desarrollado con el ritual de la *mancipatio*, en el que el deudor declara, cn forma solemne, que se libera del vínculo obligatorio, golpeando la balanza con un trozo de bronce que entregaba al acreedor «como por vía de pago» —*veluti solvendi causa*[46]—.

Responde al principio del «acto contrario» —*contrarius actus*— y su evolución, corre pareja a la de la *mancipatio*, que estudiamos en Tema 23.1.

---

[44]   Respecto a las obligaciones *ex delicto*, Ulpiano dice que procede la compensación si, por ellos, se reclama alguna cantidad (de dinero) —*si de ea re pecuniaria agitur*—.

[45]   Requisito que se formula por Justiniano en el *Codex* de una manera poco precisa.

[46]   Gayo nos transmite las palabras que pronunciaba el deudor: «Puesto que yo —*Quod ego*— he sido condenado (en juicio) en tantos miles (de sestercios) frente a ti —*tibi tot milibus condemnatus sum*—por este título te pago y me libero de ti —*me eo nomine a te solvo liberoque*— mediante esta moneda y esta balanza de metal —*hoc aere aeneaque libra*— (Y) Yo (peso) para ti esta libra primera y última —*Hanc tibi libram primam postremamque (expendo)*—según la ley pública —*secundum legem publicam*— . Luego golpea la balanza con la moneda y la entrega al acreedor por vía de pago —*solvendi causa*—.

II. *Acceptilatio*

La *acceptilatio* —de *aceptum ferre*, tener por recibido— es un modo verbal y solemne de extinguir las obligaciones nacidas de una estipulación —*stipulatio*[47]—.

Responde, también, a la idea del «acto contrario» —*contrarius actus*— y así, existiendo una obligación verbal, a la pregunta formulada por el deudor al acreedor de si la «tenía por pagada», éste respondería afirmativamente[48].

La *acceptilatio*: a) tiene carácter abstracto, por lo que extingue la obligación con independencia de que la respuesta del acreedor responda, o no, a la realidad[49]; b) es un *actus legitimus*, por lo que no se puede supeditar a condición o término[50] y c) su ámbito está reducido a las obligaciones verbales —*verbis*— por lo que si son de otra clase deben antes convertirse en *stipulationes* a través de novación[51].

Se llegó a admitir —por un formulario ideado por Aquilio Galo— que todas las deudas que tuviera una persona frente a otra, con

---

[47] También, hubo una *acceptilatio litteris* cuya vigencia en el tiempo —e importancia— corrió pareja a la de los contratos literales y cuya formalidad desconocemos.

[48] Según Gayo, el deudor preguntaría al acreedor: Lo que te prometí —*quod ego tibi promissi*— ¿lo tienes por recibido? —*habesne aceptum?*— y el acreedor respondería: ¡Lo tengo¡ —*habeo*—. El propio Gayo dice que se discute —*quaesitum est*— si puede hacerse la *acceptilatio* por partes —*an autem in partem acceptum fieri potest*— (una *acceptilatio* parcial). Paulo lo admite —*pars stipulationis accepto fieri potest*— y lo asume Justiniano en Instituciones, razonando: Igual que lo que se debe —*sicut autem quod debetur*— se puede pagar, en parte, rectamente —*pro parte recte solvitur*— también —*ita*— puede hacerse (extinguirse por) la *acceptilatio* de una parte de lo debido —*in partem debiti acceptilatio fieri potest*—.

[49] En principio, seguía, a un pago efectivo, por lo que venía a ser como un «recibo verbal», más tarde no, por lo que Gayo la califica como pago ficticio —*veluti imaginaria solutio*—.

[50] Sin embargo, según Pomponio, si puede tener por objeto una deuda sujeta a condición. Así: a un deudor sujeto a condición —*Sub condicione debitori*— si se le diera por pagado —*si acceptum feratur*— y después se cumpliera la condición —*postea condicione existente*— se entiende —*intelligitur*— ya antes quedó libre —*iam olim liberatus*—.

[51] Pese a ello, si se pretendiera extinguir por *acceptilatio* una obligación no estipulatoria, que realmente se pago, Ulpiano, dice que: subsiste con arreglo al *ius civile* —*non liberatur quidem*— pero el pretor autoriza al deudor, en tal caso, a rechazar la pretensión del acreedor por una excepción de dolo o de pacto convenido —*sed exceptione doli mali vel pacti conventi se tueri potest*—.

independencia de sus causas, podían agruparse en una *stipulatio* —*stipulatio Aquiliana*— procediéndose, después, a su extinción por *acceptilatio*[52]. Tal *stipulatio*, terminará usándose para cancelar ciertos créditos dudosos o en litigio, adoptando la forma de transacción[53].

III. Confusión

Se entiende por confusión la reunión en una misma persona de las condiciones de acreedor y deudor. Su fundamento estriba en que nadie puede ser deudor de sí mismo —*nemo potest apud eundem pro ipso obligatus esse*[54]— y su fuente más importante, es la sucesión *mortis causa*, cuando el acreedor hereda al deudor o viceversa[55] —frecuencia que no implica exclusividad[56]—. Sus efectos, pues, son la extinción de la obligación *ipso iure* como si se tratara del pago al que, según Juliano se equipara[57]. Este modo de extinguir no sólo es propio de los derechos de crédito y se presenta también, como vimos, en los derechos reales —*iura in re aliena*—.

---

[52] Ulpiano dice: La estipulación Aquiliana —*Aquiliana stipulatio*— nova y extingue por completo todas las obligaciones precedentes —*omnimodo omnes praecedentes obligationes novat et perimit*— y ella misma se extingue por *acceptilatio* —*ipsaque perimitur per acceptilationem*— y de este derecho usamos —*Et hoc iure utimur*— y por ello —*Ideoque*— hasta los legados hechos bajo condición —*etiam legata sub conditione relicta*— se sujetan a la estipulación Aquiliana —*in stipulationem Aquilianam deducuntur*—.

[53] Así lo recuerda Ulpiano, cuando, tras decirnos que el que transige —*Qui transigit*— (transige) sobre cosa dudosa —*quasi de re dubia*— y pleito incierto y no acabado —*et lite incerta neque finita (transigit)*— precisa: Cualquiera puede aceptar lo transigido —*transactum accipere quis potest*—... si se hubiera agregado la estipulación Aquiliana —*... si Aquiliana stipulatio fuerit subiecta*—.

[54] Su base procesal la refiere Gayo, al decir, lo que parece obvio: no puedo litigar contra mi mismo —*ipse mecum agere non possum*—.

[55] Ambas hipótesis se reflejan en las fuentes. Así, Ulpiano —desde un prisma material— dice: Cuando algún («acreedor») —*cum quis*— de su deudor —*debitori suo*— quedó heredero —*heres exstitit*— por confusión —*confusione*— deja de ser acreedor —*creditor esse desnit*— y Modestino —desde un prisma procesal— reitera que: si el «deudor» —*si debitor*— hubiese quedado heredero del acreedor —*heres creditori extiterit*— la confusión —*confusio*— extingue la acción de petición de herencia —*hereditatis perimit petitionis actionem*—.

[56] Así, nos dice Trifonino, que si se me hurta un esclavo ajeno que después termina siendo mío, se extingue la acción de hurto que me competía y que aún no había deducido en juicio.

[57] Equiparación que para algún romanista no implica identificación.

IV. Muerte y *Capitis deminutio*

A) En general la muerte no extingue las obligaciones, que pasarán —activa o pasivamente— a los herederos. Esto no ocurre, por excepción: a) en las delictuales —*ex delicto*— pues, según Paulo, la pena se establece —*quod poena constituitur*— para enmienda —*in emendationem*— de los delincuentes —*hominum*— y b) en las que se toma en especial consideración las cualidades de la persona, como en el arrendamiento de servicios o se basan en relaciones de confianza, como en el mandato y la sociedad.

B) La *capitis deminutio* del deudor, de cualquier tipo, según el *ius civile*, extingue, sus deudas[58], pero la intervención del pretor fue tan intensa, en este campo, que, *de facto*, se puede decir, propiamente, fue un medio de extinción de obligaciones más aparente que real[59].

V. Imposibilidad o destrucción de la cosa debida

La obligación se extingue cuando el deudor no puede cumplirla por causa que no le es imputable —caso fortuito o fuerza mayor— y siempre que no tenga lugar la *perpetuatio obligationis* —como en el supuesto de mora—. La razón estriba en que suponiendo en toda obligación un objeto, si éste falta desaparece el vínculo.

VI. *Contrarius consensus*

Según Ulpiano: la obligación que nace del mero consentimiento —*nudi consensus obligatio*— se disuelve por el consentimiento contrario —*contrario consensu disolvitur*—. Por ello, las que tienen su origen en un contrato consensual —compraventa[60], arrendamiento, sociedad y mandato— siempre que no se hayan empezado a ejecutar

---

[58]   Una excepción serían las obligaciones *ex delicto*. Así, dice Ulpiano, que: nadie —*nemo*— por razón de delitos —*delictis*— se despoja de la responsabilidad —*exuitur*— aunque haya cambiado de estado —*quamvis capite minutus sit*—.

[59]   Si a ello unimos su posible carácter de obligación natural, la afirmación del texto no resulta exagerada.

[60]   Se discute en doctrina, si el *consensus contrarius* se aplicó en derecho clásico sólo a la compraventa o a ésta y al arrendamiento —ya que sociedad y mandato se extinguen por voluntad unilateral—.

—*re adhuc integra*[61]— se extinguirán por este mutuo disenso —*mutuus dissensus*— sin perjuicio que algunas —las derivadas de los contratos de sociedad y mandato— admitan el desistimiento unilateral. Esto es: la renuncia —*renuntia*— y la revocación —*revocatio*—.

VII. *Concursus causarum*

Existe concurso —*concursus*— de causas —*causarum*— si el acreedor adquiere, por cualquier causa —*ex aliqua causa*— la cosa concreta —*species*— que se le debe, ya que, recuerda Gayo, no se nos puede dar lo que ya tenemos —*nec enim quod nostrum est, nobis dari potest*—. Por ello, se extingue la obligación cuya prestación consista en entregar una cosa que, antes de cumplirse, está en propiedad del acreedor. Procedamos por vía de ejemplo: si por un legado se impone a Cayo, como obligación, la entrega a Ticio, del esclavo Estico, tal obligación cesará —se extinguirá— si Estico ha llegado a ser propiedad de Ticio por donación de su anterior dueño. En principio, según Juliano, es indiferente el tipo de causa —onerosa (venta) o lucrativa (legado o donación)— por la que el acreedor (Ticio) adquiera el objeto debido (Estico), sin embargo, con Justiniano, es necesario que «las dos causas sean lucrativas» —*concursus duarum causarum lucrativarum*—. Así, en el caso anterior, si una de las causas fue onerosa —Ticio adquirió, por precio, el esclavo Estico— aunque la obligación resulta imposible porque el acreedor tiene el objeto debido en su poder, podrá, sin embargo, exigir la *aestimatio* del mismo[62].

---

[61] Juliano, dice: La compra —*Emptio*— se disuelve por mera convención —*dissolvitur nuda conventione*— si el negocio no se hubiera celebrado —*si res secuta non fuerit*— y Pomponio, que sigue este criterio, matiza: después de pagado el precio no podemos hacer nula la compra —*post pretiuum solutum infectam emtionem facere non possumus*—. Con referencia a la condición, el propio Pomponio, refiere: La condición —*Conditio*— que se puso al principio en un contrato —*quae initio contractus dicta est*— puede cambiarse después por otro pacto —*postea alia pactione mutari potest*— así como también uno se puede separar de toda la compra —*sicut etiam abiri tota emtione potest*— si aún no se cumplió —*si nondum impleta sunt*— lo que por una y otra parte —*quae utrimque*— debe cumplirse —*praestari debuerunt*—.

[62] En Instituciones de Justiniano resume: porque es tradición —*Nam traditum est*— que dos causas lucrativas —*duas lucrativas causas*— sobre un mismo individuo —*in eundem hominem*— y sobre una misma cosa —*et in eandem rem*— no pueden acumularse —*concurrere non posse*—.

VIII. *Pactum de non petendo*

Es el acuerdo o convención, no formal[63] —*pactum*— entre acreedor y deudor, por el que aquél se compromete a no exigir —*non petendo*— a éste la prestación. El pretor, sin negar validez —*iure civile*— a la obligación, otorga al deudor, si se le reclama la deuda, la excepción de pacto convenido —*exceptio pacti*— con la que paralizaría la acción.

En derecho justinianeo, se distingue entre *pactum de non petendo in rem* e *in personam*. Aquél, con eficacia general —oponible, pues, por el codeudor solidario, el heredero o el fiador— éste, con eficacia limitada al deudor.

IX. *Praescriptio longi temporis*

Se extinguen, por prescripción —*praescriptio*— de largo tiempo —*longi temporis*— todas las obligaciones en las que el acreedor deje transcurrir 30 años sin ejercer la *actio* correspondiente. Si pasado este plazo, lo intenta, el demandado podrá paralizar su reclamación mediante la *exceptio temporis*.

---

[63] En esto se diferencia de la *aceptilatio*.

Tema 31

Contrato y pacto

El contrato —elípsis de *negotium contractum* o *contractus negotii*[1]— de *cum* y *traho*, venir en uno, ligarse, hoy suele definirse como el acuerdo entre dos o más personas, tendente a crear obligaciones. El contrato es, pues, una categoría genérica que tiene como fundamento un acuerdo de voluntades, pacto o convención, términos, todos ellos, que se consideran equivalentes.

En Derecho Romano debe matizarse lo expuesto, ya que la idea conceptual de contrato, hasta Justiniano, sufre una lenta evolución en la que acabará por imponerse el fondo, el acuerdo de voluntades —*conventio*— sobre la forma —*negotium contractum*— . Anticipemos, en síntesis tres ideas: 1.ª) que en origen, la base del contrato, en Roma, no descansa, en un acuerdo de voluntades y si en la idea de un vínculo o sujección; 2.ª) que, al menos en época clásica, no cabe hablar de contrato, y sí de contratos, pues sólo se conoce un determinado número de ellos, con una propia denominación y un particular régimen y 3.ª) que, en teoría, aunque con muchas excepciones en la práctica, hasta el propio derecho justinianeo, el mero acuerdo de voluntades, sin más, no generará obligaciones.

1. SISTEMA CONTRACTUAL ROMANO

El Derecho Romano, no conoce la figura general del contrato y ofrece, sólo, una lista de ellos. El primero, en el tiempo[2], fue la *sponsio*. Después, su número irá en aumento, por exigencias de la práctica. Detengámonos, en esta evolución, partiendo de Gayo, que nos servirá de base para una clasificación de los contratos: por la «causa» de su perfeccionamiento.

---

[1]   Fenómeno semántico similar al que se produce con nuestro actual vocablo «Estado», derivado de *status rei publicae*.

[2]   Prescindiendo del *nexum* figura de contornos imprecisos.

I. Contratos formales

En una fase inicial, propia del *ius civile*, la contratación en Roma está presidida por el formalismo. La obligación «se hace» —dice Gayo— por las palabras —*Verbis obligatio fit*— es decir, por una pregunta y una respuesta —*ex interrogatione et responsione*— en la forma establecida por la ley[3]. También «se hace» por la escritura —*Litteris obligatio fit*— pero no por todo documento escrito, sino sólo en los supuestos y modos establecidos por el propio derecho[4].

Debe advertirse que, en el primer caso, las palabras —los *verba*— y en el segundo la escritura —*litterae*— no se entienden como la expresión de una voluntad concorde —consentimiento— ni como la forma que aquella debe revestir, sino, simple y llanamente, como el hecho constitutivo —*causa civilis*— que genera la obligación.

En suma: los contratos formales, son los que se perfeccionan por el cumplimiento de una determinada forma o solemnidad, oral o escrita. Serán verbales —de *verba*— en el primer caso y literales —de *litterae*— en el segundo.

II. Contratos reales

Siguiendo a Gayo, las obligaciones, también se contraen por la cosa —*re contrahitur obligatio*—. La primera manifestación de este tipo de contratos fue el mutuo —préstamo de consumo—. Poco a poco el campo de estas obligaciones se amplía y termina por incluir otros contratos en los que, también se produce, pero con distinta finalidad, la entrega de una cosa. Así: el comodato —préstamo gratuito del uso de una cosa—; el depósito —conservación y guarda, gratuita de un objeto ajeno— y la prenda —entrega de una cosa en función de garantía—.

Debe advertirse que esta *obligatio re* —que nace de la entrega de la cosa— tiene diferentes significados y produce distintos efectos, en los contratos referidos. Así, la entrega de la cosa —*datio rei*—: a) en

---

[3]   Así, por ejemplo: ¿Prometes dar? —*Spondes dare*— ¡Prometo! —*Spondeo*—.
[4]   Gayo recoge entre ellos las transferencias de créditos —*nomina transcripticia*— y los documentos crediticios subjetivos —*chirographa* y *singrapha*— asequibles a los *peregrini*. Los contratos literales se tratan en Tema 34.3.

el mutuo, significa trasmitir su propiedad; b) en la prenda, su posesión —*possessio*— y c) en el comodato y depósito, su tenencia —*possessio naturalis*— o mera detentación. Y, por los efectos: a) en el mutuo se debe restituir otro tanto —*tantundem*— de la misma especie y calidad de la cosa entregada y b) en los demás citados la misma cosa recibida.

En suma: los contratos reales —de *res-rei*, cosa— son los que se perfeccionan por la entrega de la cosa.

III. Contratos consensuales

Gayo refiere que las obligaciones «se hacen» por consentimiento —*consensu fiunt obligationes*— lo que tiene lugar en los casos de compraventa —*emptio venditio*— arrendamiento —*locatio conductio*—, sociedad —*societas*— y mandato —*mandatum*—. Y —dice— se llaman así porque... es suficiente —*sufficit*— que los que hacen el negocio —*eos qui negotium gerunt*— consientan —*consensisse*—.

En este tipo de obligaciones consensuales —de *consensus*— está el germen de la noción moderna de contrato, entendido como acuerdo de voluntades. Son, pues, acuerdos de voluntades a los que la especial naturaleza del negocio sobre el que recaen[5], les sirve de «causa» y hace que el derecho les otorgue el efecto creador de obligaciones.

En suma: los contratos consensuales son los que se perfeccionan por el propio consentimiento.

IV. Contratos innominados

La jurisprudencia, poco a poco, amplia la lista de nuevas relaciones a las que otorgará el carácter de contratos.

Así, según Ulpiano, Aristón[6] manifiesta que: Cuando el negocio no pasa a tener nombre de contrato —*si in alium contractum res non*

---

[5] El *consensus*, pues, como se ha destacado en doctrina, es una «causa» individualizada, por la que surge la obligación, pero no debe generalizarse, ya que es característica de un tipo de contratos —compraventa, arrendamiento, sociedad y mandato— y no, en general, «del contrato».

[6] Jurista de la época de Trajano.

transeat— pero existe sin embargo una «causa» —*subsit tamen causa*—... hay obligación —*esse obligationem*[7]—.

Detengámonos en ello. Si dos personas acuerdan hacer una prestación a cambio de otra —imaginémonos la entrega de un caballo a cambio de una vaca— y una cumple —entrega el caballo— y no lo hace la otra, el cumplimiento de la primera prestación pasa a tenerse como «causa» de la segunda y produce la obligación de cumplirla.

Estos negocios, al no estar reconocidos por el Derecho carecen de un verdadero nombre —*verum nomen*— de ahí, innominados[8] y el reconocer que generan obligación, supone un paso notable para la configuración del contrato como una categoría genérica[9].

En suma: contratos innominados son acuerdos de voluntades, de prestaciones recíprocas, en los que se considera como causa civil la prestación hecha por una de las partes para obtener a cambio otra.

2. CLASIFICACIONES DE LOS CONTRATOS

Todos estos contratos en particular —no sus tipos— pueden, además ser objeto de distintas clasificaciones, según diferentes criterios. Entre ellos, destacaremos los de: las obligaciones que generan; la existencia o no, de contraprestación; la acción que los protege y su origen.

A) Por las obligaciones que generan, los contratos pueden ser: unilaterales y bilaterales. Son unilaterales los que hacen nacer obligaciones para una sola de las partes —como en el caso del mutuo (préstamo de dinero) y los contratos formales— y son bilaterales, si

---

[7]   Sigue refiriendo Ulpiano. Así por ejemplo (si) te di una cosa para que me dieras otra —*ut puta dedi tibi rem ut mihi aliam dares*— o te di para que hicieras algo —*dedi ut aliquid facias*— esto es sinalagma (contrato) —*hoc sinalagma (contractum) esse*— y de ahí nace una obligación civil —*et hinc nasci civilem obligationem*—.

[8]   Esto no quiere decir que al menos algunos, como en el de la «permuta» —cambio de una cosa por otra— reflejado en el texto, no tuvieran una denominación propia, sino que no fueron reconocidos como figuras singulares.

[9]   Téngase, sin embargo, presente, que no es el acuerdo, sino la ejecución del acuerdo, por una de las partes, lo que hace surgir la obligación.

surgen obligaciones para las dos —como en la compraventa, arrendamiento, sociedad[10] y contratos innominados[11]—.

En los contratos bilaterales, también llamados sinalagmáticos[12], se suele distinguir, entre perfectos e imperfectos. Éstos, en origen, son unilaterales pero por un hecho posterior —*ex post facto*— a veces, pueden convertirse en bilaterales. Así, el comodato —préstamo gratuito de uso— el depósito y el mandato, en principio, sólo generan obligación para una de parte: la de restituir la cosa depositada o comodada o el cumplir una gestión, sin embargo, a veces, pueden ocasionar, para el deudor, una serie de gastos derivados de la conservación de la cosa o cumplimiento del encargo y que, por ser, tales contratos, gratuitos, deberá satisfacer la otra parte[13].

El término sinalagama, en los contratos bilaterales perfectos, destaca el nexo existente entre las obligaciones generadas para ambas partes —así en la compraventa la entrega de la cosa y el pago de su precio— y hoy en día, se suele considerar que opera en dos terrenos distintos y distinguirse entre sinalagma genético y funcional.

---

[10]   Justiniano, en Instituciones, al tratar de aquellos actos que producen obligaciones mutuas —*Unde in his causis ex quibus mutuae obligationes nascuntur*— no cita a la sociedad, la razón —así se ha destacado en doctrina— puede obedecer a la peculiaridad de este contrato, en el que, más que bilateralidad hay plurilateralidad y en el que las obligaciones de los socios pueden ser homogéneas.

[11]   No se debe confundir esta clasificación con la de «negocios jurídicos unilaterales y bilaterales». Los «negocios» unilaterales comportan una sola voluntad —el caso típico sería el testamento— y los bilaterales dos voluntades —el paradigma sería el contrato—. El «contrato» es, pues, siempre, un «negocio jurídico bilateral», pues intervienen dos voluntades. A su vez, los «contratos» podrán ser unilaterales o bilaterales según generen obligaciones sólo para una de las partes o para las dos partes que intervienen.

[12]   Ulpiano, dice que, según Labeón, unas cosas se hacen, otras se gestionan y otras se contratan —*quod quaedam agantur, quaedam gerantur, quaedam contrahantur*—... pero que contrato —*contractum autem*— significa una obligación de una y otra parte (recíproca) —*ultro citroque obligationem*— a la que los griegos llaman sinalagma —*quod Graeci synallagma vocant*— como —*veluti*— la compraventa —*emptionem venditionem*— arrendamiento —*locationem conductionem*— y sociedad —*societatem*—. Adviértase, que en el texto, por un lado, no se dice que el contrato «crea» una obligación recíproca, sino que lo «es» y que aludiendo a los contratos consensuales, se excluye, lógicamente, al mandato.

[13]   Por ello nacen de estos contratos dos acciones. Una *directa*, por la que, en general, el único acreedor exige el cumplimiento de la prestación que se le debe y otra *contraria* para el caso de que el primitivo acreedor deba resarcir a su deudor —ahora acreedor—.

El sinalagma genético —de génesis, origen— pone de relieve que para cada una de las partes la obligación de la otra es la causa por la que se constriñe a realizar la propia, por lo que la inicial inexistencia o subsiguiente desaparición de aquella, lleva aparejado carezca de sentido su contrapartida[14]. El sinalagma funcional se refiere —no al origen de la obligación— sino a su cumplimiento, por lo que ambas prestaciones, ligadas funcionalmente, deben cumplirse a la vez —simultáneamente— una parte no puede exigir a la otra cumplir su prestación si no ha cumplido —o está dispuesto a cumplir la propia[15]— y si cumple antes que la otra la confiere un crédito para que cumpla[16].

B) Por la existencia o no de contraprestación, se distingue entre contratos onerosos y gratuitos. Onerosos —de *onus*, carga— son los que cada una de las partes obtiene una ventaja, en compensación a la que a su costa obtiene la otra —caso de la compraventa, arrendamiento, sociedad y los contratos innominados— y gratuitos cuando una de las partes proporciona a la otra una ventaja sin contrapartida alguna —caso del mutuo, comodato, depósito y mandato—.

En general, los términos oneroso y gratuito suelen coincidir, respectivamente, con los de bilateral y unilateral[17].

C) Por la acción que los protege, los contratos pueden ser: de derecho estricto —*stricti iuris*— o de buena fe —*bonae fidei*— según estén respaldados por una acción de una u otra naturaleza.

---

[14] Es el fundamento de la resolución de la obligación por imposibilidad y por incumplimiento.

[15] Sobre esta base se ha construido la moderna excepción de contrato no cumplido —*exceptio non adimpleti contractus*—.

[16] Una excepción del sinalagma funcional existe en los negocios celebrados por el impuber *infantia maior* sin la *auctoritas tutoris*, que sólo tiene validez en cuanto le beneficia, siendo revelador la expresión utilizada por Ulpiano para estos negocios claudicantes: «subsiste el contrato para una sola de las partes» —*ex uno latere constat contractus*—.

[17] Pero no siempre ocurre esto. Es cierto, que todo contrato bilateral —sinalagmático— es oneroso —por comportar un intercambio de recíprocas prestaciones— sin embargo, no es cierto lo contrario: que todo contrato oneroso sea bilateral, imaginemos que se entrega un dinero para que el adquirente no haga algo, el contrato será oneroso porque el transmitente sufre una carga —entrega de una suma de dinero— pero no es bilateral, ya que sólo surgen obligaciones para una de las partes, el que recibe el dinero —es, pues unilateral—.

En los de derecho estricto, el *iudex* se limitaría, con un «si» o «no», a decidir sobre, la procedencia o improcedencia, de la pretensión del actor —como en la *stipulatio* y el mutuo—. En los de buena fe —*bonae fidei*— el *iudex* podrá valorar todas las circunstancias del caso —lo que ocurrirá en los contratos consensuales, los reales (excepto el mutuo) y en los innominados—.

C) Por su origen, los contratos pueden ser: de derecho civil —*iuris civilis*— asequible sólo a los *cives* —como la *sponsio* y el mutuo— y de derecho de gentes —*iuris gentium*— accesible también a extranjeros —como los consensuales—.

3. CONTRATO Y PACTO

Los significantes contrato —*contractus*— convención —*conventio*— y pacto —*pactum*— no presentan, en Derecho Romano, siempre un mismo significado. Veamos como terminan por equipararse, procurando esbozar su evolución.

A) En origen, de acuerdo con la propia noción de *obligatio* —y su carácter de *vinculum*— *contractus* es asumir cualquier tipo de sujección[18] y *pactum* —de *pacisci*[19]— fiel a su significado etimológico, comporta la idea de «pacificación» e implica el acuerdo privado entre dos personas para establecer la paz entre ellas. Así, equivale a transigir[20] y produce como efecto suspender el juicio, en su fase *in*

---

[18] Se habla de *contrahere* —estar vinculado—: por esponsales —*sponsalia*— (Modestino); matrimonio —*matrimonium*— delito —*delictum*— (Papiniano); crimen —*crimen*— (Ulpiano); o servidumbre —*servitutem*— (Javoleno) y de contraer obligación —*contrahere obligationem*— con independencia de su fuente (Gayo).

[19] El sustantivo *pactum* —del antiguo *pacere*, pacificar y del más clásico *pacisci*— comporta la idea de acuerdo pacificador. Ulpiano, recuerda: Dícese pacto, de pacción —*Pactum autem a pactione dicitur*— de donde, también —*inde etiam*— procede el nombre de paz —*pacis nomen appellatum est*—.

[20] Es frecuente que el tratamiento de pacto y transacción aparezca ligado en las fuentes. Gayo —comentando las XII Tablas— dice: El que fue llamado a juicio —*Qui ius vocatus est*—... debe ser dejado —*dimittendus est*—... si mientras se va (a juicio) —*dum in ius venitur*— se hubiese transigido sobre el asunto —*de re transactum fuerit*—.

iure, por renunciar el acreedor a su acción —hoy diríamos a su derecho[21]—.

B) Más tarde, al distinguirse distintos tipos de obligaciones, *contractus* se aplica sólo a las que nacen de hechos lícitos[22] y pasa a ser, sinónimo de obligación no delictiva, aunque, dentro de éstas, el formalismo del *ius civile*, excluye, las que se basan, sólo, en el acuerdo de voluntades, para las que se reserva los términos de *conventio*, *consensus* y, sobre todo, los de *pactum* —pacto— *pactio* —pacción— y pacto convenido —*pactum conventum*— doble término que parece sumar los anteriores.

El Pretor, en su Edicto, va a tutelar el pacto convenido[23]; *pactum*, asume, pues, un segundo significado y de «acto de paz» pasa, en sentido más técnico, a tener como fin el «eliminar una acción», o como diríamos hoy, a modificar una situación precedente.

Estos pactos desnudos —dice Ulpiano— no paren acción —*nuda pactio obligationem non parit*— sino excepción —*sed parit exceptionem*—[24]. Por lo que si pese al pacto de no pedir —*de non petendo*— el acreedor lo pretendiera, el deudor estará protegido por la excepción de pacto convenido —*exceptio pacti conventi*—: se caracteriza, pues, por su eficacia procesal negativa[25].

C) En una tercera fase: se reconoce que ciertas obligaciones se puedan contraer por el mero consentimiento —consensuales—. Desde ahora: la distinción entre contratos y convenciones se difumina;

---

[21] Paulo, recuerda: Ciertas acciones —*Quaedam actiones*— por medio de un pacto —*per pactum*— se extinguen de derecho —*ipso iure tolluntur*— como la de injurias —*ut iniuriarum*— y la de hurto —*item furti*—. En definitiva, comportaría la extinción *ipso iure* de las acciones provinentes de delito.

[22] Así, por ejemplo, no siendo delitos: el pago de lo indebido —*indebiti solutio*— la promesa de dote —*dotis dictio*— y el juramento del liberto —*promissio iurata liberti*— se fundan en una declaración unilateral de voluntad.

[23] Obsérvese la redundancia, actual, de su traducción ya que pacto y convención resultan dos significantes con un mismo significado: el acuerdo.

[24] En este momento la distinción contrato y convención es clara. Ésta, es un acuerdo de voluntades que no genera acción, si se prefiere, obligaciones —solo produce efectos por vía de excepción—. El contrato, es una convención a la que se añade una *causa civil*, por ello está respaldado por una acción y genera obligaciones.

[25] Tiene, pues, una eficacia distinta del antiguo pacto destinado a extinguir las acciones derivadas de delito, ya que mientras en ellos las acciones penales se extinguían *ipso iure*, ahora, en éstos, se conserva intacta la acción, pero su eficacia quedaba paralizada por vía de excepción —*ope exceptionis*—.

muchas de éstas se convierten en aquellos[26] y Sexto Pedio —jurista del s. I-II— dirá: no hay contrato —*nullum esse contractus*— ni obligación —*nullam obligationem*— que no contenga, en sí, convención —*que non habeat in se conventionem*—.

El acuerdo de voluntades —*conventio*— pasa, pues, a configurarse como subyacente en todo contrato y no existirá contrato sin él. Pero si lo contrario, convención sin contrato, lo que se designará en las fuentes como pacto —*pactum*—.

A la par que se reconocen los nuevos contratos consensuales, y de acuerdo con la acción de buena fe que los protege se admite, que el cumplimiento de los pactos que se les «añadan» —*pacta adiecta*— en su celebración —*in continenti*— puedan exigirse por la propia acción del contrato y se tengan como parte integrante de los mismos. Asume, pues, el pacto nuevo significado; el de cláusula accesoria encaminada a modificar el contenido normal de un contrato.

Por otro lado, el Pretor no se contenta con la cláusula edital de «mantener» los pactos convenidos —*pacta conventa servabo*— y va admitir, por un especial reconocimiento suyo, que algunos pactos, también, puedan generar acción, *pacta praetoria*[27].

D) Pacto y contrato, inciden en un mismo ámbito, lo que se consagra en época postclásica, en donde junto a los nuevos contratos innominados, configurados como categoría contractual, surgen nuevos pactos, que generan acción y que derivados de la legislación imperial —*ius novum*— se terminarán llamándose legítimos —*pacta legitima*—.

E) En época justinianea se da un paso más en la identificación contrato y pacto y la moderna noción genérica de contrato, como acuerdo de voluntades fuente de obligaciones se trasluce. Ello, se desprende de la distinción formulada entre obligaciones que nacen del contrato —*ex contractu*— y «como del contrato» —*quasi ex contractu*—; en ser elemento aglutinante de las primeras la existencia de tal acuerdo y que, precisamente, sea su ausencia lo que falta en las segundas.

---

[26] Ulpiano dirá: Pero la mayor parte de las convenciones —*Sed conventionem pleraeque*— reciben otro nombre —*in aliud nomen transeunt*— como el de compra —*veluti in emtionem*— arrendamiento —*in locationem*— prenda —*in pignus*— o estipulación —*vel in stipulationem*—.

[27] En suma, va a crear obligaciones honorarias.

En suma, en la práctica, pacto y contrato vienen equipararse; el término convención asume una dimensión más amplia[28] equivalente a lo que hoy llamaríamos negocio jurídico bilateral y los *nuda pacta* aparecen casi como reminiscencia, mantenida por respeto a la tradición.

F) Serán los juristas bizantinos quienes trasladarán al contrato la definición que los romanos daban, en principio, a los pactos y que aparece en un texto atribuido a Ulpiano como: acuerdo y consentimiento de dos o más persona sobre una misma cosa —*duorum vel plurium in idem placitum consensu*[29]—.

4. CLASES DE PACTOS

Además de los *nuda pacta*, de los que no nacen acciones, primero la jurisprudencia, luego el pretor y por último, la legislación imperial va a reconocer que otros pactos, llamados por los comentarista «vestidos», si las generan. Detengámonos en ellos.

---

[28] Dice Ulpiano: La palabra convención es genérica —*Conventionis verbum generale est*— perteneciendo a todo aquello —*ad omnia pertinens*— sobre lo que para celebrar o transigir un negocio consienten los que entre si lo hacen —*de quibus negotii contrahendi transigendique causa consentiunt qui inter se agunt*— pues así como se dice convienen —*nam sicut convenire dicuntur*— los que (procedentes) de diversos lugares se reúnen y «vienen» a un mismo (sitio) lugar —*qui ex diversis locis in unum locum colliguntur et veniunt*— así también —*ita et*— (se dice) de los que movidos por diversos cambios de ánimo consienten en una misma cosa —*qui ex diversis animi motibus in unum consentiunt*— esto es —*id est*— se encaminan a un mismo parecer —*in unam sententiam decurrunt*—.

[29] Esta definición se suele vincular, tradicionalmente, al contrato. Sin embargo, en principio, no alude, en puridad, a él, y sólo tras la larga evolución histórica reseñada se identificará con *contractus* de ahí se completara, por los antiguos autores, con el inciso de con ánimo de contraer obligaciones —*animo contrahendae obligationis*—. A zaga de ellos, los interpretes modernos equiparan, sin ambages, contrato y pacto, y algunos, incluso, incorporan a aquél vocablo el contenido del término convención, entendiendo por contrato, todo acuerdo de voluntades —que constituye, modifica o extingue— una relación jurídica. Así por ejemplo, el pacto puede tender como objeto: no sólo crear obligaciones, sino también, constituir algunos derechos reales —caso de la hipoteca— o extinguir o modificar cualquier relación jurídica —como la renuncia de algún derecho real—.

I. *PACTA ADIECTA* —Pactos añadidos—

Son aquellos acuerdos complementarios, añadidos —*adiecta*— a un contrato para modificar los efectos normales de éste.

Entre ellos cabe distinguir: a) Por el tiempo en que se celebran, entre pactos concluidos al mismo tiempo que el contrato —*pacta in continenti subsecuta*— y pactos celebrados con posterioridad —*pacta ex intervallo*— y b) por el fin que persiguen, los que comportaban un aumento en la responsabilidad del deudor —*ad augendam obligationem*— o una disminución de ella —*ad minuendam obligationem*—. Los efectos de aquellos y éstos, variarán según se añadieran a un contrato de buena fe[30] o de derecho estricto[31].

De los principales *pacta adiecta*, nos ocuparemos al tratar de la compraventa.

II. *PACTA PRAETORIA* —Pactos pretorios—

Durante la época clásica, algunos pactos son reconocidos en el Edicto del Pretor y amparados por *actiones in factum*. Los principales fueron:

A) El *constitutum* —constitución de un plazo[32]—. Es un pacto en virtud del cual se promete pagar una deuda preexistente, propia —*debiti proprii*— o ajena —*debiti alieni*— en una fecha determinada[33].

---

[30] En los contratos de buena fe: 1.°) si son *in continenti* aumentan la responsabilidad del deudor, forman parte del contrato y están protegidos por la propia acción de éste y si la disminuyen se produce, de pleno derecho; 2.°) si son *ex intervallo*, se tienen como una nueva expresión de la voluntad de las partes y su efectividad se logra a través de excepción si era *ad minuendam obligationem*, ya que si comportaba un aumento de responsabilidad, no tendrían efectos prácticos, pues el deudor carecería de interés en oponerlos —a lo más generarían obligación natural—.

[31] En los contratos de derecho estricto: a) los *in continenti*, en principio, carecen de eficacia, aunque, con el tiempo se asimilan, con alguna excepción como el pacto de intereses, a los *in continenti* añadidos a contratos de buena fe y b) los *ex intervallo* sólo podrán hacerse efectivos a través de la excepción de pacto convenido —*exceptio pacti conventi*—.

[32] *Constituere pecuniam* significa prometer pagar en un determinado día o lugar una deuda existente —por tanto comporta cualquier tipo de modificación de aquella—.

[33] Aunque, en principio, este plazo debe fijarse, sin embargo no es nulo si se omite. Así, según Paulo: Si contrajeras constituto sin plazo —*Si sine dias constituas*— puede ciertamente decirse que no quedas obligado —*potest quidem dici te no teneri*—

En el primer caso, tendría como objeto adelantar o postergar el momento de pago o convertir en civil una obligación natural. En el segundo, desempeñaría el papel de una fianza al añadirse al acreedor un nuevo deudor[34], y en ambos, sería necesario una deuda preexistente.

Se basa, dice Ulpiano, en la lealtad —*fides*— y no requiere formalidad alguna.

En caso de incumplimiento, el pretor sancionó este pacto con la acción de la cantidad constituida a plazo —*actio de pecunia constituta*[35]— que se acumula a la que protege a la precedente obligación, por lo que el acreedor podrá optar por el ejercicio de cualquiera de ellas[36], aunque satisfecha una deuda se extingue la otra[37]. Es un refuerzo de la primera obligación, pues la persona contra quien se dirige tal acción está obligada a pagar, en caso de sucumbir en el proceso —y si se concreta una apuesta judicial— la multa impuesta a los litigantes temerarios —*poena temere litigantium*—. En este caso, una mitad más de lo debido —*sponsio dimidiae partis*[38]—.

---

aunque las palabras del Edicto reciban una amplia interpretación —*licet verba Edicti late pateant*—. De otra manera, también, desde luego —*alioquin et confestim*— se podrá «accionar» contra ti —*agi tecum poterit*— si inmediatamente —*si statim*— que contrajiste el constituto —*ut constituisti*— no pagaras —*non solvas*— pero se ha de señalar un módico tiempo —*sed modicum tempus statuendum est*— no menos de diez días —*non minus decem dierum*— para que se verifique la exacción —*ut exactio celebretur*—.

[34] Gayo dice: Cuando alguno contrae constituto de que pagará por otro —*Ubi quis pro alio constituit se soluturum*— permanece obligado aquel por quien se constituyó —*adhuc is, pro constituit, obligatus manet*—. Se distingue de la *fideiussio* aparte de las diferencias meramente formales, en que en él podría prometerse un objeto distinto al de la obligación anterior y que el carácter de accesoriedad quedaba borrado porque esta obligación no desaparece *ipso iure* por la extinción de la primitiva garantizada. En derecho prejustinianeo la acción duraba un año.

[35] En principio anual e intransmisible; desde Gordiano —a.264— transmisible a los herederos, lo que deroga Justiniano, además de sujetarla al plazo general de prescripción —30 años—.

[36] Gayo, dice: Cuando alguien contrae *constitutum* de que pagará por otro —*Ubi quis pro alio constituit se soluturum*— continúa no obstante obligado aquel por quien se comprometió a pagar —*adhuc is, pro constituit, obligatus manet*—.

[37] Es lógico, pues ambas tienen un mismo objeto.

[38] Gayo refiere: En ciertos casos —*ex quibusdam causis*— se permite hacer una apuesta procesal —*sponsionem facere permittitur*— como en (los de) la acción de deuda de una cantidad cierta de dinero —*velut de pecunia certa credita*— y en los (que se reclama

En principio, el *constitutum*, sólo recae sobre obligaciones de dinero —*de pecunia constituta*—; la jurisprudencia amplió su campo, también, al de otras cosas fungibles y en derecho justinianeo recae sobre cualquier obligación —sin importar su objeto— siempre que fuera susceptible de estipulación —*quas in stipulationem possunt homines deducere*—.

El *constitutum debiti proprium* cae en desuso —al perder algunas de sus ventajas procesales[39]— y el *constitutum debiti alieni* pasa a tener el carácter de garantía personal asimilado a la fianza —*fideiussio*— al que se aplica el *beneficium divisionis*.

B) El *receptum* —de *recipere*, tomar sobre sí, asumir una función o misión determinada— presenta tres modalidades: a) el de los banqueros —*argentarii*—; b) el de los árbitros —*arbitrii*— y c) el de los armadores —*nautae*—, posaderos —*caupones*— y dueños de establos —*stabularii*—.

a) El *receptum argentarii*, equivale a la asunción de una deuda por un banquero. Es, pues, el pacto pretorio por el que un banquero —*argentarius*— se compromete a pagar la deuda de su cliente. Su origen, se encuentra en la práctica bancaria y tiene carácter abstracto pues, a diferencia del *constitutum*, no exige una obligación precedente[40] y el acreedor sólo ha de probar la asunción de la deuda por el banquero.

El pretor, por este pacto, concede al acreedor, sin perjuicio de la acción que pudiera corresponderle contra el deudor principal, una acción recepticia —*actio de recepto*— perpetua y transmisible a los herederos.

En época postclásica el *receptum argentarii* tiende a confundirse con el *constitutum debiti alieni* y Justiniano, para evitar que pudiera

---

una deuda de este tipo para la) que se ha constituido plazo de cumplimiento —*et pecunia constituta*—. En el primer caso, la apuesta es por un tercio —*sed certae quidem creditae pecuniae tertiae partis*— en el segundo, la mitad —*constitutae vero pecuniae partis dimidiae*—.

[39] Es el caso de la desaparición de la *sponsio dimidiae partis*. Se convierte, en suma, en un simple pacto por el que las partes modifican una precedente relación o atribuyen eficacia a una obligación de otro.

[40] La deuda, pues, puede ser presente o futura, y en este caso cumpliría la función de «apertura de un crédito». Otras diferencias con relación al *constitutum* pueden ser: el carácter profesional del promitente —*argentarius*— y que podía recaer sobre toda clase de deudas, cualesquiera fuese su contenido.

recaer sobre deudas inexistentes decreta su abolición. Carente, pues, de sustantividad jurídica se funde con aquél[41].

b) El *receptum arbitrii*, equivale a asumir el papel de árbitro. Es, pues, el pacto pretorio en virtud del cual una persona acepta ser arbitro —*arbiter*— y dirimir una controversia. No debe confundirse este pacto con el que liga a los contendientes, por el que se comprometen a pasar por lo que decida el árbitro —*compromissum*— ya que éste —como veremos— será previo y causa de aquél.

El pretor no concede acción para constreñir al árbitro a que emita su laudo, pero le obliga a ello, *extra ordinem*[42], con la amenaza de multa —*multae dictio*— y embargo de sus bienes —*pignoris capio*— .

c) El *receptum nautarum* (de los navieros) *cauponum* (posaderos) y *stabulariorum* (dueños de establos), es la responsabilidad que unos y otros asumen de la devolución de las cosas, confiadas por sus clientes. Es pues, el pacto pretorio por el que navieros, posaderos y dueños de establos se obligan a mantener sanas y salvas y a restituir intactas las cosas que a ellos —o a sus auxiliares— les entregan sus clientes[43].

Si estas cosas eran hurtadas —*furtum*— o sufrían cualquier daño —*damnum iniuria datum*— el pretor otorgaba una acción recepticia —*actio de recepto*— a la que sólo se podría oponer que la pérdida o

---

[41]   Desde el prisma del *constitutum*, se suprime la restricción de que sólo pudiera recaer sobre obligaciones, cuyo objeto fuera la entrega de una cantidad de cosas fungibles.

[42]   Ulpiano nos refiere la justificación de la intervención pretoria en los siguientes términos: Aunque el Pretor no obliga a nadie —*Tametsi neminem Praetor cogat*— a aceptar la misión de arbitrar —*arbitrium recipere*— porque esta es cosa libre y no forzosa —*quoniam haec res libera et soluta est*— y puesta fuera de la obligación de su intervención —*et extra neccessitatem iurisdictionis posita*— sin embargo —*attamen*— una vez que —*ubi semel*— alguien hubiera aceptado el arbitraje —*quis in se receperit arbitrium*— (entiende el pretor) que la cosa pertenece a su cuidado —*ad curam et sollicitudinem suam hanc rem pertinere (Praetor putat)*— no tanto —*non tantum*— porque procure que los pleitos se terminen —*quod studeret lites finiri*— sino porque —*verum quoniam*— no hayan de ser defraudados los que le (eligieron) —*(non) deberent decipi qui eum*— como hombre bueno por árbitro entre ellos —*quasi virum bonum disceptatorem inter se elegerunt)*—.

[43]   La falta de seguridad, de los caminos y en los transportes; la mala reputación de los posaderos y la dificultad, a menudo insuperable, de poder probar la culpa de los armadores, han sido destacadas en doctrina, como causas determinantes de esta anómala exigencia de responsabilidad.

daño se produjo por culpa del propio viajero o por fuerza mayor —*vis maior*—.

Este *receptum* —en principio con carácter de un pacto expreso— con Justiniano pasa a ser tácito; fue el único pacto pretorio que sobrevivió y ha servido de modelo, en derecho moderno, para configurar la responsabilidad de los hoteleros y transportistas.

C) El juramento voluntario —*pactum iusiurandi*—, es aquel pacto pretorio por el que las partes en litigio, acuerdan evitarlo o poner fin a éste, en razón a la siguiente alternativa: a) obligarse el actor (o acreedor) a no hacer valer la pretensión si la otra parte demandado (o deudor) juraba no hallarse obligada y b) vincularse ésta a realizarla si el actor (acreedor) juraba tener derecho. En tal caso el Pretor otorgaba la correspondiente *actio in factum* debiendo quien la ejerce sólo probar el juramento.

Este *pactum* es *voluntarium*, por lo que una de las partes puede negarse a la invitación formulada por la otra y ello le separa del *iusiurandum necessarium in iure* en el que de negarse pierde el juicio.

III. *PACTA LEGITIMA* —Pactos legítimos—

Son los que, en el *ius novum*, tienen acción y generan por tanto, efectos obligacionales. Así: a) el *pactum dotis*, pacto dotal, equiparado por Teodosio II y Valentianiano III a la promesa de dote —*dotis promissio*—; b) el *pactum donationis*, pacto de donación, promesa de donar al que Justiniano otorga acción y c) el *pactum ex compromisso* (*compromissum*) —de *com-promissa*, promesa recíproca)—, también sancionado por Justiniano y que no debe confundirse con el *receptum arbitrii*.

El compromiso es un pacto legítimo por el que las partes contendientes acuerdan someter sus diferencias a la decisión —laudo— de un árbitro —*arbiter*— y aceptar su decisión. Para que nazca la acción —*in factum*— es necesario que el laudo sea firmado por las partes y no se impugne en el plazo de 10 días.

PACTOS (*pacta*) = acuerdo de voluntades

1. DESNUDOS (*nuda*) = No generan obligación = no nace de ellos acción
2. VESTIDOS (*vestita*) = excepcionalmente generan acción

    a) Por estar incorporados a un contrato: AÑADIDOS (*adiecta*)

    b) Por disposición del Pretor: PRETORIOS (*praetoria*)

        α) La constitución de un plazo: *Constitutum*

        ß) Los *recepta* (asumir una función):

        - banquero, responsable por las deudas de un cliente:
            receptum argentarii

        - árbitro, para dirimir una controversia:
            receptum arbitrii

        - navieros, posaderos y dueños de establos responsable de la devolución de las cosas confiadas por sus clientes:

            receptum nautarum, cauponum y stabulariorum

    c) Por disposición (*lex*) del emperador: LEGITIMOS (*legitima*)

        α) el pacto (promesa) de dote (*pactum dotis*)

        ß) el pacto (promesa) de donación (*pactum donationis*)

        γ) el pacto (promesa recíproca) de asumir la decisión de un árbitro (*pactum ex compromisso*)

CONTRATOS = pacto + causa civil

CAUSA CIVIL = requisito que, sumado a un pacto, genera obligaciones = que se perfeccionan por esta *causa*, que **puede consistir en:**

A) la observancia de una forma (*forma*): CONTRATOS FORMALES

    a) Oral: *verba* = palabras: CONTRATOS VERBALES

        Estipulación = *Stipulatio* (¿Prometes? ¡Prometo¡) se perfecciona por una pregunta y una respuesta

    b) Escrita: *litterae* =letras, escritura: CONTRATOS LITERALES (escasa trascendencia)

B) la entrega de una cosa (*datio rei*): CONTRATOS REALES

    a) En propiedad (lo mío se hace tuyo), préstamo de consumo. Mutuo = *Mutuum*

    b) En uso, préstamo de uso. Comodato = *Commodatum*

    c) Para su guarda y tenencia, sin uso. Depósito = *Depositum*

    d) Como garantía, con uso. Prenda = *Pignus*

C) el especial reconocimiento, individualizado, del consentimiento (*consensus*): CONTRATOS CONSENSUALES

    a) El cambio de cosa por precio. Compraventa = *Emptio venditio*

    b) El uso temporal de una cosa ajena por dinero (alquiler). Arrendamiento de cosas = *Locatio conductio rei*

        El uso de servicios ajenos por precio convenido. Arrendamiento de servicios = *Locatio conductio operarum*

        La realización de una obra (algo acabado) por precio. Arrendamiento de obra = *Locatio conductio operis*

    c) La aportación de bienes, dinero o trabajo, para un fin lícito e interés común. Sociedad = *Societas.*

    d) Un favor. Mandato = *Mandatum*

D) el dar o hacer "algo" (prestación: *dare/facere*) para lograr a cambio "otro algo" (otra prestación): CONTRATOS INNOMINADOS

    a) *Do ut des* = Doy para que des. *Permutatio* = permuta

    b) *do ut facias* = Doy para que hagas. *Aestimatum* = Contrato estimatorio

    c) *Facio ut des* = hago para que des. *Transactio* = Transacción

    d) *Facio ut facias* = hago para que hagas. *Transactio* = Transacción

Tema 32

Contratos consensuales: La compraventa

La importante función económica, desempeñada, en la vida social, por algunas convenciones y su difusión, fueron para los romanos razón suficiente, *causa civilis*, para admitir que —sólo por *consensus*— generaran acciones. Ulpiano, refiere que: estas convenciones se elevaron a la categoría de contratos y se les llamó consensuales. Su número fue de cuatro: compraventa —de la que pasamos a tratar— arrendamiento, sociedad y mandato.

1. LA COMPRAVENTA: IDEAS GENERALES

I. Concepto e importancia

A) La compraventa —*emptio venditio*— es un contrato en virtud del cual una persona —vendedor, *venditor*— se obliga a trasmitir la «pacífica» y «útil» posesión de una cosa —*merx*— a otra persona —comprador, *emptor*— y ésta, a su vez, a pagar por ella una suma de dinero —precio, *pretium*—. En síntesis: es el cambio de cosa por precio.

B) Es, sin duda, el contrato de mayor importancia, tanto bajo un prisma jurídico como económico. Jurídicamente, es el más estudiado, hasta el punto de servir de patrón y modelo de los demás. Económicamente, es el más difundido, ya que, por él, el productor obtiene las materias primas que tras sucesivos cambios de mano, y ya como productos, llegarán al consumidor.

II. Origen y evolución

A) Su origen se debe vincular a la permuta[1], trueque o cambio directo de una cosa por otra. Las dificultades prácticas[2] que ello comportaba obligarán a adoptar una mercancía que sirva como «medida de valor» de las demás. Entonces surge la compraventa y, primero, las cabezas de ganado —*pecus*, de ahí pecuniario— y, más tarde, los metales no amonedados, serán las mercancías que van a cumplir aquella función.

B) En su evolución cabe distinguir dos momentos:

a) En el primitivo *Ius Civile*, la compraventa es real o manual. Se produce un cambio inmediato cosa-precio, perfeccionándose por su doble y simultánea entrega, a través de la *Mancipatio* —si se trata de *res mancipi*— o de la *Traditio* —si de *res nec mancipi*[3]—.

b) Con el *Ius Gentium*, cuando Roma está en vías de convertirse en una auténtica potencia, su configuración cambia y el origen de una nueva compraventa surge en el tráfico negocial con los peregrinos. La compraventa pasa a ser consensual —esto es a perfeccionarse por el simple acuerdo, *consensu*— sobre la cosa y el precio, sin más formalidades ni necesidad de que aquella y éste se entreguen.

III. Caracteres

La Compraventa es un contrato: consensual; bilateral perfecto; oneroso; de derecho de gentes; de buena fe y no traslativo de dominio.

---

[1]   Según Paulo: El origen del comprar y vender empezó en las permutas —*Origo emendi vendendique a permutationibus coepit*— porque antiguamente no había moneda como ahora —*olim enim non ita erat numus*— ni una cosa (se llamaba) mercancía —*neque aliud merx*— y otra precio —*aliud pretium (vocatur)*— sino que cada uno —*sed unusquisque*— según la necesidad de los tiempos —*secundum necessitatem temporum*— y de las cosas —*ac rerum*— permutaba las (cosas) inútiles por las útiles —*utilibus inutilia permutabat*— ya que muchas veces sucede que —*quando plerumque evenit ut*— lo que a uno le sobra —*quod alteri superest*— a otro falta —*alteri desit*—.

[2]   La dificultad de que, precisamente, sobre a uno lo que a otro falte, unido a la posible equivalencia entre las cosas a cambiar, son los principales inconvenientes de la permuta, que destaca Paulo, al decir: Pero porque no siempre ni fácilmente ocurría —*Sed quia non semper nec facile concurrebat*— que cuando tú tuvieses lo que yo desease —*ut quum tuum haberes quod ego desiderarem*— a mi vez yo tuviera lo que tu quisieras recibir —*invicem habere quod tu accipere velles*— se eligió una materia —*electa materia est*— cuya pública y perpetua estimación —*cuius publica ac perpetua aestimatio*— subviniese con la igualdad de cantidad las dificultades de las permutas —*difficultatibus permutationem aequalitate quantitatis subveniret*—.

[3]   En su función originaria, la *Mancipatio*, debió ser una compraventa real —y no como en época de Gayo una *imaginaria venditio*— al «pesarse», en ella, realmente, el metal (dinero) y tomarse la cosa, a diferencia de lo que ocurre después cuando, concretamente, el metal, ya amonedado, no se pesa, «se cuenta».

A) Es consensual, porque se perfecciona por el consentimiento de las partes y su manifestación ni requiere cumplir formalidad alguna —verbal o escrita— ni la entrega de la cosa[4].

B) Es bilateral perfecto, porque desde su perfección —hay consentimiento— surgen para las partes obligaciones recíprocas —respectivamente: entrega de la cosa y pago del precio—[5].

C) Es oneroso, ya que cada parte asume una carga —onus— a cambio —contrapartida— de la que la otra asume y aunque las prestaciones son de diversa naturaleza —cosa y precio— se consideran, en la estima económico-social del medio y de la época, equivalentes.

D) Es de derecho de gentes —iuris gentium— por que su origen como contrato, está en este derecho y en el comercio internacional que regula.

---

4   Resumimos algunos datos referidos por Gayo: 1.º) Se contraen obligaciones por el consentimiento —Consesu fiunt obligationes— en las compraventas —in emptionibus et venditionibus— arrendamientos —locationibus conductionibus— sociedades —societatibus— y mandatos —mandatis—; 2.º) decimos... por consentimiento —consensu dicimus— porque no se requiere formalidad alguna, ni de palabras ni de escritura —quia neque verborum neque scripturae— sino que es suficiente —sed sufficit— que consientan los que realizan el negocio —eos qui negotium gerunt consensisse— y 3.º) la compraventa se contrae —emptio et venditio contrahitur— en el momento en que existe acuerdo en el precio —cum de pretio convenerit— aunque el precio aún no haya sido pagado —quamvis nondum pretium numeratum sit— e incluso no hayan sido entregadas arras —ac ne arra quidem data fuerit— pues lo que se da a título de arras —quod arrae nomine datur— es una prueba —argumentum est— de que la compraventa se ha contraído —emptionis et venditionis contractae—.

5   Adviértase: 1.º) que la bilateralidad se refleja en el propio nombre del contrato —emptio, compra, venditio, venta— que alude a estar asistida cada parte por su propia acción. La actio empti, acción de compra, que compete al comprador y la actio venditi, acción de venta, al vendedor; 2.º) que Labeón —muerto en el año 11— al definir el contrato como obligación recíproca —«de uno hacia otro», ultro citroque obligatio— cita, precisamente, como primer ejemplo, a la compraventa; 3.º) que Gayo subraya este caracter bilateral —aludiendo a compraventa, arrendamiento y sociedad— diciendo, que: además en estos contratos —item in his contractibus— las partes se obligan recíprocamente (una con la otra) —alter alteri obligatur— a cumplir lo que una con la otra (recíprocamente) —de eo quod alterum alteri— deba prestar con arreglo a la buena fe —ex bono et aequo praestare oportet— y 4.º) que no faltan autores que creen que el origen de la compraventa consensual descansa en una doble estipulación. En la primera —emptio— el comprador (estipulante) preguntaría al vendedor (promitente): ¿Prometes darme el esclavo Estico? —y resultaría acreedor de la cosa—. En la segunda —venditio— el vendedor (ahora estipulante) preguntaría al comprador (ahora promitente): ¿Prometes darme 100? —y resultaría acreedor del precio—. En resumen la compraventa nacería de la suma de la las dos estipulaciones —emptio-venditio— de ahí su nombre.

E) Es de buena fe —*bonae fidei*— por estar respaldado por acciones de este tipo. Por ello, las partes deberán cumplir con arreglo a la equidad y se tomarán en consideración: 1.°) los pactos que se añadan, *pacta adiecta*, sin necesidad que las partes formulen excepciones o acciones independientes para hacerlos valer; 2.°) las prestaciones accesorias o conexas —frutos, intereses, gastos— aunque nada se haya dicho al respecto y 3.°) los posibles vicios en que las partes pudieran incurrir al prestar su consentimiento, *consensus,* tales como la violencia *vis,* el miedo, *metus* el error, *error* y el dolo (engaño), *dolus.*

F) No es traslativo de dominio, aunque sí es *iusta causa*, que, por la entrega, *traditio,* de la cosa, posibilita adquirir su propiedad[6]. Tal vez, esto se deba a que había cosas —como los *praedia provincialia*— no susceptibles de *dominium ex iure Quiritium* y personas —como los *peregrini*— que no podían ser dueños —*domini*— mientras que la función económica de la venta exigía ser accesible a todos y recaer sobre todo[7].

Las fuentes son contradictorias a la hora de precisar cuando se produce, en su caso, este traspaso de la propiedad pues, a veces lo hacen depender de la propia entrega de la cosa, *traditio* y otras, del pago del precio, *pretio soluto*[8].

---

[6]   En síntesis: la propiedad la adquiere el comprador: por los modos derivativos adecuados —*traditio, mancipatio* e *in iure cessio*— y, en su caso, por transcurso de tiempo —*usucapio*—.

[7]   Tal posible inconveniente no comporta, en la práctica, graves problemas. Así téngase presente: 1.°) que tratándose de *res nec mancipi*, y siendo dueño el transmitente, se transmitiría el *dominium* por la *traditio* y si es *mancipi* por la *mancipatio*; 2.°) que al ser la compraventa *iusta causa* y el comprador poseedor de buena fe, podrá resultar dueño por transcurso de tiempo, *usucapio* y aún antes de consumarse, estar tutelado por los interdictos y frente a terceros por la *actio Publiciana* y 3.°) que no se debe olvidar, por un lado, que se llegó a considerar implícito en la compraventa que el vendedor asumiera el compromiso de cumplir en su caso la *mancipatio* y por otro, que se protegió al comprador por evicción.

[8]   Justiniano —Instituciones— mantiene este criterio, al decir: Pero las cosas vendidas y entregadas —*venditae vero et traditae*— no son adquiridas por el comprador —*non aliter emptori adquiruntur*— sino cuando haya pagado el precio al vendedor —*quam si is venditori pretium solverit*— o de otro modo se le haya satisfecho —*vel alio modo ei satisfecerit*—.

IV. Clases

En atención a sus dos momentos históricos, cabría hablar de una compraventa real —hoy sería al contado— en la que cosa y precio se intercambian a la vez y de otra obligacional —hoy a crédito— en la que la entrega de la cosa, el pago del precio o ambos se verifican en un acto posterior al de prestar el consentimiento las partes.

V. Elementos constitutivos

Comprador y vendedor; cosa y precio y libre forma, son los elementos de la compraventa.

A) En la compraventa intervienen, el comprador —*emptor*— y el vendedor —*venditor*— que han de tener capacidad para obligarse. a) Respecto al vendedor, baste recordar: no es necesario sea el dueño de la cosa vendida y b) respecto al comprador, matizar, que está prohibido actuar como tal: 1.º) a las personas encargadas de vender cosas por cuenta, encargo o en nombre de otro, por el lógico conflicto de intereses que de hecho se suscitaría, pues como compradores procurarían obtener el precio más bajo y como vendedores deberían lograr el más alto y 2.º) a las personas vinculadas a la administración de justicia, respecto a ciertos bienes, no sólo para eludir la ocasión de fraude, sino librarles de toda sospecha de él. Así, ocurre —recuerda Modestino— con el gobernador de la provincia, respecto a la compra de fundos provinciales, sitos en ella.

B) Elementos reales son: cosa —*merx*— y precio —*pretium*— de los que luego hablaremos.

C) Respecto a los elementos formales, cabe decir, en general, que la compraventa carece de ellos, pues existe libertad de forma al manifestar el consentimiento las partes y las posibles arras entregadas, o su formalización escrita son sólo medios de prueba de haberse celebrado la venta[9].

---

9 En época postclásica se empieza a aludir a formas escritas. Así, en una constitución de Constantino, si se trata de venta de cosas de importancia: impone la *professio censualis*; dispone, en caso de omisión, la confiscación ya de la cosa, ya del precio y habla de *sollemnitas* y de *contractus solemniter explicare*. Justiniano, da noticia de ventas mediante escritura —*scriptura conficiuntur*— a elección de las partes y sin matizar cuales sean, tanto para cosas muebles como inmuebles. Refiere: que si adoptan tal forma el contrato sólo estará perfecto —*non aliter perfectam esse*—

2. CONTENIDO DE LA COMPRAVENTA

I. La Cosa

En principio, pueden ser objeto de compraventa todas las cosas, siempre que: existan o puedan existir; sean de lícito comercio y estén determinadas o puedan serlo, sin nuevo acuerdo entre las partes; no exigiéndose sean propias del vendedor.

1.º) Existencia real o posible.

Respecto a las cosas futuras cabe distinguir entre: a) la compra de la cosa esperada, *emptio rei speratae*, que queda sometida a la condición de que, realmente, llegue a existir —como, dice Pomponio, en el caso de frutos, partos y cosechas— y b) la compra de la esperanza, *emptio spei*[10], en la que las partes realizan la compra, a todo evento. Caso típico, en las fuentes, también referido por Pomponio, es el de echar las redes —*iactus retium*— en el que el comprador ofrece una cantidad por lo que los pescadores saquen del mar con aquellas, sea poco, mucho o nada.

También pueden ser objeto de venta las *res incorporales*, entendidas: a) ya como «derechos», caso de la herencia —*hereditas*— aceptada —como recuerda Paulo—; b) ya como alguna de las «facultades» que comporta su ejercicio, caso de servidumbres prediales o del usufructo —según Javoleno y Paulo—[11].

2.º) Lícito comercio —*In commercio*—.

La cosa debe estar en el comercio de los hombres, y no fuera de él —*extra commercium*—[12]. Por ello, se excluyen como objetos de venta: el hombre libre, las cosas públicas, sagradas, santas o religiosas[13].

---

[10]   cuando sea redactado el escrito —*...nisi et instrumenta... fuerint conscripta...*— y que mientras —*donec enim*— esto... falta... —*aliquid... deest...*— pueden comprador y vendedor desistir de la compra —*potest emptor vel venditor... recedere ab emptione*—. Esto no implica que la venta pase a ser un contrato literal, pues la escritura seguirá siendo un medio de prueba del consentir de las partes.

[10]   La lotería, hoy, sería ejemplo típico de compra de la esperanza.

[11]   El carácter personalísimo, por un lado, del usufructo, uso y habitación impiden su venta, aunque su titular pueda ceder por precio el ejercicio del derecho que comporta y por otro, la adherencia de las servidumbres a los predios, también, la impide, aunque no que el titular del fundo dominante ceda a alguien, el ejercicio por precio de algunas de las facultades que constituyen su concreto contenido.

[12]   Paulo, dice: (Se puede hacer rectamente la venta) de todas las cosas —*omnium rerum*— que alguno puede tener —*quas quis habere*— poseer —*vel possidere*— o

3.º) Determinada o determinable, pues basta que, en un futuro, se pueda determinar, sin un nuevo acuerdo entre las partes[14].

4.º) ¿Propia del vendedor? Ulpiano resume: No hay duda —*nulla dubitatio est*— que se admite la venta de cosa ajena —*venditio rei aliena*— pero, también, advierte, que puede quitarse la cosa al comprador —*sed res emptori auferri potest*—.

Así pues, sin perjuicio de la posible *rei vindicatio* por parte de su dueño, la venta de cosa ajena, en todo caso, produce efectos jurídicos, ya que: a) no se transmite la propiedad; b) el vendedor puede adquirir la cosa después de la venta de su dueño; c) éste, puede, en su caso, ratificarla y d) de no producirse algo de lo anterior, surtirán efectos jurídicos como las correspondientes indemnizaciones de daños y perjuicios por incumplir el vendedor sus obligaciones[15].

II. El precio

El precio es la suma de dinero que el comprador se obliga a dar al vendedor a cambio de la cosa y, dice Papiniano, en él consiste la esencia de la compra, *emptionis substantia consistit ex pretio.*

---

perseguir —*vel persequi*— *(potest venditio recte fit)*; (en cambio es nula la venta) de todas aquellas cosas que por la naturaleza —*quas vero natura*— derecho de gentes —*vel gentium ius*— o costumbres de la ciudad —*vel mores civitatis*— dejaron de hallarse en el comercio —*commercio exerunt, (earum nulla venditio est)*—.

13   Según Modestino: El que ignorándolo —*Qui nesciens*— compró como privados lugares sagrados o religiosos o públicos —*loca sacra, vel religiosa, vel publica pro privatiis comparavit*— aunque no sea válida la compra —*licet emptio non teneat*— ejercerá sin embargo contra el vendedor la acción de compra —*ex empto tamen adversus venditorem experietur*— para que consiga —*ut consequatur*— lo que le importó que no fuere engañado —*quod interfuit eius, ne deciperetur*—.

14   La compra de cosas al por mayor o genéricas, no aparece recogida, con claridad, en los textos, siendo opinión dominante, que la absoluta indeterminación repugnaría a la mente romana y que, en su caso, habría que acudirse a la *stipulatio.*

15   ¿Será válida la venta de una cosa perteneciente al comprador? Pomponio, dice: No es válida la compra de una cosa propia —*Suae rei emptio non valet*— ya sabiéndolo —*sive sciens*— ya si lo compré ignorándolo —*sive ignorans emi*— pero si la compré ignorándolo —*sed si ignorans emi*— podré repetir lo que hubiera pagado —*quod solvero repetere potero*— porque no hubo obligación alguna —*quia nulla obligatio fuit*—. Pero si la cosa fuera común al comprador con otro —*Sed si communis ea res emtori cum alio sit*— debe decirse —*dici debet*— que dividido el precio —*scisso pretio*— con arreglo a cada porción —*pro portione*— la compra es válida en parte —*pro parte emtionem valere*— y en parte no vale —*pro parte non valere*—.

Ha de consistir en dinero; ser cierto; verdadero y, en derecho justinianeo y determinadas ventas, justo.

1.°) El precio ha de consistir en dinero —*pecunia numerata*—.

Tras una discrepancia entre sabinianos —que postulaban podía ser otra cosa, como: un esclavo, una toga o un fundo— y proculeyanos —que lo negaban— prevaleció el parecer de éstos, pues si una cosa es vender y otra comprar, y una persona es el vendedor y otra el comprador, también una cosa es el precio y otra la mercancia[16].

Resumiendo: a) de mediar dinero, existirá compraventa; b) de no mediar dinero ni darse algo a cambio de la cosa, donación y c) si —sin dinero— se entrega, a cambio, otra cosa, permuta.

2) El precio debe ser cierto —*certum*—. Así, escuetamente, lo refiere Gayo: *pretium autem certum esse debet*.

Esto comporta el que sea conocido o determinado, bastando pueda fijarse su cuantía, sin necesidad de nuevo acuerdo entre las partes, al hacerse tomando como base hechos o circunstancias objetivas, así: por ejemplo, como dice Ulpiano, «en cuanto lo compraste», *quanti emisti* o «por el dinero que tengo en el arca» —*quanti pretiii in arca habeo*—[17] o por cuanto el comprador «revenda la cosa»[18]; por el precio

---

16 Paulo, tras dar noticia de las discrepancias entre Sabino y Casio —por un lado— y Nerva y Próculo —por otro— dice: Pero es más verdadera la opinión de Nerva y Próculo —*Sed verior est Nervae et Proculi sententia*— porque así como una cosa es vender —*nam ut aliud est vendere*— y otra comprar —*aliud emere*— uno el comprador —*alius emptor*— y otro el vendedor —*alius venditor*— así también una cosa es el precio —*sic aliud est pretium*— y otra la mercancía —*aliud merx*—. Y en la permuta no se puede distinguir —*quod in permutatione discerni non potest*— cuál es el comprador y el vendedor —*uter emptor, uter venditor est*—. Justiniano zanja el debate, diciendo en Instituciones: Mas el parecer de Próculo —*Sed Proculi sententia*— que decía que la permuta era una especie propia de contrato —*dicentis permutationem propriam esse speciem contractus*— diferente de la venta —*a venditione separatam*— prevaleció con razón...—*merito prevaluit...*— Lo que admitieron los emperadores anteriores —*quod et anteriores divi principes admiserunt*— y se halla explicada más ampliamente en nuestro Digesto —*et in nostris digestis latius significatur*—.

17 Ulpiano lo justifica así: porque más bien se ignora en cuanto se haya comprado —*magis enim ignoratur quanti emptus sit*— que sea incierto en realidad —*quam in rei veritate incertum est*—.

18 Seguimos con Ulpiano: Si alguno hubiera comprado de esta manera: *Si quis ita emerit:* «Tengo por comprado el fundo en 100 —*«est mihi fundus centum*— y en cuanto por más yo lo vendiera» —*et quantum pluris eum vendidero»*— es válida la venta —*valet venditio*— e inmediatamente se perfecciona —*et statim impletur*— porque tiene

corriente en mercado; por el que adquiera la cosa en el próximo... En derecho clásico, se discute sobre si puede dejarse la fijación del precio al arbitrio de un tercero[19] y con Justinianeo se zanja la cuestión en sentido afirmativo. La venta será, entonces, condicional, dependiendo de que el tercero fije este precio[20]. En todo tiempo, no se admite quede la fijación del precio al arbitrio de una sola de las partes[21].

3) El precio ha de ser verdadero —*verum*—.

Si no fuera real o serio, sino ficticio o simulado —como el que no se va a exigir— la venta perderá su carácter para convertirse en donación —si cumple sus requisitos— o resultará nula —de incumplirlos—[22].

4) ¿Se requiere un justo —*iustum*— precio?

Es frecuente en los textos, alusiones a que los contratantes se puedan engañar recíprocamente y que puedan comprar lo que vale

---

el precio cierto de 100 —*habet enim certum pretiium centum*— aunque se aumentará el precio —*augebitur autem pretium*— si el comprador hubiera vendido en más el fundo —*si pluris emptor fundum vendiderit*—.

[19] Labeón negó que este negocio tuviera alguna virtualidad —*Labeo negavit ullam vim hoc negotium habere*—. Casio aprueba esta opinión —*cuius opinione Cassius probat*— y Ofilio, juzgó que en este caso también había compraventa —*Ofilius et eam emptionem et venditionem (esse putavit)*— opinión ésta que siguió Proculo —*cuius opinionem Proculus secutus est*—.

[20] Refiere Justiniano: Pero si el designado —*Sin autem ille qui nominatus est*— no quisiera o no pudiera señalar el precio —*vel noluerit vel non potuerit pretium definire*— entonces se considere nula la venta —*tunc pro nihilo esse venditionem*— como si no se hubiese fijado precio alguno —*quasi nullo pretio statuto*—.

[21] Refiere Gayo: Es sabido —*Illud constat*— que no se perfecciona el negocio —*imperfectum esse negotium*— quando al que quiere comprar le dice de este modo el vendedor —*quum emere volenti sic venditor dicit:*— «por cuanto quieras —*«quanti velis»*— por cuanto juzgares justo —*quanti aequum putaveris*— por cuanto hubieres estimado —*quanti aestimaveris*—... tendrás comprado» —*habebis emptum*—.

[22] Ulpiano matiza: Si por causa de donación vendiera alguno por menos, es válida la venta —*Si quis donationis causa minoris vendat, venditio valet*— porque decimos que no es válida en lo absoluto la venta —*toties enim dicimus, in totum venditionem non valere*— siempre y cuando toda la venta fuera hecha por causa de donación —*quotiens universa venditio donationis causa facta est*— pero cuando por causa de donación se vende la cosa en menos precio —*quoties vero viliore pretio res donationis causa distrahitur*— no es dudoso —*dubium non est*— que es válida la venta —*venditionem valere*—. Una excepción a esto sería, la posible venta, por causa de donación, entre cónyuges —*inter virum et uxorem*— en la que se fija un menor precio —*facta pretio viliore*— que será nula —*nullius momenti est*—.

más, en menos o vender lo que vale menos, por más[23]. Estas picardías del comercio —*sollertia*— tienen el carácter de *dolus bonus*, excluyen el intento de fraude[24] y avalan que no se exige que el precio sea justo.

En derecho justinianeo, en un caso concreto, sin embargo, esto se exige. Y, así, la venta de un inmueble por menos de la mitad de su valor —*laesio aenormis* o *ultra dimidium*— puede rescindirse a instancia del vendedor —*auctoritate iudicis*— a menos que el comprador se avenga a completar el suplemento del precio —*quod deest iusto pretio*[25]—.

3. EFECTOS DE LA COMPRAVENTA

Por ser un contrato bilateral perfecto produce obligaciones para ambas partes, que terminarán siendo exigidas, respectivamente, por la *actio empti* —acción de compra— propia del comprador y la *actio venditi* —acción de venta— que compete al vendedor.

I. Obligaciones del comprador

Son obligaciones del comprador:

A) Pagar el precio —*pretium dare*— de la cosa comprada[26], lo que se hará, transmitiendo al vendedor la propiedad de las monedas en

---

[23] Ulpiano, recogiendo el sentir de Pomponio, dice —*Idem Pomponius ait*— que en el precio de la compra y de la venta —*in pretio emptionis et venditionis*—es naturalmente lícito —*naturaliter licere*— a los contratantes engañarse —*contrahentibus se circunscribere*—.

[24] Según Ulpiano: Si el vendedor hubiera obrado con dolo —*Si venditor dolo fecerit*— para vender más cara la cosa —*ut rem pluris vendert*— por ejemplo si mintió respecto al oficio —*ut puta de artificio mentitus est*— o respecto al peculio —*aut de peculio*— se obliga por la acción de compra —*empti eum iudicio teneri*—a entregar al comprador —*ut praestaret emptori*— cuanto por más —*quanto pluris*— hubiera comprado al esclavo—*servum emisset*— si hubiera tenido aquel peculio —*si ita peculiatus esset*— o estado instruido en aquel oficio —*vel eo artificio instructus*—.

[25] Criterio y caso que subsiste en Derecho Civil catalán.

[26] El pago del precio se hará en el plazo convenido y en su defecto inmediatamente despues de concluido el contrato. En tanto no se produzca, si se exigiera la entrega de la cosa comprada, el vendedor podrá oponer la excepción de contrato no cumplido —*exceptio non adimpleti contractus*—.

que aquél consista, debiendo intereses, si no lo hace, desde el día en el que le fuera entregada la cosa[27].

B) Abonar los gastos de conservación de la cosa vendida, desde la perfección del contrato —*consensus*— hasta su entrega[28].

C) Soportar el riesgo —*periculum*— de pérdida o perecimiento de la cosa vendida y no entregada, ya sea por su propia naturaleza o bien por un acontecimiento fortuito.

El problema de quien debe soportar este riesgo presenta la siguiente alternativa: o lo soporta el vendedor que se queda sin la cosa y, además, no tienen derecho al precio o el comprador que debe pagar por algo que no recibe.

La solución tal vez más racional sería que lo soportara el vendedor, pues al no poder cumplir su prestación tampoco podría exigir la que corresponde a la otra parte. Sin embargo, con Justiniano, se consagra la máxima: *periculum est emptoris* = el riesgo es del comprador[29], porque si, éste, desde el momento de la venta, ya tiene derecho a los

---

27 Ulpiano, justifica el por qué, porque disfrutando el comprador de la cosa —*nam quum re emptor fruatur*— es muy justo —*aequissimum est*— que él pague los intereses del precio —*eum usuras pretii pendere*—.

28 Lógicamente si los frutos de la cosa ya pertenecen al comprador, también deben serlo sus cargas. Ulpiano, alude en general a los gastos que se hicieran en la cosa vendida —*sumtus qui facti sunt in re distracta*—y, a tenor de Labeón y Trebacio, ofrece como ejemplos: si se gastó algo en los edificios vendidos —*si quid in aedificia distracta erogatum est*— si se gastó algo en la curación de un esclavo enfermo antes de la entrega —*et si in aegri curationem impensum est ante traditionem*— o algo en la enseñanza del mismo —*aut si quid in disciplinas*— que era verosimil que también el comprador quería que se costease —*quas verosimile erat etiam emptorem velle impendi*— e incluso... si se hubiera gastado algo en el entierro del esclavo fallecido —*si quid in funus mortui servi impensum sit*—.

29 En Instituciones de Justiniano se dice: Por tanto, si el esclavo hubiera muerto — *Itaque si homo mortuus sit*— o sufrido alguna lesión en alguna parte de su cuerpo — *vel aliqua parte corporis laessus fuerit*— o todo el edificio, o una parte de él, hubiese sido consumido por un incendio —*aut aedes totae aut aliqua ex parte incendio consumptae fuerint*— o toda una heredad, o parte de ella, hubiera sido arrastrada por la fuerza del río —*aut fundus vi fluminis totus vel aliqua ex parte ablatus sit*— o también por efecto de una inundación —*sive etiam inundatione aquae*— o por haber sido arrancados los árboles por un huracán —*aut arboribus turbine deiectis*—hubiese comenzado a valer mucho menos —*longe minor aut deterior esse coeperit*—el daño es para el comprador —*emptoris damnum est*—el cual, aun cuando no hubiera recibido la cosa, debe pagar el precio —*cui necesse est licem rem non fuerit nactus, pretium solvere*—...

frutos y accesiones que produzca la cosa vendida —*ad emptoris commodum pertinet*— también le deben corresponder los perjuicios o deterioros que sufra[30].

II. Obligaciones del vendedor

Son obligaciones del vendedor:

A) Custodiar y conservar la cosa vendida hasta su entrega.– En época clásica, la *custodia*, comporta responder, en caso de hurto[31], aun demostrando, el vendedor, que usó la diligencia debida[32]. En época justinianea, la obligación de conservar sólo implica observar la diligencia de un buen padre de familia. Esto es, responder —salvo pacto— de su deterioro o pérdida, por dolo y por culpa leve *in abstracto*[33].

---

[30] *A sensu contrario*, así se establece en Instituciones, al decirnos: las ventajas deben corresponder a quien competen los riesgos —*nam et commodum eius esse debet cuius periculum est*—. En síntesis, y para completar la teoría del riesgo —*periculum*— en su aplicación a la compraventa, en Derecho Romano, se debe tener presente: 1.º) que no se aplica, según Africano, si la cosa vendida resulta *extra commercium* o expropiada; 2.º) que el riesgo —*periculum*— sólo se refiere a supuestos de fuerza mayor —esto es imprevisibles e inevitables— como los terremotos, incendios, o inundaciones; 3.º) que sus efectos se pueden eliminar por la voluntad concorde de las partes; 4.º) que, como contrapartida, recuerda Ulpiano, el vendedor asume la obligación de *custodia* y 5.º) que, matiza Paulo, el momento del traspaso del riesgo al comprador es el de la perfección del contrato —*perfecta emptio periculum ad emptoris respicit*— por lo que, si la compraventa es condicional, se produce cuando la condición se cumple; si la cosa es fungible, cuando se cuenta, pesa o mide, y si forma parte de una masa cuando se separa de ella.

[31] Así, dice Paulo: Pero el vendedor debe responder de una custodia como —*Custodiam autem venditor talem praestare debet*— la que responden aquellos —*quam praestant hi*— a quienes se dio una cosa en comodato (préstamo gratuito) —*quibus res commodata est*— de suerte que responda de una más exacta diligencia —*ut diligentiam praestet exactiorem*— que la que él pondría en sus propias cosas —*quam in suis rebus adhiberet*—.

[32] La doble razón esgrimida en doctrina para justificar esta agravación de responsabilidad es: que el vendedor viene a ocupar una posición similar a la de un guardián retribuido y ser contrapartida de la asunción del *periculum* por el comprador.

[33] Así, resulta de un texto de Ulpiano —interpolado—: Cuando media utilidad para una y otra de las partes —*Sed ubi utrisque utilitas vertitur*— como en la compra... —*ut in empto*— se responde no sólo de dolo, sino de culpa —*et dolus et culpa praestatur*—.

B) Entregar —*tradere*— la cosa vendida[34].– Se entiende por «entregar», su puesta en poder y posesión del comprador; en el estado en que se encontrara en el momento de la perfección del contrato; con todos los aumentos, frutos y accesiones, producidos desde aquel momento[35].

La entrega, como anticipamos, no implica transmitir su dominio. Así, Ulpiano, refiriéndose a la venta de un fundo, nos dice: El que vendió —*Qui vendidit*— no tiene necesidad —*necesse non habet*— de hacer del comprador el fundo —*fundum emptoris facere*—.

C) Procurar al comprador la «pacífica» posesión de la cosa —*vacuam possesionem tradere*—. Este poder, de hecho, se designa en las fuentes con la expresión: *habere licere*[36] —que le sea permitido tener la cosa— y comporta la inexistencia de vicios jurídicos[37]. Según Pomponio, la razón de la posesión, es: que si alguien la reclamara, en derecho, no se entiende entregada. Detengámonos sobre ello.

Lo contrario de pacífico es litigioso. Por ello, si el comprador es vencido en un proceso en el que un tercero acredita ser dueño de la

---

[34] Ulpiano, dice: Y en primer lugar —*Et in primis*— debe el vendedor dar la misma cosa —*ipsam rem praestare venditorem oportet*— Esto es: entregarla —*Id est, tradere*—.

[35] En particular, según Ulpiano: a) la venta de un fundo, comprende lo que se sostiene en la tierra —*nisi quod terra se teneat*—; b) la de una casa, las cerraduras —*seras*— las llaves —*claves*— los cerrojos —*claustra*— los cuadros —*tabulae pictae*— los depósitos de plomo —*castella plumbea*— las tapaderas de los pozos —*opercula puteorum*—...; c) la de la casa de campo, no comprende el vino —*vinum*—ni los frutos percibidos —*fructus perceptos*— pero si las estatuas —*sigilla*— y las columnas —*columnas*— y d) en materia de frutos, es decisivo la voluntad de las partes. Paulo nos da noticia de la venta de un fundo en el que se había excluido «todo fruto» y de otra en la que se «exceptúa el trigo sembrado con la mano».

[36] Así, resulta de Africano, al decir: El vendedor sólo se obliga —*verum sit venditori hactenus teneri*— a que le sea permitido al comprador tener la cosa —*ut rem emptori habere liceat*— no también a hacerla de él —*non etiam ut eius faciat*—.

[37] Esto lo precisa Paulo, al decir: El vendedor sólo se obliga por evicción a entregar la posesión y a indemnizar por su dolo —*venditori sufficit ob evictionem se obligari, possessionem tradere et purgari dolo malo*—...y así si la cosa no fuese reivindicada nada debe —*itaque si evicta res non sit nihil debet*— y por Ulpiano, al exponer: Si verdaderamente fue dueño el vendedor —*Si quidem dominus fuit venditor*— hace también dueño al comprador —*facit et emptorem dominum*— y si no lo fue —*si non fuit*— obliga al vendedor solo por razón de evicción —*tantum evictionis nomine venditorem obligat*— si es que se entregó el precio o si con motivo de este se dio fianza —*si modo pretium est numeratum aut eo nomine satisfactum*—.

cosa vendida —o tener algún derecho real sobre la misma[38]— el vendedor responde por *evicción* —de *evincere* = ser vencido en juicio— lo que implica, la pérdida de un derecho por causa de una sentencia condenatoria.

Esta responsabilidad o garantía por vicios jurídicos es el resultado de una larga evolución, cuyos precedentes permanecen al margen de la propia venta y que caben resumir[39], diciendo: a) que se inicia con la *actio auctoritatis*; b) se desarrolla a través de distintas *stipulationes*, primero libres, después obligatorias y c) finaliza por considerarse, sin necesidad de estipulación, como un elemento natural a toda compra. Así[40]: es exigible a través de la *actio empti*, y por el interés —*id quod*

---

[38] A) Respecto al usufructo y en general, otro derecho sobre cosa ajena, Ulpiano, nos dice: Mas si acaso —*Si quis forte*— uno (promoviera controversia), no sobre la propiedad, sino sobre la nuda posesión —*no de proprietate, sed de possessione nuda (controversiam fecerit)*— o sobre el usufructo —*vel de usufructu*— o sobre el uso —*vel de usu*— o sobre cualquier otro derecho de lo que se enajenó —*vel de quo alio iure eius, quod distractum est*— es evidente —*palam est*— que se incurre en la estipulación —*committi stipulationem*— porque no le es lícito tener —*haberi enim non licet*— a aquel a quien se le disminuye algo del derecho que tuvo —*ei cui aliquid minuitur ex iure, quod habuit*—; B) Respecto a la prenda, refiere Pomponio que: La estipulación del duplo —*Duplae stipulatio*— no comprende solamente la evicción —*evictionem non unam continet*— si alguno hubiera reclamado el dominio de una cosa —*si quis dominium rei petierit*— y lo hubiera obtenido —*et evicerit*— sino también si se ejercitara la acción Serviana —*sed si Serviana actione experiatur*—; C) La existencia de una servidumbre no se tiene como caso de evicción, pues aunque disminuye el valor del fundo y afecta a la plenitud del dominio no excluye el *habere licere*, por lo que el vendedor responderá sólo —según Celso y Venuleyo— si hubiera vendido el fundo como totalmente libre —*optimus maximusque*— o libre de una determinada servidumbre.

[39] Sus principales momentos fueron: 1.°) la acción de garantía, *actio auctoritatis* —si se trata de *res mancipi* y existió *mancipatio*— por la que se obtiene el doble del precio satisfecho; 2.°) la formalización de un contrato verbal, *stipulatio* —si se trata de *res nec mancipi* o de *res mancipi* sin *mancipatio*— por la que el vendedor promete abonar al comprador, en su caso, el perjuicio que sufra —*stipulatio habere licere*— o el doble del precio pagado —*stipulatio duplae*— (esto sólo, matiza Ulpiano, para las cosas más preciosas, por ejemplo si se vendiera una perla —*si margarita forte*— u ornamentos preciosos —*aut ornamenta pretiosa*— o un vestido de seda —*vel vestis serica*— o alguna cosa no despreciable —*vel quid aliud non contemtibile veneat*—); 3.°) la *actio empti*, por la que se podrá exigir al vendedor celebrar tal *stipulatio*, que pierde así su carácter de libre, para resultar obligatoria y 4.°) la garantía por evicción —*evictionem praestare*— de la que tratamos en el texto.

[40] En nuestro derecho se habla, en general, de garantía de saneamiento —hacer sana una cosa— esto es, responde de los vicios —enfermedades— jurídicos —evicción— o económicos —vicios ocultos— que pudiera tener.

interest— del comprador (= resarcimiento de daños y perjuicios); se puede excluir por pacto —*pactum de non praestanda evictione*— por ley[41] o por la propia naturaleza de la venta[42] y ante su inminente riesgo, permite aplazar el pago del precio —*exceptio inminentis evictionis*—[43].

Son requisitos para exigir responsabilidad por evicción: a) Un derecho anterior a la compra; b) no haber transcurrido el plazo necesario para la *usucapio*; c) una sentencia condenatoria; d) la privación de todo o parte de la cosa vendida (o su estimación); y e) la notificación al vendedor para que preste su ayuda en juicio[44]. El resarcimiento no puede exceder el doble del precio o valor de la cosa vendida.

D) Procurar al comprador la posesión «útil» de la cosa vendida.– Esto implica el garantizar la inexistencia de vicios materiales o económicos. Por ello, el vendedor también responde al comprador de los vicios o defectos ocultos de la cosa.

A tal respecto, es necesario que el vicio: a) sea anterior a la venta[45]; b) subsista al tiempo de reclamación; c) sea oculto[46] y no conocido por

---

41   Venta de bienes de la Iglesia u Obras pías, en el derecho justinianeo.

42   Así, Paulo —respecto a la venta del *aleas*— dice: Si en el juego vendiera yo una cosa —*Si in aleam rem vendam*— para jugar —*ut ludam*— y hecha evicción de la cosa —*et evicta re*— fuera demandado —*conveniar*— el comprador será rechazado por la excepción —*exceptione summovebitur emtor*—.

43   En síntesis: A) en época clásico, la evicción se combate, por: a) la *actio auctoritatis* — si hubo *mancipatio*—; b) la *actio ex stipulatu* —si no la hubo, pero sí *stipulatio*— y c) la *actio empti* —en defecto de ambas y B) en derecho justinianeo— desaparecida la *mancipatio*, y lográndose iguales efectos por la estipulación que por la acción de compra, si se realiza aquella, tendrá siempre caracter *duplae* y si no, la *actio empti* resarcirá al comprador los daños y perjuicios.

44   Según Paulo: Si pudiendo el comprador —*Si quum possit emptor*— hacer la notificación al vendedor —*auctori denuntiare*— no la hubiere hecho —*non denuntiasset*— y hubiese sido vencido —*idemque victus fuisset*— porque estuviese poco instruido —*quoniam parum instructus esset*— por esto mismo se considera que actuó con dolo —*hoc ipso videtur dolo fecisse*— y no puede intentar la acción de lo estipulado —*et ex stipulatu agere non potest*—.

45   Por ello, Papiniano, dice: No ha lugar a la acción redhibitoria —*Actioni redhibitoriae non est locus*— si hubiera huido el esclavo comprado en buenas condiciones —*si mancipium bonis conditionis emptum fugerit*— que antes no había huido —*quod ante non fugerat*—.

46   Según Ulpiano: Si se conociera el vicio o la enfermedad del esclavo —*Si intelligatur vitium morbusve mancipii*— como muchas veces —*ut plerumque*— suelen manifes-

el comprador, salvo negligencia inexcusable[47]; y d) sea grave, en el sentido que inutilice la cosa para su aprovechamiento normal o disminuya, en forma notable su valor[48].

En tales casos, en general, el comprador podrá optar entre la resolución del contrato o la reducción del precio de compra.

Todo lo expuesto, también es resultado de una evolución larga que discurre en forma paralela a la de la evicción[49] cuyo momento más destacado es una segunda fase, con la actuación de los Ediles curules, a quienes correspondiéndoles la policía, vigilancia y *iurisdictio* en los mercados, imponen, a través de su Edicto, a los vendedores de esclavos y animales una doble obligación: a) declarar todos los defectos que tuvieran —*palam recte pronuncianto*— y b) el hacer una *stipulatio duplae*, según formulario propuesto en su Edicto.

---

tarse los defectos por algunas señales —*signis quibusdam solent demostrari vitia*— puede decirse que no tiene aplicación el Edicto —*potest dici Edictum cessare*—porque solamente se ha de tender a esto —*hoc enim tantum intuendum est*— a que no sea engañado el comprador —*ne emptor decipiatur*—.

[47] Según Paulo: La ignorancia aprovecha al comprador —*Ignorantia emptoris prodest*— si no recae en ignorante supino —*quae non in supinum hominem cadit*—.

[48] Ulpiano recuerda: Pero se ha de saber —*Sed sciendum est*— que en Sabino se halla definida la enfermedad, así —*morbum apud Sabinum sic definitum esse*— «hábito de algún cuerpo contra lo natural —*habitum cuiusque corporis contra naturam*—que hace su uso menos apto —*qui usum eius ad id facit deteriorem*— para aquello para lo que la naturaleza nos dio la sanidad de aquel cuerpo» —*cuius causa natura nobis eius corporis sanitatem dedit*—. Sigue Ulpiano: Por lo tanto una leve fiebrecilla —*Proinde levis febricula*— o una cuartana antigua —*aut vetus quartana*— que sin embargo puede ya despreciarse —*quae tamen iam sperni potest*— o una pequeña herida—*vel vulnusculum modicum*—no contiene en sí ninguna culpa—*nullum habet in se delictum*—como no se haya declarado—*quasi pronuntiatum non sit*—pues estas cosas pudieron despreciarse —*contemni enim haec potuerunt*—.

[49] En una primera fase, y sólo para cuando la cosa se entregará por *mancipatio*, el comprador dispondría de la *actio auctoritatis* (siempre que el mancipante hiciera expresas afirmaciones al respecto, *dicta in mancipia*, no, si guardaba silencio) y de la *actio de modo agri* —aplicable en supuesto de defectos de cabida de los fundos— pero al no agotarse, así, todas las posibilidades, se tuvo que acudir a celebrar *stipulationes* al margen de la compraventa, como vimos en la evicción (que en la práctica, comprendían, también, las hipótesis de evicción —así pues, se unificaba con ella—) en las que el vendedor prometía la ausencia de ciertos vicios o la presencia de ciertas cualidades en la cosa vendida. En principio, el vendedor sólo respondía de los vicios, explícitamente excluidos, sin embargo, la jurisprudencia, a tenor de la *bona fides* propia del contrato, considera, con independencia de cualquier estipulación, que el vendedor es responsable de los vicios ocultos que, dolosamente, hubiese silenciado.

El resultado es: que si no se presta tal garantía; las cualidades prometidas no fueran ciertas, existieran defectos ocultos —aun desconocidos por los vendedores— o, en cualquier caso, actuaran éstos dolosamente, conceden al comprador dos acciones: a) la *actio redhibitoria* —de *redhibere*, devolver— para deshacer la venta, esto es, resolver el contrato, con la devolución del precio pagado y de la cosa vendida y b) la *actio aestimatoria* o *quanti minoris*, para conseguir una disminución proporcional del precio, conservando la cosa en su poder el comprador. El plazo de ejercicio de la primera sería, según Gayo, de 2 meses y el de la segunda de 6, a partir del momento de la celebración de la venta. Así pues, al tercer mes cesaría la opción.

Con el tiempo, dichas acciones, se generalizan para toda clase de ventas —no sólo para las de esclavos y animales hechas en mercados— y sus principios inspiradores —rescisión de la venta y disminución del precio— pasan a las legislaciones modernas.

Estos principios, son asumidos por el *ius civile* y ya en el s.I —Sabino y Labeón— admiten que su contenido pueda hacerse efectivo por la propia *actio empti*, con la ventaja de no estar sujeta a tan breves plazos —pasarán a ser de 6 y 1 año respectivamente— aunque, por el carácter de buena fe del contrato al que protege se distinguirá según el vendedor supiese o ignorase la existencia del vicio[50]. En el primer caso, responderá por el daño causado y en el segundo por la resolución del contrato o la disminución del precio[51].

---

[50]   Según Ulpiano, Juliano —respecto a la venta de un ganado enfermo o un madero defectuoso— distingue entre su conocimiento y su ignorancia por el vendedor. Así, refiere: a) Si, ciertamente, (el vendedor) lo hizo, sin saberlo —*Si quidem ignorans fecit*— en esto sólo por la acción de compra habrá de responder —*id tantum ex empto actione praestiturum*—: en cuanto por menos lo hubiese yo comprado —*quanto minoris essem empturus*— si yo hubiese sabido que estaba así —*si id ita esse sciissem*—; b) pero si sabiéndolo se calló —*si vero sciens reticuit*— y engaño al comprador —*et emptoris decepit*— (habrá de responder) de todos los perjuicios —*omnia detrimenta*— que el comprador hubiera experimentado por aquella compra —*quae ex ea emptione emptor traxerit (praestiturum ei)*—.

[51]   En síntesis, el comprador tuvo a su disposición: a) si hubo estipulación, la *actio ex stipulatu*; b) la *actio empti* si los vicios ocultos eran conocidos por el vendedor; c) la acción *redhibitoria* con independencia de que el vendedor conociera o no, los vicios y d) una acción para la disminución del precio —*quanti minoris*—.

4. PACTOS MÁS FRECUENTES

Ser un contrato de buena fe, por un lado, y estar exento de todo tipo de formalidades, por otro, posibilita que en la compraventa tengan cabida numerosos pactos añadidos —*pacta adiecta*— exigibles a través de las acciones propias del contrato. Los principales fueron:

A) A favor del comprador: a) el de arrepentimiento —*pactum displicentiae*— en virtud del cual el comprador se reserva, durante cierto tiempo[52], la facultad[53] de rescindir el contrato si la cosa comprada no resulta de su agrado —se trata, en suma, de una compraventa a prueba[54]— y b) el pacto de retrocompra o recompra —*pactum de retroemendo*— por el que el comprador se reserva, por cierto tiempo, la facultad de reintegrar la cosa al vendedor y que éste le devuelva el precio.

B) A favor del vendedor: a) el pacto de retroventa o de rescate —*pactum de retrovendendo*— por el que el vendedor se reserva, por cierto tiempo, el poder rescatar la cosa vendida, mediante la restitución de su precio; b) el de adjudicación hasta cierto plazo o de mejor comprador —*in diem addictio*[55]— en virtud del cual el vendedor se

---

[52] En defecto de señalamiento expreso de plazo, el Edicto de los ediles curules concede al comprador una *actio in factum* a ejercer dentro de los 60 días siguientes.

[53] El comprador tiene plena libertad de aprobación o no y ello le distingue del *pactum degustationis*, propio del comercio de vinos y del que nos da noticia Ulpiano, en el que deberá de aceptar, en su caso, si aquellos no presentan vicios de acidez o mucosidad —*boni viri arbitratu*—.

[54] Este pacto puede configurarse: A) como una condición suspensiva, si se subordina la aprobación del comprador —y por tanto la venta— a que el objeto comprado sea de su interés, tal es el caso referido en Instituciones de Justiniano: «Si el esclavo Estico te agradara dentro de cierto tiempo —*Si Stichus intra certum diem tibi placuerit*— te será vendido en tantos aureos —*erit tibi emptus aureis tot*—» o B) como una condición resolutoria, de manera que la venta, ya realizada, se resuelva si el objeto comprado no agradara al comprador, o —como dice Paulo—: «que se devuelva si dentro de un cierto tiempo no hubiese gustado» —*si intra certum tempus displicuisset reddetur*—. Transcurrido el plazo, sin ejercer el comprador la facultad que le compete, en caso de la condición suspensiva se tiene por no celebrada la venta y de condición resolutoria deviene firme.

[55] Según Paulo, se hace así —*ita fit*—: Ten por comprado en 100 aquel fundo —*ille fundus centum esto tibi emptus*— salvo, si alguno dentro de las próximas calendas de enero —*nisi si quis intra kalendas Ianuarias proximas*— hubiera hecho mejor condición (oferta) —*meliorem condicionem fecerit*— por la que salga la cosa del poder del dueño —*qua res a domino abeat*—.

reserva, por cierto tiempo, el derecho de rescindir la venta si se presenta otra persona que ofrece mejores condiciones[56]; c) el comisorio —*pactum de lege comissoria*[57]— en virtud del cual el vendedor se reserva el derecho de tener por no celebrada la venta —y obtener la restitución de la cosa— si el comprador no paga el precio en el tiempo establecido[58] y d) el de preferencia —*pactum protomiseos*— en virtud del cual, si el comprador vuelve a vender la cosa debe ofrecerla al vendedor, quien tendrá preferencia en igualdad de condiciones[59].

---

[56] Tres notas pueden complementar la idea conceptual que se refleja en el texto. 1.ª) que, no sólo un precio más alto, sino —según matiza Pomponio— todo lo que afecte a la utilidad del vendedor —*quidquid enim ad utilitatem venditoris pertinet*— debe tenerse como mejor condición —*pro meliore condicione haberi debet*—; 2.ª) que el vendedor ha de notificar al primer comprador las mejoras ofrecidas por el nuevo, para que pueda aumentar su oferta, pues la efectividad de ésta, según recuerda Paulo, depende de si el primero no está dispuesto a aumentar más —*nisi prior paratus sit plus adicere*— y 3.ª) que los juristas clásicos discuten sobre la naturaleza de este pacto. Ulpiano, resuelve la cuestión según la voluntad de las partes, esto es: «a lo que se quiso hacer» —*quid actum sit*— para juzgar, entonces, si es una compra simple —*utrum pura emtio est*— que se resuelve bajo condición —*sed sub conditione resolvitur*— o si por contra —*an vero*— la compra es más bien condicional —*condicionalis sid magis emptio*—. En suma, si se quiso que ante la mejor oferta se deshaga la compra, será una compra simple, resuelta por la condición pero si se convino que la compra se perfeccionará si no se hacía mejor oferta, será compra condicional.

[57] Esto es, en ejemplo referido por Pomponio, cuando el vendedor de un fundo —*Quum venditor fundi*— hubiese hecho una cláusula diciendo así —*in lege ita caverit*—: Si dentro del plazo el precio no fuese pagado —*si ad diem pecunia soluta non sit*— que el fundo se tenga por no comprado —*ut fundus inemptus sit*—.

[58] Tres referencias en orden a la naturaleza, régimen y extinción, complementarán la idea conceptual de este pacto. En cuanto a su naturaleza, Ulpiano, dice que es más cierto que la compra se «resuelve» bajo condición —*magis est ut sub conditione resolvi emptio*— que parezca se «contrae» bajo condición —*quam sub conditione contrahi videatur*— y que la resolución es una simple facultad del vendedor, que puede renunciar a ella y exigir el precio, pues lo utilizará si quiere —*si volet*— no contra su voluntad —*non etiam invitus*—. En cuanto a los frutos, que el comprador perciba en este tiempo intermedio se deben restituir porque como, dice, Neracio, citando a Aristón, nada debería quedar en su poder —*quia nihil penes eum residere oporteret*— de un negocio —*ex re*— en el que había faltado a la buena fe —*in qua fidem fefelliset*—. Respecto a la extinción, Hermogeniano, matiza que: Despues del día señalado... —*Post diem... praestitutum*— si el vendedor pidiera el precio —*si venditor pretium petat...*— se considera que renuncia al pacto... —*renuntiatum videtur*— y no puede variar y volver a éste —*nec variare et ad hanc reddire potest*—.

[59] Como en el pacto de *retrovendendo*, el comprador está obligado a notificarle la futura enajenación, teniendo el plazo de dos meses para ejercer su preferencia.

En las compraventas con precio aplazado[60] puede darse, también, en favor del vendedor, los pactos de: reserva de hipoteca —*pactum reservatae hypothecae*— y de reserva de dominio —*pactum reservatae dominii*—[61].

---

[60] Hasta el pago por el comprador —*donec pretium ab emptore solveretur*—.

[61] Podrían mencionarse muchos otros pactos añadidos al contrato de compraventa por los cuales el comprador se compromete a dar o no un específico destino a la cosa comprada. Así por vía de ejemplo: el pacto de manumitir al esclavo —*ut manumittatur*— o de no prostituir a la esclava —*ne prostituatur*—.

Tema 33

Otros contratos consensuales

1. EL ARRENDAMIENTO EN GENERAL

I. Terminología

Locatio-conductio viene de: *locare*, «colocar» —entregar, confiar, poner algo a disposición de alguien, conceder poder sobre algo— y *conducere*, de *secum ducere*, «llevar consigo» —disfrutar de algo—. *Locatio-conductio* es, pues, la relación, en virtud de la cual, una persona —*locator*— «coloca», pone o concede poder sobre «algo» a otra persona —*conductor*— que lo «lleva consigo» o lo disfruta.

a) Si ese «algo» se trata de cosas, el *locator* «coloca» o pone el objeto —*res*— en manos del *conductor* que lo «lleva consigo» y paga por ello; b) si de servicios, el *locator* «coloca» o pone sus servicios —*operae*— a disposición del *conductor*, que los «lleva consigo», los utiliza e igualmente paga y c) si es de una obra, el *locator*, «coloca», pone, aporta o suministra los materiales y encarga su realización al *conductor* que «los lleva consigo», usa, ejecuta la obra —*opus*— y cobra por ello[1].

II. Concepto

El Arrendamiento —*locatio conductio*— es un contrato en virtud del cual, una persona se obliga a proporcionar a otra, a cambio de una renta, salario o merced: el uso y disfrute temporal de una cosa (*res*) —arrendamiento de cosas o propiamente dicho—; ciertos servicios

---

[1]   Debe advertirse: 1.º) que mientras en los dos primeros casos el *conductor* es quien paga, en el último es quien cobra, pues el contrato versa, en cierto modo, sobre los materiales que «coloca» —*locat*— una persona para que otra haga, con ellos una obra —*opus faciendum locare*— y 2.º) que esta terminología, en lo que se debe conocer, ni en Roma —ni hoy— tuvo importancia, siendo indiferente, en lo jurídico, el determinar si quien recibía la cosa era llamado de una u otra forma.

(*operae*) —arrendamiento de servicios, hoy contrato de trabajo— o la realización de una obra (*opus*) —arrendamiento de obra, hoy contrato de empresa, transporte o contrata—[2].

III. Caracteres

La *Locatio-conductio* es un contrato: consensual, bilateral perfecto, oneroso, de derecho de gentes y de buena fe.

A) Es consensual, porque no es necesario ni la entrega de la cosa ni cumplir formalidad alguna para que surja el contrato, que, como la compraventa, se perfecciona por el mero consentimiento.

B) Es bilateral perfecto, porque genera obligaciones recíprocas para las partes, garantizadas por dos acciones distintas. La *actio locati* —o *ex locato*— a ejercer por el *locator* contra al *conductor* y la *actio conducti* —o *ex conducto*— a ejercer por el *conductor* contra el *locator*.

C) Es oneroso, porque se produce un cambio entre una utilidad y su correspondiente retribución. Este pago —*merces*— será determinante para diferenciarlo de otras figuras afines.

D) Es de derecho de gentes —*iuris gentium*— asequible, pues, a no ciudadanos.

E) Y es de buena fe —*bonae fidei*— al estar protegido por las dos acciones, ya citadas, que contienen la cláusula *ex fide bona*.

2. EL ARRENDAMIENTO DE COSAS, *LOCATIO CONDUCTIO REI*

I. Concepto y origen

A) El arrendamiento de cosa —*locatio conductio rei*— es un contrato en virtud del cual una persona —*locator*— se obliga a procurar a

---

[2]   En derecho romano se trata de una relación unitaria y aunque distingue sus tres modalidades no las trata por separado. Sabido esto, razones didácticas, aconsejan, proceder al estudio de cada una de ellas en particular.

otra —*conductor*— el uso y disfrute temporal de una cosa por un precio cierto.

En suma: es la cesión del uso y disfrute de algo por precio y tiempo determinados.

B) Precede en el tiempo a las otras modalidades y respecto a su origen, en el ámbito del derecho privado[3], cabe decir:

a) Que el alquiler más antiguo es el de los animales de tiro y carga[4]. Su utilidad en la agricultura, unido a su escasez y coste elevado, debieron ser razones para que si aquellos no se podían adquirir —o lograr en préstamo— se acudiera a su alquiler.

b) Que el alquiler de casas, en principio, carece de razón de ser, pues todo *paterfamilias* tiene su domicilio propio y él y su familia cuida y cultiva, directamente, sus tierras[5]. Su origen se vincula a la afluencia de extranjeros que, tras la segunda guerra púnica, experimenta Roma, lo que implicará se extienda verticalmente, con casas —*insulae*— que llegan a los cinco pisos.

c) Que el alquiler de tierras es el último en aparecer, al aplicarse a los particulares el régimen que, en principio, sólo se usó respecto a las tierras públicas que el «Estado» no podía explotar directamente.

II. Caracteres

Además de los expuestos para la *locatio conductio* en general, conviene diferenciar la *locatio conductio rei* de otras figuras afines. A saber: de la compraventa, del comodato y del usufructo.

A) De la compraventa se diferencia; a) porque el uso y disfrute que facilita es temporal y b) porque tal uso no es *causa habilis ad dominium transferendum* = título apto para la transmisión del dominio —o si se prefiere, *iusta causa usucapionis*— ya que al *conductor* no se le concede la posesión, sino la mera tenencia o detentación de la cosa —*possessio naturalis*—; B) se diferencia del comodato (prés-

---

3   Se excluyen los arrendamientos públicos de tierras con intervención de los censores a quienes compete la administración del *ager publicus*.

4   Gayo alude a la *locatio iumenti* (de jumentos) al tratar de las XII Tablas —en concreto, de la *legis actio per pignoris capionem*, acción de ley por toma de prenda—.

5   Domicilio, viene de *domum colere*, cultivar la casa.

tamo de uso gratuito) por su onerosidad y C) del usufructo: a) por no ser derecho real; b) no ser vitalicio; c) por su onerosidad, derivada del precio a satisfacer periódicamente y d) porque al *locator* no le basta —lo que si ocurre con el nudo propietario— con un mero *pati* = soportar y le incumbe una conducta más activa: debe procurar el pacífico uso y goce de la cosa.

III. Elementos

Respecto a los elementos personales baste recordar, que el *locator*, al no trasmitir la propiedad de la cosa arrendada, no debe ser, necesariamente, su dueño, pudiendo los usufructuarios y administradores tener este carácter y en cuanto a los formales, que por ser un contrato consensual no está sujeto a formalidad alguna.

Nos centraremos en sus elementos reales. A saber: cosa y precio.

a) La *locatio* puede recaer sobre cualquier cosa no consumible, sea mueble —como un esclavo o animal— o inmueble, sea urbano —entonces se denominará *inquilinatus* y al arrendatario *inquilinus*— o rústico —que se conocerá como *colonatus* y al arrendatario como *colonus*—. Por excepción, puede recaer sobre cosas consumibles si se ceden para un uso que no las consuma —*ad pompam vel ostentationem*—.

b) El precio —*pensio* o *merces*— debe reunir iguales requisitos que en la compraventa, por tanto: consistir en dinero, ser verdadero, cierto y determinado o determinable.

Respecto a la necesidad de que sea en dinero debemos precisar: 1.º) que si fuera sustituido por otra cosa se estaría ante un contrato innominado[6] y 2.º) que constituye una excepción el caso, referido por Gayo, de la *colonia partiaria* (aparcería), arrendamiento de un fundo

---

[6] Justiniano en Instituciones, dice: Por ejemplo, si teniendo uno un buey —*Veluti si cum unum quis bovem haberet*— y su vecino otro —*et vicinus eius unum*— conviniesen entre sí —*placuerit inter eos*— por espacio de 10 días prestárselos recíprocamente —*ut per denos dies invicem bovem commodarent*— para hacer una labor —*ut opus facerent*— y el buey de uno pereciese en poder del otro —*et apud alterum bos periit*— ni compete a aquél la acción de comodato (préstamo de uso) ni la de arrendamiento —*neque locati vel conducti neque commodati competit actio...*— sino que deberá entablarse la acción de palabras prescritas —*verum praescriptis verbis agendum est*— (que es la acción propia de los contratos innominados).

fructífero en el que hace las veces de precio una parte alícuota de los frutos[7].

IV. Efectos

Al ser un contrato bilateral produce obligaciones para las dos partes.

A) *Obligaciones del Arrendador* —locator—

En general, sólo tiene una: procurar al arrendatario —*conductor*— el goce de la cosa arrendada por todo el tiempo que dure el arriendo.

Si profundizamos en ella, en particular, el arrendador deberá:

1.º) «Colocar» la cosa, entregándola o poniéndola a disposición del *conductor*, condición ineludible para que, como dice Ulpiano: pueda usar, gozar o servirse de ella —*uti frui possit*—.

2.º) Conservarla, de conformidad a su propio y normal destino[8], debiendo hacer, por tanto, las reparaciones necesarias[9] y como contrapartida, abstenerse de las obras que impidan aquel uso.

3.º) Rembolsar al *conductor* los gastos necesarios y útiles que, en su caso, haya tenido que hacer en la cosa arrendada y pagar las cargas y tributos que recaigan sobre su propiedad.

4.º) Responder de los vicios jurídicos o económicos —ocultos— de la cosa[10] y soportar el riesgo —*periculum*— de su perecimiento por

---

[7] Esta *pars quota* hace que el contrato se aproxime al de sociedad, pues ambas partes participan en ganancias y pérdidas lo que no ocurre de fijarse una determinada cantidad de frutos —*pars quanta*—.

[8] Se incumple dice Ulpiano: Si el inquilino hubiera llevado a la casa un arca de bronce —*Si inquilinus arcam aeratam in aedes contulerit*— y la entrada de la casa la hubiera estrechado el dueño —*et aedium auditum coangustaverit dominus*—... (entonces) éste se obliga por la *actio ex conducto* —*ex conducto eum teneri*—.

[9] Seguimos con Ulpiano: si no se repara la casa del campo —*aut villa non reficitur*— o el establo —*vel stabulum*— o donde deban estar sus rebaños —*vel ubi greges eius stare oporteat*— se ejercerá la *actio ex conducto* —*ex conductione agetur*—. También Gayo, confirma: Lo mismo se entenderá —*Eadem intelligemus*— si el arrendador no repara las puertas o ventanas demasiado estropeadas —*si ostia fenestrave nimium corruptas locator non restituat*—.

[10] Dice Ulpiano, que: Si alguien sin saberlo hubiese arrendado tinajas defectuosas —*Si quis dolia vitiosa ignarus locaverit*— y luego se hubiese derramado el vino —*deinde*

fuerza mayor —*vis cui resisti non potest*— por lo que no podrá exigir el pago de la renta y restituirá lo que de ella se hubiera satisfecho[11].

El *periculum est locatoris* —el riesgo lo soporta el arrendador— es, pues, la regla contraria a la que rige la compraventa[12].

B) Obligaciones del Arrendatario —conductor—

1.º) Pagar el precio, renta o merced en la cuantía y en la forma acordada, si bien puede liberarse del pago cuando eventos graves —inundaciones, terremotos, sequías— impidan el uso, disfrute o aprovechamiento de la cosa arrendada.

En los arrendamientos rústicos, se termina por generalizar —época postclásica— la llamada *remissio mercedis*, por la que el *locator* debe rebajar, equitativamente, la renta en años de malas cosechas que compensará en los abundantes[13].

---

vinum effluxerit— quedará obligado en la medida del interés —*tenbitur in id quod interest*— y no se excusará su ignorancia —*nec ignorantia eius erit excusata*— y así lo escribió Cassio —*et ita Casius scripsit*—. Se sostiene en doctrina, que, en época clásica, la responsabilidad solo afectaría a los vicios conocidos.

[11] Según Gayo: En otro caso, el daño moderado —*alioquin modicum damnum*— debe soportarlo con ánimo sereno el colono —*aequo animo fere debet colonus*— al que no se quita la inmoderada ganancia —*cui inmmodicum lucrum non aufert*—.

[12] Resumimos las noticias que da Ulpiano: 1.º) Dice Servio —*Servius (ait)*— que de toda violencia —*omnem vim*— que no pueda resistirse —*cui resisti non potest*— debe responder el propietario frente al colono —*dominum colono praestare debet*—; 2.º) Que si algunos vicios —*si qua tamen vitia*— surgen de la misma cosa —*ex ipsa re oriantur*— el daño es para el colono —*haec damno coloni esse*—; 3.º) Que si producida una tormenta —*si labes facta sit*— hubiera arrebatado todo el fruto —*omnemque fructum tulerit*— el daño no es del colono —*damnum coloni non esse*— para que sobre el daño de la simiente perdida —*ne supra damnum seminis amissi*— no sea obligado a pagar el arrendamiento del campo —*mercedes agri praestare cogatur*—; 4.º) Que si por un terremoto —*si ager terrae motu*— se hubiera arruinado el campo —*ita corruerit*— de modo que nunca vuelva a su estado —*ut nusquam sit*— es en perjuicio del dueño —*damno domini esse*— porque debe dársele el campo al arrendatario para que pueda disfrutarlo —*oportere enim agrum praestari conductori ut frui possit*— (Si no puede disfrutar, es lógico deje de pagar).

[13] Ulpiano (Se pregunta) ¿Que se dirá si en el año estéril en el que se le hubiera remitido la pensión fuera el último? —*Quid tamen si novissimus erat annus sterilis in quo ei remiserit?*— Se dirá con más verdad —*Verius dicetur*— que aunque los anteriores fueran abundantes —*etsi superiores uberes fuerunt*— y lo sepa el arrendador —*et scit locator*— no debe ser llamado a aquel a hacer computación —*non debere eum computationem vocari*—.

2.º) Usar la cosa conforme a su naturaleza y destino. Respondiendo por su culpa[14], además de por custodia en caso de hurto.

3.º) Restituirla al fin del arriendo, sin abandonarla antes[15].

V. Extinción

A) Se extingue la *locatio-conductio*, por las siguientes causas: 1.º) común acuerdo; 2.º) resolución del derecho del arrendador[16] 3.º) transcurso del tiempo fijado por las partes y 4.º) incumplir éstas sus obligaciones. Maticemos algo las dos últimas.

Respecto al tiempo, conviene distinguir según se concertara el arriendo por tiempo indeterminado —*locatio perpetua*— o por un plazo —en el colonato el ordinario era de cinco años—. En el primer caso, cesa por renuncia de cualquiera de las partes, sin necesidad de preaviso; en el segundo, cesa por su vencimiento. Pese a ello, recuerda Ulpiano, de no mediar oposición por parte del *locator*, el *conductor* podrá mantener su situación —*relocatio tacita*— durante un año si se trata de fincas rústicas —a efectos de cosechas— o indefinidamente si son urbanas.

Respecto al incumplimiento de obligaciones cabe precisar, según se trate del *locator* o del *conductor*. a) El arrendador, *locator*, podrá rescindir el contrato —según Paulo— por el impago del alquiler de dos años y —con Justiniano— por abuso o deterioro de la cosa y si demuestra la necesidad de habitar o reformar la casa —*corrigere domum*—. b) El arrendatario, *conductor*, podrá hacerlo: por retardo en la entrega de la cosa[17]; defectos de ella que impidan su uso, lo

---

[14] Alfeno refiere: Uno que había dado en arriendo mulas, para una determinada carga —*Qui mulas ad certus pondus oneris locaret*— habiéndolas reventado el arrendatario con mayor carga —*quum maiore onere conductor eas rupisset*— consultaba respecto a su acción —*consulebat de actione*—. Respondió —*respondit*—... que la de locación —*ex locato*— (pues) aunque otro las hubiese reventado —*etiamsi alius eas rupisset*— con razón se ejercerá contra el arrendatario —*cum conductore recte agi*—.

[15] Según una constitución de Zenón, si el arrendatario se negase, al fin del arriendo, a devolver la cosa arrendada, será tratado como invasor de posesión ajena y sancionado con el pago del doble del valor de aquella.

[16] Según Ulpiano, Marcelo escribió: que si el usufructuario hubiere arrendado —*Si fructuarius locaverit*— un fundo por un quinquenio —*fundum in quinquenium*— y hubiere fallecido —*et decesserit*— no queda obligado su heredero —*heredem eiuis non teneri*— a permitir que lo disfrute —*ut frui praestet*—.

[17] Así lo constatan Labeón y Paulo.

limiten o dificulten[18] y por temor racional de que sobrevenga un peligro si continúa en su uso[19].

B) No son causas de extinción: a) la muerte de alguna de las partes, excepto si se hubiese dejado el tiempo de duración al arbitrio del *locator*[20]; b) el subarriendo, que se admite, salvo pacto en contra y c) la venta de la cosa arrendada.

Respecto a esta posible venta, no es exacto lo que parece se afirma por comentaristas bajo la máxima: *emptio tollit locatum* = la venta rompe el arrendamiento.

Es obvio que el comprador-adquirente podrá privar de la cosa al *conductor* que ni tiene derecho real sobre ella ni con él tampoco vinculación alguna. Sin embargo, la *locatio-conductio* subsiste. Por ello, el *conductor* desposeído —con más exactitud, privado de la tenencia de la cosa— podrá dirigirse contra el *locator* y exigirle responsabilidades, por incumplir su genérica y fundamental obligación de proporcionarle el uso y disfrute de la cosa arrendada por todo el tiempo que dure el arriendo. Para evitar esto, se sugería, nos dice Gayo, que el *locator* pactara, en el acto de venta, que el comprador respetaría el arrendamiento existente. Si se incumple el pacto el *conductor*, ajeno al mismo, accionará contra el *locator*, pero éste, a su vez, podría repetir, por la *actio venditi* contra el adquirente.

---

[18] Alfeno toma como ejemplo: que el dueño hubiese abierto la parte del cenador —*ut eam partem coenaculi dominus aperuisset*— en la que el inquilino tuviese la mayor parte de su uso —*in quam magnam partem usus habitator haberet*—.

[19] Ulpiano alude al supuesto de huida del arrendatario por la aproximación de un ejército —*exercitu veniente migravit conductor*— y Alfeno, con carácter general contesta a la siguiente pregunta: Si alguno hubiere emigrado por causa de temor —*Si quis timoris causa emigrasset*— ¿debería la pensión —*deberet mercedem*— o no? —*necne?*—. Respondió —*Respondit*— que si hubiere habido causa para que temiese un peligro —*si causa fuisset cur periculum timeret*— aunque en verdad no hubiese peligro —*quamvis periculum vere non fuisset*— no debe sin embargo la pensión —*tamen non debere mercedem*— pero que si la causa del temor no hubiese sido justa —*sed si timoris causa iusta non fuisset*— no obstante, la debe —*nihilominus debere*—.

[20] Así resulta de Pomponio: El arrendamiento... hecho de este modo —*Locatio... ita facta*— hasta que quisiera el que hubiese entregado en arrendamiento la cosa...— *qoad is qui eam locasset... vellet*—por la muerte del que la dio en arriendo se extingue —*morte eius qui locavit tollitur*—.

3. ARRENDAMIENTO DE SERVICIOS, *LOCATIO CONDUCTIO OPERARUM*

I. Concepto

La *locatio conductio operarum* —arrendamiento de servicios— es un contrato en virtud del cual una persona —*locator*, arrendador— se obliga a prestar determinados servicios —*operae*— en favor de otra —*conductor*, arrendatario— por cierto tiempo y retribución.

En suma, consiste en prestar servicios —trabajo— por tiempo y precio determinados.

II. Origen, importancia y caracteres

A) Su origen está en el arrendamiento de esclavos y su objeto pasa a ser el trabajo manual hecho por el hombre libre a cambio de un salario —*merces*, de donde *mercenarius*—.

B) Su interés, en Roma, fue escaso, siendo razones de ello: 1.ª) la existencia de esclavitud; 2.ª) la repugnancia del hombre libre por el trabajo manual —y, más aún, hacerlo por cuenta ajena— y 3.ª) la exclusión de su ámbito de ciertos trabajos, los llamados liberales —*operae liberales*— por ser prestados normalmente por hombres libres —de ahí también se denominen *artes ingenuae*—.

Hoy en cambio, en su modalidad de contrato de trabajo, tiene una importancia indudable y no sólo es uno de los contratos más frecuentes y base de la moderna organización económica, sino que sobre su régimen gira la batalla: capital-trabajo.

C) A zaga de lo dicho, se diferencian *locatio conductio operarum* y mandato —*mandatum*— en que aquél —como arrendamiento— es oneroso y bilateral perfecto y éste —como veremos— gratuito y bilateral imperfecto. Ambos coinciden en ser consensuales, *iuris gentium* y *bonae fidei*.

III. Elementos

Baste reiterar que: intervienen el *locator*, trabajador, deudor del trabajo y acreedor del precio —salario o remuneración— y el *conductor*, patrono, acreedor del trabajo y deudor del precio y que, este trabajo y retribución, precisamente, son su contenido.

El trabajo, y por las razones expuestas al aludir a su origen, queda circunscrito al meramente manual, propio de los esclavos —*operae illiberales*—. Por ello, están excluidos, como dijimos, ciertas actividades —*operae liberales* o *artes ingenuae*— propias del hombre libre como: las de abogado, médico, preceptor, agrimensor, nodriza, comadrona... que se consideran inestimables —no susceptibles de estima o valoración económica— y que sólo se pueden lograr gratuitamente, por lo que se deberá acudir a otras formas contractuales —sobre todo el mandato[21]—.

Respecto a la remuneración, ha de ser un salario cierto y se puede fijar por cantidad de trabajo hecho o tiempo de servicio.

IV. Efectos y extinción

A) El arrendador —*locator*— debe prestar el trabajo personalmente, del modo y en el tiempo acordado. El arrendatario —*conductor*— utiliza y se beneficia de dichos trabajos y los remunera, aún si no usara de ellos, siempre que, como matiza Paulo, se deba a causas extrañas a la voluntad del *locator* y salvo pacto en contrario. Obviamente, la protección social en caso de despido es desconocida.

B) Debe destacarse, como causa propia de extinción —amén de las generales— la muerte del *locator* —deudor del trabajo— pero no la del *conductor*, pues sus obligaciones pasan a sus herederos.

4. ARRENDAMIENTO DE OBRA, *LOCATIO CONDUCTIO OPERIS*

I. Concepto

La *locatio conductio operis*[22] —arrendamiento de obra— es un contrato en virtud del cual una persona —*locator*— suministra mate-

---

21 Con el tiempo se admite, en estos casos, como muestra de gratitud y reconocimiento —nunca como precio— que se puedan dar ciertas recompensas —*honoraria*— que terminan siendo exigibles *extra ordinem*.

22 Con estas palabras —*his verbis*— Labeón dice se significa —*Labeo significari ait*— la obra que los griegos llaman (apotelesma) acabada —*id opus quod Graeci effectum*

riales a otra —*conductor*— para que, con ellos, realice, en su interés, una obra —*opus*— mediante un precio —*merces*—.

Entregar a un joyero —*aurifex*— cierta cantidad de oro para que —con él— nos haga un anillo o acudir al sastre —*sarcinator*— con la tela bajo el brazo, para que —con ella— nos confeccione un traje, pueden servir de ejemplos.

II. Caracteres

Esta modalidad de arrendamiento presenta hondas analogías con el de servicios —*locatio conductio operarum*[23]— y con la compraventa —*emptio venditio*[24]—. Estas son, sus principales diferencias.

A) Respecto al arrendamiento de servicios, téngase presente que: a) su objeto, no es la actividad o trabajo de una persona, sino su «resultado» —*corpus aliquod perfectum* = algo acabado—; b) se tiene como *locator,* no al que ejecuta la obra —trabaja y cobra— sino al que la encarga —y paga— y c) quien asume el encargo —*conductor*— no ha de hacerlo personalmente, por lo que su muerte no extinguirá el contrato.

B) Respecto a la compraventa, su principal diferencia es que quien cobra por la obra no aporta los materiales con los que se realiza[25].

---

vocant— no (erjon) un trabajo —*non opus*— esto es: —*id est*— de la obra hecha —*ex opere facto*— algún cuerpo acabado —*corpus aliquod perfectum*—.

[23] Sirvan de ejemplo, los casos en que contratamos el trabajo de un jardinero por un año y una suma fija de dinero con objeto de arreglar un jardín o a unos músicos para amenizar una fiesta. La *locatio conductio*: ¿Es *operarum*? o ¿es *operis*?

[24] Baste recordar, un conocido caso, que Gayo refiere, en el que se entregan unos gladiadores con el pacto de pagar cierta cantidad por cada uno de los que salgan sanos y otra distinta por los que mueran o resulten heridos. Gayo dice que en el primer caso hay un arrendamiento y en el segundo una compraventa, con lo que resuelve el problema, sólo en parte, ya que si después de celebrarse el contrato y antes de actuar, en el circo, muriese alguno por caso fortuito no sabemos quien ha de soportar el riesgo al existir reglas contrarias, según sea compraventa —*periculum est emptoris*— o arrendamiento —*periculum est locatoris*—.

[25] Seguimos con Gayo: por ejemplo —*ut ecce*— si yo hubiera convenido con un joyero — *si cum aurifice mihi convenerit*— que con oro suyo —*ut is ex auro suo*— me hiciera anillos —*annulos mihi fecerit*— de cierto peso y de cierta forma —*certi ponderis certaeque formae*— y que el recibiera por ejemplo 300 —*et acceperit verbi gratia trecenta*— ¿será acaso compraventa o arrendamiento? —*utrum emptio et venditio an locatio conductio?*—Pero se determinó que es un único negocio —*Sed placet unum esse*

III. Elementos

A) Intervienen quien encarga la obra, *locator*, comitente, dueño de la obra, capitalista o arrendador y quien se obliga a ejecutarla, *conductor*, empresario, contratista o arrendatario[26].

B) Su contenido está representado: por la obra y el precio. Por obra —*opus*— se entiende el resultado de toda actividad o trabajo —como: la construcción de una casa o de un mueble, el transporte de personas o mercancías, la instrucción de un esclavo...—. Por precio, una cantidad de dinero que siendo verdadero y determinado o susceptible de determinación, salvo pacto, se entregará al fin de la obra.

IV. Efectos y extinción

A) Distinguiremos entre las obligaciones propias de cada parte.

a) Son obligaciones del *locator*: 1.ª) entregar los materiales que pone a disposición del *conductor* y con los que habrá de realizar la obra —*opus faciendum locare*— y 2.ª) pagar el precio acordado —*merces, pretium*—.

b) Son obligaciones del *conductor*: 1.ª) responder por la custodia de lo entregado[27]; 2.ª) ejecutar la obra, conforme a lo convenido, observando las técnicas propias, según su particular naturaleza y sin ser necesario lo haga personalmente, salvo que se haya contratado en atención a sus particulares cualidades; 3.ª) soportar el riesgo de perecimiento —*periculum*[28]— salvo los supuestos de culpa propia

---

negotium— y que más bien es compraventa —*et magis emptionem et venditionem esse*— Pero si yo hubiese dado el oro —*Quodsi ego aurum dedero*— y convenido retribución por el trabajo —*mercede pro opera constituta*— no hay duda —*dubium non est*— que será arrendamiento —*quin locatio et conductio sit*—.

[26] Nuestro Código civil invierte los términos. Según su art. 1546, llamaríamos, arrendador al ejecutor del *opus* y arrendatario a quien paga por ella, pero ni está generalizado este tecnicismo, ni siquiera el propio Código lo sigue siempre, sino que más bien lo elude. Recuérdese lo indicado en nt. 1.

[27] Al menos, según Gayo, en los casos del tintorero —*fullo*— y sastre —*sarcinator*—.

[28] Según Florentino: La obra que se dio en arriendo por un precio total está a riesgo del arrendatario hasta que se apruebe —*Opus, quo aversione locatum est, donec aprobetur, conductoris periculum est*—... Pero la que haya sido tomada en arriendo para que sea entregada por pies o medidas —*quod vero ita conductum sit, ut in pedes mensurasve prestetur*— solo está a riesgo del arrendatario —*eatenus conductoris periculo est*— mientras no se haya medido —*quatenus admensum non sit*— y en uno y otro caso —

del *locator*, haberse aprobado ya la obra —*adprobatio operis*— o fuerza mayor —*vis maior*[29]— casos en que corresponderá al *locator*[30] y 4.ª) responder de los perjuicios causados por su ineptitud —*imperitia*— y la de sus ayudantes[31].

B) El fin de la obra, su imposibilidad y la muerte del *conductor* sólo en el caso de que se le haya confiado la obra por su pericia personal, serán las causas de extinción más caracterizadas.

V. El transporte marítimo

La flexibilidad de las acciones que protegen el arrendamiento motivó su uso para dar efectividad jurídica al conjunto de prácticas profesionales de derecho marítimo, vigentes en el Mediterráneo, bajo el nombre de la *lex Rhodia de iactu*, que regula el transporte por mar[32].

Este contrato se considera como una *locatio conductio operis* entre el dueño de las mercancías transportadas —*locator: qui rem vehendam*

---

    et in utraque causa— será del arrendador el daño —*nociturum locatori*— si en él hubiese consistido —*si per eum steterit*— que la obra no se apruebe o se mida —*quominus opus approbetur vel admetiatur*—.

[29] Según Florentino: porque no debe responder el arrendador de más —*non enim amplius praestari locatori oporteat*— que de lo que con su propio cuidado y trabajo habría conseguido —*quam quod sua cura atque opera consecutus esset*—.

[30] Dice Labeón. Si el canal cuya construcción habías tomado en arriendo y que habías hecho —*Si rivum, quem faciendum conduxeras et feceras*— antes que lo aprobases —*antequam eum probares*— fue destruido por una tempestad —*labes corrumpit*— es tuya la pérdida —*tuum periculum est*—. Paulo, *Paulus* (matiza) si esto sucedió por vicio del suelo —*imo si soli vitio id accidit*— la pérdida será para el arrendador —*locatoris erit periculum*— si por vicio de la obra será tuyo (para el arrendatario) el quebranto —*si operis vitio accidit tuum erit detrimentum*—.

[31] Según Gayo: El que tomó en arriendo el transportar una columna —*Qui columnan transportandam conduxit*— si mientras se carga —*si ea dum tollitur*— o se transporta —*aut portatur*— o se descarga —*aut reponitur*— se hubiera roto —*fracta sit*— es responsable de este riesgo —*ita id periculum praestat*— si (hubiera acontecido por culpa) del mismo y de aquellos —*si qua ipsius eorumque*— cuyo trabajo utilizase —*quorum opera uteretur (culpa acciderit)*—; más está exento de culpa —*culpa autem abest*— si hizo todo —*si omnia facta sunt*— lo que debiera haber tenido en cuenta otro cualquiera muy diligente —*quae diligentissimus quisque observaturus fuisset*—.

[32] Es revelador lo que dijo —según Meciano— Antonio Pío, a la consulta de un tal Eudemón de Nicomedia: «Yo, en verdad, soy el señor del orbe —*Ego quidem mundi dominus*— pero la ley (Rhodia) lo es del mar» —*lex autem maris*—.

locabat— y el armador de la nave —*conductor*—. Así, en caso de que el capitán —*magister navis*— tenga que «echar» —*iactus* = «echazón»— al mar ciertas mercancías para aligerar la nave —*navis levandae gratia*— en momentos de peligro y para salvarla, el dueño de aquellas —*locator*— podrá dirigirse contra el armador a través de la *actio locati* y éste, a su vez, como *conductor*, por la *actio conducti*, contra los dueños de las mercancías salvadas. De esta forma, el reparto de las pérdidas se hace en proporción al valor de la nave y del cargamento salvado[33].

Lo dicho, se aplica a toda clase de daños intencionados causados, no sólo en las mercancías, sino en la propia nave —por ejemplo cortar su arboladura— en interés común.

5. LA SOCIEDAD

I. Concepto y origen

A) La sociedad —*societas*, de *socius*, a su vez de *sequor* = seguir, acompañar— es un contrato en virtud del cual dos o más personas —socios, *socii*— se obligan a aportar, bienes, dinero o trabajo —industria— con intención de obtener un fin lícito y de interés común.

En suma, es una agrupación de personas cuyas notas son: a) la intención o consentimiento de los socios, con ello se diferencia de otros casos de indivisión de bienes[34]; b) la creación de un fondo común de «cosas», en el sentido más amplio de la palabra, pues pueden ser

---

[33]   Así resume Paulo: Se dispone por la ley Rhodia —*Lege Rhodia cavetur*— que si para aligerar una nave —*ut si levandae navis gratia*— se hizo «echazón» de mercancías —*iactus mercium factus sit*— se resarza con la contribución de todos el daño —*omnium contributione sarciatur*— que en beneficio de todos se causó —*quod pro omnibus datum est*—.

[34]   Matiza Ulpiano: Para que haya acción de sociedad —*Ut sit pro socio actio*— es preciso que haya sociedad —*societatem intercedere oportet*— pues no basta —*nec enim sufficit*— que una cosa sea común —*rem esse comunem*—... como sucede —*ut evenit*— en (el caso) de una cosa legada a dos —*in re duobus legata*—... (o) también si una cosa fuera comprada por dos a la vez —*item si a duobus simul empta res sit*— o si —*aut si*— nos correspondió, en común, una herencia o una donación —*hereditas vel donatio communiter nobis obvenit*—...

de distinta naturaleza e importancia y c) la licitud e interés común del fin perseguido[35].

B) En contra de lo que podría parecer, el origen de la sociedad no está en el comercio o industria, sino en el ámbito familiar y agrario. Sus manifestaciones más antiguas son, precisamente: el consorcio entre hermanos, *consortium inter fratres* y la sociedad de cultivo, *politio* y es muy posterior en el tiempo, la sociedad de ganancias, *societas quaestus*.

a) El *consortium inter fratres*, es la situación en que, según Gayo, suelen permanecer los *filii familias* a la muerte del *pater*, administrando, en común, los bienes hereditarios[36]. b) La *politio*, comporta el cultivo de la tierra y, por ella, el dueño de un fundo rústico y un *politor* —experto o perito agrícola— intentan su mejora y aprovechamiento, para participar en los beneficios de su explotación. c) La *societas quaestus* —más reciente— refleja una influencia griega, introducida por la vía del *ius gentium* y su primera y principal manifestación fue: el comercio de esclavos[37].

II. Caracteres

Es contrato: consensual; bilateral o plurilateral; oneroso; de derecho de gentes y de buena fe.

---

[35] Pomponio, según Ulpiano, matiza que: hay que tener presente sólo existe sociedad si se ha contraído sobre una cosa honesta y lícita —*Si honestae et licitae rei societas coïta sit*— pero que si se hubiera contraído para cometer un crimen —*Ceterum si maleficii societas coïta sit*— consta que es nula —*constat, nullum esse societatem*— pues se admite, generalmente —*generaliter enim traditur*— que la sociedad de cosas deshonestas es nula —*rerum inhonestarum nullam esse societatem*—.

[36] Gayo la califica como un género de sociedad propio de los ciudadanos romanos —*genus societatis proprium civium Romanorum*—. Desaparece en época antigua, si bien constituirá el germen de un tipo especial de sociedad: la sociedad universal o de todos los bienes, *societas omnium bonorum*, en la que la idea de hermandad —*ius fraternitatis*— sobre la que se asienta, sería difícil de asumir, tratándose de sociedades que tuvieran como fin el ánimo de lucro —o al menos éste prevaleciera—.

[37] Particular interés tienen las *societates publicanorum*, formadas por grupos de capitalistas a quienes se arrendaba el cobro de impuestos, acopio de suministros o realización de obras o explotaciones «estatales». Son, pues, sociedades adjudicatarias de impuestos y obras públicas, que quedan al margen del propio contrato de sociedad, al tener un carácter más bien asociativo y ser, en cierto modo, parte de la administración financiera de la *res publica*.

A) Es consensual, ya que, como dice Gayo, se perfecciona por el consentimiento «desnudo» —*nudo consensu contrahitur*—. Esto es, desprovisto de cualquier tipo de «ropaje» y se admite cualquier forma de expresión del mismo.

A diferencia de los otros contratos consensuales, este *consensus* no basta sea inicial, ha de ser permanente, duradero y renovado día a día. Por ello: a) se destaca esta vocación de permanencia con el término de *affectio* —o *animus*— *societatis*; b) se compara en este aspecto, con el matrimonio, donde, con igual sentido, se exige la *affectio maritalis* y c) matiza Gayo, subsiste la sociedad mientras perseveren los socios en este consentimiento —*donec in eodem sensu perseverant*[38]—.

B) Es bilateral o plurilateral, pues intervienen pluralidad de personas —dos o más— y comporta obligaciones para todas. Tiene el matiz de no existir dualidad de partes en el sentido de intereses contrapuestos, pues los intereses de los socios son los mismos, convergen —puestos unos al lado de los otros, yuxtapuestos—. Lo que se refleja en la terminología: un mismo nombre —no dos— para designar a los contratantes —*socii*— y un mismo nombre —no dos— para aludir la acción que protege sus derechos —*actio pro socio* = acción para el socio o en favor del socio—.

C) Es oneroso, ya que en todo caso, las partes deben realizar cualquier tipo de aportación al fondo común[39] y, aunque éstas puedan ser de diferente naturaleza e importancia, por ejemplo cuando un socio aporta dinero y otro trabajo, tendrán carácter compensatorio[40].

D) Es de derecho de gentes —*iuris gentium*— ya que se basa en la *fides* y no se limita su posible constitución a los ciudadanos romanos[41].

---

[38] Paulo advierte: es nula la constitución de una sociedad para siempre —*Nulla societatis in aeternum coïtio est*—.

[39] Dice Ulpiano: por causa de donación —*Donationis causa*— la sociedad no se contrae rectamente —*societas recte non contrahitur*—.

[40] Pues, frecuentemente, según Gayo —y el propio Ulpiano— el trabajo de una persona equivale al dinero —*saepe enim opera alicuius pro pecunia valet*—.

[41] Por ello, nos dice Gayo: *societas iuris gentium est*, matizando que existe entre todos los hombres por razón natural —*inter omnes homines naturali ratione consistit*— en el sentido de no estar incluida entre aquellas instituciones propias del viejo *ius civile*, sino que aparece en el derecho de otros pueblos.

E) Y es de buena fe —*bonae fidei*[42]—. Por ello, el socio: a) está obligado, además de a lo convenido, a todo lo que se pueda exigir con arreglo a ella; b) debe poner en los asuntos sociales —con Justiniano— igual diligencia que en los propios —*diligentia quam suis rebus adhibere solet*[43]—; c) si incurre en dolo, la condena lleva aparejada la nota de *infamia* y d) queda obligado a pagar, en los demás supuestos, recuerda Ulpiano, sólo dentro de sus posibilidades —*dumtaxat in id quod facere potest*— goza, pues, del llamado «beneficio de competencia» —*beneficium competentiae*[44]—. Todo esto, es coherente, desde otro prisma, con la primitiva concepción —*consortium*— de que entre los socios hay un cierto derecho de fraternidad —*ius quodammodo fraternitatis*—.

III. Clases

Son múltiples los criterios para diferenciar los distintos tipos de sociedad. Entre otros: A) por la índole de las aportaciones de los socios; puede aportarse sólo bienes —*societas rerum*— sólo trabajo —*societas operarum*— o ambas cosas —*societas mixtae*—; B) por la naturaleza del fin social, éste puede ser, económico —*societas quaestus* o *quaestuariae*— o no —*societas non quaestuariae*—; C) por la extensión de los medios aportados, pueden abarcar todos los bienes —presentes y futuros de los socios— como ocurre en las sociedades universales —*societas omnium bonorum*[45]— sólo lo que se adquiera a título oneroso o por trabajo, como las sociedades de ganancias o *societas lucri*[46], o sólo ciertas

---

[42] Según Paulo: Si la sociedad se hubiera constituido con dolo malo, o para defraudar —*Societas si dolo malo aut fraudandi causa coita sit*— de derecho es nula —*ipso iure nullius momenti est*— porque la buena fe —*quia fides bona*— es contraria al fraude y al dolo —*contraria est fraudi et dolo*—.

[43] La razón, según un texto de Gayo —interpolado— es clara: porque el que se procura un socio poco diligente —*quia qui parum diligentem sibi socium acquirit*— debe quejarse de sí mismo —*de se queri debet*—.

[44] En latín medieval *competentiae* es suficiencia de medios para vivir.

[45] Según Paulo: Cuando especialmente se ha contraído sociedad de todos los bienes —*Quum specialiter omnium bonorum societas coïta est*— entonces tanto la herencia —*tunc et hereditas*— como el legado —*et legatum*— como lo que se donó —*et quod donatum est*— o por cualquier otra causa —*aut quaqua ratione*— se adquirió —*adquisitum*— se adquirirá para la comunidad —*communione acquiritur*—.

[46] Paulo refiere una aplicación de esto: Dos colibertos —*Duo conliberti*— constituyeron sociedad de lucro, ganancia y utilidad —*societatem coïerunt lucri, quaestus,*

cosas, como en las sociedades particulares o *societas unius rei* y D) Por la unidad o pluralidad de fines, la sociedad contraída para un objeto concreto, *societas alicuius negotiationis*, se opondría a la que pretende todos, *societas omnium bonorum*[47].

IV. Efectos

El contrato de sociedad, hoy, produce una serie de efectos tanto en las relaciones externas —socios y sociedad con terceros— como en las relaciones internas —socios entre sí y con la sociedad—. Partiremos de esta distinción y matizaremos su aplicación en Roma.

a) En las relaciones externas, se debe tener presente que, en Derecho Romano, la sociedad no actúa como ente colectivo autónomo —persona jurídica— frente a terceros. Por ello: a) externamente, carece de todo poder de representación; b) los socios —no la sociedad— son los titulares de las obligaciones y derechos y quienes tienen la propiedad —en condominio— de los bienes sociales y c) no existen créditos o deudas a favor o en contra de la sociedad y sí solo a favor o en contra de los socios[48].

b) Las relaciones internas están integradas por los derechos y obligaciones de los socios, y se centran en: la aportación de lo prometido; la administración y la distribución de pérdidas y ganancias.

A) *Aportación de lo prometido*

Cada socio debe cumplir la aportación prometida, que pueden ser de igual o distinta naturaleza. Así, puede aportarse, bienes —en

---

compendii— después uno de ellos —*postea unus ex his*— fue instituido heredero por su patrono —*a patrono heres institutus est*— y al otro se le dio un legado... —*alteri legatum datum est*— ninguno de ellos —*neutrum horum*— debía aportarlo al caudal común —*in medium referre debere*—.

47   Cabe precisar que la *societas*: a) *omnium bonorum* tuvo su origen en el antiguo *consortium*; b) la *lucri*, en las que constituían los esclavos manumitidos, al mismo tiempo por su *dominus*; c) la *quaestus*, en la *societas publicanorum*; d) la *alicuis negotiationis*, en el comercio de esclavos; y d) la *unius rei*, en la *politio*.

48   Con Justiniano —siguiendo el ejemplo de las *actiones adiecticiae qualitatis*— se hacen responsables los demás socios de los negocios celebrados por uno de ellos.

propiedad o en uso y goce— créditos, dinero o trabajo. Ahora bien, para ostentar la condición de socio, siempre es necesario realizar cualquier tipo de aportación y por el carácter oneroso del contrato no se admite lo que sería, para él, en palabras de Ulpiano, una sociedad *donationis causa.*

Si se trata de la aportación de la propiedad de cosas, en derecho clásico se adoptará el modo adecuado —*mancipatio, in iure cessio* o *traditio*— para establecer el condominio con los demás socios en las cuotas establecidas. Una excepción —que se explica como reminiscencia del antiguo *consortium*— se da en la *societas omnium bonorum,* donde, según Paulo: todas las cosas —*omnes res*— que son de los contratantes —*quae coëuntium sunt*— se hacen inmediatamente comunes —*continuo comunicantur*— basta, pues, el mero y simple consenso[49].

El transmitente queda sujeto, respecto a los demás socios, como en la compraventa, a la responsabilidad por evicción y vicios ocultos.

B) *Administración de la sociedad*

Sin confundir gestión con representación, procuraremos distinguir entre los derechos y obligaciones de los socios en esta esfera.

Cada socio, tiene como derechos: 1.°) el poder actuar —salvo pacto en contra— como administrador y 2.°) que los demás le reembolsen los gastos anticipados en beneficio social y le indemnicen por las obligaciones y pérdidas asumidas en interés común[50].

---

[49] La razón es, dice Gayo: porque aunque, especialmente, no medie entrega —*quia licet specialiter traditio non interveniat*— se cree, no obstante, interviene tácita —*tacita tamen creditur intervenire*—. Esta excepción, a juicio de un sector doctrinal, se convertirá en regla en derecho justinianeo.

[50] Según Paulo: Si alguno de los socios por necesidad gastó de lo suyo algo —*Si quid unus ex sociis necessario de suo impendit*— en un negocio común —*in communi negotio*— lo recobrará por la acción de sociedad —*iudicio societatis serbavit*— y los intereses también —*et usuras*— si acaso dio una cantidad que había recibido en préstamo a interés —*si forte mutuatus sub usuris dedit*—. Pero también si dio dinero suyo —*Sed et si suam pecuniam dedit*— no sin razón se dirá —*non sine causa dicitur*— que también ha de percibir los intereses —*quod usuras quoque percipere debeat*— que podría obtener —*quas posse habere*— si a otro se lo hubiese dado en mutuo (préstamo) —*si alii mutuum dedisset*—.

Y tiene como obligaciones: 1.ª) el comunicar —en el sentido de: hacer comunes— a los demás socios las adquisiciones que haga[51]; 2.º) responder de los daños ocasionados por su gestión mediando dolo o culpa —*culpa in concreto* en derecho justinianeo— que no puede compensar con los beneficios obtenidos por su actividad[52]; 3.º) reintegrar a la caja social todo cuanto obtenga por su administración[53] y 4.º) en general, rendir cuentas de su gestión.

C) *Distribución de ganancias y pérdidas*

En la distribución de ganancias y pérdidas, nos dice Gayo, rigen las siguientes reglas: 1.º) se estará a lo pactado; 2.º) si sólo se ha acordado la participación en las ganancias o en las pérdidas se aplicará el mismo criterio para lo no regulado y 3.º) en defecto de pacto se dividirán —unas y otras— por igual y no en proporción a las aportaciones.

Según Gayo, fue discutido —*magna quaestio fuit*— si un socio podría obtener más ganancias —*maiorem partem lucretur*— y menos pérdidas —*minorem damnum praestet*— que los demás. Negado por Quinto Mucio Escévola —como *contra naturam societatis*— y defendido por Servicio Sulpicio Rufo, su criterio prevaleció —*prevalevit sententia*—. Aún más, se consideró válido el pacto por el que un socio no participara en pérdidas —*nihil omnino damni praestet*— pero sí en

---

[51]   Según Paulo: Si alguno hubiera contraído sociedad —*Si quis societatem contraxerit*— lo que compró —*quod emit*— se hace del mismo —*ipsius fit*— no común —*non commune*— pero por la acción de sociedad —*sed societatis iudicio*— está obligado —*cogitur*— a hacer la cosa común —*rem communicare*—.

[52]   En un texto —interpolado— de Gayo se dice: El socio se obliga al socio también por razón de culpa —*Socius socio etiam culpae nomine tenetur*— esto es —*id est*— de desidia y negligencia —*desidiae atque negligentiae*—. Pero la culpa no se ha de referir a exactísima diligencia —*Culpa autem non ad exactissimam diligentiam dirigenda est*— pues basta que ponga en las cosas comunes tal diligencia —*sufficit etenim talem diligentiam communibus rebus adhibere*— como la que suele poner en sus cosas —*qualem suis rebus adhibere solet*—.

[53]   Paulo, refiere que, según Próculo —*Proculo ait*—: Si tengo una sociedad contigo —*Si tecum societas mihi sit*— y cosas comunes en virtud de la sociedad —*et res ex societate communes*— los gastos que en ellas yo hubiera hecho —*quam impensas in eas fecero*— o los frutos que hubieras percibido —*quosve fructus ex his rebus ceperis*— los obtendré por la acción de sociedad o de división de la cosa común —*vel pro socio vel communi dividundo me consecuturum*— y que por (ejercer) una acción se extingue la otra —*et altera actione alteram tollit*—.

las ganancias —*sed lucrum partem capiat*—. Es nulo, sin embargo, el pacto contrario por el que se excluye a un socio de participar en los beneficios. Esta sociedad fue denominada *leonina* en recuerdo a la fábula de Esopo, en la que la cabra, la oveja, la vaca y el león crean una sociedad para obtener alimentos y llegado el momento, de su reparto, el león se quedó con todo —*quia nominor leo* = porque me llamo león—.

V. Extinción

Según Ulpiano, la sociedad se extingue —*societas solvitur*—: por las personas —*ex personis*— por las cosas —*ex rebus*— por la voluntad —*ex voluntate*— y por la acción —*ex actione*—. A tenor de estos criterios, relacionados con los textos sobre esta materia cabe precisar.

A) Se extingue la sociedad por las personas: a) por muerte —*morte*— de alguno de los socios[54], aunque en derecho justinianeo puede pactarse subsista entre los demás; b) por su cambio de estado, *capitis deminutio* —aunque sólo la media y máxima, en época justinianea—[55] y c) por confiscación —*publicatione*— del patrimonio de algún socio, su quiebra —*bonorum venditio*[56]— o indigencia —*egestate*—. Todas estas causas se equiparan a la muerte y al socio se le tiene como muerto —*pro mortuo habetur*—.

B) Se extingue por las cosas: a) por cumplimiento del fin social —o imposibilidad— y b) por desaparición, pérdida o sustracción al comercio del patrimonio social —conversión en *res sacra* o *res publica*—[57].

---

[54] Según Pomponio: De tal modo se extingue la sociedad por muerte de un socio —*Adeo morte socii solvitur societas*— que ni siquiera al principio podemos pactar —*ut nec ab initio pacisci possimus*— que el heredero suceda en la sociedad —*ut heredes etiam succedat societati*—.

[55] Según Gayo: porque en derecho civil la *capitis deminutio* se equipara a la muerte —*quia civili ratione capitis deminutio morte coaequatur*— pero si los socios deciden continuar todavía la sociedad —*sed utique si adhuc consentiant in societatem*— se estima que comienzan una nueva sociedad —*nova videtur incipere societas*—.

[56] En Instituciones de Justiniano se matiza que: si todavía consintieran en seguir en sociedad (los demás) —*Si adhuc consentiant in societatem*— se entiende comienza una nueva sociedad —*nova videtur incipere societas*—.

[57] Ulpiano da la razón: porque de aquella cosa —*neque enim eius rei*— que ya no existe —*quam iam nulla sit*— nadie es socio —*quisquam socius est*— ni de la que se ha consagrada o confiscado —*neque eius quae consecrata publicatave sit*—.

C) Se extingue por la voluntad: a) por cumplimiento del plazo establecido —*si tempus finitum est*—; b) por voluntad concorde de los socios —*si omnes disentiunt*— y c) por renuncia —*renuntiatio*— de alguno, respondiendo, éste, si fuera dolosa o intempestiva, salvo que lo hiciera por necesidad particular.

D) Se extingue por la acción: a) cuando se transforma la sociedad —*mutata sit causa societatis*— por *stipulatio* y b) por el ejercicio de la *actio pro socio* que produce igual efecto, en derecho clásico, que la *renuntiatio*[58].

VI. Liquidación y adjudicación

A) Por la *actio pro socio* se procede a liquidar la sociedad[59]. Es decir, a reclamar el saldo resultante de la compensación de créditos y deudas, nacidos de la sociedad entre los ya ex socios. Con Justiniano no sólo tiene como finalidad la disolución de la sociedad —hasta entonces la única— sino que puede usarse —*manente societate*— para exigir el cumplimiento de las obligaciones y responsabilidades de los socios.

B) La *actio pro socio*, sin embargo, no da lugar a adjudicaciones para lo que será necesario el ejercicio de la acción de división de la cosa común, *actio communi dividundo*.

6. EL MANDATO

I. Concepto

El mandato —*mandatum*, de *manus dare* = dar poder— es un contrato en virtud del cual una persona —mandatario— se obliga, gratuitamente, respecto a otra —mandante— a hacer alguna cosa o prestar algún servicio en interés de ésta o de un tercero.

---

[58]   Pues dice Próculo —*Proculus enim ait*— que por esto mismo —*hoc ipso*— el haberse propuesto juicio —*quod iudicium ideo dictatum est*— para que se disuelva la sociedad —*ut societas distrahitur*— se renunció la sociedad —*renuntiatam societatem*—.

[59]   Esto es: a) pago de deudas; b) cobro de créditos, c) enajenación de los bienes sobrantes; d) balance de pérdidas y ganancias y e) fijación de los derechos de cada socio.

En suma, se trata de un «favor» y tiene como fin la sustitución de una persona en una gestión que no quiere o no puede realizar.

II. Antecedentes e importancia

A) *De facto*, al ser un «favor», su origen se encuentra en la amistad —*amicitia*—; *de iure*, como contrato, resulta conocido a fines de la República y, probablemente, es el último de los consensuales en aparecer.

Su nacimiento es fácil de comprender si recordamos ciertas tradiciones sociales, muy arraigadas en Roma, como: el *officium amicitiae*; la *procura* y las *operae liberales*.

a) Por el *officium* —de *opus* y *facio*, que comporta la idea de «hacer» u observar ciertas conductas— se impone al *civis* una serie de deberes respecto al amigo que debe cumplir fielmente. Paulo dice que el origen del mandato proviene del *officium* y de la amistad —*ex officio atque amicitia trahit*— y cabe matizar que estos *officia amicitiae* comprenden desde la mera asistencia y hospitalidad hasta, el prestar dinero[60]. Estas circunstancias determinaron que quien cumplía un encargo en favor de un amigo, lo debía hacer fielmente y jamás esperara retribución.

b) Por la *procura*, el patrono suele confiar al liberto el cuidado de sus negocios, poniéndolo al frente de sus asuntos para su cuidado —*pro cura*— y éste, a su vez, por su *officium*, se siente obligado a atenderlos —*operae officiales*— gratuitamente[61].

c) Unido a todo lo anterior cabe recordar que no todos los servicios podían ser objeto de *locatio conductio* y así, las *operae liberales*,

---

[60] Así, no extraña que, en el destierro, Cicerón escriba a su esposa, que pasaba apuros económicos en Roma: si nuestros amigos cumplen con su *officium* no te faltará dinero —*si erunt in officio amici, pecunia non deerit*—.

[61] *Procurator* y mandatario son, en principio, figuras distintas, pues la *procura* es una institución social que arranca de la *praepositio* —poner al frente de algo (un negocio)— hecha por el *paterfamilias*. En la última época del Derecho Romano, las dos figuras —mandato y *procura*— se confunden: el *procurator* es definido como quien administra los negocios ajenos por mandato del dueño —*aliena negotia mandatu domini administrat*— y se califica a quien así actúa como verdadero —*verus procurator*— y de falso —*falsus procurator*— si carece de él.

prestaciones a realizar por las clases elevadas y que, por tradición, no podían ser retribuidas, podrán ser objeto de este contrato.

Todas estas circunstancias son terreno abonado para la aparición del mandato y que sea reconocido por los juristas republicanos.

B) Siendo el fundamento del mandato sustituir a una persona por otra en una gestión —en cierto modo dotarle de ubicuidad— su interés, en Roma, fue superior al de hoy. Ello obedece a que por el mandato: a) se logran los efectos de la «representación indirecta» actual, o sea, que alguien pueda actuar en nombre propio y cuenta ajena; b) se palian las deficiencias de no admitir lo que hoy llamamos «representación directa» —que alguien actúe en nombre ajeno y por cuenta ajena—; c) se facilita el negocio entre ausentes y d) sirve de base a la representación procesal.

III. Caracteres

Es un contrato: consensual; bilateral imperfecto; gratuito; de derecho de gentes y de buena fe.

A) Es consensual, pues se perfecciona, por el mero consentimiento de las partes. Así, Paulo precisa: que la obligación del mandato —*obligatio mandati*— consiste en el consentimiento de los contratantes —*consensu contrahentium consistit*—.

B) Es bilateral imperfecto, ya que, en principio, el aceptar el mandato, sólo genera obligaciones para el mandatario, aunque, eventualmente, también podrán surgir para el mandante, cuando el mandatario realiza desembolsos o sufre daños como consecuencia del cumplimiento del mandato. La exigencia de aquellas, y en su caso, de éstas se logra por la *actio mandati* (*directa*) en favor del mandante y del correspondiente juicio contrario —*iudicium contrarium*— *actio mandati* (*contraria*) en favor del mandatario[62].

C) Es gratuito, so pena de nulidad. Así, Paulo refiere: que el mandato debe ser gratuito —*mandatum gratuitum esse debet*—; que

---

[62]   Gayo refleja esta posible bilateralidad, diciendo: que si se contrae la obligación de mandato —*contrahitur mandati obligatio*— quedamos obligados recíprocamente el uno con el otro —*et invicem alter alteri tenebimur*— en lo que —*in id quod*— yo para ti y tú para mí —*vel me tibi vel te mihi*— se deba responder con arreglo a la buena fe —*bona fide praestare oportet*—.

si no lo es resulta nulo —*mandatum nisi gratuitum nullum est*— por estar basado en la amistad y que de mediar retribución pasaría a ser un arrendamiento de servicios[63].

Este criterio de gratuidad no resulta alterado por una cierta retribución —*honorarium*— que nunca tendrá carácter de precio —y si de reconocimiento y gratitud por los favores prestados[64]—.

D) Es de derecho de gentes, *iuris gentium*, pues la *fides*, en la que se asienta, es también la base de este derecho y al no ser privativa de los *cives* el mandato con *peregrini*, será obligatorio.

E) Es de buena fe, *bonae fidei*, a tenor de las circunstancias sociales que le sirven de fundamento. Por ello, las acciones *mandati* —directa y contraria— tendrán la cláusula *ex fide bona* y en las Instituciones de Gayo y Justiniano, el mandatario doloso incurre en *infamia*.

IV. Clases

Cabe distinguir distintas clases de mandato, atendiendo a diferentes criterios. Entre otros: A) según en interés de quien se haga, el mandato puede ser: a) en interés exclusivo del mandante —*mea tantum gratia*, en mi sólo interés— como si te encargase —*veluti si tibi mandem*— que compres un fundo para mí —*ut fundum mihi emeres*— y b) en interés de un tercero —*aliena tantum gratia*, sólo en interés ajeno— como si te encargase —*veluti si tibi mandem*— que gestiones los negocios de Ticio —*ut Titii negotia gereres*—[65]; B) por los

---

[63] Gayo, nos recuerda que: En suma —*In summa*— es sabido que siempre que encomiendo hacer—*sciendum est quotiens faciendum*—algo gratis—*aliquid gratis*— de modo que si se estableciera retribución se contraería arrendamiento —*quo nomine si mercedem statuissem locatio et conductio contraheretur*— hay acción de mandato —*mandati esse actionem*— por ejemplo —*veluti*— si doy al tintorero vestidos para limpiarlos —*si fulloni polienda curandave vestimenta dederim*— o al sastre para que los cosa —*aut sarcinatori sarcienda*—.

[64] Estos *honoraria*, terminarán siendo exigibles *extra ordinem*.

[65] En Instituciones de Justiniano —y también en un texto de Gayo, reflejado en Digesto— se precisan otras posibles tipos de mandato, por razón de utilidad, combinando la tuya —del mandatario— la propia —del mandante— y la ajena — del tercero—. Así, completando lo referido en el texto: c) en interés del mandante y de un tercero —*mea et aliena gratia*— (en interés mío y ajeno), cuando alguien te mande que administres los negocios que tiene en común con Ticio —*veluti si de communibus suis et Titii megotiis gerendis tibi mandet*—; d) en interés del mandante

asuntos que comprende cabe hablar de: a) mandato para un asunto en concreto, *mandatum unius rei*, de un sólo asunto (hoy denominado especial); y b) mandato para todos, *mandatum omnium bonorum*, de todos los bienes (hoy llamado general); C) por su objeto: puede ser judicial —*mandatum ad litem*— o extrajudicial y D) por las operaciones que puede realizar el mandatario: estar concebido en términos generales —*incertum*— o no —*certum*—.

V. Elementos

A) Intervienen: a) el mandante —*mandans, mandator* o *dominus negotii*, dueño del negocio— que es quien encomienda o encarga la gestión o servicio y b) el mandatario[66], que es quien acepta el mandato —*is qui mandatum accepit, procurator*— y asume la obligación de cumplirlo.

B) El encargo u objeto del mandato puede ser un negocio jurídico —material o procesal— o una actividad de hecho. En todo caso, en general, ha de ser: a) lícito y moral[67], no personalísimo y b) en interés del mandante, de un tercero o de ambos.

Puede incluso, interesar al mandatario. Sin embargo no podrá celebrarse en interés exclusivo de éste —*tantum tua gratia*—. En este supuesto estaríamos ante un simple consejo —*consilium*— tenido como superfluo —*supervacuum est mandatum*— y carente de efectos jurídicos —*et ob id nulla ex eo obligatio nascitur*[68]—.

---

y mandatario —*mea et tua gratia*— (en interés tuyo y mío) como por ejemplo si te mandara —*veluti si mandet tibi*— que prestaras dinero a interés —*ut pecuniam sub usuris crederes*— a quien ha de emplearlo en mis negocios —*ei qui in rem ipsius mutuaretur*— y e) en interés del mandatario y un tercero —*tua et aliena gratia*— (en interés tuyo y ajeno) como si te mandara —*veluti si tibi mandet*— que prestes a Ticio con interés —*ut Titio sub usuris crederes*—.

[66] Este término aparece con Chindasvinto, en la *lex Romana Visigothorum*.

[67] Gayo pone, como ejemplo si —*veluti si*— te mando —*tibi mandem*— que robes a Ticio o le hagas daño —*ut Titio furtum aut iniuriam facias*—.

[68] Así lo expresa y justifica Gayo: Si te mando algo en tu propio interés —*Nam si tua gratia tibi mandem*— el mandato es inutil —*supervacuum est mandatum*— puesto que lo que tu hayas de hacer en tu propio interés —*quod enim tua gratia facturus sis*— esto según tu criterio —*id de tua sententia*— no por mandato mío —*non ex meo mandatu*— lo debes hacer —*facere debes*—... Así pues —*Itaque*— si yo te hubiese animado para que compres una cosa —*si hortatus sim ut rem aliquam emeres*— aunque no te conviniera comprarla —*quamvis non expedierit tibi eam emisse*— tampoco quedo obligado contigo por mandato —*non tamen tibi mandati tenebor*—.

C) Por ser consensual está libre de formalidades y así según Paulo: puede contraerse por mensajero o por carta —*per nuntium vel per epistulam*— y, en este caso, escribiendo la palabra «ruego» —*rogo*— «quiero» —*volo*— «mando» —*mando*— o «cualquier otra» —*quocumque verbo*— pudiendo su cumplimiento sujetarse a término —*in diem deferri*— o condición —*sub conditione contrahi*—.

VI. Efectos

Los efectos del mandato frente a terceros; las obligaciones del mandatario y las que, eventualmente, puedan corresponder al mandante, son los puntos que pasamos a tratar.

A) Relaciones —externas— entre el mandante y terceros

En general, no admitida la representación directa en Derecho Romano, y por el principio *res inter alios acta*, el mandatario al contratar con terceros adquiere derechos y asume obligaciones, directa y personalmente. Por tanto: a) él se obliga y él adquiere y b) el tercero no puede actuar contra el mandante, ni éste contra aquél. Sin embargo, el derecho pretorio crea una serie de acciones por las que el tercero puede dirigirse contra el mandante —así la *actio quasi institoria*— y Justiniano admite que responda por la ganancia obtenida —*actio in rem verso* por vía útil—.

B) Son obligaciones del mandatario

1.ª) Cumplir el mandato[69], lo que deberá hacer siguiendo las instrucciones del mandante, no traspasando los límites fijados.

A falta de precisas instrucciones —*mandatum incertum*— se debe comportar, según la naturaleza del negocio, como un *vir bonus* —hoy se diría un buen padre de familia—. Si se extralimita en el cumplimiento del mandato —*egreditur mandatum*— debemos distinguir, según Gayo: a) si es por defecto —predio que debe comprar por 100

---

[69] Cualquiera es libre de no aceptar el mandato —*Mandatum non suscipere liberum est*— pero una vez aceptado debe desempeñarlo —*susceptum autem consummandum*—.

y lo hace por 50— no hay problema, pues se entiende implícito en el mandato cumplirlo en los términos más favorables para el mandante; b) si es por exceso —compra del predio por 150 en vez de por 100— para los sabinianos, tampoco puede el mandatario obligar al mandante a que lo adquiera en el precio que éste fijó —100— mientras que los proculeyanos consideran si puede hacerlo. Justiniano adoptará este criterio que califica como más benigno —*quae sententia sane benignior est*—.

2.°) Rendir cuentas de su gestión, ya que como recuerda Paulo: nada debe quedar en poder del mandatario. Para ello: a) deberá reintegrar al mandante todas las adquisiciones efectuadas por su cuenta[70] y b) deberá intereses —*usurae*— por el dinero que aplicó a usos propios[71].

3.°) Responder: a) de su propia actuación[72], en derecho clásico, en caso de dolo y en época postclásica, también de *culpa levis in abstracto*; b) de la gestión del sustituto que nombre[73] y c) íntegramente —*in solidum*— de la de los demás mandatarios[74].

---

[70]   Según Ulpiano: Si del fundo —*Si ex fundo*— que para mi compró —*quem mihi emit*— el procurador percibió frutos —*procurator fructus consecutus est*— también debe restituirlos por ministerio del juez —*hos quoque officio iudicis praestaret eum oportet*—.

[71]   Seguimos con Ulpiano: Si mi procurador —*Si procurator meus*— tuviera una cantidad mía —*pecuniam meam habeat*— por la mora ciertamente me debe intereses —*ex mora utique usuras mihi pendet*—. Pero, también si dio dinero mío con interés —*Sed et si pecuniam meam foeneri dedit*—... porque es congruente a la buena fe esto —*quia bonae fidei hoc congruit*— que de cosa ajena no obtenga lucro —*ne de alieno lucro sentiat*—; pero si no negoció con el dinero —*Quodsi non exercuit pecuniam*— sino que lo aplicó a usos propios —*sed usos suos convertit*— será demandado por los intereses —*in usuras convenietur*— que según la tasa legal fuesen frecuentes en aquellas regiones —*quae legitimo modo in regionibus fequentantur*—.

[72]   Consecuencia de la gratuidad del contrato y carácter infamante de la acción.

[73]   Es opinión dominante que el mandatario puede acudir a un sustituto, salvo que ello resultara explícitamente prohibido, no lo permita la especial naturaleza del encargo o fueran determinantes para realizarlo las especiales aptitudes del mandatario.

[74]   Refiere Scaevola: Uno encomendó a dos la gestión de sus negocios —*Duobus quis mandavit negotiorum administrationem*— se preguntó —*quaesitum est*— ¿estará cada uno obligado por el todo por la acción de mandato? —*an unusquisque mandati iudicio in solidum teneatur?*— Respondí —*Respondi*— que cada uno debía ser demandado por el todo —*unumquemquem pro solido conveniri debere*— con tal —*dummodo*— que de ambos no se cobre más que lo debido —*ab utroque non amplius debito exigatur*—.

C) Eventuales obligaciones del mandante

En general, se resumen en una: hacer que el mandatario resulte indemne por razón del mandato, pues como dice Paulo: no debe sufrir perjuicio alguno —nec damnum pati debet—.

Esto comporta, en particular, que el mandante, debe: 1.º) anticipar en su caso, al mandatario las cantidades necesarias para cumplir el mandato. 2.º) reembolsarle los gastos realizados en su ejecución, reintegrando las cantidades que anticipara[75] que devengarán intereses desde aquel momento; 3.º) indemnizar los daños y perjuicios derivados del cumplimiento del mandato, salvo los que provengan de culpa y 4.º) liberarle de las obligaciones contraídas por el encargo[76].

VII. Extinción

El mandato se extingue, por: 1.º) cumplimiento o su imposibilidad; 2.º) llegar el término fijado o cumplirse la condición de la que depende; 3.º) voluntad concorde de las partes; 4.º) revocación del mandante; 5.º) renuncia del mandatario y 6.º) la muerte de una de las partes. Detengámonos en las tres últimas causas.

La revocación —revocatio— del mandante, podrá hacerse en todo momento aunque sólo producirá efecto cuando la conozca el mandatario[77]. La pérdida de confianza en el mandatario; el que, por lo

---

[75] Gayo, dice: y no hace al caso —nec ad rem pertinet— que el que hubiese mandado — quod is qui mandasset— hubiera podido —potuisset— si el mismo fuera gestor del negocio —si ipse negotium gereret— gastar menos —minus impendere—.

[76] Paulo, refiere: Si por mi mandato —Si mandatu meo— comprases un fundo — fundum emeris— ¿acaso, cuando hayas dado el precio —utrum quum dederis pretium— ejercerás contra mí la acción de mandato —ageres mecum mandati—? ¿o aún antes que lo des —an et antequam des— para que no tengas que vender tus bienes? —ne neccesse habeas res tuas venderes?—. Y con razón se dice —Et recte dicitur— que la acción de mandato es para esto —in hoc esse mandati actionem—: para que yo acepte la obligación —ut suscipiam obligationem— que contra ti compete al vendedor —quae adversus te venditori competit— porque también yo puedo reclamarte —nam et ego tecum agere possum— que me cedas contra el vendedor — ut praestes mihi adversus venditorem— las acciones de compra —empti actiones—.

[77] Según Paulo: Si yo te hubiese mandado —Si mandassem tibi— que compraras un fundo —ut fundum emeres— y después te hubiese escrito —postea scripsissem— que no lo compres —ne emeres— pero tu antes que supieras —tu antequam scias— que yo lo había prohibido —me vetuisse— lo hubieras comprado —emisses— te estaré

general, el mandato, se realiza en interés del mandante y el ser esencialmente gratuito pueden ser otras tantas razones que sirvan de fundamento a esta extinción unilateral, excepción a la norma de que los contratos sólo se extinguen por la voluntad concorde de las partes.

La renuncia —*renuntiatio*— del mandatario, comporta que responda éste de los posibles daños al mandante si fuera intempestiva e injustificada. La amistad, la confianza y la gratuidad propias de este contrato pueden, también, fundamentar este desistimiento unilateral[78].

La muerte de cualquiera de las partes como causa extintiva del mandato, tiene por fundamento el ser un contrato en el que las condiciones personalísimas de las partes son tomadas en especial consideración —*intuitu personae*—. Sin embargo, al ser, también de buena fe, los actos celebrados por el mandatario ignorando la muerte del mandante no pueden perjudicarle[79]. En derecho clásico, el mandato otorgado para un tiempo posterior a la muerte —*mandatum post mortem*— no es válido[80], lo que si admite Justiniano[81].

---

[78]   obligado por la acción de mandato —*mandati tibi obligatus ero*— para que no sufra perjuicio el que acepta el mandato —*ne damno afficiatur is qui suscipit mandatum*— Hermogeniano, dice: Pero si por causa de mala salud —*Sane et valetudinis adversae*— o de capitales enemistades —*vel capitalium inimicitiarum*— o por otra justa causa alegara excusas —*seu ob aliam iustam causam excussationes alleget*— el mandatario deberá ser oído —*audiendus est*—.

[79]   Según Gayo: de lo contrario —*alioquin*— una justificable ignorancia —*iusta et probabilis ignorantia*— me produciría un perjuicio —*damnum mihi adferet*—.

[80]   Según Gayo: porque, generalmente, se admite —*quia generaliter placuit*— que en la persona del heredero —*ab heredis persona*— no puede empezar una obligación —*obligationem incipere non posse*—. Al silenciar Gayo la hipótesis inversa —muerte del mandante— algunos autores han postulado su posible admisión.

[81]   Justiniano en el *Codex*, admite, expresamente, la validez de estas formas de mandato *post mortem*.

Tema 34

Contratos formales

Sabemos: a) que los contratos formales se perfeccionan por cumplir ciertas formalidades que constituyen su «causa civil»; b) que aquellas pueden ser orales —*verba*— o escritas —*litterae*— y c) que, por ello, los contratos formales pueden ser «verbales» y «literales».

Ahora precisamos que Gayo: a) cita, como contratos verbales: la estipulación —*stipulatio*— (al que circunscribiremos nuestro estudio), la promesa de dote —*dotis dictio*— y la promesa jurada del liberto —*promissio iurata liberti*—; b) que el primero requiere una pregunta previa y los dos últimos se perfeccionan hablando uno solo —*uno loquente*— (el liberto o el constituyente de la dote) y c) que, en fin, Gayo, como contratos literales, alude a la trascripción de créditos —*nomen transcripticium*— a los quirógrafos —*chirographa*— y a los síngrafos —*singrapha*—.

1. CONTRATOS VERBALES: LA ESTIPULACIÓN

I. Concepto e importancia

A) La estipulación —*stipulatio*— es un contrato en virtud del cual, una de las partes —promitente, *promissor*— respondiendo a la pregunta que le formula la otra —estipulante, *stipulator*— se obliga, en su favor, a dar, hacer o no hacer alguna cosa.

Así, por ejemplo: el estipulante, preguntaría: ¿Prometes darme 100? —*Spondes centum mihi dari?*— y el promitente contestaría: ¡Prometo! —*Spondeo*—.

En síntesis, es un contrato que se celebra por medio de una pregunta y una respuesta.

B) Como se ha apuntado en la romanística, su importancia, cabe destacarla desde un triple punto de vista: general, práctico y doctrinal.

a) En general, se considera a la *stipulatio*, como una de las más logradas creaciones del genio jurídico romano. Paradigma de la obligación y del contrato, refleja la evolución jurídica de Roma desde las XII Tablas hasta Justiniano y su importancia y difusión, hace que se matice que al estudiarla no estudiamos «un» contrato, sino «el» contrato.

b) Bajo un punto de vista práctico, su sencillez hace que, por ella, se logren cumplir múltiples fines. El principal, sin duda: dar eficacia jurídica a todo tipo de acuerdo[1].

c) Bajo un prisma doctrinal, se advierte, que buen número de las teorías relativas al origen de los distintos contratos, se basan en ella. Así, por caso, la compraventa, surge —para algunos— por la suma y combinación de dos estipulaciones. Una de venta, en la que se prometería la cosa y otra de compra, por la que se prometería el precio.

II. Origen y caracteres

A) A la *stipulatio* precede, en el tiempo, la *sponsio*, en la que el uso del verbo *spondere* parece denotar una ascendencia mágica y religiosa[2]. Gayo, las trata indistintamente y es controvertida la derivación histórica de una a otra o si su origen y formación son independientes. Lo cierto es que: a) la *sponsio* es propia del *ius civile* y la *stipulatio* del *ius gentium*; b) tienen la misma estructura formal y c) se terminan por confundir en la categoría de la *obligatio verbis*.

---

[1]   Además de la incidencia en el proceso de las llamadas estipulaciones pretorias —las tratamos en Tema 10.6— y sin pretender ser exhaustivos, por la *stipulatio*, se puede: A) garantizar obligaciones, bien a través de fianza o de una cláusula penal —*stipulatio poenae*—; B) obligar al pago de intereses en el mutuo —que por sí no genera—; C) novar una obligación, por cambio de acreedor o deudor; D) determinar una persona distinta del acreedor, como legitimado para recibir el pago de una deuda y E) crear una obligación pluripersonal con carácter solidario.

[2]   La *sponsio* se suele vincular al voto o promesa hecho a los dioses para obtener algún deseo y, también, al acuerdo hecho por el general romano —que por sí sólo no podía formalizar un tratado, *foedus*— con algún pueblo extranjero. Ello no excluye que, pueda conectarse su origen con el procedimiento por caución, en el que el *sponsor* asumía la responsabilidad del cumplimiento de la obligación contraída por un tercero. *Sponsor* era el garante y aunque tal término siguió designándolo, los vocablos *spondere* y *sponsio* se terminarán aplicando, en general, a la propia vinculación del deudor.

B) La estipulación, en derecho clásico[3], es un contrato formal, unilateral, en origen *iuris civilis* —bajo la forma de *sponsio*— de derecho estricto y de carácter abstracto.

a) Es formal, porque se perfecciona, precisamente, por observar, ciertas formalidades. Estas, dice Gayo, son orales —*verbis*— y se cumplen —*fit*— por una pregunta y una respuesta —*ex interrogatione et responsione*— Así pues, es contrato formal de carácter verbal.

b) Es unilateral, porque genera obligaciones para una sola de las partes, aquella que promete algo, el promitente.

c) En principio, y bajo la forma de *sponsio* es de derecho civil y sólo asequible a los ciudadanos romanos[4], más tarde, ya como *stipulatio*, pasa a ser de derecho de gentes y se extiende a los extranjeros.

d) Es de derecho estricto, porque la principal acción que tutela este contrato —*actio certae creditae pecuniae*— es de este tipo.

e) Y, originariamente, es de carácter abstracto, al no reflejar la causa por la que el deudor —*promitente*— queda obligado ni la finalidad práctica que el contrato persigue[5]. Con el tiempo, sin embargo, la fuerza obligatoria de la *stipulatio* pasó de las palabras —*verbis*— al consentimiento —*consensus*[6]— deviniendo un contrato causal[7].

---

[3]   La precisión es de suma importancia ya que a lo largo de su historia, la *stipulatio* clásica sufrirá una profunda evolución en la que, salvo su carácter unilateral, las restantes notas se diluyen.

[4]   Gayo dice:... hasta tal punto (lo es)... —*adeo propria civium Romanorum est*— que no se puede trasladar al griego, por traducción, con exactitud —*ut ne quidem in Graecum sermonem per interpretationem proprie transferri possit*—.

[5]   Lógicamente, existe una «razón» por la que Ticio se compromete a pagar 100 a Cayo —podía ser un préstamo que, antes éste le había otorgado o el precio de compra que aquél debía...— pero el *ius civile* no lo toma en cuenta. Por eso, si el promitente probaba la inexistencia del préstamo o de la venta nada conseguía y debía pagar, pues la obligación nacía por las palabras —*verbis*—.

[6]   Así resulta, entre otras, de algunas afirmaciones que aparecen en el Digesto, coincidentes en el fondo y casi en la forma. La estipulación que se hace de palabra —*stipulatio, quae verbis fit*— si no tuviera el consentimiento es nula —*nisi habeat consensum, nulla est*— (Ulpiano); la estipulación se perfecciona por el consentimiento de ambas partes —*stipulatio ex utriusque consensu perficitur*— (Venuleyo); la estipulación es válida por el consentimiento de ambos —*stipulatio ex utriusque consensu valet*— (Paulo); la estipulación aquiliana, (que) se verifica por el consentimiento... —*Aquiliana stipulatio, (quae) ex consensu redditur*— (Papiniano).

[7]   Resumamos su evolución: A) En el *ius honorarium*, se llega admitir que el promitente oponga al estipulante si no hay negocio subyacente, la *exceptio doli*. Así, Gayo dice

III. Elementos

Las personas que intervienen en la *stipulatio*; su posible objeto y, sobre todo, sus formalidades, son los puntos que pasamos a tratar.

A) Elementos personales.– Intervienen el estipulante —*stipulator* o *reus stipulandi*— acreedor de la prestación, que en la estipulación se fije y el promitente —*promissor* o *reus promittendi*— deudor de ella. Lo normal es que haya un sólo estipulante y un sólo promitente, pero puede haber varios estipulantes, varios promitentes o varios estipulantes y varios promitentes.

En todo caso, es necesario que las partes tengan, en general, capacidad de obrar y, en particular, la adecuada, para celebrar el acto de que se trata. Por ello, según Gayo, no pueden intervenir: a) ni como estipulantes ni como promitentes: los mudos, que no pueden preguntar ni responder; los sordos, que no pueden oír lo que se les pregunta; el loco, por no comprender de qué se le habla y el *infans* —menor de 7 años— porque no puede hablar con razón y juicio y b) no podrán hacerlo como promitentes, sin la autoridad del tutor, los pupilos, próximos a la pubertad y las mujeres.

Respecto a los esclavos, hijos de familia y, en general, los *alieni iuris*, baste decir: 1.º) que no pueden ser promitentes[8] y si lo fueran, a lo más, contraerían una obligación natural y 2.º) que pueden ser estipulantes[9],

---

—refiriéndose a una estipulación basada en un préstamo que no se llegó a hacer— (Es cierto) que te puedo pedir ese dinero —*nam eam pecuniam a te peti posse (certum est)*— y que tú estás obligado a dármelo en virtud de la estipulación —*dare enim, te oportet cum ex stipulatu teneris*— pero como es injusto —*sed quia iniquum est*— que seas condenado por esta deuda —*te eo nomine condemnari*— se admite que debas defenderte con la excepción de dolo malo —*placet per exceptionem doli mali te defendi debere*—. B) En el *ius novum* se admite la *exceptio non numeratae pecuniae*, ante demanda basada en una *stipulatio* formalizada por escrito y cuya causa fuera un préstamo no realizado. C) Por último, se admitió una *querela non numeratae pecuniae* en la que el promitente toma la iniciativa pidiendo la nulidad del contrato. La causa, pues, llega a ser elemento esencial que se presume y la prueba de su inexistencia o ilicitud determina la nulidad de la estipulación.

8   Según, Gayo: El esclavo —*servus*— el que está *in mancipio* —*et qui in mancipio est*— y la hija de familia que está bajo la *manus* —*et filia familias et quae in manu est*— no sólo no pueden obligarse con aquel bajo cuya potestad están sometidos o sometidas —*no solum ipsi cuius iuris subiecti subiectaeve sunt obligari non possunt*— sino con ninguna otra persona —*sed ne alii quidem ulli*—.

9   En Instituciones de Justiniano se dice: El esclavo tiene derecho de estipular —*Servus ius stipulandi habet*—... (pero) adquiere para su señor —*Si servus stipuletur... domine*

siempre que estipulen en favor de las personas bajo cuya potestad estén[10], en cuyo caso, lo estipulado, lo adquiere quien ejerza la potestad sobre ellos[11].

B) **Elementos reales.**– La esfera de la *stipulatio* se va incrementando. En principio, sólo podía tener como objeto una suma de dinero —*certa pecunia*—. Más tarde, se admitió que pudiera serlo otra cosa determinada —*certa res*— incluso una cierta cantidad de cosas fungibles, asumiéndose —aún en época clásica— que pudieran recaer sobre un *incertum*. Así, se puede distinguir entre *stipulatio certa* —sobre una cosa determinada o cierta cantidad de dinero— o *incerta* —en otros casos, como hacer una obra o abstenerse de ciertos actos[12]—.

Si el objeto de la *stipulatio* termina por ser cualquier conducta del promitente, esto es, a identificarse, en general, con la prestación, deberá cumplir los requisitos de ésta. Por ello, ha de ser: posible[13]; lícita[14]; determinada o determinable y patrimonial[15].

---

adquirit—. Lo mismo se observa también —*Idem iuris est et*— respecto a los hijos que están bajo la potestad del padre —*in liberis, qui in potestate patris sunt*— en los casos en que pueden adquirir... —*ex quibus causis adquirere possunt...*—

10 Según Gayo: Es inútil la estipulación —*Inutilis est stipulatio*— cuando estipulamos que se de a uno —*si ei dari stipulemur*— bajo cuya potestad no estamos sujetos —*cuius iuri subiecti non summus*—.

11 En Instituciones de Justiniano se da la razón. Es que: la palabra de tu hijo —*filii vox*— se considera como la tuya —*tanquam tua intelligitur*— para aquellas cosas —*in his rebus*— que por ti puedan ser adquiridas —*quae tibi adquiri possunt*—.

12 Gayo refiere: Unas estipulaciones son ciertas —*Stipulationem quaedam certae sunt*—y otras inciertas—*quaedam incertae*—. Es cierto—*certum est*—lo que aparece de las mismas palabras —*quod ex ipsa pronuntiatione apparet*— en el qué —*quid*— en el cuál —*quale*—y en el cuánto —*quantumque*—como por ejemplo —*ut ecce*—diez áureos —*aurei decem*— el fundo Tusculano —*fundus Tusculanus*—el esclavo Estico —*homo Stichus*— 100 medidas del mejor trigo africano —*tritici Africi optimi modi centum*— 100 ánforas del mejor vino de la Campania —*vini Campani optimi anphorae centum*— (completamos con Ulpiano) Pero cuando no aparece —*ubi autem non aparet*—el qué —*quid*—el cuál —*quale*—y el cuánto —*quantumque est*—se debe decir que la estipulación es incierta —*incertam esse stipulationem dicendum est*—.

13 Gayo dice:...Por ejemplo... si alguien —*si quis*— estipula que se le den unos edificios que ignoraba se habían quemado... —*aedes quas deustas esse ignorabat dari stipuletur*— la estipulación es inútil —*inutilis est stipulatio*—. También si alguien estipula bajo una condición que —*Item si quis sub ea conditione stipuletur*—no puede darse —*quae existere non potest*— como por ejemplo si toca el cielo con el dedo —*velut si digito caelum tetigerit*— la estipulación es inútil —*inutilis est stipulatio*—.

14 Pomponio, pone como ejemplos: Si alguno hubiera prometido que cometerá un homicidio o un sacrilegio —*veluti si quis homicidium vel sacrilegium se facturum*

Si, por error, no se puede determinar, concretamente, el objeto, la estipulación podrá valer como genérica[16], y si aún ni así se pudiera, no nacerá la obligación[17].

También debe tenerse presente que la *stipulatio* puede revestir distintas modalidades, ya que o se prometa sin más —puramente— o su cumplimiento se sujeta a condición o se aplaza[18].

C) Elementos formales.— Pregunta y respuesta; oralidad; presencia de las partes y unidad de acto y congruencia entre lo que se pregunta y responde, son los principales requisitos que cabe destacar y a través de los cuales se aprecia la honda evolución que sufre la *stipulatio*.

---

     promittat— y Paulo, recuerda que: Pareció deshonesto —*in inhonestum visum est*— que los matrimonios, futuros o contraídos, fuesen ligados con el vínculo de una pena —*vinculo poenae matrimonia, sive futura sive iam contracta obstringi*—.

15   Dice Gayo —y cabe su relación con la nota patrimonial o la de imposibilidad—: que es inútil la estipulación —*Inutilis est stipulatio*— si alguien ignorando que la cosa es suya —*si quis ignorans rem suam esse*— estipula que se la den —*dari sibi eam stipuletur*— puesto que lo que es de uno —*quippe quod alicuis est*— no se le puede dar —*id ei dari no potest*—.

16   Así dice Javoleno: El que de varios fundos —*Qui ex pluribus fundis*— a los que se había puesto el mismo nombre —*quibus idem nomen impositum fuerat*— (estipula) un sólo fundo sin nota alguna —*unum fundum sine ulla nota*— de designación —*demosntrationis (stipuletur)*— estipula una cosa incierta —*incertum stipulatur*— esto es estipula el fundo —*id est eum fundum stipulatur*— que el deudor quisiera darle —*quem promissor dare voluerit*— pero la voluntad del que promete está en suspenso —*tamdiu autem voluntas promissoris in pendenti est*— hasta que se paga lo que se prometió —*quamdiu id quod promissum est, solvatur*—.

17   Así lo refiere Papiniano, al decir: (que conste) que no habiéndose designado un fundo es nulo el legado o la estipulación del fundo —*quod fundo non demonstrato nullum esse legatum vel stipulationem fundi (constaret)*—. Justiniano en Instituciones dice: Si el estipulante tuviese en su intención una cosa y el promitente otra —*Si de alia re stipulator senserit de alia promissor*— no se contrae obligación alguna —*perinde nulla contrahitur obligatio*— lo mismo que si no se hubiera contestado a la pregunta —*ac si ad interrogatum responsum non esset*— por ejemplo si alguno hubiera estipulado de ti el esclavo Estico —*veluti si hominem Stchum a te stipulatus quis fuerit*— y tu hubieras entendido el esclavo Panfilio —*tu de Pamphilio senseris*— que creías que se llamaba Estico —*quem Stichum vocari credideris*—.

18   Según Paulo: Son cuatro las causas de las obligaciones —*Obligationes fere quattuor causae sunt*—: pues en ellas hay un plazo (día) —*aut enim dies in his est*— o una condición —*aut conditio*— o una alternativa —*aut modus*— o una accesión (o se añade) —*aut accesio*—... de una persona u otra cosa —*aut personae aut rei*—.

1.º) Pregunta y respuesta.

Gayo dice que la obligación por las palabras —*verbis obligatio*— se hace —*fit*— por una pregunta y una respuesta —*ex interrogatione et responsione*[19]—.

a) En principio, deben utilizarse palabras solemnes —*solemnia vel direc-ta verba*— representadas por el uso de un mismo verbo —*spondere*—; más tarde, se admite el uso de otros —verbos— de los que nos da noticia Gayo[20]. Ulpiano, terminará por aceptar una pregunta y una respuesta tan poco formales como: ¿Darás? —*dabis*— ¿por qué no? —*quid ni*—.

b) Esta pérdida de rigor formal afecta al propio latín, pudiendo usarse el griego, con tal que las partes lo comprendan —*intellectum sermonis*[21]—. En la duda de si se limita esta apertura idiomática a la lengua griega, Ulpiano, alude, a la fenicia o asiria, pone como único límite que cada parte entienda la lengua de la otra e incluso, admite, en su defecto, la intervención de intérprete veraz. León —a.472— consagra, la «libertad formal» considerando vale la estipulación con cualesquiera palabras —*quibuscumque verbis*— y, en fin, por último, incluso, dejó de ser esencial el que propuesta y aceptación revistieran, en todo caso, la forma de pregunta y respuesta.

2.º) Oralidad.

Según Ulpiano: la estipulación no puede hacerse —*Stipulatio non potest confici*— sino hablando una y otra parte —*nisi utroque loquente*—. Por tanto, la palabra no puede, so pena de nulidad, ser sustituida por la forma escrita o los gestos.

---

[19]   Pomponio precisa: que la estipulación es una concepción de palabras —*stipulatio autem est verborum conceptio*— con las que uno que es interrogado —*quibus is, qui interrogatur*— (responde) que dará o hará —*daturum facturumve se*— aquello por lo que fue interrogado —*quod interrogatus est (responderit)*—.

[20]   ¿Darás?-¡Daré! —*Dabis?*— ¡*Dabo!*; ¿Prometes?-¡Prometo! —*Promittis?*— *Promitto*; ¿Das tu palabra?-¡Doy mi palabra! —*Fidepromittis?*— *Fidepromitto*; ¿Te haces fiador?-¡Me hago fiador! —*Fideiubes?*— *Fideiubeo*; ¿Harás?-¡Haré! —*Facies?*-¡*Faciam!*—.

[21]   Gayo da noticia de ello y Ulpiano matiza al decir: Nada importa que se responda en una u otra lengua —*Eadem an alia lingua respondeatur*— por tanto si alguien hubiera interrogado en latín —*proinde si quis latine interrogaverit*— y se le respondiera en griego —*respondeatur ei Graece*— con tal que se responda congruentemente —*dunmodo congruenter respondeatur*— se constituye obligación —*obligatio constituta est*—.

a) En derecho clásico, la eficacia siempre depende de la oralidad y aunque suele reproducirse por escrito, lo estipulado, el documento sólo tenía el valor de un simple medio de prueba.

b) En derecho postclásico e influencia de los derechos provinciales, la forma documental adquirirá carácter constitutivo y Justiniano adopta una posición intermedia entre este sentir y el clásico y así, aunque la *stipulatio* se sigue calificando como *verbis obligatio*, transcurridos dos años sin impugnar el documento en que se refleja, éste adquiere valor constitutivo.

3.º) Presencia de las partes y unidad de acto.

A ello se refiere, no sólo Gayo, al decir que: la obligación por las palabras —*verborum obligatio*— no puede contraerse entre ausentes —*inter absentes fieri non possit*— sino Venuleyo, según el cual, pregunta y respuesta, deben seguirse por lo que el acto ha de ser continuo.

Razones prácticas motivaron, sin embargo, que no se entendiera esto de una manera férrea. Así su interrupción: por algún momento natural —*aliquod momentum naturae*— por corto lapso de tiempo —*modicum intervallum temporis*— por un breve acto —*modicus actus*— no contrario a la obligación[22] o por mediar, antes de la respuesta, ciertas frases ajenas a ella, no afectarán a la *unitas actus*[23], lo que sí ocurre cuando, sin responder a la pregunta, el promitente iniciara conversaciones, sobre otro asunto[24].

4.º) Congruencia entre la pregunta y la respuesta.

a) En principio, la respuesta debería ser afirmativa; usando el mismo verbo en que se formuló la pregunta y quizá reiterando todas

---

[22] Juliano, contempla el caso de dos posibles obligados y admite un breve lapso de tiempo. Ulpiano reitera: Pero si estando presente preguntó —*Si vero praesens interrogaverit*— después se marchó —*mox discessit*— y habiendo vuelto respondió —*et reverso responsum*— está obligado —*est obligati*— porque el intervalo intermedio no vició la estipulación —*intervallum enim medium non vitiavit obligationem*—.

[23] Según Florentino: Las cosas extrínsecas —*Quae extrinsecus*— y que no siendo en nada pertinentes al presente acto —*et nihil ad praesentem actum pertinentia*— hubieras añadido a la estipulación —*adieceris stipulationi*— se tendrán por superfluas —*pro supervacuis habebutur*— y no la viciarán —*nec vitiabunt obligationem*—.

[24] Según Venuleyo: Es conveniente que se responda inmediatamente al estipulante —*et comminus responderi stipulandti oportere*— pero si después de la pregunta hubiera comenzado a tratar de otra cosa —*ceterum si post interrogationem aliud agere experit*— no le aprovechara nada —*nihil proderit*— aunque hubiese prometido en el mismo día —*quamvis eadem die spopondisset*—.

las palabras utilizadas en ellas. Se exige, pues, una congruencia, estrictamente formal. Por ello, no extraña —al prevalecer el valor de los *verba*— que la respuesta sujeta a condición o a término, cuando no se hace depender de uno u otra la pregunta, o la respuesta por una cantidad menor a la que se interroga, haga nula la estipulación[25].

b) Más tarde, el rigor de los *verba* utilizados por las partes, se supeditó a su real *voluntas* y la congruencia en la *stipulatio* se pasa a entender en un sentido substancial más que material. Así pues, si hay discrepancia en la cantidad entre pregunta y respuesta, la *stipulatio* valdrá por la cantidad menor[26] y en el supuesto en que la pregunta se formulara sobre un objeto y se añadiera otro más en la respuesta valdrá por lo preguntado, y será inútil en cuanto a lo añadido[27].

IV. Acciones

La variedad de objetos sobre los que puede recaer la *stipulatio*, hace distinguir, en materia de acciones: A) si recae sobre una suma cierta de dinero, la acción que la protege es la *condictio certae creditae pecuniae*; B) si sobre cualquier otra cosa cierta —*res certa*— la *condictio certae rei*, llamada *triticaria*, por tener por objeto, por lo común trigo —*triticum*— y C) si sobre un *incertum*, la *actio ex stipulatu*.

---

25 Así, lo refleja Gayo, al decir: También es inútil la estipulación —*Adhuc inutilis est stipulatio*— cuando alguien no responde a aquello que se le ha preguntado —*si quis ad id quod interrogatus erit non responderit*— como por ejemplo si yo estipulo para que 10 sean dados por tí —*velut si sestertia X a te dari stipuler*— y tu prometes 5 —*et tu sestertia V promittas*— y si yo estipulo puramente —*aut si ego pure stipuler*— y tu prometes bajo condición —*tu sub conditione promittas*—.

26 Según Paulo: Distinto es respecto a las sumas —*Diversa causa est summarum*— por ejemplo —*veluti*— prometes dar 10 o 20 —*decem aut viginti dari spondes*— porque aquí aunque hubieras prometido 10 —*hic enim etsi decem spoponderis*— se respondió rectamente —*recte responsum est*— porque siempre en las sumas —*quia semper in summis*— se considera que se promete la que es menor —*id quod minus est sponderit videtur*—.

27 Dice Ulpiano: Pero si a mí, que estipulaba el esclavo Panfilio —*Sed si mihi Panphilium stipulandi*— tú me hubieras prometido Panfilio y Estico —*tu Pamphilium et Stichum spoponderis*— opino que se ha de considerar superflua la adición de Estico —*Stichi adiectionm pro supervacuo habendam puto*— porque si hay tantas estipulaciones como objetos corporales —*nam si tot sunt stipulationes quod corpora*— hay en cierto modo dos —*duae sunt quodammoduo stipulationes*— una útil y otra inutil —*una utilis, alia inutilis*— y no se vicia la útil por la inútil —*neque vitiatur utilis per hanc inutilem*—.

2. CONTRATOS LITERALES

Los contratos literales —como sabemos y su nombre sugiere— son aquellos cuya *causa civil* es la observancia de cierta formalidad escrita. Según Gayo, el Derecho Romano conoció dos tipos de obligaciones literales. Uno, propio del *ius civile*, la trascripción o transferencia de créditos —*nomina transcriptica*— Otro, propio del *ius gentium*, representado por los quirógrafos —*chirographa*— y los síngrafos —*singrapha*—.

I. La trascripción de créditos —*Nomina transcripticia*—

A) *Ideas generales y clases*

a) El origen de la trascripción de créditos está en los libros de contabilidad que, en Roma, todo buen *paterfamilias* —como hoy los comerciantes— llevaba para regular su economía doméstica —*tabulae domesticae*[28]—. Entre ellos, tenía especial interés un libro de salidas y entradas —*codex expensi et accepti*— en el que se ordenaban las operaciones, formando cuentas corrientes con cada una de las personas con las que el *paterfamilias* negociaba. En él, los asientos tenían, dos partidas, una de «ingresos» —las sumas tenidas por recibidas, *acceptum ferebat*— y otra de «gastos» —los pagos y préstamos realizados, *expensum ferebat*[29]—. Estas anotaciones reflejaban, en principio, los ingresos y salidas reales, eran partidas o créditos de caja: *nomina arcaria* y, por ello, tan solo medios de prueba de haberse celebrado un contrato anterior[30]. Sin embargo, con el tiempo, se

---

[28] Uno de estos registros domésticos eran los *adversaria*, cuaderno borrador en el que, día a día, y por su orden, anotaba todas las operaciones que podían afectar a la economía familiar y que, posteriormente, se pasaban al libro de caja. También cabe recordar el *kalendarium*, libro en el que se asentaban las sumas que se entregaban en préstamo y los intereses a percibir cada día primero de mes —*kalendae*—.

[29] Era tan sagrado este registro doméstico que la menor irregularidad manchaba la reputación del que las hacía.

[30] Así, por ejemplo, si en la columna del *expensum* —salidas— se anotaba la entrega de cierta cantidad de dinero a Ticio en concepto de préstamo, la obligación de Ticio no derivaba de la anotación en el libro, sino de haber celebrado, con él, un contrato de mutuo (préstamo de dinero). La *causa civil* era, pues, la entrega del dinero —*datio rei*— siendo, por tanto, un contrato real y no literal, ya que, como dice Pomponio: Una simple cuenta —*Nuda ratio*— no hace deudor a nadie —*non facit aliquem debitorem*—

impuso la práctica de anotar cobros y pagos ficticios —«se tenía como recibido lo que en realidad no había sido pagado»— y atribuir a las anotaciones eficacia obligatoria[31]. O sea, esta trascripción escrita, igual que la *stipulatio*, otorgaba eficacia y fuerza formal y abstracta a cualquier obligación, por lo que Gayo dirá que: la obligación literal —*Litteris obligatio*— se hace —*fit*— por una trascripción de créditos —*veluti in nominibus transcripticiis*—. Esto tiene lugar a través de una doble anotación[32]. Su consecuencia —y fin— es transformar —novar— una obligación causal —el pago de un precio por causa de venta— en otra abstracta —el pago sin más—.

b) La trascripción puede ser a cargo del antiguo deudor o de otro nuevo.

En la primera, llamada por Gayo trascripción de cosa a persona —*transcriptio a re in personam*— solo se cambia la causa (novación subjetiva) que es *litteris*[33] y lo que antes se debía, por ejemplo, por

---

Matizando la diferencia de estos créditos de caja con la trascripción de créditos —verdadero contrato literal— Gayo dice: Otra cuestión es —*Alia causa est*— la de aquellos créditos que se llaman del libro de caja —*eorum nominum quae arcaria vocantur*— Pues en éstos —*In his enim*— existe obligación por la cosa (real) y no de lo escrito (literal) —*rei non litterarum obligatio consistit*— porque no tienen valor de otra forma —*quippe non aliter valent*— que si se ha entregado el dinero —*quam si numerata sit pecunia*— y la entrega del dinero hace surgir una obligación por la cosa —*numeratio autem pecuniae rei facit obligationem*—. Por cuya razón decimos rectamente —*Qua de causa recte dicemus*— que los créditos de caja —*arcaria nomina*— no hacen surgir una obligación —*nullam facere obligationem*— sino que ofrecen una prueba de la obligación contraída —*sed obligationis factae testimonium praebere*—. Así, Pomponio, dice: lo que queremos donar a un hombre libre —*utputa quod donare libero homini volumus*— aunque lo apuntemos en nuestras cuentas —*licet referamus in rationes nostras*— que se lo debemos —*debere nos*— no se entiende sin embargo como donación —*tamen nulla donatio intelligitur*—.

31 Así pues, igual que la *stipulatio* otorgaba eficacia y fuerza formal y abstracta a cualquier obligación.

32 La primera inscripción se hacía en la columna del *acceptum* —ingresos— donde se anotaba: que «se tiene por recibido» el pago de la obligación de un deudor, cuyo nombre —Ticio— cuantía —100— y causa —precio de venta— se expresan. La segunda, se hacía en la columna del *expensum* —salidas— donde se anotaba la entrega de la misma cantidad —100— al propio deudor —Ticio— o a otra persona —Cayo— silenciando, siempre, la causa —el por qué— de la entrega. En este ejemplo, el contrato literal quedaría formalizado así: Tengo por recibido de Tico 100 por causa de venta —*Aceptum a Titio ex vendito C*— Entrego a Ticio 100 —*Expensum Titio C*— (obsérvese se silencia la causa). El que hace la trascripción tiene ahora un crédito abstracto —desligado de la compra— contra Ticio, basado en la doble anotación.

33 Según Gayo: La trascripción de cosa a persona se hace —*A re in personam transcriptio fit*— por ejemplo —*veluti*— si lo que tú —*id quod tu*— (me debes) por causa de venta

venta, arrendamiento o sociedad aparece, ahora como pagado y se crea otra nueva obligación —novación— que se debe por la trascripción.

En la segunda, denominada trascripción de persona a persona —*transcriptio a persona in personam*[34]— se produce cuando se apunta, en el *acceptum*, como si se hubiera recibido del deudor la suma adeudada y en el *expensum* la entrega de dicha cantidad a otra persona distinta que queda, por ello, obligada[35]. En síntesis: se produce un cambio en la persona del deudor (novación subjetiva pasiva).

B) *Concepto, caracteres y elementos*

A tenor de lo expuesto, intentaremos resumir el concepto y aspectos de esta trascripción.

a) Es un contrato en virtud del cual, una persona queda obligada respecto a otra, por la cantidad, que, en su libro de caja, ésta anota como si, en realidad, se la hubiera entregado[36].

b) Se caracteriza por ser un contrato: formal, unilateral, abstracto, de derecho civil y de derecho estricto. 1.º) Es formal, por perfeccionarse, precisamente, al cumplir una determinada forma —y sólo esa— siendo literal, por ser dicha formalidad escrita: la inscripción por partida doble a la que hemos aludido. 2.º) Es abstracto, al desconectarse de la causa, que aunque existe, en ningún momento se refleja en la anotación. 3.º) Es unilateral, porque de él sólo surge obligación para una parte. 4.º) Es de derecho civil, porque, según

---

—*ex emptionis causa*— arrendamiento —*aut conductionis*— o sociedad —*aut societatis*— *(mihi debeas)* lo apunto como si (realmente) lo hubieras entregado —*id expensum tibi tulero*—.

[34]   Sigue Gayo: La trascripción de persona a persona se hace —*A persona in personam transcriptio fit*— por caso —*veluti*— si lo que Ticio me debe —*id quod mihi Titius debet*— lo apunto como pagado por ti —*tibi id expensum tulero*— es decir —*id est*— como si Ticio te hubiera encargado pagarme —*si Titius te delegaverit mihi*—.

[35]   Se combinan, pues, una *aceptilatio* ficticia: tener por recibido (el pago de una obligación por Ticio) y una *expensilatio* también ficticia (a cargo de Cayo). En la forma, se extingue una obligación que su deudor (Ticio) no ha pagado y se crea otra de carácter literal —una obligación *litteris*— a cargo de Cayo, por un préstamo hecho a él que, en realidad, no se ha celebrado.

[36]   Al tener eficacia generadora de obligaciones eran los censores quienes se encargaban de su control.

Gayo, genera una obligación de este tipo —*iuris civilis est talis obligatio*—. Y 5.º) es de derecho estricto, porque la obligación que nace de la trascripción se tutela por una acción de esta naturaleza: la *actio certae creditae pecuniae*.

c) En cuanto a sus elementos, baste matizar que: 1.º) sólo pueden intervenir ciudadanos romanos no necesitando la presencia de las partes, pues puede hacerse entre ausentes; 2.º) sólo puede tener por objeto una cierta cantidad de dinero, *certa pecunia* y 3.º) al contemplar —en teoría— su desembolso no podrá ser objeto de término o condición.

Los *nomina transcripticia* tienen una vida breve, circunscrita, en el tiempo a los siglos I AC y DC. Gayo alude a ellos, aunque es opinión común, que en su época ya estaban en desuso y Justiniano los presenta como recuerdo histórico.

II. Quirógrafos y Síngrafos —*Chirographa* y *Syngrapha*—

Gayo acaba sus referencias a los contratos literales aludiendo a los quirógrafos y a los síngrafos. Documentos, que conceptúa como «de crédito» y califica como propios de los extranjeros. Aquí acaba su información. De otras fuentes cabe constatar que sus diferencias eran no sólo de forma, sino de fondo.

Los quirógrafos, redactados en primera persona, eran reconocimientos de deuda que: a) plasman en un sólo documento que quedaba en poder del acreedor; b) acreditan un negocio celebrado en realidad y c) tienen valor probatorio.

Los síngrafos, redactados en tercera persona, eran a) documentos dobles suscritos por acreedor y deudor, conservando cada uno su ejemplar; b) pueden reflejar un negocio inexistente y c) tienen eficacia, por sí, ya que el documento constituye la causa generadora de la obligación.

Extendida la ciudadanía a los habitantes del Imperio y, el derecho romano a todos ellos, el valor sólo probatorio que otorga este derecho a los documentos choca con los síngrafos por lo que desaparecerán. Los quirógrafos subsisten, convertidos en meras pruebas escritas de las *stipulationes* y para evitar que reflejaran un préstamo inexistente se otorga la *querela non numeratae pecuniae* —de no haberse entregado el dinero— como recurso procesal para así probar la falsedad de lo que se alega y justifica por escrito. El plazo para interponerla terminó siendo de dos años pero, una vez que transcurren, debe pagarse lo que en el documento conste aunque no se hubiera recibido.

Justiniano, en Instituciones, considera que hay, entonces, una *obligatio litteris*, aunque como se ha destacado en doctrina, lo que subyace, en el fondo, es un simple documento frente al cual la acción que puede impugnarlo ha prescrito.

Tema 35

Contratos reales

Como sabemos, los contratos reales se caracterizan por un acuerdo —consentimiento— al que se acompaña, como *causa civil* generadora de obligaciones, la entrega de una cosa. Por ello los clásicos dicen que la obligación nacía por la cosa —*re contrahitur obligatio*—. Gayo sólo trata, como contrato real, el mutuo, al que acompañan, en Digesto e Instituciones, el comodato, el depósito y la prenda y a los que añaden los romanistas modernos, la fiducia —desaparecida en época postclásica—. De todos y cada uno de ellos pasamos a ocuparnos.

1. MUTUO

I. Denominación y concepto

A) Según opinión generalizada, la palabra latina *mutuum*, deriva de *movere* o *mutare*, que comportan la idea de «cambiar» y, lo más probable, es que esto significara, desde un principio: el dar (cambiar) unas monedas para recibir otras de igual valor.

B) El mutuo —*mutuum*— es un contrato en virtud del cual una persona —mutuante— entrega a otra —mutuario o mutuatario— cierta cantidad de dinero u otras cosas fungibles, obligándose, ésta, a devolver otro tanto del mismo género y calidad.

En suma: es un préstamo de consumo.

II. Caracteres

El mutuo es un contrato real; unilateral; gratuito; de derecho estricto y traslativo de dominio.

A) Es real, porque se perfecciona por la entrega de la cosa —*datio rei*—. Por eso, el mero acuerdo o promesa de mutuo: si se hace pura y simplemente, esto es, sin solemnidad alguna, carece de valor y si se hace mediante las formas de la *stipulatio*, sólo producirá la obligación de resarcir al interesado los posibles daños que se deriven de no realizarse el préstamo[1].

B) Es unilateral, porque genera obligaciones sólo para una de las partes, el mutuario y en ningún caso para el mutuante.

C) Es gratuito[2], porque la obligación de restituir del mutuario, es en la medida de la *datio*, esto es, la misma cantidad que se prestó[3] sin dar nada a cambio por la disponibilidad sobre ella[4], ya que un precio por su uso —*usura*— sólo tendría lugar mediante una estipulación de intereses —*stipulatio usurarum*— formalizada al margen del mutuo y exigible a través de la acción propia de la estipulación[5] y no por la del mutuo.

D) Es de derecho estricto por estar protegido por una acción de este tipo, la *actio certae creditae pecuniae* —*condictio*— cuyo formalismo impedirá al *iudex* condenar al mutuario al pago de intereses, ni siquiera en caso de haber incurrido en mora[6].

---

[1] Paulo, dice: Pero si yo hubiera estipulado así —*Quodsi ita stipulatus fuero*—: ¿prometes que tú me habrás de prestar dinero? —*Pecuniam te mihi crediturum spondes?*— la estipulación es incierta —*incerta est stipulatio*— porque viene comprendida en la estipulación —*quia id venit in stipulationem*— lo que me interesa —*quod mea interest*—.

[2] La gratuidad, como se ha puesto de relieve, no implica un tratamiento benigno para quien necesita dinero, sino que responde y es coherente, con la obligación, derivada de la *datio rei*; el caracter *stricti iuris* del contrato y el formalísmo de la acción —*condictio*— que nace del mísmo.

[3] Así, matiza Paulo: Si yo te diera 10 —*Si tibi decem dem*— y pactara que se me deban 20 —*et paciscar ut viginti mihi debeantur*— no nace obligación más que por 10 —*non nascitur obligatio ultra decem*— porque no puede contraerse una obligación real —*re enim non potest obligatio contrahi*— sino por cuanto se haya dado —*nisi quatenus datum sit*—.

[4] En efecto, aunque el mutuario adquiere la disponibilidad de lo recibido, su patrimonio no aumenta con esta cantidad puesto que la debe. Tampoco el mutuante se empobrece, pues adquiere un crédito para su restitución. Por ello, algunos juristas modernos hablan de que es un contrato «neutro».

[5] También cabe concluir una estipulación única para el capital —*sors*— y los intereses —*usurae*— *stipulatio sortis et usurae*, en cuyo caso, aquél y éstos se exigirán por una sola acción, la nacida de la *stipulatio*.

[6] Según Ulpiano: Si yo te hubiera dado 10 —*Si tibi dedero decem*— así —*sic*—: para que me debas 9 —*ut novem debeas*— dice Próculo —*Proculus ait*— y con razón —*et recte*— que de derecho no debes más que 9 —*non amplius te ipso iure debere quam novem*—. Pero si te los hubiera dado —*Sed si dedero*— para que me debas 11 —*ut undecim debeas*— opina Próculo —*putat Proculus*— que no pueden reclamarse por la *condictio* más que 10 —*amplius quam decem condici non posse*—.

E) Y es traslativo de dominio, porque la *datio rei*, en sentido técnico, significa, precisamente eso «transmisión de propiedad» y esto comporta el mutuo: «que lo mío se hace tuyo», como el mismo Gayo destaca en la curiosa derivación etimológica que da de la palabra *mutuum* —de: *ex meo-tuum*—.

III. Elementos

A) En el mutuo intervienen: mutuante o prestamista —*mutuo dans*— y mutuario o prestatario —*mutuo accipiens*—. Veamos su capacidad.

a) El mutuante, al ser el mutuo traslativo de dominio, además de la capacidad general, deberá ser dueño de la cosa mutuada, o al menos tener la facultad de poder enajenarla[7], ya que si no fuera propietario o si siéndolo fuera incapaz o careciera, en fin, del poder de disposición, el mutuo, en principio, no se concluye y, es obvio, el mutuario no quedaría sujeto a devolución alguna[8]. Sin embargo —en cualquier situación de las expuestas— quedará sujeto por la *condictio* a tal restitución, si el mutuo le fuera de utilidad, bien por adquirir la propiedad de las cosas mutuadas —por ejemplo por tiempo, *usucapio*, o mezcla, *conmixtio*— o bien por haberlas consumido de buena fe, lo que será frecuente en el caso de las monedas —*consumptio nummorum*—[9].

b) El mutuario debe tener capacidad para obligarse. Sin embargo, junto a la incapacidad general del pupilo y la mujer, existe otra, que calificaremos de especial. Esta, afecta a los *filii familias* y la establece

---

[7] La capacidad para «prestar» es distinta de la exigida para obligarse y así: mientras la mujer puede hacerlo válidamente sin la intervención de su tutor —*auctoritas interpositio*— pues tiene capacidad para enajenar (transmitir) —por *traditio*— sus *res nec mancipi*, el pupilo, por contra, no puede hacerlo sin aquella.

[8] En general, sólo transmitiría la posesión del objeto dado y al ejercer su verdadero dueño la *reivindicatio* contra el mutuario y vencerle en juicio —*evincere*— nada debería restituir.

[9] En estos casos, glosadores y comentaristas hablan de convalidación del mutuo —*reconciliatio mutui*— pero, los juristas romanos —como se matiza en doctrina— y de acuerdo con el enfoque procesal que dieron al Derecho, sólo afirman que al mutuante no dueño o incapaz se le protege por *condictio*. Ahora bien, que sea la *condictio ex mutui*, por tenerse el mutuo convalidado o una *condictio sine causa*, por enriquecimiento injusto del mutuario, es difícil de precisar.

—Vespasiano, s.I— por el senadoconsulto Macedoniano, según el cual se prohíbe a los hijos de familia recibir dinero en préstamo no produciendo, caso de efectuarse, obligación civil[10]. Si, pese a prohibirse, el *filius familias*, tras alcanzar el carácter de *sui iuris*, devuelve lo prestado, no podrá repetirlo como indebido, pues, dice Paulo, permanece la obligación natural —*quia naturalis obligatio manet*—.

B) Sólo son objeto de mutuo, las cosas que se determinan por peso, número o medida. Esto es, las fungibles, como dice Gayo: cierta suma de dinero o cierta cantidad de vino, aceite o trigo.

C) El mutuo no está sujeto a formalidad alguna, siendo el acuerdo de voluntades y la entrega de la cosa —*datio rei*— los elementos indispensables para su existencia[11]. Maticemos algo más.

---

[10] Sabemos que los *filii familias* tienen capacidad para obligarse por derecho civil —*iure civile*— pero que al carecer de patrimonio propio, la efectividad de la sentencia no producirá efectos hasta que —por morir el *pater* o emanciparse el *filius*— fueran *sui iuris*. Tal situación se modifica por el senadoconsulto Macedoniano, respecto al mutuo. A) Su origen —según la Paráfrasis de Teófilo— se vincula a un trágico accidente, protagonizado por un hijo de familia, que acuciado por sus acreedores, dio muerte a su padre con el fin de heredarle y así cancelar sus múltiples deudas. B) Su fundamento, descansa en considerarse contra *bonos mores* unos préstamos en los que acreedor y deudor especulaban con la muerte de un *paterfamilias*. C) Su régimen, comportaba que si la restitución del préstamo prohibido se reclamaba, el pretor podía denegar, directamente la acción —*condictio*— o conceder al demandado una excepción —*exceptio senatusconsulti Macedoniani*—. Excepción que podría ser invocada, no sólo por el *filius*, sino por el propio *pater*, los herederos de uno y otro y los posibles codeudores o fiadores. D) No tiene aplicación el senadoconsulto: a) si el *paterfamilias* hubiera aprobado el mutuo o le hubiera aprovechado, directamente; b) si el mutuante, por error excusable creyó contratar con un *sui iuris* o era impuber —o menor de 25 años— y el mutuario puber —o mayor de 25 años—; c) si el mutuario actuara in *fraudem legis* —haciéndose pasar por *sui iuris* o pagando otras deudas a las que no podía oponer la excepción del senadoconsulto— y d) si al devenir *sui iuris* reconoce la deuda, tiene suficiente *peculium castrense* o *quasi castrense* o es soldado —*miles*—.

[11] Hacía fines de la República, el mutuo se encuentra englobado entre los casos de enriquecimiento injusto y Labeón lo califica entre los negocios que se fundan en la cosa —*re*—. A lo largo del s. II se precisa su noción como contrato, basándose, no ya en el simple hecho material de la entrega de la cosa, sino, también en el acuerdo de voluntades. A partir de este momento se separa del enriquecimiento injusto —obligación cuasicontractual que comporta restituir lo indebidamente cobrado— Pese a ello, Gayo sigue tratando el pago de lo indebido —*indebiti solutio*— al lado del mutuo —*mutui datio*— y recordándonos que su tutela se basa, también, en la *condictio*.

a) Como la entrega de la cosa puede cumplir distintos fines, se requiere que la voluntad de las partes[12] sea, precisamente, la de celebrar este contrato[13]. Esto es, que el mutuario deba restituir otro tanto —*tantundem*— de la misma especie y calidad de lo prestado, puesto que si se acordara la restitución de la misma cosa —*eadem species*— estaríamos, recuerda Ulpiano, ante un comodato o un depósito, según se admitiera o no, su uso; si se tuviera que restituir otra distinta —*aliud genus*— ante una permuta y si nada hubiera que restituir ante una donación.

b) Por ser un contrato real se requiere la entrega de la cosa. Esta debía ser, en principio, real o efectiva, sin embargo, con el tiempo, tal requisito, se interpreta con gran amplitud y se admite la existencia de mutuo, sin entrega material de la cosa: 1.°) si el deudor, por otra causa —por ejemplo un depósito— tiene la cosa ya en su poder y es autorizado por su acreedor a retenerla en mutuo —*traditio brevi manu*[14]— ; 2.°) si se hace a través de un negocio intermedio, por ejemplo, si una persona da a otra una cosa no fungible para venderla y retener el precio de su venta, en concepto de mutuo —*rem vendendam dare*[15]— y 3.°)

---

[12] Así, dice Ulpiano: Si yo te hubiera dado dinero como para donártelo —*Si ego pecuniam tibi quasi donaturus dedero*— y tu lo recibieras como en mutuo —*tu quasi mutuam accipias*— escribe Juliano —*Iulianis scribit*— que no hay donación —*donationem non esse*— ...Y yo opino —*Et puto*— que tampoco hay mutuo —*nec mutuam esse...*— y aún más —*magisque*— que el dinero no se hace del que lo recibe —*nummos accipientis non fieri*— pues lo recibió con otra intención —*quum alia opinione acceperit*—.

[13] Paulo lo matiza, al decir: Mas no basta —*Non satis autem est*— que el dinero sea del que lo da y se haga del que lo recibe —*dantis esse nummos et fieri accipientis*— para que nazca la obligación —*ut obligatio nascitur*— sino también —*sed etiam*— que se dé y se reciba con esta intención —*hoc animo dari et accipi*— que la obligación se cree —*ut obligatio constituatur*—.

[14] Dice Africano: Si se hubiera convenido que el dinero depositado en tu poder —*...Si pecuniam apud te depositam convenerit*— lo tengas como prestado —*ut creditam habeas*— quede prestado —*credita fiat*— porque entonces las monedas —*quia tunc enim nummi*— que eran mías se hacen tuyas —*qui mei erant tui fiunt*—.

[15] Ulpiano, ofrece el siguiente caso: Me rogaste que te prestara dinero —*Rogasti me, ut tibi pecuniam credere*— y yo, no teniéndolo —*ego quum non haberem*— te dí un plato —*lancem tibi dedit*— o un lingote de oro —*vel manssam auri*— para que lo vendieras —*ut eam venderes*— y utilizaras su importe —*et nummis uteris*—. Si lo hubieras vendido —*si vendideris*— juzgo —*puto*— que el dinero llegó a ser dado en mutuo —*mutuam pecuniam factam*—.

cuando el mutuante autoriza a su deudor a que dé el dinero que le debe al mutuario —*iussum credendi*[16]—.

IV. Efectos y acciones

A) Al ser el mutuo contrato unilateral sólo produce obligaciones para el mutuario[17] y éstas se reducen a devolver otro tanto de lo recibido. Este «otro tanto» —*tantundem*— debe ser del mismo género —*eiusdem generis*[18]— y, aunque nada se hubiese convenido, de la misma calidad —*et qualitatis*[19]—.

Por lo común se establecerá un plazo[20] al que habrá de atenerse el mutuario, aunque si fuera establecido en su exclusivo interés podrá anticipar el pago y al no tener que devolver la misma cosa —*eadem species*— sino el género y considerarse que éste no puede perecer —*genera non pereunt*— el riesgo de perecimiento lo soporta el mutuario.

B) El mutuante puede reclamar tal devolución a través de la *actio certae creditae pecuniae* —si se trata de préstamo dinerario— y de la *condictio certae rei* —llamada *condictio triticaria*, en época justinianea— si de mutuo de otras cosas fungibles.

---

[16] Según Ulpiano: Si yo hubiera mandado que un deudor mío te dé dinero —*Si tibi debitorem meum iussero dare pecuniam*— te obligas a mi favor —*obligaris mihi*— aunque no hayas recibido dinero mío —*quamvis meos nummos non acciperis*—...

[17] Si el mutuante entregara monedas falsas o mercancías deterioradas, el mutuario deberá acudir a la *actio doli*.

[18] Según Paulo: Damos en mutuo no para recuperar la misma cosa específica que dimos... —*mutuum damus recepturi non eadem specem qum dedimus...*— sino el mismo género —*sed idem genus*—.

[19] Dice Pomponio: Cuando hubiéramos dado una cosa en mutuo —*Quum quid mutuum dederimus*— aunque no hayamos prevenido —*etsi non cavimus*— que se nos devolviese otra igualmente buena —*ut aeque bonum nobis redderetur*— no le es lícito al deudor —*non licet debitorem*— devolver otra peor —*deteriorem rem*— que sea del mismo género —*quae ex eodem genere sit reddere*— por ejemplo vino nuevo por otro añejo —*veluti vinum novum pro vetere*— porque al contratar —*nam in contrahendo*— se ha de tener por expresado lo que se trata —*quod agitur pro cautum habendum est*— y se entiende que se trata esto —*id autem agi intelligitur*— que se pague con cosa del mismo género y de la misma calidad —*ut eiusdem generis et eadem bonitate solvatur*— que la que se dio —*qua datum sit*—. En Instituciones de Justiniano se dice: de la misma naturaleza y calidad —*eiusedem naturae et qualitatis*—.

[20] El derecho justinianeo, en defecto de pacto, autoriza al juez a fijar uno prudencial.

V. Préstamo marítimo

En Roma, con el nombre de *foenus nauticum* —préstamo naval— o *pecunia traiecticia* —dinero transportado por mar[21]— se conoce una figura, de origen griego, que adquirió carta de naturaleza a fines de la República; que en derecho moderno se denomina préstamo marítimo, o a todo riesgo o a la gruesa ventura y que en lo económico —más que en lo jurídico— se presenta como un negocio análogo al mutuo.

Este préstamo marítimo consiste en la entrega, al armador de una nave, mutuario, de una suma de dinero, para que sea transportado por mar o para que, apunta Modestino, con ella, se compren mercancías que se deben trasladar a otro puerto para revender[22].

A diferencia del mutuo, la restitución del dinero se subordina al arribo de la nave al puerto de destino. El mutuante es, pues, quien soporta el riesgo del perecimiento del dinero o de las mercancías con él compradas y, por ello, como compensación, se admite la eficacia del pago de intereses —*usurae ex nudo pacto*[23]— sin tener que acudir a la *stipulatio* ni aplicarse sus límites legales, hasta que Justiniano fija, como máximo, el doble del interés normal, esto es un 12%[24].

---

[21] Según Modestino: Se llama trayecticia a la cantidad de dinero que se transporta por mar —*Traiecticia ea pecunia est quae trans mare vehitur*—.

[22] A) Primero, se usa en el comercio de importación. El armador carga, en su nave, el dinero prestado y adquiere con él, en otro puerto, las mercancías. Es pues, el dinero el que «surca los mares» —*pecunia traiecticia*— y no debe restituirse si perece el barco. B) Más tarde, se extiende al comercio de exportación. El armador, en el propio puerto, adquiere mercancías, que vende, tras su transporte, en otro puerto —no se transporta el dinero, sino las mercancías con él adquiridas— y si perecen en el mar el armador nada deberá restituir al capitalista. C) Por último, se aplica tal régimen a todo préstamo hecho con fines de navegación —pago de salario de los marineros, reparaciones del barco...—.

[23] Dice Papiniano: El dinero se presta a interés a riesgo del que lo da —*pecunia periculo dantis foeneretur*—.

[24] Se trataría por tanto de un contrato aleatorio, afectado por una condición suspensiva, en el que el armador asume el riesgo de perecimiento del dinero o de las mercancías con el compradas.

2. COMODATO

I. Concepto

El comodato —*commodatum* o *commodare*— es el contrato en virtud del cual, una persona —comodante— entrega a otra —comodatario— una cosa no fungible, para que use de ella, gratuitamente, durante cierto tiempo y se la devuelva.

En síntesis, es la cesión gratuita del uso de una cosa o, si se prefiere: un préstamo de uso. De ahí que las fuentes, también se refieran a él como *utendum dare* —literalmente, dar para usar—.

II. Caracteres

Es un contrato real, bilateral imperfecto; gratuito; de derecho de gentes; de buena fe y no traslativo de dominio.

A) Es un contrato real, porque se perfecciona por la entrega de la cosa, en consecuencia, la simple promesa de ceder el uso de algo sólo produciría efectos jurídicos a través de la *stipulatio*.

B) Es bilateral imperfecto, porque si bien, en principio, sólo genera obligaciones para una de las partes, el comodatario, sin embargo, eventualmente, también pueden surgir para el comodante.

C) Es gratuito, porque está basado en la amistad; de mediar precio por el uso temporal de una cosa, habría arrendamiento —*locatio conductio rei*—[25] y si el comodatario se obligara a realizar cualquier otra prestación de dar o hacer —*dare aut facere*— estaríamos ante alguna de las modalidades de contrato innominado.

D) Es de derecho de gentes, por estar abierta su celebración a ciudadanos y peregrinos[26].

---

[25] Ulpiano, dice: Te di una cosa para que la dieras en prenda a tu acreedor —*Rem tibi dedi ut creditori tuo pignori daris*— se la diste —*dedisti*— y no la rescatas —*non repignoras*— para devolvérmela —*ut mihi reddas*—. Dice Labeón —*Labeo ait*— que tiene lugar la acción de comodato —*commodati actionem locum habere*— lo que opino que es verdad —*quod ego puto verum esse*— si no medió retribución —*nisi merces intervenit*— porque entonces —*tunc enim*— (se habrá de intentar) la acción por el hecho —*vel in factum*— o la de arrendamiento —*vel ex locato conducto (agendum erit)*—.

[26] En derecho arcaico, como tal contrato se desconoce. Que quienes lo celebren estén unidos por vínculos afectivos; que tales vínculos se considere, debían permanecer al

E) Es de buena fe, al estar tutelado por una acción de este tipo —*actio ex fide bona*— por la que el *iudex* podrá condenar al demandado a todo aquello —*quidquid*— que deba dar o hacer —*dare facer oportere*— según dicha buena fe —*ex fide bona*[27]—.

F) No es traslativo de dominio, ya que la entrega de la cosa, no debe entenderse en el sentido técnico de *datio rei*, sino como mero traslado de tenencia o detentación de la cosa comodada[28], cuya propiedad y posesión, dice Pomponio, serán retenidas por nosotros.

III. Elementos

A) Intervienen comodante —*is qui commodat*— y comodatario —*is qui commodatum accepit*—. a) El comodante, al transmitir la sola tenencia de la cosa, no es necesario que sea su dueño, por tanto, cualquiera que la tenga —detente— justa o injustamente —el ladrón, por ejemplo, dice Marcelo— puede darla en comodato. b) El comodatario, podrá serlo cualquiera con capacidad para obligarse[29], excepto, lógicamente, el dueño de la cosa.

---

margen del derecho —ser coactivamente exigibles— y, en fin, que, en su caso, los interesados pudieran acudir a una *fiducia cum amico*, son razones esgrimidas, en doctrina, para justificarlo. A fines de la época preclásica obtiene su primer reconocimiento jurídico, al prometer acción, el Pretor en su Edicto, a quien dijera haber recibido algo en comodato Esta acción, ajena al *ius civile* es por el hecho —*in factum*— y tiende a la devolución de la cosa —*reddere*— y, en su defecto —*eamque redditam non esse*— a su estimación objetiva en el momento de la sentencia —*quanti ea res erit*—. Por último, quizá en el Edicto de Juliano, el contrato es reconocido por el *ius civile* y amparado por una *actio in ius concepta ex fide bona*.

[27] Algún autor, al omitirse en la relación de acciones de buena fe que suministra Gayo, niega este caracter.

[28] Ulpiano, afirma: Nadie dando en comodato la cosa —*Nemo enim commodando re*— la hace —*facit*— de aquel a quien la da en comodato —*eius, cui commodat*—.

[29] A) Respecto a los impúberes, dice Ulpiano: que no se obligan por la acción de comodato—*Impuberes commodati actionem non tenetur*—porque no existe comodato respecto a la persona del pupilo —*quoniam nec consistit commodatum in pupilli persona*— sin la autoridad del tutor —*sine tutoris uctoritate*— hasta el punto que —*usque adeo ut*— aunque hecho puber —*etiamsi pubes factus*—hubiera cometido dolo o culpa —*dolum aut culpam admiserit*— no queda obligado por esta acción —*hac actione non tenetur*— porque no existió desde un principio —*quia ab initio non consistit*—. Ulpiano matiza: Pero me parece —*Sed mihi videtur*— que si el pupilo se ha enriquecido —*si locupletior pupillus factus sit*— se ha de dar la acción útil de comodato —*dandam utilem commodati actionem*— según el rescripto del Divino (Antonino) Pío —*secundum Divii Pii Rescripturum*—. B) Según Paulo: Tampoco se puede dar la acción de comodato contra un loco —*Nec in furiosum commodati actio*

B) Siendo la finalidad del comodato el uso, por cierto tiempo, de algo, su objeto sólo lo podrán ser las cosas corporales[30] —muebles o inmuebles— cuyo uso no las consuma —no consumibles—. Pero, como la distinción entre cosa consumible y no consumible se funda en su uso normal, nada impide se pueda celebrar el comodato sobre una cosa consumible, si se pacta un uso «anormal» que no comporte su consumición o destrucción, como por ejemplo —dice Ulpiano— *ad pompam vel ostentationem*[31].

C) El acuerdo de voluntades y la *datio rei* —entrega de la cosa— serán elementos esenciales para la existencia de este contrato.

a) Respecto al acuerdo de voluntades, es necesario, en general, como en todo contrato, una voluntad concorde de las partes y, en particular, por la propia función del comodato, que dicho acuerdo de voluntad, recaiga sobre los siguientes extremos: 1.º) el uso de la cosa, que diferenciará esta relación de la del depósito; 2.º) su gratuidad, que lo distinguirá de la relación arrendaticia —*locatio conductio rei*— y 3.º) sobre su caracter temporal, esto es, la ulterior restitución de la cosa entregada —*eadem species*— que lo diferenciará de la donación[32].

b) Respecto a la entrega de la cosa, baste reiterar comporta el mero traslado de su tenencia o detentación —*possessio naturalis*— y que el comodante sigue siendo propietario y poseedor.

---

danda esto— sino que se dará contra ellos la acción exhibitoria —*sed ad exhibendum adversus eos dabitur*— para reivindicar la cosa una vez exhibida —*ut res exhibita vindicetur*—. C) Por último, respecto a los *alieni iuris*, según Ulpiano: Si se ha comodado a un hijo de familia o a un esclavo —*Si filio familias servove commodatum sit*— se habrá de reclamar tan sólo respecto al peculio —*duntaxat de peculio agendum erit*— aunque contra el mismo hijo de familia —*cum filio autem familias*— cualquiera podrá también reclamar directamente —*ipso et directo quis poterit*—. Y también si se hubiera dado en comodato a una esclava o a una hija de familia —*Sed et si ancillae vel filia familias commodaverit*— deberá pedirse tan sólo respecto al peculio —*duntaxat de peculio erit agendum*—.

30   Respecto a si el comodato puede recaer sobre derechos, en principio, debe rechazarse, aunque las fuentes, a veces, parecen aludir a ello —en concreto, respecto al derecho de servidumbre, al de habitación y al de uso—.

31   Otras hipótesis que pueden servir de ejemplo son: prestar géneros o mercancías para investigar su constitución y características o de monedas para estudiarlas, determinar su antigüedad, evitar falsificaciones o simplemente a efectos de su exposición al público.

32   Aún cabría aludir a la fijación de un plazo, o al menos un uso, que lo diferenciaría del precario, revocable, en todo momento, por voluntad del concedente.

IV. Efectos

A) *Son obligaciones del comodatario*

a) Servirse de la cosa, según el uso pactado y, en su defecto, conforme a su propio destino y naturaleza económica. De no hacerlo así, el comodatario, incurrirá en *furtum usus*[33], salvo que tuviera razones para creer que el comodante, de saberlo, no lo hubiera prohibido[34].

b) Conservarla soportando los gastos normales propios de su conservación y mantenimiento[35].

c) Restituirla —*eadem species*— con sus accesiones y frutos —por ejemplo los partos de los animales y el eventual lucro obtenido al darla en alquiler a otro[36]— si éstos no se incluyeran en el uso para el que fue prestada. Tal restitución se deberá hacer en el plazo establecido[37].

d) Responder por su pérdida o deterioro[38].

Esta responsabilidad, en derecho clásico comprende, como regla general, los supuestos de dolo, y —según Gayo— el *custodiam*

---

[33] Así: si —*Veluti si*— habiendo alguno tomado en préstamo plata labrada —*quis argentum utendum acceperit*— como para convidar a unos amigos a una cena —*quasi amicos ad cenam invitaturus*— también se la llevara consigo a un viaje —*et id peregre gestandi causa commodatum sibi*— lo lleva mucho más lejos —*longius aliquo duxerit*— o como han escrito los antiguos —*quod veteres scripserunt de eo*— llevase a la guerra el caballo (comodado) —*qui in aciem equum perduxisset*—.

[34] Seguimos con Instituciones. Distinción muy justa —*optima sane distinctione*— porque no se comete hurto sin intención de hurtar —*quia furtum sine affectu furandi non committitur*—.

[35] Gayo —aludiendo a un esclavo comodado— dice: los gastos de manutención —*Nam cibariorum impensae*— pertenecen ciertamente, por razón natural —*naturali scilicet ratione*— a aquel —*ad eum pertinet*— que lo hubiere recibido para servirse de él —*qui utendum accepisset*—.

[36] Ejemplos que refiere Pomponio. La razón es, según él: que nadie debe obtener utilidad de una cosa —*neque enim ante eam rem quaesti cuique esse oportet*— antes que la tenga a su riesgo —*priusquam periculo eius sit*—.

[37] A falta de pacto expreso, será la *bona fides*, propia del contrato, la que determine su duración.

[38] Pues —como matiza Ulpiano— con propiedad se dice —*Proprie enim dicitur*— que no se devolvió la cosa —*res non reddita*— que se devuelve deteriorada —*quae deterior reddita*—.

praestare, esto es, el de su hurto por terceros, aunque no el de perecimiento por fuerza mayor —*vis maior*—[39] y en derecho justinianeo, el observar una *exactissima diligentia*, es decir, aquella que pondría la persona más diligente en el cuidado de sus cosas —*culpa levis* o *diligentia in custodiando*[40]—.

Esta regla general, presenta algunas variaciones. Se limita sólo al dolo, si: 1.º) así se pactó[41]; 2.º) el comodato se hizo en interés exclusivo del comodante[42] y 3.º) se hizo en interés del comodante y del comodatario[43]. Comprende el caso fortuito, si: 1.º) así se pacta o la cosa se entregó mediante la estimación de su valor —*aestimatio*[44]—; 2.º) incurre en mora el comodatario y 3.º) como dijimos, si comete *furtum usus*.

---

[39]   Gayo, refiriéndose al comodatario, que análoga al tintorero —*fullo*— y al sastre — *sarcinator*— dice: que al recibir una cosa en comodato para usarla —*ita hic quoque utendi commodum percipiendo*— es necesario que responda también por custodia — *similiter necesse habet custodiam praestare*—... y le compete la acción de hurto —*ipsi furti actio competiti*— ya que en este caso —*quia hoc casu*— el mismo está interesado en que la cosa se conserve —*ipsius interest rem salvam esse*—.

[40]   Gayo dice: El que recibió una cosa en comodato —*Is vero qui utendum accepit*— si por fuerza mayor —*si maiore casu*— a la cual no puede resistir la debilidad humana — *cui humana infirmitas resistere non potest*— por ejemplo un incendio, ruina o naufragio —*veluti incendio ruina naufragio*— hubiere perdido la cosa que recibió — *rem quam accepit amisserit*— está exento (no responde) —*securus est*—; pero por lo demás —*alias tamen*— es compelido a guardar la más exacta diligencia para custodiar la cosa —*exactissimam diligentiam custodiandae rei praestare com-pellitur*— y no le basta —*nec sufficit ei*— poner la misma diligencia que pone en sus cosas — *eandem diligentiam adhibere quam suis rebus adhibet*— si otro —*si alius*— pudiera custodiarla con más diligencia —*diligentior custodire poterit*—.

[41]   Pomponio, dice: A veces responderá solamente de dolo —*Interdum plane dolum solum*— respecto a la cosa comodada —*in re commodata*— el que la pidió —*qui rogavit*— por ejemplo —*ut puta*— si alguno así lo convino —*si quis ita convenit*—

[42]   Un ejemplo, muy claro, proporciona Ulpiano al decir: Si di una cosa a alguien (un inspector) para que la examinara por tener interés en cuanto podía valer —*Si res inspectori dedi*— si verdaderamente se la di por mi causa...—*et si quidem mea causa dedi*— queriendo averiguar su precio —*dum volo pretium exquirire*— responderé sólo de dolo —*dolum mihi tantum praestabit*—.

[43]   Así, en ejemplo de Gayo: Si hubiéramos invitado a una cena a un amigo común —*veluti si communem amicum ad coenam invitaverimus*— y tú te hubieras encargado del cuidado de esto —*tuque eius rei curam suscepisses*— y yo te hubiera dado en comodato el servicio de plata... —*et ego tibi argentum commodaverim*— sólo debes responder de dolo —*...dolum tantum praestare debeas*—.

[44]   Dice Ulpiano: Y si acaso —*Et si forte*— se dio estimada la cosa —*res aestimata data*— de todo riesgo —*omne periculum*— se ha de responder —*praestandum*— por aquel que aceptó responder de la estimación —*ab eo qui aestimationem se praestiturum recepit*—.

B) Son obligaciones eventuales del comodante

a) Resarcir los gastos necesarios[45] y extraordinarios que hubiera tenido que hacer para la conservación de la cosa[46]; y b) indemnizar los daños y perjuicios que ésta le hubiese ocasionado: por sus vicios ocultos[47]; su reclamación intempestiva o por pagar su valor —*litis aestimatio*— si después el comodante la recupera[48].

V. Acciones

El cumplimiento de las obligaciones del comodatario y, en su caso, del comodante, está garantizado, respectivamente, a través de la *actio commodati (directa)* y del correspondiente *iudicium contrarium —actio commodati contraria—*.

---

[45] Gastos que deberán de ser de importancia, ya que los menores —como la manutención del esclavo comodado, por ejemplo— corresponden al comodatario.

[46] Refiere Gayo: por ejemplo—*veluti*— por los gastos hechos en la enfermedad de un esclavo —*de impensis in valetudinem servi factis*— o por los que se hubieran hecho después de su fuga para buscarlo y recuperarlo —*quaeve post fugam requierendi reducendique eius causa factae essent*—.

[47] Dice Gayo: También el que a sabiendas dio en comodato tinajas con desperfectos —*Item qui sciens vasa vitiosa commodavit*— si el vino o aceite echado en ellos se corrompió o desparramó—*si ibi infussum vinum vel oleum corruptum effusumve est*— debe ser condenado por esto —*condemnadus eo nomine est*—.

[48] Paulo contempla el caso de pérdida de la cosa comodada y Africano el de hurto por parte del comodante, en los siguientes términos. (Paulo) Si perdí la cosa comodada —*Rem commodatam perdidi*— y pague por ella el valor —*et pro ea pretium dedit*— y tú la recuperaste luego—*deinde res in potestate tua venit*—: dice Labeón... —*Labeo ait*— que por la acción contraria —*contrario iudicio*— debes entregarme la cosa —*aut rem mihi praestare te debere*—o restituirme el valor que cobraste de mí —*aut quod a me accepisti reccedere*—. (Africano) Me diste en comodato una cosa y me la hurtaste —*Rem mihi commodasti eandem surripuisti*— y después ejercitando tú la acción de comodato —*deindequum commodati ageres*— y no sabiendo yo que había sido hurtada por ti —*nec a te scrirem esse surreptam*—el juez me condenó y pague —*iudex me condemmnavit et solvi*— y luego descubrí que me había sido hurtada por ti —*postea comperi a te esse surreptam*— se preguntó —*quaesitum est*— que acción tengo yo contra ti —*que mihi tecum actio sit*—Respondió que ciertamente no tenía la acción de hurto —*furti quidem non esse*— sino que yo habría de tener por razón de utilidad, la acción contraria de comodato —*sed commodati contrarium iudicium utile mihi fore*—.

3. DEPÓSITO

I. Denominación y concepto

A) La palabra *depositum*, esta compuesta de *positum* —lo puesto— que deriva del verbo *ponere* —poner, colocar, despojarse de algo— y la partícula *de* —que alude a origen, procedencia, separación o alejamiento de algo con lo que se tenía contacto—. *Deponere* —deponer o depositar— evoca, por tanto, la representación mental de colocar, poner a salvo y *depositum* —depósito— las de dejado o confiado[49].

B) El depósito —*depositum*— es un contrato en virtud del cual una persona —deponente o depositante— entrega a otra —depositario— una cosa mueble para que la guarde, gratuitamente, y devuelva cuando para ello fuera requerido.

En suma: la guarda gratuita de una cosa, cuyo extravío se teme.

II. Caracteres

El depósito es un contrato real, bilateral imperfecto, gratuito, de derecho de gentes, de buena fe y no traslativo de dominio.

A) Es real, porque se perfecciona por la entrega de la cosa, ya que el mero encargo de custodiarla aunque fuera aceptado, no implicaría, por su carácter consensual y no entregarse la cosa, más que un mandato para custodiar —*mandatum ad custodiendum*—.

B) Es bilateral imperfecto, porque, en principio, sólo genera obligaciones para una sola de las partes, el depositario, aunque, eventualmente, tras la perfección del contrato —*ex post facto*— y durante la vida del mismo pueden surgir —como en el comodato— algunas obligaciones para el depositante.

---

[49] Ulpiano dice: Depósito es —*Depositum est*— lo que se dio a alguien para guardar —*quod custodiendum alicui datum est*—. Se llama así —*Dictum ex eo*— porque «se pone» —*quod «ponitur»*— y la preposición «de» —*praepositio enim «de»*— aumenta el significante a depósito —*auget depositum*— para mostrar —*ut ostendat*— que está encomendado a la fidelidad de aquél —*totum fidei eius commissum*— todo lo que pertenece a la custodia de la cosa —*quod ad custodiam rei pertinet*—. En síntesis, depósito: es un hecho, que consiste en desprenderse —*datum est, ponitur, depositum*— y encomendar —*commissum*— un objeto —*quod*— para que la probidad —*fides*— de una persona —*eius*— atienda a su custodia —*custodiendum, ad custodiam*—.

C) Es gratuito, porque de mediar cualquier tipo de retribución se convertiría en arrendamiento de servicios —*locatio conductio operarum*—. Los juristas se fijan, precisamente, en la gratuidad para decidir, ante supuestos similares, la procedencia, o no, de la acción de depósito[50]. En época justinianea, el pago de una modesta merced, entregada y recibida como muestra de gratitud y no como retribución por la custodia, no desvirtúa la naturaleza de este contrato ni su gratuidad[51].

D) Es de derecho de gentes, asequible a ciudadanos y a extranjeros[52].

---

[50] Sigamos a Ulpiano. A) Si los vestidos dados para guardar a un bañero perecieron —*Si vestimenta servanda balneatori data perierunt*— si ciertamente no recibió retribución alguna para guardar los vestidos —*si quidem nullam mercedem servandorum vestimentorum accepit*— se obliga por el depósito —*depositi eum teneri*—y opino que sólo debe responder por dolo—*et dolum duntaxat praestare debere puto*—pero si la recibió —*quodsi accepit*— (se obliga) por la acción de arrendamiento —*ex conducto*—. B) Si alguien, para su custodia, hubiera introducido un esclavo, — *Si quis servum custodiendum coniecerit*— por ejemplo en una tahona —*forte in pistrinum*—... a) si medió retribución por la custodia—*si merces intervenit custodiae*— ... procede la acción de arrendamiento —*ex locato*— contra el tahonero —*adversus pristinarium*—; b) si el trabajo del esclavo se compensaba con la custodia —*si operae eius servi cum custodia pensabantur*—... como no se entrega dinero—*quia pecunia non datur*— la acción de palabras prescritas —*prescriptis verbis*— (contrato innominado); c) si sólo se convino su alimentación —*si nihil quam cibaria praestabat*— ...procede la acción de depósito —*depositi actio est*—.

[51] Afirmada la gratuidad del depósito, sorprenden dos textos de Ulpiano — interpolados— que parecen contradecirlo. Se alude: en uno, a un precio del depósito recibido no como merced —*pretium depositionis non quasi mercedem accepit*— y en el otro a que la obtuviera como tal —*nisi forte merces accesit*—.

[52] Si bien, desde antiguo, las gentes necesitan confiar la guarda de objetos valiosos a personas de su confianza, el que a esto se reconozca como contrato de depósito es relativamente reciente y en principio, su finalidad se cumple, según acredita Gayo, a través de la *fiducia cum amico*. En el viejo *ius civile* no devolver la cosa depositada se considera delito y las XII Tablas otorgan una «acción por el doble» contra el depositario. Ello no es más que la aplicación de la normativa penal del hurto no flagrante —*furtum nec manifestum*— considerando —aquel hecho— como una modalidad del mismo. En el *ius honorarium* —fines de la República— el Pretor otorga al depósito eficacia jurídica y protege al deponente con una *actio in factum*. Su fórmula —que transmite Gayo— establece que si no se restituye la cosa por dolo malo —*si rem dolo malo reddita non esse*— el depositario debe satisfacer su estimación objetiva en el momento de la sentencia —*quanti ea res erit*—. Más tarde —en el Principado— se integra en el *ius civile* y resulta tutelado con una *actio in ius ex fide bona* —cuya fórmula también refiere Gayo—. Ambas coexisten y el deponente podrá elegir la más oportuna.

E) Es de buena fe, por estar protegido por una acción de este tipo. Así, tras su integración en el ámbito del *ius civile*, por la *actio depositi in ius concepta*, el depositante obtiene, no sólo la restitución de la cosa, sino todo lo que —*quidquid*— por ella —*ob eam rem*— se deba dar o hacer —*dare facere oportet*— según la buen fe —*ex fide bona*—.

F) No es traslativo de dominio, ni siquiera de posesión[53], y el uso de la cosa depositada, como veremos, se tendrá por hurto.

III. Elementos

A) Las personas que intervienen, son: el depositante o deponente —*deponens* o *qui deposuit*— y el depositario —*qui depositum suscepit*[54]—.

a) Para ser depositante basta con la mera tenencia material de la cosa —*possessio naturalis*— que se pretenda depositar. Por lo que: el esclavo —*servus*— el *filius familias* o quien la detente injustamente —como el ladrón, *fur* o el atracador, *praedo*— pueden tener esta condición.

b) El depositario, al no adquirir derecho alguno sobre la cosa depositada, bastará que tenga capacidad para obligarse. Por ello, podrá serlo el pupilo sin la *auctoritas tutoris*[55] y la única exclusión, por demás lógica, será quien, sin saberlo, sea *dominus* de la *res deposita*[56].

---

[53] Dice Florentino: La propiedad de la cosa depositada —*Rei depositae proprietas*— permanece en el depositante —*apud deponentem manet*— y también la posesión —*sed et possessio*—.

[54] *Depositor* aparece una vez en Digesto en texto de Ulpiano (en que cita a Juliano y *Depositarius* cinco —siempre en textos de Ulpiano—.

[55] Ulpiano (se pregunta) si contra el pupilo —*An in pupillum*— en cuyo poder se depositó sin la autoridad del tutor —*apud quem sine tutoris auctoritate depositum est*— se dará la acción de depósito —*depositi actio detur (quaeritur)*—. Pero debe aprobarse que —*Sed probari oportet*— si hubieres depositado en quien ya era capaz de dolo malo —*si apud doli mali iam capacem depossueris*— se puede intentar la acción —*agi posse*— si cometió dolo —*si dolum commisit*— pues también —*nam et*— se da acción contra él por cuanto se hizo más rico —*in quantum locupletior factus est datrur actio in eum*— aún si no medió dolo —*et si dolo non intervenit*—.

[56] Ulpiano recuerda que: Ni la prenda —*Neque pignus*— ni el deposito —*neque depositum*— ni el precario —*neque precarium*— ni la compra —*neque emptio*— ni el

B) Siendo la finalidad de este contrato la guarda o custodia de lo que pueda extraviarse, sólo las cosas muebles serán objeto de él. Estas, en línea de principio, han de ser no fungibles, es decir, apreciadas por sus características particulares y en el caso de que fueran fungibles —apreciadas por su peso número o medida— dispuestas de tal manera que puedan identificarse, por ejemplo cuando se entrega dinero en una bolsa sellada —*pecunia in sacculo signata*—.

C) Los elementos formales son: el acuerdo de voluntades y la entrega de la cosa.

a) El acuerdo de voluntades, en general, como en todo contrato, resulta presupuesto básico y en particular, por la función del depósito, será necesario que recaiga sobre: 1.ª) la entrega de la cosa —a diferencia del mandato—; 2.ª) su guarda y conservación —función económico social del depósito—; 3.ª) su gratuidad —a diferencia del arrendamiento de servicios— y 4.ª) su no uso —a diferencia del comodato—.

b) Respecto a la entrega de la cosa, se debe entender en el más amplio e incoloro de los sentidos, sin afectar en modo alguno a su propiedad o posesión[57] y sin que tenga que realizarla, en forma material, el propio deponente que podrá hacerlo a través de otra persona[58].

IV. Efectos

A) *Son obligaciones del depositario*

a) Guardar y conservar la cosa depositada, adoptando todas las medidas que su naturaleza exija; b) no usarla, so pena de cometer

---

arrendamiento —*neque locatio*— puede recaer en la cosa propia —*rei suae consistere potest*—.

[57] Gayo, destaca el carácter del depositario como *possessor nomine alieno* al decir: a través de aquellos a los que hemos entregado la cosa depositada —*per eos quoque apud quem deposuerimus*— ...se estima que poseemos... —*ipsi possidere videmur*—.

[58] Dice Ulpiano: Si yo te hubiera rogado —*Si te rogavero*— que lleves a Ticio una cosa mía —*ut rem meam perferas ad Titium*— para que él la guarde —*ut is eam servet*— pregúntase Pomponio que acción puedo usar contra ti —*qua actione tecum experiri possum, apud Pomponium queritur*—. Y opina —*Et putat*— que contra ti la de mandato —*tecum mandati*— pero que contra el que hubiera recibido las cosas —*qui eas res receperit*— la de depósito —*depositi*—.

hurto de uso —*furtum usus*— y c) restituirla, con todas sus accesiones y frutos producidos[59], aun antes del fin del término acordado, si la reclamara el deponente[60].

En general, la responsabilidad del depositario se limita a la pérdida de la cosa por dolo[61], no haciéndolo por culpa[62] ni, a diferencia del comodatario, por *custodia*. En particular, tal responsabilidad, se puede agravar y responder el depositario, por culpa, en algunos casos. A saber: 1.º) si así se pacta; 2.º) si se ofreció espontáneamente y 3.º) si el depósito se concluyó en su exclusivo interés[63]. Con Justiniano responde de *culpa in concreto*[64].

---

[59] Ulpiano, por el carácter de buena fe de la acción de depósito, matiza:... y por esto —*Et ideo*— (se ha de decir) que se comprenden en esta acción así los frutos —*et fructus in hac actione venire*— como toda causa —*et omnem causam*— y los partos —*et partum*— de modo que no se comprenda la cosa desnuda —*(dicendum est) ne nuda res veniat*—.

[60] La fijación de un posible término beneficia, siempre, al deponente. Ulpiano —citando a Juliano— dice que: por este hecho comete dolo el depositario —*hoc enim ipso dolo facere eum qui suscepit*—: por no devolver la cosa al que la reclama —*quod reposcenti rem non reddeat*—. También, Ulpiano, respecto a un depósito a devolver después de mi muerte —*ut post mortem meam reddatur*— dice que puedo ejercer la acción de depósito, habiendo cambiado de voluntad —*potero ego... agere depositi... mutata voluntate*—.

[61] La *actio in factum* subordina, expresamente, la condena del depositario a que la cosa depositada —*res deposita*— «por dolo malo» —*dolo malo*— no se restituya —*redditam non esse*—. En las fuentes, las referencias a limitar al dolo la responsabilidad del depositario son numerosas y variados los vocablos que lo indican —*tantum, non etiam, solum, non ultra, ex eo solo, duntaxat*—.

[62] Pues, como dice Gayo —*quia*— quien a un amigo negligente encomienda una cosa para su custodia —*qui neglegenti amico rem custodiendam committit*— debe quejarse de sí mismo —*de se queri debet*—.

[63] Ulpiano pone como ejemplo el caso en que el depositario quisiera comprar unos predios; no tuviera dinero para ello; no quisiera recibirlo en concepto de préstamo hasta hacer la compra; el deponente se tuviera que ausentar y entregara, en fin, el dinero, al depositario, en depósito, de manera que si llegara a comprar los predios, quedará obligado por el préstamo —y si no, por la *actio depositi*—.

[64] Celso —en texto interpolado— dice: Si alguno —*Si quis*— no (es tan diligente) como requiere la naturaleza de los hombres —*non ad eum modum quem hominum natura desiderat (diligens est)*— salvo que cuide el depósito como hace con sus propias cosas —*nisi tamen ad suum modum curam in deposito praestat*— no carece de fraude —*fraude non caret*— porque con buena fe no pondrá en aquellas menor diligencia que en sus propias cosas —*nec enim salva fide minorem iis quam suis rebus diligentiam praestabit*—.

B) Son eventuales obligaciones del depositante

a) Rembolsar al depositario los gastos necesarios que hubiera hecho en la cosa depositada y b) indemnizarle los daños y perjuicios que, por el depósito, hubiera sufrido[65].

V. Acciones

A) Para garantizar el cumplimiento de sus obligaciones el deponente tiene la *actio depositi*[66], con la doble formula *in factum* e *in ius* —ésta *ex fide bona*—[67] y el depositario —como *iudicium contrarium*— la *actio depositi contraria*.

B) En el depósito realizado por el ladrón la restitución del objeto depositado puede hacerse —en derecho justinianeo— al propio dueño, pero la acción, compete al ladrón—depositante[68]—.

VI. Figuras especiales de depósito

Así se consideran: el depósito necesario o miserable; el secuestro y el depósito irregular.

A) Depósito necesario o miserable

Es el realizado en ocasión de grandes calamidades, que implican un peligro inminente de pérdida de las cosas e impiden la libre elección de la persona del depositario.

---

[65] Africano, respecto al depósito de un esclavo que era ladrón —*hominem furem esse... in causa depositi*—... lo justifica diciendo: es justo que a nadie (le sea perjudicial) el propio cargo —*nemini officium suum*— que aceptó por causa de interés de aquel con quien contrató, no también suyo —*quod eius, cum quo contraxerit, non etiam sui commodi causa susceperit (damnosum esse)*—.

[66] Dice Ulpiano: Si alguien pactase —*Si quis pasciatur*— que no ejerciera la acción de depósito —*ne depositi agat*— según Pomponio —*secundum Pomponium*— vale el pacto —*valet pactum*—. (Obviamente, este *pactum ne depositi agatur* se refiere al caso de culpa, si se tratara de dolo —*pactum ne dolum praestatur*— sería nulo).

[67] En derecho clásico, si el deponente no cumple sus eventuales obligaciones, además, el depositario goza del derecho de retener la cosa depositada —*Ius retentionis*—.

[68] Ulpiano, Trifonino y Marcelo nos dan cumplida noticia de la concreta problemática que plantea, matizando lo que es propio de la buena fe y lo que es de equidad y respecto a si aquella debe estimarse sólo respecto a quienes intervienen en el contrato o también respecto a terceros.

Tiene como peculiaridad que contra el depositario infiel se da una *actio in duplum* por el doble del valor de lo depositado[69].

De Ulpiano, cabe deducir, las razones de este distinto régimen. A saber: a) la causa fortuita del depósito —*tumultus, incendii, ruina, naufragii causa*—; b) depender de la necesidad —*ex necessitate*— y no de la voluntad —*ex voluntate*—; c) la situación del deponente, que no le permite elegir, con libertad, por el inminente peligro —*imminens periculum*— al depositario idóneo y d) la conducta del depositario infiel, que denota una particular perfidia —*crescit perfidiam crimine*, crece la perfidia del crimen—.

B) Secuestro

Hay secuestro cuando varias personas entregan, conjuntamente, una cosa a otra —secuestratario, *sequester*— para que la guarde y devuelva sólo a quien se encuentre en una determinada situación —por ejemplo, resultar vencedor en un litigio sobre ella o de la apuesta, cuyo objeto constituye—.

Sus características especiales son: a) respecto al deponente: su necesaria pluralidad; la existencia de intereses controvertidos y considerarse que actúan con carácter solidario[70]; b) respecto al depositario —secuestratario— tener la posesión y, por ello, poder ejercer en su defensa los *interdicta*[71] y c) respecto a la restitución,

---

[69] En Instituciones de Justiniano se dice: Pedimos el duplo —*In duplum agimus*—... en ciertos casos por la acción de depósito —*depositi ex quibusdam casibus*—. Algunos autores interpretan que no siempre el depositario responde *in duplum*, sino sólo cuando niegue, fraudulentamente, haber recibido el depósito.

[70] Así, resulta de Florentino, al decir: Aunque pueden depositar (en el depósito ordinario) tanto muchos, como uno sólo —*Licet deponere tam plures quam unus possunt*— sin embargo, en poder de un secuestratario —*Attamen apud sequestrem*— no pueden depositar sino muchos —*non nisi plures deponere possunt*— porque entonces se hace esto —*nam tum id fit*— cuando alguna cosa se pone en controversia —*quum aliqua res in controversiam deducitur*— y así, en este caso —*itaque hoc casu*— se considera que cada uno depositó íntegramente —*in solidum unusquisque videtur deposuisse*— lo que es distinto —*quod aliter est*— cuando muchos depositan una cosa común —*quum rem communem plures deponunt*—.

[71] Da la razón de ello; pues en este depósito se trata —*enim agitur ea depositione*— de que este tiempo no corra para la posesión de ninguno —*ut ne utrius possessioni id tempus procedat*—.

que: 1.º) en principio hay una indeterminación, en orden a la persona a la que deba restituirse lo depositado; 2.º) tal restitución no dependerá de la reclamación de alguno de los deponentes, sino del resultado del litigio o de la apuesta —cumplimiento de la circunstancia prevista— y 3.º) que una vez cumplida, el vencedor podrá ejercer la *actio sequestrataria*[72].

C) Depósito irregular

Es el que tiene por objeto dinero u otras cosas fungibles, que puede consumir el depositario, obligándose a restituir otro tanto del mismo género y calidad.

Presenta como especialidades, respecto al depósito ordinario, las siguientes: a) el deponente, debe ser, necesariamente, dueño de la cosa depositada, puesto que transmite su propiedad —no la mera *possessio naturalis*—; b) las cosas depositadas, no sólo serán consumibles, apartándose del criterio general, sino destinadas, precisamente, a un uso que las consuma y c) el depositario, podrá «usar» la *res deposita* y consumirla, restituyendo, lógicamente, no la misma cosa —*eadem species*— sino otro tanto del mismo género y calidad —*tantundem*—.

La transmisión de la propiedad del objeto depositado; el carácter fungible de éste y el tener que restituir el *tantundem*, hacen que este contrato —muy difundido en operaciones bancarias entre los *argentarii*— tenga hondas analogías con el mutuo y plantear no pocos problemas a la hora de su diferenciación. Sin embargo, el depósito irregular, fue para el acreedor, una figura más favorable que el mutuo, pues la *actio depositi* —de buena fe— a diferencia de la *condictio* —de derecho estricto— permitía el pago de los intereses pactados o debidos por mora del deudor[73].

---

[72] Dice Pomponio: que además debe darse contra el heredero —*quam et in heredem eius reddi oportet*—.

[73] Otras diferencias a destacar, cuando menos desde el prisma teórico son, que el depósito irregular: a) se puede celebrar en interés exclusivo del deponente —el mutuo siempre lo es en interés del mutuario—; b) es contrato bilateral imperfecto —el mutuo siempre es unilateral—; c) que genera, en su caso, el correspondiente *iudicium contrarium*, lo que no se da en el mutuo y d) que se excluye el *filius familias* depositario oponga la *exceptio sc. Macedoniani* —propia del mutuo—.

4. REFERENCIA A LA FIDUCIA Y A LA PRENDA

Habiendo ya tratado de estas figuras como derechos reales de garantía, aludiremos, en síntesis, al contrato, por el que se pueden constituir, remitiéndonos, en su desarrollo al Tema 26.

Respecto a la *fiducia*, baste consignar: 1.º) que es un contrato por el cual una persona —fiduciante— transmite a otra —fiduciario— (de su confianza —*fiducia cum amico*—) la propiedad de una cosa y que ésta, se obliga a volver a transmitirla al fiduciante al llegar un día determinado o requerirlo éste[74] y 2.º) que este término desaparece en época postclásica y se suele sustituir por el de prenda, *pignus*, cuyos aspectos contractuales, en forma esquemática, pasamos a aludir, precisando: A) su concepto; B) caracteres; C) elementos; D) efecto y E) acciones.

A) La prenda es un contrato en virtud del cual una persona —deudor pignorante— entrega a otra —acreedor pignoraticio— una cosa, en garantía de una obligación —propia o ajena— y ésta se compromete a restituirla al cumplirse la obligación garantizada.

B) Es un contrato real; bilateral imperfecto; de derecho de gentes; de buena fe; no traslativo de dominio y accesorio o de garantía.

C) Intervienen el deudor pignorante y el acreedor pignoraticio; recae sobre toda clase de cosas, que se puedan comprar y vender y requiere el correspondiente acuerdo de voluntades y la entrega de la cosa dada en prenda.

D) El acreedor pignoraticio tiene: a) como derechos; los de poseer —*ius possidendi*—, enajenar —*ius distrahendi*—, retener —*ius retentionis*— la cosa dada en prenda, la *impetratio dominii* y la *anticresis* y b) como obligaciones; las de conservar la cosa sin usar y restituirla, cumplida la deuda, o, en su caso, devolver el excedente del precio de su venta —*superfluum*—.

El deudor pignorante tiene como derechos lo que son obligaciones para el acreedor pignoraticio, y eventualmente, éste le deberá

---

[74] Siendo múltiples los fines que pueden perseguirse a través de la *fiducia cum amico* nos hemos limitado a los dos que, en este tema presentan mayor interés y que, en origen, cumplen la función que, más tarde, dará lugar a dos concretos contratos: el comodato y el depósito.

rembolsar los gastos extraordinarios y resarcirle los daños y perjuicios ocasionados por la prenda.

E) Compete al acreedor pignorante para obtener la restitución de la prenda —o en su caso el *superfluum*— la *actio pigneraticia in personam* y al deudor pignoraticio el correspondiente *iudicium contrarium*.

Tema 36
Contratos innominados

Recapitulemos algunos aspectos que hemos venido destacando a lo largo del estudio de los contratos y deben tenerse presentes en este tema. 1.º) Que en Derecho Romano clásico rige el principio de «tipicidad contractual». Esto es: no conoce una categoría general de contrato y sí un número determinados de éstos, que constituyen, cada uno, una entidad individual. 2.º) Que por medio de la *stipulatio* se puede dotar de eficacia jurídica a todo acuerdo de voluntades, que, así, pasa a estar protegido por una acción —la propia de la *stipulatio*—. Y 3.º) Que siendo el acuerdo de voluntades —*consensus*— elemento básico de todo contrato, Justiniano no se atreve a establecer lo que hoy llamaríamos «principio de libertad contractual». Así, por un lado, mantiene la distinción, dentro de los contratos, entre reales, formales y consensuales y por otro, afirma que todo acuerdo de voluntades que implique una prestación a cambio de otra, el cumplimiento de la primera es *causa* de la segunda y genera, pues, la obligación de que se cumpla.

1. IDEAS GENERALES

I. Denominación y naturaleza jurídica

A) Los intérpretes bizantinos llaman innominados a los contratos cuya *causa civil* está representada por cumplir una prestación para lograr otra a cambio[1]. Etimológicamente, este término, equivale a «sin nombre» —(anónimos)— y se contrapone a los contratos que «tienen» *proprium* o *verum nomen*, según las fuentes. Cabe matizar que no es que carecieran de él, sino que no son reconocidos, como figuras singulares, en el Edicto del Pretor, bajo una rúbrica especial. Hoy, hablaríamos, con más propiedad, de contratos atípicos —no tipificados—.

---

[1]   En las fuentes aparecen designados como «anónimos» o «sinalágmas». La expresión «innominados» aparece ya en un manual de Derecho Romano, francés, probablemente del s.XII: el *Brachilogus iuris civilis*.

B) Los contratos innominados presentan hondas analogías con los contratos reales, ya que éstos, se perfeccionan por la entrega de una cosa y aquellos, por cumplirse una prestación —que, como veremos, incluso puede consistir en tal entrega—. La diferencia estriba en que, de un lado, la prestación, puede consistir, no sólo en un *dare* —entrega de una cosa—, sino también en un *facere* —una actividad o servicio— y de otro, que la «contraprestación» obtenida a cambio, no es —necesariamente— la devolución de la cosa recibida, sino que, también puede ser y, en general lo es, una prestación de distinta naturaleza que la primera[2].

II. Categorías y efectos

A) Según un texto de Paulo[3], los contratos innominados se agrupan en las siguientes categorías:

a) «Doy para que des» —*Do ut Des*—. Transmisión de una cosa para obtener otra. Por ejemplo yo —Ticio— te doy —*do*— a ti, Cayo, un buey, para que —*ut*—, tú, Cayo, me des —*des*— a cambio un caballo.

b) «Doy para que hagas» —*Do ut Facias*—. Transmisión de una cosa a cambio de una actividad. Por ejemplo si yo —Ticio— te doy —*do*— a ti, Cayo, un buey, para que —*ut*— tú, Cayo, manumitas —hagas, *facias*— al esclavo Estíco.

c) «Hago para que des» —*Facio ut Des*—. Cumplimiento de una actividad para lograr una cosa. Caso inverso al anterior. Yo manumito a Estico —*facio*— para que tú —*ut*— me des —*des*— el buey.

---

2   La única excepción es el precario que fue incluido, más tarde, en esta categoría de contratos.

3   El texto, según se afirma alterado por los compiladores, dice así: Mi hijo natural es esclavo tuyo —*Naturalis meus filius servit tibi*— y tu hijo natural es esclavo mío —*et tuus filius mihi*—. Se convino entre nosotros —*convenit inter nos*— que tú manumitieras al mío —*ut et tu meum manumitteres*— y yo al tuyo —*et ego tuum*—. Yo lo manumití —*Ego manumissi*— y tu no lo manumitiste —*tu non manumisisti*—. Se preguntó porque acción me estás obligado —*Qua actione mihi teneris, quaesitum est*—. En esta cuestión —*In hac quaestione*— puede verse el tratado de todo lo que se da por causa de una cosa —*totius ob rem dati tractatus inspici potest*— el cual compete en estos casos —*qui in his competit speciebus*—. Porque o te doy para que des —*Aut enim do tibi aut des*— o doy para que hagas —*aut do ut facias*— o hago para que des —*aut facio ut des*— o hago para que hagas —*aut facio ut facias*— en cuyos casos se pregunta que obligación nazca —*in quibus quaeritur, quae obligatio nascatur*—.

d) «Hago para que hagas» —*Facio ut Facias*—. Cumplimiento de una actividad a cambio de otra. Yo manumito a Estico —*facio*— para que —*ut*— tú manumitas —*facias*— a Panfílio.

B) A diferencia de lo que ocurre en los otros contratos —nominados o típicos— y, tal vez, como consecuencia de la peculiar evolución en su tutela jurídica, los contratos innominados posibilitan, no sólo la exigencia de su cumplimiento forzoso, sino también su posible rescisión.

2. FORMACIÓN HISTÓRICA

En general, en la tutela jurídica de los contratos innominados —y a efectos docentes— cabe señalar las siguientes fases.

1.ª) En un principio —derecho arcaico— el acuerdo entre las partes no producía efecto jurídico alguno. Así pues —en un ejemplo de antes— Ticio, tras entregar el buey carecería de todo recurso para lograr la entrega del caballo, prestación a la que se había compelido Cayo —ni podría recuperar el buey que entregó—.

2.ª) La notoria injusticia de esto; la indefensión que se operaba en quien cumplía; el enriquecimiento injusto de quien no lo hacía y su propia —y posible— actuación dolosa, motivó la aplicación de algunos mecanismo procesales, tendentes si no a dotar al acuerdo de efectividad, si, al menos, posibilitar que quien había cumplido, pudiera «volverse atrás» —«retroceder»— y restablecerse la situación anterior[4].

Pese a la evolución apuntada, el interés del acreedor no quedaba garantizado lo suficiente, ya que, es obvio, si alguien acordó algo —el cambio del buey por el caballo— sería por preferir, la contraprestación —ahora incumplida— ofrecida por la otra parte.

3.ª) A ello, procuró atenderse en derecho clásico, por una doble vía. a) Por un lado —bajo un punto de vista práctico— mediante las

---

4   Así: a) si la conducta del acreedor había sido la entrega de una cosa —*dare*— pudo lograr su restitución, a través de la *condictio ob causam* —condición (de lo dado) por una determinada causa— y b) si dicha conducta hubiera consistido en una actividad, en un hacer —*facere*— por tanto irrecuperable, lograr la indemnización de daños y perjuicios, a través de la acción de dolo —*actio doli*—.

tentativas de los juristas para incluir estos acuerdos no reconocidos por el *ius civile* en algún contrato «típico». Baste recordar, por ejemplo, las disputas —sabinianos y proculeyanos— sobre si en la compraventa el precio podía consistir en otra cosa que no fuera dinero. b) Por otro lado —bajo un prisma teórico— a través de los esfuerzos, representados por Aristón —jurista de la época de Trajano— que tomando como base la idea aristotélica del *sinalagma* —obligación recíproca— apunta el principio de que hay obligación siempre que alguien dé algo para lograr, a cambio, una contrapartida, aunque aún habrá que esperar a la época postclásica para que tal afirmación se consolide como principio.

4.ª) En época postclásica, estos acuerdos pasan a ser contratos, al protegerse por la llamada acción de palabras prescritas[5]. Esta acción, general y de buena fe, procede siempre que exista una relación lícita, nacida de convención no protegida por una *actio*[6]. Ahora, ya se puede exigir a la otra parte, el cumplimiento forzoso de su prestación[7].

5.ª) En derecho justinianeo la tutela de los contratos innominados se logra a través de distintos medios, siendo el más característico el

---

[5] En la Compilación se la designa, también, como: *actio civilis; actio in factum; actio civilis in factum; actio civilis incerti; actio incerti* y, sobre todo, con la que referimos en el texto, *actio praescriptis verbis*.

[6] Así lo refiere Celso al decir: Pues cuando faltan los nombres vulgares y usuales de las acciones —*Nam quum deficiunt vulgaria atque usitata actionum nomina*— se ha de ejercer la acción de palabras prescritas —*praescriptis verbis agendum est*—.

[7] El cuando se produce esta transformación y el cómo y quién la hace son puntos debatidos en doctrina. En síntesis, tres posturas cabe destacar. 1.ª) La de quienes consideran que la transformación es postclásica o justinianea. 2.ª) La de quienes —sin perjuicio de reconocer como obra bizantina el nombre de *actio prescriptis verbis* y la distinción de las 4 categorías de contratos innominados— creen, que los juristas clásicos son los que inician la ampliación de las figuras contractuales típicas aconsejando —por razones de utilidad— a las que tenían ciertas analogías con ellas —por ejemplo, la permuta con respecto a la compraventa— una *actio in factum* o una *actio* civil, que se iniciaría con una breve descripción —*praescriptio*— del concreto negocio, por lo que se llamaría a «este actuar»: *praescriptis verbis agere*. Y 3.ª) La de quienes opinan que, en derecho clásico, los contratos innominados fueron protegidos, sólo, por acciones pretorias *in factum*, decretales, no edictales (previstas ya en *album* pretorio) de ahí la multiplicidad de denominaciones que luego aparecerán en el Digesto, llevando a cabo el Pretor —y el *ius honorarium*— la función supletoria del *ius civile* —*supplendi gratia iuris civilis*— e introduciendo, en la esfera contractual, las relaciones que, en principio, no cabían por la tipicidad de los contratos propios de aquel derecho.

de la *actio praescriptis verbis*[8] —acción de palabras prescritas— por la que se podrá exigir, a la otra parte, el cumplimiento forzoso de su prestación —o la estimación económica, en su caso—.

En suma, pues, como en el actual derecho moderno, respecto a los contratos bilaterales, en los contratos innominados la parte que cumple puede optar[9] entre exigir su cumplimiento forzoso o su rescisión.

3. PRINCIPALES CONTRATOS INNOMINADOS

Los principales contratos innominados fueron: el estimatorio; la permuta; la entrega de cosas a prueba o examen; la transacción y el precario. De ellos pasamos a ocuparnos[10].

I. Contrato estimatorio

A) El contrato estimatorio, según terminología de los comentaristas —*aestimatum* o *datio in aestimatum*— es el contrato en virtud del cual una persona entrega a otra una cosa, previa tasación de su valor —*res aestimata*— para que la venda, asumiendo quien la recibe la

---

[8] Su nombre obedece —cfr. nt. ant.— a que dada la configuración «atípica» del contrato, se sustituía su designación «nominal» por una breve descripción del contenido del mismo, que figuraba al principio —*prae scriptio*—. Los otros dos medios de tutela fueron: a) la *condictio ob causam* —condicción recuperatoria— llamada, ahora, *condictio causa data causa non secuta* —condicción de lo dado por causa que no se cumplió— por la que podrá exigirse la rescisión del contrato y cuya aplicación se limita al supuesto en que la inejecución contractual sea debida a culpa del demandado —se logra, pues, la restitución de la prestación que había adelantado el actor— y b) la *condictio ex poenitentia* —condicción de arrepentimiento— por la que se podrá exigir la rescisión del contrato, al margen de que su incumplimiento fuera debido a culpa o mora de la otra parte, obteniéndose la restitución de la prestación adelantada como en el caso de la *condictio causa data causa non secuta*.

[9] Esto no ocurre en los contratos bilaterales nominados.

[10] Ya que con Justiniano los contratos innominados no son una categoría que abarque un número limitado de formas concretas de contratos cabría citar algunos otros —como la donación modal o la dote con pacto de restitución— pues, a fin de cuentas, tendrán tal carácter todos aquellos pactos de prestaciones recíprocas en las que una de las partes ha cumplido la que le corresponde y no se trate de alguno de los contratos típicos —«nominados»—.

obligación de pagar esta estimación si consigue venderla o devolver la cosa si no la vende.

B) Es el contrato innominado más antiguo; el único que estuvo dotado de fórmula en el Edicto del Pretor y tuvo gran difusión entre comerciantes —al por mayor o por menor— y en operaciones de corretaje[11].

C) Es un contrato innominado del tipo *do ut facias* —doy para que hagas— y antes de su configuración como tal, se discutió el poder incluirlo dentro de alguno de los cuatro contratos consensuales[12].

Precisemos alguna de sus diferencias respecto a tales contratos. a) No es una compraventa, porque el adquirente no se obliga, en todo caso, a entregar «el precio» de estimación y puede restituir la cosa si no consigue venderla. b) Tampoco es un arrendamiento, porque el riesgo de perecimiento de la cosa, antes de su venta, compete a quien la recibe y no a quien la entrega. c) Ni un mandato de enajenar, porque, quien asume «vender la cosa» no está vinculado, necesaria-mente, a su cumplimiento y además puede obtener un beneficio —no sería, pues, gratuito[13]— si la vende por un precio superior al «fijado»

---

[11]   Se está de acuerdo en que el nacimiento de su fórmula —como veremos en nt.sigt.— es el más claro ejemplo de la formación histórica de los contratos innominados.

[12]   Así lo refiere Ulpiano, al decir: Se propone la acción estimatoria —*Actio de aestimato proponitur*—para quitar una duda —*tollendae dubitationis gratia*—. Porque se dudó mucho —*Fuit enim magis dubitationem*— cuando se da «estimada» una cosa para vender —*quum res aestimata vendenda datur*— si habrá la acción de venta por causa de la «estimación» —*utrum ex vendito sit actio propter aestimationem*— o la de locación (arrendamiento de cosa) —*an ex locato*— como si pareciese que había dado la cosa en arrendamiento para vender —*quasi rem vendendam locasse videar*— o la de conducción (arrendamiento de servicios) —*an ex conducto*— como si hubiese tomado en arriendo unos servicios —*quasi operas conduxisse*— o la de mandato —*an mandati*—. Y así pareció mejor —*Melius itaque visum est*— que se propusiera esta acción —*hanc actionem proponi*— porque siempre que se dude sobre el nombre (naturaleza) de algún contrato —*quoties enim de nomine contractus alicuius ambigeretur*— pero que se convenga que se de alguna acción —*convenerit tamen aliquam actionem dari*— se ha de dar la acción estimatoria de palabras prescritas —*dandam aestimatoriam praescriptis verbis actionem*— porque se hizo un negocio civil —*est enim negotium civile gestum*— y ciertamente de buena fe —*et quidem bona fide*— por lo cual en este caso también tiene lugar —*quare omnia et hic locum habent*— todo lo que hemos dicho respecto a las acciones de buena fe —*quae in bona fidei iudiciis diximus*—.

[13]   Dice Paulo: Esta acción es útil —*Haec actio utilis est*— también si medió retribución —*et si merces intervenit*—.

que quedará en su poder. Y d) no es sociedad, por que se excluye a quien entrega la cosa de participar en lo que exceda de su «estima»[14].

D) En cuanto a sus efectos, baste consignar: que quien recibe la cosa responde de su eventual devolución[15] sin deterioro y de su perccimiento antes de la venta[16].

II. Permuta

A) La permuta —*permutatio*— es el contrato en virtud del cual alguien trasmite a alguien la propiedad de una cosa para obtener a cambio, la propiedad de otra.

En suma, es un simple trueque. Esto es, el cambio de dos cosas.

B) Constituye el prototipo de los contratos innominados del tipo *do ut des* —doy para que des— en el que la entrega de una cosa, será la «causa» de la entrega de la otra.

C) Presenta hondas analogías con la compraventa, siendo debatido entre sabinianos y proculeyanos, si el precio de ésta debía, necesariamente, consistir en dinero —criterio proculeyano— o podía serlo otra cosa —sentir sabiniano—.

---

[14] Según Ulpiano: no parece se constituyó sociedad —*et societas non videtur contracta*— con aquel que no te admitió como socio de la venta —*in eo qui te non admisit socium distractionis*— sino que exceptuó para sí cierto precio —*sed sibi certum pretium excepit*—.

[15] Ulpiano refiere la duda inicial, en cuanto a la acción a ejercer y su posible solución, según casos. Dice así: Si yo te hubiera dado unas perlas estimadas (valoradas) — *Si margarita tibi aestimata dedero*— para que o me devuelvas las mismas —*ut aut eadem mihi afferres*— o el precio de ellas —*aut pretium eorum*— y después se hubieran perdido —*deinde haec perierint*— antes de venderlas —*ante venditionem*— ¿de quien será la pérdida? —*cuius periculum sit?*—. Y dice Labeón —*Et ait Labeo*— ... que si ciertamente yo como vendedor te hice el ruego —*si quidem ego te venditor rogavi*— la pérdida es mía —*meum esse periculum*— que si tú a mi —*si tu me*— es tuya —*tuum*— y que si ninguno de nosotros (hicimos el ruego) sino solamente consentimos —*si neuter nostrum sed duntaxat consensimus*— te obligas sólo a responderme del dolo y la culpa —*te hactenus ut dolum et culpam mihi praestes*—. Pero la acción por esta causa será... la de palabras prescritas —*Actio autem ex hac causa utique erit praescriptis verbis*—.

[16] Dice Ulpiano: Pero la «estimación» —*Aestimatio autem*— hace la pérdida —*periculum facit*— del que tomó a su cargo la cosa —*eius qui suscepit*—. Así pues —*aut igitur*— o deberá devolver sin menoscabo la misma cosa —*ipsam rem debebit incorruptam reddere*— o la estimación —*aut aestimationem*— convenida —*de qua convenit*—.

Sus analogías, derivan de cumplir uno y otro contrato una función práctica similar en la vida económica y de aplicarse a la permuta las normas de la compraventa, respecto a la evicción[17] y vicios ocultos. Sin embargo, sus diferencias son múltiples y afectan, prácticamente, a toda la estructura del contrato. Precisemos las principales.

1) Respecto a la naturaleza jurídica, la compraventa es contrato consensual y la permuta innominado[18]. 2) Respecto a sus elementos personales, en la compraventa quienes intervienen tienen distinto carácter y nombre —comprador y vendedor— y en la permuta no hay diferencia entre los permutantes. 3) Respecto a los elementos reales, en la venta hay cosa y precio y en la permuta no[19]. 4) Respecto a los elementos formales, en la compraventa no existe *datio rei*. 5) Respecto al contenido, en general, las obligaciones de comprador y vendedor son distintas —los derechos de uno son obligaciones del otro— y en la permuta la misma. Y en particular, en la compraventa el vendedor sólo se obliga a garantizar la pacífica posesión de la cosa —*uti frui licere*—[20] por lo que puede vender la cosa ajena, no así en la permuta pues, al ser traslativa de dominio, los permutantes deben ser dueños de las cosas permutadas[21]. 6) Respecto a los efectos, en la compraven-

---

[17]   Así, dice Paulo: Por lo cual si la cosa que yo hubiera recibido o dado —*Unde ea res quam acceperim vel dederim*— fuera revindicada después —*postea evincatur*— se (responde) ha de dar la acción por el hecho —*in factum dandam actionem respondetur*—. Y el propio Paulo, recuerda que: Dice Aristón —*Aristo ait*— que como la permuta es semejante a la compraventa —*quoniam permutatio vicina esset emptioni*— se ha de (responder) también, de que está sano —*sanum quoque*— y exento de hurto y de daños —*furtis noxisque solutum*— y de que no es fugitivo —*et non esse fugitivum*— el esclavo —*servum (praestandum)*— que se diese por causa de permuta —*qui ex causa daretur*—.

[18]   Seguimos con Paulo:... De otra forma —*alioquin*— si la cosa no se hubiera entregado —*si res nondum tradita sit*— diremos que la obligación se constituye por el mero consenso —*nudo consensu consitui obligationem dicemus*— lo que solo está admitido en los contratos que tienen nombre propio —*quod in his duntaxat receptum est quae nomen suum habent*— como en la compra, en la venta, en el arrendamiento y en el mandato —*ut in emptione, venditione, conductione, mandato*—.

[19]   Seguimos con Paulo: Pero en la permuta —*At in permutatione*— no se puede discernir —*discerni non potest*— cual sea el comprador —*uter emptor*— y cual el vendedor —*uter venditor*— y difieren mucho las obligaciones —*multumque differunt praestationes*—.

[20]   Y no siendo dueño el vendedor —adquisición *a non domino*— sólo será, en su caso, justa causa para adquirir la propiedad por usucapión —*iusta causa usucapionis*—.

[21]   Y por esto dice Pedio (al que alude Paulo) —*Ideoque Pedius ait*— que el que da una cosa ajena —*alienam rem dantem*— no verifica permuta alguna —*nullam contrahere permutationem*—.

ta, el incumplimiento da lugar a la correspondiente indemnización —daños y perjuicios— y en la permuta a la opción entre el cumplimiento forzoso o la rescisión[22].

III. Entrega de cosas a prueba o examen, *Datio ad experiendum inspiciendum vendendum*

A) Son aquellos contratos en virtud de los cuales una persona entrega a otra alguna cosa para que la pruebe —*experire*— o examine —*inspicere*— y, así, adquirirla —*ad vendendum*— o conocer su valor o composición.

B) En derecho clásico se intenta proteger al transmitente ante la conducta desleal del receptor —*accipiens*[23]— por la vía de encajar sus distintos supuestos en otras figuras «típicas» de contratos. Estas serán, según las concretas circunstancias de cada caso, el comodato, el depósito o el arrendamiento[24]. Con Justiniano, se resuelve la problemática, configurando tales supuestos como contratos innominados y protegiéndose por la *actio praescriptis verbis*[25].

---

[22] Por otro lado, en la compraventa cabe la rescisión por lesión del vendedor en el precio —*ultra dimidium*— que, al no existir éste, no es aplicable a la permuta.

[23] Según Pomponio: Si obtuvo alguna ganancia el que recibió una cosa para probarla —*Si quem quaestum fecit is, qui experiendum quid accepit*— por ejemplo si hubieran sido jumentos —*veluti si iumenta fuerint*— se hubieren dado en arrendamiento —*eaque locata sint*— entregará la misma —*id ipsum praestabit*— al que dio la cosa para probarla —*ei qui experiendum dedit*— porque no debe nadie obtener utilidad de aquella cosa —*neque enim ante eam rem quaesti cuique esse oportet*— antes de que la tenga a su riesgo —*priusquam periculo eius sit*—.

[24] La variedad de casos impide detenernos, como en los otros contratos, sobre sus analogías y diferencias con ellos.

[25] Dice Ulpiano: Pregúntase Labeón —*Apud Labeonem queritur*— si yo hubiera dado para probarlos caballos que tenía en venta —*si tibi equos venales experiendos dedero*— de suerte que me los devolvieras dentro de 3 días si no te hubieran gustado —*ut si in triduo displicuissent redderes*— y tú como jinete hubieses corrido con ellos y hubieses ganado —*tuque desultor in his cucurreris et viceris*— y después no quisieras comprarlos —*deinde emere nolueris*— ¿habrá contra ti la acción de venta? —*an sit adversus te ex vendito actio?*—. Y juzgo —*Et puto*— que es más verdadero —*verius est*— que se ha de ejercer la acción de palabras prescritas —*praescriptis verbis agendum*— porque entre nosotros se trató esto —*nam inter nos hoc actum*— que hicieras una prueba gratuita —*ut experiendum gratuitum acciperes*— no también que tomases parte en un certamen —*non ut etiam certares*—.

IV. Transacción

A) La Transacción —*transactio*— es el contrato en virtud del cual cada una de las partes, dando, prometiendo o reteniendo alguna cosa ponen fin a un litigio o evitan que pueda surgir.

En resumen: a) su presupuesto, es una relación jurídica incierta o litigiosa —basta que así sea tenida, aunque fuera sin fundamento— ; b) su fin, sustituirla por otra cierta e incontestable y c) el medio, el sacrificio de las partes —esto es, sus recíprocas concesiones—.

B) En cuanto a su evolución histórica, baste señalar: 1.º) que su origen se remonta al *pactum* o acuerdo de composición hecho entre ofensor y ofendido, por razón de un delito[26]; 2.º) que en derecho clásico no es un acto jurídico «típico», sino mero acuerdo[27] que puede ser causa de un acto abstracto —como la *stipulatio*— a través del cual las partes realizarían sus mutuas concesiones[28]; 3.º) que poco a poco, va asumiendo fisonomía propia y así resulta contemplado en materia hereditaria y de alimentos[29]; 4.º) que en derecho postclásico se exige el requisito de la forma escrita y 5.º) que Justiniano la tutela con la *actio praescriptis verbis* y se encuadra entre los contratos innominados.

V. Precario[30]

A) El precario —*precarium*— de *prex-precis* —ruego— es el contrato en virtud de la cual una persona —concedente, *precario dans*— entrega a otra —precarista, *precario accipiens*— una cosa para que la use, gratuitamente, y devuelva cuando se le pida[31].

---

[26]   Con frecuencia aparece, en las fuentes, ligados el pacto y la transacción. Según Ulpiano: El que transige —*Qui transigit*— (transige) sobre cosa dudosa y pleito incierto—*quasi de re dubia et lite incetrta*—y no acabado—*neque finita (transigit)*— pero el que pacta —*qui vero paciscitur*— por vía de donación —*donationis causa*— concede por liberalidad una cosa cierta e indubitada —*rem certam et indubitatam liberalitate remittit*—.

[27]   En tal caso sólo podría dar lugar, si se pretendía incumplir a una *exceptio*.

[28]   La forma sería la de la *stipulatio Aquiliana*, por la que se produciría la novación sobre la relación a transigir.

[29]   Según refieren Escévola y Ulpiano, respectivamente.

[30]   Del precario se trata en Tema 20 al hablar de la posesión interdictal.

[31]   Ulpiano lo define así: Es precario —*precarium est*— lo que, al que pide con ruegos —*quod precibus petenti*— se le concede para que lo use —*utendum conceditur*— mientras —*quamdiu*— consienta el que lo concedió —*is, qui concessum patitur*—.

En suma es: la concesión, gratuita y revocable del uso de algo[32].

B) Su origen es muy remoto y quizá se encuentre, como se destaca en doctrina, en la antigua sociedad romana y en las especiales relaciones que se dan entre el patrono y sus clientes, y en las que aquél, «a ruegos» de éstos, les dejaba disfrutar de sus tierras o algunas otras cosas[33].

C) La evolución de su tutela jurídica, se puede resumir en tres momentos. a) En principio, es una mera situación de hecho, en todo momento revocable. b) Más tarde, el concedente, que no por fuerza tenía que ser dueño de la cosa, tuvo frente al precarista un interdicto especial: «de lo que por precario» —quod precario— de carácter restitutorio y el precarista, frente a terceros, es amparado por el Pretor, con interdictos posesorios, lo que comporta que la inicial situación de hecho pase a ser auténtica posesión —possessio— en sentido técnico —ad interdicta—. c) El precario, en fin, se convierte en contrato cuando al concedente —además de las acciones que le competen como dueño— se le otorga una acción personal —actio in personam— contra el precarista, lo que se debió conceder en fase avanzada del derecho imperial. Con Justiniano aparece entre los contratos innominados y tutelado por la actio praescriptis verbis.

D) En cuanto a su naturaleza jurídica, se debe distinguir de la donación y del comodato, figuras con las que guarda analogías.

a) Respecto a la donación, recordemos: 1.º) la libre revocación del precario y por tanto su carácter temporal[34] y 2.º) el no ser iusta causa traditionis que posibilite la adquisición de la propiedad del objeto cuyo uso se cede. Circunstancias que no se dan en la donación.

---

[32]   Entre los principales usos del precario cabe destacar: a) los de venta con precio aplazado, ya que el vendedor podía conceder en precario la cosa vendida al comprador hasta que fuera pagado el precio en su totalidad (Ulpiano) y b) el de prenda, cuando el acreedor pignoraticio deja la cosa pignorada al deudor por este título, que se resolverá al pagarse la deuda (Celso).

[33]   Relaciones extrajurídicas; basadas en la fides, y que comportan recíproca ayuda entre las partes.

[34]   Paulo, tras catalogar al precario como una especie de liberalidad —Quod genus liberalitatis— que viene del derecho de gentes —ex iure gentium descendit— dice: Y se diferencia de la donación —Et distat a donatione— en que —eo— el que dona —qui donat— da así —sic dat— para que no recobre (recobrar) —ne recipiat— pero el que concede en precario —at qui precario concedit— da así —sic dat— como si hubiera de recobrar tan pronto —quasi tunc recepeturus— como quisiera extinguir el precario —quum sibi libuerit precarium solvere—.

b) Mayores analogías presenta con el comodato ya que, a fin de cuenta se trata de la cesión temporal y gratuita del uso de una cosa[35]. Sin embargo, también son hondas sus diferencias. Así se aprecian: 1.º) en su naturaleza contractual, ya que el precario es un contrato innominado y el comodato real; 2.º) en la distinta situación[36] del precarista y del comodatario, pues aquél es *possessor* y éste detentador —*possessor naturalis*[37]—; 3.º) en el objeto, pues el precario además de sobre cosas corporales puede recaer sobre derechos; 4.º) en el contenido, porque el uso de la cosa es más amplio en el precario pues es *in genere* y en el comodato está restringido en el modo, en el fin o en el tiempo[38]; 5.º) en la tutela jurídica del concedente y comodante, *actio praescriptis verbis* y *actio comodati*, respectivamente y 6.º) en a la extinción, ya que el precario es siempre revocable y no así el comodato[39].

---

[35]   Ulpiano dice: Y es semejante al comodato —*Et est simile commodatum*— porque el que da en comodato una cosa —*nam et qui commodat rem*— la da en comodato de modo —*sic commodat*— que no haga la cosa del que la recibe —*ut non faciat rem accipientis*— sino para permitirle que use la cosa comodada —*sed ut ei uti rei commodata permittat*—.

[36]   También es distinta la responsabilidad, limitada la del precarista —pese a la *utilitas*— sólo al *dolo* al que se equipara la culpa lata, lo que no es explicable, como no sea por razones históricas. Recuérdese que el comodatario, en derecho clásico, está sujeto al *custodiam praestare*.

[37]   Ulpiano advierte: Pero debemos recordar —*Meminisse autem nos oportet*— que el que tiene en precario —*eum qui precario habeat*— también posee —*etiam possidere*—.

[38]   El precario, a diferencia del comodato, puede recaer sobre derechos, sobre todo servidumbres. Gayo, cita, estos casos: Por ejemplo si me hubieras rogado en precario —*Veluti si me precario rogaveris*— que te sea lícito pasar o conducir ganado por mi fundo —*ut per fundum meum ire vel agere tibi liceat*— o que (tengas) estilicidio (verter gota a gota el agua de lluvia) sobre el tejado o en patio de mi casa —*vel ut in tectum vel in aream aedium mearum stillicidium*— o empotrar una viga en mi pared —*vel tignum in parietem immissum (habeas)*—.

[39]   Ulpiano, lo justifica así: porque es equitativo por naturaleza —*Est enim natura equum*— que uno use de mi liberalidad en tanto —*tamdiu liberalitate mea uti*— en cuanto —*quamdiu*— yo quiera —*ego vellim*— y que yo pueda revocarla —*et ut possim revocare*— cuando hubiera cambiado de voluntad —*quum mutavero voluntate*—.

Tema 37

Las donaciones

1. IDEAS GENERALES

I. Denominación y concepto

Donación, deriva, según Paulo, de *donis datio* —«dar un don»—. Así pues, refleja la idea de dación gratuita. Esto es, de entrega o trasmisión —*datio*— de un don, dádiva o regalo —*donis*[1]— que se hace por mera liberalidad. En nuestro derecho se define como: acto de liberalidad por el que una persona —donante— dispone, gratuitamente, de una cosa en favor de otra persona —donatario— que la acepta.

En suma: es un regalo.

II. Requisitos

El acto referido precisa tres notas, su: A) liberalidad, B) gratuidad y C) carácter dispositivo.

A) Acto de liberalidad

Implica: no estar obligado a hacerlo[2] ni esperar algo a cambio —ausencia de contrapartida—.

En un sentido amplio —e impropio—, la donación es sinónimo de liberalidad. Por tanto, hay donación en todo acto gratuito —como: el comodato, depósito, mutuo, mandato...—. En un sentido estricto —y más propio— se debe excluir del concepto de donación todo acto que

---

[1] *Donis*, proviene de *donum* —don, dadiva, regalo— que deriva de *do-dare* —dar—.
[2] Según Papiniano: Se considera que se dona lo que se concede sin que a ello obligue algún derecho —*Donari videtur, quod nullo iure cogente conceditur*—.

otorgue una «ventaja sin compensación» pero, no entrañe una disminución patrimonial[3].

En suma, la donación, aún siendo un «acto de liberalidad» se distingue, de otros actos de esta naturaleza: bien por que éstos no inciden, directamente, en la esfera patrimonial, como manumitir un esclavo o emancipar a un hijo; bien por que se trata de actos «típicos» con una estructura propia, como el comodato o depósito[4]; bien por entenderse en sentido jurídico y no económico[5]. En síntesis: toda donación es acto de liberalidad y no todo acto de liberalidad es una donación.

B) Acto gratuito

Se opone a oneroso y equivale a disminución del patrimonio del donante.

Desde Savigny se estima que la gratuidad en la donación es «patrimonial», o sea, comporta un empobrecimiento en el patrimonio del donante y un enriquecimiento correlativo en el del donatario[6]. No se limita, pues, a «beneficiar» a una de las partes, exige la renuncia a un derecho ya adquirido por el donante —lo que no se daría en la renuncia a una herencia, al no haber sido aún adquirida— en favor del donatario y que aceptado por éste, produzca tal disminución y el correlativo enriquecimiento. Por ello, hay donación, si así ocurre, con independencia del procedimiento seguido para ello.

---

[3]   Renunciar a una herencia; prestar fianza; dejar transcurrir en favor del deudor un plazo de prescripción o el tiempo necesario para el usucapiente o, en fin, los ya referidos en el texto, pueden servir de ejemplos.

[4]   A los citados en el texto como ejemplos, que son *inter vivos*, cabe añadir, como *mortis causa*, las disposiciones testamentarias —en particular el legado—. Respecto a la «tipicidad» Ulpiano, recuerda: Pero tampoco contienen donación las estipulaciones que se hacen en virtud de causa —*Sed et hae stipulationes, que ob causam fiunt non habent donationem*—.

[5]   Así resulta de Ulpiano al decir: Si alguno le hubiere prestado dinero a un esclavo —*Si quis servo pecuniam crediderit*— y después éste hecho libre —*deinde is liber factus*—lo hubiera prometido —*eam expromisserit*— esto no será donación —*non erit donatio*— sino pago de una deuda —*sed debiti solutio*—.

[6]   Piénsese, por ejemplo en el depósito. En él no se da esta correlación entre deponente y depositario, al seguir siendo aquél dueño e incluso poseedor jurídico de la cosa.

C) *Acto dispositivo*

Estos actos de liberalidad —sin contraprestación— gratuitos —con los efectos patrimoniales indicados— pueden realizarse a través de distintos procedimientos que van desde la propia transmisión de la propiedad del objeto donado[7], hasta crear, para lograrlo, un derecho de crédito en favor del donatario o, simplemente, perdonar una deuda.

Ello comporta una especial motivación subjetiva —*animus donandi*— (no objetiva como en el caso de la gratuidad) y plasma, en el genérico consentimiento que se exige en todo contrato, que al aplicarse al concreto caso de la donación, se debe entender con independencia de los motivos internos del donante —caridad, generosidad, vanidad, recompensa...— Esto es: si formal y externamente hay intención de favorecer a una persona a través del acto celebrado, habrá donación, aunque en el fondo e internamente, tal acto, sea de interés para el donante.

III. Naturaleza jurídica y sistemática

El Derecho romano no ofrece información clara sobre la naturaleza jurídica de las donaciones, ni a su sistemática[8]. De ahí, que aún hoy en día, se siga discutiendo sobre aquella y si se acomete cualquier reforma general en derecho privado, sobre su más adecuada ubicación.

La razón obedece a que las donaciones, en Derecho Romano, a lo largo de su historia, sufren una constante y compleja evolución, por lo que resulta difícil configurarlas *in genere* y precisar, jurídicamente, su naturaleza, sin pensar en una fase concreta de aquél. De ahí que

---

[7]   Al ser, la donación atributiva de derechos, no habrá, donación si, por ejemplo a título de precario se otorga una ventaja, gratuita al precarista, pues como Gayo recuerda: no se considera que uno adquiera —*Non videtur quisquam id capere*— lo que necesariamente debe restituir a otro —*quod ei necesse est alii restituere*—.

[8]   Así, por ejemplo: a) las Instituciones de Gayo, sólo las aluden, incidentalmente, junto a la venta y los legados; b) en el Digesto, se tratan junto a algunas limitaciones de la propiedad y con las materias relativas a los publicanos y a las manumisiones y c) en las Instituciones de Justiniano, se incluyen entre las usucapiones y las personas a través de las cuales podemos adquirir.

anticipemos las tres principales posturas doctrinales y en pregunta aparte tratemos de su evolución histórica.

A) Según las Instituciones de Justiniano, algunos consideran a las donaciones como un modo de adquirir la propiedad. A ello puede oponerse: a) que la donación, por si misma, no transmite la propiedad y precisa, en todo caso, de la *traditio* de la que sólo es *iusta causa* y b) que la transmisión de la propiedad, no es el único fin de la donación, pues puede serlo, también, la constitución de un derecho de crédito en favor del donatario o la liberación de su deuda.

B) Por esta pluralidad de fines, se mantiene que la donación es causa genérica de actos y relaciones jurídicas de diversa índole. Su ubicación y estudio, por ello, sería dentro de una parte o teoría general de los actos jurídicos, como hizo Savigny. A esto se objeta que por igual razón, entonces, también debería estudiarse en ella, otras figuras: como la dote que puede constituirse por distintos actos — *dotis: datio... dictio... promissio*— o la compraventa, ya que su objeto puede ser, no sólo las cosas corporales, sino los créditos e incluso una servidumbre.

C) No falta, por último, quienes consideran que la donación es un contrato, por lo que debe incluirse su estudio entre éstos. En este sentido Ulpiano nos dice que: no puede existir liberalidad —*non potest liberalitas*— para el que no quiere adquirir —*nolenti adquiri*— y, aunque es cierto que a veces puede realizarse un acto de liberalidad sin consentimiento del beneficiado —por ejemplo pagando la deuda a su acreedor— no lo es menos que la donación no va a surtir plenos efectos hasta que concurra la aceptación del donatario —expresa o tácita— y que, éste, en todo caso, puede renunciar a la donación constituyéndose en deudor del donante[9].

IV. Clases

Son múltiples los criterios por los que pueden clasificarse las donaciones. Entre ellos, cabe recordar, los siguientes: A) Por su

---

9   La donación aparece en los manuales de Derecho Romano: a) en el estudio del negocio jurídico o de los actos jurídicos en general; b) en derecho sucesorio —bajo el título: sucesiones y donaciones— c) entre las obligaciones; d) entre los modos y causas generales de adquirir y e) en capítulo aparte y separado de las tradicionales divisiones de derecho privado.

relación con la muerte del donante, se distingue entre donaciones *mortis causa* e *inter vivos*. B) Por su causa o motivo, entre simples o remuneratorias. C) Por sus efectos, entre: puras, condicionales o modales. Y D) Por su objeto y extensión, entre: singulares o universales. De cada una de ellas y sus efectos aludiremos a lo largo del tema.

V. Elementos

A) Intervienen en la donación, el donante y el donatario. En general, donante podrá ser quien tenga capacidad y la libre disposición de los bienes donados y donatario, quien la tenga para adquirir. En particular, se prohíbe las donaciones entre ciertas personas. Así: las del *pater* al *filius in potestate*, ya que no es posible entre ellos relación patrimonial alguna[10] y las donaciones entre cónyuges —*inter virum et uxorem*— no así las *ante nuptias*.

B) Objeto de donación puede ser todo lo que está en el comercio de los hombres, incluidos los derechos. Las donaciones de todos los bienes —*donatio omnium bonorum*— jamás pueden ser fundamento de una sucesión universal por lo que el donatario no podrá ser directamente demandado por las deudas del donante[11].

C) Los elementos formales de la donación, cambian a lo largo de su historia. Así, los veremos, en las fases de su evolución.

---

[10] Caracalla admite su convalidación *mortis causa* cuando el padre muera sin revocarla. La insistencia de la legislación imperial al referirse a ella, denota que, en la práctica, como es natural, resultaba frecuente. Sin embargo, no se tiene como inexistente y así a partir de la legislación de mediados del s. III valdrá como fideicomiso. Valerio y Galieno amplían su convalidación, también, cuando el hijo se hubiera emancipado, lo que se interpreta en el sentido que la donación a favor del *filius* no emancipado, se considere como donación *mortis causa* o prelegado. En definitiva, la tradicional nulidad, aún repetida formalmente por Justiniano, resulta superada, ya que la supedita a las mismas formalidades que para las demás.

[11] Carecen de eficacia hasta Diocleciano si no se han hecho todos los actos adecuados para transmitir, en particular, todos los objetos que comprende o se ha verificado una *stipulatio* comprensiva de ellos. Constantino, establece una forma legal para hacerse esta transmisión y Justiniano, explícitamente, admite que pueda hacerse por un único acto. Es revocable por los acreedores; el donatario no responde de las deudas, a menos que expresamente se hubiera comprometido a ello y aún en tal caso lo hará por vía indirecta, se dirigirán los acreedores contra el donante y este, a su vez, contra el donatario.

2. EVOLUCIÓN HISTÓRICA

Tradicionalmente, se suelen distinguir las siguientes etapas.

A) En una primera fase —derecho arcaico— la donación es real. Esto implica: la transmisión gratuita de la propiedad de una cosa[12] a una persona y comporta como notas: 1.ª) Una razón, que es el puro y mero deseo de favorecerla; 2.ª) unos medios, que deben ser los adecuados para transmitir la propiedad del concreto objeto donado —*mancipatio, in iure cessio* o *traditio*— y 3.ª) unos requisitos, circunscritos a una actividad dispositiva del donante —*dare*— y una disposición receptiva del donatario —*accipere* o *capere*—.

B) En una segunda fase —derecho preclásico y clásico— se toma como punto de referencia la *Lex Cincia de donis et muneribus* —204 AC[13]— Su fundamento, es proteger la débil voluntad del donante, frente a la fuerte persuasión coactiva del donatario. Por ello, prohíbe dar y recibir *dona et munera* que excedan una cantidad —*modus donationis*— que no conocemos —*donatio inmodica*— excluyéndose de tal prohibición: a) las donaciones hechas entre ciertas personas —*personae exceptae*— ligadas por particulares vínculos familiares o cuasi-familiares[14] o b) que cumplen determinado fin[15].

La *lex Cicia* era *lex* «imperfecta» por lo que no acarreaba la nulidad de la donación ya hecha —*donatio perfecta*—. Por ello obligó, para aplicarse, a que el jurista tuviera que distinguir entre distintos tipos de donación: 1.º) las prohibidas y no prohibidas por ella y 2.º) las consumadas —*perfectae*— que serían válidas, y las no consumadas —*imperfectae*— por haberse prometido pero aún no cumplido,

---

[12] La adquisición, recuerda Gayo ha de ser definitiva ya que: no se considera —*Non videtur*— que uno adquiere aquello —*quisquam id capere*— que tiene necesidad de restituir a otro —*quod ei necesse est alii restituere*—.

[13] En puridad es un plebiscito rogado por el tribuno de la plebe Cincio Alimento. El término *donum*, don, dádiva o regalo, es genérico y comprende el de *munus*, que vendría a significar cuando aquellos están impuestos por la costumbre, que se repiten periódicamente o que se dirigen a compensar algún servicio.

[14] Como: 1) cognados —consanguineos— entre el 5.º o 6.º respecto al *sobrinus* o *sobrina*; 2) afines dentro del 1.º; 3) cónyuges y prometidos; 4) el tutor al pupilo —no al revés—; 5) dueños y esclavos y 6) patronos y libertos.

[15] Por ejemplo el de constitución de la dote que se admite al cognado cualquiera fuese su grado de parentesco con la dotada.

concediendo el Pretor al donante, para evitar su eficacia, si se pretendiera su cumplimiento, una excepción —*exceptio legis Cinciae*—[16].

En este segundo caso se contraponen la donación dada, entregada o consumada —la donación real de la época arcaica— y la donación prometida —es decir, a la que se «obliga» en el futuro el donante, donación obligacional—. Si se prefiere, se hace necesario distinguir, por un lado, entre donación, entendida como *causa* —fundamento o fin práctico de una adquisición patrimonial gratuita— y los *modos* de realizarla, o sea los actos o negocios, por los que puede hacerse.

Detengámonos sobre ello. a) Si estas formas de exteriorización son los modos derivativos de transmisión de la propiedad de lo donado —*mancipatio, in iure cessio* o *traditio*— estaríamos ante una donación *in dando* —do-nación real—; b) si son a través de las palabras —*verbis*— de la estipulación —*stipulatio*— ante un derecho de crédito en favor del estipulante —donatario— esto es, ante una donación *in obligando* —o-bligacional— y c) si se perdona, formalmente, una deuda —*acceptilatio*— del donatario, ante una donación *in liberando* —liberatoria[17]—. En síntesis, la donación no es ya un negocio jurídico típico, sino una *causa* de atribución patrimonial gratuita —*donationis*— que se puede manifestar a través de múltiples medios.

La última jurisprudencia clásica y la legislación imperial acaban por precisar el alcance y efectos de la donación perfecta. Así, se admite y se incluye en su concepto la confirmación, que tiene lugar por muerte del donante sin haberla revocado[18].

---

[16]   Merced a Gayo, se ha destacado en doctrina que el Pretor concedería bajo el título de *si quid contra legem senatusve consultum factum esse* —si algo se hiciera en contra de una ley o senadoconsulto— una excepción perentoria, que llevaría el nombre de la ley defraudada. En nuestro caso: *exceptio legis Cinciae*. Aún cabe, tratándose de promesa cumplida que el donante pueda ejercer la *condictio indebiti*, para repetir lo pagado, pues, según Celso, precisamente puede hacer esto, cuando, pudiendo, no se valió de una *exceptio perpetua*.

[17]   a) En sentido técnico de *datio rei* es = a transmisión del dominio de lo dado; b) El donatario —actuando como *stipulator*— preguntaría al donante, por ejemplo: ¿Prometes darme 100? —*Spondes centum mihi dari?*—y el donante —actuando como *promissor*— diría: ¡Prometo! —*Spondeo*—; c) Como en b) aunque con signo contrario, el donatario preguntaría al donante: ¿Tienes por recibido lo que te prometí? —*Qod ego tibi promissi habesne aceptum?*—. El donante diría: Lo tengo por recibido —*Habeo*—.

[18]   Según Papiniano el donatario podrá contraponer a la *exceptio legis Cinciae* esgrimida por los herederos del donante, la *replicatio doli*. Caracalla, lo confirma y, desde él,

C) En derecho postclásico, en desuso la *lex Cincia*, la donación sufre profundas alteraciones y cambia su carácter de causa de atribución patrimonial gratuita por la de negocio típico formal, real y traslativo de dominio.

Constantino exige la «insinuación de las donaciones». Esto es: su pública documentación ante funcionarios imperiales, que comporta tres requisitos: a) documento escrito —*ad solemnitatem*—; b) pública entrega —*traditio advocata vicinitate*— y c) registro de aquél en los archivos imperiales —*apud acta*—. El incumplir estos requisitos legales acarrea su nulidad.

D) La evolución se cierra con Justiniano, que adopta una solución de compromiso entre el régimen clásico y el postclásico. Así: a) para las donaciones de cuantía superior a 500 sueldos —salvo ciertas excepciones[19]— mantiene la necesidad del acto escrito y de la *insinuatio apud acta* y de no cumplirse serán nulas en la suma excedente y b) respecto a las de inferior cuantía —o privilegiadas— basta la *traditio*[20].

3. FIGURAS ESPECIALES DE DONACIÓN

Tradicionalmente, se suelen considerar como tales: la donación modal u onerosa, la remuneratoria y la donación por causa de muerte.

---

se mantiene el principio: *morte Cincia removetur*. Aplicada, primero sólo a donaciones reales y liberatorias, con Justiniano, se extiende a las obligacionales.

[19] Donaciones «privilegiadas» en este sentido fueron: a) las que se hacen al Emperador o éste a los particulares; b) las de fines piadosos —*in causas piisimas*—; c) para el rescate de prisioneros; d) para reconstruir el edificio destruido: e) las del *tribunum militum* a los soldados y e) para constituir la dote.

[20] Aunque se atenuará hasta el punto que *de facto* —no *de iure*— se llega a confundir con la simple voluntad. Dado que en la donación formal y en la no formal se exige la *traditio*, aunque con distinto carácter —como obligación del donante o como acto traslativo de dominio— se explica que en los documentos posteriores a Justiniano se hable siempre de *traditio* y que se confunda, por tanto, el momento de la perfección con el de la ejecución.

I. Donación modal —*sub modo*—

A) Modo —*modus*— es la carga o gravamen impuesto a una persona beneficiada por un acto de liberalidad. Donación modal será, pues, aquella en que se impone al donatario un modo, esto es, el cumplir una prestación en favor del propio donante o de un tercero.

Regalar 10.000 a Ticio, quedando éste obligado a erigirme un monumento, cuyo valor no pasaría de 1.000, puede servir de ejemplo[21].

B) El modo presenta los siguientes caracteres: a) es obligatorio, pues es ésta la intención del donante y de otra forma no pasaría de mero consejo, ruego o recomendación; b) es gratuito, porque el vínculo que crea, necesariamente, debe incorporarse a actos de esta naturaleza y c) es accesorio, pues se incorpora por simple voluntad del donante.

Esta «carga», *onus*, de ahí que hoy, también se llame onerosa, no hace perder a la donación su nota de gratuidad por no ser una contraprestación del donatario, ni es una condición potestativa —que depende de la voluntad del donatario— ya que el negocio produce efectos desde el primer momento y su eficacia, al menos inicial, no se vincula a su cumplimiento[22].

C) Para garantizar su efectividad: a) En principio, para evitar la indefensión del donante, se acudió a un pacto de confianza —*pactum fiduciae*— que se insertaba en la propia *mancipatio* o a una *stipulatio* independiente por la que el donante se hacía prometer por el donatario la propia cosa donada —esto es su restitución— o el pago de una pena. b) En derecho clásico, la donación modal tiene carácter de *datio ob causam* —entrega por una determinada causa— y para evitar en el donatario un enriquecimiento injusto se otorga al donante una

---

[21] El término *modus*, además de modalidad, en latín también significa «medida» y tal vez este significado clarifique su idea conceptual, al deslindar el aspecto jurídico del económico. Si en el ejemplo propuesto la donación es de 10.000 y el coste del monumento es de 1.000, al disminuir el beneficio del donatario, ahora 9.000, el *modus*, constituye la «medida» o el límite de la liberalidad. Es obvio, que el modo siempre deberá ser inferior a lo donado, pues de otra forma no lo aceptaríamos.

[22] Es tradicional, en la romanística la siguiente precisión: el término aplaza; la condición suspende y el modo obliga. Por tanto, el modo obliga pero no suspende y lo contrario es propio de la condición.

condictio para repetir en caso de incumplimiento. c) Con Justiniano se considera como un contrato innominado y protege por la *actio praescriptis verbis* y demás acciones propias de tales contratos[23]. Si el modo beneficia a un tercero, desde Diocleciano se le otorga una *actio utilis*.

II. Donación remuneratoria

A la donación simple, cuya causa es la mera liberalidad del donante, se contrapone la remuneratoria que se hace como premio o recompensa de algún beneficio, servicio o favor recibido del donatario. Ejemplo típico: haberle salvado la vida.

Sus requisitos, son: a) un servicio prestado por una persona a otra; b) que no sea un crédito exigible y c) que el receptor del servicio lo compense con una donación. Su especialidad, aparte del matiz de su causa, es que, en derecho clásico no está sujeta a la *lex Cincia* ni con Justiniano a la *insinuatio* ni a las reglas de revocación por ingratitud o por hijos[24].

III. Donación *mortis causa*

A) En general, como su nombre indica, es la donación que se hace en consideración a la muerte —próxima o futura— del donante.

B) Su fundamento es, según Marciano, que el donante prefiere tener él, antes que el donatario —por eso lo donado sigue en su poder— y que tenga el donatario antes que el heredero —por lo que al morir le sustrae el objeto donado—.

---

[23] *Actio praescriptis verbis* —para pedir el cumplimiento forzoso del modo—; *condictio ob causam* —ahora *causa data causa non secuta*— para obtener la restitución de lo donado si media incumplimiento culposo del modo por parte del donatario y la *condictio ex poenitentia*, para obtener la restitución de lo donado, con independencia de la culpa o mora del donatario.

[24] Hay un solo texto de Paulo sobre estas donaciones. Dice así: Si uno —*Si quis*— arrebató a otro del poder de ladrones o de enemigos —*aliquem a lutrunculis vel hostibus eripuit*— y por esto recibiera de él alguna cosa —*et aliquid pro eo ab ipso accipiat*— esta donación es irrevocable —*haec donatio irrevocabilis est*— y no se ha de llamar retribución de muy meritorio trabajo —*non mercis eximii laboris appellandae est*— porque no parece bien que lo que se hizo en consideración a la salvación fuere estimado en cierta cantidad —*quod contemplatione salutis certo modo aestimari non placuit*—.

C) Su origen es muy antiguo y al ser una atribución patrimonial por causa de muerte, en la práctica, su finalidad fue sustituir al testamento[25] y obviar alguno de sus inconvenientes.

D) Puede presentar dos modalidades: 1.ª) las que se hacen por la mera contemplación de la muerte —*sola cogitatione mortalitatis*— en cuyo caso sólo cuando acontezca cobrarán plena efectividad y 2.ª) las que se hacen por la previsible inminencia de la muerte —enfermedad grave, guerra...— en cuyo supuesto el donatario adquiere de inmediato pero restituirá si la persona amenazada por ese peligro lo supera, será, pues revocada, igual que si el donatario le premuere[26].

E) La donación *mortis causa* se distingue de la *inter vivos*, por razón de la revocación, ya que ésta, cuando es perfecta, no puede revocarse sin motivo lo que no ocurre en aquella[27].

F) En general, la donación *mortis causa*, dice Ulpiano, es perfecta y produce su plenitud de efectos cuando sobrevenga la muerte del donante. Sin embargo, su eficacia puede supeditarse a que se produzca un hecho futuro e incierto. Esto es, a una condición[28]. Esta puede

---

[25] La *mancipatio familiae* —venta del patrimonio hereditario por una moneda— antes de ser verdadero testamento no fue más que una *donatio mortis causa*.

[26] Refiere Ulpiano: Juliano (dice)... hay tres especies de donaciones por causa de muerte —*Iulianus... tres esse species mortis causa donationum (ait)*—: a) una, cuando alguien (dona) no aterrado por temor alguno de presente peligro —*unam, quum quis nullo praesentis periculi metu conterritus*— sino por la sola consideración de la muerte — *sed sola cogitatione mortalitatis (donat)*—; b)... otra —*...aliam*— cuando alguno impresionado por un inminente peligro —*quum quis imminente periculo commotus*— dona de tal manera que la cosa se haga de inmediato del que la recibe —*ita donat, ut statim fiat accipientis*— y, c) (dice) que la tercera especie de donación es —*tertium genus esse donationis (ait)*— cuando alguien impulsado por algún peligro —*si quis periculo motus*—no la da—*non sit det*—de modo que al punto se haga del que la recibe —*ut statim faciat accipientis*— sino solo cuando hubiera seguido la muerte —*sed tunc demum, quum mors fuerit insecuta*—.

[27] Dice Paulo: Pero la donación por causa de muerte —*Sed mortis causa donatio*— difiere mucho —*longe differt*— de la verdadera y absoluta donación —*ab illa vera et absoluta donatione*—que se hace de manera —*quae ita proficiscitur*—que en ningún caso sea revocada —*ut nullo casu revocetur*—. El criterio diferencial no estriba, pues, en que produzcan efectos antes o después de la muerte del donante. Pues puede ocurrir que ante un inminente peligro de muerte se entregaran los bienes en vida y la donación produjera sus efectos —aun cuando pudieran ser precarios— antes de la muerte del donante, pese a ser *mortis causa*. Y a la inversa, que donaciones *inter vivos* se celebren aplazando sus efectos, esto es la entrega de la cosa, para después de la muerte del donante.

[28] Esto permitiría, pese a estar prohibidas, hacer donaciones de un cónyuge a otro, pues sus efectos no se producirían durante el matrimonio. Por ello, Ulpiano dice: Se

ser inicial o suspensiva, y su cumplimiento comportará el inicio de los efectos de la donación —sería el caso de que el donatario sobreviva al donante— o final o resolutoria, cuyo cumplimiento determinaría el cese de tales efectos —sería el caso de que el donante sobreviva al riesgo o peligro en que la condición consiste—[29].

G) Evolución y Régimen. Distinguiremos las siguientes fases:

a) En Derecho arcaico: Tienen gran importancia y difusión. La razón es doble. 1.°) porque los primitivos testamentos solían contener solo la institución de heredero y 2.°) porque si se quería hacer cualquier atribución patrimonial *mortis causa* a título particular, debía figurar en aquellos, supeditar su eficacia a la validez de la institución de heredero y asumir la forma de legados.

b) En derecho preclásico y clásico subsisten pero empieza una cierta decadencia ya que: por un lado Augusto, reconoce eficacia jurídica a los fideicomisos, con una parecida función[30]; y por otro lado, se inicia un proceso de acercamiento entre las donaciones *mortis causa* y los legados, hasta el punto que éstos son definidos por Modestino, como «donación dejada en testamento»: —*donatio testamento relicta*— y se aplica a las donaciones todas las disposiciones

---

admitieron entre marido y mujer las donaciones por causa de muerte —*Inter virum et uxorem mortis causa donationes receptae sunt*—.

[29] Dice Ulpiano: Si una cosa fue donada por causa de muerte —*Si mortis causa res donata est*— y sanó el que la donó —*et convaluit qui donavit*— se ha de ver si tendrá acción real —*videndum an habeat in rem actionem*—. A) Y si ciertamente uno donó así —*Et si quidem quis sic donavit*— que si le sobreviniese la muerte —*ut si mors contigisset*— la tenga aquel a quien se la donó —*tunc haberet cui donatum est*— sin duda podrá el donante revindicar la cosa —*sine dubio donator poterit rem vindicare*— habiendo muerto —*mortuo eo*— aquel a quien se le donó (el donatario) —*is cui donatum est*—. B) Pero si se donó de modo que —*Si vero sic ut*— la tuviera desde el primer momento —*iam nunc haberet*— y la devolviese —*ut redderet*— si hubiese sanado —*si convaluisset*— o si (hubiese vuelto) de la guerra —*vel de proelio*— o de un viaje —*vel peregre (rediisset)*— se puede defender —*potest defendi*— que le compete al donante la acción real —*in rem competer donatori*— si hubiera acontecido alguna de estas cosas —*si quid horum contigisset*— pero mientras tanto compete al donatario —*interim autem ei cui donatum est*—. C) Mas también si hubiera sido sorprendido por la muerte aquel a quien se donó (donatario) —*Sed et si morte praeventus sit is cui donatum est*— aún le dará alguno la acción real al donante —*adhuc quis dabit in rem donatori*—.

[30] El que éstos sólo produzcan efectos obligacionales y las donaciones reales, mantendrán su interés.

limitativas que afectan a éstos. Su diferencia será: que la donación podrá hacerse al margen del testamento.

c) Este proceso de acercamiento culmina con Justiniano aunque, precisa, la equiparación no fue absoluta[31].

4. REVOCACIÓN DE DONACIONES

Se entiende por revocación de donaciones la ineficacia de una donación perfecta, por una causa incierta posterior a su formación.

En derecho postclásico y justinianeo se mantiene el principio de que la donación es revocable en tanto no sea *perfecta*[32]. Esto requiere un doble matiz: 1.°) que, ahora, es *donatio perfecta* la que se ha perfeccionado por cumplirse las formalidades establecidas por la ley, por tanto, hasta que no se hayan cumplido es revocable y 2.°) que, aún siendo *perfecta*, se admiten ciertas causas de revocación a los que pasamos a referirnos.

I. Ingratitud del donatario

A) Su fundamento es, para algunos, la presunta voluntad del donante y, para otros, una especie de sanción impuesta por ley a los

---

[31]   Aún, bajo ciertos aspectos, la donación *mortis causa*, quedaba regulada por normas de las donaciones *inter vivos* y del testamento. Así, el *filius* puede donar permitiéndolo el padre —*permittente patre*— según recuerda Marciano y el pupilo con la autoridad del tutor —*tutore auctore*— según advierte Ulpiano, lo que no se admite en el legado. Por otro lado, la equiparación con el legado comporta que la donación, como aquél, es perfectamente revocable. Justiniano, en Instituciones dice: Estas donaciones por causa de muerte —*Hae mortis causa donationes*— se han reducido a una total semejanza con los legados —*ad exemplum legatorum redactae sunt per omnia*—...y en una constitución suya, matiza que: fueran contadas «casi en todo» entre los legados —*ut per omnia fere legatis connumeratur*—.

[32]   En derecho clásico el régimen es complejo y cabe precisar que: 1) las donaciones no afectadas por la *lex Cincia* son irrevocables, excepto la del patrono en favor del liberto —*personae exceptae*— que lo es al libre arbitrio del patrono; 2) cualquier otra donación afectada por la *lex Cincia* se puede revocar dentro de los límites en que puedan ejercerse los medios que derivan de la propia ley y 3) la *donatio perfecta* es irrevocable.

donatarios que infringen el deber moral de gratitud y reconocimiento, que deben al donante, por el beneficio recibido.

B) Su origen está en el privilegio de los patronos que podían revocar, libremente, las donaciones hechas a sus libertos. Más tarde, se concede, tal posibilidad, al padre y madre, respecto a los hijos, siempre que aquella no hubiera contraído segundas nupcias. Después, se otorga a cualquier ascendiente y, por último Justiniano —a. 530— la concede a todo donante, aunque fija cuatro casos en que procedería. Estos son: a) Injurias graves al donante; b) agresión o cualquier atentado contra su vida; c) incumplimiento del modo establecido y d) daño grave, dolosamente causado, al patrimonio de aquél[33].

La acción de revocación es personal —se basa en el resentimiento del donante— y se incluye, por los intérpretes, entre aquellas que reclaman venganza —*vindictam spirantes*— por lo que sólo podrá ejercerse por el donante —no sus herederos— y contra el donatario —y no contra los suyos ni terceros—. Su fin es la restitución de todo lo recibido por el donatario *in natura* o su equivalente económico.

II. Superveniencia de hijos del donante

Constancio y Constante —a.355— admiten la revocación de la donación del patrono al liberto[34], cuando, después el donante haya tenido hijos[35]. Su fundamento, lo destaca la doctrina, es la presunción de que el padre no hubiera dispuesto de su patrimonio, si hubiera previsto que había de tener un hijo[36]. Lo cierto es, que sólo la idea de una protección jurídica a los hijos la puede justificar.

---

[33] Si se trata de donación de la madre al hijo, Justiniano mantiene la antigua restricción de que no haya contraído segundas nupcias. Pero, en las Novelas, lo admite, si el hijo ha atentado contra la vida de la madre o sus bienes.

[34] Los intérpretes y las legislaciones modernas —entre ellas la nuestra— ha extendido esta causa de revocación a todo tipo de donaciones y no sólo al caso de superveniencia de hijos, sino también al de supervivencia —cuando el reputado muerto no lo está—. Sin embargo, debe reiterarse que, en Derecho Romano, está limitado su campo al de las donaciones entre patrono y liberto.

[35] Ello demuestra, como se ha destacado en doctrina, que la omnímoda potestad que tenía el donante de revocar la donación al liberto, cuya última alusión data de Diocleciano —a.296— ya ha desaparecido.

[36] Razón insuficiente para otros pues debería preverse que el donante pudiera renunciar a la revocación.

III. Incumplimiento de cargas

La donación puede revocarse por incumplimiento de las posibles cargas que la gravan. La razón es doble: 1.ª) aplicar a un contrato, en particular, los principios generales que regulan la contratación y 2.ª) ser actos gratuitos que exigen máximo respeto a la voluntad del donante.

La revocación se puede basar, también, en un acuerdo de las partes, por el que el donante se hace prometer la restitución de lo donado si se producen determinadas circunstancias, por lo común la premoriencia del donatario. Se suele hablar, entonces de reversión[37]. Esta reversión se producía *ex lege* en el caso de la dote profecticia, a la muerte de la hija, en favor de su padre para consolarle —*solacii loco*— y así, según Pomponio, no tuviera que sufrir además de la pérdida de la hija la pérdida del dinero —*ne filiae amissae et pecuniae damnum sentiret*[38]—.

---

[37] En época clásica se logra por el *pactum fiduciae* incluido en la *mancipatio* o una *stipulatio* independiente.

[38] A excepción del caso referido en el texto, la reversión sólo puede tener lugar a tenor de una obligación aceptada por el donatario, excluyéndose en derecho clásico, pudiera «regresar» automáticamente a éste, principio que mantiene Diocleciano, siendo Justiniano quien admita el «retorno real» por el pacto celebrado entre las partes.

Tema 38
Obligaciones no contractuales

Al tratar de las fuentes de las obligaciones y al finalizar su evolución, precisamos que éstas no se agotaban con el contrato, —*ex contractu*— y que había otras fuentes «no contractuales». En síntesis, que las obligaciones, también podían nacer «como de un contrato» —*quasi ex contractu*— de un delito —*ex delicto*— y «como de un delito» —*quasi ex delicto*—. De todas estas obligaciones trata este tema.

1. LAS OBLIGACIONES *QUASI EX CONTRACTU*

En síntesis, y como ideas generales, nos referiremos a su: su terminología —viciosa—; posible concepto; discutido fundamento y sus dos figuras más características.

A) En cuanto a su denominación, recordemos: 1.º) que el término *quasi ex contractu* sólo comporta una mera referencia analógica y equivale a «como del contrato»; 2.º) que agrupa una serie de figuras, caracterizadas, bajo un prisma negativo, por la falta de acuerdo entre las personas afectadas y positivamente, por generar obligaciones entre ellas y 3.º) que los bizantinos, por un afán de simetría, cambian las palabras «como del contrato» —*quasi ex contractu*— por «del como-contrato» —*ex quasi contractu*— creando un nuevo significante —el «comocontrato» o *quasi contractus*— de carente, o al menos dudoso, significado.

B) Los cuasi contratos, son hechos voluntarios lícitos de los que resulta obligado su autor para con un tercero, surgiendo, a veces, obligaciones recíprocas. Por tanto, sus notas son: 1.ª) que medie un acto lícito, del que nazca una obligación; 2.ª) que, además, sea voluntario y 3.ª) que no sea contractual, esto es, que falte el previo acuerdo entre los afectados.

C) Su fundamento, como fuente de obligación es debatido: el consentimiento tácito o presunto y las ideas de equidad o justicia, son los argumentos que, en doctrina, se suelen esgrimir.

D) Las Instituciones de Justiniano hablan de 5 obligaciones que se considera nacen *quasi ex contractu:* la gestión de negocios ajenos —*negotiorum gestio*—; la tutela y curatela —*tutela vel curae gestio*—; la comunidad hereditaria —*communio incidens*—; el pago de lo indebido —*indebiti solutio*— y la aceptación de la herencia —*hereditatis aditio*—. Vamos a centrar nuestro estudio al primero y penúltimo, como hace nuestro derecho.

2. EL PAGO DE LO INDEBIDO, *CONDICTIO INDEBITI*

El pago (o cobro) de lo indebido es la relación que se produce entre dos personas, cuando una paga por error y la otra recibe sin derecho a ello y, en virtud de la cual, se debe restituir lo indebidamente cobrado.

La situación se asemeja al mutuo, ya que la obligación nace por la entrega de la cosa —*ex re*— y tiene como objeto el restituir no las monedas recibidas —en su caso— sino otro tanto de la misma especie y calidad —*tantundem*[1]—. La diferencia es obvia: la falta de acuerdo previo[2].

Al haberse trasferido la propiedad no procede la *actio reivindicatio* y para lograr la restitución se concede al perjudicado la *condictio indebiti* —de lo no debido— para cuyo ejercicio se exigen tres requisitos que: 1.º) exista un pago efectivo —*solutio*—; 2.º) no deba hacerse —*indebitum*— y 3.º) se haga por error —*per errorem*—. Detengámonos en ellos.

---

[1]   Por esta analogía Gayo estudia el pago de lo indebido al lado del mutuo, diciendo: También el que aceptó lo no debido —*Is quoque qui non debitum accepit*— de aquel que le pagó por error —*ab eo qui per errorem solvit*— se obliga por la cosa —*re obligatur*— pues se puede entablar contra él una *condictio* —*nam proinde ei condici potest*— (Así): «Si resulta que debe dar como si hubiese recibido en mutuo» —*Si paret eum dare oportere ac si mutuum accepisset*—.

[2]   Sigue Gayo: Pero esta clase de obligación —*Sed haec species obligationis*— no parece surgir del contrato —*non videtru exd contractu consistere*— porque el que entrega con intención de pagar —*quia is qui solvendi animo dat*— quiere más disolver un negocio que contraerlo —*magis distrahere vul negotium quam contrahere*—.

1.º) *Solutio.* La entrega de la cosa, debe entenderse como pago efectivo (o sea, con intención de extinguir un vinculo obligacional —*solvendi animo*[3]—) y tratarse de cosas fungibles[4].

2.º) *Indebitum.* Inexistencia de obligación entre quien paga y recibe[5]. Este *indebitum* puede ser por razón de la persona —*ex persona*— (criterio subjetivo) simple confusión en la persona del acreedor o por razón de la deuda —*ex re*— (criterio objetivo): a) porque nunca existió[6]; b) porque aun existiendo se había pagado y c) por abonarse mayor cantidad de la debida[7].

3.º) *Errore solutum.* Pago por error. El error es esencial, ya que si alguien paga, a sabiendas que no debe, realiza una donación —con apariencia de pago— y no se podrá repetir[8]. El error debe ser excusable y es indiferente si es de hecho o de derecho[9].

Por analogía con el pago de lo indebido, se comprenden como obligaciones nacidas *quasi ex contractu* otros casos en los que habiendo existido una entrega —*datio*— se produce en el receptor un enriquecimiento injusto, por falta o ilicitud de la causa.

Para tutelar la obligación así nacida se establece una *condictio*, que recibe distintos nombres, según las concretas situaciones que prote-

---

3   Si se hace por caso como transacción para evitar un litigio no procede la *condictio*, pues el pago tiene otra *causa.*

4   La jurisprudencia tiende a ampliarlo a prestaciones inciertas y así, Ulpiano, alude al caso de *operae* que preste el liberto, sin deberlas, al patrono.

5   La existencia de una obligación natural, excluye el ejercicio de la *condictio*, ya que su principal efecto es la *solutio retentio* —retención de lo pagado— a las que cabe asimilar —dice Paulo— las que gozan del beneficio de competencia.

6   Ello equivale también, dice Ulpiano, a existir una *exceptio perpetua* por parte del deudor frente a la acción del acreedor.

7   A lo que puede añadirse —se podría decir *ex tempore*— según Pomponio, las obligaciones aún no exigibles por no haberse cumplido la condición o vencido el término del que dependen.

8   Según Paulo: De la cosa dada por error —*Cuius per errorem dati*— hay repetición —*repetitio est*— dada con conocimiento —*eius consulto dati*— hay donación —*donatio est*—.

9   Si el receptor —*accipiens*— es de buena fe, deberá restituir la cosa si está en su poder; si la vendió, el precio de venta y si aún no lo cobró, la acción para reclamarlo. Si es de mala fe, responde de su pérdida o deterioro, de los frutos percibidos (no de los intereses) y sin derecho a las mejoras.

ge. Así, *condictio ob causa datorum*[10],... *ob turpem vel iniustam causam*[11] y... *sine causa*[12].

El sistema de *condictiones* finaliza con Justiniano, que por un lado, establece otras para supuestos no acordados por los juristas clásicos y, por otro, introduce la *condictio ex lege*, que aparece en un texto atribuido a Paulo para todos los casos previstos por la ley que carezcan de una acción en particular.

3. GESTIÓN DE NEGOCIOS AJENOS, *NEGOTIORUM GESTIO*

I. Concepto, origen e importancia

A) Se llama gestión de negocios ajenos al hecho de que una persona —gestor, *negotiorum gestor*— se encargue de asuntos o intereses de otra —dueño del negocio, *dominus negotii*— sin mandato de ésta ni obligación legal (sería el caso del tutor) para ello.

B) Su origen está —según opinión dominante— en la necesidad de proveer la administración de los bienes de los ausentes y en el mecanismo de dos acciones «de gestión de negocios»: la *actio negotiorum gestorum directa* en favor del *dominus* y la *contraria*, en

---

[10] Llamada por los justinianeos *causa data causa non secuta* se aplica a los contratos innominados y también si se hace algo en previsión de un evento futuro que no llega a producirse, como —en ejemplo de Ulpiano— si se constituye una dote y el matrimonio no se celebra.

[11] Procede, para reclamar lo entregado a otro por hacer —o no hacer— algo reprobado por el derecho o la moral. Ulpiano, refiere como ejemplos de causa torpe, la entrega de dinero para no cometer un sacrilegio o un hurto o no matar a un hombre. En estos casos la prestación no es ilícita —es conforme a ley— pero produce un enriquecimiento injusto al considerarse como deshonesto hacer lo que debemos cumplir por una compensación económica. Así pues, tiene el carácter de torpe y produce un enriquecimiento injusto. La inmoralidad debe darse sólo en el receptor, pues si se produce sólo en el trasmitente —como lo que, según Ulpiano, se da a una meretriz— o en ambos, entonces no se ha de restituir. Rige, en este último caso el principio que: «en una situación igual de inmoralidad —*in pari causa turpitudinis*— es mejor la causa del que posee (que del que reclama)» —*melior est condicio possidentis*—.

[12] Evita el enriquecimiento injustificado, si no tienen perfecta adecuación las otras *condictiones*. Procede, pues, cuando la entrega se hace por una relación inexistente, imposible o cesada.

favor del gestor, que, en principio, reconocidas por el Pretor, para casos particulares, terminan por extenderse, con carácter general, en el ámbito del *ius civile*.

C) Su importancia radica en determinar: a) de un lado, hasta que punto el individuo es libre, sin que nadie pueda interferirse en su esfera patrimonial y b) de otro, hasta que punto esta posible intromisión es lícita por razones de utilidad[13]. De ahí, que el Derecho deba buscar el punto de inflexión y equilibrio adecuado para alentar y proteger las ingerencias favorables y beneficiosas y evitar las que fueran arbitrarias e inoportunas[14].

II. Naturaleza jurídica

La gestión de negocios tiene grandes analogías con el mandato. Difiere, sin embargo, en que éste, como contrato, requiere un acuerdo de voluntades, mientras que en la gestión, falta dicho acuerdo y el gestor actúa por propia iniciativa. Por ello, si *a posteriori*, el *dominus negotii* ratifica la actuación del gestor —ratihabitio, de *ratum habere* = tenerlo por hecho— se considera «como si»[15] hubiera habido mandato y el negocio pasa a ser propio del dueño.

Los juristas clásicos consideran la *negotiorum gestio*, en cierto modo, «como un contrato», porque, como ya hemos anticipado, nacen para las partes la acción de gestión de negocios, *actio negotiorum gestio*[16] y Justiniano la termina incluyendo en la categoría de los «cuasicontratos».

---

[13] Recordemos la afirmación de Pomponio: Culpa es —*Culpa est*— inmiscuirse uno — *inmiscere se*— en cosas (asuntos) que no le pertenecen (ajenos) —*rei ad se non pertinenti*—.

[14] Se ha mantenido, en doctrina, que la *negotiorum gestio* es creación típica y original del Derecho Romano, sin parangón en otros pueblos de la antigüedad y fruto de la *humanitas* propia de éste Derecho.

[15] Esta comparación —*ratihabitio mandatu comparatur*— aparece en las fuentes, en boca de Sabino y Casio —citados por Ulpiano— y Justiniano la aplica en general.

[16] Ya Gayo parece reconocer la típica nota de reciprocidad propia de los contratos al referirse a la administración de los negocios del ausente y decir:... en este caso —*eo casu*— nace de una y otra parte una acción —*ultro citroque nascitur actio*— que se llama de negocios administrados —*quae appellatur negotiorum gestorum*—.

III. Elementos

A) Intervienen el dueño del negocio —*dominus negotii*— esto es, la persona en cuyo favor se actúa y que no ha de ser, necesariamente, el dueño de la «cosa gestionada» —puede tratarse, por ejemplo de un usufructuario— y el gestor —*negotiorum gestor*— que actúa en beneficio de aquél, sobre el que se discute si debe tener una especial intención de gestionar los negocios ajenos —*animus negotia aliena gerendi*[17]—.

B) Los elementos reales estarían representados por los actos de gestión. En general, pueden ser tanto jurídicos —tal sería el caso de constituirse el gestor en fiador— como materiales —el salvar una cosa de un incendio, puede servir de ejemplo—. En pocas palabras debe tratarse de un: a) negocio, *negotium*; b) ajeno, *alterius* y c) oportunamente emprendido, *utiliter coeptum*.

a) El término *negotium* comporta, a su vez, que el acto o serie de actos del gestor sean: 1.º) voluntarios, pues si estuviese obligado a hacerlos nos encontraríamos ante un mandato[18]; 2.º) lícitos —no cabría hablar de gestión de negocios por ejemplo en el supuesto de quemar una casa para que su dueño pudiera cobrar el seguro—; 3.º) no personalísimos —imaginemos se pinta y firma un cuadro del vecino artista— y 4.º) no prohibidos por el *dominus*[19].

b) La idea de ajeno —*alterius*— comporta la exclusión de cualquier interés patrimonial por parte del gestor[20]. Por ello, quedarán exclui-

---

[17] Debido a las contradicciones de las fuentes, no hay una opinión doctrinal generalizada. Así, en síntesis: a) para unos la exigencia del *animus* se debe a Justiniano; b) para otros, fue una creación de la jurisprudencia clásica, siendo, precisamente, Justiniano quien intentó eliminarla y c) unos terceros, en fin, a tenor —según ellos— del distinto fundamento de las obligaciones del *gestor* y del *dominus*, consideran que sólo si se da tal *animus* nacerán obligaciones para el *dominus negotii*.

[18] Si el dueño conoce la gestión y no se opone a ella estaríamos ante un mandato tácito. Así resulta de Ulpiano, al decir: Si yo hubiera consentido —*Si passus sim*— que alguien sea fiador por mí —*aliquem pro me fideiubere*— o de algún otro modo intervenga —*vel alias interveneri*— me obligo por la acción de mandato —*mandati teneor*—. Nada importa que el gestor creyera, por error, haber recibido el encargo.

[19] Si el gestor actúa contra la prohibición del dueño —*prohibente domino*— excluido el ejercicio, propiamente, de la *actio negotiorum gestio*, en derecho clásico se discute si cabe proceda, por vía útil, por razón de los gastos efectuados y habiendo obtenido, objetivamente, un beneficio el *dominus*. Justiniano, niega la acción, a menos que la prohibición sea después de los gastos efectuados, con el fin de eludir su pago.

[20] Si el gestor actuase movido por su propio lucro o interés —*depraedandi causa*— mientras en derecho clásico quedaba obligado frente al *dominus* —y no éste frente

dos los actos hechos por ejemplo por el copropietario, socio o coheredero. Deben ser, pues, en exclusivo interés del *dominus negotii*.
Interés que debe calificarse desde un punto de vista objetivo —así,
por caso: nadie, objetivamente, quiere que se queme su casa—.

c) El negocio ha de ser oportunamente emprendido —*utiliter
coeptum*—. Debe, pues, considerarse la gestión, en el momento inicial
—*initium spectandae est*— en atención a las circunstancias concretas
que determinan su conveniencia, sin perjuicio de que, a veces, el
resultado previsto no se logre[21], lo que ocurre —en ejemplos de
Ulpiano— si se repara una casa o cuida a un enfermo y luego aquella
resulta destruida por incendio o éste muere.

C) En cuanto a las formalidades, baste consignar que el gestor se
obliga por la *gestio* y responde, pues, *a posteriori*, por lo que hace —*ex post
facto*— a diferencia del mandato, en el que el mandatario lo hace por
consensus y responde, *a priori*, si no lo cumple.

IV. Efectos y acciones

A) Distinguiremos entre obligaciones del gestor; del dueño del
negocio y las responsabilidades de aquél.

Son obligaciones del *gestor*: 1.ª) concluir el negocio, que por su
voluntad inicia[22]; 2.ª) rendir cuentas al *dominus negotii* de su gestión
y 3.ª) restituirle todo lo que por ésta adquiera. A su vez, el *dominus
negotii* deberá: reconocer las gestiones en su favor desempeñadas y
resarcir los gastos que pudieron comportar[23].

---

a aquél— Justiniano le concede la *actio in rem verso* —de la ganancia obtenida— en
los límites en que, efectivamente, el *dominus* se enriqueció.

[21] Algunos textos parecen tomar como referencia una presunta decisión del *dominus*.
Esto es: un criterio subjetivo, más que objetivo.

[22] Aún en el caso —dice Paulo— que el *dominus* muriera.

[23] Dice Gayo: Y ciertamente así como es justo —*Et sane sicut aequum est*— que él (el
gestor) de cuentas de sus actos —*ipsum actus sui rationem reddere*— y que por esta
razón sea condenado —*et eo nonmine condemnari*— si hizo algo que no debió —
quidquid vel non ut oportuit, gessit— o si retiene alguna cosa de dichos negocios —
vel ex his negotiis retinet— así por el contrario —*ita ex diverso*— es justo —*iustum est*—
si administró útilmente —*si utiliter gessit*— que se le pague —*praestari ei*— todo lo
que por tal motivo —*quidquid eo nomine*— le falte —*vel abest ei*— o le haya de faltar
—*vel abfuturum est*—.

La responsabilidad del *gestor* no es uniforme. Así: a) se limita al dolo —al que se equipara la culpa lata— si actúa por necesidad apremiante y real; b) se extiende a la *culpa levis*, en los demás casos y c) al caso fortuito si asume riesgos excesivos.

B) La tutela de la *negotiorum gestio*, está representada por la *actio negotiorum gestio —directa y contraria—*. Se inicia otorgando el Pretor, en favor del gestor, una *actio in factum* y más tarde, antes de Labeón, se incluye en el Edicto una fórmula *in ius* y de buena fe, que sirve tanto para el gestor como para el *dominus negotii*[24].

4. OBLIGACIONES *EX DELICTO*

Delito, en general, es todo acto ilícito, sancionado con una pena, del que nacen obligaciones, llamadas por ello: *obligationes ex delicto*.

Los delitos son públicos —*crimina*— o privados —*delicta*[25] o *maleficia*[26]—.

Los delitos públicos —*crimina*—: a) comportan un atentado al orden público, como la alta traición —*perduellio*— o la muerte violenta de un *paterfamilias* —*parricidium*—; b) se persiguen —hoy diríamos— «de oficio», por la comunidad organizada de ciudadanos —Estado, en términos actuales— a través de un juicio público —*iudicium publicum*— y ante tribunales —*quaestiones*— permanentes —*perpetuae*— especializados en un determinado tipo de *crimen*[27], y c) se sancionan con una pena pública de carácter corporal o pecuniario[28].

---

[24]   Se discute existieran, desde un principio, las dos acciones o sólo una en favor del *dominus*.

[25]   Los términos *delicia* y *crimina*, así se ha matizado en doctrina, son propios del lenguaje vulgar, sin una absoluta precisión técnica. En puridad, debería hablarse de un uso preferente por los juristas, en uno u otro sentido.

[26]   El término *Maleficia*, tiene un cierto matiz retórico; se usa para aludir a cualquier hecho ilícito y los juristas de la época clásica —salvo Gayo— parecen eludirla al referirse a los delitos privados.

[27]   A estos tribunales nos referimos en Tema 4.1.

[28]   La pena «capital» —la muerte a través de los *summa supplicia*—, la deportación —*deportatio*— con precedente en la prohibición del agua y el fuego —*interdictio aqua et ignis*—, la condena en la mina —*metallum*—, los trabajos forzados —*opus metalli*—, el apaleamiento —*verberatio*— y la prisión con cadenas —*custodia*— o sin ellas —*carcer*— fueron, entre otras, algunas de estas penas.

Los delitos privados —*delicta*—: a) comportan una ofensa a un particular, como el hurto —*furtum*— o una lesión —*iniuria*[29]—; b) se persiguen —hoy diríamos— «a instancia de parte», por los particulares a través de juicio ordinario —*iudicium privatum*[30]— y c) su sanción es una pena privada, de carácter expiatorio y pecuniario, que suele ser un múltiplo del valor del daño causado.

Las Instituciones de Justiniano sólo se ocupan de los *delicta*, como fuentes de obligaciones y de las acciones privadas a que dan lugar. Seguiremos igual criterio.

A) El Derecho Romano no conoce una categoría general del «delito», como no la conoció del contrato, y al igual que en éstos, el *ius civile*, sólo ofrece una lista de delitos «tipificados»: el hurto —*furtum*—; robo —*rapina*—; daños —*damnum*— y lesiones u ofensas —*iniuriae*—. Junto a ellos, el Pretor —*ius honorarium*— a través de acciones penales *in factum*, sancionó una serie de actos ilícitos —actos ilícitos de derecho pretorio— que producían unas obligaciones «como del delito», *obligationes quasi ex delicto* y Justiniano los engloba en esta categoría, que los bizantinos llaman «cuasidelitos».

B) Los delitos civiles y los actos ilícitos pretorios se protegen por acciones penales, que presentan especiales características, respecto a las civiles[31], ya que se encaminan a la obtención de una pena y no un resarcimiento. Con Justiniano, todo *delictum* genera dos acciones: una, para castigar al delincuente —*poenae persequendae*— y otra para lograr la reparación del daño ocasionado —*rei persequendae*—. En ciertos casos, estas acciones son distintas[32], en otros forman una acción mixta —*tam rei quam poenae persequendae*[33]—.

---

[29]   *Iniuria* —de *in* (lo contrario) y *ius* (derecho)— fiel a su procedencia etimológica, es término amplio aplicable a todo acto ilícito que da lugar a una represión jurídica. Paulo apunta los sentidos de: ofensa moral —*contumelia*— en el delito de lesiones y ofensas; culpa en el delito de daños y, en general, de iniquidad —*iniquitas*—.

[30]   Antes de llegar a esta «administración de justicia», la tutela de los *delicta* pasa por cuatro fases —referidas en Tema 8— (la venganza privada ilimitada y talional y la composición voluntaria y legal).

[31]   De las acciones penales tratamos en Tema 8 y de sus caracteres y recordamos como diferencias respecto a las civile su: intransmisibilidad activa y pasiva; noxalidad y cumulatividad.

[32]   Así lo veremos al tratar de la *actio furti* y de la *condictio furtiva*.

[33]   Advirtiendo que para Justiniano es pena todo cuanto exceda de la reparación del daño, patrimonialmente, sufrido.

5. DELITO DE HURTO, *FURTUM*

El hurto —*furtum*— es el prototipo de los delitos privados y su ámbito, en Derecho Romano, es mucho más amplio que hoy en día, pues comprende, además, entre otros, los supuestos de robo, estafa, apropiación indebida, abuso de confianza y uso ilícito e incluso puede cometerse por el propio dueño de la cosa.

I. Concepto y requisitos

A) Según Ulpiano: Hurto es la sustracción de una cosa contra la voluntad de su dueño[34]. Con más rigor, Paulo lo define como sustracción fraudulenta de una cosa —*contrectatio rei fraudulosa*— con ánimo de lucro —*lucri faciendi gratia*— bien sea de la propia cosa —*vel ipisius rei*— o de su uso —*vel etiam usus*— o de su posesión —*eius possessionisve*—.

B) En la definición de Paulo se observan tres requisitos: A) un desplazamiento, sustracción, ingerencia o uso de una cosa, no consentido por su dueño —*contrectatio rei*—; B) una intención o voluntad de hacerlo —*fraudulosa*— y C) un ánimo de lucro —*lucri faciendi gratia*—.

a) *Contrectatio rei*, es lo que hoy llamaríamos elemento objetivo del delito y, respecto a él, por vía de síntesis, baste consignar. 1.º) que la *contrectatio* incluye, en general, no sólo la sustracción material de la cosa —*amotio*, propiamente dicha[35]— sino otros casos en los que este hecho, no se produce materialmente, como son el uso abusivo de la misma, hurto de uso —*furtum usus*[36]— y el de su posesión ilegal —*furtum*

---

[34] Así, Ulpiano dice: Sólo es ladrón —*Solus fur est*— el que sustrae algo —*qui attrectavit quod*— sabiendo que lo hace contra la voluntad de su dueño —*invito domino se facere scivit*—.

[35] Gayo dice: Se comete hurto —*furtum autem fit*— no sólo cuando —*non solum cum*— alguien sustrae una cosa ajena para quedarse con ella —*intercipiendi causa rem alienam admovet*— sino en general —*sed generaliter*— cuando alguien —*cum quis*— emplea una cosa ajena contra la voluntad de su dueño —*rem alienam invito domino contrectat*—. Parte Gayo de una concepción materialista del hurto, representada por la *admotio rei* (sacar, mover o trasladar de sitio una cosa) para pasar a otra más amplia, representada por la *contrectatio rei*, que comporta cualquier uso o ingerencia en la cosa no consentida por su dueño.

[36] Gayo recuerda los casos del depositario que usa la cosa depositada y del comodatario que da un uso distinto del pactado a la cosa comodada.

possessionis— y 2.º) que el término *rei*, según precisa Gayo[37], excluye a los bienes inmuebles[38] e incluye el hurto de algunas personas libres, como el del hijo bajo potestad —*filius familias*— la mujer bajo poder marital —*uxor in manu*— el que ha sido juzgado —*iudicatus*— y el que ofrece sus servicios por precio como gladiador —*auctoratus*—[39].

b) *Animus furandi* —Intención de hurtar[40]—, constituye el elemento subjetivo o intencional del *furtum*, y comporta la idea de que se está obrando ilegalmente[41], porque —recuerda Gayo— no se comete hurto sin dolo malo —*quod furtum sine dolo malo non committitur*—.

Cabe matizar que no es un elemento distinto del dolo —no es la intención de «ser ladrón»— sino la voluntad consciente de tener respecto a la cosa una conducta contraria a la voluntad de su dueño —*invito domino*[42]—. En síntesis, es el dolo en su aplicación al *furtum*[43]. Tal dolo se presume en el delito; no es necesaria su prueba y se

---

[37] Así, en los supuestos: a) de que alguien reciba un pago, haciéndose pasar por acreedor —Ulpiano—; b) del detentador —por ejemplo un depositario— que se niega a restituir la cosa al dueño y empieza a poseerla para sí —Celso— y c) del propio dueño de la cosa dada en prenda que toma su posesión antes de haber sido satisfecha la deuda que garantiza, sobre lo que dice Gayo: A veces, también —*Aliquando etiam*— alguien comete hurto en una cosa propia —*suae rei quisque furtum committit*— por ejemplo si el deudor —*veluti si debitor*—sustrae la cosa que dio en prenda al acreedor —*rem quam creditori pignori dedit subtraxerit*—.

[38] Gayo dice: es rechazable la opinión (Sabino) de aquellos —*Improbata sit eorum sententia*— que juzgaron que podía cometerse hurto de un fundo —*qui putaverint fundi furtum fieri posse*—. Esto se consideraría *rapina*.

[39] La explicación histórica, según opinión autorizada en doctrina, es la aproximación originaria de la *manus* y de la patria potestad al *mancipium*. En tales casos, la acción de hurto será sustituida por el *interdictum de liberis exhibendis et ducendis*, sin perjuicio del posible crimen de secuestro —*plagium*— que pudiera comportar.

[40] Requisito que sólo figura en la Compilación y omite en las demás fuentes.

[41] Por ello, según Gayo: La mayoría sostuvo —*Plerisque placet*— que como el hurto se basa en la intención —*quia furtum ex adfectu consistit*— sólo se obliga el impuber por este delito —*ita demum obligari eo crimine impuberem*— cuando está próximo a la pubertad —*si proximus pubertati sit*— y por ello —*et ob id*— comprende que delinque —*intellegat se delinquere*—.

[42] La existencia del dueño es imprescindible. Según Ulpiano: no hay hurto si no hay a quien se le haga —*nec enim furtum sit nisi sit cui fiat*— por ello si la cosa no fuera de alguien —*res nullius*— aunque el teórico ladrón no lo sepa, no lo habrá.

[43] Si interviene la voluntad del dueño, no hay *furtum*. Así, dice Gayo, si el dueño sorprende al ladrón y consiente que se lleve la cosa.

considera que actúa con dolo el autor del delito y quienes con él colaboran[44]

c) *Lucri faciendi gratia*.– Este fin o ánimo de lucro, se entiende en el más amplio sentido y es distinto del *animus furandi*, ya que puede haber hurto sin fin de lucro, como en el caso, que refiere Ulpiano, de que alguien sustraiga una esclava ajena por «deseo» —*libidinis causa*[45]—.

II. Clases

Existen distintos tipos de hurto y cada uno comporta diferente responsabilidad. La principal distinción —ya en las XII Tablas— contrapone hurto manifiesto —*furtum manifestum*— y no manifiesto —*nec manifestum*—. El primero, se da cuando el ladrón es aprehendido cometiendo el delito —hoy, diríamos «con las manos en la masa»— o en el lugar del delito o con el objeto sustraído en su poder[46]. El segundo, por oposición al anterior, en las restantes hipótesis[47].

---

[44]   Ulpiano —citando a Pedio— dice que: así como nadie comete hurto sin dolo malo —*sicut nemo furtum facit sine dolo malo*— así tampoco —*ita nec*— puede dar consejo o ayuda sin dolo malo —*consilium vel opem ferre sine dolo malo posse*—. Pero se considera que da consejo —*consilium autem dare videtur*— el que persuade —*qui persuadet*— e impele —*et impellit*— e instruye —*atque instruit*— con su consejo —*consilio*— para cometer el hurto —*ad furtum faciendum*—. Da auxilio —*opem fert*— el que presta ayuda y servicio —*qui ministerium atque adiutorium*— para sustraer las cosas —*ad surripiendas res praebetum*—. Así pues, *consilium* se refiere al dolo del cómplice o del inductor y *opem* a la ayuda o cooperación material.

[45]   Así, si se sustrae una cosa para destruirla no hay *furtum*: se responde por el delito de daños.

[46]   Gayo da noticia de las discusiones entre los antiguos juristas sobre a las circunstancias que debían darse en el *furtum manifestum*, (que hemos resumido en Texto).

[47]   En derecho arcaico se distingue, además, otras 4 clases de *furtum*. a) El *furtum conceptum* —hurto encontrado— cuando, en presencia de testigos, se busca y encuentra el objeto hurtado, en casa de una persona, ladrón o no —encubridor—; b) *furtum oblatum* —hurto endosado— si era encontrada en poder de otra persona a la que el ladrón se la había dejado, para alejar de sí las sospechas; c) *furtum prohibitum* —hurto prohibido— cuando el ladrón prohíbe que se busque el objeto hurtado en presencia de testigos y d) *furtum non exhibitum* —hurto no exhibido— cuando el ladrón no presenta la cosa hurtada y buscada y que ha sido hallada en su poder. Justiniano, en Instituciones, dirá que estas hipótesis han caído en desuso: por lo que todos —*quod omnes*— los que a sabiendas —*qui scientes*— hubieran recibido y ocultado una cosa hurtada —*rem furtivam susceperint et celaverint*— quedan sujetos a la acción de hurto no manifiesto —*furti nec manifesti obnoxii sunt*—.

III. Acciones

El hurto da lugar a varias acciones, unas civiles, cuyo fin es la restitución de la cosa hurtada o la indemnización del perjuicio sufrido y otras penales, que tienden a imponer al culpable un castigo —*poena*—. Ambos tipos de acciones podían ejercerse simultáneamente.

A) *Acciones civiles*

Quien sufre el *furtum* no pierde los derechos que le competen como dueño de la cosa hurtada o titular de alguna facultad conferida sobre ella. Por tanto, tiene las acciones propias de su particular condición y además si es el dueño puede ejercer y no sólo contra el ladrón, sino también contra sus herederos, la *condictio ex causa furtiva* —con menos palabras, *condictio furtiva*— para obtener su restitución.

Esta acción presenta la particularidad de que el actor —dueño— reclama al demandado —ladrón— que le transmita la propiedad de una cosa que es suya[48] y tiende a garantizar la responsabilidad del ladrón en los casos en que no proceda la *reivindicatio*, ya que responderá aunque la cosa robada perezca por causa que no le es imputable[49].

---

[48] Sigamos a Gayo: no se puede reclamar de otro una cosa nuestra así —*non posse nos rem nostram ab alio ita petere*—: «Si resulta que el demandado debe dar» —*Si paret eum dare oportere*— pues no se nos puede «dar» lo que ya es nuestro —*nec enim quod nostrum est nobis dari potest*— ya que *dare* tiene el significado —*cum scilicet id dari nobis intellegatur*— que se nos de algo para que se haga de nuestra propiedad —*quod ita datur ut nostrum fiat*— y no puede hacerse aún más nuestro lo que ya nos pertenece... —*nec res quae nostra iam est nostra amplius fieri potest*—. No obstante para reprimir a los ladrones —*Plane odium furorum*— disponiendo contra ellos de un número mayor de acciones —*quo magis pluribus actionibus teneatur*— se ha admitido... —*receptum est*— pueda reclamarse la devolución de la cosa —*rei recipiendae*— mediante una acción concebida en estos términos —*etiam hac actione teneatur*—: «Si resulta que los ladrones deben dar» —*Si paret eos dare oportere*— aunque ya disponemos contra ellos de la acción para reclamar lo que es nuestro —*quamvis sit etiam adversus eos haec actio qua rem nostram esse petimus*—.

[49] La razón, esgrimida por Trifonino y aludida al tratar de la mora es: porque se considera —*quia videtur*— que el que desde un principio hubiese tomado una cosa en contra de la voluntad de su dueño —*qui primo invito domino rem contrectaverit*— siempre (incurre en mora) al restituir lo que tampoco debió quitar —*semper in restituenda ea quam nec debuit auferre (moram facere)*—.

B) Acciones penales

A tenor de los dos principales tipos de hurto, en síntesis, procuraremos seguir su evolución.

a) En derecho arcaico y preclásico, si es *furtum nec manifestum*, la pena es del doble del valor de la cosa hurtada —*duplum*— y si *manifestum*, las XII Tablas no superan la composición voluntaria[50], y será el Pretor, en su Edicto, quien la fija en el cuádruplo del valor de aquella —*cuadruplum*—. b) Poco a poco, el Pretor introduce una serie de *actiones in factum* con diferentes penas, según las distintas modalidades de hurto, que desaparecen, antes de Justiniano, reducidas, de nuevo, a la *actio furti nec manifesti* y *actio furti manifesti*, ambas de carácter infamante.

Respecto a la legitimación de la *actio furti*: a) compete al propietario de la cosa hurtada —y herederos— y a cualquier otra persona que tenga sobre ella algún derecho real o personal y b) se puede ejercer contra: el ladrón y contra las demás personas que hubieran cooperado con él —*ope*— o le hubieren instigado o instruido —*consilio*—[51].

6. DELITO DE ROBO, *RAPINA*

La *rapina* —rapiña o robo— o *vi bona rapta* —bienes sustraídos por la fuerza— es un delito privado que consiste en la sustracción violenta de una cosa ajena[52].

---

[50] A tenor de las referencias de las fuentes cabe esbozar la siguiente evolución. A) Si el hurto es manifiesto —sin agravantes—: a) si el ladrón es persona libre *impubes*, será azotado —*verberatio*— y si es *pubes* será azotado y entregado al ofendido —*addictus*— quedando en situación similar a la del esclavo; b) si el ladrón es esclavo, se procede a la pena de azotes y a despeñarlo desde la roca Tarpeya. B) Si el hurto manifiesto es con agravantes —como nocturnidad o con armas— se permite matar al ladrón siempre que se anuncie a voces —*cum clamore*—.

[51] Por su carácter penal no podrá ejercerse contra los herederos del ladrón.

[52] Como analogía a la *actio furti*, supone: a) dolo malo; b) se aplica sólo a los bienes muebles y c) no procede contra los herederos del culpable —si se aprovechan del robo quedan sujetos a la *condictio sine causa*—. Como diferencias, tiene: a) distinta cuantía y b) se toma en cuenta sólo el valor de la cosa considerada en sí misma.

En origen, fue una figura particular del *furtum*, pues, en suma, se trata de un hurto cualificado —agravado— por la violencia[53] y se configura como delito independiente en el año 76 AC. cuando el Pretor Terencio Lúculo introduce una acción especial: la de los bienes arrebatados por la violencia —*actio vi bonorum raptorum*— de carácter infamante[54], por el *quadruplum* del valor de los bienes robados si se ejerce dentro del año y el *simplum* si después de éste. Justiniano la configura como acción mixta y el resarcimiento se incluye dentro del *quadruplum*[55].

7. DELITO DE DAÑOS, *DAMNUM INIURIA DATUM*

I. Ideas generales

A) En general, el daño —*damnum*— injustamente —*iniuria*— causado —*datum*— es la lesión o destrucción de una cosa ajena con dolo o culpa.

B) Tiene una gran importancia, siendo la figura más general de delito privado y la principal fuente de obligaciones nacida de acto ilícito.

C) Se diferencia: a) del hurto —*furtum*— en que, en el infractor, no se presupone beneficio alguno y b) de la injuria —*iniuria*— en que, en el perjudicado, no hay ofensa en su persona y sí sólo en su patrimonio.

---

[53] Gayo dice: Quien arrebata con violencia cosas ajenas —*Qui res alienas repit*— también se obliga por la acción de hurto —*tenetur etiam furti*— ¿Pues quien sustrae una cosa ajena más contra la voluntad de su dueño —*Quis enim magis alienam rem invito domino contrectat*— que quien la arrebata por la fuerza? —*quam qui vi rapit?*— Por eso se dice rectamente —*Itaque recte dictum est*— que es un ladrón descarado —*eum improbum furem esse*—.

[54] En derecho clásico, tenía sólo carácter penal, y es distinta de las acciones de resarcimiento y acumulable a ellas.

[55] Hay un caso en el que la violencia no comporta el ejercicio de la *actio vi bonorum raptorum*, es cuando alguien se apodera de una cosa ajena, por la fuerza, creyendo que es suya. No existe robo por su falta de intencionalidad, sin embargo, ya en el *ius novum* —para evitar que nadie se tome la justicia por su mano— se establece que si la cosa efectivamente es suya pierde su dominio y si no lo es, debe restituirla y, además a título de pena, pagar su valor.

II. Régimen

A) La regulación de este delito se remonta a la *lex Aquilia de damno iniuria datum*[56], de fecha incierta (hacia el 286 AC). Esta ley constaba de tres capítulos, de los que revisten particular interés el primero y el último. El primero, se refería a los casos en que alguien hubiera matado, injustamente —*iniuria*— a un esclavo o animal ajeno y la sanción impuesta al infractor era el valor máximo que, uno u otro, hubiera alcanzado el último año. El último, aludía a toda clase de daños sobre cosas animadas o inanimadas —*quae anima carent*[57]— estableciendo como sanción para el infractor, el pago del valor que la cosa dañada o destruida hubiera tenido el último mes —*quanti ea res fuerit in XXX diebus proximis*—.

El ejercicio de la *actio legis Aquiliae*, comportaba, no sólo el resarcimiento efectivo del daño causado —*damnum emergens*—, sino también de la ganancia dejada de obtener —*lucrum cesans*[58]—.

---

[56]   Antes existen disposiciones aisladas pero —así se destaca en doctrina— no puede hablarse de una figura delictual unitaria. La *lex Aquilia*, según Ulpiano, derogó las leyes precedentes que trataban del daño injusto —*Aquilia omnibus legibus quae ante se de damno iniuriae locuta sunt derogavit*— tanto las XII Tablas como otras —*sive duodecim tabulis, sive alia quae fuit*—. Sin embargo, dejó vigentes algunas acciones. Así: la *actio de pauperie* —por los daños producidos por los cuadrúpedos— la *actio de pastu pecoris* —contra el dueño del animal que pasta en campo ajeno— la *actio de arboribus sucissis* —por la tala de árboles en fundo ajeno y daños causados en las plantaciones— y la *actio de aedibus incensis* —por el incendio de la casa ajena—. El Pretor completará la primera mediante un *edictum de feris* que obligaba al dueño a responder de los destrozos causados por un animal —no doméstico— por no tomar las debidas precauciones.

[57]   Gayo, se refiere a lo que comprende el término daño: de ahí —*Unde*— que (con esta palabra se indique) no sólo las cosas quemadas o rotas o fracturadas —*non solum usta aut rupta aut fracta*— sino también —*sed etiam*— las cosas rasgadas, golpeadas o derramadas —*scissa et conlisa et effusa*— y de cualquier otro modo —*et quoque modo*— estropeadas —*vitiata*— frustradas o deterioradas —*aut perempta atque deteriores facta (hoc verbo continentur)*—.

[58]   Ejemplos referidos por Gayo —y repetidos en Instituciones de Justiniano— son: a) el del esclavo que había sido instituido heredero al que matan antes de la adición de la herencia, en el que deberá incluirse el valor de la herencia perdida —*hereditatis amissae quantitas*—; b) el de los esclavos gemelos o de una compañía de músicos o cómicos; c) el de la pareja de mulas y d) el de la cuadriga de caballos. En todos estos casos, no sólo se hará la estimación de la cosa perdida —*non solum occisi fit aestimatio*— sino se computará —*sed eo amplius id quoque computatur*— lo que por tal causa hayan desmerecido las demás —*quanto depretiati sunt qui supersunt*—.

B) A tenor de estos dos capítulos, los juristas, con su *interpretatio*, ampliaron el ámbito de la ley a nuevas hipótesis y el Pretor, concedió *acciones*: *in factum* por los daños causados en otras particulares circunstancias[59]; y *utiles* o *ficticiae* a quienes no fueran dueños de las cosas dañadas[60].

III. Requisitos

De la rica casuística suministrada por las fuentes, cabe fijar tres elementos que configuran el delito de daños: A) *iniuria* —elemento objetivo—; B) *culpa* —elemento subjetivo— y C) *damnum* —elemento causal—.

A) *Iniuria* —Ilicitud o antijuridicidad—. Es necesario que el daño sea injusto. O sea: contrario a derecho. Así, se excluyen los casos en que el daño, deriva por: a) autorizar o consentirlo la víctima[61]; b) el ejercicio de un derecho —el magistrado que obra, rectamente, en el desempeño de sus funciones[62]—; c) legítima defensa —el matar a un ladrón si no hay otro medio para evitar el peligro que nos amenaza[63]— y d) estado de necesidad —destruir la casa del vecino como único medio de evitar que se propague un incendio[64]—.

---

[59] Así, entre otros, a los causados: a) por cuadrillas de hombres armados (por el cuádruplo del daño); b) en ocasión de calamidad pública, incendios, derrumbamientos, naufragios, abordaje (por el cuádruplo); c) en ocasión de tumulto o revuelta (por el duplo); d) por los publicanos o sus dependientes, en materia de tributos o confiscaciones (por el doble).

[60] Concedió *actiones utiles*: al poseedor de buena fe, al usufructuario, titulares de otros derechos reales y a los colonos y *acciones ficticiae*, a los peregrinos.

[61] Según la vieja máxima: *Volenti non fit iniuria*. Excepto que tal consentimiento sea contra la propia ley —*contra legem*— contra las buenas costumbres —*contra mores*— o ineficaz por otras razones.

[62] Refiere Ulpiano: a) en general, que: Aquel que usa de un derecho público —*Is qui iure publico utitur*— no se considera que hace esto para causar injuria —*non videtur iniuriae faciendae hoc facere*— pues el ejercicio de un derecho no contiene injuria —*iuris enim executio non habet iniuriam*— y b) en particular, que: Si alguno porque no obedeció el decreto del Pretor —*Si quis quod decreto Praetoris non obtemperavit*— hubiere sido llevado preso —*ductus sit*— no está en el caso —*non est in ea causa*— de ejercer la acción de injurias —*ut agat iniuriari*— por causa del precepto del Pretor —*propter Praetoris preceptum*—.

[63] Según Paulo: porque todas las leyes y todos los derechos permiten repeler la fuerza con la fuerza —*vim enim vi defendere omnes leges omniaque iura permittunt*—.

[64] En este caso existen algunas dudas entre los juristas. Celso, excluye la *iniuria*: pues no lo hizo con injuria —*nec enim iniuria hoc fecit*— el que quiso defenderse —*qui se*

B) *Culpa*. Se requiere que el daño derive de dolo o culpa, aunque fuese mínima del agente[65]. Comprende, pues, toda conducta o actuación negligente o maliciosa. En principio, se exige un comportamiento positivo. Esto es una acción —*culpa in faciendo*— sin responder por la simple omisión —*culpa in omittendo*[66]— salvo que derive de una actividad iniciada con anterioridad[67]. La responsabilidad cesa cuando el hecho, pese a ser voluntario y producir un daño no se ha realizado, con esta malicia o negligencia —*iniuriae causa*— sino por otra causa, por ejemplo de «gloria o valor» —*gloriae causa et virtutis*[68]—.

Al aplicarse a los contratos la noción culpa —culpa contractual— se suele hablar, ahora, de culpa extra-contractual o *aquiliana*, recordando la ley que la creó.

C) *Damnum* —Daño—. Por daño se suele entender la lesión de un bien tutelado por la ley y matizarse que su noción es económico-

---

tueri voluit— no pudiendo de otro modo —*quam alias non potest*— y la supedita a que se haga por fuerza mayor —*nisi magna vi cogente fuerit factum*—.

[65] Hoy se tiende a sustituir el criterio de la responsabilidad subjetiva, enfoque interno o espiritualística, por el de la responsabilidad objetiva, enfoque externo, en razón a la causalidad. En derecho romano, Gayo dice que: queda impune —*Itaque impunitus est*— el que sin culpa ni dolo malo —*qui sine culpa et dolo malo*— por algún accidente causa un daño —*casu quodam damnum committit*— y Ulpiano, que: En la ley Aquilia se comprende también la culpa levísima —*In lege Aquilia et levissima culpa venit*—.

[66] Según Ulpiano: El que no labra el campo —*nam qui agrum non proscindit*— el que no cultiva las viñas —*qui vites non subserit*— así como el que consiente que se deterioren los acueductos —*item acquarum ductus corumpi patitur*— no estará obligado por la ley Aquilia —*lege Aqyuilia non tenetur*—.

[67] En ejemplo que refiere Paulo. Si el podador —*Si putator*— al desprender una rama de un árbol —*ex arbore ramum quum deiicerit*—...mató a un hombre que pasaba —*hominem praetereuntem occidit*— es responsable —*ita tenetur*— si aquella cayese en sitio público —*si is in publicum decidat*— y él no dio voces para que pudiera evitarse su peligro —*nec ille proclamavit ut casus eius evitari possit*—. Completamos con Gayo, que suministra el ejemplo del médico que tras iniciar —operar— la curación del enfermo hubiera abandonado después su curación. El que hubiere hecho bien la operación quirúrgica —*Qui bene secuerit*— y hubiere abandonado la curación —*et dereliquit curationem*— tampoco estará seguro —*securus non erit*— si no que se entiende que es reo de culpa —*sed culpae reus intelligitur*—.

[68] Ulpiano dice: Si ejercitándose alguno en la lucha —*Si quis in collluctatione*— o en un pugilato libre —*vel in pancratio*— o los púgiles entre sí —*vel pugiles dum inter se exercentur*— hubiera matado uno a otro —*alius alium occiderit*— cesa la ley Aquilia —*cessat Aquilia*— porque se entiende causado el daño por causa de la gloria y del valor —*quia gloriae causa et virtutis*— no por injuria —*non iniuriae gratia videtur damnum datum*—.

jurídica —la pérdida sufrida por el propietario— y no material —la lesión causada en la cosa—. Por ello, más que pensar en esta lesión, debe hacerse en la disminución del valor que sufre por culpa de otro[69].

Dos aspectos en particular deben considerarse: a) la necesaria relación de causa efecto entre la acción y el daño y b) que éste debe ser causado, directamente, por el agente y directamente sobre la cosa.

a) La relación de causalidad es tema difícil ya que, por lo común, el daño proviene de múltiples causas y determinar cual de entre ellas es la relevante no siempre es fácil[70]. Parece lógico que si a la acción antijurídica —*iniuria*— antes de producir el daño, sigue otra causa, completamente ajena al agente, de la que deriva el daño, la responsabilidad del primero no tenga lugar o, si se considera, lo sea en diversa medida[71].

---

[69] No necesariamente coinciden ambos aspectos e incluso, como se ha destacado en doctrina, puede darse el caso que la lesión incremente el valor del objeto y por ella pueda lograrse un mayor precio. Por ello, se negará la responsabilidad *lege Aquilia* por falta de daño. El ejemplo de Ulpiano, es revelador: Y si alguno hubiere castrado a un muchacho —*Et si puerum quis castraverit*— y lo hubiere hecho de más precio —*et pretiosorem fecerit*— escribe Viviano —*Vivianus scribit*— que deja de ser aplicable la ley Aquilia —*cessare Aquiliam*— pero que se habrá de ejercitar la acción de injurias —*sed iniuriarum erit agendum*— o la del Edicto de los ediles —*aut ex Edicto Aedilium*— o la del cuadruplo —*aut in quadruplum*—.

[70] La doctrina moderna discute entre: *causa proxima,* la más cercana en el tiempo; *causa adecuada,* la de más incidencia y la equivalencia de causas: valorando todas para una participación gradual en la responsabilidad.

[71] Ulpiano trata la muerte de un esclavo y dice: a) Si un esclavo herido de muerte —*Si servus vulneratus mortifere*— después pereciera por ruina o naufragio u otra herida —*postea ruina vel naufragio vel alio ictu maturius perierit*— no puede reclamarse por haberlo matado —*de occisso agi non posse*— sino como habiéndolo herido —*sed quasi de vulnerato*—. Pero si manumitido o vendido —*Sed si manumissus vel alienatus*— murió como consecuencia de la herida —*ex vulnere periit*— (dice Juliano) que se puede reclamar como habiéndolo matado —*quasi de occiso agi posse (Iulianus ait)*—. b) Escribe Celso —*Celsus scribit*— si alguien hubiere causado una herida mortal —*si alius mortífero vulnere percusserit*— y después otro lo hubiere rematado —*alius postea exanimaverit*— el primero no queda ciertamente obligado —*priorem quidem non teneri*— como si hubiera matado —*quasi occiderit*—, sino como habiendo herido —*sed quasi vulneravit*— porque pereció por la otra herida —*quia ex alio vulnere periit*— y que el segundo —*posteriorem*— queda obligado porque mató —*teneri quia occidit*— Lo que aprueba Marcelo... y es lo más probable —*et est probabilius*— para Ulpiano.

Ulpiano refiere el caso de que hiciéramos fuego en un rastrojo o zarzal propio y se propagara a mieses o viñedos ajenos. Apunta dos posibilidades: si lo hacemos en un día ventoso no cabrá considerar al viento como un elemento externo y somos responsables por negligencia; si el viento surge de repente, contra toda previsión humana, no lo somos.

b) Respecto a que el daño deba ser causado «en el cuerpo y por el cuerpo» —*damnum corpore corpori datum*[72]— o si se prefiere que haya un contacto directo del agente sobre el objeto terminó por desaparecer, admitiéndose la existencia de este delito aún sin aquel contacto[73] y así en derecho justinianeo, cabe ejercer una *actio in factum*, con carácter general, para resarcimiento de cualquier daño, causado por dolo o culpa, cuando entre los afectados no haya vinculo contractual[74].

8. DELITO DE LESIONES U OFENSAS, *INIURIA*

I. Concepto y clases

A) El término *iniuria* tiene varias acepciones[75]. En una amplia o general —*generaliter*— es sinónimo de antijuridicidad y equivale a

---

[72] Expresión medieval, que no se acomoda al derecho romano, que, sus juristas, con el término *damnum* aludían a la pérdida sufrida por el propietario y no a la lesión causada en la cosa.

[73] Justiniano en Instituciones mantiene el principio, pero matiza: Contra el que de otro modo causó el daño —*In eum qui alio modo damnum dederit*— suelen darse acciones útiles —*utiles actiones dari solent*— por ejemplo —*veluti*— si alguien, a un esclavo ajeno —*si quis hominem alienum*— hubiera encerrado —*ita incluserit*— para que perezca de hambre —*ut fame necaretur*—... o lo hubiera persuadido —*aut alieno servo persuaserit*— para que se subiera a un árbol —*ut in arborem ascenderet*— o bajara a un pozo —*vel in puteum descenderet*— y al subir —*et is ascendendo*— o al bajar — *vel descendendo*— se matase —*aut mortus fuerit*— o hiriese en alguna parte del cuerpo —*aut alqua parte corporis laesus erit*—.

[74] Seguimos con Instituciones... Pero si de diferente modo —*sed alio modo*— se hubiera producido un daño a un tercero —*damnum alicui contigit*— como en estos casos no basta —*cum non sufficit*— ni la acción directa —*neque directa*— ni la útil —*neque utilis*— de la Ley Aquilia —*Aquilia*— se dispuso que el culpable —*placuit eum qui obnoxius fuerit*— quede obligado por una acción por el hecho —*in factum actione teneri*—.

[75] En Instituciones de Justiniano, ofrece además de las acepciones reseñadas en el texto las de: un hecho perjudicial, como hemos tenido ocasión de ver en el daño

todo comportamiento contrario a derecho —*quod non iure fit*—. En otra restringida —*specialiter*— es una figura particular de delito y consiste en toda ofensa o lesión contra integridad física o moral de una persona[76].

B) Las injurias pueden ser: a) por el medio empleado, de palabras —*iniuria verbis*— (se suele llamar *contumelia*) o de hecho —*iniuria re*—; b) por su mayor o menor gravedad, graves —*iniuria atrox*— y leves —*levis*— y c) por la persona ofendida, directas o indirectas[77].

II. Régimen

A) En derecho arcaico —*ius civile*— las XII Tablas conocen algunos casos particulares de lesión u ofensa corporal, que comportan la imposición de una pena privada. Estos son los de: a) lesiones graves, representadas por la mutilación o ruptura de un miembro o inutilización de un órgano —*membrum ruptum*— sancionadas con la venganza talional, a menos que ofensor y lesionado pactaran una composición voluntaria; b) lesiones leves, como, magullamientos o fracturas —*os fractum*— castigadas con una composición fija —300 ases si la sufre un hombre libre y 150 si era esclavo— y c) lesiones menores —como una bofetada— cuya sanción se fijaba en una composición fija de 25 ases[78].

---

injustamente causado —*damnum iniuria datum*— y el de iniquidad o injusticia —*iniquitas* e *iniustitia*—. Pues aquel contra quien el pretor o el juez ha pronunciado una sentencia injusta —*Cum enim praetor vel iudex non iure contra quem pronuntiat*— se dice que ha sufrido injuria —*iniuriam accepisse dicitur*—.

[76] Es de advertir: por un lado, que se sanciona más desde el punto de vista de la ofensa recibida que del daño, realmente, causado y por otro, que su noción se fue ampliando hasta incluir el impedimento del uso de una cosa pública y cualquier atentado a lo que hoy llamaríamos derecho de la personalidad.

[77] La distinción entre la simple *iniuria* y la injuria grave —*atrox*— tomando la segunda como base, en síntesis es: a) la pena es superior; b) en derecho clásico, sólo el Pretor entiende de ella; c) si se hace al esclavo trasciende a su dueño; d) el hijo emancipado y el esclavo manumitido pueden perseguir a su padre y patrono. Es la distinción más importante y según Gayo: la injuria es grave —*atrox iniuria*—: a) por el mismo hecho —*ex facto*— como si a alguien hiere —*vulneratus*— pega —*verberatus*— o apalea —*fustibus*—; b) por el lugar —*ex loco*— por ejemplo si se produce en el foro —*in foro*— o en el teatro —*in theatro*— y c) por la persona —*ex persona*— como, si una persona humilde atenta contra un magistrado o senador. Justiniano en Instituciones añade: *ex loco vulneris* —por razón de la parte del cuerpo en que se hizo la herida— por ejemplo en el ojo —*veluti si in oculo quis percussus sit* —o en la frente.

[78] Comenta Gayo: Y estas penas pecuniarias debieron parecer suficientes en aquellos tiempos de extrema pobreza —*Et videbantur illis temporibus in magna paupertate*

B) El Pretor —*ius honorarium*— acomoda y transforma aquellas normas primitivas a las nuevas necesidades. Así, a través de un Edicto general y otros particulares: a) por un lado, amplía el concepto de *iniuria* a otros supuestos relativos a injurias de carácter más moral que material como: insultos públicos —*convicium*[79]—; atentados contra el pudor de alguien —*adtemptata pudicitia*[80]— y c difamación —*infamatio*[81]—; y b) por otro, somete a todos ellos, a una pena pecuniaria pero no fijada de antemano, sino acomodada, según Gayo, a cuanto se considerara bueno y equitativo —*quantum bonum et aequuum videbitur*—.

El Pretor, pues, autoriza a perseguir toda clase de *iniuriae* a través de la *actio iniuriarum aestimatoria*. La estimación, en principio, la fija el ofendido, pero, si son injurias graves es el propio Pretor quien lo realiza y el juez, por lo común, dice Gayo, no se atreverá a reducirla.

La *actio iniuriarum* es penal —por tanto intransmisible activa o pasivamente— e infamante[82].

Su ejercicio procede, cuando sufrimos la injuria, personalmente (directa) o cuando recae en la persona de nuestros *filii in potestate;* mujer, aunque no esté sujeta a nuestra potestad marital —*quamvis in manu nostra non sit*[83]— e incluso sobre nuestros esclavos (indirecta)

---

satis idoneae istae pecuniariae poenae— Sin embargo debieron quedarse desfasadas. Es conocida la anécdota, narrada por Aulo Agerio —y que toma de Labeón— que ante la escasa cuantía de la última multa, referida en el texto, un *civis* iba por la calle repartiendo bofetadas, acompañado de un esclavo que tras la *iniuria*, depositaba, en manos del ofendido, los 25 ases de precepto.

[79]   Según Ulpiano: en público, siempre que tenga lugar contra las buenas costumbres —*adversus bonos mores*— o sea para infamar o por envidia —*ad infamiam vel invidiam alicuius*—.

[80]   Según Instituciones de Justiniano procede esto cuando: se sigue a una madre de familia o a un joven o a una joven —*Sive matrem familias aut praetextatum praetextamve adsectatus fuerit*—.

[81]   Por ejemplo si uno para infamia de alguien (contra su buen nombre) —*si quis ad infamiam alicuius*— hubiera escrito compuesto o publicado un libelo o versos infamantes —*libellum aut carmen scripserit composuerit ediderit*— o hiciera con dolo malo que algo de esto se hiciera —*dolove malo fecerit quod quid eorum fieret*—.

[82]   Ser cumulativa, noxal, *in factum* y comportar «estimación», de acuerdo con su nombre, completan su naturaleza.

[83]   Gayo, refiere el siguiente ejemplo. Así: en el caso de una hija mía casada con Ticio, la *actio iniuriarum* me compete no sólo en nombre de la hija —*non solum nomine filiae*— sino también en el mío —*verum etiam meo*— y también en nombre de Ticio —*quoque et Titius nomine*—.

ya que aunque el esclavo no se puede considera sufra una injuria, nosotros podemos sufrirla a través de él[84].

Si son esclavos o personas *in potestate* los que cometen *iniuriae* se sustituye la *noxa deditio* por la presentación del culpable ante el magistrado —*In Iure*— para azotarlo —*verberatio*—.

C) El paso de la *iniuria* de delito privado a crimen —delito público— se inicia a fines del derecho preclásico con la *Lex Cornelia de Iniuriis*[85]. En derecho postclásico se amplían los casos susceptibles de persecución criminal[86] y con Justiniano se fija la alternativa entre el ejercicio de la acción privada civil y la reclamación criminal.

9. LAS OBLIGACIONES *QUASI EX DELICTO*

Las obligaciones nacen «como de un delito» —*quasi ex delicto*— cuando los hechos que las generan fueron: por un lado, tenidos como ilícitos por el pretor y sancionados con una pena pecuniaria y por otro, no recogidos por la ley —*ius civile*— ni provistos de una acción especial.

Las diferencias existentes en las distintas acciones en cada uno de estos casos y la dificultad de precisar en ellos unos rasgos comunes, hacen que, en principio, se achaque a esta fuente de obligaciones su falta de homogeneidad[87]. Después, cuando, por el afán de simetría

---

[84] Seguimos con Gayo: por ejemplo —*veluti*— cuando alguien azota a un esclavo ajeno —*si quis alienum servum verberaverit*— y en este caso se ofrece una fórmula —*et in hunc casum formulam proponitur*—. Pero cuando alguien insulta a un esclavo —*At si quis servo convicium fecerit*— o le golpea con el puño —*vel pugno eum percussierit*— no se ofrece ninguna fórmula —*non proponitur ulla formula*— ni se concede a quien la pida temerariamente —*nec temere petenti datur*—.

[85] Desde este momento, y tratándose de *iniuria atrox*, si lo desea el interesado puede dirigirse a los tribunales permanentes —*quaestiones perpetue*—. Según Instituciones de Justiniano fueron, los casos de: a) *pulsatio* —empujones—; b) *verberatio* —golpes— y c) *domum introire* —violación del domicilio—. Ulpiano, comentando la *lex Cornelia*, dirá: Se ve, pues —*Apparet igitur*— que toda injuria que se hace con la mano —*omnem iniuriam, quae manu fiat*— se contiene en la ley Cornelia —*lege Cornelia contineri*—.

[86] En la práctica, se reducen los delitos privados a los ataques corporales leves y lesiones contra el honor.

[87] Como veremos, por un lado, comprenden desde auténticos delitos dolosos, hasta supuestos en los que se prescinde de la culpa y se parte de una «responsabilidad

propio de los bizantinos se cambia en su nombre la mera alusión analógica *quasi ex delicto* —«como del delito»— por *ex quasi delicto* — «del como-delito» o «cuasidelito»— resulta creada una categoría que, no sólo en el fondo, sino también en la forma y en la propia terminología es criticable.

Los supuestos de obligaciones *quasi ex delicto* que, en Instituciones, recoge Justiniano, son:

A) Caso de que el juez hiciera suyo un proceso —*Iudex qui litem suam fecerit*—. Implica que si el juez, por su ignorancia[88] o conducta dolosa[89] o negligente[90] falta a sus deberes, como tal, y perjudica a una de las partes, está obligado a resarcir el daño causado.

B) Caso en que se derrama —*effussum*— o —*vel*— arroja —*deiectum*— algo desde una casa a la vía pública en perjuicio de un tercero. Se concede, entonces, la acción «de lo derramado o arrojado» —*actio de efussis et deiectis*— contra el *habitator* de la casa[91], sin tomar en cuenta si hubo o no culpa por su parte[92]. Si el daño afecta a una cosa se responde por el doble de su valor —*in duplum*[93]—.

---

  objetiva» y por otro, de casos en los que se ha producido la muerte de alguien hasta otros que sólo comportan una mera posibilidad de ello.

[88] Su razón de ser debe buscarse: por un lado, en la fórmula, en la que se precisaban sus facultades y debía servirle de pauta de conducta en su actuación y por otro, en la doble posibilidad que tenía de renunciar a juzgar si no veía claro el asunto —*rem sibi non liquere*— y consultar, en todo caso, a los *iurisprudentes*.

[89] Dice Ulpiano: Se entiende que el juez hace suyo el pleito —*Iudex tunc litem suam facere intelligitur*— cuando con dolo malo —*quum dolo malo*— hubiera pronunciado sentencia en fraude de la ley —*in fraudem legis sententiam dixerit*—.

[90] Gayo utiliza: *per imprudentiam* y para Ulpiano: la pena puede reducirse a la *vera estimatio litis*.

[91] Ulpiano, precisa: Más decimos que habita uno —*Habitare autem dicimus*— en casa propia —*vel in suo*— o arrendada —*vel in conducto*— o gratuita —*vel gratuito*—. Evidentemente el huésped no quedará obligado —*Hospes plane non tenebitur*—... Y si habitaran muchos en un mismo aposento —*Si plures in eodem coenaculo habitent*— de donde se arrojó alguna cosa —*unde deiectum est*— se dará esta acción contra cualquiera de ellos —*in quemvis haec actio dabitur*— ya que —razona Gayo— realmente es imposible saber —*quum sane imposibile est scire*— quien la haya arrojado —*quis deiecisset*— o derramado —*vel effudisset*—.

[92] Se basa en la falta de diligencia del *paterfamilias* por no vigilar a las personas que están bajo su potestad.

[93] Si lesiona a un hombre libre la indemnización se fija por el juez —*in bonum et aequum*— y si produce su muerte, llega a los 50.000 sestercios, teniendo entonces la acción carácter popular.

C) Caso del que puso —*possitum*— o —*vel*— suspendió —*suspenssum*— algo sobre la vía pública, que amenace caer e hiciera temer un daño. El Pretor concede la acción de «lo puesto y suspendido» —*de positis et suspensis*— contra quien habita el edificio, cuyo fin es la obtención de una multa.

D) Caso de los dueños de una nave —*nautae*— posada —*caupones*— o establo —*stabularii*— que se obligan por los hurtos y daños cometidos por sus empleados. A tal fin, el Pretor concede al perjudicado una *actio in factum* contra los dueños por el doble de su valor —*in duplum*— sin perjuicio de que se puedan ejercer las acciones que correspondan[94].

---

[94] A estos 4 casos se podrían añadir otros, tenidos con Justiniano como *quasi ex delicia*, y en especial los de: violación de sepultura —*actio sepulchri violati*—y corrupción del esclavo ajeno —*actio de servo corrupto*—.

VI. DERECHO HEREDITARIO O SUCESORIO

Tema 39

Conceptos fundamentales

1. SUCESIÓN *MORTIS CAUSA* Y HERENCIA

Hasta el momento hemos visto que a lo largo de su vida el hombre, como sujeto de derecho, puede ser titular de relaciones jurídicas, esto es, de derechos y de obligaciones. El fallecimiento de una persona priva pues de sujeto a un patrimonio, pero no determina, necesariamente, la extinción de todas las relaciones jurídicas de las que era titular[1], y sí solo las que se consideran intransmisibles, en atención a su carácter personalísimo, o simplemente porque se extinguen con su muerte[2].

I. Derecho hereditario o sucesorio

El Derecho hereditario o sucesorio —términos empleados indistintamente en doctrina— es la rama del Derecho privado[3] que regula, no sólo el destino del patrimonio de una persona tras su muerte, sino también las nuevas relaciones jurídicas que nacen como consecuencia

---

[1]   Por ejemplo, el derecho de propiedad sobre una finca.

[2]   En este sentido, si bien el derecho de usufructo se establece en atención a la persona del usufructuario, y por lo tanto es personalísimo, la *manus* sobre la mujer se extingue por el simple fallecimiento de su titular.

[3]   En cuanto a su ubicación en las fuentes romanas, debe remarcarse que esta parte del Derecho privado suele aparecer entre los diferentes modos de adquirir la propiedad. Así, Gayo, después de exponer los distintos modos por los que se adquieren las cosas singulares —*Hactenus tantisper admonuisse sufficit quemadmodum singulae res nobis adquirantur*—, pasa a analizar de qué modo adquirimos las cosas a título universal —*Videamus itaque nunc quibus modis per uniuersitatem res nobis adquirantur*— tratando en primer lugar las herencias —*Ac prius de hereditatibus dispiciamus*—. Una sistemática similar fue acogida por nuestro código civil (Libro 3.º, título III).

de ella[4]. Procurando matizar: Derecho hereditario comporta y destaca desde un punto de vista objetivo, la herencia; mientras que Derecho sucesorio comporta y destaca desde un punto de vista subjetivo, la sucesión. Detengámonos, pues, en el análisis de estos dos términos: sucesión —*successio*— aspecto subjetivo y herencia —*hereditas*— aspecto objetivo, que en el fondo, y así se destaca en doctrina, no son más que dos aspectos de un mismo fenómeno.

II. Sucesión: concepto, tipos y personas que intervienen

A) El fenómeno de la sucesión supone que una persona se coloca en el lugar de otra[5]; jurídicamente, su significado no difiere del gramatical y comporta, pues, la subrogación o sustitución de una persona en la titularidad de los derechos (= activo) y de las obligaciones (= pasivo) de otra. En definitiva, es el traspaso de todo o parte de un patrimonio al adquirente (mejor dicho, sucesor), que asume la posición jurídica que ocupaba el transmitente (o antecesor)[6].

B) La sucesión puede distinguirse según dos criterios: a) por su eficacia y b) por su extensión.

a) Por el momento en que comienza a surtir efectos, la sucesión es *inter vivos*, cuando transmitente y adquirente viven al tiempo en que se produce y *mortis causa,* cuando la sustitución en la titularidad de las relaciones jurídicas se produce como consecuencia del fallecimiento del transmitente[7]; y b) por su ámbito o extensión[8], puede distinguirse entre *successio* a título universal (*in universum ius),* si

---

4 Por ejemplo, qué pasa con una casa que era propiedad del difunto, el nombramiento de un tutor o el pago del impuesto sucesorio.

5 El verbo *succedere* significa continuar en una determinada situación, colocarse en el lugar que ocupaba otra persona en virtud de un derecho propio.

6 En palabras de Gayo, cuando somos instituidos herederos de una persona —*Si cuis heredes facti sumus*— sus bienes pasan a ser nuestros —*eius res ad nos transeunt*—.

7 Ejemplos respectivos serían: la compra de un terreno de A por B y que A deje en su testamento un cuadro a B.

8 Idea que debe matizarse, como ha sido puesto de manifiesto por la doctrina, puesto que la sucesión a título universal debe entenderse más en sentido cualitativo, como posibilidad de suceder en todo tipo de relaciones jurídicas —menos las intransmisibles— que cuantitativo, ya que puede suceder que el heredero no llegue a entrar en algunas de ellas, como por ejemplo en los bienes que el causante ha dejado a los legatarios, o incluso que sólo adquiera una parte o cuota de la herencia, como por ejemplo, en los supuestos de pluralidad de herederos.

abarca todo el patrimonio del transmitente, y *successio* a título particular *(in singulas res),* cuando la sustitución tiene lugar en una relación jurídica concreta de éste, o incluso varias singulares e independientes, pero nunca sobre la totalidad[9].

Los mentados criterios clasificatorios pueden entrelazarse, y así, centrándonos en la sucesión *mortis causa* —que es la que aquí nos interesa— ésta puede ser a título universal[10], nos referimos entonces a la herencia, o a título particular[11], en cuyo caso hablamos de legado[12].

C) A tenor de lo expuesto, las personas que suelen intervenir en una sucesión *mortis causa* son: a) el difunto, fallecido, causante de la sucesión, o *«de cuius»*, abreviación de la frase *«is de cuius hereditate agitur»* = aquél de cuya sucesión se trata; b) el heredero o sucesor a título universal y c) el legatario o sucesor a título particular.

III. Herencia: naturaleza y objeto

A) Pasemos a analizar la naturaleza de la herencia[13]. En Derecho Romano, la herencia y la familia aparecen íntimamente ligadas hasta

---

[9] Por ejemplo, el difunto me deja en el testamento uno o varios cuadros.

[10] También hallamos en las fuentes romanas numerosos ejemplos de sucesión *inter vivos* a título universal, así por ej: la *adrogatio* (arrogación) de un *pater familias* por otro *pater familias*, la *conventio in manum* de la mujer *sui iuris*, casos en los que realmente no se produce una sucesión universal tal y como se entiende en la actualidad, sino simplemente una adquisición a título universal, ya que el sucesor no entra en las deudas de su antecesor, las cuales quedan teóricamente extinguidas por *capitis deminutio*. Otros casos podrían ser la *bonorum sectio* o procedimiento por el cual el Erario y después el Fisco vendían los bienes de una persona, como por ejemplo, por comisión de un delito y la *bonorum venditio*.

[11] También recogen las fuentes numerosos ejemplos de sucesión *inter vivos* a título particular, sirva como ejemplo, por todos, la enajenación de un bien por medio de una *mancipatio*.

[12] Esta última fue desconocida como sucesión por los juristas de la época clásica quiénes calificaron al legado de simple adquisición —*singulas res adquirimus,* dice Gayo— puesto que no podía decirse que el legatario (=adquirente) se colocaba en la misma posición jurídica que tenía el legante (=causante de la sucesión). Esto es, la sucesión en sentido amplio —incluyendo tanto la sucesión a título universal como a la particular— parece no admitirse hasta la época postclásica.

[13] En palabras de Gayo, la herencia no es otra cosa —*Nihil est aliud «hereditas»*— que la sucesión —*quam successio*— en todo el derecho que tuvo el difunto —*in universum ius, quod defunctus habuit*—.

el punto de que en algunos textos ambos términos se refieren al patrimonio del fallecido[14]. La herencia, desde este punto de vista, garantiza la continuidad de la familia a través del traspaso del patrimonio del difunto a alguno o algunos de sus familiares[15]. Así, en el antiguo derecho quiritario, la sucesión hereditaria está conectada con la estructura de la familia agnaticia, entendiendo que al fallecer el *pater* debía sustituirle —sucederle— un heredero. Sin embargo, la limitación que ofrecen las fuentes ha hecho que la doctrina no se ponga de acuerdo en cuanto al carácter, religioso, político o patrimonial de la herencia en este tiempo. Por contra, sí puede afirmarse el carácter patrimonial de la misma en el derecho clásico, ya que para los juristas de la época, ésta se concibe como una *res incorporalis* claramente diferenciada de los bienes y derechos que la componen, esto es como una *universitas iuris*. Las tendencias de la época postclásica y justinianea se encaminan hacia la concepción de que el heredero continúa la personalidad jurídica del difunto.

B) En cuanto al posible contenido u objeto de la herencia, cuestión conectada directamente con su naturaleza, recordamos que podía contener todos los derechos y obligaciones que formaban el patrimonio del causante a excepción de las relaciones intransmisibles[16] entre las que cabe destacar:

a) en la esfera pública, las magistraturas y los cargos públicos;

b) en la esfera privada, en general las relaciones vinculadas a su persona, esto es: 1.º) en derecho de familia, la *manus*, la patria potestad y la tutela; 2.º) en derechos reales, el usufructo, el uso y la

---

[14] Baste recordar el nombre de la acción de partición de herencia —*actio familiae erciscundae*—.

[15] Dicho esto, no han faltado autores que ponen de manifiesto la diferencia que existe en Derecho romano entre el término herencia —*«hereditatis» apellatio*— entendido según Pomponio como palabra jurídica —*iuris nomen est*— la cual comprende, sin duda, también la herencia gravosa —*sine dubio continet etiam damnosam hereditatem*— y el de patrimonio —*patrimonium*—, que está compuesto, según Paulo, por los bienes —*«bona»*— que quedan después de deducidas las deudas —*quae deducto aere alieno supersunt*—. De donde parece que no puede hablarse de patrimonio compuesto exclusivamente por deudas, pero si de *hereditas damnosa*, esto es, herencia formada exclusivamente por éstas.

[16] Con alguna excepción destacable, como la de la transmisión de créditos, que antes de Marco Aurelio no se admitía como sucesión a título particular, pero sí como sucesión a título universal, *inter vivos o mortis causa*.

habitación; 3.º) en derecho de obligaciones, la sociedad, el arrendamiento en algunos casos, el mandato y las obligaciones derivadas de una *stipulatio in faciendo* y 4.º) en el derecho sucesorio[17], el *ius delationis* u ofrecimiento de la herencia y la expectativa que deriva de un legado de usufructo o sometido a condición suspensiva hasta que pueden hacerse efectivos.

Tampoco hay que olvidar que la adquisición o aceptación de la herencia conllevaba, en el caso de que el heredero fuese a la vez deudor o acreedor del causante, la extinción de dichas relaciones jurídicas transmisibles por confusión.

El patrimonio del causante recibe en las fuentes romanas la denominación de *as* hereditario y solía dividirse, para facilitar su reparto en caso de pluralidad de herederos, como en su momento veremos, en doce partes denominadas *unciae* = onzas[18].

2. SITUACIONES EN QUE PUEDE ENCONTRARSE LA HERENCIA

La herencia es una relación que se desarrolla en el tiempo y supone distintos momentos, íntimamente vinculados. Así, sucesiva y cronológicamente, puede encontrarse en distintas situaciones con una propia denominación. Precisemos aquellas y ésta.

1.ª) Antes de fallecer el causante: herencia sin deferir o presunta, aunque en rigor no debería hablarse de herencia de una persona viva —*viventis non datur hereditas*—.

2.ª) A su fallecimiento: herencia abierta.

---

[17] Un régimen particular se vislumbra en relación a los *sacra,* el *ius sepulchri* y el derecho de patronato, que sufren una doble regulación: la antigua, que impedía su delación a extraños que no fuesen miembros de la familia y la nueva, que la permite en consonancia con el poder llamar como herederos a personas extrañas a la familia.

[18] El término *As*, como la antigua moneda y el n.º 12, preferible a 10 por sus mayores posibilidades de división. Según las fuentes estas partes tienen nombres propios desde la onza hasta el *as*: *uncia* (=1/12 parte); *sextans* (=1/6 =2 onzas); *quadrans* (=1/4 =3 onzas); *triens* (=1/3 =4 onzas); *quincunx* (=5 onzas); *semis* (=1/2=6 onzas); *septunx* (=7 onzas); *bes* (=2/3 = 8 onzas); *dodrans* (=3/4 =9 onzas); *dextans* (=5/6= 10 onzas); *deunx* (=el as menos una onza); *as* (=doce onzas).

3.ª) Tras el fallecimiento del *de cuius* y ofrecerse al heredero para que, en su caso, la acepte: herencia deferida u ofrecida.

4.ª) Tras el ofrecimiento de la herencia, pero antes de su aceptación: herencia yacente[19].

5.ª) Tras la adquisición, aceptación o adición de la herencia: herencia adquirida, aceptada o adida. Hablaremos de adquisición sólo en los supuestos en que el heredero sea necesario, esto es cuando no tenga la posibilidad de aceptar o renunciar a la herencia, sino simplemente de adquirirla y de aceptación o adición, cuando se trate de herederos voluntarios, que son aquéllos a los que realmente se les ofrece la herencia, para que la acepten o para que renuncien a ella.

Sólo en los supuestos de pluralidad de herederos —comunidad hereditaria— se puede distinguir tras la aceptación o adquisición entre: a) herencia indivisa: si aún no se ha dividido, o b) herencia dividida o adjudicada, si ya se ha dividido entre los coherederos.

6.ª) Si tras el ofrecimiento de la herencia ésta no se acepta y además no se espera que tenga heredero: herencia vacante.

3. LA *BONORUM POSSESSIO*

I. Herencia y *bonorum possessio*

Al lado de la *hereditas*, institución propia del *ius civile*, aparece en la República —hacia la 2.ª mitad del s. II AC.— la *bonorum possessio* o, como su nombre indica, la posesión de los bienes (hereditarios), que concede el pretor previa solicitud de la persona interesada[20]. Esta adquiere con su concesión, no la condición de *heres*, y por lo tanto de propietario según el derecho civil, sino de *bonorum possessor*, esto es,

---

[19]   Los textos dicen *hereditas iacet* y nosotros adjetivamos este último término y hablamos de herencia yacente.

[20]   La función del pretor queda expresamente recogida en las Instituciones de Justiniano: el pretor dilató conforme a lo bueno y a lo equitativo el derecho de percibir las herencias, constituido en estrechísimos límites por la ley de las Doce Tablas —*nam angustissimis finibus constitutum per legem duodecim tabularum ius percipiendarum hereditatem praetor ex bono et aequo dilatavit.*

la de simple poseedor[21]—poseedor *ad usucapionem*— de dichos bienes, según el derecho honorario, y resulta protegido, según los supuestos, con la acción publiciana y los interdictos[22].

II. Origen y evolución

El origen de esta figura ha sido discutido en la doctrina, y la postura dominante parece conducirlo a exigencias del ámbito procesal, cuando el pretor regula la posición de las partes en una controversia hereditaria, atribuyendo provisionalmente, la posesión de los bienes hereditarios a una de ellas, quien adquirirá, en su caso, la posición de demandado en un proceso posterior sobre la titularidad de la herencia[23].

Parece ser que hacia el s. I AC. se realiza una primera sistematización de las causas, establecidas en el edicto, por las que una persona podía solicitar la posesión de los bienes al pretor, fijando un orden en relación a los legitimados a pedirla[24].

---

[21] Como dice Gayo, las personas que el pretor llama a la herencia —*quos autem praetor uocat ad hereditatem*— no se hacen por eso herederos de derecho —*heredes ipso quidem iure non fiunt*— pues el pretor no puede hacer herederos —*nam praetor heredes facere non potest*— ya que estos lo son únicamente por la ley o por una disposición legal análoga, como por ejemplo, un senadoconsulto o una disposición del príncipe—*per legem enim tantum uel similem iuris constitutionem heredes fiunt, uelut per senatusconsultum et constitutionem principalem*— pero como el pretor les da la posesión de los bienes hereditarios —*sed cum eis praetor dat bonorum possessionem*— se sitúan en el lugar de herederos —*loco heredum constituuntur*—. Con la *bonorum possessio,* en la práctica, al lado del heredero civil aparece un heredero pretorio.

[22] Para pedir la restitución de los bienes de quien los tiene como heredero o poseedor se concede al *bonorum possessor* el interdicto *quorum bonorum*; de quien los tiene a título de legado el interdicto *quod legatorum*; y contra los deudores hereditarios el pretor lo protege concediendo fórmulas en las que se finge la cualidad de heredero («*si heres esset»*).

[23] De este modo, también el pretor intentó evitar los inconvenientes de la yacencia de la herencia y de la usucapión como heredero —*usucapio pro herede*—.

[24] Las noticias más antiguas que nos han llegado sobre la *bonorum possessio* — llamada también *hereditatis possessio*— son de un edicto de tiempos de Cicerón, en el que se señala la posibilidad de conceder la posesión de los bienes hereditarios a la persona que presente las tablas del testamento, con los siguientes requisitos: 1.°) que sea él el instituido heredero, 2.°) que se trate de un testamento escrito y 3.°) que el documento esté sellado. A falta de testamento, pueden solicitar la posesión de los bienes los herederos *ab intestato* según el derecho civil. Y por último parece que si

Con el paso del tiempo se va produciendo una equiparación paulatina entre la *hereditas* civil y la *bonorum possessio* pretoria, convirtiéndose ésta última, durante la época clásica, en un verdadero sistema sucesorio[25] que integra el ya existente[26].

En época postclásica, desaparecido, en la práctica, el dualismo *ius civile-ius honorarium*, la distinción: herencia y *bonorum possessio* carece de fundamento, lo que se manifiesta, sobre todo, en la admisión, por un lado, de las distintas formas de testar propias del derecho pretorio, y por otro, en la imposición del orden de llamamientos de la *bonorum possessio sine tabulis testamenti*, basado en el parentesco de sangre, y que se consolidará después en las Novelas.

III. Clases de *bonorum possessiones*

La *bonorum possessio* puede clasificarse en atención a su: A) vínculo con el edicto del pretor; B) relación con el testamento y C) eficacia.

A) Por su vinculación con el edicto del pretor cabe distinguir entre una *bonorum possessio edictalis*, cuando el supuesto está contemplado en el edicto y una *bonorum possessio decretalis*, cuando no lo está. La *bonorum possessio* debía ser solicitada ante el pretor, dentro del

---

no se presentaban ante el pretor los herederos testamentarios o los intestados, éste podía actuar según la equidad, vía decreto —*decretalis*—, y previo análisis del supuesto planteado —*causae cognitio*— en principio pues, respecto de personas ligadas al difunto a través de vínculos de sangre. En general puede afirmarse que la *bonorum possessio* de esta época es siempre *sine re*, o sea, sin protección, que existe ya un orden sucesorio de llamados y que sólo se conocen la *b.p. secundum tabulas* y la *sine tabulis*, ya que la *b.p. contra tabulas* se conoce a partir de la época de Augusto.

[25]   En el orden puramente formal cabe afirmar que la *bonorum possessio* encuentra su definitiva sistematización en el edicto adrianeo, en el que se establecen los siguientes principios: 1.°) pueden solicitar la *b.p. secundum tabulas* tanto los herederos según un testamento civil como según un testamento pretorio; 2.°) se impone la obligación al *pater familias,* que haga testamento, de nombrar a los hijos (para instituirlos o desheredarlos) ya que si no el testamento se considera inválido y 3.°) si no hay un testamento válido, se establece un nuevo orden sucesorio basado en vínculos de sangre. Parece que se producen ciertas modificaciones en tiempos de Antonino Pío.

[26]   A tener en cuenta que la *bonorum possessio cum re*, o sea, con protección pretoria, hace que el heredero civil tenga exclusivamente la titularidad de la herencia. Además, como tal posesión de bienes incorpora una *iusta causa usucapionis*, el *bonorum possessor* puede incluso llegar a adquirir la condición de propietario *iure civile*.

plazo de un año por los ascendientes y descendientes, naturales o adoptivos, y de cien días para los demás. El pretor, examinado el caso, podía concederla o no en atención a los requisitos establecidos para ello en el edicto (*bonorum possessio edictalis*) aunque, por su *imperium*, podía también concederla en casos concretos no recogidos en el mismo *(bonorum possessio decretalis)*. Sin embargo, este criterio pronto perdió importancia al incluirse en el edicto los supuestos de *bonorum possessio decretalis*, si bien se mantuvo en el sentido de que esta última tenía carácter provisional, y la *causae cognitio* era más amplia[27].

B) Por su relación con el testamento[28]: Según Ulpiano, la posesión de los bienes se puede dar —*bonorum possessio datur*— contra el testamento, según el testamento y sin testamento —*contra tabulas testamenti aut secundum tabulas aut intestati*—.

a) En la *bonorum possessio secundum tabulas testamenti*: el pretor concede la posesión de los bienes hereditarios a la persona (o personas) instituida heredera en un testamento aun cuando éste adolezca de vicios de forma, ayudando de este modo al *ius civile* a salvar los inconvenientes producidos por su extremo formalismo, en favor de la voluntad del testador y concediendo de este modo validez a nuevas formas de testar[29];

b) En la *bonorum possessio sine tabulis testamenti*: el pretor concede la posesión de los bienes hereditarios, sin existir válido testamento, a determinadas personas basándose principalmente en el parentesco consanguíneo y supliendo de esta forma la laguna que en relación a los vínculos de sangre ofrecía el *ius civile*[30].

---

[27] Son ejemplos de *b. p. decretalis*, la concedida al hijo cuya legitimidad era discutida, durante la controversia —*b.p. ex edicto carboniano*—; la acordada a la viuda que quedó encinta —*b.p. ventris nomine*— y la otorgada a petición del curador de un loco —*b.p.furiosi nomine*—. A ellos aludimos en Tema 10.5 en la *missio in possessionem*.

[28] Tal clasificación se corresponde con los tres tipos de delación: testamentaria, intestada y contra testamento.

[29] El pretor concede este tipo de *bonorum possessio* a los designados en un testamento, siempre y cuando no exista alguien que tenga derecho a la posesión *contra tabulas testamenti* o existiendo, no la quiera solicitar.

[30] La posesión de bienes sin testamento se concede en siete grados sucesivos: 1.º) a los descendientes, incluso los emancipados y adoptivos, pero no los dados en adopción; 2.º) a los herederos legítimos; 3.º) a los cognados próximos, incluso en caso de parentesco por línea femenina, y de haber sufrido pérdida de estado, ya que conservan la condición cogantícia; 4.º) a la familia del patrono; 5.º) al patrono; 6.º)

c) En la *bonorum possessio contra tabulas testamenti*: el pretor concede la posesión de los bienes a determinadas personas, en contra de lo establecido en un testamento válido, corrigiendo de este modo al *ius civile*[31].

Por lo tanto vuelve a manifestarse en el derecho hereditario las funciones propias del *ius honorarium*, esto es, la de ayudar —*adiuvandi*— en el primer caso, suplir —*supplendi*—, en el segundo, y la de corregir —*corrigendi*— en el tercero, al derecho civil, por razón de utilidad pública —*propter utilitatem publicam*—.

C) Por su eficacia —y siempre que el heredero civil y el *bonorum possessor* no sean la misma persona— cabe distinguir entre *bonorum possessio sine re* y *cum re*. La *sine re* (sin la cosa = sin eficacia), se produce cuando el pretor tras haber concedido la posesión de los bienes hereditarios, no sigue apoyando al *bonorum possessor* frente a la reclamación de la herencia —vía *hereditatis petitio*— por parte del heredero civil[32], lo que hace que finalmente triunfe éste. La *bonorum possessio cum re* (con la cosa = con eficacia), cuando por contra, sí lo apoya frente al heredero civil, por ejemplo, denegando la acción solicitada por éste, o concediendo una *exceptio* en contra de su reclamación.

En un principio la posesión de los bienes atribuida por el pretor fue *sine re*, con el tiempo se admitió *cum re*; fue entonces y no antes, según doctrina, cuando realmente pudo afirmarse la función correctora del derecho honorario.

4. LA PROTECCIÓN DEL HEREDERO

En la protección procesal del heredero vuelve a manifestarse el dualismo entre el sistema civil y pretorio, discurriendo a través de una serie de acciones e interdictos.

---

al cónyuge y 7.ª) a los cognados del manumisor a quienes por la ley Furia les es lícito adquirir más de mil ases. Si no hay nadie a quien pueda corresponder la posesión de los bienes, se hacen caducos y pasan al pueblo —*ex lege Iulia caducaria*—.

[31] Este tipo de posesión de los bienes se concede a los descendientes naturales sólo si están emancipados, y a los adoptivos sólo si siguen sujetos a la patria potestad.

[32] Así, tanto puede privarles de los bienes un heredero instituido *iure civile*, como un heredero legítimo abintestato.

I. Acciones

Es lógico pensar que, como sucesor del difunto, el heredero podía ejercer todas las acciones —reales y personales— derivadas de los distintos derechos y obligaciones que había adquirido[33]. Sin embargo, dentro de las acciones, y centrándonos en la esfera sucesoria, cabe afirmar la primacía de la *hereditatis petitio* o acción de petición de herencia, que es la que protege al heredero civil —*ex asse* o *pro parte*; testamentario o intestado— en caso de controversia sobre su cualidad de heredero, o cualquier cuestión relacionada con ella[34] y con la finalidad última de reclamar la herencia en su conjunto.

Por lo tanto, sólo puede solicitarla —legitimación activa— el que afirma *in iure* ser el heredero civil[35] —no *bonorum possessor*— y está dispuesto a probarlo *apud iudicem*, en un primer momento, (*legis actiones*) contra —legitimación pasiva— el que poseía la herencia como heredero —*possessor pro herede*—, más tarde, (*agere per formulas*) también contra el que la poseía como poseedor —*possessor pro possessore*— y finalmente, parece que a finales de la época clásica, incluso contra los poseedores ficticios —*ficti possessores*—[36].

En cuanto a sus efectos, con el ejercicio de dicha acción se pretendía la restitución de la totalidad de la herencia, o la de los bienes o derechos concretos reclamados, además de los aumentos acaecidos en los mismos y la reclamación de la posible responsabilidad en su gestión.

---

[33] Por ejemplo, podía como propietario de una casa ejercer la *reivindicatio* para reclamarla o la *actio venditi*, para exigir el precio de una compraventa, como vendedor.

[34] Podía por ejemplo ejercerse contra un deudor del difunto que se negase a pagar al heredero, fundando su negativa en la falta de condición de heredero de la persona solicitante. Pero lo que, en el fondo, iba a analizar el órgano judicial competente, o sea el *thema decidendum* del proceso, era la veracidad del título de heredero del actor.

[35] Más tarde se concede con carácter de *utilis,* a las personas que pudiesen encontrarse en una situación análoga a la del heredero civil, como: el fideicomisario universal (*hereditatis petitio fideicommissaria*); el Fisco en relación a los *caduca*; al que adquiera del Fisco dichos bienes, o al *bonorum possessor* (*hereditatis petitio possessoria*).

[36] Como: el que deja dolosamente de poseer antes de la *litis contestatio*, o el que simula poseer. Si el poseedor se negaba a intervenir en el proceso, se podía intentar contra él el *interdictum quam hereditatem,* por el que se le solicitaba la entrega de los bienes hereditarios.

A partir del SC Juvenciano —*Iuventianum*— propuesto por el cónsul Juvencio Celso —jurista proculeyano— en el año 129[37], se agrava la responsabilidad del poseedor de los bienes hereditarios que actuaba de mala fe[38], esto es, a sabiendas de que no era el heredero, frente al de buena fe, quien podía reclamar, en su caso, los gastos útiles y necesarios realizados en los bienes[39].

En cuanto a su naturaleza jurídica, en época antigua se tramitaba como una *vindicatio generalis* —*actio in rem*— contra el que poseía todos o algunos de los bienes hereditarios, y en época clásica presenta un gran paralelismo con la acción reivindicatoria[40]. Justiniano la considera como una acción de buena fe de carácter mixto.

A través de la *actio familiae erciscundae* o acción de partición de herencia, cualquiera de los coherederos podía solicitar el fin del estado de comunidad al que habían accedido tras la aceptación de la herencia[41].

II. Interdictos

En cuanto a los interdictos (término que advierte va a proteger una situación posesoria) cabe destacar el *interdictum quorum bonorum* (= de cuyos bienes), configurado en la misma línea que la *hereditatis*

---

[37] Que se aplicó, desde época clásica, a las peticiones hereditarias entre particulares y creado en principio para la *vindicatio caducorum*.

[38] Si bien es cierto que tras la *litis contestatio* todo poseedor era considerado de mala fe, en el caso del poseedor de los bienes hereditarios, nunca se produjo una equiparación absoluta entre el que había sido de buena fe antes de la *litis contestatio* y el que lo había sido en todo momento de mala, ya que sólo éste respondía del caso fortuito.

[39] Por ejemplo, el poseedor de mala fe era el único que respondía incluso de los frutos que hubiese debido percibir, de los daños debidos a culpa leve y de los bienes enajenados teniendo en cuenta el valor de la venta o el valor actual, a elección del actor. En el caso de pérdida de bienes hereditarios, si ocurrió antes de la *litis contestatio*, sólo respondía el poseedor de buena fe; si después, respondían ambos, aunque el de buena fe sólo por culpa.

[40] Por vía de síntesis, y por analogía con la acción reivindicatoria podría decirse que si ésta es la acción que compete al propietario no poseedor contra el poseedor no propietario, para que se reconozca su derecho de propiedad, la acción de petición de herencia es la que se concede al heredero no poseedor contra el poseedor no heredero, para que se reconozca su condición de heredero.

[41] Sobre esta acción volveremos al tratar la comunidad hereditaria, Tema 41.3.

petitio pero, esta vez, por parte del derecho honorario y con la finalidad de proteger al *bonorum possessor* contra el que posee un bien hereditario o varios[42] —sin existir una *iusta causa* a título particular— como heredero, como simple poseedor o incluso contra los que dejan dolosamente de poseer[43]. Se trata, en definitiva, de un interdicto restitutorio[44].

El *interdictum quod legatorum* (= lo que por legado) puede solicitarse en una primera época sólo por el *bonorum possessor* contra el legatario o *possessor pro legato* (poseedor como legatario) que empieza a poseer sin permiso los bienes que le han sido legados, debiendo prestar una garantía de devolución de los mismos (*cautio legatorum servandorum causa*) y con el fin de impedir que adquiriese su propiedad por usucapión. Parece que ya en la época clásica se extiende la posibilidad de solicitar dicho interdicto al heredero que no hubiese consentido la posesión del legatario. En suma, es aquel interdicto por el que todo lo que se ocupa, por causa de legado, sin consentimiento del heredero debe restituirse a éste.

---

[42] Si lo que quería reclamar el *bonorum possessor* era cualquier derecho o crédito concreto de la herencia, podía hacerlo solicitando al pretor la acción que hubiese correspondido al heredero; éste, en su caso, la concedía con el carácter de útil, una fórmula ficticia en la que aparecía el heredero pretorio como si fuera civil.

[43] En este sentido, a veces la posesión de los bienes hereditarios es ofrecida no para corregir o refutar el derecho antiguo, sino más bien para confirmarlo —*Aliquando tamen neque emendandi neque inpugnandi ueteris iuris, sed magis confirmandi gratia pollicetur bonorum possessionem*—. Por ejemplo, también da el pretor la posesión de los bienes hereditarios a aquellos que han sido instituidos herederos en un testamento hecho correctamente...—*Nam illis quoque qui recte facto testamento heredes instituti sunt, dat secundum tabulas bonorum possessionem*...—. En estos casos, la única utilidad que parece obtenerse para aquel que así pide la posesión de los bienes hereditarios —*Quibus casibus beneficium eius in eo solo uidetur aliquam utilitatem habere*— es que puede utilizar el interdicto que comienza con las palabras *Quorum Bonorum* —*ut is qui ita bonorum possessionem petit, interdicto cuius principium est QUORUM BONORUM uti possit*—.

[44] Con Justiniano las figuras en estudio se unifican, y se admite el ejercicio de este interdicto por un heredero civil, lo mismo que puede un *bonorum possessor* ejercer la *hereditatis petitio possessoria*.

Tema 40

La herencia: Delación y aceptación

1. TIPOS DE HEREDEROS

En Derecho Romano se debe distinguir, a los efectos de la adquisición o aceptación de la herencia, entre distintos grupos o clases de herederos[1]. Así, Gayo dice que a los herederos se les llama necesarios, de derecho propio y necesarios, y extraños —*Heredes autem aut necessarii dicuntur aut sui et necessarii aut extranei*—.

A) Herederos necesarios —*heredes necessarii*— eran los que, automáticamente, adquirían la herencia tras el fallecimiento del *de cuius*, sin necesidad de aceptación ni posibilidad de renuncia. A su vez, podían ser de dos tipos: «necesarios, sin más» y «suyos y necesarios».

a) «Herederos necesarios sin más» —*heredes necessarii tantum*— eran los esclavos instituidos herederos y manumitidos por el causante en el testamento[2]. Se llaman así, porque al tiempo de fallecimiento del causante se hacen libres y herederos *ipso iure*, esto es, con independencia de su voluntad[3]. La finalidad que con ello, por lo general, se pretendía era la de atribuir un titular a una *hereditas damnosa*, o sea, cargada de deudas; con ello, la posible venta del patrimonio —*venditio bonorum*— en favor de los acreedores del difunto se realizaba en nombre del heredero y no del causante, por lo que la nota de infamia o ignominia que la acompañaba, correspondía al esclavo. El pretor, para atenuar los daños que podía producir dicha

---

[1]   Según Instituciones de Justiniano, está permitido instituir herederos así a los hombres libres como a los esclavos, y de éstos, tanto a los propios como a los ajenos.

[2]   En época justinianea no hacía falta la manumisión expresa en el testamento, ya que se sobreentendía del contexto.

[3]   Dice Gayo, esto es, en todo caso, quiera o no quiera, tras la muerte del testador se hace de inmediato libre y heredero —*quia sive velit sive nolit, omni modo post mortem testatoris protinus liber et heres est*—.

situación al heredero, le concedió el llamado *beneficium separationis*, o sea, el poder separar de la herencia el patrimonio que hubiese adquirido tras la muerte del causante.

b) «Herederos suyos (o de derecho propio) y necesarios —*heredes sui et necessarii*— eran las personas que se encontraban bajo la potestad del causante, (adoptivos o de sangre) al tiempo de su muerte, como por ejemplo los hijos y descendientes[4]. A diferencia de los anteriores, se les denomina *sui*, herederos suyos o de derecho propio, porque se consideran herederos domésticos, de su propia casa y, como indica Gayo, en vida del padre son considerados ya, en cierto modo, propietarios. Igual que ocurre con los esclavos, el pretor puede concederles el *ius abstinendi*, esto es, la posibilidad de abstenerse de la herencia teniéndolos, tan sólo, como herederos de nombre, siempre y cuando no hubiesen realizado acto alguno en relación a la misma —*si hereditati paternae non immiscuisse*—[5].

B) Herederos extraños o voluntarios —*heredes extranei o voluntarii*— eran los que, a diferencia de los anteriores, no estaban bajo la potestad del testador[6] —*extranei*— y adquirían la herencia de forma voluntaria —*voluntarii*— previa delación, y mediante su aceptación o adición. Se les otorgó la *potestas deliberandi*, esto es, la posibilidad de deliberar si querían o no aceptar la herencia.

2. LA DELACIÓN DE LA HERENCIA

I. Concepto y clases de delación

A) El término delación procede de *deferre* (= ofrecer), de donde la doctrina indistintamente habla de herencia deferida u ofrecida, y en

---

[4]   También la esposa *in manu*, que se considera *loco filiae*, y la nuera *in manu*, que se considera *loco neptis*. Si la mujer estuviese sometida a la potestad del *pater* del marido, sólo heredaba de aquél por premoriencia del marido.

[5]   En estos supuestos, si la herencia era *damnosa*, se vendía en nombre del causante. Otra forma de remediar los efectos de la adquisición de la herencia en los casos analizados hasta el momento —descendientes y esclavos— eran, según la doctrina, los supuestos de institución de heredero sometida a la condición de si el futuro heredero quisiera aceptar —*si volet*—.

[6]   Según Gayo, por eso los descendientes nuestros que no están bajo nuestra potestad son considerados extraños cuando los instituimos herederos —*ceteri qui testatoris iuri subiecti non sunt, extranei heredes appellantur*—.

concreto de delación —*delatio*— para referirse al llamamiento al heredero para que acepte la herencia. Así, Terencio Clemens[7] dice que se entiende deferida una herencia —*delata hereditas intelligitur*— cuando puede adquirirse por la aceptación —*quam quis possit adeundo consequi*—[8].

Como acabamos de ver, sólo puede ofrecerse la herencia a un tipo de herederos, los extraños o voluntarios (*extranei* o *voluntarii*), ya que los necesarios (*necessarii*), continúan como titulares de las relaciones jurídicas tras fallecer el causante, por lo que no hace falta ofrecerles la herencia. En estos casos, como ya indicamos, parece más preciso hablar de adquisición que de aceptación.

B) Genéricamente se habla de dos tipos de delación, según la herencia se defiera u ofrezca: a) por la voluntad del causante recogida en el testamento[9], delación testamentaria; o b) por el derecho, cuando falta testamento válido, delación *ab intestato* o legítima[10], o cuando existiendo testamento éste es válido, pero no respeta los límites establecidos sobre el contenido[11], delación contra testamento o forzosa.

Delación testamentaria e intestada son incompatibles, según el principio sucesorio romano: de que nadie puede morir en parte testado y en parte intestado (*nemo pro parte testatus pro parte intestatus decedere potest*) y prevalece, a su vez, la primera sobre la segunda[12]. Por tanto, mientras existe la posibilidad de la llamada

---

[7] Jurista del s. II, discípulo de Juliano.

[8] La delación viene a ser, como se ha destacado en doctrina, una situación de «posibilidad» —expectativa de derecho— que se convierte en situación de actualidad —derecho efectivo— con la adquisición. De ahí el necesario vínculo con la *aditio* referida por Terencio Clemens.

[9] El derecho romano no conoció —salvo algún caso aislado en época justinianea— los llamados «pactos sucesorios», esto es, los acuerdos a través de los que se establecía el destino del patrimonio de una persona.

[10] La calificación de «legítima» atribuida a esta delación no es del todo exacta, pues también la testamentaria y la forzosa pueden calificarse —y se califican— de este modo, desde el momento en que están previstas por la ley.

[11] Así, lo veremos en Tema 45: cuando el testador pretiere —olvida— a determinadas personas que según la ley deben nombrarse o, mencionadas, les deja una cuota inferior a la establecida por ella.

[12] Según Ulpiano, mientras se pueda adir la herencia en virtud de testamento, no se defiere *ab intestato*. La doctrina suele fundamentar este principio en la función originaria del testamento como traspaso de un patrimonio a un único heredero.

testamentaria no se abre la sucesión intestada, y una vez abierta la
primera, si el testador sólo ha dispuesto de una parte de la herencia,
no se abre respecto de la otra la intestada, sino que como veremos,
sigue la suerte de la testamentaria[13].

II. Momento de la delación

A) En principio, la delación u ofrecimiento de la herencia se
produce en la sucesión testamentaria al tiempo del fallecimiento del
causante[14]. Sin embargo, también puede acaecer en un momento
posterior, como por ejemplo, cuando la institución de heredero se
somete a una condición de carácter suspensivo[15], o el heredero al que
se llama es un sustituto[16].

También podía ocurrir que la condición a la que estaba sometida la
institución de heredero fuese potestativa negativa, o sea, que depen-
diese de que el futuro heredero no realizase un determinado acto o

---

[13] Así por ejemplo, si el testador había dispuesto en el testamento sólo de la mitad de
la herencia para sus dos herederos A y B, la otra mitad, se incorporaba al testamento
como si también respecto de ella hubiese dispuesto el causante. Es, en definitiva,
una de las aplicaciones del *ius adcrescendi* (derecho de acrecer), por la que A y B
aumentarán su cuota hereditaria en proporción a la que ya tenían. Hay alguna
excepción a este principio, como la del testamento militar, el codicilo, o la preterición
de las hijas o nietos del testador, que concurren con los llamados por testamento.

[14] Augusto retrasa este momento al tiempo de la apertura del testamento y Justiniano
vuelve al régimen antiguo.

[15] Esto es, dependiendo de un hecho futuro e incierto. Transcribimos un ejemplo que
proporciona Celso: «Sea Ticio heredero de la mitad de la herencia —*Titius ex semisse
heres esto*—; sea heredero Seyo de la cuarta parte —*Seius ex quadrante heres esto*—
; y sea heredero Ticio de la otra cuarta parte, si subiere al Capitolio —*Titius, si in
Capitolium ascenderit, ex alio quadrante heres esto*—; si antes que suba al Capitolio
se condujese como heredero —*antequam Capitolium ascendat, si pro herede gerat*—
será heredero de la mitad de la herencia —*ex semisse heres erit*—; y si hubiese subido
al Capitolio, será heredero también de la cuarta parte —*si Capitolium ascenderit,
et ex quadrante heres erit*— y no tendrá necesidad de conducirse como heredero, porque
ya es heredero —*nec erit ei necesse por herede gerere, quippe iam heredi*—. En estos
casos, el heredero podía —antes de cumplirse la condición— solicitar al pretor la *b.p.
secundum tabulas testamenti*, y así poseer los bienes desde la muerte del causante.
En ningún caso podía quedar la institución de heredero sometida a condición o
término resolutorio o final, pues está en contra del principio sucesorio romano *semel
heres semper heres* (= el que es heredero lo es para siempre).

[16] El *de cuius* podía en testamento nombrar uno o varios herederos sustitutos con el
único fin: que si el heredero —instituido en primer lugar— no podía o quería aceptar
la herencia, se les ofreciese a ellos y evitar así la sucesión intestada.

comportamiento (en ejemplo de Celso: si no subiese al Capitolio). En estos casos se admitió la aceptación del heredero, siempre y cuando prestase una garantía (caución) por la que se obligaba a restituir la herencia en caso de realizar el acto prohibido,ya que de otra forma habría que esperar a la muerte del instituido heredero para saber con certeza que ya no iba a realizar el acto prohibido, y para aquél, la institución resultaría ilusoria. A esa garantía se le dio el nombre de *Cautio Muciana*, en atención a su creador, el jurista *Quinto Mucio Scaevola*.

B) En la apertura de la sucesión intestada[17], para determinar el momento de la delación hay que distinguir entre los dos posibles hechos que pueden propiciarla: la inexistencia de testamento, en cuyo caso la delación se produce al tiempo del fallecimiento del causante, o la existencia de un testamento ineficaz, en cuyo caso la delación tiene lugar al tiempo en que la ineficacia se declara.

III. Enajenación y transmisión de la delación

El *ius delationis*, esto es, el derecho a la delación o llamada a la herencia que estamos analizando, es personal y por tanto, en principio, ni puede enajenarse *inter vivos*, ni transmitirse *mortis causa*[18]. Se admite, eso sí, la venta de la herencia —*venditio hereditatis*— por el heredero después de su aceptación, transmitiéndola en su conjunto, no la cualidad de heredero, ni por supuesto el *ius delationis*.

Sin embargo, tanto la imposibilidad de enajenarla *inter vivos*, como la de transmitirla *mortis causa* sufrirán pronto excepciones. Así, en cuanto a la primera, se admitió desde antiguo que en los supuestos de apertura de una sucesión intestada, si el llamado era el a*dgnatus proximus*, éste pudiese antes de la aceptación transmitir el ofrecimiento a otro agnado más remoto, por medio de una *in iure cessio* —concretamente una *in iure cessio hereditatis*[19]— para

---

[17] Es obvio que la delación en la sucesión contra testamento siempre será posterior al tiempo de morir el causante.

[18] Según la doctrina, cabe hablar de «sucesión en la delación» si, por caso, al heredero sustituto se le ofrece la herencia o si, tras ofrecerse a los herederos testamentarios, éstos renuncian y se llama a los *ab intestato*.

[19] Con Justiniano, al no existir la *in iure cessio*, la transmisión, *transmissio* se produce *ex iure patrio*, que concede al padre la posibilidad de aceptar la herencia deferida al hijo sometido a su potestad y que no la ha adido.

evitar el llamamiento a los gentiles, o sea la *successio ordinum vel graduum*[20].

En la transmisión *mortis causa*, tras una serie de excepciones pretorias y postclásicas[21], Justiniano generaliza su transmisibilidad —*transmissio Iustiniana*—, al establecer que si el heredero moría antes de la aceptación o de la renuncia a la herencia, transmitía a sus propios herederos esta facultad, siempre que se realizase dentro del plazo pretorio —si había *spatium deliberandi*— o del año desde que se ofreció la herencia al heredero fallecido.

3. LA HERENCIA YACENTE

I. Concepto

Se califica como yacente a la herencia en el lapso de tiempo que media entre el fallecimiento del causante, y la aceptación por el heredero[22]. Por tanto puede definirse como la herencia ofrecida pero todavía no adida[23].

---

[20] El admitir dicha excepción fue consecuencia directa del llamamiento por parte del *ius civile*, y en ausencia de testamento, al agnado más próximo, esto es, al colateral más cercano, ya que si éste no aceptaba no se ofrecía la herencia al colateral siguiente sino que se pasaba al tercero de los llamamientos, los gentiles. En cambio el heredero testamentario no podía realizar dicha *in iure cessio* antes de la aceptación de la herencia, sí tras la misma, y sólo en relación a determinados bienes o derechos.

[21] Concretamente la *transmissio ex capite in integrum restitutionis* (cuando el heredero no ade por alguna circunstancia ajena a su voluntad, el pretor puede conceder la *restitutio in integrum*, para que sus herederos puedan adirla); la *transmissio ex capite infantiae* (cuando un hijo de familia fallece antes de que el *pater* ada la herencia que se le ha deferido) y la *transmissio Theodosiana* (concedida por Teodosio II, cuando un descediente instituido por su ascendiente fallece antes de la apertura del testamento).

[22] Lo que en principio excluye la posibilidad de herencia yacente en la hipótesis de herederos necesarios, ya que a estos no se les ofrece la herencia, sino que la adquieren directamente tras el fallecimiento del causante.

[23] Según los romanos, la herencia yace, reposa en espera de tener un heredero. Sin embargo, para la doctrina esto es en realidad un contrasentido, puesto que se trata, como veremos, de un patrimonio en constante movimiento.

II. Problemática planteada

La herencia yacente plantea una serie de problemas que entendemos pueden resumirse en los dos siguientes: 1.º) la posibilidad que durante ese periodo de tiempo se produzcan modificaciones o alteraciones en el patrimonio hereditario, por hechos naturales o por actos del hombre[24]; y 2.º) la falta de un titular de los bienes hereditarios al que imputar dichos efectos, ya que no puede decirse lo sea el causante, ya fallecido, precisamente por ello, ni tampoco el futuro heredero, que todavía no ha aceptado la herencia[25].

La jurisprudencia romana no llega a una solución única para todos los supuestos, pero en las fuentes aparecen diferentes teorías a lo largo de las distintas épocas. Así, primero, se concibe a la herencia como una *res nullius*, cosa carente de dueño, pero dicha concepción planteó el problema de que los bienes hereditarios podían ser ocupados sin que ello fuese un hurto, por lo que desde ese momento se establece una serie de ficciones (para algunos analogías), con intención de destruir ese tiempo intermedio. Así:

a) en primer lugar, la teoría de la retroactividad de Casio, quien, retrotrayendo los efectos de la aceptación al tiempo del fallecimiento del causante, considera propietario de los bienes hereditarios, durante la yacencia, al futuro heredero[26];

b) más tarde, la teoría de Juliano, quien prolongando la personalidad del causante hasta la aceptación, considera al *de cuius*, pese a haber fallecido, titular de los bienes hereditarios durante ese plazo de tiempo[27];

c) finalmente, se llega a considerar a la herencia: *persona* o (dueña) *domina*, de los bienes hereditarios, en una aproximación —según parte de la doctrina— a la idea de la persona jurídica[28].

---

[24] Por ejemplo, una cosecha de uva que hay que recoger, o una estipulación realizada por un *servus hereditarius*, esto es, un esclavo que forma parte de la propia herencia.

[25] Lo que en definitiva nos remite a la problemática de los derechos sin sujeto.

[26] Sin embargo, dicha teoría planteó un problema de seguridad jurídica, ya que podía darse el caso de que dicho heredero jamás llegase a adir la herencia.

[27] Esta teoría presenta frente a la anterior la ventaja de que el difunto fue en algún momento propietario de los bienes hereditarios.

[28] Como una de las aplicaciones de la usucapión aparece en la época arcaica la *usucapio pro herede*, por la cual se admite que el poseedor de algún bien hereditario adquiera la condición de heredero si mantiene su posesión durante un año, sin que se haya

Por vía de síntesis cabría indicar que la difícil armonización de una falta de titularidad de la herencia y de las alteraciones, que pese a ello, ésta puede sufrir, se resuelven, según los casos, considerando que las adquisiciones se verifican en favor del futuro heredero, pero se regulan teniendo en cuenta la capacidad del difunto.

4. ACEPTACIÓN Y RENUNCIA DE LA HERENCIA

I. Aceptación y adquisición de la herencia

Como hemos dicho, sólo el heredero extraño o voluntario puede libremente aceptar o repudiar la herencia que se le ha ofrecido. A él se le concede la *potestas deliberandi*, posibilidad de deliberar si la quiere o no, de modo que hasta que no acepta, ade o entra en la herencia, *(aditio hereditatis)* —el verbo *adire* significa entrar— no puede hablarse de su efectiva adquisición.

II. Concepto y formas de aceptar la herencia

A) La aceptación de la herencia es el acto en virtud del cual la persona en cuyo favor se defiere —por testamento o por ley— manifiesta su decisión de tomar la condición de heredero[29].

B) En Derecho Romano la herencia podía aceptarse de tres formas[30], de las que da noticia Gayo al decirnos que aquel que ha sido instituido heredero sin plazo —*is qui sine cretione heres institutus sit*— puede hacerse heredero —*heres fieri*— aceptando solemnemente la herencia —*aut cernendo*— o actuando como heredero —*aut pro*

---

producido la adición de la herencia. Con ella se pretende evitar los retrasos en la aceptación de la herencia por parte de los herederos voluntarios. Tachada por Gayo, época clásica, de ímproba y lucrativa, Justiniano acaba por limitarla a dos supuestos concretos: el del heredero que posee un objeto que no pertenece a la herencia y el del poseedor de buena fe que se cree heredero.

29   En cuanto a su naturaleza jurídica, y según la dogmática moderna podría configurarse como un negocio jurídico: a) *inter vivos*; b) unilateral; c) causal; d) no formal —en la última época del derecho romano— y e) neutro, pues resulta difícil encuadrarlo en los negocios onerosos o gratuitos.

30   Sin perder de vista la idea de que la *bonorum possessio*, en principio, debía solicitarse por el interesado al pretor (*adgnitio bonorum possessionis*), quien la concedía o no, dependiendo de las circunstancias que concurriesen.

herede gerendo— o incluso por simple voluntad de tomar la herencia —*vel etiam nuda voluntate suspiciendae hereditatis*—.

a) La *Cretio* o creción[31], consistía en la toma de posesión de los bienes acompañada de una declaración expresa y formal realizada por el heredero, ante testigos[32] (se cree, siete), por la que éste manifestaba su voluntad de aceptar la herencia. Esta forma parece que fue abolida por los emperadores Arcadio, Honorio y Teodosio II.

b) La *Pro herede gestio*[33] o gestión como heredero, consistía en manifestar tácitamente la voluntad de adir la herencia, deducida de la realización de determinados actos respecto a los bienes hereditarios y que supondrían, sin duda, una voluntad de aceptar, o no habría derecho a hacer sin tomar la condición de heredero[34].

---

[31] En palabras de Gayo, se llama *cretio* porque viene de *cernere* que es tanto como discernir y decidir (*Ideo autem cretio appellata est, quia cernere est quasi decernere et constituere*).

[32] Como ha puesto de relieve la doctrina, el término *cretio* también se refiere a la cláusula testamentaria por la que se establecía esta forma solemne de aceptación que, en un principio, era voluntaria (*cretio imperfecta* o *sine exheredatione*), más tarde el testador pudo exigirla en el testamento (*cretio perfecta*), estableciendo un plazo para ello (normalmente 100 días) por lo que si el heredero no cumplía dicha formalidad, no podía aceptar ni renunciar a la herencia. En este último supuesto, sólo dejando discurrir el plazo de la *cretio* se entendía que el llamado renunciaba a la herencia. Gayo: A) proporciona un ejemplo de *cretio perfecta*: Ticio se mi heredero —*Heres Titius esto*—. Y acepta solemnemente dentro de los cien días a partir de aquel en que tengas conocimiento del testamento y puedas hacerlo. Si no lo hicieras así quedas desheredado —*cernitoque in centum diebus proximis quibus scies poterisque. Quodni ita creveris, exheres esto*—. A lo que el heredero, si quería aceptar, debía contestar: puesto que Publio Mevio me instituyó heredero en su testamento, yo decido aceptar esa herencia —*Quod me Publius Mevius testamento suo heredem instituit, eam hereditatem adeo cernoque*—B) Además, la *cretio* podía revestir, otras dos modalidades: a) *cretio continua* o *certorum dierum* (continua o de plazo fijo), en la que el plazo de tiempo se computaba teniendo en cuenta todos los días a partir del fallecimiento del causante; y b) *cretio vulgaris* (vulgar), en la que dicho plazo se computaba desde el momento en que el heredero conocía la delación, teniendo en cuenta, en este caso, sólo los días hábiles. En ambos supuestos, según Gayo, si antes de finalizar el plazo de la creación el heredero decide no aceptar la herencia,y se arrepiente después y la acepta en la forma solemne antes de expirar el plazo, puede hacerse heredero.

[33] Gayo utiliza la expresión *pro herede gestio* en el sentido de usar como heredero —*rebus hereditariis tanquam heres utatur*—; Ulpiano, en el de usar como dueño —*tanquam dominus utatur*— y Paulo en el de servirse de las cosas hereditarias como heredero —*aliquid eo hereditariis rebus usurpare*—.

[34] Por ejemplo, según las fuentes actúa como heredero el que administra los bienes hereditarios, el que manumite a un *servus hereditarius,* o enajena algún objeto de la

c) La *Aditio nuda voluntate* o aceptación por la simple voluntad (*aditio simplex,* la llama Constantino) consistía en la declaración expresa, pero no formal, de aceptación de la herencia. Es la única forma expresa que subsiste en el derecho justinianeo[35].

III. Presupuestos, requisitos y tiempo de la aceptación

A) El presupuesto necesario para la aceptación es el ofrecimiento o delación de la herencia, y sus requisitos: el pleno conocimiento y la capacidad del aceptante. En relación al primero, no es válida la aceptación hecha, por ejemplo, por error o con violencia[36]. En cuanto a la necesaria capacidad: a) un *infans* o un *furiosus*, en un primer momento no podían aceptar ni siquiera con la asistencia del tutor o del curador, más tarde, tras una disposición de Teodosio II y Valentiniano III, se admite, siempre que respectivamente, medie la actuación del padre o del tutor; b) el impúber *infantia maior*, si podía, tanto si era *sui iuris* con la *auctoritas* del tutor, como si era *alieni iuris* con el *iussum* del *pater*; y c) respecto a los menores de 25 años, también, se generaliza la práctica del *consensus curatoris*, a semejanza de la *auctoritas*.

B) Además la aceptación debe ser: 1) plena —de toda la herencia, no *pro parte*[37]—, 2) pura —no sujeta a condición o término[38]—, 3)

---

herencia, el que paga una deuda o reclama un crédito. Así frente a la *cretio* = toma de posesión de los bienes formal, aparece la *pro herede gestio* = toma de posesión de los bienes informal. Esta última, por lo tanto, es una figura análoga a la *immixtio* del *suus,* de la que es elemento fundamental el *animus heredis*.

[35]   Se diferencia de la *cretio* por su falta de solemnidad, y de la pro *herede gestio*, por su carácter expreso.

[36]   En este sentido, no tendría valor la aceptación realizada por A de la herencia de B, cuando en realidad era heredero de C. Tampoco cuando alguien obligase por la fuerza a B a aceptar una herencia que él no quería, salvo que se aceptase por medio de una *cretio*, ya que en este caso se otorgaba validez a la aceptación, pero el pretor por medio de una *restitutio in integrum* podía devolver las cosas a su estado anterior.

[37]   Dice Paulo: quien puede adquirir toda la herencia —*qui totam hereditatem adquirere potest*— no puede adquirirla en parte dividida —*is pro parte eam sciendo adire non potest*—.

[38]   Papiniano cita a la aceptación de la herencia como uno de los actos legítimos que son los que no admiten plazo o condición. Incumplido esto, la adición es nula. Lo cual confirma Africano al decirnos que si alguien dijera así —*si quis ita dixerit*— si la herencia es solvente —*si solvendo hereditas est*— acepto la herencia —*adeo hereditatem*— la adición es nula —*nulla aditio est*—.

personal, voluntaria y libre —del heredero, aunque en derecho postclásico se empiezan a admitir algunas excepciones— y 4) irrevocable[39].

C) El *ius civile* no establece plazo para la aceptación[40], se puede producir pues *sine die*. Sin embargo, para evitar los problemas que puedan surgir para algunas personas (por ej: un legatario o un simple acreedor) por su dilación se introducen dos medidas[41]: a) el *spatium deliberandi*, plazo de tiempo —normalmente de 100 días— que a petición de los acreedores del difunto, o del propio llamado a heredar, establecía el pretor para que aquél aceptase o renunciase y que pasado sin pronunciarse se tenía al heredero como renunciante[42]; y b) una *interrogatio in iure*, solicitada por los acreedores del difunto —*postulantibus hereditariis creditoribus*— y que consiste en la pregunta (*interrogatio*) que se formula al futuro heredero acerca de su voluntad de aceptar o de renunciar a la herencia, delante del propio magistrado (*in iure*).

IV. La renuncia a la herencia

La *repudiatio* o repudiación de la herencia es el acto contrario a la aceptación, o sea, la renuncia por el heredero voluntario a la herencia en su favor deferida. No precisa de formalidad alguna y se rige para su validez por los principios de la aceptación y, como ella, es irrevocable[43].

---

39 Consecuencia del principio *semel heres semper heres*.
40 A excepción de la *cretio* exigida por el testador. Gayo dice que el heredero es libre — *ei liberum est*— en cualquier momento que quisiera —*quocumque tempore voluerit*— para aceptar la herencia —*adire hereditatem*—.
41 Sin olvidar la aplicación de la *usucapio pro herede* a la que ya nos referimos.
42 En la época justinianea se extiende dicho plazo a 9 meses o un año, invirtiendo la presunción pretoria en el sentido de entender adida la herencia si se deja transcurrir el plazo sin que medie contestación.
43 Sin embargo los menores podían, en su caso, solicitar la *restitutio in integrum*. También, si mediara engaño o fraude, el que renuncia, según Ulpiano, dispondría de la *actio doli*, y si se usara la violencia, según refiere Paulo, podría optar entre las acciones útiles, como si fuera heredero, o de la *actio quod metus causa*.

5. EL HEREDERO Y EL PATRIMONIO HEREDADO

I. Efectos de la adquisición o aceptación de la herencia

La adquisición o aceptación de la herencia sitúa al heredero en la misma posición jurídica que tenía el causante, tanto desde un punto de vista activo (derechos) como pasivo (obligaciones). Dicha adquisición produce, a su vez, los siguientes efectos generales: 1) la confusión patrimonial, esto es, la unión de los dos patrimonios, el del heredero y el del causante, en uno solo perteneciente al heredero y 2) la responsabilidad *ultra vires hereditatis* del heredero. Esto es, más allá de los bienes de la herencia. O sea, que el heredero responde de sus deudas e incluso de las del causante[44], con su propio patrimonio[45].

II. La confusión patrimonial

La confusión patrimonial trae consigo, por un lado, la extinción de las relaciones jurídicas que existían entre el *de cuius* y el heredero[46] y por otro, la concurrencia de los acreedores del difunto junto con los del heredero, ante un único y nuevo patrimonio, el del heredero.

Podía ocurrir, por ejemplo, que los acreedores del difunto tras su fallecimiento, viesen que el cobro de sus créditos corría peligro, al integrarse en un patrimonio poco saneado, el del heredero. En atención a ello, y en defensa de los intereses de estos acreedores —no de los del heredero—, el pretor les concede a éstos, en un *Edictum de suspecto herede,* ciertos remedios o recursos.

---

[44] No debe olvidarse que el heredero responde además de las cargas y legados impuestos por el testador.

[45] Ya desde época clásica cabía la posibilidad de limitar la responsabilidad del futuro heredero antes de la aceptación a través de los siguientes actos privados: 1) o pactando el llamado a heredar con los acreedores del difunto una rebaja de los créditos —*pactum ut minus solvatur*—, ó 2) produciéndose la adición de la herencia por mandato de los acreedores —*aditio mandato creditorum*—, incluyéndose entonces la reducción de los créditos.

[46] Que se funden en una única personalidad, la del heredero. Así, si por ejemplo el heredero debía cierta cantidad de dinero al difunto, tras su fallecimiento confluyen en una sola persona —el heredero— la posición de deudor y de acreedor, por lo que dicha relación se extingue; o si el causante era usufructuario de un bien del heredero (nudo propietario), tras su fallecimiento se extingue el derecho de usufructo, y el *uti frui* vuelve al heredero.

A) La garantía del heredero sospechoso —*satisdactio suspecti heredis*—. Cuando los acreedores del difunto sospechaban que el heredero estaba actuando de forma dolosa podían solicitar al pretor que obligase a éste a prestar una garantía o caución en orden al pago de sus deudas[47]; si el heredero se negaba a ello, podía el pretor, tras conocimiento de causa —*causa cognita*— decretar la *missio in possessionem* de sus bienes, y en caso de continuar en su negativa, incluso la *bonorum venditio* de los mismos[48].

B) La separación de los bienes —*separatio bonorum*—[49]. También podían solicitar al pretor, la separación del patrimonio del difunto y del heredero en orden a cobrar sus créditos del patrimonio del primero. Dicha petición requería, a diferencia de la anterior, que se hubiese instado por los acreedores del heredero un procedimiento ejecutivo contra su patrimonio[50].

La jurisprudencia aparece dividida al resolver el problema que podía plantearse cuando, una vez solicitada y concedida la separación de los patrimonios, el del causante fuese insuficiente para cubrir las deudas. La cuestión es: ¿podían dirigirse entonces contra el del heredero? Ulpiano y Paulo postulan un criterio negativo, sobre la base de que los acreedores peticionarios irían entonces contra sus propios actos; Papiniano, se manifiesta a favor, siempre y cuando los acreedores del heredero hubiesen hecho efectivos sus créditos, pues a fin de cuentas, los créditos existían y deberían satisfacerse.

---

[47] Su fundamento estriba en evitar la dispersión del patrimonio hereditario, ya que los actos del heredero no siempre pueden ser combatidos con la *restitutio in integrum ob fraudem creditorem* o son susceptibles de revocarse, aun pudiendo serles perjudiciales.

[48] Los acreedores del difunto que habían solicitado dicha caución debían, por su parte, probar ante el pretor la pobreza del heredero y su conducta dolosa, y si no podían demostrarlo, el heredero disponía contra ellos de una *actio iniuriarum*. Si solo podían probar su pobreza el pretor prohibiría al heredero cualquier tipo de enajenación de los bienes hereditarios, advirtiéndole de la nulidad de las mismas en caso de contravención, y que en modo alguno podrían usucapirse.

[49] Se podía solicitar también por los legatarios quienes, en su caso, cobraban tras hacerlo los acreedores e incluso, de forma excepcional, hay en las fuentes hipótesis en que pueden hacerlo los acreedores del heredero.

[50] El fundamento de la *separatio bonorum* es evitar la injusticia que se produciría respecto de los acreedores del difunto, quienes podían ver como sus créditos, perfectamente garantizados por el patrimonio de aquel, por el solo hecho de su muerte y al concurrir con los acreedores del heredero, podría resultar insuficiente.

C) Por último cabe mencionar la *restitutio in integrum*, también como remedio a la confusión hereditaria, pero en favor de los menores de 25 años —o incluso de los mayores de 25— que hubiesen aceptado una *hereditas damnosa*[51].

III. La responsabilidad *ultra vires hereditatis*

La responsabilidad *ultra vires hereditatis* planteaba problemas en los casos de *hereditas damnosa*, esto es, en la que el pasivo era superior al activo. Para evitar los inconvenientes que esto podía producir[52], se introducen ciertas medidas en favor, esta vez, del heredero.

A) El beneficio de separación —*beneficium separationis*—, al que nos referimos al tratar los tipos de herederos, bastando recordar que es una modalidad de la *separatio bonorum* concedida en favor de los esclavos instituidos *cum libertate* (herederos necesarios)[53].

B) El beneficio de abstención —*beneficium abstinendi*—, al que también nos referimos *ibidem* (allí mismo), bastando recordar se concede en favor de los herederos necesarios, si no realizaban acto alguno que se pudiese interpretar como *pro herede gestio* y tenía como efectos, que: a) se consideraban herederos sólo de nombre; b) la herencia pasaba a los acreedores y c) se evitaba la venta del mismo en nombre del heredero, y con ello, la nota de infamia derivada de la venta.

---

[51]   La primera —en favor de los menores de 25 años— se denomina *restitutio in integrum propter aetatem*, la segunda —en favor de los mayores de 25— *restitutio in integrum propter errorem*, y se producía cuando concurriese un error sobre la consistencia de la herencia llamada, sustituyéndose en época del emperador Justiniano por el *beneficium inventarii*. Según Gayo fue el divino Adriano el que concedió tal dispensa incluso a los mayores de 25 años —*divum Hadrianum etiam maiori XXV annorum veniam dedisse*— cuando después de aceptada la herencia —*cum post aditam hereditatem*— apareciese una importante deuda que estaba oculta en el momento de la aceptación —*grande aes alienum quod aditae hereditatis tempore latebat apparuisset*—.

[52]   Piénsese en las consecuencias que se derivarían de la renuncia del heredero por dicha circunstancia, y en relación, por ejemplo, a los derechos de los legatarios y de los acreedores del difunto.

[53]   Según Gayo, el mismo derecho tienen la esposa que está bajo la *manus*, porque ocupa el lugar de hija, y la nuera que está bajo la *manus* del hijo, porque ocupa el lugar de nieta.

C) El beneficio de inventario —*beneficium inventarii*—. Concedido por Justiniano[54], consiste en la facultad otorgada a cualquier tipo de heredero, que no haya solicitado el *spatium deliberandi*, de aceptar la herencia respondiendo sólo hasta donde ésta alcance —*intra vires hereditatis*—. Se establecieron para ello algunos requisitos, centrados en la confección de un inventario fiel y exacto de todos los bienes hereditarios, que debía comenzarse dentro de los 30 días siguientes al conocimiento de la delación, por el heredero o una persona en su nombre (*procurator*), con la asistencia de un *tabularius* —hoy hablaríamos de Notario— y de testigos, y que debía finalizar al cabo de 60 días o un año si la herencia se encontraba en un lugar lejano a la residencia del heredero[55].

---

[54]   A través de una constitución del año 531.

[55]   Puede ser útil diferenciar el beneficio de separación del beneficio de inventario. Adviértase que 1.°) la *separatio* es en interés de los acreedores del causante y el inventario, del propio heredero; 2.°) que aquella presupone la solvencia de una herencia, y éste lo contrario; 3.°) que la *separatio* pretende evitar la confusión patrimonial y el inventario la responsabilidad *ultra vires hereditatis* y 4.°) que el pago a los acreedores en la primera sigue las reglas del procedimiento ejecutivo de concurso y en el inventario será según se presenten los acreedores.

Tema 41

La comunidad hereditaria: Régimen y efectos

Como señalamos en su momento, es posible que la propiedad de un objeto pertenezca a varias personas, esto es que existan varios propietarios. Del mismo modo, el testador en el testamento, o en su caso la ley, puede instituir como heredero a una persona o a una pluralidad de ellas, coherederos, quienes no pierden por ello su carácter de sucesores a título universal. Se produce entonces la llamada Comunidad hereditaria, de la que nos ocupamos en este tema.

1. IDEAS GENERALES

I. Concepto y caracteres

A) Si comunidad es la situación jurídica que se produce cuando la propiedad de un bien pertenece *pro indiviso* (= sin dividir) a varias personas, comunidad hereditaria será la situación jurídica que se produce cuando varias personas, son llamadas a heredar conjuntamente, por testamento o por ley.

B) En dicha comunidad vuelven a aparecer las notas o características generales de la copropiedad, esto es: unidad del objeto, pluralidad de sujetos y atribución por cuotas ideales y algunas propias de su carácter hereditario. Así, se dice de la comunidad hereditaria que es: a) universal —no particular— como consecuencia de la concepción de la herencia como una *universitas*; b) forzosa —no voluntaria— en cuanto nace con independencia de la voluntad de las personas que la integran y por el solo hecho de concurrir al llamamiento, se constituye pues, *ipso iure,* con la aceptación de la herencia por varios

---

[1]   Esto es, la propiedad y demás derechos reales, no los créditos y las deudas que quedan divididas, ya desde las XII Tablas, entre los distintos coherederos (*nomina hereditaria ipso iure dividuntur*).

coherederos[1]; y c) incidental o transitoria —no permanente— puesto que tiende a su disolución, y es más, recuerda Ulpiano, la sola voluntad de uno de los coherederos puede disolverla[2].

Su duración es, pues, variable y baste precisar: que se inicia con la apertura de la sucesión a la que son llamadas varias personas; se consolida con la aceptación de éstas y que se extingue con la partición.

II. Régimen

El régimen de la comunidad hereditaria varía en el tiempo y cabe distinguir entre el propio del derecho arcaico, representado por el *consortium inter fratres,* y la comunidad por cuotas, consagrada en el derecho clásico.

A) En derecho arcaico aparece el *consortium inter fratres* (= comunidad entre hermanos), llamado también *consortium ercto non cito* (= comunidad de dominio no dividido), constituido a la muerte del *paterfamilias* por los *sui heredes* (personas sometidas directamente a su potestad), como una forma de continuar en la comunidad doméstica, sin dividir la herencia, y poniendo en común las futuras adquisiciones de los comuneros.

Su régimen interno en síntesis es: 1.º) cada coheredero es titular de la herencia: cotitularidad solidaria. Esto es, se le reconoce plena disposición sobre ella y 2.º) como consecuencia de lo anterior, a cada uno se le concede, por un lado, el *ius prohibendi*, esto es, la posibilidad de vetar u oponerse a la actuación de otro coheredero, y por otro, la posibilidad de salir del estado de indivisión solicitando al pretor la *actio familiae erciscundae* o acción de división de la herencia, cuyo origen, según Gayo, está en la ley de las XII Tablas.

B) En derecho preclásico y clásico, desaparecido el *consortium inter fratres*, surge una nueva forma de comunidad hereditaria, la comunidad por cuotas, que presenta las líneas de la copropiedad. Su

---

[2]　En palabras de Ulpiano, hasta uno solo puede pedir árbitro para la partición de la herencia —*Arbitrum familiae erciscundae vel unus petere potest*—; porque es evidente que también un solo heredero puede acudir ante el juez —*nam provocare apud iudicem vel unum heredem posse, palam est*— por consiguiente, aun hallándose presentes los demás, y contra su voluntad, podrá uno solo pedir árbitro —*igitur est praesentibus ceteris et invitis poterit vel unus arbitrum poscere*—.

régimen interno se distingue del anterior por la atribución a cada uno de los coherederos de una cuota —ideal, no real— sobre la totalidad de la herencia, que de alguna forma es la medida de su derecho. Por ello, en su funcionamiento es útil distinguir entre los siguientes conceptos: a) la cuota propia (ideal), sobre la que el coheredero tiene plena disposición, y b) la cosa común (real), sobre la que, si se trata de actos de disposición material, por ejemplo, el uso y la administración de la cosa cada uno de los coherederos tienen plena libertad, salvo que algún otro ejerza el *ius prohibendi*, y si se trata de actos de disposición jurídica, como la enajenación o gravamen de la cosa, se necesita el previo consentimiento unánime de los comuneros.

III. Consecuencias

La comunidad hereditaria origina una serie de disposiciones especiales, de las cuales: a) unas regulan el que alguno de los llamados no llegase a adir la herencia: el acrecimiento; b) otras, que algún coheredero quisiese, tras la aceptación, dividir la herencia: la partición de la herencia y c) otras, en fin, que, en su caso, el reparto de la herencia fuese equitativo: las colaciones. De todo ello pasamos a ocuparnos.

2. EL ACRECIMIENTO[3]

El derecho de acrecer o *ius adcrescendi* tiene también su manifestación en la esfera sucesoria[4], como una de las consecuencias derivadas del llamamiento de varias personas a una misma herencia.

En líneas generales, cuando uno o varios de los llamados no quiere o no puede aceptar la herencia, se dice que su parte acrece o aumenta

---

[3] Dicho término es sinónimo de incremento, extensión.

[4] Tanto en la sucesión testada como intestada, y en la sucesión civil como pretoria. Así, recuérdese que puede darse el derecho de acrecer en caso de que el testador sólo haya dispuesto de una parte de su herencia, ya que en virtud del principio *nemo pro parte testatus pro parte intestatus decedere potest* (nadie puede morir en parte testado y en parte intestado), desde el momento en que se abre la sucesión testada no puede abrirse la intestada, por lo que el derecho del heredero se incrementa en relación a la parte de que no haya dispuesto el testador. Otra de las aplicaciones de este acrecer, como veremos, tiene lugar en los legados.

proporcionalmente a los demás. De este modo el acrecimiento implica un incremento del derecho de los llamados que no renuncian, sobre
la totalidad de la herencia[5].

No obstante, para que pueda producirse el acrecimiento, además
de la existencia de una o varias cuotas vacantes, es necesario que se
den las siguientes circunstancias: 1.ª) que no exista heredero sustituto y 2.ª) que no se produzca la transmisión o enajenación de la
delación.

La atribución del incremento se produce *ipso iure*[6], esto es, acompaña a la aceptación de la cuota; es proporcional a la porción de cada
coheredero; tiene efectos retroactivos[7] y depende —en la sucesión
testamentaria— de la forma en que el testador haya instituido a cada
uno de ellos.

En este sentido, deben distinguirse los siguientes supuestos: 1.ª)
si el testador ha dispuesto cuotas individuales, o sea, ha instituido a
varias personas de forma independiente (*disiunctium*), en este caso,
si alguno de ellos no acepta, tienen derecho de acrecer todos los
demás y 2.ª) si el testador ha agrupado a algunos de los coherederos
y alguno de ellos no acepta, en este caso sólo tienen derecho de
acrecer aquellos otros que se encuentran en dicha agrupación o
coniunctio[8].

---

[5]   Por tanto nos encontramos ante un incremento cuantitativo que no puede producirse
en el caso de los herederos necesarios. Se trata de otra de las manifestaciones del
principio de elasticidad del derecho de propiedad, ya que el derecho de cada uno de
los llamados se encuentra limitado (presionado) por los derechos de los demás. De
este modo, si uno de ellos no quiere o no puede aceptar la herencia, desaparece de
alguna forma dicha presión, e incrementa el derecho de los que han aceptado. Por
ello, se ha dicho, que en puridad, más que un derecho de acrecer es un derecho de no
decrecer.

[6]   Tanto en lo relativo a los derechos como a las obligaciones.

[7]   O sea, que en el caso de que la aceptación de la cuota propia sea anterior, se entiende
que desde el fallecimiento del causante se le defirió al heredero la totalidad de la
cuota final, esto es, la inicial incrementada con el acrecimiento, y por lo tanto no debe
entenderse la existencia de dos distintas delaciones.

[8]   Dicha agrupación o *coniunctio* podía ser, según Paulo, de tres tipos. Para su
explicación vamos a partir del supuesto en que el testador instituye herederos a tres
personas A, B, y C: 1) *coniunctio re et verbis*: se produce cuando A y B son instituidos
en la misma cuota (*re*), y dentro de la misma frase (*verbis*): «sean A y B mis herederos
en la mitad de la herencia y C en la otra mitad»; 2) *coniunctio re tantum*: se produce
cuando A y B son instituidos en distinta frase (no *verbis*) pero en la misma porción
(*re*): «sean mis herederos A en la mitad de la herencia, C en la otra mitad. También

El acrecimiento también se produce en los legados. Sin embargo en estos casos hay que tener presente que sólo tiene lugar en los que atribuyen un derecho de propiedad sobre el objeto legado.

A través de la legislación caducaría de Augusto se producen ciertas modificaciones en el régimen del acrecimiento y en cuanto a las personas legitimadas[9], a la vez que se imponen al heredero que ve incrementada su cuota, las mismas cargas que se habían impuesto al que no llega a aceptar. Si bien esto último se mantiene en época justinianea, en cuanto a las personas que tienen acceso al derecho de acrecer, se vuelve al régimen primitivo.

3. LA PARTICIÓN DE LA HERENCIA

Como ya hemos señalado, la comunidad hereditaria es incidental, o sea, puede finalizar en cualquier momento, bien por acuerdo de los coherederos —división por acto privado— o bien, y a falta de éste, a través de la petición por cualquiera de los coherederos al magistrado, de la *actio familiae erciscundae* o acción de división de la herencia —división judicial—[10].

La acción de partición de herencia —*actio familiae erciscundae*[11]— que ya aparece en la Ley de las XII Tablas, presenta una peculiaridad procesal: los intereses de las partes se encuentran yuxtapuestos —no contrapuestos como es lo habitual— es decir, todos tienden a una misma finalidad[12]: la partición de la herencia y la subsiguiente

---

B en la primera mitad»; 3) *coniunctio verbis tantum*: se produce cuando A y B son instituidos en la misma frase *(verbis)* pero sin designación de la cuota: «sean mis herederos A y B. También sea mi heredero C». En la sucesión intestada esta cuestión no ha lugar, ya que es la ley la que realiza los llamamientos, por lo que si un llamado no llega a adquirir, su cuota acrece a los demás del mismo grado.

9   Así, están legitimados para solicitar la cuota vacante —excepto los descendientes y ascendientes hasta el tercer grado que se rigen por el derecho antiguo—: 1.º los herederos casados y con hijos; 2.º los legatarios casados y con hijos y 3.º el Erario o el Fisco.

10   En sentido similar vimos que podía cualquier copropietario salir de la indivisión por la *actio communi dividundo*.

11   Acción civil, mixta y, según la doctrina, de buena fe.

12   Tal y como afirma Ulpiano, en el juicio de partición de herencia —*In familiae erciscundae iudicio*— cada uno de los herederos tiene el carácter de demandado y de actor —*unusquisque heredum et rei, et actoris partes sustinet*—.

adjudicación por parte del *arbiter familiae erciscundae* de las cuotas —esta vez reales— a cada uno de los coherederos.

Sólo están legitimados para solicitarla los herederos civiles[13], esto es, las personas que adquirieron la herencia con el fallecimiento del causante o, a quienes en su caso, se les ha deferido la herencia y han aceptado.

Son objeto de la partición, entre otros: los bienes de los que el causante era propietario o poseedor de buena fe, los adquiridos por el *servus hereditarius* durante la yacencia de la herencia, las accesiones de los bienes hereditarios etc...; en cambio, no entran en el reparto, por ejemplo, los bienes *extra commercium* ni los usucapidos por un tercero[14].

En definitiva, con su ejercicio finaliza el estado de indivisión propio de la comunidad hereditaria, y se hacen efectivas las obligaciones nacidas entre los distintos coherederos[15]. La sentencia dictada por el *arbiter* contiene, por un lado, una *adiudicatio* con eficacia constitutiva y sin efectos retroactivos, que tiende a la atribución de la propiedad sobre bienes o de derechos reales y por otro, una *condemnatio* por la que se obliga a pagar a los distintos coherederos ciertas cantidades de dinero con la finalidad de extinguir las obligaciones nacidas entre ellos[16].

---

[13]   Si bien en las fuentes se recoge la posibilidad de que el pretor concediese la *actio familiae erciscundae* con carácter *utilis* en algunos casos, por ejemplo, cuando la sucesión se refiere a *bonorum possessores* o en el caso de que se hubiese deferido a algún arrogado la cuarta, ya que éste no se hace ni heredero, ni poseedor de los bienes.

[14]   La jurisprudencia romana expone numerosos ejemplos al respecto. Así se habla de que forman parte del juicio de división de herencia los malos medicamentos, los venenos, las palomas y abejas mientras conservan la costumbre de volver a nosotros, los predios, las cosas ajenas que el difunto posee de buena fe, el parto dado a luz, la cosa que fue legada bajo condición, ya que se considera interinamente de los herederos, lo que el río agregó por aluvión al fundo, lo que con dolo o culpa hubiese hecho alguno como heredero en la herencia etc...

[15]   Según Ulpiano, la acción de partición de herencia sólo puede ejercerse una vez, y si se dejaran indivisas algunas cosas, puede intentarse respecto de ellas la acción de división de la cosa común.

[16]   En ocasiones, dada la incomodidad que ofrece el pago o cobro de las porciones por adjudicar, el juez se decanta por reunir entera toda la condena sobre la persona de uno solo de los coherederos y adjudicarle todos los bienes; éste, por su parte, estará obligado a hacer efectiva la cuota correspondiente a cada uno de los demás.

4. LAS COLACIONES

I. Concepto

Genéricamente pueden definirse las colaciones —de *confero, collatum* = traer, llevar, aportar— como las aportaciones de bienes que debían realizar determinadas personas a la masa hereditaria, como presupuesto necesario para poder participar en la división de la herencia y con la finalidad de asegurar un reparto equitativo[17].

Se trata de una figura creada por el pretor y que históricamente surge por la necesidad, en los supuestos de pluralidad de herederos, de equiparar a los distintos descendientes del causante cuando algunos de ellos habían recibido, del *de cuius*, y con anterioridad a su fallecimiento, ciertas aportaciones, o incluso cuando habían tenido la oportunidad de llevar a cabo adquisiciones por su cuenta.

II. Clases

Las fuentes nos dan noticia de tres tipos de colación:

1) *Collatio bonorum* o *emancipati*, colación de los bienes o de los emancipados: es la primera en el tiempo y aparece cuando, en el s. I AC, el pretor obliga a los descendientes emancipados llamados a una sucesión intestada o contra testamento[18], a aportar (=colacionar) a la masa hereditaria, y en favor de los descendientes no emancipados (=*sui*), todo lo que hubiesen adquirido desde que se produjo la emancipación hasta la muerte del causante, y que de no haber mediado aquella, hubiesen engrosado el patrimonio del *de cuius*[19].

---

[17] La palabra colación refleja la idea, acogida en nuestro derecho moderno, de que algunos herederos forzosos, han de llevar a la masa hereditaria lo que con anterioridad habían recibido gratuitamente del causante, juzgándose como anticipo de su futura legítima. De la legítima tratamos en Tema 45.3.

[18] Por tanto, su origen hay que ir a buscarlo en el llamamiento que realiza el pretor en la *bonorum possessio sine tabulis testamenti* y en la *bonorum possessio contra tabulas testamenti* a los descendientes, como veremos más adelante, sin tener en cuenta si estaban o no sometidos a la potestad del causante. Y los requisitos necesarios para que se produzca son: 1) la apertura de la sucesión intestada o contra testamento, no la testamentaria; y 2) la petición por parte de un emancipado de la *bonorum possessio*.

[19] Se trataba, de fingir que el emancipado no tenía un patrimonio, al igual que pasaba con el *suus*. Por lo tanto quedaban excluidos la dote, el peculio castrense o lo

La forma de llevar a cabo la colación varió a lo largo del tiempo: en un primer momento, bastaba la simple caución o garantía de su realización —*cautio de conferendis bonis*—, mediante una *sponsio*, por la que el emancipado se obligaba a aportar los bienes cuando se le requiriese, hecha normalmente tras la concesión de la *bonorum posssessio* por parte del pretor, pero antes de efectuar cualquier acto que comportase actuación práctica de su derecho hereditario[20]. Después, se utilizaron otros medios tales como constituir una garantía real o personal, o incluso los bienes se colacionaban realmente, o se imputaba su valor.

Este tipo de colación perdió importancia desde el momento en que se empezó a reconocer la capacidad patrimonial de los *filii familias*.

2) *Collatio dotis* o colación de la dote. Más tarde el pretor también obliga a la hija que hubiera recibido una dote, profecticia o adventicia, pero siempre con derecho a su restitución, con ocasión de su matrimonio *sine manu*, a aportarla a la masa hereditaria, con la misma finalidad de evitar las desigualdades entre los distintos descendientes, y de nuevo sólo en los supuestos de *bonorum possessio sine tabulis o contra tabulas testamenti*. Sin embargo el régimen se modifica a partir de Antonino Pío quien establece que debe colacionarse la dote incluso en los supuestos en que la hija, siendo heredera civil, no reclamase la *bonorum possessio*, lo que supone el acercamiento de este instituto del derecho pretorio al derecho civil.

3) Finalmente ya en época justinianea[21] aparece, como única forma de colación derivada de las anteriores, la *collatio descendentium* o colación de los descendientes, por la que quedan obligados a colacionar los descendientes del causante, incluso en caso de sucesión testamentaria, todas las liberalidades que hubiesen recibido en vida del mismo, salvo que el propio testador hubiese liberado expresamente de tal obligación a sus herederos. Se requiere, pues, en quien ha de colacionar, un triple presupuesto: su cualidad de descendiente, su cualidad de donatario y su cualidad de heredero.

---

conseguido a través de un cargo honorífico. Por lo demás, piénsese que lo que adquiría el *alieni iuris* revertía directamente en el patrimonio del *pater*.

[20] Por ejemplo, el ejercicio de la acción de división de la herencia.

[21] Anteriormente se establece la obligación de colacionar la *donatio ante nuptias*.

Tema 42

El testamento en general

1. CONCEPTO, CARACTERES Y FORMAS DE TESTAMENTO

I. Concepto

El testamento es una institución muy antigua que tiende a asegurar, mediante el nombramiento de un nuevo jefe, la continuidad de la familia, tanto en lo personal como en lo patrimonial. Puede definirse como un acto de última voluntad, de carácter unilateral y personalísimo, realizado en forma solemne, ante testigos y en todo caso revocable, por el que se nombra heredero y en el que también pueden recogerse otras disposiciones de carácter patrimonial o personal[1].

En definitiva, el testamento es el acto por el cual una persona —el *de cuius*— regula el destino de su patrimonio para después de su muerte[2].

II. Caracteres

A tenor de la definición apuntada, el testamento se caracteriza por ser un acto: 1) del *ius civile*, esto es, en principio[3], sólo accesible a los

---

[1] Según Ulpiano el testamento es la manifestación legítima de nuestra voluntad —*testamentum est mentis nostrae iusta contestatio*— hecha con las solemnidades debidas —*in it solemniter facta*— para que surta efecto después de nuestra muerte —*ut post mortem nostram valeat*—. Para su discípulo Modestino, es: la declaración conforme a derecho que manifiesta nuestra voluntad —*voluntatis nostrae iusta sententia*— sobre lo que cada cual quiere que se haga después de su muerte —*de eo, quod quis post mortem suam fieri velit*—. En estas definiciones destaca la vaguedad con que el testamento se concibe, en las fuentes y sobre todo, la falta de referencia a la institución de heredero, siendo su disposición principal.

[2] Según Instituciones de Justiniano: se denomina testamento porque es testimonio de la mente (*Testamentum ex eo appellatur, quod testatio mentis est*).

[3] Con la *Constitutio Antoniniana* (a. 212), desaparece esta característica, ya mermada al introducirse el fideicomiso.

ciudadanos romanos; 2) de última voluntad o *mortis causa*, por producir efectos sólo tras el fallecimiento del causante; 3) unilateral, pues requiere para su constitución solo la voluntad del testador; 4) personalísimo, puesto que dicha voluntad no puede manifestarse a través de un representante legal o voluntario; 5) formal o solemne, al precisar una serie de formalidades establecidas por la ley que variarán según tipos y épocas y que impiden la libre manifestación de la voluntad del testador[4] y 6) de carácter revocable, pues, como precisan las fuentes, la voluntad del testador es variable —*ambulatoria est voluntas defuncti*— hasta el último momento de su vida —*usque ad vitae supremum exitum*—. Así, de todos los testamentos escritos, en principio, sólo tendrá valor el último.

III. Formas antiguas de testar

A) Según Gayo, en un principio hubo dos clases de testamento: —*testamentorum autem genera initio duo fuerunt*— o se hacía testamento ante los comicios convocados, —*nam aut calatis comitiis testamentum faciebant*— o ante el ejército, esto es, cuando se tomaban las armas para la guerra —*aut in procinctu, id est cum belli causa arma sumebant*—. Así pues, el primero se hacía en tiempo de paz y tranquilidad y el segundo al salir a la batalla —*Alterum itaque in pace et in otio faciebant alterum in proelium exituri*—. Se añadió después una tercera clase de testamento, que se hace por medio del bronce y de la balanza —*Accessit deinde tertium genus testamenti, quod per aes et libram agitur*—.

a) El Testamento ante los Comicios Curiados —*Testamentum calatis comitiis*—[5] era el que se realizaba en tiempo de paz, en forma oral y con carácter público, ante los comicios curiados —*comitia curiata*— convocados con esta finalidad dos veces al año —24 de marzo y 24 de mayo— *quae comitia bis in anno testamentis faciendis destinata erant,* y en presencia del *pontifex maximus*. Ante la ausen-

---

[4] En este sentido la doctrina distingue entre el tiempo de la confección del testamento por el testador y el de la perfección, entendiendo por éste, aquel en el que se dan cumplimiento a las formalidades exigidas por la ley.

[5] Parece ser que se configura esta forma de testar como el escalón entre la sucesión intestada —que fue la primera en aparecer— y la testamentaria.

cia de datos[6], baste consignar que dadas las dificultades de orden práctico que plantea, pronto cae en desuso y desaparece junto con esta clase de comicios.

b) Testamento ante el ejército —*Testamentum in procinctu*; *Procinctu* es = al ejército dispuesto y armado—. Se otorgaba, en tiempo de guerra, antes de ir a la batalla, en forma oral, manifestando el testador su voluntad, en forma privada ante los compañeros más próximos. Por sus características, el testamento perdía su validez una vez que el testador volvía de la batalla.

c) Testamento por el bronce y la balanza[7] —*Testamentum per aes et libram*— era el que se otorgaba por el que no había realizado testamento y se encontraba en peligro de muerte, —*si subita morte urguebatur*— mancipando su patrimonio por una sola moneda —*mancipatio familiae* o *nummo uno*— a un amigo —*emptor familiae*—, y pactando con él —*pactum fiduciae*— que dispusiera del mismo en favor de un tercero, y según las instrucciones que le indicaba[8]. De este modo, la persona designada en el pacto no podía considerarse *heres* sino simplemente adquirente del *emptor*[9]. En palabras de Gayo es la única forma de

---

[6] No se sabe con exactitud en qué consistía la actuación de la asamblea, esto es, si intervenía como simple testigo de la declaración del testador, o por contra, influía de alguna manera en la aprobación o desaprobación de su voluntad, como si se tratara de votar una ley. Hecho que según la doctrina pudiera estar ligado a la procedencia etimológica de *testamentum,* del verbo *testor,* que puede significar prestar o pedir testimonio; ya que en las fuentes este tipo de testamento aparece expresamente así calificado: como *testamentum*, quizás su explicación pueda encontrarse en la actuación que se solicita del pueblo agrupado en comicios. Tampoco es cuestión pacífica en doctrina la de su contenido, ya que se duda si realmente contenía ya la institución de heredero, o más bien una *adrogatio* por la que el arrogado heredaba como hijo, o incluso, simplemente legados.

[7] Según Gayo este testamento se llama por el bronce y la balanza —*quod testamentum dicitur per aes et libram*— porque se celebraba por medio de una *mancipatio* —*scilicet quia per mancipationem peragitur*—.

[8] Se trata, según la doctrina, de una aplicación particular de la *mancipatio fiduciae causa,* convirtiéndose el *familiae emptor* en titular fiduciario del patrimonio.

[9] La fórmula, según Gayo, es: el que hace testamento, estando presentes, como en las demás *mancipationes*, cinco testigos ciudadanos romanos púberos y el *libripens*, después de haber escrito las tablas del testamento, transmite a otro su *familia* por medio de la fórmula de la *mancipatio*, para lo que el comprador de la *familia* utiliza estas palabras: «afirmo que, conforme a tu mandato, tu familia y tus bienes están bajo mi custodia, y, para que conforme a derecho puedas hacer testamento según la ley pública, los compro con este bronce y», según añaden algunos, «con esta balanza de cobre». Entonces golpea con el bronce la balanza y lo entrega al testador a modo

testar que perdura en el derecho clásico, si bien en este momento se admite que la declaración del testador, que antes era siempre oral —*nuncupatio*, de *nuncupare* es = nombrar públicamente— se traslade a unas tablas enceradas —*tabulae ceratae*— presentadas a los testigos para que las sellen —*signatio*— y pongan sus nombres —*superscriptio*— siendo la *mancipatio* mera formalidad para realizar la institución de heredero, y produciéndose la adquisición, no en favor del que actúa en dicho acto, sino de las personas indicadas por el testador y en el momento de su fallecimiento[10].

B) A partir del s. I AC. el pretor basándose en esta última forma de testar, y en un intento de simplificarla, concede la *bonorum possessio secundum tabulas testamenti* —primero, *sine re*[11]— a la persona que le presente las tablas del testamento selladas por siete testigos, (que son las personas que intervienen en la *mancipatio*) y si no hay nadie a quien corresponda por derecho legítimo la herencia[12]. Tal y como se recoge en las Instituciones de Justiniano estamos ante otra forma de testar admitida esta vez por el *ius honorarium*.

---

de precio; después el testador, sosteniendo las tablas del testamento, dice así: «así como está escrito en estas tablas de cera, así doy, lego y testo, y así, vosotros, ciudadanos, sedme testigos de ello».

[10] Es útil detenernos en la explicación que da Gayo: Sin embargo, hoy se dispone de modo distinto a como solía hacerse antes —*Sane nunc aliter ordinatur quam olim solebat*— porque antiguamente el comprador de la familia, o sea, el que por medio de una *mancipatio* recibía la familia del testador —*Namque olim familiae emptor, id est qui a testatore familiam accipiebat mancipio*— se colocaba en la situación de heredero —*heredis locum optinebat*— y por ello el testador le ordenaba que a su muerte repartiera los bienes en la forma por él indicada —*et ob ei mandabat testator, quid cuique post mortem suam dari vellet*— Hoy sin embargo, se instituye en el testamento un heredero a quien se encomienda el reparto de los legados, y permanece el otro como comprador de la *familia*, por mera fórmula y para imitar el derecho de los antiguos —*nunc vero alius heres testamento instituitur, a quo etiam legata relinquantur, alius dicis gratia propter veteris iuris imitationem familiae emptor adhibetur*—.

[11] A partir de Antonino Pío la situación cambia. Se concede la *bonorum possessio cum re,* por lo que el que ha solicitado la posesión de los bienes hereditarios, a tenor de un testamento no válido según el derecho civil por faltar el acto mancipatorio, puede ejercer contra el heredero civil *ab intestato* una *exceptio doli*.

[12] Por ejemplo, un hermano nacido del mismo padre, un tío paterno o un hijo del hermano; entonces los instituidos herederos podrán retener la herencia. Este derecho existe si el testamento no es válido por otra causa, por ejemplo, porque no se vendió el patrimonio o el testador no pronunció las palabras de la *nuncupatio*.

IV. Formas nuevas de testar

Distinguiremos entre: testamentos ordinarios —privados o públicos— y extraordinarios[13] —con especial mención del testamento militar—.

A) Dentro de las formas ordinarias de testar la doctrina distingue, en cuanto a las privadas, entre: a) una oral —*Testamentum per nuncupationem*— que requiere la presencia de 7 testigos reunidos para oír la voluntad del testador y b) otra escrita —*Testamentum per scripturam*— de la época de Teodosio II y Valentiniano III, realizado por el propio testador, por un escribano en su nombre o incluso, si no sabía de letras, por un *subscriptor*, en latín o en griego[14], y que podía presentarse, abierto o cerrado, según los testigos se enteraran o no de su contenido y ante cinco o siete testigos respectivamente[16]. El testador declaraba ante ellos que el documento contenía su voluntad, y en su presencia lo firmaba. Con su firma y el sello de los testigos en un mismo momento —*unitas actus*— el testamento adquiría fuerza. En derecho Justinianeo no se requiere unidad del acto, deben manifestarse los nombres de los herederos y se denomina tripartito —*tripertitum*— en consideración a su triple origen[16]. Existe, también, un testamento escrito de puño y letra del testador, testamento ológrafo —*holographum*— en el que no es necesaria intervención de testigos. Sin embargo esta norma, que pasa a Occidente, y con vigencia actual, no se acoge en la compilación de Justiniano.

Al lado de estas formas privadas de testar, aparecen las públicas: a) *Testamentum apud acta conditum*, que era el que se otorgaba de

---

[13] También cabe hablar durante un tiempo de testamento civil frente al pretorio, siendo la única diferencia entre ellos el número de testigos que se requieren: para el primero cinco y para el segundo siete. A partir del s.V se abrogan estas dos formas y se prevé un único tipo de testamento.

[14] La doctrina distingue entre el testamento ológrafo, cuando es el propio testador el que redacta el testamento, y alógrafo, cuando es un tercero el que lo hace.

[15] No podían actuar como testigos, por ejemplo, los locos, los sordos, los mudos, las mujeres etc... No existen en derecho romano ni el testamento conjunto —realizado por dos personas a la vez— ni el recíproco, esto es, aquel en que los testadores se nombran recíprocamente herederos.

[16] Así, la necesidad de testigos y su presencia en un solo acto surge del derecho civil antiguo; las *subscriptiones* del testador y de los testigos, de las constituciones imperiales y el sello y el número de testigos del edicto pretorio.

palabra ante la autoridad municipal o judicial y cuya declaración se transcribía y registraba en un acta pública y b) *Testamentum principi oblatum*, que se otorgaba de palabra ante el emperador y se depositaba en el archivo público, aunque terminará por redactarse por escrito y entregarse por el propio testador en las oficinas de la cancillería imperial para que fuera custodiado en los archivos imperiales.

B) Los testamentos extraordinarios eran los que, en atención a circunstancias especiales, ya fueran éstas personales, ya relativas al lugar o momento en que se otorgaba el testamento, presentaban una serie de peculiaridades, que redundaban en una mayor exigencia o atenuación de sus formalidades. Entre ellos destaca el testamento: a) otorgado en tiempo de epidemia; b) el hecho en el campo; c) el del ciego; d) el del padre entre sus hijos; e) el del analfabeto y f) en fin, exento de cualquier formalidad legal, desde Constantino, los hechos en beneficio de la Iglesia o de obras pías (*piae causae*)[17].

C) El testamento militar —*Testamentum militis*— trae su origen del régimen al que se someten los soldados, que supone la imposibilidad de dirigirse a las personas entendidas. Esta circunstancia mueve a varios emperadores a dictar disposiciones[18] que les dispensen de observar las normas comunes en la confección del testamento. En cuanto a su carácter se configura como un privilegio personal, una indulgencia, con libertad absoluta en lo que se refiere a la forma del mismo, siempre que aparezcan con claridad la voluntad y seriedad

---

[17] En los *testamenta*: a) *pestis tempore conditum*, para evitar el contagio no se requiere la presencia simultánea —sí sucesiva— de los testigos, ni tan siquiera que se pongan en relación directa con el testador; b) los *ruri conditum* podían realizarse con cinco testigos —en vez de siete— pudiendo los que sabían escribir firmar por los que no sabían, siendo necesario que todos conociesen el contenido del testamento; c) los del *caeci*, por la especial circunstancia personal del testador, debían dictarse a un *tabularius* —notario— delante de siete testigos, e incluso podía hacerse que lo escribiera un octavo testigo estando los demás presentes, tras su lectura ante los testigos y el testador, éste debería confirmarlo; d) se sanciona la validez del testamento *parentum inter liberos*, que eran los escritos por el padre y en el que aparecían los nombres de sus hijos o nietos, sus cuotas —en letras— y la fecha de su otorgamiento y e) el testamento del analfabeto, en el que era necesario un octavo testigo que firmase por el testador.

[18] Este régimen especial primero se inicia con concesiones temporales —a través de constituciones imperiales, sobre todo *mandata*— de Julio César, Tito y Domiciano, y después de forma definitiva con Nerva y Trajano.

del testador[19]. Su contenido supone una derogación de la mayoría de los principios del derecho sucesorio romano, entre los que cabe destacar: la regla *nemo pro parte testatus pro parte intestatus decedere potest*, el principio *semel heres semper heres* y la imposibilidad de coexistencia de varios testamentos...[20]. Pueden acogerse a su régimen los soldados de mar y tierra, e incluso los civiles que sigan al ejército y mueran en territorio enemigo[21] y su vigencia alcanza del enrolamiento hasta el licenciamiento[22].

2. TESTAMENTO Y CODICILO

I. Denominación y concepto

A) El causante podía completar su testamento con un documento separado, un pequeño código, *Codicillus,* diminutivo de *codex,* que se presentaba como un apéndice del testamento, y que incluso podía redactarse sin que existiese éste, o con anterioridad o posterioridad a él[23]. Así como el testamento, para que fuese válido, debía contener necesariamente la institución de heredero, la validez del codicilo dependía justamente de que no lo contuviese[24].

---

[19] Así, tal y como indica Gayo, aunque no hayan presentado el número de testigos exigido, o no hayan vendido el patrimonio, o no hayan hecho la *nuncupatio,* el testamento no por ello deja de ser válido.

[20] Tampoco rigen las incapacidades de la *lex Iulia et Papia Poppaea;* se admite la sucesión a favor de algunas personas a las que la ley niega la *testamenti factio passiva;* los bienes hereditarios no están sometidos a la reducción de la *Quarta Falcidia;* es inaplicable la *Querella inofficiosi testamenti;* es válida la *institutio ex re certa;* no se exige la expresa desheredación de los *sui* y se puede dividir la herencia entre dos personas como si fuesen dos herencias independientes. Se mantiene, sin embargo, todo lo relativo a la validez del negocio jurídico, y así, por ejemplo, no es válido el testamento militar cuando se ha establecido una institución de heredero sometida a una condición ilícita.

[21] Justiniano lo limita a los militares que no estuvieran en su residencia habitual.

[22] Nuevamente Justiniano establece una limitación al respecto: el tiempo de campaña, excluyendo el de guarnición. También se admite el testamento hecho antes de entrar al servicio militar, cuando no vale por las normas comunes, y el otorgado durante el servicio, no caduca sino un año después del licenciamiento, si éste es honroso. En caso contrario, su caducidad coincide con el licenciamiento.

[23] De este modo se le facilitaba al testador la posibilidad de ampliar su testamento sin tener que abrirlo de nuevo o de cumplir con las formalidades propias de éste.

[24] Pero parece sí podía ordenarse en testamento que fuese válida la institución de heredero hecha en el codicilo.

B) El codicilo puede pues definirse como un acto unilateral, no solemne, escrito a modo de carta, revocable, en el que se contienen una o varias disposiciones *mortis causa,* a excepción de la institución de heredero, las desheredaciones y las sustituciones.

II. Origen y evolución

A) El origen del codicilo hay que buscarlo en la época de Augusto[25] y se enlaza con la figura del fideicomiso, que no era más que una sucesión libre de las formalidades del *ius civile,* siendo el codicilo el escrito que lo contenía.

B) Con el tiempo, el codicilo se irá aproximando al testamento en cuanto a sus requisitos y formalidades y, en general, en época postclásica, ya puede afirmarse que sólo la existencia o no de la *heredis institutio*, distingue ambas figuras en ese momento. Teodosio II, extiende al codicilo el requisito formal del testamento relativo a la necesaria intervención de siete testigos y Justiniano: acoge lo anterior; limita el número a cinco y reitera el principio que el codicilo no puede contener la institución de heredero.

---

[25] En las Instituciones de Justiniano se recuerda lo siguiente respecto al origen de los codicilos: «Consta que antes de los tiempos de Augusto no había estado en uso el derecho de los codicilos, sino que Lucio Léntulo, de quien tomaron también origen los fideicomisos, fue el primero que los introdujo. Pues como estuviese por fallecer en África, escribió codicilos confirmados por testamento, en los que pidió a Augusto por fideicomiso que hiciese alguna cosa; y como el divino Augusto hubiese cumplido su voluntad, después los demás, siguiendo su autorizado ejemplo, ejecutaban los fideicomisos, y la hija de Léntulo pagó legados que en derecho no debía. Pero dícese que Augusto convocó a los jurisconsultos, entre los que se hallaba también Trebacio, cuya autoridad era entonces la más grande, y les preguntó si podía admitirse esto, y si el uso de los codicilos no estaba en discordancia con el fundamento del derecho; y que Trebacio aconsejó a Augusto que dijese que esto era utilísimo y necesario a los ciudadanos a causa de los grandes y largos viajes, que hacían los antiguos, durante los que, si alguno no pudiese hacer testamento, pudiera no obstante hacer codicilos. Después de aquellos tiempos, como también Labeón hubiese hecho codicilos, ya para nadie era dudoso que los codicilos eran admitidos con perfectísimo derecho».

III. Clases de codicilos

Las fuentes hablan de codicilos testamentarios y *ab intestato*

A) Codicilos testamentarios son los que, como su nombre indica, comportan además la existencia de un testamento. A su vez, pueden ser a) confirmados o b) no.

a) *Codicilli testamento confirmati*, son los que se otorgan antes —denominados *in praeteritum*— o después —denominados *in futurum*— de haber confeccionado el testamento e introducen al efecto una cláusula en la que se establece que existe ya un codicilo o que se redactará con posterioridad[26]. Con ellos se pueden ordenar legados, manumisiones directas, nombrar tutores y establecer disposiciones fideicomisarias, revocarlas o convalidarlas. La confirmación en el testamento hace que se consideren parte del testamento —*pars testamenti*— y por tanto con carácter accesorio a él.

b) *Codicilli testamento non confirmati*, son los que, por no estar confirmados en el testamento, se dice que son independientes de éste, en el sentido de que adquieren validez al margen del mismo. Contienen fundamentalmente disposiciones fideicomisarias.

B) Codicilos *ab intestato* son los que se otorgan sin existir testamento y sólo pueden contener fideicomisos que deben respetar los herederos legítimos.

Con la equiparación, en la época justinianea, de los legados y los fideicomisos, pierde importancia la clasificación establecida entre los distintos tipos de codicilos.

IV. Capacidad y cláusula codicilar

A) En principio puede ordenar un codicilo el que tenga capacidad para testar —*testamenti factio activa*— tanto al tiempo de la confección del testamento, como al de su muerte. Sin embargo, en época justinianea se admite la convalidación del codicilo realizado por un *filiusfamilias*, un esclavo o incluso un deportado siempre que reco-

---

[26] La confirmación puede hacerse de dos formas distintas, con *verba imperativa,* si se quiere que tengan eficacia civil las disposiciones o con *verba precativa*, si se quiere tengan valor fideicomisario.

bren más tarde la capacidad y mueran sin modificar la voluntad expresada en el codicilo.

B) Se trata de una cláusula testamentaria por la que el causante establece que si el testamento no llega a valer por incumplir algún requisito formal[27], valga como codicilo[28]. Por lo tanto es una manera de prevenir la posible ineficacia del testamento, que a su vez conlleva, la necesaria interpretación de la institución de heredero como un fideicomiso universal.

3. *TESTAMENTIFACTIO, CAPACITAS* E *INDIGNITAS*

I. *Testamentifactio*

Testamenti factio significa —desde un prisma etimológico— otorgar o hacer testamento. Sin embargo en las fuentes se encuentra referido, no sólo a la capacidad de hacer y suceder por testamento —llamada, después, por los intérpretes *testamenti factio activa*— sino también a la de ser contemplado en un testamento de cualquier forma[29] —*testamenti factio passiva*—.

A) En general puede afirmarse que tiene *testamenti factio activa* la persona que ostenta plena capacidad jurídica y de obrar. Así, no pueden testar, entre otros, el demente, el impúber *sui iuris*[30] o los *Latini Iuniani*[31].

---

[27] No por falta de capacidad, o vicios de contenido.

[28] Así por ejemplo, cuando en el testamento se omite la institución de heredero.

[29] Ya sea como heredero, ya como legatario, como tutor o incluso testigo.

[30] El hijo de familia, no puede testar, según Ulpiano, porque no tiene nada; el impúber, aunque sea independiente, porque todavía no tiene la plena madurez de juicio; el mudo, porque no puede pronunciar las palabras propias de la declaración de testamento; el sordo, porque no puede oír las palabras del comprador; el loco furioso, porque no tiene inteligencia para disponer de sus bienes; el pródigo, porque le está vedada la disponibilidad de su patrimonio, y por lo tanto, no puede venderlo; el latino, porque la ley Junia se lo prohíbe expresamente; el que pertenece a la clase de los dediticios, porque ni como ciudadano romano puede testar, porque es extranjero, ni como extranjero, porque no pertenece a ciudad alguna, y por lo tanto no puede testar con arreglo a la ley de su ciudad. En derecho postclásico e influjo del cristianismo, tampoco pueden testar el apóstata, el maniqueo y el herético.

[31] Estos, curiosamente, no podían tener herederos y su patrimonio pasaba al patrono manumitente.

Sin embargo son muchas las excepciones establecidas al respecto. Así, sin tener capacidad jurídica pueden testar el *servus publicus* en cuanto a la mitad de su peculio, y el *filius familias* en relación a su peculio castrense o cuasi-castrense. Y sin tener plena capacidad de obrar, también podrán hacerlo el loco, en los periodos de lucidez, el pródigo si es antes de que se le prohíba la administración de sus bienes, la mujer si se libera de la tutela[32] (a partir de Adriano *tutore auctore)* y el mudo o el sordo, una vez introducidas las formas escritas de testar, habiendo solicitado previamente al emperador la debida autorización[33].

B) El poder ser instituido heredero, o ser nombrado legatario, tutor o testigo —*testamenti factio passiva*— requería que la persona fuese libre, ciudadano romano, y *sui iuris*. Sin embargo, de nuevo, vuelven a plantearse numerosas excepciones en las fuentes. Y así, tienen *testamenti factio passiva*, entre otros[34]: los esclavos del testador, si éste al tiempo les concede la libertad[35]; los esclavos ajenos si el dueño de los mismos la ostenta; los *Latini Iuniani*[36] y los *filii familias*.

En cambio no pueden ser instituidos en un testamento[37] las personas inciertas, esto es, aquellas de las que el causante no pudo hacerse una idea precisa[38], y la *testamenti factio* de las personas jurídicas y de los distintos tipos de póstumos[39] sólo se reconoce en época avanzada.

---

[32] La forma de liberarse es mediante la *coemptio fiduciaria*.

[33] En derecho Justinianeo sólo son incapaces los sordomudos de nacimiento. Y en cuanto al que está en poder de los enemigos, se dice en las Instituciones, que el testamento que hizo entre ellos, no es válido, aunque hubiere vuelto; pero el que hizo mientras estuvo en la ciudad, vale por derecho de regreso, si hubiere vuelto, o es válido por la ley Cornelia, si allí hubiere fallecido.

[34] También los extranjeros, cuando el testador es militar, y los esclavos extranjeros políticamente, pero que forman parte de una familia romana.

[35] Con Justiniano la sola institución del esclavo propio comporta su libertad.

[36] Aunque lo adquirido por ellos se consideraba *caducum* y pasaba al Fisco.

[37] Tampoco los hijos de los condenados por delitos de alta traición —*perduellles*— o los peregrinos, pueden ser herederos; ni los dioses, exceptuando, según Ulpiano, aquellos respecto de los cuales está permitido por senadoconsulto o por las constituciones de los Príncipes, como son Júpiter Tarpeyo, Apolo Didimeo de Melaso, Marte en la Galia, Minerva Troyana, Hércules Gaditano, Diana de Efeso y Celeste de las Salinas de Cartago.

[38] Ulpiano nos ofrece el siguiente ejemplo al respecto: aquel que llegase el primero a mi funeral, sea el heredero —*quisquis primus ad funus meum venerit, heres esto*—.

[39] Cabe destacar, entre las distintas clasificaciones de los póstumos, la que distingue entre *postumi sui*, que son los que nacen tras el fallecimiento del causante y que

Así como la *testamenti factio activa* se requiere desde la confección del testamento hasta el fallecimiento[40], la *testamenti factio passiva*, se requiere además en un tercer momento[41], este es el de la adición de la herencia[42], estableciéndose que, los posibles cambios en cuanto al derecho a heredar, ocurridos en el tiempo intermedio entre la confección del testamento y el fallecimiento del causante, no perjudican al llamado a heredar[43].

II. *Capacitas*

Como veíamos en su momento uno de los objetivos de la política de Augusto fue el aumento de la natalidad, y con ésta y otras finalidades, se configuró en su época una legislación matrimonial. Concretamente con la *Lex Iulia de maritandis ordinibus* (a. 17 AC.) y la *Lex Papia Poppaea* (a. 9 DC.) se introdujo una especial aptitud para coger, *capere*, o adquirir los bienes hereditarios denominada *capacitas*. Así, la posible *incapacitas* no afectaba a la delación de la herencia, sino a la adquisición efectiva de la misma[44].

Según lo establecido en dichas leyes eran incapaces para coger o adquirir —*capere*— los bienes hereditarios los varones de 25 a 60 años y las mujeres de 20 a 50 años:

---

adquieren la condición de *sui* respecto del testador, y los *postumi alieni*, que son los que nacen tras el fallecimiento del causante, y pertenecen a otra familia.

[40] De este modo, si el testador adquiere la necesaria capacidad para testar tras la confección del testamento, éste no se convalida, pero el pretor puede conceder al instituido en el mismo que lo solicite, la *bonorum possessio secundum tabulas testamenti*. Si en cambio, el testador sufre, tras la confección del testamento, una *capitis deminutio*, el testamento se hace *irritum,* a excepción de los supuestos anteriormente analizados de cautiverio de guerra, en los que podía aplicarse o el *ius postliminii* o la *fictio legis Cornelia*. Parece ser que en el derecho justinianeo se requiere la *testamenti factio* sólo en los dos momentos, aunque en el tiempo intermedio se hubiese perdido.

[41] Lo que ha venido a denominarse la doctrina de los *tria tempora*.

[42] No hay que olvidar que el momento del fallecimiento del causante se retrasa con la *lex Papia Poppaea* al tiempo de la apertura del testamento.

[43] Hay que tener presente que estamos centrándonos en los supuestos de sucesión testamentaria. Por contra, si lo que se abría era la sucesión intestada, también el llamado a heredar debía tener los mismos requisitos establecidos hasta el momento, excluyendo esta vez, el tiempo de la confección del testamento.

[44] De este modo podía ocurrir que una persona que tuviese la necesaria *testamenti factio passiva*, pudiese ser heredero y no llegase a adquirir los bienes hereditarios por encontrarse en alguna de las situaciones indicadas por dichas leyes.

a) En todo caso y cuantía, cuando permanecían solteros/as —*caelibes*—, o eran viudos o divorciados, salvo si contraían matrimonio dentro de los cien días siguientes al fallecimiento, o dentro del plazo establecido para la aceptación formal;

b) En la mitad de herencias y legados, cuando estaban casados pero no tenían hijos —*orbi*— en el caso de los varones, y carecían del *ius liberorum* (menos de tres o cuatro hijos según fueran ingenuas o libertas) en el caso de las mujeres;

c) Sólo en una décima parte de la herencia, en lo que se refiere a la sucesión recíproca de los cónyuges, si no tenían hijos[45].

Existieron excepciones a dicha *capacitas* como la establecida en favor de los *cognati* del causante dentro del sexto grado y de los afines próximos, así como si se conseguía del príncipe el *ius liberorum,* o si el marido estaba ausente. Justiniano en una constitución del año 534 deroga la legislación caducaría de Augusto, siendo el caso de las *feminae probosae* el único que en esta época se mantiene.

III. *Indignitas*

Así como la falta de *capacitas* es compatible con la delación de la herencia, la *indignitas* lo es, no sólo con la delación, sino incluso con la adquisición de la herencia. A partir del Principado, a la persona que presenta una conducta desleal o inmoral en relación al causante de la sucesión, se la califica de indigna para suceder y se le despoja de los bienes hereditarios —que normalmente van a parar al Fisco— aunque se le mantiene el título de heredero[46].

Pueden clasificarse dichas conductas en dos grupos: 1) las dirigidas contra la persona del difunto, por ejemplo, el haber atentado contra la vida del testador, su dignidad u honor y 2) las dirigidas contra la voluntad del *de cuius*, por ejemplo, la impugnación del testamento, la utilización de violencia para hacerle disponer sobre algo, el haber enajenado parte del patrimonio del causante en vida de éste, el haber falsificado alguna de las disposiciones testamentarias etc.

---

[45] Si tenían hijos de matrimonios anteriores, la porción aumentaba tantas décimas como hijos tuviesen. Se agregan una o dos décimas cuando se pierden uno o dos hijos comunes.

[46] Tanto puede declararse indigno a un heredero como a un legatario.

A estas conductas cabe añadir, como 3) el comportamiento ilegal, que se produce en el caso del matrimonio del magistrado con mujer provincial o del tutor con la pupila. En definitiva la *indignitas* conlleva, frente a la *testamenti factio passiva* y la *capacitas*, no poder retener los bienes hereditarios. En síntesis la *testamenti factio passiva*, la *capacitas* y la *indignitas* corresponden a tres momentos que se suceden, cronológicamente, en el tiempo, por los que, respectivamente, una persona puede ser heredero, puede coger los bienes hereditarios y finalmente, puede retenerlos.

4. LA APERTURA DEL TESTAMENTO

Según la doctrina, el *ius civile* y el *honorarium* establecieron escasas normas a seguir tras la apertura de la sucesión, para ejecutar lo dispuesto en el testamento. En época de Augusto, la apertura del testamento se convierte en un acto público, tras el establecimiento de un impuesto general —*vicesima hereditatium*— cifrado en el 5%, con una *lex Iulia* (a. 6 DC). También en el Edicto del Pretor se encuentran algunas normas de ejecución.

El lugar de apertura del testamento era el foro, la basílica o la oficina de recaudación del impuesto, en el plazo de tres a cinco días tras el fallecimiento del causante. Intervenían en dicho acto la autoridad pública —el pretor en Roma, o el gobernador en las provincias—, si era posible, la mayor parte de los testigos que intervinieron en el otorgamiento del testamento con la finalidad de reconocer los sellos y las firmas, allegados del *de cuius*, y los posibles herederos. Reconocido el testamento —*inspectio*—; se procedía a la ruptura de los sellos y las cintas —*linum*— que unían las tablas del testamento; a separarlas —*dissociatio tabulae*— y a leer su contenido —*recitatio*—[47]. Más tarde, se solía copiar —*descriptio*— y archivar, levantándose acta.

---

[47] Parece ser que se seguían las mismas pautas para la lectura de los codicilos.

5. INVALIDEZ, INEFICACIA Y REVOCACIÓN DEL TESTAMENTO

I. Invalidez e ineficacia del testamento[48]

La invalidez[49] de un testamento puede ser inicial o sucesiva. Inicial u originaria es la que impide desde el principio la eficacia del mismo; sucesiva o sobrevenida es la que se produce como consecuencia de un hecho posterior, que hace que, siendo el testamento en un primer momento válido, quede invalidado tras su perfección.

La invalidez inicial puede derivar de alguna de las siguientes causas[50]: a) por falta de *testamenti factio* del testador o del heredero y b) por defecto de forma del testamento —en todos estos casos el testamento se califica de *iniustum, non iure factum* o *imperfectum*— y c) por preterición de un *suus* —el testamento es entonces: *nullum* o *nullius momenti, inutile* o *iniustum*—.

La invalidez sucesiva o ineficacia puede producirse, por: a) *capitis deminutio* del testador —de cualquier grado— o sea, por pérdida de la capacidad jurídica[51] —casos en que el testamento recibe la denominación de *irritum factum*—; b) repudiación de la herencia, premoriencia, incapacidad sobrevenida del heredero, o incumplimiento de una condición suspensiva —casos en que el testamento se califica de *destitutum* o *desertum*—; c) revocación del testamento o existencia de un *postumus suus* —se califica de *ruptum*— y d) impugnación por *querela inofficiosi testamenti* o error en el motivo de la institución de heredero.

---

[48] La doctrina distingue entre invalidez del testamento como acto, e invalidez de las disposiciones que en él se contienen. Además en este último caso, matiza, entre invalidez por causa de la institución de heredero —que puede conllevar la de todo el testamento— y por causa de otra disposición.

[49] Hay que tener presente que aunque los términos e idea de los tipos de invalidez aparecen en las fuentes romanas, la distinción entre invalidez e ineficacia es posterior aunque basada en dichas fuentes.

[50] También por incapacidad o inexistencia de los herederos instituidos o por defectos que afecten a la voluntad.

[51] Salvo en los supuestos en que, tras una *capitis deminutio* máxima, se apliquen el *ius postliminii* o la *fictio Legis Cornelia*. No hay que olvidar que la pérdida de la capacidad de obrar —por ejemplo en los supuestos de enfermedad mental— no afecta a la validez del testamento ya otorgado.

II. Revocación del testamento

El testamento es un acto unilateral revocable en todo momento. Por lo tanto, el testador puede modificar su voluntad cuantas veces quiera antes del fallecimiento.

La revocación del testamento tiene distinto alcance y requiere algunos matices. A) En el *ius civile*, la revocación requiere un testamento nuevo y válido que lo sustituya —aunque luego no llegue a ser eficaz[52]—. B) En el *ius honorarium*, el pretor concede la *bonorum possessio ab intestato,* incluso no existiendo nuevo testamento, cuando le parezca manifiesta la voluntad del testador de revocar el anterior (por ejemplo si rompe las tablas que lo contenían). C) En el *ius novum*, derecho postclásico, se establece que el testamento pierde su eficacia (= caduca) transcurridos diez años de su otorgamiento; y también, por medio de un testamento posterior imperfecto —*testamentum posterius imperfectum*— siempre y cuando en él se haya instituido a los herederos *ab intestato*[53]. D) Por último, en el derecho justinianeo, se mantienen todas las normas anteriores y se modifica la de entenderse revocado el testamento a los 10 años, estableciéndose, en este caso, una posible revocación *apud acta*, ante la autoridad pública y tres testigos.

---

[52]   Por ejemplo, porque no se cumple la condición a que queda sometida la *heredis institutio.*

[53]   La norma relativa a la caducidad se establece través de una constitución del año 418, de Teodosio II y Honorio y la del testamento posterior imperfecto, por otra de Teodosio II y Valentiniano III, del 439.

Contenido del testamento

1. LA INSTITUCIÓN DE HEREDERO

I. Importancia

Entre de las distintas disposiciones que puede contener un testamento[1] destaca por su importancia la institución de heredero —*heredis institutio*—. En las fuentes romanas aparece la idea de que aquél toma su fuerza de dicha institución que, como dice Gayo, se considera principio —*caput*— y fundamento —*fundamentum*— de todo testamento —*totius testamenti*—[2]. En atención a ello, la moderna romanística califica a la institución de heredero como condición necesaria y suficiente para que exista testamento. Necesaria porque sin ella no cabe hablar de él; suficiente porque sólo con ella existe. Ulpiano aporta la base a esta formulación, al decir que puede hacerse testamento con 5 palabras —*quinque verbis potest facere testamentum*— diciendo —*ut dicat*—: sea Lucio Ticio mi heredero —*Lucius Ticius mihi heres esto*— y tras reflexionar, matiza, que esta escritura corresponde al que no testó por escrito, el cual podrá hacerlo sólo con tres palabras —*qui poterit etiam tribus verbis testari*— diciendo —*ut*

---

[1] Las disposiciones testamentarias pueden clasificarse, según la doctrina, en los siguientes grupos: 1) atributivas (la institución de heredero, legados, manumisiones, nombramientos de tutores, fideicomisos y sustituciones); 2) de revocación (*ademptio legati* o *libertatis*); 3) de conversión (cláusula codicilar); 4) distributivas (*divisio parentis inter liberos, adsignatio libertorum*) y 5) derogativas (dispensa de la *cautio legatorum servandorum causa,* dispensa de colacionar o de inventariar).

[2] Según Ulpiano, antes de la institución de heredero no puede legarse —*ante heredis institutionem legari non potest*— porque la fuerza y el poder del testamento comienzan a partir de la institución —*quoniam vis et potestas testamenti ab heredis institutione incipit*—. Sin embargo, ya desde la época clásica, son varias las excepciones que se establecen en relación a la validez del testamento cuando la institución de heredero carece de validez, como por ejemplo el supuesto del ejercicio, con éxito, de la *querella inofficiosi testamenti.*

dicat—: Sea heredero Lucio —*Lucius heres esto*— porque sobran el mi y el Ticio —*nam et mihi et Titius abundat*—.

Con el tiempo la institución de heredero sufre una serie de modificaciones que afectan principalmente a sus requisitos formales. Así, mientras que en una primera fase, propia del *ius civile*, ésta: debe preceder en el testamento a cualquier otra disposición; el heredero debe nombrarse empleando términos imperativos y precisos, y en latín[3], más tarde, y sobre todo a partir de una constitución de Constancio del a. 339[4], desaparecerán estas exigencias formales y bastará que conste la institución en forma clara, sin necesidad de utilizar palabras concretas, pudiendo precederle otras disposiciones testamentarias, e incluso sin ser necesario que se escriba en latín.

II. Modalidades

En virtud del principio *semel heres semper heres* —una vez heredero siempre heredero—, la institución de heredero no puede quedar sometida a condición, a término resolutorio o final[5]. Si en el testamento existiesen condiciones o términos de este tipo, o imposibles, inmorales o ilícitos, se tendrían por no puestos.

Ello no obsta, sin embargo, para que la misma quede sometida a una condición suspensiva o inicial[6], cuyo cumplimiento determinará la adquisición del carácter de heredero.

III. Heredero único y pluralidad de herederos

Si el testador instituía un sólo heredero para toda la herencia —*heres ex asse*— era evidente que éste, en su caso, adquiría todo el patrimo-

---

[3]   Basta para que exista testamento la utilización de alguna de las siguientes afirmaciones: *Titius heres esto, Titius heres sit, Titium heredem esse iubeo* = Ticio se heredero, sea heredero Ticio, o mando a Ticio ser heredero.

[4]   Atribuida erróneamente en el código a Constantino, fallecido dos años antes.

[5]   En Instituciones de Justiniano se señala que el heredero no puede serlo desde cierto tiempo o hasta cierto tiempo, como por ejemplo, «sea heredero después de un quinquenio desde que yo muera», o «desde tales calendas», o «hasta aquellas calendas»; e incluso se señala que si existe un término, se tenga por no puesto, como si el heredero hubiese sido instituido puramente.

[6]   Por ejemplo: «Sea Ticio mi heredero si llega a la pubertad».

nio hereditario. El problema se planteaba, a los solos efectos de dividir dicho patrimonio, cuando eran varios los llamados a una misma herencia. Así, tras recordar que el *as* hereditario se divide en 12 partes —*unciae*— los supuestos que al respecto recogen las fuentes romanas son los siguientes:

A) Herederos sin designación de parte —*Heredes sine parte*— por ejemplo, Ticio y Mevio sean herederos: si el testador instituye como herederos a una pluralidad de personas pero no determina las cuotas que les corresponden a cada uno de ellos, todos se consideran instituidos en partes iguales, esto es, en las que resulten de dividir el *as* por el número de herederos instituidos. Así, en el ejemplo propuesto, Ticio y Mevio heredarán por mitad.

B) Herederos con designación de parte —*Heredes cum parte*—: si el testador instituye como herederos a una pluralidad de personas determinando las cuotas que corresponden a cada uno de ellos, hay que distinguir las siguientes posibles hipótesis, que dependerán de que las cuotas por él establecidas agoten, no agoten, o superen el as hereditario:

a) Si agotan el *as* hereditario por ejemplo si el testador establece que Ticio y Mevio sean sus herederos cada uno en la mitad de la herencia, cada heredero recibe la cuota indicada por el testador;

b) Si no agotan el *as*, por ejemplo cuando el testador establece que Ticio y Mevio sean sus herederos, cada uno en 1/3 de la herencia (= 4 onzas por cabeza). Cada coheredero ve su cuota incrementada, *ius adcrescendi*, en proporción a lo que queda y a su propia cuota, lo que supone un acrecimiento proporcional y, en definitiva, que cada uno adquiera, en el ejemplo propuesto, la 1/2 de la herencia (6 onzas por cabeza)[7];

c) Si superan el *as*, por ejemplo, cuando el testador establece que sean Ticio y Mevio sus herederos, cada uno en 8/12 partes. El efecto es el contrario al anterior, esto es, cada coheredero ve su cuota reducida en proporción a lo que sobra y a su cuota hereditaria. Se trata, en este caso, de un decrecimiento proporcional, que en el ejemplo propuesto supone que al final cada uno de ellos adquiere 6/12 partes de la herencia y, en definitiva, en la práctica, comporta el que se divide al *as* en tantas fracciones como hizo el testador.

---

[7] Piénsese que dicha consecuencia tiene su fundamento último en el principio de incompatibilidad entre la sucesión testada y la intestada.

C) Herederos con designación de parte y herederos sin designación de parte —*Heredes cum parte* y *heredes sine parte*—: si el testador hubiese establecido cuotas hereditarias solo para algunos de los coherederos. En este supuesto también es preciso distinguir las tres hipótesis anteriores: a) si los *heredes cum parte* no agotan el as hereditario: los *heredes sine parte* concurren por igual en lo que resta del patrimonio hereditario —*ex reliqua parte*—[8]; b) si los *heredes cum parte* completan todo el as hereditario: la solución está en formar con el patrimonio hereditario dos ases[9] —*dupondium*— uno para repartir entre los *heredes cum parte,* y el otro entre los *heredes sine parte*[10]; c) si los *heredes cum parte* superan el as: se recurre a la solución anterior[11].

IV. La *institutio ex re certa*

El ser el heredero sucesor a título universal, esto es llamado a todo el patrimonio hereditario, choca en principio, con su institución sólo en una cosa concreta y determinada —*institutio ex re certa*—. Por ejemplo: *Titius ex fundo Corneliano heres esto* (= Ticio sea heredero del fundo Corneliano). La primera resolución que al respecto aparece en las fuentes es la del jurista Aquilio Galo, que contempla el supuesto de institución de una persona en todo el patrimonio hereditario a excepción de una cosa concreta —*heredis institutio detracta re certa*—

---

[8]   Por ejemplo si el testador hubiese establecido que Ticio y Mevio fuesen herederos, cada uno de ellos en 1/4 parte de la herencia (3 onzas), y que también fuesen herederos Sempronio y Cayo. Dado que resta sin repartir por el testador la mitad del *as* hereditario (6 onzas), estos dos últimos concurren al reparto de la misma, en partes iguales, por lo que en definitiva, cada uno de los cuatro herederos adquiere 1/4 parte de la herencia (3 onzas).

[9]   Existirían pues 24 onzas a dividir; las 12 del primer *as* agotadas, y las otras 12 del segundo a dividir entre los otros herederos.

[10]   Si Ticio y Mevio fueran llamados a la totalidad de la herencia, superando en su llamamiento el *as* hereditario, 8/12 cada uno; estos según el testador deben recibir cada uno de ellos la 1/2 del *as* hereditario (6 onzas cada uno); pero si a la vez el testador llama como herederos a otros dos, Sempronio y Cayo, sin designación de sus cuotas, se considerará que el *as* hereditario tiene 24 onzas —se duplica— y Sempronio y Cayo son llamados por igual a estas otras 12 onzas. El resultado de interpretar la voluntad del causante es: que cada uno de los herederos recibe 1/4 de la herencia (cada uno de los herederos 3 onzas), lo que en definitiva equivale a dividir el *as* en dos partes.

[11]   Justiniano, a través de una constitución del a. 530 d.C. modifica estas reglas al disponer que en los supuestos de superación del *as*, debe deducirse que el testador quiso disminuir las precedentes cuotas con las sucesivas.

señalándose para este caso que valdrá la institución por la totalidad, teniéndose por no puesta la mentada exclusión. No obstante esto, mayor importancia alcanza el régimen y regulación de la hipótesis contraria, esto es, de la *institutio ex re certa.*

Con la única intención de mantener la voluntad testamentaria —*voluntas testantis*— se hizo necesario no considerar totalmente inválidas dichas instituciones, aplicando para ello el denominado *favor testamenti.* En este sentido, ya en tiempos de Sabino, se considera válido el testamento en el que exista una *institutio ex re certa,* teniendo por no puesta la alusión a la cosa concreta. Y en el caso de que fuesen varias las instituciones de este tipo, cabía la posibilidad de que el *arbiter familiae erciscundae* —el encargado de hacer la partición— adjudicase en el juicio de división de la herencia, las cosas asignadas por el testador a cada uno de los herederos. En la época justinianea[12], siendo varios los instituidos *ex re certa,* la cosa asignada a cada uno de ellos tiene el carácter de prelegado, salvo que concurran con instituidos regularmente, ya que en este caso se les considera como legatarios[13].

2. LAS SUSTITUCIONES

I. Denominación, concepto, finalidad y naturaleza

A) *Substitutio*, en latín, es palabra compuesta de *statuo* = establecer, instituir y del prefijo *sub* = bajo, con idea de dependencia o subordinación. De ahí *sub statuo*, de donde *substitutio*, signifique sustituir, reemplazar o ponerse en el lugar de otro.

B) La *substitutio* o sustitución es la disposición testamentaria por la que se nombra a uno o a varios herederos sustitutos, para el caso de que el instituido en primer lugar no llegue a serlo.

C) La finalidad que se pretende es evitar la apertura de la sucesión intestada y no supone el nombramiento de sucesivos herederos[14], sino, como matiza la doctrina, de distintos grados de herederos.

---

[12] Se establece a través de una constitución de Justiniano (del a.529 d.C.).

[13] No existe unanimidad en la jurisprudencia romana respecto si el *heres ex re certa* responde o no de los créditos y deudas de la herencia.

[14] Recuérdese que ello iría en contra del principio, tantas veces citado, que establece que el que es heredero lo es para siempre (*semel heres semper heres*). Hay, pues, una llamada sucesiva, pero no una adquisición sucesiva.

D) Se trata, en cuanto a su naturaleza, de una institución de heredero sometida a una condición: la de que el instituido en primer lugar no llegue a ser heredero. En suma, pues, es una institución de heredero subordinada a otra preferente.

II. Tipos

Las fuentes aluden a tres tipos de sustituciones: A) vulgar —*substitutio vulgaris*—; B) pupilar —*substitutio pupillaris*— y C) cuasi pupilar (o ejemplar) —*substitutio quasi pupillare*—.

A) Sustitución vulgar

La sustitución vulgar es la disposición testamentaria por la que el *de cuius* nombra un heredero sustituto para el caso de que el instituido en primer lugar no quiera o no pueda adquirir la herencia. Así, por ejemplo, cuando el testamento se redacta en los siguientes términos: Sea Ticio mi heredero —*Titius heres esto*—. Si éste no lo fuese —*Si Titius heres non erit*— sea mi heredero Cayo —*Caius heres esto*—.

Al heredero sustituto se le ofrece la herencia sólo cuando el heredero instituido en primer lugar no llega a adirla porque se dé alguno de los siguientes supuestos: a) porque no puede —*casus impotentiae*— hecho que no depende de su voluntad[15]; o b) porque no quiere y renuncia —*casus voluntatis*— hecho que depende de su voluntad.

Son varias las posibilidades que pueden surgir respecto a este tipo de sustitución. Así, el testador puede: a) nombrar un único sustituto para el heredero instituido; b) varios sustitutos para aquél; o c) un solo sustituto para todos los herederos instituidos[16].

En todos los supuestos lo que está claro es que sólo cuando el instituido en primer lugar no llegue a adir la herencia, podrá el sustituto optar a la misma[17]. Por lo tanto, cabe afirmar que institución

---

[15] Por ejemplo si el instituido deviene incapaz tras el fallecimiento del causante, pero antes de la delación.

[16] El número de sustituciones puede no tener fin y rematarse la cadena designando como ultimo sustituto un esclavo propio —*heres necessarius*— con lo que se evitaría con seguridad la apertura de la sucesión *ab intestato*.

[17] Por un título de delación que es suyo personal. De este modo, la sustitución puede ser condicional y la institución no, o viceversa.

y sustitución son disposiciones que, en todo caso se excluyen, por lo que pueden calificarse de alternativas.

B) Sustitución pupilar

La sustitución pupilar es la disposición testamentaria por la que el *pater familias*[18] nombra un heredero sustituto al hijo impúber, sólo para el caso de que éste fallezca sin haber llegado a la pubertad, y por lo tanto, sin posibilidad de haber otorgado testamento, por falta de la necesaria *testamenti factio activa*. Así, por ejemplo, cuando en el testamento se dice: Sea heredero mi hijo —*Filius meus heres esto*—. Si mi hijo muriese antes de los 14 años. —*Si filius meus infra XIV annum decesserit*— (o antes que hubiese llegado a su tutela) —(*si prius moritur quam in suam tutelam venerit*)— entonces sea heredero Ticio —*Titius heres esto*—[19].

La validez de dicha sustitución se somete a un hecho concreto: que el *filius familias* fallezca sin haber alcanzado la pubertad, y por lo tanto, sin haber podido testar[20]. Y su finalidad, de nuevo, es evitar que se abra la sucesión intestada respecto de la herencia del hijo, por falta de heredero instituido. El objeto de la sustitución es el patrimonio del hijo, que en su caso comprenderá el patrimonio que el padre le haya dejado y aquel que haya adquirido tras su fallecimiento.

En un primer momento la sustitución debía hacerse en el testamento —civil o pretorio— del padre. Pero, a partir del derecho clásico se introduce la práctica de extender dos documentos separados, uno para la herencia del padre, y el otro, para la del hijo, dependiendo en

---

[18] Que ostentase la patria potestad sobre el hijo, o que en caso de que fuera un extraño, la hubiese adquirido.

[19] En cuyo caso, según se indica en las Instituciones de Justiniano, si el hijo no hubiere llegado a ser heredero, el sustituto se hace entonces heredero del padre; mas si el hijo hubiese sido heredero, y hubiese fallecido antes de la pubertad, el sustituto se hace heredero del mismo hijo. Porque se ha establecido en las costumbres, que cuando los hijos sean de una edad en la cual no pueden ellos mismos hacer testamento para sí, se lo hagan sus ascendientes.

[20] Además cabía la posibilidad de que se extinguiese la sustitución cuando se producían, entre otros, los siguientes supuestos: si el impúber salía antes de la potestad del *pater*, en vida del mismo; si el sustituto moría antes que el instituido; si el testamento paterno era inválido; si el sustituto olvidaba nombrar un tutor al impúbero, tras el fallecimiento del *pater* etc...

todo caso la eficacia del segundo que contiene la sustitución, de la validez del testamento del padre. Se dice por tanto que el testamento del hijo es una secuela del testamento del *pater*[21], y en él puede éste ordenar legados y fideicomisos a cargo del sustituto o disponer manumisiones testamentarias.

A finales de la República se discutió si la sustitución pupilar comprendía también la vulgar[22], prevaleciendo la solución afirmativa e incluso la contraria, esto es, que la vulgar comprendía también la pupilar[23].

C) *Sustitución cuasi-pupilar (o ejemplar)*

La sustitución cuasi-pupilar es la disposición testamentaria que, consagrada en la época justinianea, toma como ejemplo la anterior —*ad exemplum pupillaris substitutionis*—. Por ella, los ascendientes paternos o maternos de un *furiosus*, tras haberlo instituido heredero, al menos en la cuota legítima, le nombran un heredero para el caso de que muera sin haber recobrado la razón.

Como en los supuestos anteriores, la validez de la sustitución se somete a un hecho concreto: que el *furiosus* haya fallecido sin haber recobrado la razón, o en su caso, sin haber otorgado testamento

---

[21]   Utilizando terminología romana, el testamento del padre en estos casos se denomina *testamentum paternum, testamentum principale,* o *tabulae superiores o priores;* y el del hijo, *testamentum pupillare, secundae tabulae,* o *tabulae inferiores.*

[22]   Es la denominada causa Curiana. La cuestión planteada en la misma —de la que nos da noticia Cicerón— es la siguiente: Coponio otorga un testamento en el que instituye herederos a sus hijos si llega a tenerlos y en el supuesto de que murieran antes de llegar a la pubertad, nombra sustituto a Manlio Curio. Coponio murió sin hijos. Quinto Mucio Escévola, defensor de los herederos *ab intestato* de Coponio, manteniendo una posición aferrada a la letra —*verba*— del testamento, mantuvo que para que Manlio Curio —el sustituto— llegara a ser heredero se requerían dos presupuestos, a saber: que Coponio tuviera hijos y que estos murieran antes de la pubertad. No dándose el primero, no puede producirse el segundo y por tanto Curio no podía heredar. Lucio Licinio Craso, defensor del sustituto Manlio Curio argumentó, en razón a la voluntad —*voluntas*— del testador y que ésta era «que si no existieran hijos que llegaran a la pubertad, fuera Curio heredero», expresando de este modo que la sustitución pupilar llevaba implícita la vulgar.

[23]   Modestino señala que cuando el padre hubiese sustituido al hijo impúbero para un caso, se entiende que lo substituyó para uno y otro caso, ya si el hijo no hubiese sido heredero, ya si lo hubiese sido, y hubiese fallecido impúbero.

durante algún período de lucidez. Además, son notas que caracterizan dicha sustitución: 1.ª) la posibilidad de que se realice tanto por parte de un ascendicnte paterno, como de uno materno; en definitiva, y respecto de este último caso, sin necesidad de que exista patria potestad[24] y 2.ª) la necesidad de que el sustituto sea un descendiente, hermano o hermana del demente, y sólo en su defecto un extraño.

El sustituto adquiere tanto la herencia del ascendiente como la del *furiosus*[25]. Es de advertir, que mientras la sustitución pupilar evita que la herencia pase a la familia, la cuasi-pupilar tiende a que el patrimonio familiar permanezca en ella.

3. LOS LEGADOS

I. Denominación, concepto, origen y caracteres

A) Legado, de *legare*, a su vez, de *legem dare,* equivale a una ley impuesta (en testamento).

B) Según la doctrina, es una disposición *mortis causa*, contenida en un testamento o codicilo confirmado en un testamento, sobre bienes o derechos concretos y con cargo al heredero[26].

C) Su origen se remonta a las XII Tablas donde se afirma que tenga valor de derecho todo legado del propio patrimonio. De este modo, las declaraciones de la *mancipatio familiae,* que parece que en un principio sirven para atribuir legados, tienen carácter de *leges privatae.*

D) En síntesis, es una sucesión *mortis causa* a título particular.

---

[24] No hay que olvidar que la madre se considera principio y fin de su propia familia.

[25] En caso de pluralidad de sustitutos nombrados por distintos ascendientes, cada uno lo será en la parte de la herencia que provenga del ascendiente que lo nombró.

[26] En las fuentes encontramos distintas definiciones del legado calificadas por la doctrina de divergentes e incluso poco satisfactorias. Así según Florentino el legado es una segregación de la herencia, con la cual quiere el testador que sea dado a otro algo de lo que en su totalidad habría de ser del heredero; según Ulpiano, el legado es lo que como ley, esto es, imperativamente, se deja en testamento; para Modestino es una donación dejada por testamento; y por último, en las Instituciones de Justiniano se afirma, en una definición muy próxima a la anterior, que el legado es cierta donación dejada por un difunto.

II. Evolución y tipos de legados

A) En la época clásica se concibe el legado, en contraposición a la institución de heredero, como una atribución de derechos o de bienes singulares, ampliándose el ámbito de aplicación hasta cosas que no son de la propiedad del testador. Gayo nos da noticia de la existencia de cuatro tipos de legados (*genera legatorum*). Nos detenemos en el análisis de cada uno de ellos:

a) *Legatum per vindicationem*, vindicatorio, de propiedad, de disposición o de derecho real, por ejemplo, «Doy y lego a Ticio mi esclavo Estico»: es aquel que, tras la aceptación de la herencia por el heredero[27], convierte al legatario en propietario civil del objeto legado, sin actividad específica alguna del heredero, disponiendo como tal, y desde ese mismo momento, de la protección a través de la acción reivindicatoria.

Sólo pueden legarse así: las cosas que fueron del testador, con arreglo al Derecho quiritario, al tiempo de hacer testamento y al de su muerte, salvo las que se pesan, cuentan o miden, en las que basta que al tiempo de la muerte del testador le perteneciesen[28].

b) *Legatum per damnationem*, damnatorio o de obligación, es el que atribuye al legatario un derecho de crédito en virtud del cual puede pretender un *dare* o un *facere*, por ejemplo: «Quede mi heredero obligado a dar mi esclavo Estico a Gayo». De este modo, y a diferencia del anterior, la cosa legada no entra en la propiedad del legatario de forma directa, sino que es necesario que el heredero se la transmita a través de alguna de las formas acostumbradas (*mancipatio, in iure cessio, traditio*) y en consecuencia, por «obligación» pueden legarse todas las cosas, presentes o futuras, incluso las que no pertenecen al testador, con tal de que sean cosas que se puedan dar[29].

---

[27] Mientras que para los sabinianos era justamente la aceptación de la herencia la que producía la adquisición del derecho de propiedad, para los proculeyanos, la cosa se hacía del legatario sólo cuando éste aceptaba el legado.

[28] Sin embargo, es válido según el senadoconsulto Neroniano el legado hecho por vindicación de una cosa que no perteneció al testador, ya que por él se dispuso que lo legado con palabras que no eran las exigidas, se considere como si hubiese sido legado en óptimo derecho. Optimo derecho es el del legado por obligación.

[29] En caso de que no se produjera dicha transmisión, el legatario estaría protegido por la *actio ex testamento*, acción personal y de derecho estricto, cuya finalidad última radicaría en la transmisión de la propiedad por parte del heredero. Si el legado estaba sometido a una condición o término, el pretor podía, previa petición del

c) *Legatum sinendi modo*, de tolerancia o permisión: es aquel en que el heredero no viene obligado a transmitir la propiedad de la cosa, sino a permitir (*pati* = sufrir, tolerar) que el legatario realice su derecho apropiándose de la misma[30], por ejemplo: «Quede mi heredero Ticio obligado a permitir que Lucio tome el esclavo Estico y se quede con él».Por este motivo, es necesario que al menos al tiempo del fallecimiento del testador el objeto sea de la propiedad del testador o del heredero[31].

d) *Legatum per praeceptionem* o legado de precepción o de elegir con preferencia, *praecipium sumere*: por ejemplo: «Que Lucio tenga preferencia sobre el esclavo Estico», (para apoderarse de él). La doctrina lo concibe como legado de propiedad en favor de un coheredero que le permite separar cierto bien de la herencia[32].

No obstante lo expuesto hasta el momento, la doctrina está de acuerdo en considerar dicha clasificación incompleta, afirmando la ausencia de dos importantes y antiguos tipos de legados: e) el *Legatum optionis* o legado de opción[33]: por el que se posibilita elegir por ejemplo de entre los esclavos del causante, generando el acto solemne de la elección la adquisición del esclavo elegido[34] y f) el *Legatum partitionis* o legado de partición: por ejemplo: «Divida mi heredero con Ticio mi herencia»; parece ser que en un principio se crea este legado como un remedio para evitar las cargas que suponía la condición de heredero y repartirlas a través de estipulaciones recíprocas

---

legatario, requerir del heredero una caución o garantía denominada *cautio legatorum servandorum gratia*.

[30] Se trata, en definitiva, de un legado obligatorio pero que impone al heredero una obligación de no hacer, de permitir. En todo caso, el legatario adquiere la propiedad de las *res mancipi* sólo por usucapión.

[31] La acción que en este caso protege al legatario es la *actio incerta ex testamento*.

[32] Parece ser que este legado en su estructura originaria, tal y como lo conciben los sabinianos, debió consistir en una disposición del testador que se hacía valer en un juicio divisorio, y por la que se autorizaba a un heredero, en su condición de legatario, a separar un bien de la herencia. Según los proculeyanos, se podía usar este tipo de legado también para un extraño, o valiendo el legado como vindicatorio; quizás esta última fue la concepción que se tuvo del mismo en un momento posterior. Eso sí, a diferencia del vindicatorio, que sólo podía recaer sobre cosas específicas, el de precepción podía recaer incluso sobre bienes fungibles.

[33] Por ejemplo: «Que Ticio opte por mi esclavo».

[34] La jurisprudencia, con el paso del tiempo, lo va equiparando con el legado vindicatorio y Justiniano lo llega a confundir con una variante del legado alternativo, siendo la opción transmisible a los herederos del legatario.

por las que los intervinientes se comprometían a atender las deudas y transferir los créditos en proporción a sus cuotas[35].

B) Con el paso del tiempo los distintos tipos de legados tienden a unificarse en las dos primeras formas. Así, el vindicatorio absorbería el de elección preferente y el damnatorio haría lo propio con el de tolerancia.

C) Considerando más abierto y flexible el legado damnatorio, que permite en todo caso disponer de cosas del testador, del heredero o incluso de un extraño, Gayo nos informa acerca del senadoconsulto Neroniano (a. 54-58 DC), por el que se establece la conversión de distintos tipos de legados, en damnatorios, con el fin de otorgarles validez.

C) En el derecho postclásico, Constantino, en la misma línea de la época anterior, acaba con la exigencia del pronunciamiento solemne, *verba solemnia*, o sea con la invalidez de los legados *vitium verborum*.

D) Finalmente Justiniano establece sea una única la naturaleza de todos los legados, otorgando un derecho de crédito y pudiendo producir efectos reales siempre que esto no choque ni con el objeto ni con la voluntad del disponente. A su vez equipara las figuras del legado y del fideicomiso en cuanto a su regulación.

III. Sujeto, objeto y clases de legados

A) En el legado intervienen: legante, legatario y el gravado con el legado.

a) El legante: es la persona que otorga el legado, por lo tanto el *de cuius* o causante de la sucesión. En derecho clásico, ya que el legado sólo podía disponerse en un testamento, es necesario que, como el testador, tenga *testamenti factio activa*; en derecho justinianeo al equipararse legado y fideicomiso, el legado podrá disponerse también en codicilo.

---

[35] Mientras que para los sabinianos, el heredero sólo estaba obligado a dar la estimación de la cuota de dominio correspondiente a la porción legada, para los proculeyanos, el heredero estaba obligado a transferir su cuota de dominio correspondiente a la porción legada al legatario. Según Justiniano, se puede elegir entre la entrega de los bienes, o su estimación.

b) El legatario: es la persona beneficiada con el legado[36]. Es necesario que: tenga *testamenti factio cum defuncto*, *capacitas*, no esté afectado por *indignitas* y no se excluye la posibilidad de que sean varios los llamados a adquirir un legado —colegatarios—[37].

c) El gravado con el legado: es la persona a quien le corresponde satisfacer el legado. Hasta el derecho justinianeo sólo puede serlo el heredero, estableciéndose a partir de entonces la posibilidad de que lo sea cualquier otra persona que obtenga un beneficio en la sucesión[38].

B) Puede ser objeto de un legado cualquier cosa, propia o ajena (excepción hecha, dice Gayo: de los objetos del legatario), de existencia presente o futura, genérica o específica, corporal o incorporal, esto es, incluso los derechos. En definitiva, todo lo que tenga un valor patrimonial[39] y que no sea *extra commercium*, o sea, que se trate de una carga jurídicamente posible.

C) En las fuentes encontramos, entre otros, los siguientes tipos de legados por razón del objeto, el *legatum*: 1) *speciei,* que versa sobre un objeto preciso y determinado[40]; 2) *generis,* que recae sobre una cosa no determinada individualmente, sino comprendida en una categoría

---

[36] No se puede legar a personas inciertas, salvo que se establezca una indicación concreta para determinarlas; ni legarse a título de castigo. Los juristas romanos también admitieron la figura de la sustitución en los legados.

[37] Esto hace que se establezcan unas normas en cuanto a su adquisición, que pueden quedar resumidas en dos: 1.ª) si los legatarios son llamados conjuntamente: el objeto del legado se divide por partes iguales; 2.ª) si los legatarios son llamados alternativamente: en derecho clásico lo adquiere el primero que lo reclama y en derecho justinianeo se ordena que la partícula *aut* —o— valga como *et* —y— por ello se considera como si todos hubiesen sido llamados conjuntamente.

[38] También en este caso es preciso matizar el supuesto de una pluralidad de herederos. Así: 1.º) si el testador no indica expresamente quien es el gravado: cada heredero se entiende lo está en proporción a su cuota hereditaria; 2.º) si se impone el legado a varios coherederos indicándose a cada uno por su nombre: rige el principio de la responsabilidad en la medida de la cuota, perjudicando en todo caso al legatario la insolvencia de uno de los coherederos y 3.º) si el legado se impone alternativamente a varias personas: se considera a estos responsables solidarios, pudiéndose dirigir el legatario contra cualquiera de ellos.

[39] En cambio, en los fideicomisos, y tras una constitución de Severo, se permite el de emancipación.

[40] En él, el legatario adquiría la cosa con los aumentos o disminuciones que hubiese sufrido antes del fallecimiento del causante. El problema podía plantearse cuando la cosa estuviese gravada con algún derecho real.

genérica[41]; 3) *optionis*, que en derecho clásico suele consistir en la elección —*optio*— entre varios esclavos del testador[42]; 4) *partitionis*, que es el de parte de una herencia; 5) *de una universalidad de cosas*, que comprende todas las cosas que forman parte de un conjunto[43]; 6) *de prestaciones periódicas*, que es el de una cantidad de cosas fungibles —generalmente dinero—[44] o alimentos[45], cuya prestación debe hacerse en determinados periodos; 7) *nominis,* que es el de un crédito del causante de la sucesión[46]; 8) *rei debitae,* que es el de cosa debida al causante[47]; 9) *debiti,* que es el legado de lo que el testador debía ya al legatario[48] y 10) *liberationis,* que es el legado de un crédito que ostenta el testador frente al legatario[49].

---

[41] Sólo si se trataba de un legado vindicatorio la cosa debía pertenecer al testador, siendo la elección del legatario. En caso de legado damnatorio la elección recaía en el heredero.

[42] La *optio* era un acto solemne, puro, de carácter adquisitivo, irrevocable y semejante a la *cretio*, que se hacía tras la aceptación de la herencia.

[43] Hay que diferenciar dos subtipos: el *unum legatum*, que forma un solo cuerpo, cuyo objeto permanece aunque incremente o disminuya, por ejemplo, un rebaño y el *plura legata*, cuando el testador expresa nominalmente muchas cosas.

[44] Se considera que hay tantos legados como prestaciones periódicas deban cumplirse. El legado se extingue por la muerte del beneficiario. Sin embargo, se considera que hay un solo legado cuando el objeto es una cantidad o suma a pagar en distintos plazos. En estos casos, el legado no se extingue por la muerte del legatario, sino que sus herederos pueden cobrar lo que resta para el pago completo.

[45] Es similar al anterior entendiendo, también, que hay una pluralidad de legados a hacer efectivos en distintos momentos. Su objeto está formado por todo lo que es necesario para el sustento de una persona (ej: vestido, comida, habitación etc...). Se trata de un legado que no está sujeto a los límites de la ley Falcidia. En caso de ordenarse la prestación de alimentos hasta la pubertad del legatario, cesa esta obligación, según Adriano, a los 18 años en los varones y a los 14 en las hembras.

[46] A través de este legado el heredero está obligado a ceder sus acciones al legatario. Sin embargo, a partir de una constitución de Diocleciano ya no es necesaria dicha cesión, puesto que se concede al legatario una *actio utilis*.

[47] La declaración del testador de que la cosa le era debida, no respondiendo a la realidad, era considerada como una *falsa demonstratio* y el legado era válido. Más tarde se equipara al legado de crédito, por lo que era ineficaz si la cosa no se debía.

[48] La validez del legado depende de que la situación del legatario-acreedor resulte mejorada interesándole reclamar, vía testamento, antes que en virtud de la primitiva obligación. Por ejemplo, en el caso de que la deuda estuviese sometida a una condición o término y el legado no.

[49] Con él, el heredero no puede solicitar la deuda al deudor, ni al heredero de éste, ni a un tercero; al contrario, podrá ser reconvenido por el deudor, para que le libere de la obligación. Este legado también puede consistir en renunciar al gravamen que pesa sobre la cosa del legatario.

En algunos casos los legados cumplían necesidades de la casa y la familia. Se trataba de disposiciones en favor de la mujer y las hijas, dado que, generalmente, los instituidos herederos eran los hijos varones. Entre estos legados cabe destacar los: a) *de usufructo*, incluso el universal sobre todos los bienes de la herencia; b) *de peculio*, que versaba sobre los bienes que el legatario ya venía usando en vida del causante de la sucesión; c) *de los servicios de un esclavo*; d) de *dote,* que era el legado de la dote que el testador había recibido de la mujer o de su *pater*, de su valor pecuniario, o de determinados bienes de ella; e) *de objetos del ajuar* de la mujer *etc...*

IV. Régimen de adquisición

El legatario no puede obtener el legado hasta que el heredero no adquiera la herencia, por lo que su efectividad se subordina a la adquisición de ésta por parte de los herederos. Es preciso distinguir pues, para determinar cuando se produce la adquisición del legado, entre los diferentes tipos de herederos.

a) Si el heredero es necesario, al adquirir éste la herencia desde el momento del fallecimiento del causante, se dice que los legatarios también desde ese momento pueden hacer efectivo su derecho al legado;

b) Si el heredero es voluntario, al adquirir éste la herencia con la aceptación o adición de la misma, se dice que los legatarios podrían ver perjudicado —o frustrado— su derecho por el simple retraso del heredero en la aceptación de la herencia.

Con el fin de solventar los posibles problemas que tal retraso podía plantear a los legatarios, los juristas romanos distinguieron entre, el *dies cedens* —cede el día— y *dies veniens* —viene el día—. Así:

1) con el fallecimiento del causante[50], momento denominado *dies cedens*, se considera que el legatario adquiere ya una expectativa de derecho sobre el legado, transmisible a sus herederos[51];

---

[50]   Hay que tener en cuenta que con las leyes caducarias dicho momento se retrasa al de la apertura del testamento, aunque en derecho justinianeo se vuelve al del fallecimiento.

[51]   Sin embargo las fuentes contemplan una serie de excepciones en relación al momento del *dies cedens*: 1) en el legado sometido a una condición, el *dies cedens* no

2) con la aceptación, momento denominado *dies veniens,* la mencionada expectativa sobre el legado, se convierte en derecho exigible[52].

En este sentido, con la doctrina del *dies cedens-dies veniens,* aunque el legatario fallezca antes de la aceptación del heredero, ostenta desde el momento del fallecimiento del causante una expectativa sobre el mismo transmisible a sus herederos, y con la que será posible hacer efectivo dicho legado.

V. Límites a la facultad de legar

Gayo refiere la absoluta libertad de legar en época arcaica. A fines de la República, dicha libertad llegó a extremos graves, poniendo en peligro, por un lado, la integridad del patrimonio familiar, y por otro, la adquisición misma de la herencia por parte del heredero instituido, cuando no le conviniese la excesiva cuantía de cargas que su aceptación conllevaba. Por ello, surge una legislación la tendente a limitar, de algún modo, la libertad de legar. En síntesis, éstas son sus fases.

1.ª) A comienzos del s. II, AC la *lex Furia testamentaria,* establece que: nadie puede recibir a título de legado una cantidad superior a mil ases, salvo que se trate de próximos parientes[53]. Se trata, por lo tanto, de un límite cuantitativo. A pesar de ello, el espíritu de la ley fue fácilmente burlado a través de la constitución de pequeños legados, que sin superar el límite establecido, podían agotar todo el patrimonio hereditario. Así, si el causante tenía un patrimonio de 5000 ases, podía agotarlo, sin burlar la ley, dejándolo a cinco legatarios (1000 ases a cada uno de ellos).

---

coincide con el fallecimiento del causante, sino con el del cumplimiento de la condición a que éste se somete; 2) en el legado de usufructo, de uso, de opción, el concedido a un esclavo propio manumitido en el testamento o el legado concedido a un esclavo legado a su vez a otra persona, el *dies cedens* se retrasa al tiempo de la aceptación de la herencia por parte del heredero. En todos estos casos está claro que coinciden en el tiempo el *dies cedens* y el *dies veniens,* por lo que parte de la doctrina se plantea la virtualidad del mantenimiento de la distinción entre ambos momentos.

[52]   Piénsese, por ejemplo, en la hipótesis del retraso injustificado por parte del heredero voluntario en la aceptación de la herencia, a sabiendas de la grave enfermedad del legatario, con miras a un posible fallecimiento del mismo, sin que éste hubiese podido transmitir ninguna expectativa sobre el legado a sus propios herederos.

[53]   Los cognados hasta el 6.º, y del 7.º, el *sobrinus natus.*

2.ª) Regulando, de nuevo, la cuestión, en el año 169 AC, la *Lex Voconia,* establece que: nadie puede recibir a título de legado una cantidad superior a la que adquiera el heredero. Se vuelve con ella a establecer un límite cuantitativo también fácil de burlar, pues el testador podía distribuir su patrimonio entre un gran número de legatarios, dejando de este modo muy mermada la porción del heredero. Así, si el patrimonio del causante era de 100 ases. Este podía constituir 9 legados de 10 ases cada uno de ellos y el resto, 10 ases, para el heredero.

3.ª) Finalmente, en el año 40 AC., la *Lex Falcidia,* zanjará la cuestión al establecer que: el testador no puede legar más de 3/4 partes de la herencia. De este modo asegura 1/4 parte al heredero; parte que, en atención a la norma de la que procede, se denomina *quarta falcidia.* Más tarde, el contenido de esta norma se extenderá a todo tipo de disposiciones *mortis causa*[54].

El cómputo de la *quarta falcidia* se realiza de la siguiente manera:

1.º) se toma como base el patrimonio hereditario al tiempo del fallecimiento del testador, deducidas las deudas, el valor de los esclavos manumitidos, los gastos funerarios, de liquidación de la herencia, de confección del inventario etc. y 2.º) calculado ya el activo patrimonial, se comprueba lo que valen los legados. Si exceden de las 3/4 partes de la herencia, se reducen proporcionalmente, hasta que quede libre la *quarta*[55].

---

[54]   La extensión a los fideicomisos se realizó a través del sc. Pegasiano del a. 75 DC por el que el heredero puede retener una cuarta parte, denominada en este caso *quarta pegasiana.* En época justinianea, fundidos en un sólo régimen legados y fideicomisos, se habla genéricamente de *quarta falcidia.*

[55]   Un problema concreto se plantea en relación a la valoración de los créditos y las deudas condicionales. En derecho justinianeo se ofrecen dos posibles soluciones: a) o se calculan por su valor en venta al tiempo del fallecimiento del causante, o b) salvaguardan sus derechos el heredero y legatario mediante cauciones —*cautio quod legatorum* o *stipulatio Falcidia*— por las que se comprometen a considerar puros tanto el crédito o la deuda condicionales, o para el caso de incumplirse la condición, a dar el primero cuanto hubiese pagado de menos, o a restituir el segundo, cuanto consiguiese de más.

VI. El prelegado

Prelegado es el legado en favor de uno de los coherederos[56] y presupone, por tanto, la existencia de una comunidad hereditaria, ya que el legado otorgado en favor del heredero único es nulo, al no ser posible una relación de débito del heredero en su favor[57].

En cuanto a la realización efectiva del contenido del prelegado hay que diferenciar, entre los dos siguientes supuestos: a) en el impuesto a uno de los coherederos: es éste el que tiene la obligación de hacerlo efectivo; y b) en el impuesto a todos los coherederos: se incluye al coheredero favorecido, pero como no puede pagarse a sí mismo la parte que le grava, en ésta el prelegado se considera nulo[58].

4. LOS FIDEICOMISOS

I. Denominación y concepto

A) El término fideicomiso proviene de los latinos *fidei* = confianza, lealtad y *commitere* = encargar, encomendar. Por ello, lo que en definitiva subyace en un fideicomiso es un simple encargo a una persona basado en la confianza.

B) Ulpiano lo define como lo que se deja, no con palabras civiles, o sea precisas y legales, sino en forma de ruego, y se apoya, no en las prescripciones rigurosas del Derecho civil, sino en la simple voluntad del que lo deja. Según la doctrina, el fideicomiso es la disposición *mortis causa*[59] por la que una persona —fideicomitente— encomien-

---

[56]   De ahí que la doctrina afirme que el legado de precepción es un tipo de prelegado, aunque no el único.

[57]   Sólo sería posible, en su caso, si el heredero instituido y a la vez favorecido por un legado, renunciase a la herencia, entrando otro en su lugar.

[58]   Sin embargo, dicha nulidad puede dar lugar a curiosos resultados: a) si se deja un objeto al coheredero juntamente con un extraño, adquiere éste por acrecimiento la parte ineficaz del legado; b) si se lega un mismo objeto a varios coherederos, cada uno de ellos recibe por derecho de acrecer, la parte del legado del otro que resulte ineficaz; c) si son llamados a la herencia en cuotas distintas, el legado se adquiere en proporción inversa a la cantidad de la asignación hereditaria. Así, el instituido en cuota menor, se beneficia del prelegado en mayor medida.

[59]   No necesariamente testamentaria, ya que por lo común, como vimos, se ordenaba en un codicilo o incluso en una declaración oral.

da a la buena fe de otra —fiduciario— que realice algo en favor de un tercero —fideicomisario—[60]. Por lo tanto, la estructura del fideicomiso es siempre la misma, esto es, equiparable a la de un legado obligatorio.

II. Origen y evolución

En general puede afirmarse que el fideicomiso vino a superar los inconvenientes del régimen formalista del legado y las deficiencias que entrañaban tanto el legado como la herencia[61].

En un principio carecen de protección o tutela jurídica, puesto que se basan en la confianza, por tanto no podía exigirse su cumplimiento coactivo. Su reconocimiento jurídico data de la época de Augusto en la que se confía su protección a los cónsules a través de la *cognitio extra ordinem*. Claudio, crea dos pretores fideicomisarios —*praetores fideicommissarii*— reducidos por Tito a uno, correspondiendo todo lo relacionado con ellos, en las provincias, a los gobernadores.

De este modo puede afirmarse que durante la época clásica las diferencias fundamentales entre legado y fideicomiso son las siguientes: 1) en cuanto a la forma, mientras el legado es una disposición formal, para la constitución del fideicomiso no se establece requisito alguno; 2) en relación al lugar donde debe contenerse, mientras que el legado debe incluirse en el testamento, el fideicomiso generalmente se establece a través de codicilo; 3) en cuanto a la persona beneficiada, así como para el legado se establecen una serie de límites de carácter formal, en el fideicomiso no; y 4) por último, en relación a la protección de cada uno de ellos, mientras la del legado tiene lugar a través del *agere per formulas*, la del fideicomiso, es a través de la *cognitio extra ordinem*.

---

[60] Un ejemplo de fideicomiso podría ser el siguiente: «Te pido y ruego, Lucio Ticio, que tan pronto como puedas aceptar mi herencia, la devuelvas y restituyas a Gayo». Así, el fideicomitente sería en este caso el testador, esto es, la persona que establece la disposición; el fiduciario-heredero sería Lucio Ticio; y el fideicomisario-beneficiado sería Gayo. En tiempos de Justiniano, los términos de los fideicomisos que están más en uso son: pido, ruego, quiero, mando y encomiendo a tu fidelidad.

[61] Así, por ejemplo, los inconvenientes relativos a la falta de *testamenti facio passiva*, de *capacitas*, la imposibilidad de otorgar testamento por parte del que se encontraba fuera de Roma, la superación de los límites establecidos para los legados etc...

Siendo las anteriores las diferencias fundamentales, también cabe afirmar que ya en época clásica se aprecia cierta tendencia al acercamiento del legado y del fideicomiso, equiparación que culminará en la época justinianea pero que, como indica la doctrina, tiene sus límites[62].

III. Algunos tipos de fideicomisos

A) Fideicomiso de herencia (o universal)

Su finalidad radica en transmitir toda la herencia o parte de ella a un tercero, quedando ligado el título de heredero al instituido como tal, esto es al *heres fiduciarius*. Justiniano nos ofrecen un ejemplo de la fórmula empleada en estos casos: «sea heredero Lucio Ticio. Te ruego Lucio Ticio, que tan pronto como puedas adir mi herencia, la entregues y restituyas a Cayo Seyo».

En todo caso, y como requisito previo, era necesario que un heredero —testamentario o *ab intestato,* adquirente *iure civile* u *honorarium*— hubiese adquirido la herencia[63].

Ante la posibilidad de que el heredero, que en definitiva podía quedarse sin nada, renunciase a la aceptación de la herencia, un senadoconsulto Trebeliano —*sc. Trebellianum*—, de tiempos de Nerón (a. 56 ó 57), lo configura como una sucesión universal, estableciendo que al transmitir el *heres fiduciarius* la herencia al fideicomisario, también se libera de las posibles deudas existentes, pudiendo interponer el fideicomisario —con el carácter de útiles— todas las acciones que corresponderían al heredero. Este régimen queda completado a través del SC Pegasiano —*sc. Pegasianum*—, de tiempos de Vespasiano (a. 69-79), con el que se extiende a los fideicomisos el régimen de la *lex Falcidia,* que dejaba al heredero una cuarta parte de

---

[62]   Así, el legado sigue pudiendo tener estructura real u obligatoria, y el fideicomiso universal mantiene su propio régimen.

[63]   La transmisión debía realizarse a través de una venta fingida del patrimonio hereditario: la *mancipatio nummo uno.* Sin embargo, y dado que la *mancipatio* era simplemente la causa de la transmisión, era necesario realizar una transmisión particular de cada objeto singular mediante *stipulationes emptae et venditae hereditatis* —estipulaciones de la herencia comprada y vendida—, añadidas a la venta, y que regulaban las relaciones entre comprador y vendedor, sobre todo en lo concerniente a créditos y deudas.

la herencia, la *quarta Pegasiana*. En época justinianea se refunden las normas de los dos anteriores senadoconsultos. Así, por un lado el heredero puede retener la cuarta parte de la herencia —ahora ya denominada *quarta Falcidia*—, y por otro, pasan al fideicomisario las acciones hereditarias.

B) Fideicomiso de familia

Es aquel en que el testador encarga a su heredero fiduciario que conserve la herencia durante su vida, y a su muerte, la transmita a personas pertenecientes a su familia. Por ejemplo: «Cuando fallezca mi heredero Ticio, quiero que mi herencia pertenezca a Publio Mevio».

Según la doctrina es una figura especial de sustitución fideicomisaria en la que el testador lo que pretende es vincular la herencia, íntegra o parcialmente, a la familia, estableciendo un orden sucesivo de restituciones.

Así, los bienes son restituidos a las personas indicadas por el testador, quien también puede señalar que sea el heredero el que elija al beneficiario, o incluso en favor de todos los miembros de la familia[64]. El límite parece ser, fue, el primer grado. Esto es, hasta la primera generación de los que aun no habían nacido al tiempo de la muerte del disponente. Con Justiniano se extiende, como máximo, a la cuarta generación[65].

C) Fideicomiso de residuo

Es aquel en que el testador encarga a su heredero fiduciario que al tiempo de su fallecimiento, o en otro anterior que se precisa, restituya a un tercero, no lo que hubiese recibido, sino lo que quedase de la herencia[66].

---

[64] En este caso se hace necesario precisar el término «familia» que con Justiniano comprenderá no sólo los ascendientes, descendientes y colaterales, sino incluso a falta de estos los afines —yerno o nuera— y por último los libertos.

[65] Esta institución tuvo gran interés en derecho medieval y moderno, y a ella se vincula la figura de los mayorazgos.

[66] Parece que se configura como una modalidad del anterior.

El problema que se planteó fue el de fijar los límites en los que el *heres fiduciarius* podía consumir los bienes hereditarios. En la época clásica se atiende al arbitrio y buena fe del mismo y en la justinianea se establece el límite de las 3/4 partes de la herencia, por lo que el fideicomisario obtendrá, como mínimo, la cuarta parte que se le reservaba[67].

---

[67]   Como se ha destacado en doctrina, una especie de *quarta Falcidia* a la inversa.

Tema 44
La sucesión intestada

1. SUCESIÓN INTESTADA EN GENERAL

I. Concepto, caracteres y apertura

A) Se llama *successio ab intestato* o legítima a la sucesión *mortis causa* que se defiere por ministerio de la ley, en defecto de la testamentaria[1].

B) La doctrina está de acuerdo en señalar que se trata de una sucesión: a) hereditaria, esto es, a título universal; b) legítima, dado que es la ley la que realiza los llamamientos[2] y c) subsidiaria, ya que sólo procede en defecto de la sucesión testamentaria.

C) Su apertura se produce, generalmente, en los siguientes supuestos: 1) cuando el difunto no otorgó testamento, 2) cuando habiéndolo otorgado, no es válido y 3) cuando habiéndolo otorgado, y siendo válido, resulta ineficaz ya que ninguno de los instituidos —o de los sustitutos, en su caso— llega a ser heredero.

---

[1] Según las Instituciones de Justiniano: muere intestado —*intestatus decedit*— el que no hizo en absoluto testamento —*qui aut omnimo testamentum non fecit*— o no lo hizo conforme a derecho —*aut non iure fecit*— o habiéndolo hecho llegó a ser roto o írrito —*aut id quod fecerat ruptum irritumve factum est*— o no quedó ningún heredero de los en él instituidos —*aut nemo ex eo heres extit*—.

[2] Recordamos que «sucesión legítima» no deben interpretarse en un sentido amplio como equivalente a «de conformidad con la ley» —pues entonces la sucesión testamentaria también lo sería— sino en un sentido más restringido esto es, en el de que es la propia ley la que hace, directamente, el llamamiento de los herederos. De este modo la ley, cuando falta testamento, realiza una serie de llamamientos sucesivos —no conjuntos— a las personas que considera deben recibir el patrimonio del causante.

II. Criterio inspirador de los llamamientos

La sucesión intestada evoluciona en el tiempo y son distintos los criterios que presiden los llamamientos de los herederos.

Así, el *ius civile,* ya en la Ley de las XII Tablas, da prioridad al parentesco agnaticio —basado en vínculos de poder— frente al cognaticio —basado en vínculos de sangre— por lo que llama a heredar, en primer lugar, y en defecto de testamento, a las personas que se encontraban al tiempo del fallecimiento del causante bajo su potestad. En el *ius honorarium,* en cambio, el pretor, basándose en el parentesco cognaticio, llama a través de la *bonorum possessio,* en primer lugar a los parientes más cercanos al *de cuius.* Este último criterio será, a través del *ius novum,* el que se impone en la Compilación de Justiniano.

2. SUCESIÓN INTESTADA EN EL *IUS CIVILE*

I. Orden de llamamientos

El orden de llamamientos en la sucesión intestada del *ius civile* se recoge en las XII Tablas así: si alguno muere intestado —*si intestato moritur*— sin tener heredero propio —*cuius suus heres nec escit*— el agnado próximo —*agnatus proximus*— tenga la herencia —*familiam habeto*— si no existe agnado —*si adgnatus nec escit*— los gentiles tendrán la herencia —*gentiles familiam habeto*—.

La ley decenviral realiza pues tres llamamientos:

1.º) llama a los *sui heredes,* herederos de derecho propio, esto es, las personas que al tiempo del fallecimiento del causante se encontraban, directamente, sometidas a su potestad, formando parte de la denominada *familia proprio iure.*

Así, son *sui*: a) los hijos y las hijas —*filii, filiae*—[3] incluso los adoptivos; b) los demás descendientes sometidos directamente a su

---

[3]   Estos no tienen la consideración de *sui* cuando están fuera de la potestad del causante, ya sea por ejemplo, por emancipación, por adopción de un tercero, o en el caso de las hijas, por matrimonio *cum manu.*

potestad (como: los nietos o nietas, habidos de un hijo, el bisnieto o bisnieta habido de un nieto nacido de un hijo)[4]; c) la mujer en caso de matrimonio *cum manu —uxor in manu*[5]—; d) la nuera, en caso de matrimonio *cum manu,* y sólo cuando su marido no se encuentre bajo la potestad del causante al morir éste —*nurus in manu*—[6] y e) los póstumos —*postumi*— esto es, los concebidos antes del fallecimiento del causante, y que de vivir éste al tiempo del nacimiento, hubiesen estado bajo su potestad[7].

2.°) En defecto de los anteriores, la ley llama al *adgnatus proximus* —agnado próximo— o sea, al pariente colateral más próximo. Los agnados[8] eran las personas que juntamente con el *de cuius,* descendían de un ascendiente común, al que estarían sometidos si éste aún viviese. El llamamiento, por tanto en este caso, se refiere a la *familia communi iure.* Sin embargo, es importante tener presente, que la ley llama al agnado más próximo, y sólo a éste, que por tanto, excluye al más remoto[9].

3.°) A falta de todos los anteriores, la ley llama a los *gentiles,* que son los pertenecientes a una misma *gens,* formada por las familias procedentes de un antecesor común con el mismo apellido o nombre

---

4   No son *sui* los hijos de las hijas, ya que forman parte de la familia del marido; se entiende, siempre que la persona —o personas— de la que procedan haya dejado de estar bajo la potestad del ascendiente porque haya fallecido o incluso por *capitis deminutio* (caso de la emancipación), hechos que dan lugar a una *successio in locum* (= derecho de representación).

5   Ya que está en el lugar de una hija —*quia filiae loco est*—.

6   Sin embargo, y a diferencia de la anterior, ésta ocupa el lugar de los nietos. Y lo mismo hay que decir, según Gayo, de la que esté bajo la *manus* del nieto por causa de matrimonio, y que se encuentra en el lugar de la bisnieta.

7   Adviértase pues, que los vínculos de sangre no son condición necesaria —caso del adoptado o de la *uxor in manu*— ni condición suficiente —caso del emancipado— para ostentar el carácter de *suus.*

8   Tal y como nos cuenta Gayo, son agnados los que están unidos por legítimo parentesco. Legítimo parentesco es aquel que se establece por personas de sexo masculino. Así, los hermanos nacidos de un mismo padre son agnados entre sí, por lo que también se llaman consanguíneos, y no se requiere que tengan la misma madre. También, es agnado el tío paterno con el hijo del hermano y recíprocamente.

9   Además, si bien en un primer momento no se distingue entre agnados varones o hembras, a partir de la República, la jurisprudencia limita la sucesión de las mujeres a las hermanas del causante. La ley de las XII Tablas autoriza la sucesión legítima entre madre e hijos en este segundo llamamiento y siempre que la madre estuviese sometida a la *manus* del marido.

gentilicio. Gayo, los cita como un recuerdo histórico, al haber desaparecido en la época clásica la organización gentilicia, por lo que su importancia práctica es mínima.

II. División de la herencia

1.º) En cuanto a los *sui*, todos ellos son llamados a la herencia sin distinción de sexo, y rige el principio de proximidad de grado[10]. En principio, la herencia se divide por cabezas *(in capita)*, haciendo porciones o partes iguales —denominadas cada una *cuota viril*— salvo que existan *sui* de distintos grados, en cuyo caso la división se hace por estirpes *(in stirpes)*, heredando los hijos de los premuertos por derecho de representación de su padre. Por ejemplo, en el caso de que hubiese premuerto uno de los hijos, dejando descendientes bajo la potestad del abuelo (causante de la sucesión), estos reciben, por derecho de representación, la cuota que le hubiese correspondido al padre y la dividen entre ellos.

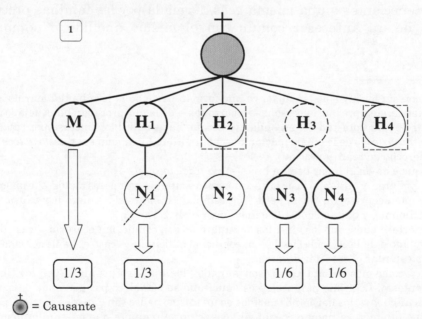

⊕ = Causante

M = Esposa *in manu;* H1 = Hijo *in potestate;* H2 = Hija casada *in manu;* H3 = Hijo *in potestante* premuerto; H4 = Hijo emancipado; N1, 2, 3, 4 = Nietos

---

[10]   O sea, el descendiente de grado ulterior, por ejemplo el nieto, sólo es llamado en el caso de que no viva el descendiente que le precede, su padre. Vid. Gráfico 1.

2.º) En relación al *adgnatus proximus*, también rige el principio de proximidad de grado.

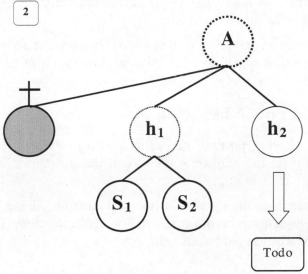

A = Ascendiente común; h1 y 2 = personas que junto con el causante proceden de un ascendiente común; S1 y 2 = Sobrinos, hijos de h1 premuerto

Si concurren varios agnados del mismo grado, la herencia se divide *in capita,* o sea por cabezas y si alguno no la quiere, o muere antes de aceptarla, su parte acrece a los demás.

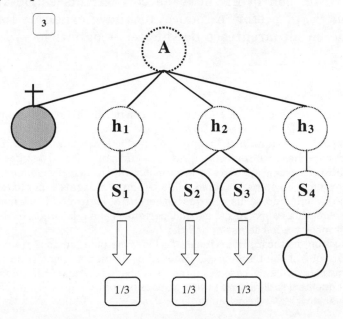

Este llamamiento al agnado próximo es único, así que si no aceptaba la herencia, no se ofrecía a los demás agnados. No existe, por lo tanto, en principio, la *successio graduum* (= derecho de representación)[11] y la herencia queda vacante.

3.°) En el caso de los *gentiles*, y en cuanto a la división de la herencia se refiere, se dice que se aplican las mismas normas que para los *sui*.

III. Adquisición de la herencia

A) Los *sui*, al ser *heredes necessarii,* «adquieren» la herencia directamente tras el fallecimiento del causante, sin tener la posibilidad de renunciar a la misma.

B) El *adgnatus proximus* y los *gentiles*, en cambio, al ser herederos voluntarios[12], adquieren la herencia por adición o «aceptación», ya que tienen la posibilidad de renunciar.

3. SUCESIÓN INTESTADA EN EL *IUS HONORARIUM*

I. Orden de llamamientos

Según Gayo, con la finalidad de corregir las estrictas normas del *ius civile*[13], el pretor introduce un nuevo orden de llamamientos, basado en el parentesco de sangre —cognaticio—. Las perso-

---

[11] Para evitar las consecuencias derivadas de dicha norma, el pretor introdujo, lo vimos en el Tema 40.2.III, la *in iure cessio hereditatis.*

[12] Hay que recordar aquí, que la mujer no podía tener personas sometidas a su potestad, no podía ser, en definitiva, *pater familias*, ni tener *sui heredes*. La herencia de la madre en caso de apertura de la sucesión intestada corresponde a los agnados y a los gentiles. Sin embargo, como relata Ulpiano, más tarde, por los emperadores Antonino y Cómmodo, se dispuso que las herencias legítimas de las madres, que no estaban sometidas al poder del marido, perteneciesen a los hijos, excluyendo a los consanguíneos y a los demás agnados.

[13] Entre las que destacan, la exclusión de los hijos emancipados frente a los hijos adoptados, que sí son llamados; la de los hijos de un peregrino si no se les somete a la patria potestad en el caso de que se les conceda la ciudadanía romana; la de los agnados que han sufrido una *capitis deminutio* y la de la mujer no sometida a la *manus.*

nas a las que llama adquieren, en su caso, la posesión sobre los bienes hereditarios —*bonorum possessio sine tabulis testamenti*— ya que no hay que olvidar que el pretor no puede nombrar herederos —*praetor heredes facere non potest*—.

El orden de llamamientos establecido es el siguiente:

1.º) Los hijos y demás descendientes del causante —*unde liberi*—[14] sin tener en cuenta si estaban o no sometidos a su potestad. En este sentido son llamados los *sui*, los hijos emancipados *sui iuris*[15] y sus descendientes —por *successio in locum*— los póstumos, e incluso los hijos dados en adopción por el *de cuius* y después emancipados[16].

2.º) Los herederos según el derecho civil —*unde legitimi*—. Sin embargo, hay que tener en cuenta que los *sui* entran dentro de la categoría anterior y que el llamamiento a los gentiles prácticamente ha desaparecido, por lo que en realidad solo se llama a los *adgnati*.

3.º) Los cognados —*unde cognati*— o sea a los demás parientes consanguíneos, en general sin distinguir entre línea masculina o femenina[17]: los descendientes, ascendientes, colaterales hasta sexto grado y en la herencia de un sobrino —hijo de un primo hermano[18]— hasta el hijo/a del otro sobrino (7.º grado).

4.º) El cónyuge supérstite —*unde vir et uxor*—. El pretor introduce dentro de sus novedades la sucesión recíproca entre cónyuges, siempre que se trate de un matrimonio *iustum,* con independencia de la *manus,* pero que se haya disuelto por el fallecimiento[19], y no antes.

---

[14] Las cláusulas del Edicto en que se prometía la *bonorum possessio* empezaban por la palabra «*unde*» de ahí que la misma se mantenga.

[15] Ya que si están sometidos, por ejemplo por adopción, a la potestad de otro, entran en el grupo de los *cognati*.

[16] No tienen la consideración de *liberi,* los hijos adoptados por el causante y después emancipados, ni la mujer o la nuera remancipada. Comentará Justiniano que menos derecho tienen los adoptivos que los naturales: porque los naturales emancipados retienen por el beneficio del pretor su condición de hijos, aunque la pierdan por derecho civil; pero los adoptivos emancipados pierden igualmente por el derecho civil su condición de hijos, y no son favorecidos por el pretor.

[17] En palabras de Paulo, la *cognatio* es el género mientras la *adgnatio* es la especie.

[18] Hoy, el término *sobrinus,* en el lenguaje vulgar, equivaldría a primo segundo, siendo el *consobrinus,* el primo-hermano.

[19] También regula el pretor la sucesión intestada de los libertos, estableciendo el siguiente orden de llamamientos: 1) a los hijos del liberto; 2) al patrono e hijos del patrono; 3) a los cogandos del liberto; 4) a los agnados del patrono; 5) al viudo o viuda

II. División y adquisición de la herencia

Las normas son iguales para cada uno de los llamamientos. Así, rige el principio de proximidad de grado: si los llamados son del mismo grado, la herencia se divide por cabezas y se adquiere por derecho propio; si son de distinto, se divide por estirpes, y en su caso, se adquiere por derecho de representación.

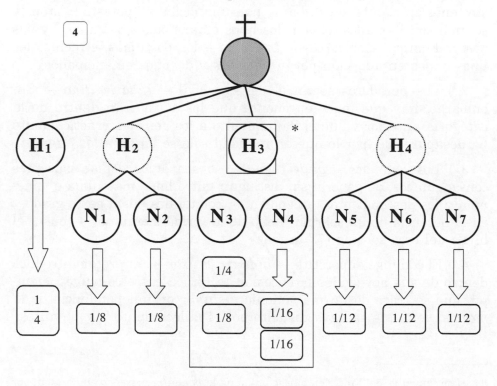

H1 = *Suus heres;* H2 = Hijo *in potestate* premuerto; H3 = Hijo emancipado; H4 = Hijo emancipado premuerto, N1,2,3,4,5,6,7 = Nietos. * Ver gráficos 5 y 6

Sin embargo, la llamada conjunta de los hijos emancipados y de los sometidos a potestad planteó una serie de problemas a tener en cuenta.

a) Por un lado, los emancipados —*sui iuris*— tenían un patrimonio independiente frente a los sometidos a la patria potestad —*alieni*

---

del liberto; 6) a los cognados del patrono. A falta de todos los anteriores, el pretor puede decretar la venta de los bienes del liberto, con la finalidad de pagar a los acreedores del mismo.

iuris—, que no podían en principio tener nada propio. Para evitar las injusticias que de ello se podían derivar, el pretor obligó a los emancipados a colacionar los bienes que hubiesen adquirido desde la emancipación y hasta el fallecimiento del causante, *collatio bonorum* o *emancipati*.

b) Por otro lado, podía darse el caso de que el hijo del *de cuius* hubiese sido emancipado, manteniéndose a los nietos bajo la potestad del abuelo (causante). El cumplimiento de la regla que establece que el grado próximo excluye al remoto hubiese conllevado el no llamamiento de los nietos. Sin embargo, y dado su situación, el pretor los llama juntamente con el padre, correspondiéndoles a todos una sola cuota de la herencia[20] que se divide por la mitad entre los dos grados. Este régimen fue introducido por Juliano a través de la *nova clausula Iuliani*.

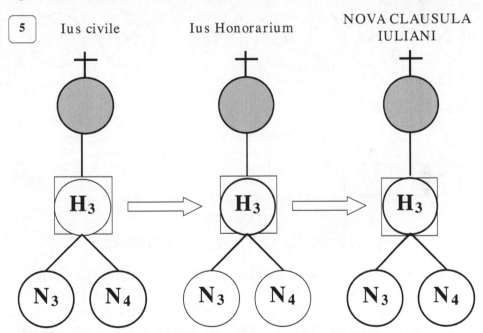

5   Ius civile   Ius Honorarium   NOVA CLAUSULA IULIANI

H3 = Hijo emancipado *(Unde liberi)*; N3 y 4 = Nietos *in potestate (Sui Heredes)* Así, según el *Ius Civile*, H3 no sería llamado a la sucesión, y según el *Ius Honorarium*, sólo se llamaría a H3, quedando N3 y 4 excluidos. Aplicando la *Nova Clausula Iuniani*, todos compartirían la misma cuota, quedando repartida de la siguiente manera:

---

20   No dos, ya que ello supondría una clara injusticia frente a los demás llamados.

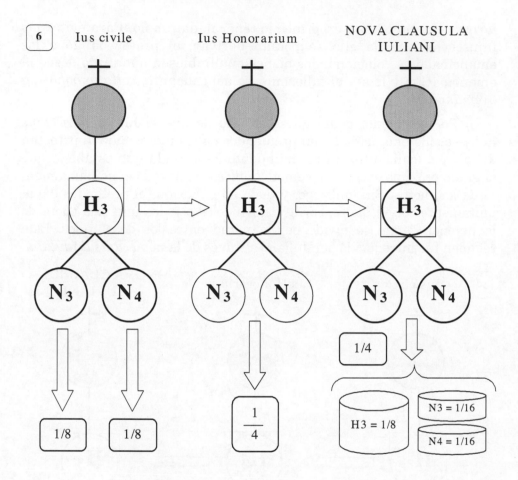

4. REFORMAS DEL *IUS NOVUM*

Con el tiempo se intenta asentar la reforma iniciada por el pretor con el fin de imponer frente al parentesco agnaticio el cognaticio o natural. Ello se realiza a través de la legislación del Senado y de los Emperadores, y en atención a casos particulares, entre los que cabe destacar:

1) El senadoconsulto Tertuliano —*sc.Tertullianum,* de la época de Adriano (a. 117-138)— que regula la sucesión de la madre en los bienes del hijo y le concede, siempre que tenga el *ius liberorum*[21], el derecho

---

[21]   Esto es, tres hijos si era una ingenua y cuatro si era una liberta. Constituciones Imperiales posteriores favorecen la sucesión de la madre, independizándola de la

a suceder a su propio hijo, con preferencia a los agnados[22] y con la posibilidad de concurrir con ella las hermanas consanguíneas del difunto, dividiendo entonces la herencia por la mitad.

2) El senadoconsulto Orficiano —*sc.Orphitianum*, de la época de Marco Aurelio (a. 178)— que regula la sucesión del hijo en la herencia de la madre y le llama con preferencia a todos los agnados e incluso a los consanguíneos, siempre que no tenga derecho el marido —*sine manu conventione*—.

A través de ambos senadoconsultos madre e hijo se convierten en sucesores según el *ius civile*, no en *bonorum possessores*.

5. REFORMAS JUSTINIANEAS: NOVELAS 118 Y 127

Con las reformas de Justiniano en las Novelas 118 —del año 543— y 127 —del año 548— se impone definitivamente el parentesco cognaticio frente al agnaticio, fundiéndose el sistema civil y el pretorio.

I. Orden de llamamientos

Se llama sucesivamente a los siguientes grupos o clases de parientes:

1.º) a los hijos y descendientes del causante, sin tener en cuenta la patria potestad, el sexo o el grado de parentesco[23];

2.º) a los ascendientes paternos y maternos del causante, a sus hermanos germanos (de padre y madre) y a los hijos de los hermanos germanos premuertos;

3.º) a los hermanos de vínculo sencillo, ya sean por parte del padre (*consanguinei*) o por parte de madre (*uterini*), y también a los hijos de los hermanos premuertos;

---

tenencia del *ius liberorum*. Así: Constantino otorga a la madre carente del *ius liberorum*, un tercio de la herencia del hijo y Valente, Valentiniano (a. 369) y más tarde Justiniano interpretan extensivamente tal disposición.

[22] Sin embargo, hay una serie de personas que tienen preferencia respecto de la madre. Estas son: los hijos del hijo fallecido que pertenezcan a la clase pretoria de los *liberi*; el padre natural del hijo; y dentro de los consanguíneos del hijo, la madre es excluida por los hermanos, no por las hermanas.

[23] Por lo tanto, pueden ser hijos legítimos, legitimados, adoptivos o naturales.

4.°) a los colaterales restantes, discutiendo la doctrina si existe o no un límite en el sexto o séptimo grado y

5.°) a falta de todos los anteriores[24], al cónyuge supérstite[25].

II. División y adquisición de la herencia

A) En cuanto a los descendientes, rige el principio de proximidad de grado. En igualdad de grado, la herencia se divide por cabezas y se adquiere por derecho propio, y en distinto, por estirpes, y en su caso, se adquiere por derecho de representación.

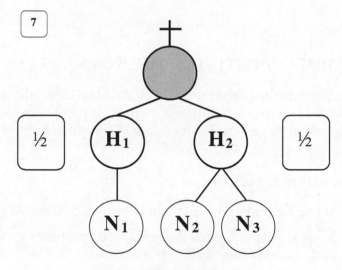

H1 y 2 = Hijos; N1,2,3 = Nietos

---

[24]   Excepcionalmente y en concurrencia con todos los anteriores se establece, a través de la Novela 53.6 (a. 537) y Novela 117.5 (a. 542) la posibilidad de que herede la «viuda pobre», si el marido gozaba de buena posición y se trataba de un matrimonio legítimo disuelto como consecuencia del fallecimiento. De este modo, si concurre con herederos que no sean los hijos del marido le corresponde una cuarta parte de la herencia; si concurre con los hijos del marido, adquiere una cuota hereditaria. Este tipo de sucesión entra dentro de una serie de supuestos denominados por la pandectística alemana «sucesión extraordinaria», y entre los que también se encuentra la *quarta divi Pii*, que se establece, a partir de la época clásica, en favor de los impúberos; y la sexta parte correspondiente a los hijos ilegítimos, propio del derecho justinianeo (Novela 89.12 del a. 539), por el que los hijos nacidos de concubinato tenían derecho, en ausencia de hijos legítimos y de la mujer, a una sexta parte del patrimonio del padre natural.

[25]   Este llamamiento no se contempla en la Novela 118 aunque se aplica la normativa de la *bonorum possessio unde vir et uxor.*

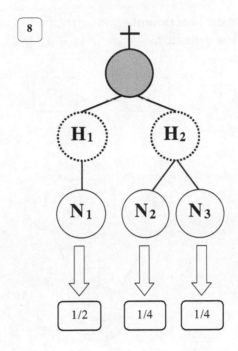

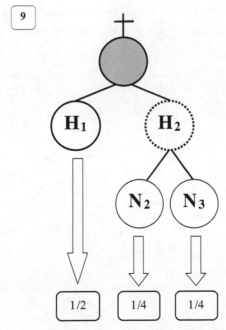

B) En el segundo llamamiento hay que diferenciar las siguientes hipótesis:

a) Si sólo concurren ascendientes, se aplican las normas señaladas para el llamamiento anterior,

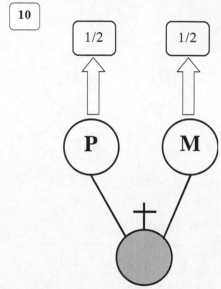

P y M = Padre y madre del causante

exceptuando el supuesto de igualdad de grado pero distinta línea, ya que aquí la herencia se divide por líneas y dentro de cada una de ellas por cabezas.

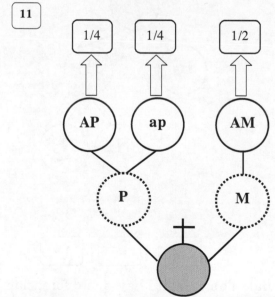

AP = Abuelo Paterno; ap = Abuela paterna; AM = Abuelo Materno

Tampoco se da el derecho de representación.

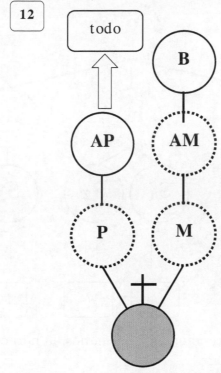

AM = Abuelo materno premuerto; B = Bisabuelo

b) Si sólo concurren hermanos, la herencia se divide por cabezas.

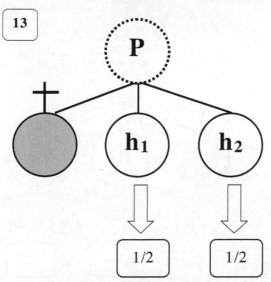

c) Si sólo concurren hijos de hermanos, se divide por estirpes.

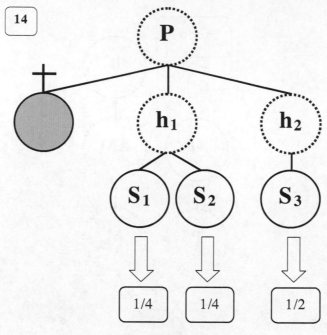

d) Si concurren ascendientes y hermanos, la herencia se divide por cabezas.

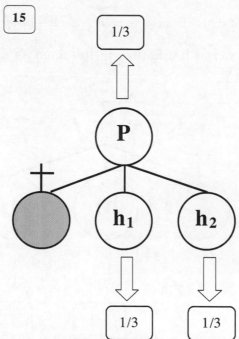

e) Y si concurren ascendientes, hermanos e hijos de hermanos premuertos, la herencia se divide por cabezas y los hijos heredan por derecho de representación.

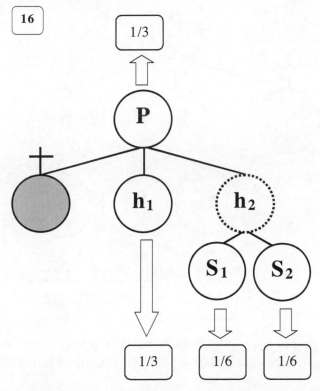

C) En el tercer llamamiento, entre los «medio-hermanos» la herencia se divide por cabezas cuando sólo concurren hermanos,

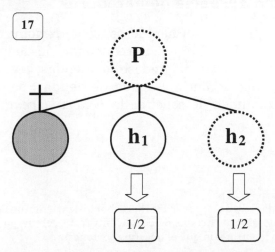

y por estirpes y derecho de representación, en caso de hijos de hermanos premuertos.

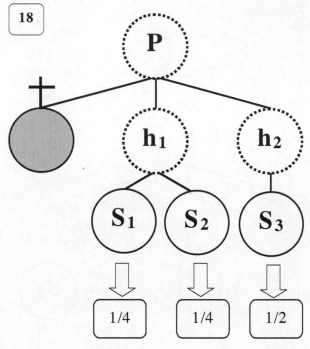

D) En cuarto lugar para la división de la herencia entre los restantes colaterales se aplican las mismas normas que en el llamamiento anterior.

III. Sucesión en ausencia de herederos

En caso de que no existan herederos, el patrimonio hereditario lo adquiere *ipso iure* el Estado[26], siempre a condición de que no se trate de una *hereditas damnosa,* pagándose las deudas, legados fideicomisos etc... Y ante una herencia cargada de deudas, se concedía a los acreedores la posibilidad de solicitar la *bonorum venditio.*

---

[26] Hay determinados entes que ya desde el derecho clásico tienen un derecho preferente respecto de la sucesión del Estado. Estos son, entre otros, el cuerpo militar, la iglesia, el monasterio o la curia a la que el *de cuius* pertenecía.

Tema 45

La sucesión forzosa o contra testamento

1. IDEAS GENERALES

Admitida la posibilidad de que una persona establezca por testamento el destino de su patrimonio para después de su muerte, surge el problema de la protección de aquellas otras —descendientes, por ejemplo— que deberían, de forma natural, adquirir dichos bienes. Como vimos, en su momento, la delación u ofrecimiento de la herencia a determinadas personas por la ley, no sólo se hace en los supuestos en que no existe testamento, o el que existe no es válido, sino también cuando, aun siendo válido, olvida a determinadas personas. En este sentido, el derecho, establecía límites a la absoluta libertad de testar del causante[1] y da preferencia a determinadas personas —los parientes más próximos— en contra, a veces, de la voluntad del propio *de cuius*.

En estos casos es cuando la doctrina habla de sucesión forzosa, legítima o contra testamento[2]: a) forzosa, por darse, necesariamente, por existir ciertos parientes próximos: b) legítima, por establecerse por la propia ley y c) contra testamento, por prevalecer sobre éste.

La doctrina, en su estudio suele distinguir dos épocas:

1.ª) Sucesión legítima formal, en la que el derecho impone una serie de limitaciones en el testamento que afectan, como su nombre advierte, exclusivamente, a la forma del mismo. Así, se establece el principio de que los *sui heredes* se deben instituir o desheredar en el testamento, pero no pueden ser olvidados o preteridos[3].

---

[1] Límites que también existen, como hemos visto: en la facultad de legar y de hacer manumisiones testamentarias.

[2] Calificada por la pandectística de «sucesión necesaria».

[3] Piénsese que institución y desheredación no son más que las dos caras de una misma moneda.

2.ª) Sucesión legítima real, que de nuevo supone una reacción ante la libertad de testar del causante, esta vez, no en relación a la forma del testamento, sino al contenido del mismo. El derecho exige que el testador deje en el testamento a determinadas personas una parte concreta de la herencia —hoy denominada «legítima»—, sin precisar el título[4] por el que ésta deba dejarse.

2. LÍMITES FORMALES: DESHEREDACIÓN Y PRETERICIÓN

Distinguiremos entre los límites establecidos por el derecho civil —*iure civile*— y por el derecho pretorio —*iure praetorio*—, procurando, a su vez, precisar el fundamento de unos y otros.

I. *Iure civile*

A) El viejo *ius civile*, según recuerdan Gayo y Ulpiano, nos dice que los herederos por derecho propio han de ser instituidos o desheredados —*sui heredes aut instituendi sunt aut exheredandi*— Lo que en definitiva supone que el testador debe tener en cuenta en el testamento, si los tiene, a este tipo de herederos, esto es, a los descendientes que estaban directamente sometidos a su potestad al tiempo del fallecimiento[5], ya sea para instituirlos herederos —sin que sea necesario lo haga en una cuota concreta— o para desheredarlos —sin necesidad, en este caso, de que señale la causa de ello—. Habiendo ya tratado de la institución, *heredis institutio*, lo haremos, ahora, de la desheredación y de la preterición, o sea el olvido de los mentados herederos.

B) Según la doctrina, la desheredación —*exheredatio*— surge para posibilitar la institución de *heredes extranei* cuando existen *heredes sui,* y se considera como la *condicio iuris* de una válida institución de aquellos. En cuanto a la forma en que debía llevarse a cabo, se establecen una serie de requisitos, a saber: 1.º) utilizar *verba sollemnia*[6]; 2.º)

---

4   Así podía ser tanto a título de heredero, como de legatario o de fideicomisario.
5   Que son, entre otros, los hijos e hijas del causante, los demás descendientes sometidos a su potestad, y los *postumi sui,* esto es, los hijos nacidos tras el fallecimiento del mismo.
6   Así, por ejemplo: Ticio, mi hijo, sea desheredado (*Titius filius meus exheres esto*) o incluso así: Mi hijo sea desheredado (*Filius meus exheres esto*), si no hay otro.

realizarla en el testamento —no en codicilo[7]—; 3.º) que fuese total, por lo que no valía la *exheredatio ex re certa;* 4.º) en principio pura, esto es, no sometida a condiciones o términos y 5.º) que la de los hijos varones —incluso los póstumos[8] y los adoptivos no emancipados— se hiciera nominalmente —*nominatim*[9]— mientras que la de los restantes *sui,* bastaba hacerse en forma impersonal y en conjunto —*exheredatio inter ceteros*[10]—.

C) La preterición —*praeteritio* = omitir, dejar de lado, pasar por alto, silenciar— se producía cuando un determinado *suus* no había sido instituido ni desheredado en el testamento, esto es, cuando había sido olvidado. Sin embargo, para determinar los efectos producidos, hay que distinguir según quién hubiese sido preterido:

a) si el preterido era un hijo varón —o *suus* de primer grado— ello suponía la nulidad del testamento[11] y la subsiguiente apertura de la sucesión intestada, incluso cuando se trataba de un hijo póstumo[12];

b) si eran los restantes *sui*[13], este olvido no afectaba a la validez del testamento, y los preteridos debían concurrir con los demás instituidos en el reparto de la herencia[14].

En estos casos, el reparto de la herencia se realizaba de distinta forma, según quienes fueran los instituidos: a') si los instituidos eran

---

[7] Por tanto, seguía la suerte del testamento. Por ello, si éste no fuese válido, tampoco valía la desheredación, y el *suus* podía llegar a heredar si se abría la sucesión intestada.

[8] En palabras de Gayo, de este modo: Cualquier hijo mío que naciere sea desheredado —*Quicumque mihi filius genitus fuerit exheres esto*—.

[9] En un primer momento tras la institución de heredero, y más tarde, incluso podía hacerse antes, o sea, al principio del testamento.

[10] O sea, la de las hijas, nietos/as y demás descendientes. Sin embargo, tal y como matiza Gayo, a las hembras se las solía desheredar *inter ceteros,* pero entonces era necesario que se les legase alguna cosa para que no pareciese que habían sido preteridas por olvido.

[11] El testamento se consideraba entonces *iniustum.*

[12] La jurisprudencia romana disiente a la hora de determinar la validez del testamento en el supuesto de que el hijo hubiese fallecido antes que el padre. Para los proculeyanos, el testamento era válido, dado que tomaban como referencia el momento de la apertura de la sucesión; en cambio para los sabinianos, el testamento era nulo, ya que tomaban como referencia el momento de la confección del testamento. Esta última fue la opinión acogida por Justiniano. En el caso de un póstumo, el testamento se califica de *ruptum* o *irritum.*

[13] Tanto hembras como varones de segundo o posterior grado.

[14] Piénsese que esta última hipótesis suponía, en la práctica, una excepción al principio de que nadie puede morir en parte testado y en parte intestado (*nemo pro parte testatus, pro parte intestatus decedere potest*).

también *sui*, cada uno de los preteridos obtenía la cuota viril —*pars virilis*[15]—; b') si por contra eran *extranei*, se dividía la herencia en dos partes, una para los *extranei* y la otra para los preteridos y esta segunda mitad les venía atribuida conjuntamente[16].

En ambos casos, todos respondían de las cargas de la herencia en proporción a sus cuotas.

II. *Iure praetorio*

A) El pretor, siguiendo las directrices del *ius civile*, también considera que hay determinadas personas a las que el testador no puede olvidar en el testamento y a las que concede, en su caso, la *bonorum possessio contra tabulas testamenti* que tendrá el carácter de *cum re*. Estas personas son los *liberi*. En su línea de actuación, defensa de los vínculos de sangre, cognaticios, el pretor no distingue entre los sometidos a la potestad del causante y los emancipados, afirmando que no puede preterirse a los *liberi*, sin más. Esto es que: deben ser instituidos o desheredados (*liberi aut instituendi sunt aut exheredandi*)[17].

B) En cuanto a la desheredación —*exheredatio*—, el pretor establece una serie de novedades respecto del derecho civil. Así, la desheredación de todo tipo de varones debía realizarse nominalmente, cualquiera que fuese su grado, y sólo la de las hembras podía realizarse de forma conjunta[18]. En ambos casos, no cabía someterla a cualquier tipo de condición.

C) En caso de preterición —*praeteritio*—, el pretor podía conceder al preterido la *bonorum possessio contra tabulas testamenti*. Estaban legitimados activamente para solicitarla: 1) los *liberi* preteridos, siem-

---

[15]   Esto es, la cuota que les hubiese correspondido si se hubiese abierto la sucesión intestada concurriendo con los demás designados.

[16]   Así por ejemplo, si el testador había instituido a sus dos hijos varones y había preterido a la hija, ésta concurría con los anteriores, correspondiéndoles a cada uno de ellos 1/3 parte de la herencia; si en cambio, los dos instituidos hubiesen sido herederos extraños o voluntarios, la herencia se hubiese dividido por la mitad correspondiendo pues a la hija preterida la mitad de la misma.

[17]   Tanto en el caso de los *sui* —del derecho civil— como en el de los *liberi* —derecho pretorio— nos referimos al primer llamamiento de la sucesión intestada.

[18]   Piénsese que la mujer o hija preterida conseguía más solicitando la posesión de los bienes que la herencia civil, ya que en este último caso sólo podía acceder a la mitad del patrimonio.

pre que viviesen al tiempo del fallecimiento del testador y 2) los *liberi* instituidos en el testamento, cuando la institución no dejase a salvo la porción que les correspondía en una sucesión intestada[19].

La solicitud podía realizarse incluso antes de que el instituido hubiese aceptado la herencia, pero no después de un año a contar desde que se produjo la delación. Finalizado el año, los instituidos podía solicitar la *bonorum possessio secundum tabulas testamenti*.

La concesión de la *bonorum possessio contra tabulas testamenti* no anulaba el testamento, siendo válidas las desheredaciones, las sustituciones pupilares, los nombramientos de tutor, algunos legados[20] y las manumisiones. En otras palabras, el testamento es ineficaz, en lo que perjudique la cuota intestada de los *liberi* y cabe matizar que si bien no se anula si se pueden evitar sus efectos.

3. LÍMITES REALES: TESTAMENTO INOFICIOSO Y LEGÍTIMA

A finales de la República, en el tribunal de los centunviros —*centumviri* = 100 varones[21]— surge la idea de que, no solo es necesario nombrar a determinadas personas en el testamento, sino que además, en el caso de que hayan sido instituidas, hay que darles una cierta cantidad de bienes, una concreta cuota de la herencia. De este modo se dice que falta al deber de afecto —*officium pietatis*— y que por ello debe entenderse que no estaba en su sano juicio —*color* (= excusa, pretexto, razón aparente) *insaniae* (= locura, furor)—: a) quien olvida; b) deshereda sin causa o c) instituye en escasa porción a un allegado[22]. El testamento en esos casos

---

[19] En el primer caso la doctrina habla de *bonorum possessio* originaria, mientras que en el segundo de *bonorum possessio* derivada. Los juristas romanos señalan que en este último caso existe una *contra tabulas bonorum possessionis petitio commisso per alium edicto*.

[20] Así los realizados en favor de ascendientes o descendientes y los de dote, si los hubiese en favor de la mujer o nuera del causante. Tras un edicto especial —*de legatis praestandis contra tabulas bonorum possessione petita*— se estableció que corría a cargo de los *bonorum possessores*, en proporción a sus cuotas, el pago de legados que dejó el testador a ascendientes y descendientes, y a la mujer o nuera a título de dote.

[21] Por lo tanto ajena, en principio, a cualquier regulación normativa.

[22] Tal y como se relata en las Instituciones de Justiniano, como las más de las veces los ascendientes o desheredan u omiten sin causa a sus hijos, se ha introducido que

se califica de inoficioso, *inofficiosum*, otorgando a la persona perjudicada la posibilidad de impugnarlo a través de la *querela inofficiosi testamenti*[23], consiguiendo si prospera, la nulidad del mismo —por falta de *testamenti factio activa*— y la apertura de la sucesión intestada[24].

I. La *Querela inofficiosi testamenti*

A) Según la doctrina puede definirse como la acción por la que algún pariente cercano del testador, creyéndose injustamente desheredado o preterido en el testamento, solicita la declaración de invalidez del mismo, con la finalidad de que se abra la sucesión intestada.

B) Legitimada activamente está la persona a quien se olvida, deshereda sin causa, o instituye en escasa porción[25], siguiendo el orden que marca la sucesión intestada en cuanto a quién es competente para solicitarla en primer lugar[26]. La *querela* se dirige contra el instituido en el testamento.

---

puedan ejercitar la acción de inoficioso testamento los hijos que se querellan de que injustamente han sido o desheredados o preteridos, so color —pretexto— de que, cuando hicieron el testamento, no se hallaban en su sano juicio. Más dícese con esto, no que verdaderamente estuviese loco, sino que a la verdad había hecho testamento legalmente, pero no conforme a los deberes de la piedad; porque si realmente estuviera loco, el testamento es nulo.

[23] O incluso con el ejercicio de la *hereditatis petitio*.

[24] También el pretor en esta época instaura una sucesión legítima real en relación a la herencia del liberto. Así, si el liberto no tiene hijos o si teniéndolos los ha desheredado, debe necesariamente dejar al patrono la mitad de sus bienes. Y por razón de esa mitad, se le confiere al patrono la *bonorum possessio contra tabulas testamenti* (denominada también *bonorum possessio dimidiae partis*), incluso en el caso de que los herederos instituidos en el testamento hayan renunciado al mismo, o cuando el liberto, no habiendo testado, tuviese un hijo adoptivo. Con la finalidad de evitar que esta promesa edictal no se llegase a cumplir —por ejemplo cuando el liberto disminuía dolosamente su patrimonio—, el pretor introdujo las dos siguientes acciones arbitrarias: a) *actio Fabiana,* en el caso de que existiese testamento; b) la *actio Calvisiana,* en los demás supuestos. Con ellas se podían revocar las donaciones o enajenaciones realizadas en fraude del derecho del patrón.

[25] Por lo tanto no importaba el título por el cual se otorgaban los bienes a dicha persona —ya fuese como heredero, legatario, fideicomisario o incluso como donatario—, ya que lo principal era que no se llegase a la cuota legitimaria computando el valor de todos ellos.

[26] Tanto herederos según el derecho civil —*officium pietatis erga parentes*— como según el derecho pretorio —*officium pietatis erga liberos*—. O sea, los descendientes, ascendientes, los hermanos/as germanos (de padre y madre) y los consanguíneos del *de cuius* (sólo de padre). Si el llamado en primer lugar en la sucesión intestada no

C) Su plazo de ejercicio es de cinco años desde la aceptación de la herencia. En el periodo imperial, se cuentan desde la apertura del testamento o desde que se conoce que el testamento es inoficioso.

D) La cuota legitimaría —*pars legitima* o *portio debita*— se fijó en el siglo III en una cuarta parte de lo que hubiese correspondido por sucesión intestada, y se calculaba restando del activo las deudas y gastos del funeral. Así, se configura el moderno concepto de legítima como porción de los bienes que el testador no puede disponer por haberlos reservado la ley en favor de ciertos herederos, llamados por ello, forzosos.

E) Sus efectos son los siguientes: a) si el actor vence en juicio —demuestra que el testamento era inoficioso— se declara la nulidad total —a veces parcial— del testamento, con efectos retroactivos, y se abre la sucesión intestada[27]; b) si por contra pierde —no se declara la inoficiosidad del testamento—, pierde todas las liberalidades que le fueron otorgadas en el testamento, que van a parar al Fisco.

II. La *Actio ad supplendam legitimam*

Esta acción fue creada en época de los emperadores Constantino y Juliano, y por ella el heredero legitimario reclama de los instituidos el complemento necesario para obtener su cuota legitimaria. Con ella se evita, pues, el ejercicio de la *querela,* y también la posibilidad de que se declare la nulidad del testamento en aquellos casos en que parecía que lo que realmente había ocurrido era un error por parte del *de cuius* en el cálculo de la legítima, habiendo señalado éste, expresamente, que quería asignarla con el arbitrio de un hombre justo —*boni viri arbitratu*—. Justiniano, en una constitución del a. 528, considera que dicho error debía entenderse que existía siempre, salvo en los casos en que el testador no hubiese dejado nada al legitimario.

---

quiere ejercerla, compete su ejercicio al llamado en segundo lugar, y así sucesivamente. Es útil tener en cuenta que la *querela* no puede transmitirse a los herederos del querellante a excepción de dos supuestos: que éste haya preparado el pleito o que los herederos sean hijos.

[27] Si se declaraba, se producía la apertura de la sucesión intestada, por lo que el actor obtenía una porción superior. Sin embargo, esto depende de contra quien se entable la acción. Así, si se entablaba contra alguno de los legitimarios y prosperaba, lo normal era que se decretase la nulidad parcial del testamento respecto de dicha porción, y que recibiese el demandante lo que le hubiese correspondido en la sucesión intestada.

III. Las *Querelae inofficiosae donationis* e *inofficiosae dotis*

El problema que planteó la porción legítima es que al calcularse sobre la base del patrimonio del testador al tiempo de su fallecimiento, era fácil burlar dicha cuota, realizando en vida una serie de donaciones o incluso constituyendo dotes. Sin embargo, a partir de Alejandro Severo, y para evitar esas situaciones, se concede al legitimario estas otras dos *querelae,* con la finalidad de anular la donación o la constitución de dote, previas al fallecimiento, y que perjudican su derecho.

4. REFORMAS JUSTINIANEAS: LA NOVELA 115

En el derecho justinianeo, se promulgan una serie de constituciones que tienden a regular esta materia durante los años 528 a 531 y es fundamentalmente a través de la Novela 115 (a.542) cuando se cierra la evolución de la sucesión contra testamento, y aunque en ella no se señale, parece ser que se elimina el dualismo en la sucesión.

El contenido de las reformas de esta época puede resumirse en los siguientes puntos: a) Respecto de la preterición y desheredación, se prohíbe que los ascendientes pretieran o deshereden a sus descendientes, y viceversa, salvo que el testador invoque alguna de las causas que señala el legislador. Las causas de desheredación resultan, pues, tipificadas, y son de alusión necesaria; b) respecto a la cuota legítima —*portio legitima*— ésta debe dejarse siempre a título de herencia y asciende —ya en la Novela 18.1—[28] a un tercio de la cuota que por sucesión intestada debiera corresponder al interesado, cuando los herederos no son más de cuatro, y a la mitad, si el número es mayor; c) respecto a la *querela*, en el caso de que los descendientes o ascendientes hayan sido preteridos o desheredados sin justa causa —causa legal— estos pueden ejercer dicha acción encaminada a anular el testamento y a provocar la apertura de la sucesión intestada, manteniendo, eso sí, los legados, las manumisiones y los nombramientos de tutores. Hay catorce justas causas de desheredación para los descendientes[29] y ocho para los ascendientes[30]

---

[28]   Del año 536. La fecha de dicha constitución se sitúa, pues, entre la promulgación del Código *repetitae praelectionis* y la Novela 115.

[29]   Entre las que se encuentran, el atentado a la injuria contra el testador.

y la declaración de nulidad del testamento beneficia a todos los que hubiesen sido perjudicados, incluso los que no hubiesen ejercitado la mencionada acción[31].

---

[30] Aparte se recogen otras causas como la *exheredatio bona mente* o *non notae causa,* esto es, la desheredación por parte del testador de un legitimario *furiosus,* cuando al no confiar en el curador, optaba por desheredar al demente nombrando a la vez un heredero a quien encargaba, vía fideicomiso, la conservación de la cuota legitimaria, y su entrega en caso de curación del enfermo.

[31] En cuanto a la herencia del liberto, éste sólo tiene la obligación de dejar al patrono un tercio de su patrimonio, cuando sea superior a cien áureos, y además no tenga *liberi.*

www.tirantonline.com

Información jurídica en internet

Doctrina

Formularios

Jurisprudencia

Legislación

Bibliografía

¡Solicite hoy mismo su alta!

Para solicitar su alta, dispone de:

teléfono de atención al cliente: 96 369 17 28

un número de fax: 96 369 41 51

una dirección de correo electrónico:

atencionalcliente@tirantonline.com

o directamente en www.tirantonline.com